Baedeker

Allianz ⑪ Reiseführer

Deutschland

www.baedeker.com

Verlag Karl Baedeker

TOP-REISEZIELE ✶ ✶

Wer die Wahl hat, hat bekanntlich die Qual. Bei der Auswahl an Ferienzielen, die Deutschland zu bieten hat, keine bloße Redewendung. Deshalb hier Deutschlands Highlights von Baedeker.

1 ✷✷ Rügen
Kilometerlange weiße Sandstrände, leuchtende Kreidefelsen, attraktive Badeorte und geschichtsträchtige Stätten, das alles findet sich auf der größten Insel Deutschlands. ▶ **Seite 931**

2 ✷✷ Lübeck
Schlendern Sie durchs mächtige Holstentor in die denkmalgeschützte Altstadt, vorbei am eindrucksvollen Rathaus zum Buddenbrookhaus. ▶ **Seite 699**

3 ✷✷ Hamburg
Hafen, Speicherstadt und Reeperbahn verleihen der Stadt kosmopolitisches Flair. ▶ **Seite 528**

4 ✷✷ Mecklenburgische Seenplatte
In den rund tausend Seen des mecklenburgischen Binnenlandes können Sie wasserwandern, baden oder Boot fahren. ▶ **Seite 748**

5 ✷✷ Berlin
Wer deutsche Geschichte hautnah spüren möchte, der sollte in die Hauptstadt reisen. ▶ **Seite 233**

Berlin
Neuer Glanz auf alten Plätzen: Das Sony Center am Potsdamer Platz ist ein architektonisches Erlebnis.

Rügen
Deutschlands größte Insel ist berühmt für ihre Kreidefelsen.

6 ✷✷ Potsdam
Hier haben sich die preußischen Könige baugeschichtlich verewigt, vor allem freilich mit Schloss Sanssouci. ▶ **Seite 876**

7 ✷✷ Hildesheim
Als einzigartige Zeugen frühromanischer Kunst wurden Dom und Michaeliskirche in Hildesheim von der UNESCO zum Weltkulturerbe erklärt. ▶ **Seite 585**

8 ✷✷ Harz
In dem waldreichen Mittelgebirge stoßen Sie überall auf Sagen, Mythen und Märchen sowie auf Harzer Brauchtum. ▶ **Seite 557**

9 ✷✷ Görlitz
Die östlichste Stadt Deutschlands hat den Krieg fast unbeschadet überstanden. Zahlreiche Bauten aus Mittelalter und Renaissance zeugen davon. ▶ **Seite 498**

10 ✷✷ Weimar
Goethe, Schiller, Herder, Wieland: Reihen Sie sich ein in die Liste der namhaften Gäste der »Stadt der deutschen Klassik«. ▶ **Seite 1110**

Das Erzgebirge
ist Deutschlands Weihnachtsland.

Die »Bächle« in Freiburg
versprechen Linderung bei »heiß« gelaufenen Füßen.

Im Allgäu
*lässt sich die Natur am besten zu Fuß
oder mit dem Fahrrad erkunden.*

Im Berchtesgadener Land
*duckt sich alles unter dem majestätischen
Watzmann.*

DIE BESTEN BAEDEKER-TIPPS

Aus allen Baedeker-Tipps in diesem Buch haben wir die interessantesten für Sie zusammengestellt. Erleben und genießen Sie Deutschland von seiner schönsten Seite!

◼ Lindenau-Museum

Die Sammlung frühitalienischer Malerei im Altenburger Schloss zählt zum Feinsten, was es auf diesem Gebiet in Deutschland zu sehen gibt.
► Seite 167

◼ Unbedingt probieren!

Auch wer nicht so gerne Bier mag, sollte sich das würzige Rauchbier aus Bamberg nicht entgehen lassen.
► Seite 209

◼ Sport extrem

Brettern Sie mit 120 Sachen im Viererbob den Eiskanal am Königssee bei Berchtesgaden hinunter! ► Seite 232

◼ Tierisch gut!

Spazieren Sie mit den Löwen durch den Eberswalder Zoo. ► Seite 268

◼ Steinzeit für Kinder

Im Pfahlbaumuseum Unteruhldingen wird Steinzeit lebendig. ► Seite 287

◼ Radfans ...

... sollten den Donauradweg nicht versäumen. ► Seite 366

◼ Dampflok bei Dresden

Nicht jeder Dackel hat vier kurze Beine. Der »Lößnitzdackel« z. B. hat Räder statt Beinen, schnauft allerdings ähnlich wie ein Dackel beim Treppensteigen.
► Seite 395

◼ Grand Prix aus dem Mittelalter

Wer ist der beste Sänger im Land? Beim Sängerstreit auf der Wartburg wird er oder sie ermittelt. ► Seite 414

◼ Passagierdampfschiff

Wollen Sie demnächst heiraten? Wie wär's auf dem letzten seegehenden Passagierdampfschiff Deutschlands in Flensburg? ► Seite 449

◼ Kinder-Akademie Fulda

Anfassen und Ausprobieren ist in dem Erlebnismuseum ausdrücklich erlaubt.
► Seite 478

◼ Schiff ahoi!

Am Willkommhöft bei Hamburg-Wedel werden vorbeifahrende Schiffe mit ihrer Nationalhymne und -flagge gegrüßt.
► Seite 543

Bau- und Braukunst
sind in Bamberg zu Hause. Unbedingt ein Rauchbier probieren!

»Dr Bach na«
geht es bei der Fasnet in Schramberg.

Skaten bis die Rollen rauchen …

Eine Moselreise
wird begleitet von Wein, Wasser und hübschen Weilern.
► Seite 21

Dresden
*Kleinodien von ungalublicher Ver-
spieltheit hat August der Strake im
Grünen Gewölbe gesammelt.*
▸ **Seite 131**

REISEZIELE
VON A bis Z

TOUREN

Bodensee
Das Dampfschiff
»Hohentwiel« lädt zur
Nostalgiefahrt ein.
► **Seite 278**

Preiskategorien
► **Hotels**
Luxus: ab 150 €
Komfortabel: ab 80 €
Günstig: unter 80 €
Für eine Übernachtung

► **Restaurants**
Fein & Teuer: ab 25 €
Erschwinglich: ab 15 €
Preiswert: unter 15 €
Für ein Hauptgericht

Hamburg
Kaffee trinken mit Blick auf das Rathaus in den Alsterarkaden
▶ **Seite 528**

Fasnet oder Karneval?
*Einerlei. Auch das angeblich
so nüchterne Deutschland
kennt tolles Treiben.*
▶ **Seite 929**

Neubrandenburg
*Die charakteristischen Wiekhäuser
sind direkt in die Stadtmauer
eingebaut.*
▶ **Seite 818**

Stuttgart
*Eine der bedeutendsten Kunstsamm-
lungen Deutschlands verbirgt sich
hinter den postmodernen Mauern der
Stuttgarter Staatsgalerie.*
▶ **Seite 1044**

Hintergrund

KÖLNER DOM UND DRESDNER
ZWINGER, GOETHE, EINSTEIN
UND KARL BAEDEKER, REFOR-
MATION UND REICHSTAGS-
BRAND – EIN KULTURHISTO-
RISCHER GRUNDKURS ÜBER
DEUTSCHLAND

EIN AS IM ÄRMEL

Das beliebteste Urlaubsland der Deutschen ist nicht Spanien oder Italien. Sondern ein Ziel, das nicht mit Palmenstränden punktet und ewig blauem Himmel, dafür aber mit Historie, mit spannenden Städten, klaren Seen, schroffen Bergen, urwüchsigen Festen und eigenwilligen Menschen, mit weltberühmten Kunst- und Kulturevents, Bauwerken, Burgen, Schlössern und Denkmälern. Also, ein klarer Fall – das beliebteste Urlaubsland der Deutschen heißt, mit einem Marktanteil von mehr als 30% an allen Reisen: Deutschland.

Keine Frage, die jüngsten Zahlen der »Deutschen Zentrale für Tourismus« belegen es: Deutschland boomt, sei es im In- oder Ausland. Mehr als 45 Mio. Übernachtungen von über 20 Mio. Gästen aus dem Ausland sind Grund zur Freude, und der Zuwachs läuft unabhängig von **Großereignissen** wie der FIFA Fußballweltmeisterschaft 2006, der »documenta 12« 2007 in Kassel oder dem 200. Jubiläum des Oktoberfests in München 2010.

Natürliche Vielfalt

Deutschland hat tatsächlich ein As im Ärmel: seine Vielfalt. Sonnenverwöhnte Urlauber etwa aus den Vereinigten Arabischen Emiraten spotten, in Deutschland könne man tatsächlich alle vier Jahreszeiten an einem einzigen Tag im April erleben. Wenn es nur die Jahreszeiten wären!

An die Ostsee *nach Rostock lockt jedes Jahr der Windjammertreff Hanse Sail.*

Genauer betrachtet hat jeder Gast die Qual der Wahl, kann z.B. aus mehr als **150 »Ferienstraßen«** diejenige auslesen, die ihm am interessantesten erscheint. Lieber auf der Käsestraße durch Schleswig-Holstein fahren, die Niedersächsische Milchstraße entdecken oder die Badische Spargelstraße für einen Schlemmerzug nutzen?

Und: Welche Landschaft darf's überhaupt sein? Im Norden zwei Meere, die Nordsee mit mondänen Urlaubsinseln wie Sylt, Familienparadiesen wie St. Peter Ording, die Ostsee mit der bezaubernden Insel Rügen. In der Mitte verwunschene Mittelgebirgsregionen wie Harz, Sauerland, Taunus, Hunsrück; kristallklare Seen in Brandenburg und Mecklenburg-Vorpommern. Oder große Flusslandschaften – die Rheintäler mit schiefergedeckten Häusern und wuchtigen Burgen, die Elbe mit kühn emporragenden Felsen, die Mosel mit reben-

Land der Baudenkmäler...
*Die Stadttore von Neubrandenburg sind Meisterwerke
der Backsteingotik.*

... und Feste
*München leuchtet zum Oktoberfest,
dem größten Volksfest der Welt.*

Landschaftliche Vielfalt
*Freilich »punktet« in Deutschland auch die Natur:
z. B. in der Sächsischen Schweiz.*

Urlaub aktiv
*Es gibt wohl kaum eine Sportart, die man in
Deutschland nicht machen kann. Ob Wintersport
in den Bergen wie hier in Thüringen oder Surfen
im Meer, alles ist möglich.*

Folklore
*gehört auch dazu – ob Shantys an der Waterkant
oder Blasmusi in Oberbayern.*

Genial oder schief und krumm?
*Auch wer moderne Architektur bevorzugt, hat einiges
zu schauen, z. B. am Gruner+Jahr-Haus in Hamburg.*

bewachsenen Steilhängen und den wild mäandernden Moselschleifen. Dann wieder die sanften Hügel Frankens, bald darauf die Steilkanten der Schwäbischen Alb, des Schwarzwalds und die endlos scheinenden Wälder des Bayerischen Waldes, sowie der klimatisch begünstigte Bodensee. Und gewissermaßen als Krönung einer Nord-Süd-Reise im Zeitraffertempo: die Alpen mit dem höchsten Berg Deutschlands, der Zugspitze. Alles hautnah zu erleben – bei einer Wanderung, einer Radtour, einem Spaziergang.

Reiche Kultur

So außerordentlich vielfältig wie die Landschaften sind auch **Historie und Tradition** jeder Region. Mit 30 UNESCO-Welt-Kultur- und -Naturerbestätten hat das Land in der Mitte Europas überdurchschnittlich viel zu bieten. Allenthalben gibt es berühmte Bau- und Kulturdenkmäler zu entdecken, kulinarische Besonderheiten kennen zu lernen. Städte wie Hamburg, Berlin, München, Köln, Stuttgart legen Zeugnis ab von bewegter Vergangenheit und lassen den Besucher eintauchen in das aufregende urbane Leben von heute.

So kann man mittlerweile mehr als 5000 Kunst- und Ausstellungshäuser in Deutschland besuchen. Zu den architektonisch reizvollsten zählen die Galerie der Gegenwart/ Hamburger Kunsthalle, die Museen Schloss Moyland und Kurhaus Kleve, die Kestner-Gesellschaft in Hannover, die Bremer Kunsthalle, das Frankfurter Städel, das Felix-Nussbaum-Haus sowie die Alte und Neue Pinakothek in München.

Tradition
Samstag ist in deutschen Städten Markttag, besonders schön ist er z. B. in Freiburg.

Deutschland besitzt auch ein einzigartiges klassisches **musikalisches Erbe:** Johann Sebastian Bach, Ludwig van Beethoven, Robert Schumann, Felix Mendelssohn-Bartholdy, Johannes Brahms oder Richard Wagner sind nur einige der ganz großen, weltweit gespielten deutschen Komponisten. Auch die moderne Musikszene sorgt mit zahllosen Jazzclubs, Musicaltheatern und Pop-Rock-Events für eine lebendige Musikkultur. Ob Blue Notes, das große Jazzfestival in Frankfurt oder JazzNights Baden-Baden, ob Ludwig 2 in Füssen oder Die Drei Musketiere in Berlin, ob Opernfestspiele München oder Ringfest in Köln mit allen Größen aus Pop, Reggae, Rock oder HipHop – die Veranstaltungskalender der deutschen Städte und Gemeinden halten jeden Urlauber auf Trab, auch wenn – wohl der einzige Makel am Urlaubsland Deutschland – mal das Wetter nicht mitmacht.

Fakten

Wie alt sind eigentlich die Alpen? Wo wächst der deutsche Charakterbaum?
Und worauf gründet der Ruf Deutschlands als Wirtschaftsnation? Hier finden
Sie Antworten auf diese und andere Fragen aus Geografie, Geschichte und
Gesellschaft Deutschlands.

Natur

Obwohl Deutschland im Vergleich mit anderen Staaten eher klein ist, zeigt es eine überraschende landschaftliche Vielfalt. Weite Ebenen und hohe Gebirge, Beckenlandschaften und Senken, Hügelzonen und Seenplatten wechseln sich ab.

Landschaftliche Vielfalt

Norddeutsches Tiefland

Das Norddeutsche Tiefland erstreckt sich zwischen Nord- und Ostsee und der ca. 170–250 km weiter südlich ansteigenden Mittelgebirgsschwelle. Sein Aussehen erhielt dieser Raum während des Eiszeitalters, als gewaltige Inlandeismassen aus dem skandinavischen Raum vorstießen und enorme Schutt- und Geröllmassen ablagerten. Das **Eiszeitalter** begann vor ca. 600 000 Jahren, der letzte große Eisvorstoß kam vor ca. 22 000 Jahren südlich von Berlin zum Stehen. Nur an einzelnen Stellen treten ältere Gesteinspakete in Erscheinung, etwa der im Erdaltertum gebildete Gips und Kalk des Hügels von Bad Segeberg, die berühmten Kreidefelsen auf der Insel Rügen, der Buntsandstein auf Helgoland und der Muschelkalk im Berliner Raum.

Lage und Ausdehnung

Noch relativ jung sind die **Spuren der Vereisung** in Schleswig-Holstein und in Mecklenburg-Vorpommern, wo die letzten größeren Eisreste erst vor ca. 10 000 Jahren abtauten. Wie Girlanden legen sich von den Gletschern zurückgelassene Landrücken und Moränenhügel um das Ostseebecken. Aus einstigen Schmelzwasserrinnen und Gletscherzungenbecken sind an der schleswig-holsteinischen Ostseeküste »Förden« (Meeresbuchten) entstanden. Das küstennahe und sehr flache Land von Mecklenburg und Vorpommern ist nach der letzten Eiszeit überflutet worden. Es konnten sich jene weiten und ziemlich seichten Buchten bilden, die man als »Bodden« bezeichnet.

Ostseeküste

◀ Schleswig-Holstein

◀ Mecklenburg-Vorpommern

Als außerordentlich attraktiver Erholungsraum bietet sich das Hinterland der Ostseeküste dar. Dies gilt sowohl für das schleswig-holsteinische Hügelland als auch für den aus örtlich bemerkenswert hohen Hügeln bestehenden Nördlichen Landrücken in Mecklenburg-Vorpommern. Einstige Gletscherzungenbecken, Schmelzwasserrinnen und früher mit Eis gefüllte Senken präsentieren sich heute als bekannte Seenplatten, wie z. B. die Mecklenburgische.

◀ Attraktives Hinterland

◀ Nördlicher Landrücken

An der Nordseeküste haben Ebbe und Flut ein Flachmeergebiet, die so genannte **Wattenküste** mit vorgelagerten Inseln (Ostfriesische und Nordfriesische Inseln) und tief ins Festland eindringenden Trichtermündungen der großen Flüsse Elbe, Weser und Ems entstehen lassen. Dort, wo der Küstensaum sehr flach ist, sowie entlang

Nordseeküste

← *Majestätisch ragt die schroffe Wand des Watzmanns hinter den grünen Matten des Berchtesgadener Landes auf.*

der Flussmündungstrichter sind durch Anschwemmung von Sand und Schlick sehr fruchtbare Marschen entstanden. Sie werden mit Deichen vor Sturmfluten geschützt.

Märkische Tiefebene

An den Nördlichen Landrücken schließt nach Süden die weite Märkische Tiefebene an, grob gesagt, der Raum um Berlin: Oderbruch, Havelland, Prignitz, Mittelmark und Spreewald.

Südlicher Landrücken

Halbmondförmig erstreckt sich im Westen und Süden von Berlin die wenig fruchtbare und ziemlich **sandige Landschaft** des Südlichen Landrückens. Hier wechseln unterschiedlich mächtige Sandschichten mit feuchten, zu Acker- und Grünland umgewandelten Flächen ab. Zum Südlichen Landrücken zählen die Hellberge der Altmark (bei Stendal), der bis zu 200 m hohe Fläming (nördlich von Wittenberg) mit seinen duftenden Kieferbeständen sowie die Heideflächen der Niederlausitz (bei Cottbus).

Börden und Tieflandsbuchten

Den südlichen Abschluss der Norddeutschen Tiefebene bildet ein unterschiedlich breiter Gürtel sehr fruchtbarer und deshalb schon seit frühester Zeit besiedelter Börden und Tieflandsbuchten. Dazu zählen: die Niederrheinische Bucht, die Westfälische Bucht, die Soester Börde, die Magdeburger Börde und die Leipziger Tieflandsbucht.

Mittelgebirge

Faszinierende Vielfalt

Südlich des topfebenen Tieflandes wölben sich die Mittelgebirge auf, die etwa 400 km weit nach Süden – d. h. bis zur Donau – reichen. Diese Zone zeigt sich als buntes Mosaik **waldbestandener Gebirgszüge**, durchschnittlich 450–1000 m hoch, und fruchtbarer Beckenlandschaften. Der Rhein und seine Nebenflüsse Neckar, Main und Mosel, die Weser mit ihren Quellflüssen Fulda und Werra, die Elbe und ihr Nebenfluss Saale sowie die Donau und ihr Nebenfluss Altmühl haben in den Mittelgebirgen überaus reizvolle Durchbruchstäler geschaffen. Naturseen und Talsperren bereichern das Landschaftsbild u. a. in der Eifel, im Westerwald, im Hessischen Bergland, im Sauerland, im Thüringer Wald, im Harz und im Schwarzwald.

Landschaftsgeschichte

Die ältesten Massive der Mittelgebirgszone sind vor etwa 300 Mio. Jahren entstanden. Gesteine aus dem **Erdaltertum** findet man u. a. im Schwarzwald, im Fichtelgebirge und im Bayerischen Wald. In einigen Mittelgebirgszügen bildeten sich reiche Erz- und Mineraliengänge, die später z. B. im Harz, im Erzgebirge, im Thüringer Wald und im Schwarzwald lukrativen Bergbau ermöglichten. Am Nordrand der Mittelgebirgszone entstanden Kohlelagerstätten, die später den Aufbau des Industriereviers Rhein-Ruhr bewirken sollten.

Vulkanismus ▶

Im Tertiär, vor etwa 65–5 Mio. Jahren, war es im heutigen Mittelgebirgsraum recht unruhig. Die Erdkruste zerbrach in einzelne Schollen, die, so im Falle des Thüringer Waldes und des Thüringer

Zwischen Vulkaneifel und Hunsrück schlängelt sich die Mosel dahin, vorbei auch an der Reichsburg Cochem.

Beckens, unterschiedlich stark herausgehoben bzw. abgesenkt wurden. An den tektonischen Störungslinien kam es zu heftigem Vulkanismus (u. a. Siebengebirge, Eifel, Vogelsberg, Rhön). Gleichzeitig »nagten« Wind und Wetter an den neu entstandenen Höhenzügen und füllten die jungen Beckenlandschaften allmählich auf.

Auch der südliche Mittelgebirgsraum veränderte sich stark: Das Gebiet zwischen Basel und Mainz wölbte sich auf, der Oberrheingraben brach vor ca. 65 Mio. Jahren ein, was eine Heraushebung der westlichen Randgebirge Vogesen und Pfälzer Wald sowie der östlichen Randgebirge Schwarzwald, Odenwald und Spessart bewirkte.

Der Einbruch des Oberrheingrabens und die bis heute anhaltende Auffaltung der Alpen lösten nicht nur zahlreiche Erdbeben, sondern auch vulkanische Tätigkeit aus. Zu heftigen Eruptionen kam es am Kaiserstuhl, im Hegau und auf der mittleren Schwäbischen Alb. Ein gefürchteter Erdbebenherd ist auch gegenwärtig noch im Bereich der westlichen Schwäbischen Alb bei Hechingen häufig aktiv. ◄ **Erdbeben heute**

Vor ca. 15 Mio. Jahren ereignete sich eine Katastrophe besonderer Art. Damals schlug ein Meteorit auf dem Schwäbischen Jura auf und sprengte den **Rieskrater** aus, das heutige Nördlinger Ries zwischen Schwäbischer und Fränkischer Alb. ◄ **»Bombe« aus dem All**

Im Nordwesten breiten sich das Weserbergland und das Leinebergland mit Teutoburger Wald, Wiehengebirge, Deister, Ith und Solling als waldreiche Gebirgszüge aus. Wie eine Insel ist der für sein besonders raues Klima bekannte Harz mit dem 1142 m hohen Brocken dem eigentlichen Mittelgebirge vorgelagert. **Nördliche Mittelgebirge**

Zentrale Mittelgebirge Den Kernbereich der Mittelgebirgsschwelle bilden das **Rheinische Schiefergebirge** mit Eifel, Hunsrück, Taunus, Westerwald und Sauerland, das Hessische Bergland mit Meißner, Knüllgebirge, Vogelsberg und Rhön, der Thüringer Wald mit dem Thüringer Schiefergebirge, der Frankenwald, das Elstergebirge, das Erzgebirge, das Elbsandsteingebirge mit der Sächsischen Schweiz und schließlich – ganz im Osten – das Lausitzer Bergland. Zentraler Gebirgsknoten ist das Fichtelgebirge, von dem aus alle großen Gebirgszüge Mittel- und Ostdeutschlands ausstrahlen.

Südliche Mittelgebirge Zum südlichen Mittelgebirgsraum zählt man die Randgebirge des Oberrheingrabens: im Westen das Saar-Nahe-Bergland und den Pfälzerwald, im Osten Spessart, Odenwald und Schwarzwald mit dem Feldberg (1493 m ü. d. M.). An den sonnenbeschienenen Hängen wird **Wein und Obst** angebaut. Auch das Süddeutsche Stufenland mit den Schwäbisch-Fränkischen Keuperwaldbergen sowie der Schwäbischen und Fränkischen Alb rechnet man zum südlichen Mittelgebirgsraum. Typisch für die Alb sind die weit ins Vorland hinausragenden Felsbastionen. Im Innern des stark verkarsteten Kalkgebirges befinden sich weit verzweigte Systeme von **Tropfsteinhöhlen**. Die meisten sind unerforscht, einige als Schauhöhlen zugänglich. Zwischen den Mittelgebirgen erstrecken sich fruchtbare, im Muschelkalk angelegte Gäuflächen. Neckar und Main sowie deren Nebenflüsse Kocher, Jagst und Tauber haben hier wunderschöne Täler geschaffen, an deren steilen Hängen Wein- und Obstgärten emporklettern.

Südöstliche Mittelgebirge Zum geologisch alten Gebirgssystem des Böhmischen Massivs bzw. des Böhmerwaldes gehören der Oberpfälzer und der Bayerische Wald mit dem Großen Arber (1456 m ü. d. M.). Die Donaunebenflüsse Naab, Waldnaab und Regen winden sich durch romantische Täler.

Alpen und Alpenvorland

Alpenvorland Zwischen der Donau im Norden und der Alpenkette im Süden erstreckt sich das Alpenvorland, zu dem u.a. der **Bodensee** und das **Allgäu** zählen. Im westlichen Teil des Alpenvorlandes steigt die **Schwäbisch-Bayerische Hochebene** in Richtung Alpen an, eine von Eiszeit-Gletschern geformte, hügelige Landschaft mit Wäldern und Wiesen. Weiter im Osten durchschneiden u. a. Iller, Lech, Isar und Inn die deutlich flachere, mitunter feuchte Landschaft. Eine Landschaft wie aus dem Bilderbuch der Erdgeschichte erstreckt sich südlich von München mit Bergen, Wäldern, Wiesen und berauschendem Blick auf die Alpen. Auch hier haben die Gletscherzungen tiefe Becken ausgehoben, die nach dem Abschmelzen der Eismassen zu Seen wurden. So entstanden z. B. Ammersee, Starnberger See und Chiemsee.

Alpen Ganz im Süden hat Deutschland Anteil an den Alpen, dem **größten Hochgebirge Europas**. Das vergleichsweise junge Faltengebirge wächst seit der Tertiärzeit heran, d. h. seit etwa 60–70 Mio. Jahren. Ursache der Gebirgsbildung ist der Aufprall der afrikanischen Kontinentalplatte gegen die eurasische. Dieser tektonische Prozess dauert noch immer an, daher wachsen auch die Alpen weiter in die Höhe, werden aber gleichzeitig von Wind und Wetter abgetragen, sodass sich ihre Höhe nicht wirklich verändert. Der höchste Berg Deutschlands ist die **Zugspitze** (2962 m ü. d. M.).

Gewässer

Die meisten und größten natürlichen **Seen** Deutschlands liegen in den eiszeitlich überformten Landschaften des Nordens und des Südens, also einerseits in Schleswig-Holstein und Mecklenburg-Vorpommern, andererseits in Bayern und Baden-Württemberg. Besonders beliebt sind der Plöner See in der Holsteinischen Schweiz, die Müritz im Bereich der Mecklenburgischen Seenplatte, in Süddeutschland sind es der Bodensee sowie in Oberbayern Ammersee, Starnberger See und Chiemsee.

Das größte Einzugsgebiet hat der **Rhein**, der zusammen mit seinen Nebenflüssen Neckar, Main und Mosel den größten Teil Süd- und Westdeutschlands entwässert. Für

> ### *i* Deutschland extrem
>
> - Höchste Bergmassive: Wettersteingebirge mit Zugspitze (2962 m), Watzmann im Berchtesgadener Land (2713 m), Allgäuer Hochalpen (bis 2649 m)
> - Höchstgelegener Ort: Balderschwang in den Allgäuer Alpen (1044 m ü. d. M.)
> - Tiefstgelegener Ort: Neuendorf an der Unterelbe (3,54 m unter NN)
> - Längste Flüsse: Rhein (865 km), Elbe (700 km), Donau (647 km), Main (524 km), Weser (440 km)
> - Größte Inseln: Rügen (930 km²), Usedom (445 km²), Fehmarn (185 km²), Sylt (99 km²), Föhr (83 km²)
> - Größte natürliche Seen: Bodensee (572 km² gesamt), Müritz (110,3 km²), Chiemsee (80 km²)
> - Größte Stauseen: Bleiloch-Talsperre an der Saale (215 Mio. m³), Schwammenauel-Talsperre an der Rur (202,6 Mio. m³), Eder-Talsperre (202,0 Mio. m³)
> - Stärkste Quelle: Aachquelle (durchschnittlich 8,5 m³ Wasser pro Sekunde)

große Gebiete Nord- und Ostdeutschlands ist die **Elbe** mit ihren beiden Nebenflüssen Havel und Saale der wichtigste Fluss, für Deutschlands Mitte ist dies hauptsächlich die Weser und deren Nebenflüsse. Den Südosten Deutschlands sowie das Alpenvorland und die Alpen entwässern die **Donau** und ihre wasserreichen Nebenflüsse Iller, Lech, Altmühl, Isar und Inn. Ganz im Osten strebt die Oder der Ostsee zu, deren riesiger Einzugsbereich weit nach Ostmitteleuropa hineinreicht. Trotz umfangreicher Schutzbauten gibt es an allen genannten Flüssen teils großflächige Überschwemmungen.

Pflanzen und Tiere

Der deutsche Charakterbaum ist die Eiche, die praktisch überall vorkommt. Im größten Teil Deutschlands findet man sommergrüne Eichen-Buchen-Mischwälder als natürliche Vegetation, insbesondere in

Von Eichen und anderen Bäumen

den Mittelgebirgen. In den klimatisch ungünstigeren Hochlagen der Mittelgebirge, so z.B. im Schwarzwald, im Bayerischen Wald, im Erzgebirge und im Harz, wachsen vorwiegend Tannen und Fichten, die jedoch in den nordwestlich exponierten Hang- und Kammlagen durch Schadstoffemissionen stark geschädigt werden. Auf den nährstoffarmen Sandböden des Norddeutschen Tieflandes gedeihen lediglich anspruchslose Nadelhölzer wie Kiefern und Fichten, oder es dehnen sich Heideflächen aus. In den noch vorhandenen Moorgebieten wachsen Birken und Kiefern.

Auf den Kalkböden in Süddeutschland gedeihen normalerweise **Laubmischwälder**, doch vielerorts sind sie durch rasch wachsende Fichtenwälder ersetzt worden – was sich angesichts der Zunahme starker Stürme oft als fatal herausgestellt hat. Typisch für Kalkböden sind Linden und Hainbuchen, und in den Flussauen gehören Erlen, Pappeln, Birken und Weiden zu den hier am häufigsten vorkommenden Baumarten.

Die starke Inanspruchnahme der Landschaft durch den Menschen hat den Lebensraum der heimischen **Tierwelt** in erheblichem Maße eingeschränkt. Rehe, Hirsche, Wildschweine, Füchse, Dachse, Marder, Wiesel, Hasen und Kaninchen sind als einzige noch in größerer Zahl vorkommende Säugetiere zu nennen. Luchse, Wölfe und Bären sind längst ausgestorben; Luchse kommen mitunter aber wieder im Nationalpark

Wasserlandschaft an der Müritz

Bayerischer Wald oder in der Sächsischen Schweiz vor. Auch die ursprüngliche Artenvielfalt der Vogelwelt ist inzwischen durch Störungen des ökologischen Gleichgewichts in vielen Teilen Deutschlands stark reduziert worden. Störche, die früher einmal in allen Feuchtgebieten Deutschlands vorkamen, trifft man heute in größerer Zahl fast nur noch im dünn besiedelten Nordosten der Republik. Ähnliches gilt für manche Greifvogelarten wie Adler und Wanderfalken. Die **Gewässerverschmutzung** hat zu einem dramatischen Rückgang der Artenvielfalt geführt. Nur ganz langsam stellt sich eine Erholung ein, wie die erfreuliche Zunahme des Bestandes an Bachforellen zeigt. Für den Erhalt der letzten noch vorhandenen »Urlandschaften« werden große Anstrengungen unternommen. Bislang sind dreizehn Nationalparks ausgewiesen, die über die ganze Bundesrepublik verteilt sind; wichtig ist auf lokaler Ebene auch die Ausweisung von Naturschutzgebieten.

Ferienlandschaften

Die attraktivsten Ferienlandschaften Deutschlands sind: Nordseeküste und vorgelagerte Inseln, Ostseeküste und -inseln, Holsteinische Schweiz, Mecklenburgische Seenplatte, Lüneburger Heide, Münsterland, Spreewald, Oberlausitz, Harz, Sauerland, Weserbergland, Eifel, Mittleres Rheintal, Moseltal, Nahetal, Hessisches Bergland, Thüringer Wald, Erzgebirge, Elbsandsteingebirge mit Sächsischer Schweiz, Schwarzwald, Neckarland, Schwäbische Alb, Fränkische Alb, Bayerischer Wald, Oberschwaben, Bodensee, Allgäu und Oberbayern.

Schönste Regionen

Klima

Der größte Teil Deutschlands liegt in der **kühl-gemäßigten Klimazone**, in der Feuchtigkeit bringende Winde aus westlichen Richtungen vorherrschen. Ausgesprochen ozeanisch ist das Klima in Nordwest- und Norddeutschland. Die Winter sind dort relativ mild, die Sommer verhältnismäßig kühl. Im Osten weist das Klima bereits deutlich kontinentale Züge auf. Hier kann es im Winter über längere Perioden sehr kalt und im Sommer recht warm werden. Außerdem werden hier des öfteren länger anhaltende Trockenperioden registriert. In der Mitte und im Süden herrscht Übergangsklima vor, das – je nach Großwetterlage – eher ozeanisch oder kontinental geprägt ist. Allerdings bewirken Höhenzüge, Täler, Becken und Senken sowie die Verteilung von Wäldern, landwirtschaftlichen Nutzflächen und Siedlungen **deutliche klimatische Unterschiede** auf relativ engem Raum.

Jahreszeiten

Niederschläge fallen das **ganze Jahr über**, wobei im Norddeutschen Tiefland durchschnittlich 500–700 mm pro Jahr gemessen werden. In den Mittelgebirgen liegen diese Werte je nach Exposition zwischen 700 und 1500 mm pro Jahr. Im Süden, d. h. im Nordstau der Alpen, aber auch in ungünstigen Mittelgebirgslagen, werden weit höhere Niederschlagsmengen erreicht. An einigen Stellen im Allgäu misst man über 2000 mm pro Jahr!

◄ Niederschläge

Die mittlere jährliche **Durchschnittstemperatur** liegt im Norddeutschen Tiefland bei + 9 °C, im höheren Bergland bei + 2 °C. Im Winter liegt die Durchschnittstemperatur im Norddeutschen Tiefland bei knapp + 2 °C und im Gebirge bei – 6 °C. Im Sommermonat Juli stellen sich die Durchschnittstemperaturen folgendermaßen dar: Im Norddeutschen Tiefland werden + 18 °C erreicht, in den »Sonnenstuben« des Südens sind es sogar + 20 °C! Etwas aus dem Rahmen fallen drei Landschaften: der Harz mit kühlen Sommern und schneereichen Wintern, der Oberrheingraben mit seinem ganzjährig sehr milden, örtlich fast schon mediterranen Klima und die Alpen bzw. das Voralpengebiet, wo nicht selten mit Föhneinbrüchen zu rechnen ist.

◄ Temperaturen

Bevölkerung · Politik · Wirtschaft

Wenig junge Menschen Die Deutschen werden alt: Über 16 Mio. Bundesbürger sind älter als 65 Jahre, dagegen gibt es nur wenig mehr als 8 Mio. Kinder unter 15 Jahren. Das **Bevölkerungswachstum** der vergangenen Jahre ist nicht mehr Geburten, sondern der erhöhten Zuwanderung zu verdanken. 7,3 Mio. (8,9 %) der in Deutschland lebenden Menschen besitzen nicht die deutsche Staatsangehörigkeit.

Minderheiten ▶ Nur wenig bekannt ist, dass auch in Deutschland Minderheiten mit garantierten **Sonderrechten** – z. B. Schulunterricht in der eigenen Sprache – leben. Es handelt sich dabei um die slawischen Sorben (60 000) in der Lausitz in Sachsen und Brandenburg, die dänischen Südschleswiger (60 000) im Norden Schleswig-Holsteins und um die Friesen im schleswig-holsteinischen Nordfriesland (10 000) bzw. im niedersächsischen Saterland (2000).

Der Staat Die Bundesrepublik Deutschland ist ein **demokratisch-parlamentarischer Bundesstaat**. Träger des föderalen Gedankens sind die 16 Bundesländer. Staatsoberhaupt ist der Bundespräsident. Er wird alle fünf Jahre von der Bundesversammlung (= Bundestag vergrößert um die entsprechende Anzahl von Ländervertretern) gewählt und hat im Wesentlichen repräsentative Aufgaben. Oberstes gesetzgebendes Bundesorgan ist der alle vier Jahre gewählte **Bundestag**. Er wählt aus seiner Mitte den Bundeskanzler. Der **Bundesrat** ist die Vertretung der Länder und wirkt bei Gesetzgebung und Verwaltung des Bundes mit. Seine Mitglieder werden von den einzelnen Bundesländern bestellt.

Weltwirtschaftsmacht Deutschland gehört zu den führenden Wirtschaftsnationen der Erde. Im Welthandel liegt Deutschland, sowohl die Einfuhr als auch die Ausfuhr betreffend, **an zweiter Stelle** hinter den USA. Die wichtigsten Handelspartner sind Frankreich, die USA, Großbritannien, Italien und die Niederlande. Bislang war jährlich ein Handelsbilanzüberschuss zu verzeichnen, allerdings haben sich die Zuwachsraten im Außenhandel in den vergangenen Jahren deutlich verringert.

Bodenschätze, Energie ▶ Deutschland ist ein **rohstoffarmes Land**, sieht man von den Steinkohlevorkommen (Ruhrgebiet, Aachener Revier, Saarland) ab. Deren Ausbeutung ist heute aber nicht mehr rentabel und wird nur noch dank staatlicher Unterstützung am Leben erhalten. Dennoch sind Stein- und Braunkohle zusammen der wichtigste Energieträger in Deutschland, (noch) gefolgt von der Kernenergie. Erdgas, Wind- und Wasserkraft sowie Solarenergie stehen dahinter weit zurück.

Landwirtschaft ▶ Die Landwirtschaft ist in Deutschland seit Jahrzehnten im **Rückgang** begriffen. Schlechte Verdienstmöglichkeiten und Unrentabilität führten vor allem zur Aufgabe mittlerer und kleinerer Betriebe. Hauptanbauprodukte sind Getreide, Zuckerrüben und Kartoffeln; bei der Erzeugung von Milch und Milchprodukten steht Deutschland an vierter Stelle der Weltstatistik, bei der Erzeugung von Fleisch an sechster.

Zahlen und Fakten Deutschland

Berlin ●
Deutschland

©Baedeker

► 16 Bundesländer
(davon Bremen, Hamburg und Berlin
als Stadtstaaten)

Bevölkerung
► etwa 82 Mio.
► Bevölkerungsdichte: 230 Einw./km²
► Größte Städte:
Berlin 3,4 Mio. Einwohner
Hamburg 1,7 Mio. Einwohner
München 1,3 Mio. Einwohner

Wirtschaft
► Bruttosozialprodukt: 25 047 US$
je Einw.
► Arbeitslosenquote: 12,5 % (2005)
► Industrie: 28,5%, Dienstleistungssek-
tor: 59%, Landwirtschaft: 2,3%
► Haupthandelspartner: Frankreich und
USA

Religion
► Evangelische Kirche:
27,1 Mio. Mitglieder
► Römisch-katholische Kirche:
27,15 Mio. Mitglieder
► Islam: 1,7 Mio.
► Juden: 82 000

Lage
► Mitteleuropa
► 6°–15° östlicher Länge
► 47°–55° nördlicher Breite

Fläche und Staatsgebiet
► 356 978 km²
► weiteste Nord-Süd-Achse: 880 km

Wie in anderen großen Wirtschaftsnationen geht auch in Deutsch-   ◄ Industrie
land der industrielle Sektor zugunsten der Dienstleistungsbranche
zurück. Mehr als die Hälfte des Gesamtexports ist der Nachfrage
nach **Investitionsgütern** zu verdanken. Kraftfahrzeuge (Deutschland
ist nach den USA und Japan der drittgrößte Automobilproduzent
der Erde), Maschinen und elektrotechnische Anlagen gelten immer
noch als Inbegriff »deutscher Wertarbeit«. Weitere wichtige Indus-
triezweige sind Grundstoffe (weltweit fünftgrößter Rohstahlprodu-
zent), Produktionsgüter vor allem der chemischen Industrie sowie
Verbrauchsgüter. Unter den 20 größten Unternehmen der Erde finden sich mit DaimlerChrysler, Siemens und Volkswagen auch drei
deutsche Firmen.

Zahlen und Fakten *Bundesländer*

Baden-Württemberg
► Hauptstadt: Stuttgart
► Fläche: 35 751 km²
► Bevölkerung: 10,47 Mio.
  (293 Einw./km²)

Freistaat Bayern
► Hauptstadt: München
► Fläche: 70 547 km²
► Bevölkerung: 12,15 Mio.
  (172 Einw./km²)

Berlin
► Fläche: 891 km²
► Bevölkerung: 3,38 Mio.
  (3709 Einw./km²)

Brandenburg
► Hauptstadt: Potsdam
► Fläche: 29 476 km²
► Bevölkerung: 2,60 Mio. (88 Einw./km²)

Freie Hansestadt Bremen
► Fläche: 404 km²
► Bevölkerung: 663 000 (1640 Einw./km²)

Freie und Hansestadt Hamburg
► Fläche: 755 km²
► Bevölkerung: 1,70 Mio.
  (2257 Einw./km²)

Hessen
► Hauptstadt: Wiesbaden
► Fläche: 21 114 km²
► Bevölkerung: 6,05 Mio. (287 Einw./km²)

Mecklenburg-Vorpommern
► Hauptstadt: Schwerin
► Fläche: 23 171 km²
► Bevölkerung: 1,78 Mio. (77 Einw./km²)

Niedersachsen
► Hauptstadt: Hannover
► Fläche: 47 614 km²
► Bevölkerung: 7,89 Mio. (166 Einw./km²)

Nordrhein-Westfalen
► Hauptstadt: Düsseldorf
► Fläche: 34 080 km²
► Bevölkerung: 18,0 Mio. (528 Einw./km²)

Rheinland-Pfalz
► Hauptstadt: Mainz
► Fläche: 19 847 km²
► Bevölkerung: 4,03 Mio. (203 Einw./km²)

Saarland
► Hauptstadt: Saarbrücken
► Fläche: 2570 km²
► Bevölkerung: 1,07 Mio. (417 Einw./km²)

Freistaat Sachsen
► Hauptstadt: Dresden
► Fläche: 18 412 km²
► Bevölkerung: 4,46 Mio. (242 Einw./km²)

Sachsen-Anhalt
► Hauptstadt: Magdeburg
► Fläche: 20 446 km²
► Bevölkerung: 2,65 Mio. (130 Einw./km²)

Schleswig-Holstein
► Hauptstadt: Kiel
► Fläche: 15 764 km²
► Bevölkerung: 2,77 Mio. (176 Einw./km²)

Freistaat Thüringen
► Hauptstadt: Erfurt
► Fläche: 16 171 km²
► Bevölkerung: 2,45 Mio. (151 Einw./km²)

*Sitz der Landes- und Stadtregierung:
Hamburgs Rathaus*

Bundesländer Orientierung

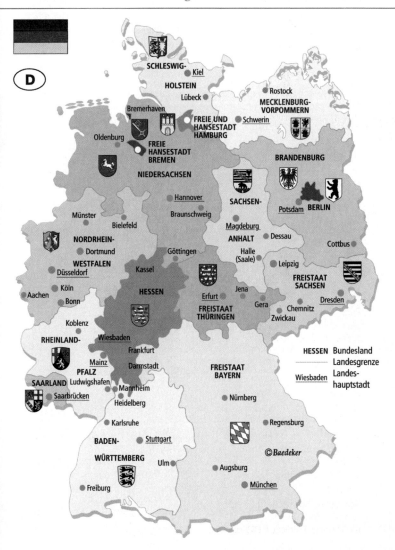

Geschichte und Kultur

Kampf der Germanen gegen Rom, Aufstieg und Fall der Kaiserreiche, die braune Vergangenheit und eine spektakuläre Wiedervereinigung – Deutschland blickt auf eine bewegte Geschichte zurück, eingebettet in eine einzigartige Kultur.

Ur- und Frühgeschichte

bis 5000 v. Chr.	Jäger und Sammler durchstreifen das Land.
um 5000 v. Chr.	Die Menschen werden sesshaft, betreiben Ackerbau und Viehzucht.
um 2000 v. Chr.	Bronze löst Stein als Werkstoff ab.
ab 800 v. Chr.	Blüte der Kultur unter den Kelten
9 n. Chr.	Schlacht im Teutoburger Wald gegen die Römer
375 n. Chr.	Die Völkerwanderung beginnt.

Im badischen Mauer bei Heidelberg fand sich der berühmte Kiefer des **Homo heidelbergensis**, der vor rund 500 000–100 000 Jahren lebte: Dies ist der früheste Nachweis eines Menschen nicht nur in Deutschland, sondern in ganz Mitteleuropa. Der Heidelberger Urmensch lebte im sogenannten Altpaläolithikum und wurde vom Neandertaler (Homo sapiens neanderthalensis) abgelöst.

Steinzeit

Im Jungpaläolithikum (35 000–8000 v. Chr.) wird die heutige Form des Menschen, der Homo sapiens sapiens, erstmals archäologisch greifbar. Das tägliche Leben der Jäger und Sammler erreichte einen gewissen Grad an Organisation, und es entstanden erste Kultobjekte wie z. B. Venusfigürchen oder Felsenbilder. Das mildere Klima wandelte auch die Lebensweise der Menschen in der Mittleren Steinzeit (Mesolithikum, 10 000/8000–5000 v. Chr.). Kleinere Verbände machten sich zum Teil sesshaft. Diese Tendenz setzte sich in der **Jungsteinzeit** fort, als um 5000 v. Chr. völlig neues Know-how aus dem Vorderen Orient in unseren Raum gelangte: das Wissen um Ackerbau und Viehzucht zusammen mit Kulturpflanzen (frühe Getreidesorten wie Einkorn und Emmer sowie Gerste) und Haustieren wie Schaf und Ziege. Die Gebrauchsgegenstände und kunsthandwerklichen Produkte nahmen an Vielfalt zu. Noch immer bestehen alle Geräte dieser ersten Bauern aus Stein. Die Funde ortsfremder Rohstoffe, etwa Bernstein und Feuerstein, unterstreichen, dass schon zu dieser Zeit ein weit reichendes Handelsnetz existierte.

◄ Die ersten Bauern

Mit einer Verzögerung von etlichen hundert Jahren gelangte die Kenntnis von der **Metallherstellung** um 2000 v. Chr. aus dem mediterranen Raum und aus Skandinavien nach Mitteleuropa. Schmuck und Gebrauchsgegenstände wurden jetzt aus Bronze gefertigt, »erfunden« wird auch das Schwert. Eine Sensation ist die 1999 gefundene »Himmelsscheibe von Nebra« (Sachsen-Anhalt). Datiert auf die Zeit um 1600 v. Chr., ist sie die **älteste Darstellung des Kosmos**, die weltweit existiert. Der Handel mit Kupfer, Salz und anderen Gütern

Bronzezeit

◄ Himmelsscheibe von Nebra

← *Schon am 10. November 1989, einen Tag nach der Grenzöffnung, rückten die »Mauerspechte« der Berliner Mauer zu Leibe.*

zeitigte erstmals auch sichtbaren materiellen Erfolg: Die erhaltenen Fürstengräber zeugen von Reichtum und einer beginnenden sozialen Gliederung. Stämme und Völker bildeten sich heraus: Aus der großen Familie der Indogermanen siedelten auf deutschem Gebiet die Kelten in Süd- und Südostdeutschland und die Germanen in Norddeutschland. Um 800 v. Chr. endet die Bronzezeit, denn es gelingt, ein sehr viel besseres Material herzustellen: Eisen.

Eisenzeit

In der Eisenzeit entstanden **wirtschaftliche Zentren**, die Gesellschaft differenzierte sich weiter in Bauern, Handwerker und Händler. Zwei wichtige Kulturen brachte diese Epoche hervor: Das Zentrum der **Hallstattkultur ▶** Hallstattkultur (800–400 v. Chr.) lag in den Ostalpen und in Süddeutschland, doch erstreckten sich ihre Einflüsse bis in den norddeutsch-jütländischen Raum. Als Träger der Hallstattkultur gelten die **frühen Kelten**. Charakteristisch sind die Fürstengräber, die eine Zentralisierung der Macht an wichtigen Handelsplätzen belegen. Ein unversehrtes und deshalb eines der reichhaltigsten keltischen Fürstengräber fand man im baden-württembergischen Hochdorf an der Enz (Funde und die Siedlungs-

La-Tène-Kultur ▶ weise werden im dortigen Museum hervorragend präsentiert). Die Jüngere Eisenzeit fällt mit der La-Tène-Kultur (500 v. Chr. bis Christi Geburt) zusammen, die nach einem Fundplatz am Neuenburger See (Schweiz) benannt wird. Die von antiken Geschichtsschreibern erstmals erwähnten Kelten drangen im 4. und 3. Jh. v. Chr. von ihren Stammlanden in Süddeutschland bis nach Britannien vor, dehnten sich bis nach Spanien und Portugal aus sowie ins südliche Niedersachsen und Böhmen, wo sie an die Gebiete der Germanen stießen. Sie vermittelten dabei mediterrane Einflüsse und nutzten als erste Kultur nördlich der Alpen **Eisenpflug und Töpferscheibe**.

Die Römer kommen

Gaius Julius Caesar (um 100–44 v. Chr.) berichtet in seinem »De bello gallico« (»Vom gallischen Krieg«) als erster Römer über die Germanen, mit denen er in den Jahren 58 bis 51 v. Chr. während der Eroberung Galliens in Kontakt kam. Alle linksrheinischen Gebiete waren romanisiert, die Grenze durch Kastelle gesichert. So wuchsen u. a. die Städte Trier, Köln und Mainz aus römischen Lagern hervor.

Kampf um Germanien

Unter Augustus (63 v. Chr. bis 14 n. Chr.) drang das römische Heer in den Jahren 12–9 v. Chr. bis zur Elbe vor, konnte aber hier nicht Fuß fassen, denn schon 9 n. Chr. besiegten die Germanen unter Arminius in der Schlacht nördlich des **Teutoburger Waldes** drei römische Legionen. Die Römer zogen sich daraufhin bis hinter Rhein und Donau zurück. Hundert Jahre später errichteten sie mit dem obergermanisch-rätischen Limes eine befestigte Grenze zum germanischen Herrschaftsgebiet. Damit war die mittelalterliche Entwicklung vorgegeben: Im römischen Germanien (Germania Romana) vollzog sich der soziale, staatliche und kulturelle Fortschritt schneller als im freien Germanien (Germania libera), das jedoch durch Handelsbeziehungen ebenfalls von der römischen Kultur beeinflusst wurde. Die Germanenstämme waren in Gaue und Sippen gegliedert, die soziale Schichtung setzte sich aus einem Adel sowie aus Freien, Halbfreien und Sklaven zusammen. Aus der Verschmelzung des sakralen Königsrangs mit dem Amt des Herzogs, dem gewählten Führer des Heerzugs, entstand das **Königtum des frühen Mittelalters**.

Der Einfall der Hunnen in die Gebiete der Ostgoten löste 375 die Völkerwanderung aus. Nach den jahrhundertelangen Wirren dieser umfassenden Migrationsbewegung etablierten sich im mitteleuropäischen Raum die Stämme der **Alamannen, Hessen, Franken und Baiern**.

4.–6. Jh.: Völkerwanderung

Ein mächtiges Zeugnis ihrer Kultur hinterließen die Römer in Trier: die Porta Nigra, ehemals das Nordtor der römischen Stadtmauer.

Mittelalter

Merowinger und Karolinger

482–751	Merowingerzeit, Beginn der Christianisierung
8./9. Jh.	Die Karolinger an der Macht
800	Karl der Große wird zum Kaiser gekrönt.
814	Das Reich der Karolinger wird geteilt.

Merowinger   Frankenkönig Chlodwig (482–511) gelang es, die unter zahlreichen Gaukönigen aufgeteilten Frankenstämme politisch zu einen. Der wichtigste Schritt zur **Einheit des Frankenreichs** war aber Chlodwigs Übertritt zum Christentum: Wohl 498 wurde er in Reims getauft und leitete damit die Sakralisierung des Königtums ein. Bis 539 dehnte sich das Frankenreich bis zu den Ostgoten hin aus, d. h. von Mittelmeer- und Atlantikküste bis über die Elbe in thüringisches und alamannisches Gebiet. Nach Chlodwigs Tod teilten seine vier Söhne das Reich unter sich auf. Auseinandersetzungen führten jedoch dazu, dass der Adel 561 durchsetzte, das Reich unter jeweils einem Majordomus (Hausmeier) dreizuteilen. Von den Germanen waren um diese Zeit nur noch die Sachsen unabhängig.

Aus Heiden werden Christen   Als literarisches Zeugnis sind aus heidnisch-germanischer Zeit die **Merseburger Zaubersprüche** erhalten. Zwischen 500 und 700 christianisierten iroschottische Mönche nach und nach die heidnische Bevölkerung. Bedeutende Klöster wurden gegründet, u. a. bei Würzburg, in Regensburg und auf der Insel Reichenau. Von herausragender Bedeutung war das **Benediktinerkloster St. Emmeram** in Regensburg. Es wies die typische mittelalterliche Anlage mit Kreuzgang auf, die im St. Galler Klosterplan festgehalten ist, der Anfang des 9. Jh.s entstand. In Kathedral- und Klosterschulen entstand eine erste Blüte der Buchmalerei.

Karolinger   Im 8. Jh. gelang es dem Hausmeier Karl Martell, die fränkische Oberhoheit über das ganze ursprüngliche Reich zu erneuern sowie auf die Länder der Baiern, Alamannen und Friesen auszudehnen. Möglich wurden diese militärischen Erfolge dank **schwer bewaffneter Reiterkrieger**, die sich dem Hausmeier verpflichteten. Das Lehnswesen hat in diesem Dienst- und Treueverhältnis seinen Ursprung: Den sog. Vasallen wurde gegen die Verpflichtung, für ihren Herrn ins Feld zu ziehen, Land widerruflich zur Verfügung gestellt.

Bonifatius, »Apostel der Deutschen« ▶   Der angelsächsische Missionar und spätere Erzbischof Winfried Bonifatius (672 / 673–754) gründete Klöster in Fritzlar und Fulda und schuf unter anderem die Bistümer Erfurt, Würzburg, Regensburg und Freising. Im Kloster St. Denis erzogen, stellten Karl Martells

Söhne Karlmann und Pippin schließlich auch die weltliche Gewalt in den Dienst der von Bonifatius organisierten **Kirchenreform**, die die neuen Bistümer an Rom band. Die neue Einheit des Abendlandes erfüllte sich im christlichen Glauben. Als 751 Pippin von Bonifatius (als päpstlichem Legat) in Soissons zum König gekrönt wurde, hatten die Karolinger die Nachfolge der Merowinger angetreten.

Pippins Sohn Karl (768–814) bekräftigte die königliche Schutzherrschaft über den Papst. Er verfolgte auch nach Osten eine expansive Politik und festigte seine Landgewinne durch Pfalzen und neue Bistümer (Bremen, Paderborn, Verden, Münster, Osnabrück und Minden). Der 30 Jahre anhaltende Widerstand der Sachsen gegen die gewaltsame Christianisierung schwand erst mit dem Übertritt ihres Herzogs Widukind zum Christentum im Jahre 785. Nach Feldzügen gegen Slawen und Awaren erstreckte sich das **Frankenreich von der Ostsee bis an die Adria**. Am Weihnachtstag des Jahres 800 krönte Papst Leo III. Karl in Rom zum Kaiser und erkannte damit ihn und nicht mehr den byzantinischen Basileus als Oberherrn an.

Karl der Große

◄ 800: Karl wird zum Kaiser gekrönt

Auch kulturell knüpften die Karolinger seit Karl dem Großen an das weströmische Kaiserreich und die spätantik-frühchristlichen Traditionen. Diese künstlerische Hochblüte wird deshalb auch als »Renaissance« bezeichnet. Zentrum der Künste und Gelehrsamkeit war der **Hof in Aachen**. Hier stand die programmatische Pfalzkapelle, in der antike Spolien und Zitate germanischer Bauten architektonisch vereint waren. Mit der karolingischen Minuskel besaß das Reich Karls des Großen erstmals eine einheitliche Schriftform, die die Basis der modernen lateinischen Schreibschrift werden sollte. In der Buchmalerei wurden für das ganze Mittelalter gültige Formen geprägt. Der Benediktinermönch Walahfrid Strabo führte das Kloster auf der Bodenseeinsel Reichenau als Abt seit 838 zu einem einflussreichen kulturellen Zentrum in der Dicht- und Buchkunst. Erste Zeugnisse althochdeutscher Dichtung sind u.a. das sog. Wessobrunner Gebet und das »Muspilli«

Karolingische Renaissance

Thron Karls des Großen im Aachener Dom

(beide Anfang 9. Jh. aufgezeichnet). Die Musik bestimmt im gesamten christlichen Abendland der Gregorianische Choral, der auf eine Neuordnung der Liturgie durch Papst Gregor I. um 600 zurückgeht.

Die Nachfahren Karls des Großen teilten das Frankenreich auf. So entstanden das Westfrankenreich unter Karl dem Kahlen, das heutige Frankreich, und das Ostfrankenreich unter Ludwig dem Deutschen. Aus diesem Königreich entwickelte sich im 10. Jh. das eigentliche Deutsche Reich.

Die Wurzeln Deutschlands

Hohes Mittelalter

919–1024	Unter den sächsischen Ottonen entsteht das »Deutsche Reich«.
1024–1125	Salische Kaiser
1077	Heinrichs Bußgang nach Canossa
1138–1254	Zeit der Staufer; Friedrich Barbarossa wird Kaiser.
1155	Der Terminus »Heiliges Römisches Reich Deutscher Nation« wird geboren.
12. Jh.	Zeit der Mystiker wie Hildegard von Bingen und Bernhard von Clervaux

Ottonen Als der Franke Konrad I. im Jahre 919 starb, wurde der Sachse Heinrich I. von den Sachsen und Franken zum König erhoben. Er eroberte weitere slawische Gebiete im heutigen Brandenburg und Sachsen. Die fünf von Herzögen geführten Stämme der Franken, Sachsen, Schwaben, Bayern und Lothringer bildeten das Reich, das jetzt erstmals als **»Deutsches Reich«** (Regnum Teutonicorum) bezeichnet wurde. Die Stammesfürsten wählten 936 in Aachen Heinrichs Sohn **Otto I.** ▶ Otto I. zum König. Otto I. der Große regierte 936–973 und stärkte die Königsgewalt gegenüber dem Adel, indem er Bischöfe und Äbte als Reichsfürsten einsetzte. Dieser Akt war gleichbedeutend mit der Gründung der Reichskirche. Im Jahr 962 wurde Otto I. in Rom zum **Kaiser** gekrönt.

Ottonische Kunst Die Kunst jener Epoche zeichnete sich durch **Ausdrucksstärke und Verfeinerung** aus. Großen Anteil an dieser Kulturblüte hatten die Frauen: Adelheid, die zweite Frau Ottos I., unterstützte die Klosterreform von Cluny; die hochgebildete, mit Otto II. verheiratete Theophanu vermittelte byzantinische Einflüsse; Hrotsvit von Gandersheim schuf die ersten Lesedramen des Mittelalters. Nicht mehr die abgeschlossene Werkstätte der Hofschule Karls des Großen schuf die Kunst der Zeit, sondern es waren einzelne Klöster, die zu bedeutenden Kunstzentren aufstiegen. Die erlesensten Kunstwerke ottonischer Malerei kamen von der **Insel Reichenau**, wo in den Jahrzehnten um 1000 zahlreiche Handschriften und Fresken entstanden. Das Perikopenbuch Heinrichs II. (Bayer. Staatsbibliothek, München) gibt einen Eindruck von der Virtuosität, mit der damals geistige Inhalte zur Darstellung gebracht wurden.

Salier 1024 gelangte mit Konrad II. das Geschlecht der Salier auf den Kaiserthron. Auch sie strebten danach, ihre Position gegenüber den mächtigen Herzögen auszubauen. Als Heinrich IV. (reg. 1056–1106) 1073 vom sächsischen Adel bedroht wurde, begab er sich in den Schutz der aufstrebenden Reichsstädte – eine erste Aufwertung städtischen Einflusses.

Der zweite große Konflikt des Mittelalters war die Auseinandersetzung zwischen Papst und Kaiser um die Unabhängigkeit des Papsttums und die Vorherrschaft im Abendland. Die Kontroverse kulminierte im **Investiturstreit**. Als Heinrich IV. trotz Verbot Bischöfe einsetzte, verhängte Papst Gregor VII. den Bann über ihn. Das kam einer Absetzung des Königs gleich, und es kam zum Bürgerkrieg gegen die aufständischen süddeutschen Herzöge. Heinrichs Bußgang nach Canossa im Jahr 1077 nötigte den Papst aber, den Bann zunächst wieder aufzuheben. Ein zweiter Bann traf 1080 einen inzwischen gefestigten König, der den Gegenkönig besiegt hatte und die meisten Bischöfe, den niederen Adel und die Bürger der rheinischen Städte hinter sich wusste. Vom Gegenpapst Clemens III. ließ sich der selbstbewusste Heinrich 1084 in Italien zum Kaiser krönen. Erst Heinrich V. (reg. 1106–1125) verzichtete 1122 im **Wormser Konkordat** auf das Recht der Investitur mit Ring und Stab, konnte die Bischöfe aber weiterhin durch ein Lehnsverhältnis an den König binden. Damit waren die Bischöfe dem weltlichen Adel gleichgestellt. Dessen Interessen wurden auf diese Weise gestärkt.

◄ 1077: Gang nach Canossa

Im 11. Jh. wurde der **Dom zu Speyer** die kaiserliche Grablege, was sich auch in der Architektur spiegelt. Die Kirche ist wie die Kaiserdome in Worms und Mainz ein monumentales Zeugnis der Hochromanik. Eine neue Bautechnik (u. a. Einwölbung unter Erhalt der großen Fensterreihen) wurde hier erstmals in Deutschland angewandt. Weitere Merkmale der romanischen Baukunst sind der Gruppenbau, die Erweiterung des Raumprogramms (z. B. durch den Bau mehrschiffiger Krypten und die Anlage von Westchören) und die Gliederung des Außenbaus durch Turmfassaden und bauplastischen Schmuck.

Romanik

An den europäischen Höfen entwickelte sich im 12. Jh. der **Minnesang**, der an einem Ideal ausgerichtete Liebeslyrik war, aber auch gesellschaftliche Zustände widerspiegeln konnte. Ein meisterhafter Vertreter war Walther von der Vogelweide. Wie im Minnesang, so orientierten sich auch im höfischen Epos die Helden an **ritterlichen Idealen**. In »Abenteuergeschichten« wie dem Nibelungenlied oder dem »Parzival« des bedeutendsten Epikers Wolfram von Eschenbach war eine erzieherische Wirkung auf die höfische Jugend durchaus beabsichtigt.

»Ich sâz uf einem steine …«:
Walther von der Vogelweide

Die Wissenschaft entdeckte insbesondere durch die Scholastik Aristoteles wieder. Sie setzte sich kontrovers mit der Strömung der Mystik (Bernhard von Clairvaux, Hildegard von Bingen) auseinander.

◄ Mystik und Scholastik

Zeit der Staufer Mitte des 12. Jh.s entbrannte ein Machtkampf um den Königsthron zwischen Staufern und Welfen. Die deutschen Fürsten wählten 1152 Herzog **Friedrich von Schwaben** – aus staufischem Hause und Sohn einer Welfin – zum König. Ihm gelang es, den Konflikt der beiden Adelshäuser beizulegen. Durch geschickte und zielstrebige politische
Friedrich Manöver gewann der 1155 zum Kaiser gekrönte Friedrich als Fried-
Barbarossa ▶ rich I. Barbarossa (reg. 1152–1190) die weitreichende Machtstellung der ottonischen Kaiser zurück. Er führte den Terminus **»Heiliges Römisches Reich«** ein, um den gleichberechtigten Rang des deutschen Kaisers neben dem Papst zu behaupten. Die Universalherrschaft ließ sich aber nicht verwirklichen, da die europäischen Könige und viele Bischöfe dem Streben nach uneingeschränkter kaiserlicher Macht entschiedenen Widerstand entgegensetzten. Zudem gab es auch im Deutschen Reich freie Klöster wie **Hirsau**, die dem Kaiser entgegenwirkten.

Kreuzzüge ▶ Zwar ließ sich der christliche Herrschaftsgedanke mit den Kreuzzügen des 12. und 13. Jh.s nicht einlösen. Dennoch wirkte die Kreuzzugsbewegung sehr stark auf das Abendland: Geistliche Ritterorden entstanden, der Ritterstand bildete sich heraus und es kam zu einem **vielfältigen Kultur- und Handelsaustausch mit dem Orient**. Auf dem dritten Kreuzzug 1190 starb Friedrich I. Sein Sohn, Heinrich VI. (reg. 1190–1197), heiratete die Normannenprinzessin Konstanze, wodurch das Deutsche Reich nun auch Sizilien mit einschloss. Nach seinem Tod 1197 erlosch die deutsche Herrschaft in Italien. Die wieder aufbrechende Rivalität zwischen Welfen und Staufern nutzte Papst Innozenz III. dazu, seine Machtposition und den Kirchenstaat
Friedrich II. ▶ auszubauen. Friedrich II. (reg. 1212–1250), der Sohn Heinrichs VI., setzte sich später jedoch in einem großen Krieg durch und wurde 1215 in Aachen gekrönt. Der in Sizilien aufgewachsene König versuchte, das von Innozenz III. unter kirchenstaatliche Lehnsherrschaft gebrachte Land wieder dem Deutschen Reich anzuschließen.

Aufstieg der Bereits 1159 hatte Heinrich der Löwe die Stadt **Lübeck** gegründet
Städte und damit die Voraussetzung für die deutsche Vormachtstellung an der Ostsee geschaffen. Der zunehmende Handel stärkte die Macht des städtischen Bürgertums, das sich zum Teil auch aus der Herrschaft des Klerus befreite. Zeichen dieses Aufstiegs sind die monumentalen Bürgerkirchen, die wie z. B. in Lübeck die Bischofskirchen an Größe und Pracht weit übertreffen konnten. Das Stadtwesen entwickelte sich mit seiner bürgerlichen Freiheit, der Marktordnung und den Zünften. In diese Zeit fällt auch der erste Versuch, Recht zu kodifizieren: Um 1230 verfasste Eike von Repgow den **»Sachsenspiegel«**, das älteste deutsche Rechtsbuch und Vorbild späterer, ähnlicher Codices.

Frühgotik Die staufische Architektur gewann gegenüber der romanischen an Differenziertheit. Die Kirche St. Apostels in Köln ist ein gutes Beispiel dafür, wie neue architektonische Kleinformen die schwereren romanischen Formen gliederten. In Straßburg, Magdeburg und Naumburg entstanden die frühen gotischen Dome Deutschlands, in Trier (Liebfrauenkirche) und Marburg (St. Elisabeth) die ersten einheitlichen Pfarr- und Wallfahrtskirchen nach dem neuen architektonischen Muster. Die Auseinandersetzung mit französischer Kathedralplastik lässt sich deutlich an der Skulptur der Trierer Liebfrauenkirche, dem Münster in Straßburg und dem Bamberger Dom nachvollziehen. Im Rheinland und insbesondere im Rhein-Maas-Gebiet blühte eine Kunstlandschaft außerordentlichen Ranges.

Spätmittelalter

1273	Rudolf von Habsburg wird deutscher König.
1358	Gründung der Hanse
1386	In Heidelberg wird die erste Universität Deutschlands gegründet.
13./14. Jh.	Ketzerverfolgung und Inquisition
1414–1418	Die zerrüttete Kirche wird in Konstanz wieder geeint.
um 1450	Johann Gutenberg erfindet die bewegliche Letter.

In Deutschland kennzeichnete das Kräftemessen zwischen König, Fürsten und Städten das Spätmittelalter. Die **Königswahl** wurde 1257 erstmals von einem Gremium, den Kurfürsten, vorgenommen. Nach einigen Wirren um Könige und Gegenkönige in der Zeit des Interregnums seit 1256 kam 1273 mit Rudolf I. von Habsburg nach den Staufern wieder ein machtvoller Herrscher auf den deutschen Königsthron. Um die alte Machtposition des Königs wieder zu erlangen, forderte er das verloren gegangene Reichsgut wieder ein. Seine Nachfolger strebten wieder nach dem Titel des Römischen Kaisers. Karl IV. (reg. 1346–1378) verschaffte sich eine souveräne Stellung im Reich und in Bezug auf das Kräftespiel zwischen Kurfürsten und Papst. In der Goldenen Bulle ließ er 1356 die wichtigsten Elemente der **Reichsverfassung** und des **Reichsrechts** zusammenfassen. Das Kolleg der sieben Kurfürsten wurde festgelegt: Den Erzbischöfen von Mainz, Köln und Trier, dem Pfalzgrafen bei Rhein, dem Herzog von Sachsen, dem Markgrafen von Brandenburg und dem König von Böhmen war es allein vorbehalten, den deutschen König zu wählen.

Seit 1273 Habsburger

◀ **1356: Goldene Bulle**

Im 13. Jh. erlangte der Deutsche Orden, ein geistlicher Ritterorden nach Vorbild der Templer und Johanniter, zunehmend Bedeutung als Träger einer Missions-, Siedlungs- und Expansionsstrategie. Der Orden war nur Papst und Kaiser verantwortlich. Sein Zentrum und Sitz des Oberhauptes, des Hochmeisters, war die **Marienburg in Westpreußen.**Die Siedlungsbewegung nach Osten vollzog sich meist unter Beteiligung der einheimischen Bevölkerung. Zahlreiche Stadtgründungen im 13. Jh. gehen auf diese Aktivitäten zurück.

Deutscher Orden

Weiteres Erstarken der Städte Der bedeutendste Städtebund des Mittelalters, **die Hanse**, formierte sich 1358 und stellte im 14. Jh. eine Wirtschaftsmacht dar. Dabei fiel einigen Städten eine Sonderrolle zu: Köln war z. B. Zentrum der Goldschmiede und Goldschläger, Braunschweig die Stadt der Messingproduktion. Bereits im 15. Jh. neigten sich die Bünde der Städte zugunsten von einzelnen Gesellschaften ihrem Ende zu, so z.B. der **Ravensburger Handelsgesellschaft**. Die Hanse büßte einen großen Teil ihrer Macht ein: Bankhäuser in Familienhand wie das der Fugger in Augsburg wurden zu potenten wirtschaftlichen und – als Finanziers der Fürsten – auch zu politischen Faktoren.

Kirche, Ketzer, Judentum Auch die Kirche bot kein einheitliches Bild mehr. Ausufernde Heiligenverehrung und Ketzerverfolgung durch die **Inquisition** standen zeitgleich neben dem Aufstieg der Bettelorden wie den Dominikanern seit 1216 und den Franziskanern seit 1223. Das 14. Jh. war das Jahrhundert der Mystik, die neben dem herausragenden Meister Eckhart und seinen Schülern Johannes Tauler und Heinrich Seuse maßgeblich von Frauenklöstern getragen wurde. Zentrum der Frauenmystik war das Zisterzienserinnenkloster Helfta bei Eisleben. Die Juden hatten kaum Rechte und mussten eine hohe Steuerlast tragen. Trotz Absonderung in Ghettos, vielfacher Verfolgung und Pogromen – besonders zu Zeiten der Pestepidemien – wuchsen bedeutende jüdische Siedlungen in Mainz, Köln, Worms und Frankfurt.

Kirchenschisma ▶ Die Zerrüttung der Kirche führte 1378 zum so genannten Großen Schisma, der Wahl zweier Päpste. Ganz Europa spaltete sich in **zwei Lager**. Im Deutschen Reich hatte das Schisma vielfältige und wechselnde Bünde von König, Fürsten und Städten zur Folge. Schließlich kam 1414–1418 das Konzil von Konstanz zustande, das die Kirchenspaltung beendete. Jan Hus, der tschechische Reformator, wurde 1415 in Konstanz als Ketzer verbrannt. Sein Märtyrertod löste die Erhebung der Hussiten gegen die Deutschen aus, die in die erst 1436 beendeten Hussitenkriege mündete.

Konzil zu Konstanz ▶

Gotik Gotische Formen fanden sich nun an allen wichtigen Bauten in Deutschland. Die wandernden Bauhütten verbreiteten die Fortschritte in der Bautechnik. Wesentlich war dabei die Erfindung der **seriellen Fertigung**: Man konnte die Bauten höher und lichter aufführen, die vertikale Gliederung betonter und differenzierter gestalten und durch Glasmalerei ergänzen. Ein hervorragendes Beispiel für solche filigrane Architektur ist das Turmoktogon des Freiburger Münsters (Anfang 14. Jh.). Bereits 1248 wurde mit dem Bau des Kölner Doms begonnen, einer Kathedrale, die heute als ein Meisterwerk der Hochgotik gilt. Im Norden Deutschlands entfaltete sich eine ganz eigene Spielart der Baukunst, die Backsteingotik. Die imponierenden Kirchen von Lübeck, Stralsund und Greifswald, die Marienburg und die Rathäuser von Lübeck und Stralsund zeugen davon.

Backsteingotik ▶

Malerei ▶ Während in Italien die Kunst der Frührenaissance aufblühte, datieren aus dem 14. Jh. die ersten **Tafelbilder und Flügelaltäre** in

Deutschland. Noch ganz mittelalterlichen Formen sind beispielsweise die Werke des Meister Bertram und des Meister Francke (beide Kunsthalle Hamburg) verpflichtet. Im Kölner Raum entstanden nur wenige Jahre später viel subtilere Gemälde der so genannten Internationalen Gotik. Stellvertretend für die Kölner Schule sei hier Stephan Lochner (um 1400–1451) genannt. Konrad Witz (um 1400 bis um 1445) vollzog einen revolutionären Schritt, als er zum ersten Mal den imaginären Bildhintergrund durch das Abbild einer in der Natur existierenden Landschaft ersetzte. Auf dem Gebiet der Architektur und der Bildhauerei wirkte vor allem die Familie der Parler stilbildend.

Aristoteles' Schriften bestimmten die **Wissenschaften** und verdrängten platonisches, neuplatonisches und augustinisches Gedankengut. In Köln trat Albertus Magnus (um 1200–1280) hervor, der die aristotelische Philosophie systematisierte und den Naturwissenschaften den Boden ebnete. **Universitäten** wurden gegründet: 1386 die Heidelberger als erste Hochschule Deutschlands, 1409 die Leipziger. Johannes Gensfleisch aus Mainz, genannt **Gutenberg** (um 1400–1468), der seit ca. 1445 mit beweglichen Drucklettern experimentierte, druckte 1453 die Bibel. Schriftliche Erzeugnisse verbreiteten sich somit rasch, denn man druckte auf Papier, das das teurere Pergament verdrängte. Langsam begannen auch humanistische Ideen zu kursieren; die Scholastik verlor dagegen an Einfluss.

Gutenbergbibel (um 1455): Die Erfindung des Buchdrucks revolutionierte das kulturelle und politische Leben.

Die augenfälligste Tendenz des Spätmittelalters ist die der **sozialen Differenzierung**. Die Bevölkerungszahl wuchs stark, und es bildeten sich an den Kreuzungen der wichtigen europäischen Handelsstraßen Großstädte wie Köln, Hamburg, Lübeck und Nürnberg. Hier entwickelten sich eine eigene Kultur und ein eigenes Recht. Die Städtebünde, etwa die Hanse und der Rheinische Bund, genossen Privilegien. Mitte des 14. Jh.s brach die Pest über Europa herein. Die Epidemien, Hungersnöte, Kriege und Naturkatastrophen dezimierten die Bevölkerung in Europa bis Ende des 14. Jh.s um fast 50 %. Dieses Phänomen und die Landflucht führten zu »Wüstungen«, Verwahrlosung weiter Agrarflächen und zu einer Krise der Landwirtschaft.

Großstädte entstehen

◄ Die Pest wütet

Die Neuzeit

Humanismus, Reformation, Gegenreformation

1517	Beginn der Reformation
1521/1522	Luther übersetzt die Bibel.
1524/1525	Bauernkrieg
1618–1648	Im Dreißigjährigen Krieg werden ganze Landstriche verwüstet.

Habsburger werden Großmacht

Im 16. Jh. entwickelten sich Augsburg, Hamburg und Danzig zu Umschlagplätzen des europäischen Binnenhandels. Politisch verloren die großen Städte gegenüber den weltlichen Fürsten jedoch an Bedeutung. Im Unterschied zu anderen europäischen Ländern, die aufgrund ihrer zentralistischen Organisation dem Absolutismus zustrebten, glich das Heilige Römische Reich Deutscher Nation einem **Flickenteppich** aus weltlichen und geistlichen Herrschaftsgebieten. Ausgehend von den österreichischen Stammlanden verstanden es die Habsburger im 16. Jh., ihren Länderbesitz durch Heirats- und Erbverträge geschickt zu mehren. Sie wuchsen so zu einer europäischen Großmacht. Als **Karl V.** ▶ (reg. 1519–1556) erstmals mit der Wahl zum deutschen König auch automatisch zum Römischen Kaiser gewählt wurde, herrschte das Haus Habsburg über Deutschland, Österreich, Böhmen, Ungarn, Burgund und Spanien samt dessen Eroberungen in Amerika und Asien und war damit so groß geworden, dass Schiller in »Don Carlos« vom Reich, »in dem die Sonne nicht untergeht« sprechen konnte.

Humanismus

Die geistesgeschichtlichen Strömungen des frühen 16. Jh.s bereiteten den Boden für die **Reformation**. Der auch in Basel und Freiburg wirkende Erasmus von Rotterdam (1466–1536) propagierte eine auf dem Neuen Testament fußende, unbefangene Einstellung zu Welt und Kirche. Die Bildung der Bevölkerung nahm zu, und die Städte wurden zu geistigen Zentren, in denen die humanistischen Zirkel sprossen.

Dürer und seine Nachfolger

Herausragende Künstlerpersönlichkeit dieser Zeit war der in Nürnberg lebende Albrecht Dürer (1471–1528). Neben Gemälden von abgeklärter psychologischer Intensität, Zeichnungen und Aquarellen zeugen vor allem seine grafischen Arbeiten von hoher Meisterschaft. Einer seiner Schüler, Matthias Grünewald (um 1480 bis vor 1532), brachte jenseits der intellektuellen Kunst des Melancholikers Dürer ein ganz anderes Element zu einer vollkommenen Darstellung: den leidenschaftlichen Ausdruck. Tilman Riemenschneider (um 1460 bis 1531) schuf im fränkischen Raum Schnitzaltäre und Skulpturen, die bereits das ideale Schöne betonen.

1517 formulierte der Augustinermönch **Martin Luther** 95 Thesen gegen Ablasswesen und päpstliche Selbstherrlichkeit, die die evangelische Bewegung auslösten. Dass Luther sich der deutschen und nicht der lateinischen Sprache bediente, erklärt auch die ungeheure Resonanz seiner Streitschrift und machte ihn zur Leitfigur der Reformation. Trotz des 1520 ausgesprochenen Bannes konnte er sich auf dem Reichstag zu Worms 1521 vor Karl V. erklären, wurde aber im Wormser Edikt von 1521 als Ketzer mit der Reichsacht belegt. Luther zog sich ins Asyl auf die Wartburg zurück und übersetzte das Neue Testament ins Deutsche, genauer in die ihm geläufige kursächsisch-meißnische Kanzleisprache. Damit gilt er als eigentlicher Begründer der neuhochdeutschen Schriftsprache.

Martin Luther (1483–1546)

Die evangelische Bewegung wurde in den folgenden Jahrzehnten zu einer ganz Europa verändernden Kraft. In Deutschland gerieten auch soziale Unruhen wie der Ritterkrieg des Franz von Sickingen von 1522/1523 und der blutig niedergeschlagene Bauernaufstand der Jahre 1524/1525 in den Wirbel der umstürzenden Veränderungen.

Bauernkrieg

Nach und nach bekannten sich viele Landesherren zur Reformation, zweifellos auch, weil ihnen die Neuordnung der Kirchen- und damit vieler Machtstrukturen gelegen kam. Das Haupt der Gegenreformation war **Kaiser Karl V.**, der die Wiederherstellung der Glaubenseinheit als eine seiner wichtigsten Aufgaben sah. Die protestantischen Reichsstände schlossen sich 1530 zum Schmalkaldischen Bund zusammen, unterlagen aber dem Kaiser 1546–1547 im Schmalkaldischen Krieg. Auf dem Augsburger Reichstag 1555 konnten die protestantischen Fürsten politische Autonomie und Religionsfreiheit durchsetzen. Die Bevölkerung hingegen musste die Religion annehmen, die ihr Landesherr gewählt hatte (»cuius regio, eius religio«). Auch innerhalb der katholischen Kirche konnten Reformen Fuß fassen. Hauptträger der Erneuerung war der 1534 von Ignatius von Loyola gegründete Orden der **Jesuiten**, der zum Träger der Gegenreformation wurde. Am Ende des 16. Jh.s hatten sich im Ringen von Reformation und Gegenreformation die Gewichte verteilt: Mittel- und Norddeutschland waren fast gänzlich protestantisch, West- und Süddeutschland überwiegend katholisch.

Gegen-reformation

Auch in den Künsten setzte sich der Glaubenskrieg fort: Bilder konnten theologische Pamphlete sein, Gedichte und Lieder dogmatische Inhalte transportieren. Im Gegensatz zur bald bilderfeindlichen evangelischen Kirche zelebrierte der Katholizismus mit dem aufblühenden Barock seine Regeneration und bezog die Künste bewusst in den Kult mit ein.

Die Künste und die Reformation

Im ausgehenden 16. Jh. verdrängte zunächst aber die Profanarchitektur den Sakralbau von seiner tonangebenden Stellung. Schlösser, Stadtpaläste und Rathäuser stellten die wichtigste Bauaufgabe **nachgotischer Zeit** dar. Ein Stilzusammenhang bildete sich in Deutschland

◄ Profanarchitektur

allerdings nur im Nordwesten: Den Wohlstand der Bürger und des Adels im Wesergebiet zwischen Hannoversch Münden und Minden begleitete von etwa 1530 bis 1630 eine Blüte in der Architektur, die so genannte »Weserrenaissance«.

Malerei, Literatur und Musik ▶ Wichtig für die spätere Barockmalerei und ein Vorläufer der idealistischen Landschaftsmalerei war der Frankfurter Maler und Radierer Adam Elsheimer (1578–1610). Martin Opitz' (1597–1639) 1624 erschienenes »Buch von der deutschen Poeterey« blieb stilbildend für die Barockliteratur bis ins 18. Jh. hinein. Die erste deutsche Oper (»Dafne«) komponierte 1627 Heinrich Schütz (1585–1672) nach einem von Opitz übertragenen Libretto (nur dieses ist erhalten).

Johannes Kepler ▶ Auf wissenschaftlichem Terrain leistete der Theologe, Mathematiker und Astronom Johannes Kepler (1571–1630) mit seinen **Gesetzen zur Planetenbewegung** Bahnbrechendes.

Dreißigjähriger Krieg Unter dem Vorwand der Verteidigung des wahren Glaubens verfolgten Fürsten und Stände eigennützige Interessen und fanden sich in Schutzbündnissen zusammen. Der Gründung der protestantischen Union von 1608 folgte 1609 die Katholische Liga. Zu ersten Kämpfen kam es in Böhmen, wo die überwiegend evangelischen Landesstände 1619 Ferdinand II. als König absetzten. Der folgende Krieg, in den die Dänen, die Spanier, die Schweden und die Franzosen eintraten, verwüstete weite Landstriche Deutschlands, ein Drittel der Bevölkerung starb, Bürger wie Bauern verarmten. Ein eindrückliches Zeugnis dieser Schreckensjahre ist der 1669 erschienene Roman »Der abenteuerliche Simplizissimus« von Hans Jakob Christoffel von Grimmelshausen (um 1622–1676).

1644 begannen schließlich die langwierigen Friedensverhandlungen in Münster und Osnabrück, die 1648 zum **Westfälischen Frieden** und damit zum Ende des Krieges führten. Die Bestimmungen des Friedensvertrages legten die konfessionelle und politische Landkarte Deutschlands fest und bereiteten, indem sie die kaiserlichen und päpstlichen Befugnisse einschränkten, die Grundlage für die barocke Prachtentfaltung der Fürsten.

Kühle Aufklärung, barocke Pracht: Absolutismus

1700	Gründung der Akademie der Wissenschaften in Berlin
1701	Preußen wird Königreich.
1740–1786	Friedrich der Große regiert mit strenger Hand.
18. Jh.	Deutsche Aufklärung
1756–1763	Siebenjähriger Krieg

Im Reich der Sonnenkönige Schon bald nach den Religionskriegen des 16. und frühen 17. Jh.s setzte sich eine kritische Distanz zu den konfessionellen Kirchen durch. Die Ziele des Staates mussten nicht mehr religiös motiviert sein, es genügte ihr Selbstzweck. Der französische König Ludwig XIV. verkörperte die neue Maxime: Das Wohl des Staates rechtfertigte alle Unternehmungen (l'état c'est moi – Der Staat bin ich). Der aufkommende **Merkantilismus**, die staatliche Wirtschaftslenkung durch den Landesherrn, bewirkte eine effizientere Staatswirtschaft.

Gegen Ende des 17. Jh.s bestimmte eine kleine Zahl mächtiger Fürsten die deutsche Geschichte. Vor allem im Westen und Südwesten bestand das Reich aus kleinen und kleinsten Staaten. Als Reich agierte Deutschland nur vereinzelt wie z. B. bei der Verteidigung Süddeutschlands im **Pfälzischen Krieg** (1688–1697). Die Stellung des Kaisers bemaß sich nach der Stärke seiner Hausmacht. Zu bedeutenden Territorien waren Kurbayern, Kursachsen, Kurbraunschweig-Lüneburg und Kurbrandenburg-Preußen unter dem Großen Kurfürsten Friedrich Wilhelm (reg. 1640–1688) aufgestiegen. Sie betrieben jeweils eine eigene Freundschafts- und Bündnispolitik. Bayern lehnte sich an Frankreich an, um Unterstützung gegen Österreich zu erhalten, Sachsen stellte seit 1697 den polnischen König und hatte in August dem Starken (reg. 1694–1733) die glänzende Gestalt des deutschen Barock, der Dresden zu einem Zentrum der Künste von europäischem Rang ausbaute.

Aufstieg der Regionalmächte

Im Laufe des 18. Jh.s stabilisierten sich **zwei Großmächte** auf deutschem Boden: Habsburg und Preußen. Letzteres war 1701 zum Königreich avanciert und seine Herrscher, allen voran König Friedrich I. und seine Gattin Sophie Charlotte, versuchten, der Residenz Berlin ähnlichen Glanz zu geben, wie ihn die Fürstenhöfe in Dresden und München verbreiteten. Friedrichs Nachfolger Friedrich Wilhelm I. verwirklichte eine konsequent absolutistische Herrschaft mit stark merkantiler Ausrichtung.

◀ *Preußen und Österreich*

Um die Wende zum 18. Jh. wirkte sich der Verlust des einheitlichen christlichen Weltbildes auf das allgemeine geistige Leben aus. Vernunft, Natur und Erfahrung waren die Werte, an denen sich nun das Denken orientierte; Wissenschaft und Forschung gewannen an Gewicht. Gottfried Wilhelm Leibniz (1646–1716) gründete 1700 in Berlin eine Akademie der Wissenschaften. Der in Königsberg lehrende Philosophieprofessor Immanuel Kant (1724–1804) war der Repräsentant der **deutschen Aufklärung** schlechthin. Kern seiner Lehre war das Gebot, die vernunftbestimmte Freiheit an ein sittliches Gesetz zu binden.

*Friedrich II. der Große
(Gemälde von Anton von Graff, 1781)*

Friedrich der Große

Seit 1740 regierte in Preußen der erste Monarch, der die Postulate der Aufklärung politisch umzusetzen begann. Diesen König, Friedrich II. (reg. 1740 bis 1786), nannten schon seine Zeitgenossen wegen seines **toleranten und weltoffenen Regierungsstils** »den Großen«. Er verkörperte die althergebrachten »preußischen« Tugenden, war aber auch Freund und Förderer der Künste und übte kraft seines Herrschaftsethos' als »erster Diener seines Staates« eine Vorbildwirkung auf andere Fürsten aus. Außenpolitisch nutzte er die von Friedrich Wilhelm I. aufgebaute militärische Macht, um in zwei Kriegen gegen seine österreichische Widersacherin Maria Theresia Schlesien in preußische Hand zu bekommen. Im Siebenjährigen Krieg konnte sich Friedrich gegen die übermächtige Allianz von Frankreich, Österreich und Russland behaupten und Preußens Existenz retten.

1756–1763: Siebenjähriger Krieg ▶

Barock und Rokoko

Im 17. und 18. Jh. war mit den barocken Residenzen weltlicher und geistlicher Fürsten zum ersten Mal eine Art **Gesamtkunstwerk** entstanden, an dem alle Künste Anteil hatten. Eines der Paradebeispiele, die Residenz der Würzburger Fürstbischöfe, vereinte die raffinierte Architektur Balthasar Neumanns (1687–1753) mit Tiepolos Fresken sowie einem in den Park ausgreifenden ästhetischen Programm. Im Dresden Augusts des Starken entstand aus der Zusammenarbeit von Matthäus Daniel Pöppelmann und Balthasar Permoser der Zwinger (1710–1732). In Berlin leitete der Bildhauer und Baumeister Andreas Schlüter ab 1699 den dortigen Schlossbau. Im habsburgischen Herrschaftsbereich im süddeutschen Raum entfaltete sich in der ersten Hälfte des 18. Jh.s die Baukunst zu außerordentlichem Reichtum. Neben Neumann beherrschten die Baumeisterfamilie Dientzenhofer, Johann Michael Fischer (1692–1766), die Brüder Asam und Dominikus Zimmermann die süddeutsche Architekturlandschaft. In Westfalen begründete der im Dienst von Kurfürst Clemens August von Köln stehende Johann Conrad Schlaun (1695 bis 1773) eine eigene Schule **spätbarocker Profanarchitektur**.

Musik und Literatur

Das barocke Musikleben gedieh in erster Linie an den Höfen, so z. B. an dem von Sachsen-Weimar. Auch Johann Sebastian Bach (1685 bis 1750) war hier kurze Zeit tätig, bevor er 1723 Thomaskantor und »Director musices« in Leipzig wurde. 1678 eröffnete das erste deutsche »öffentliche und populäre« Opernhaus in Hamburg. Dort kamen unter anderem die 45 Opern des Hamburger Musikdirektors Georg Philipp Telemann (1681–1767) zur Aufführung. Neben Bach und Georg Friedrich Händel (1685–1759) – Letzterer lebte seit 1712 in London – war Telemann einer der ersten deutschen Musiker von abendländischer Geltung.

An der Schwelle zur neuen Zeit wies der bedeutendste deutsche Geist der Aufklärung, Gotthold Ephraim Lessing (1729–1781), lange als Bibliothekar in Wolfenbüttel tätig, der Literatur den Weg in die **Klassik**. Unter seinen Werken ist sein Plädoyer für die Toleranz, »Nathan der Weise«, wohl am besten im kulturellen Gedächtnis verwahrt.

Von Napoleon bis 1848

1786–1805/1832	Weimarer Klassik, Goethe und Schiller
1798 – um 1830	Romantik
1806	Ende des Heiligen Römischen Reichs Deutscher Nation
1813	Sieg über Napoleon bei Leipzig
1814/1815	Wiener Kongress: Europa wird neu geordnet.
1835	Erste Bahnstrecke Deutschlands wird eröffnet.
1847	Marx und Engels verfassen das Kommunistische Manifest.
1848	Märzrevolution

Als das 18. Jh. zu Ende ging, hatte in England bereits die industrielle Revolution eingesetzt, die Vereinigten Staaten von Amerika waren entstanden und die Französische Revolution hatte das Zeitalter des Absolutismus beendet. Für Deutschland sollte die Machtpolitik des Generals **Napoleon Bonaparte** bestimmend werden, der sich 1799 mit einem Staatsstreich an die Spitze Frankreichs gestellt hatte.

Folgen der Französischen Revolution

Schon vor 1800 hatte das revolutionäre Frankreich seinen Einflussbereich erheblich ausweiten können. 1801 musste das Deutsche Reich im Frieden von Lunéville alle linksrheinischen Gebiete abtreten. Der **Reichsdeputationshauptschluss** von 1803 untermauerte den Vertrag von Lunéville und bedeutete das Ende zahlreicher deutscher Kleinstaaten sowie die weit gehende Auflösung des Kirchenbesitzes. Danach schuf sich Napoleon, seit 1804 Kaiser der Franzosen, ein System von Vasallenstaaten, indem er 16 süd- und westdeutsche Fürstentümer 1806 im Rheinbund zusammenschloss und das Protektorat übernahm. Indem er sie für souverän erklärte, erreichte er, dass sie aus dem Reichsverband austraten. Bayern und Württemberg erhob er gar zu Königreichen. Das Heilige Römische Reich Deutscher Nation erlosch, als Kaiser Franz II. 1806 daraufhin die Reichskrone niederlegte. Deutschland war in drei Parteien zerfallen: Die Rheinbundstaaten waren an das Empire gebunden und ordneten zumindest in Süddeutschland ihre Staatsorganisation nach französischem Vorbild. Österreich, das seine Gebiete in Schwaben und am Oberrhein verloren hatte, geriet unter Franz II. zum Polizeistaat. Preußen, das sich 1806 gegen Frankreich erhoben hatte, wurde vernichtend geschlagen und entging nur durch russischen Einspruch der völligen Auflösung.

Frankreich bestimmt die Politik

Die neue Staatsauffassung vom mitbestimmenden Bürger erklärt ebenso wie das aufkeimende Nationalbewusstsein, warum eine Welle des Widerstands durch die deutsche Bevölkerung ging, als Frank-

Napoleon wird besiegt

reich 1812 gegen Russland zu Felde zog und dabei zahlreiche Truppenkontingente der von ihm abhängigen Staaten seiner Grande Armée einverleibte. Jedoch erst als diese im russischen Winter untergegangen war, standen fast alle deutschen Staaten gegen Napoleon auf, angeführt von Preußen, das sich 1813 mit Russland verbündete. Mit vereinten Kräften gelang im Oktober 1813 in der **Völkerschlacht bei Leipzig** der Sieg über die französischen Truppen. Noch einmal aber setzte der bereits verbannte Napoleon an, Europa zu erobern, doch wurde er 1815 bei **Waterloo** vor den Toren Brüssels von einer Allianz der Engländer, Preußen und Niederländer endgültig geschlagen.

Klassizismus Große Wirkung auf die Künste hatten die Schriften des deutschen Altertumsforschers Johann Joachim Winckelmann (1717–1768). Seine »Gedanken über die Nachahmung der griechischen Werke in der Malerei und Bildhauerkunst« von 1755 legten die theoretische Basis zur klassizistischen Kunst. Was die Architektur anbetraf, konnten Baumeister wie Karl Friedrich Schinkel (1781–1841), Leo von Klenze (1784–1864) und Friedrich von Gärtner (1792–1847) den neuen Stil erst in den nachnapoleonischen Jahren verwirklichen. Kunstzentren waren **Berlin und München**, wo die bemerkenswertesten Bauten entstanden: in Berlin die Neue Wache Unter den Linden (1817/1818) und das Alte Museum (1824–1828), beide von Schinkel, in München Gärtners Ludwigstraße (1832–1843) und die Glyptothek (1816–1834) von Klenze. In Berlin wirkten in dieser Zeit auch die Bildhauer Johann Gottfried Schadow (1764–1850) und Christian Daniel Rauch (1777–1857). Für viele deutsche Maler wurde Rom zum Mittelpunkt ihres Schaffens. Um den dort lebenden Anton Raphael Mengs (1728–1779) scharte sich ein Kreis von Künstlern und Gelehrten.

Weimarer Klassik Johann Wolfgang von Goethe (1749–1832) wurde auf seiner ersten Italienreise (1786–1788) von klassizistischem Gedankengut beeinflusst. Damals hatten er und Friedrich Schiller sich schon mit ihren

Goethe und Schiller ▶ »Sturm und Drang«-Dichtungen – allen voran Goethes »Werther« – einen Platz in der Literaturgeschichte gesichert. Besteht Schillers Werk im Wesentlichen aus literarischen Arbeiten und ästhetischen Schriften, so war Goethe universeller Gelehrter schlechthin. Sowohl auf wissenschaftlichem Gebiet (Farbenlehre, 1810) und im politisch-administrativen Bereich (seit 1779 Geheimer Rat am Weimarer Hof) wie als Dichter war er in ähnlicher Weise produktiv. Dass am Hof des kleinen Staates Sachsen-Weimar-Eisenach ein literarisch-wissenschaftlicher Kreis heimisch werden konnte, der eine ganze Epoche, die Klassik, prägte, ist der Herzogin Anna Amalia (1739–1807) und ihrem Sohn Carl August (1757–1828) zu danken.

Auch die Musikgeschichte nennt die Epoche des ausgehenden 18. Jh.s die klassische – gemeint ist damit die Blütezeit der Wiener Klassik. Historisch bedeutsam war jedoch auch Christoph Willibald Gluck (1714–1787), der mit »Orpheus und Eurydike« die Barockoper durch eine moderne, dramatischere Form ablöste.

Restauration und Revolution

Unter Federführung Englands und Österreichs wurde auf dem Wie- **Wiener Kongress**
ner Kongress 1815 eine **europäische Friedensordnung** verabschiedet,
die in etwa die Verhältnisse vor Napoleon wieder herstellte. Die
linksrheinischen Gebiete blieben indessen bei Frankreich. Preußen
und Österreich orientierten sich neu: Preußen wuchs westlich nach
Deutschland hinein, Österreich richtete sich nach Südosten aus. Die
38 deutschen Einzelstaaten schlossen sich zum **Deutschen Bund** zusammen. Zentrales Organ wurde der Bundestag in Frankfurt. Österreich hatte hier den Vorsitz und betrieb im Sinne des Staatskanzlers
Fürst von Metternich eine entschieden reaktionäre Innenpolitik.

Die im Kampf gegen Napoleon entstandenen Hoffnungen auf Ein- **Karlsbader**
heit und Freiheit Deutschlands waren in der Restauration enttäuscht **Beschlüsse**
worden. Ein Teil der Studenten gründete patriotische Burschenschaften, die gegen die Restaurationspolitik aufbegehrten. Fürst von Metternich nutzte die studentische Strömung und insbesondere den
Mord an dem reaktionären Schriftsteller August von Kotzebue, um
1819 mit den Karlsbader Beschlüssen liberale Tendenzen zu unter-
binden. Die Burschenschaften wur-
den verboten, die Universitäten
überwacht, die Zensur verschärft.
Erst als 1830 in Frankreich, Belgien
und Polen bürgerliche Revolutio-
nen einsetzten, erhielten auch in
Deutschland die unterdrückten politischen Bewegungen neuen Auf-

 WUSSTEN SIE SCHON …?

■ dass die erste Eisenbahnstrecke Deutschlands
zwischen Nürnberg und Fürth verlief und 1835
eröffnet wurde?

trieb und äußerten sich 1832 im **Hambacher Fest**. Die Presse erlangte
gerade in der Zeit der Reaktion besondere Bedeutung, als Pressefrei-
heit zum Inbegriff politischer Freiheit wurde. Außer modifizierten
Verfassungen in einigen Kleinstaaten änderte sich jedoch wenig im
Reich. Der aus bitterster Not angezettelte Aufstand der schlesischen
Weber wurde 1844 blutig niedergeschlagen.

Die Revolution erfasste 1848 schließlich doch noch die deutschen **Märzrevolution**
Staaten. Dabei vermochten sich genau wie in Frankreich nicht die
sozialrevolutionären Kräfte durchzusetzen. Vielmehr focht eine **bür-**
gerliche Mittelschicht um ihre Forderungen: Pressefreiheit, Schwur-
gericht, Koalitionsfreiheit, Volksbewaffnung und gesamtdeutsches
Parlament. Preußens König (1840 bis 1861) Friedrich Wilhelm IV.
versuchte, sich selbst an die Spitze der nationalen Bewegung unter
dem neuen schwarz-rot-goldenen Banner zu setzen.

Nur ein knappes Jahr sollte der erste Versuch andauern, dem Deut- ◀ Paulskirche
schen Reich eine Verfassung zu geben. Nachdem im Mai 1848 die
Nationalversammlung zu diesem Zweck in der Frankfurter Paulskirche tagte, bewirkte die Ablehnung der Kaiserkrone durch Friedrich
Wilhelm IV. eine Radikalisierung der Volkserhebung. Preußische

Truppen schlugen im Frühjahr 1849 den badisch-pfälzischen Aufstand rücksichtslos nieder. Die nationale Revolution war gescheitert, das Bürgertum wandte sich von politischen zu wirtschaftlichen Zielen, Zehntausende der unteren Schichten wanderten aus.

Zwischen Preußen und Österreich hatte sich der Konflikt um die Führungsrolle in Deutschland verschärft. Mitte des 19. Jh.s begünstigte die voranschreitende Industrialisierung und die Freihandelspolitik in Preußen dessen Machtposition.

Industrialisierung ▶ Im ersten Drittel des 19. Jh.s schritt vor allem der **Ausbau der Verkehrswege** rasch voran. Seit 1816 gab es Dampfschiffe. Preußen gewann in dieser Zeit durch eine geschickte Handelspolitik wirtschaftlich und politisch an Gewicht. Es initiierte 1834 die Gründung des **Deutschen Zollvereins**, eine Etappe auf dem Weg zum Nationalstaat. Der allmähliche Übergang zur Massenproduktion und das dadurch bedingte Entstehen einer neuen gesellschaftlichen Schicht förderte **1847: Kommunistisches Manifest** ▶ sozialreformerische und sozialistische Theorien. 1847 verfassten Karl Marx und Friedrich Engels das »Kommunistische Manifest«.

Romantik ▶ Unter den Künstlern der Romantik seien u. a. Novalis (1772–1801) und Joseph von Eichendorff (1788–1857) genannt. Romantische Tendenzen wie das Interesse für die Volksüberlieferung von Märchen und Sprache – insbesondere bei den Gebrüdern Grimm (»Kinder- und Hausmärchen« 1812–1815, Deutsches Wörterbuch 1854) – sind als Versuch zu verstehen, auch auf literarisch-sprachlichem Gebiet eine **nationale Identität** zu stiften. Die Vertreter der Vormärzliteratur wie Ferdinand Freiligrath (1810–1876) agierten dagegen direkt. Eine Sonderstellung unter den Literaten nahm Heinrich Heine (1797– 1856) ein, der selbst mit romantischen Dichtungen begonnen hatte, aber dann die deutschen Verhältnisse mit einer spöttischen Lyrik und Prosa bedachte.

Noch immer waren die Stätten der Antike Anziehungspunkte für deutsche Künstler. Zu den »Deutschrömern« zählten Maler wie Anselm Feuerbach (1829–1880), der die klassizistische Tradition fortführte, aber auch der Kreis der Nazarener, die sich gegen den akademischen Stil wandten. In Deutschland dominierten zwei norddeutsche Künstler die Malerei der Romantik: Philipp Otto Runge (1777–1810) und Caspar David Friedrich (1774–1840).

Gottfried Semper ▶ Die Abkehr vom Klassizismus in der Architektur regte Gottfried Semper (1803–1879) an. Er propagierte eine an den Formen der Renaissance geschulte, monumentale Architektur (Dresdner Oper, 1838–1841).

Beethoven ▶ In der Musik stand Ludwig van Beethoven (1770–1827) als Mittler zwischen Klassik und Romantik. Er eröffnete neue Dimensionen, indem er die Orchester für seine Sinfonien erweiterte und in seinem Spätwerk die Melodik aufzulösen begann. Clara Schumann (1819–1896), Robert Schumann (1810–1856) und Felix Mendelssohn-Bartholdy (1809–1847) vertreten die romantische Musik.

Kaiserreich

1862	Otto von Bismarck wird preußischer Ministerpräsident.
1866	Norddeutscher Bund
1870/1871	Deutsch-Französischer Krieg
1871	Ausrufung des Kaiserreichs in Versailles
um 1880	Einführung der Kranken- und Altersversicherung
1885	Daimler und Benz bauen die ersten Benzinmotoren.
1906	Albert Einstein formuliert die Relativitätstheorie.

Unter Ministerpräsident Otto von Bismarcks zielstrebiger Machtpolitik stieg Preußen zur Vormacht in Norddeutschland auf, als sich der Deutsche Bund infolge des Preußisch-Österreichischen Kriegs 1866 auflöste. Alle Staaten nördlich des Mains wurden in diesem Jahr im Norddeutschen Bund zusammengeschlossen. Er war schon in seiner Verfassung darauf angelegt, lediglich **Durchgangsstufe zu einem geeinten Deutschland** zu sein.

Norddeutscher Bund

»Die Proklamation des deutschen Kaiserreichs«: König Wilhelm I. von Preußen wird in Versailles am 18. Januar 1871 zum Kaiser ausgerufen (Gemälde von Anton von Werner, 1885).

Deutsch-Französischer Krieg

Der französische Kaiser Napoleon III. befürchtete die Hegemonie Preußens über Europa und forderte daher einen Verzicht des Erbprinzen von Hohenzollern auf die spanische Thronkandidatur. Diese Prestigefrage löste den von beiden Lagern erwarteten und vorbereiteten Krieg aus, der in Deutschland als **Nationalkrieg** begriffen wurde. Die süddeutschen Staaten beteiligten sich ohne Zögern; Frankreich wurde geschlagen.

Kaiserreich

Bismarck nutzte die nationale Begeisterung im siegreichen Deutschland und konnte die süddeutschen Staaten bewegen, zusammen mit den Ländern des Norddeutschen Bundes das Deutsche Reich zu bilden. Am 18. Januar 1871 wurde der preußische König Wilhelm im Spiegelsaal des Schlosses von Versailles als Wilhelm I. zum Deutschen Kaiser proklamiert. Unter der Regie des Reichskanzlers Bismarck vollzog sich die **rechtliche und wirtschaftliche Vereinheitlichung** im Deutschen Reich.

Die Jahre bis 1890 bestimmten die Auseinandersetzung zwischen Staat und Kirche **(Kulturkampf)** und die Furcht konservativer Kreise vor revolutionärer Veränderung. Sowohl die Sozialistengesetze von 1878, die die sozialdemokratischen Organisationen und Zeitungen verboten, wie auch die Sozialgesetze der 1880er-Jahre (Kranken-, Unfall-, Alters- und Invalidenversicherung) waren primär dazu gedacht, die sozialen Krisenherde zu dämpfen und politischer Gefahr von links vorzubeugen.

Gründerjahre

Die sich rasant entwickelnde Industrie verstärkte die **Urbanisierung**. Der Verkehr erreichte eine neue Größenordnung: 1879 fuhren in Berlin die ersten elektrischen Straßenbahnen. Die Schwerindustrie

1885 knatterte der erste Benzinmotor in Gottlieb Daimlers Versuchswerkstatt; ein Jahr später schon »brauste« diese Daimler-Motorkutsche über das Pflaster.

erlebte einen Aufschwung durch die Optimierung der Stahlherstellung und den riesigen Bedarf im Verkehrswesen und in der Rüstung. Die chemische Großindustrie war ab 1880 führend auf dem Weltmarkt. Wirtschaftliche Verflechtung, Kartelle und die Macht der Banken nahmen Ende des 19. Jh.s im Zeichen eines ungehemmten Kapitalismus zu.

Zwei markante Persönlichkeiten repräsentieren das zu Ende gehende **Fin de siècle** 19. Jh.: **Friedrich Nietzsche** (1844–1900) und **Richard Wagner** (1813–1883). Der Philosoph entwickelte eine Lehre, in der er den Menschen von zwei Prinzipien geleitet sah: dem apollinischen (Ordnung und Harmonie) und dem dionysischen (Rausch und Ursprünglichkeit). Die christliche Welt setze diesem Lebenswillen moralische Grenzen, aus denen es sich zu befreien gelte. In Wagners Musikdramen erkannte er eine Erfüllung dieser lebensbejahenden Utopie. Obwohl eine breite Schicht lieber Fortsetzungsromane der Zeitschrift »Die Gartenlaube« oder Eugenie Marlitts Romane las, boten die Werke von **Theodor Fontane** (1819–1898) ein genaueres Bild der Zeit. Wer etwas über das Leben der unteren Gesellschaftsschichten erfahren wollte, griff zu den naturalistischen Dramen Gerhart Hauptmanns (1862–1946).

Ende des 19. Jh.s trat in Deutschland die Kolonialfrage immer mehr **Kolonialfrage** ins Zentrum der öffentlichen Diskussion. Kolonien – die Deutschland fehlten – wurden als wirtschaftliche Existenzgrundlage betrachtet, aber auch als Demonstration nationaler Größe verstanden. Durch seinen schwankenden außenpolitischen Kurs gelang es Deutschland nicht, über den Dreibund (Deutsches Reich, Österreich-Ungarn, Italien) hinaus Bündnispartner zu gewinnen; England und Frankreich sowie England und Russland dagegen näherten sich einander an.

Die Entwicklung in Wissenschaft und Technik schritt immer schneller voran. Albert Einsteins (1879–1955) **Relativitätstheorie** aus dem **Technischer Fortschritt** Jahre 1906 und Max Plancks (1858–1947) Beiträge zur **Quantenphysik** seit 1900 veränderten die Physik von Grund auf. 1885 bauten Gottlieb Daimler (1834–1900) und Carl Benz (1844–1929) unabhängig voneinander die ersten **Benzinmotoren**.

Noch wirkte in Deutschland der französische Impressionismus bei **Expressionismus** Malern wie Max Liebermann (1847–1935) nach, da entstand eine ganz neue Kunst, der Expressionismus. Besonders in der Münchner Künstlergruppe **»Der Blaue Reiter«**, zu der Wassily Kandinsky (1866–1944), Paul Klee (1879–1940), Gabriele Münter (1877–1962) und Franz Marc (1880–1916) gehörten, wurde dieser Stil entwickelt. Sein Pendant war der Dresdener Kreis **»Die Brücke«** – hierzu zählten Ernst Ludwig Kirchner (1880–1938), Otto Müller (1874–1930), Erich Heckel (1883–1970) und Karl Schmidt-Rottluff (1884–1976).

Zeit der Weltkriege

1914–1918	Erster Weltkrieg
1918	Novemberrevolution, der Kaiser dankt ab.
1919	Weimarer Republik
1924	Adolf Hitler schreibt »Mein Kampf«.
1929	Weltwirtschaftskrise
1930–1933	Die Massenarbeitslosigkeit nimmt zu.
30. Januar 1933	Hitler wird Reichskanzler.

Erster Weltkrieg In einer Atmosphäre des sich steigernden Imperialismus, des englisch-deutschen Gegensatzes und der nationalistischen Bestrebungen vor allem im Vielvölkerstaat Österreich-Ungarn wurden am 28. Juni 1914 der österreichische Thronfolger Franz Ferdinand und seine Gattin im serbischen Sarajevo ermordet. Am 28. Juli erklärte Österreich Serbien mit deutscher Rückendeckung den Krieg, Deutschland folgte mit der Kriegserklärung an Russland am 1. August und an Frankreich am 3. August, England trat am 4. August in den Krieg ein. Die Schrecken des Ersten Weltkrieges waren vor allem die **ungeheuren Materialschlachten**, der sich bald ergebende Stellungs- und Grabenkrieg und der »uneingeschränkte U-Boot-Krieg«. Aufgrund wiederholter Versenkung neutraler, auch US-amerikanischer Schiffe traten 1917 die USA in den Krieg ein. Im Sommer 1918 zwang die Offensive der Alliierten an der Westfront die deutschen Truppen zum Rückzug. Die Oberste Heeresleitung erklärte die Weiterführung des Kriegs für aussichtslos. Im November 1918 wurde der Waffenstillstand zwischen Deutschland und den Alliierten geschlossen. Deutschland musste im 1919 unterzeichneten Versailler Vertrag harte Friedensbedingungen akzeptieren, die die deutsche Wirtschaft lange beeinträchtigen und durch die provozierten Revanchegedanken einer der Gründe für den Aufstieg des Nationalsozialismus sein sollten.

Ausrufung der Republik Die Novemberrevolution im kriegsmüden Deutschland ging 1918 von Matrosen der Hochseeflotte aus, die sich weigerten, in diesem Stadium des Kriegs noch auszulaufen. In den Küstenstädten bildeten sich Soldatenräte, denen es zusammen mit kurz darauf entstandenen Arbeiterräten gelang, Menschen gegen die Monarchie zu mobilisieren. Am 9. November 1918 verzichtete Kaiser Wilhelm II. auf den Thron, der Sozialdemokrat Philipp Scheidemann rief in Berlin die Republik aus, die Regierungsgeschäfte übernahm der SPD-Vorsitzende **Friedrich Ebert** (1871–1925). Dieser zog die Oberste Heeresleitung auf seine Seite. Dadurch gelang es ihm, die im Spartakusaufstand für eine Räterepublik kämpfenden linksradikalen Soldaten und andere Gruppen auszuschalten und Wahlen zu einer Nationalversammlung durchzusetzen.

Weimarer Republik

Die Nationalversammlung trat am 6. Februar 1919 in Weimar zusammen und verabschiedete eine Verfassung, die auf der starken Position des vom Volk gewählten Reichspräsidenten basierte und ein Verhältniswahlrecht ohne Hürden vorsah, das die Zersplitterung der Parteienlandschaft begünstigte. Die **desolate Nachkriegswirtschaft** bewirkte ab 1922 eine rapide ansteigende Inflation, doch 1923 kam es mit Einführung der Rentenmark zur Konsolidierung der Währung. Aber gerade in diesem Jahr erhob der Nationalsozialismus mit dem gescheiterten Hitler-Putsch vom 9. November in München zum ersten Mal sein Haupt. Während der dafür verhängten Haftstrafe schrieb Hitler in Landsberg am Lech »Mein Kampf«.

Auf der Konferenz von Locarno 1925 gelang vor allem Außenminister Gustav Stresemann (1878–1929) der Ausgleich mit dem Westen. 1926 wurde das Deutsche Reich in den **Völkerbund** aufgenommen, wodurch es gleichberechtigt in den Kreis der Großmächte aufrückte. Schließlich erklärte sich Frankreich 1932 mit der einmaligen Restzahlung von drei Milliarden Reichsmark einverstanden.

Inflation und Putschversuche

Zum ersten Mal traten in Deutschland auch **Massenphänomene** in Erscheinung: Die sozialen Klassen tendierten zu Nivellierung, ganze Gesellschaftsschichten verarmten. Eine populäre Kultur brachte Sport-, Schlager- und Filmstars hervor. Mit den Filmen von Fritz Lang (1890–1976) und Friedrich W. Murnau (1896–1931) verlor das Kino seinen Jahrmarktscharakter. Eine Kunstrichtung der Weimarer Jahre schien gerade dieses Etikett als Banner vor sich herzutragen:

Die »Goldenen Zwanziger«

Das Bauhaus: Meisterhaus von Gropius in Dessau

DADA. Tatsächlich sind die Kunstwerke Hans Arps (1887–1966) und Kurt Schwitters' (1887–1948) als Absage an die bürgerliche Kunst wie auch als Jux zu verstehen.

Bauhaus ▶ Mit großem Engagement setzte ein anderer Kreis von Künstlern ganz andere Prioritäten. Den Lehrern am Weimarer und später am Dessauer Bauhaus ging es darum, den Gegensatz zwischen hoher und angewandter Kunst aufzuheben. Zu ihnen gehörten Architekten wie Walter Gropius (1883–1969) und Ludwig Mies van der Rohe (1886–1969), Maler wie Paul Klee (1879–1940), Oskar Schlemmer (1888–1943) und Lyonel Feininger (1871–1956), Lichtkünstler und Fotografen wie László Moholy-Nagy (1895–1946) sowie Designer wie Wilhelm Wagenfeld (1900–1990) und Marcel Breuer (1902–1981).

Literatur, Malerei ▶ In der Literatur etablierte sich nach den großen ambitionierten Romanen von Thomas Mann und Alfred Döblin eine **»Neue Sachlichkeit«** genannte Richtung, die Gesellschaftskritik mit Witz und Spott mischte. Kurt Tucholsky (1890–1935), Erich Kästner (1899–1974) und Mascha Kaléko (1907–1975) sind hier die herausragenden Exponenten, denen die Maler Otto Dix (1891–1969) und George Grosz (1893–1959) sowie der Publizist Carl von Ossietzky (1889–1938) mit seiner »Weltbühne« zur Seite standen.

Die Zwanzigerjahre brachten auch dem **Theater** neue Impulse: Erwin Piscator (1893–1966) konnte sein »Proletarisches Theater« an der Volksbühne in Berlin weiterführen, Max Reinhardt (1873–1943) experimentierte mit neuen Formen der Inszenierung, und Bertolt Brecht (1898–1956) entwickelte das **Epische Theater**.

Konjunkturpolitik ▶ Der große Börsenkrach an der Wall Street führte 1929 durch die internationalen Kreditverflechtungen zur **Weltwirtschaftskrise**. In Deutschland wurde die Erschütterung der bisherigen staatlichen und wirtschaftlichen Systeme zur Geburtsstunde einer gezielten Konjunkturpolitik, denn das freie Spiel trug die Wirtschaft nicht mehr. Staatliche Eingriffe wurden notwendig.

Faschismus ▶ Der Anfang der Zwanzigerjahre in Italien aufkommende Faschismus beeinflusste mit den Elementen einer allmächtigen Partei, dem Führerkult und dem Gemeinschaftsmythos andere nationalistische und antiliberale Strömungen in Europa. Nach faschistischem Vorbild hatte auch Adolf Hitler die NSDAP, nachdem sie 1925 wieder neu gegründet worden war, zu einer militanten Kaderpartei geformt.

Der spezielle Wahn des deutschen Nationalsozialismus lag in der **Rassenlehre**, die Hitler in seinem 1924 in der Festungshaft geschriebenen »Mein Kampf« ausführte. Die Eroberung neuen »Lebensraums« für die »arischen Herrenmenschen« war hier mit den Konsequenzen des Holocaust schon deutlich vorgezeichnet.

Die Demokratie bröckelt ▶ Das ohnehin nicht stark verankerte parlamentarisch-demokratische System geriet durch ständigen Parteienhader und damit wechselnde Regierungen zunehmend in Misskredit und begünstigte Parteien wie die NSDAP, die dieses System ablehnten, aber, solange es ihnen nützte, daran teilnahmen. Zwischen 1930 und 1933 nahm die **Massenarbeitslosigkeit** ständig zu und wurde zum Hauptproblem der Regierungen Brüning, Papen und von Schleicher, die sich z. T. mangels Mehrheiten im Parlament auf den seit 1925 amtierenden Reichspräsidenten Hindenburg (1847–1934) stützten und ihr Heil in Neuwahlen suchten. Die aber brachten auch keine Klarheit – bis auf eine: In den Wahlen 1930 und 1932 machte die NSDAP einen gewaltigen Sprung nach vorn und stieg zu einem gewichtigen politischen Faktor auf. Aus den Wahlen vom November 1932 ging die NSDAP als stärkste Partei hervor, doch noch lehnte es Hindenburg ab, Hitler zum Reichskanzler zu ernennen. Die Regierung Kurt von Schleichers trat jedoch im Januar 1933 zurück, und jetzt, am 30. Januar 1933, übertrug Hindenburg die Macht an den »böhmischen Gefreiten« Hitler.

Das Dritte Reich

27. Februar 1933	Der Reichstag brennt.
ab März 1933	Die NSDAP wird alleinige Macht im Staat, Boykott jüdischer Geschäfte.
1935	»Nürnberger Gesetze« entrechten die Juden.
1936	Olympische Spiele in Berlin
9./10. Nov. 1938	Pogromnacht
1939–1945	Zweiter Weltkrieg
20. Juli 1944	Attentat auf Hitler scheitert.
8. Mai 1945	Deutschland kapituliert bedingungslos.

Der **Reichstagsbrand** vom 27. Februar 1933 verschaffte den Nationalsozialisten Gelegenheit, politische Gegner auszuschalten. Die Reichstagswahl vom 5. März 1933 brachte Hitler und seinen rechtsnationalen Partnern den Sieg. Nun war der Weg in die Diktatur vollends beschritten: Am 23. März entledigte sich die Regierung mit dem **Ermächtigungsgesetz** der Kontrolle durch den Reichstag, am 1. April wurden jüdische Geschäfte boykottiert, am 2. Mai die Gewerkschaften liquidiert, am 10. Mai brannten die Bücher verfemter Autoren, im Juni und Juli 1933 wurden die Parteien bis auf die NSDAP aufgelöst. Kultur und Wissenschaft trockneten unter der Herrschaft des Propagandaministers Goebbels förmlich aus. Wer in der Kunst als »entartet« bezeichnet wurde, zog sich entweder ins innere Exil zurück oder flüchtete ins Ausland. Es blieben die monumentale Aufmarscharchitektur eines Albert Speer (1905–1981) und Arno Brekers (1900–1991) heroische Skulpturen vom »Herrenmenschen«.

Der Weg in die Diktatur

Nach Jahren der Depression florierte die Wirtschaft nun wieder, aber die Konjunktur war eine **künstliche**. Arbeitsbeschaffungsmaßnahmen

Rüstung als Wirtschaftsmotor

Berlin im Jahr 1945: Große Teile der Stadt waren zerstört.

und Hochrüstung führten zu einer unüberschaubaren Verschuldung – auch aus wirtschaftlichen Gründen war der Weg in den Krieg vorgezeichnet. Gleichzeitig gab sich das »Dritte Reich« nach außen als weltoffene Großmacht. Dieses Bild sollten die Olympischen Spiele von 1936 in Berlin und Garmisch-Partenkirchen vermitteln.

Der SS-Staat   Seit der Ausschaltung der SA als Machtfaktor im Juni 1934 herrschte der SS-Staat. Das bedeutete äußersten **Staatsterror**; jeder einzelne war in seiner individuellen Freiheit gefährdet, die Konzentrationslager drohten. In besonderem Maße galt diese Schreckensherrschaft **Judenverfolgung** ▶ für Juden. 1935 wurden die **»Nürnberger Gesetze«** erlassen, die die **Pogromnacht** ▶ Entrechtung der Juden weiter verschärften. In der Nacht vom 9. auf den 10. November 1938, der so genannten »Reichskristallnacht«, brannten in ganz Deutschland die Synagogen und gaben das Signal zur systematischen Vernichtung der jüdischen Bevölkerung. Erzwungene Auswanderung und die »Arisierung« von Geschäften und Vermögen begannen. Die »Endlösung der Judenfrage«, der **Holocaust**, wurde auf der Berliner Wannsee-Konferenz im Januar 1942 organisatorisch besiegelt. 6 Mio. europäische Juden wurden im Dritten Reich ermordet. Der Plan zur Ausrottung »unwerten Lebens« traf außer Juden auch Behinderte, Geisteskranke sowie Sinti und Roma.

Widerstand   Widerstand regte sich früh vor allem bei der **Linken** und bei Teilen der **Kirchen**; ein Umsturz schien bald aber nur noch dem Militär möglich. Versuche scheiterten jedoch, wie z. B. das späte Attentat auf Hitler am 20. Juli 1944. Auch pazifistische Aktionen schlugen fehl. Mitglieder der »Weißen Rose«, einer Münchener Gruppe von Studentinnen und Studenten, wurden 1943 verhaftet und hingerichtet.

Zweiter   Hitlers territorialen Forderungen boten die Großmächte zunächst
Weltkrieg   keinen Einhalt. Sie versuchten mit ihrer Strategie des **»appease-**

ment«, Deutschlands Forderungen in gewissem Umfang nachzuge-
ben und den Frieden um fast jeden Preis zu erhalten, provozierten
damit letztendlich aber nur neue Forderungen des zum Krieg ent-
schlossenen Hitlers. Nach dem Anschluss Österreichs im März 1938,
der Abtrennung Sudetendeutschlands von der Tschechoslowakei im
September 1938 und der »Zerschlagung der Resttschechei« im Frühjahr 1939 war jedoch auch für Frankreich und England die Geduld
zu Ende, als Hitler am 1. September 1939 deutsche Truppen in Polen
einmarschieren ließ: der Zweite Weltkrieg begann.

Zunächst verzeichneten Deutschland und das mit ihm verbündete
Italien große Landgewinne: Polen, Norwegen, Dänemark, Frankreich
und die Beneluxstaaten wurden in »Blitzkriegen« überrollt. Zur Unterstützung des Bundesgenossen Italien dehnte Hitler den Krieg auf
Jugoslawien, Griechenland und Nordafrika aus. Am 22. Juni 1941
löste er den Angriff auf die Sowjetunion aus. Als das seit 1940 mit
Deutschland und Italien paktierende Japan am 7. Dezember 1941
den US-amerikanischen Hafen Pearl Harbor auf Hawaii bombardier-
te, erklärte Hitler auch den USA den Krieg.

Vor allem im Osten brachten die deutschen Eroberer dabei im ◄ Auschwitz
Zeichen der Blut-und-Boden-Ideologie und des Antisemitismus
schlimmstes Leid über die Zivilbevölkerung. Im besetzten Polen wurden die Todesfabriken betrieben, deren Namen – Auschwitz, Sobibor,
Treblinka, Majdanek, Chelmno und Belzec – für den **Tod von Millionen von Menschen** stehen.

Die Kapitulation der 6. Armee in Stalingrad im Februar 1943 mar- ◄ Bombenkrieg
kierte den Wendepunkt des Kriegs. An der Westfront kam die Wende
mit der Landung alliierter Truppen in der Normandie am 6. Juni
1944. Aus beiden Richtungen rückten nun die Truppen der Alliierten
nach Deutschland vor. Der Bombenkrieg vernichtete einen großen
Teil der deutschen Städte und forderte Hunderttausende von Toten.
Die **bedingungslose Kapitulation** wurde schließlich am 8. Mai 1945
unterzeichnet.

Geteiltes Deutschland

Unmittelbare Nachkriegszeit

1945	Potsdamer Abkommen, Deutschland wird geteilt
23. 5. 1949	Gründung der Bundesrepublik Deutschland
7. 10. 1949	Gründung der Deutschen Demokratischen Republik

Das Potsdamer Abkommen vom August 1945 teilte Deutschland in **Vier
vier Zonen, wobei der Sowjetunion von vornherein ein anderes Zu- Besatzungszonen**
griffsrecht auf die Ostzone (Demontage von Industrieanlagen) zuge-

sprochen worden war. Auch die Westgrenze Polens (Oder-Neiße-Linie) und die Umsiedlung der Deutschen aus Ostpreußen, Pommern, Schlesien waren darin beschlossen. Mitte 1947 legte der US-amerikanische Außenminister George C. Marshall ein Programm zum Wiederaufbau der europäischen Wirtschaft vor. 1948 folgte die **Währungsreform** in den drei Westzonen, die schon zu großen Teilen föderativ gegliedert waren.

Deutschland im Kalten Krieg Die Differenzen zwischen der Sowjetunion und den drei Westmächten traten nach Kriegsende deutlich hervor. Der Eiserne Vorhang trennte bald nicht nur Deutschland, sondern die Welt. 1947 markierte dann die von den USA ausgegebene Doktrin des »containment«, die **Eindämmung sowjetischer Einflussnahmen**, den Beginn des Kalten Krieges.

BRD und DDR Mitte 1948 gaben die USA, Großbritannien und Frankreich den Ministerpräsidenten der westdeutschen Länder den Auftrag, die Gründung einer **demokratischen Republik** vorzubereiten. Mit der Verkündung des Grundgesetzes am 23. Mai 1949 entstand die Bundesrepublik Deutschland, im August desselben Jahres fanden die ersten Wahlen zum Bundestag statt. Theodor Heuss (1884–1963) wurde erster Bundespräsident, Konrad Adenauer (1876 – 1967) erster Bundeskanzler.
In der Sowjetischen Besatzungszone war bereits 1945 der Großgrundbesitz enteignet und bis 1948 die Industrie verstaatlicht worden. Im Dezember 1947 wurde der Deutsche Volkskongress gewählt, aus dem wiederum der Deutsche Volksrat hervorging. Dieser verabschiedete am 7. Oktober 1949 die Verfassung der Deutschen Demokratischen Republik.

Zwei deutsche Staaten

Einbindung in die Machtblöcke Seit 1949 gab es in Deutschland nun zwei Staaten, die beanspruchten, ganz Deutschland zu repräsentieren. Hinzu kam das in vier Sektoren geteilte Berlin, das immer wieder zum Schauplatz deutschdeutscher Konfrontationen werden sollte. Zunehmend verfestigten sich die Lager in Ost und West. Die westlichen Staaten strebten wirtschaftliche Zusammenarbeit an und konnten 1949 zusammen mit den USA die **NATO** gründen. 1955 wurde auch die Bundesrepublik in das Verteidigungsbündnis integriert und das Besatzungsstatut aufgehoben. 1955 gründete die Sowjetunion den **Warschauer Pakt**. Die Grenze der DDR zum Westen und zu Westberlin wurde bis auf wenige Berliner Übergänge abgeriegelt.

13. August 1961: Berliner Mauer Im Wechselspiel der globalen Interessen verlor die deutsche Wiedervereinigung für die USA und die Sowjetunion an Bedeutung. So erklärt sich, dass der Bau der Berliner Mauer 1961 von den Westmächten **ohne entschiedenen Widerstand** hingenommen wurde.

DIE BERLINER MAUER

Eigentlich ist es erstaunlich und doch ist es gut: Von der Mauer ist kaum noch eine Spur in Berlin zu sehen, insbesondere gibt es nirgends mehr ein Stück, wo die komplette Grenzanlage erhalten ist. Denn die Mauer war nicht nur eine Mauer, sondern ein aufwändiges, tief gestaffeltes Konstrukt, das kaum zu überwinden war. 1988 hatten die Sperranlagen eine Gesamtlänge von rund 155 km, wovon 43,1 km auf die Innenstadt und 111,9 km auf die Grenze zwischen Westberlin und angrenzende DDR-Bezirke entfielen.

① Vorderlandmauer
Die Westberlin zugewandte, 106 km lange Vorderlandmauer bestand aus einer 3,60–4,10 m hohen und 16 cm starken Betonplattenwand mit einem dicken Betonrohr darauf. An der Außengrenze z. T. durch einen Metallgitterzaun ersetzt.

② Kfz-Graben
Er verhinderte, dass Kraftfahrzeuge die Grenze durchbrechen konnten. Gesamtlänge 90 km.

③ Kontrollstreifen
Ständig geharkt und von Vegetation freigehalten, um Spuren zu erkennen. Gesamtlänge 165 km.

④ Kolonnen- oder Postenweg
6–7 m breiter, zweispurig asphaltierter Streifen für Kraftfahrzeuge und Marschweg. Gesamtlänge 172 km.

⑤ Lichttrasse
Lichtmasten tauchten die Sperranlagen nachts auf 180 km Länge in gleißendes Licht.

⑥ Wachtürme
190 Wachtürme dienten zur Beobachtung und als Führungsstelle. In manchen Abschnitten waren zwischen den Türmen Hundelaufanlagen installiert.

⑦ Flächen- und Panzersperre
Spanische Reiter (ca. 1 km) oder Nagelmatten (ca. 20 km) gegen den Durchbruch von Fahrzeugen.

⑧ Grenzsignalzaun
Löste bei Berührung akustische und Lichtsignale aus. Gesamtlänge 150 km.

⑨ Hinterlandmauer
Erste Sperre auf östlicher Seite, oft auch durch Metallgitterzaun ersetzt. Gesamtlänge 70 km.

»Niemand hat die Absicht, eine Mauer zu errichten ...« antwortete Walter Ulbricht noch am 15. Juni 1961 entrüstet einer Journalistin. Doch in der Nacht vom 12. auf die 13. August wurde Ostberlin abgeriegelt und mit dem Bau des »antifaschistischen Schutzwalls« begonnen.

Neun Grenzübergänge machten die Mauer zumindest von Westen her etwas durchlässig, allerdings nicht uneingeschränkt. Checkpoint Charlie an der Friedrichstraße war für Westalliierte, westliche Ausländer und Diplomaten bestimmt.

Die Vorderlandmauer markierte nicht immer die direkte Grenzlinie, sondern verlief oft zurück versetzt, sodass man sich mancherorts statt im Westen eigentlich schon im Osten befand: hier am Brandenburger Tor und im Wedding im französischen Sektor.

Die beste Informationsquelle über die Mauer ist das Dokumentationszentrum in der Bernauer Straße 111 in Berlin (Mi. bis So. 10.00–17.00 Uhr).

Auch auf dem Wasser war gesichert: Hier ein Patrouillenboot auf der Spree direkt hinter dem Reichstag.

Dieses Bild ging um die Welt: DDR-Grenzer bergen am 17. August 1962 den sterbenden Peter Fechter, nachdem er angeschossen fast eine Stunde lang im Grenzstreifen gelegen hatte.

© Baedeker

Entwicklung DDR Unter der Führung von Walter Ulbricht (1893–1973) nahm die SED eine alles beherrschende Rolle im Staat ein. Bereits 1950 setzte die **sozialistische Planwirtschaft** ein. 1952 beschloss die SED die Kollektivierung der Landwirtschaft. Stalins Tod bewirkte 1953 die Phase des »Tauwetters«. Die kurz zuvor angeordnete Erhöhung der Arbeitsnorm wurde aber nicht zurückgenommen und führte in Berlin und anderen Städten zu Unruhen, die am 17. Juni 1953 mit sowjetischer Waffengewalt unterdrückt wurden.

Auf Ulbricht folgt Honecker ► Es herrschte nun »Ruhe im Land« und man konnte sich, von der Staatssicherheit überwacht, dem Aufbau des »sozialistischen Vaterlands« widmen. 1971 ging die Ära Ulbricht zu Ende. Erich Honecker (1912–1994) nahm den Platz des Ersten Sekretärs der SED ein. Die Annäherung an die Bundesrepublik öffnete die hermetisch abgeriegelte DDR ein wenig und brachte es mit sich, dass immer mehr DDR-Bürger ihre Unzufriedenheit mit manchen Zuständen äußern wollten. Die **Repressionen** gegen die freie Meinungsäußerung nahmen drastischere Formen an. Viele Künstler verließen die DDR in den folgenden Jahren.

Entwicklung Bundesrepublik Die bundesrepublikanische Politik der ersten Jahre trug die Handschrift des Bundeskanzlers Konrad Adenauer (CDU). Er erreichte die Annäherung an Frankreich, betrieb die Wiederbewaffnung, nahm aber auch 1955 erste diplomatische Kontakte zu Moskau auf. 1963 löste ihn Ludwig Erhard (1897–1977) ab, der als Wirtschaftsminister zwischen 1949 und 1963 die soziale Marktwirtschaft lanciert hatte und deswegen als Vater des **»deutschen Wirtschaftswunders«** gilt.

Ab 1966 regierte eine große Koalition von CDU/CSU und SPD mit Bundeskanzler Kurt-Georg Kiesinger (1904–1988). Das Fehlen einer echten Opposition im Bundestag, die hierarchisch-autoritären Verhältnisse an den Universitäten, die mangelhafte Aufarbeitung des Nationalsozialismus und der Protest gegen den Krieg in Vietnam waren

die Themen der **Außerparlamentarischen Opposition**, die sich anlässlich der Debatte über die Notstandsgesetze formierte. Auf lange Sicht fand die Bewegung jedoch keinen Rückhalt in der Bevölkerung, speziell nicht in der umworbenen Arbeiterschaft. Aus dieser Situation der schwindenden Hoffnung auf eine linke Revolution bildete sich die terroristische Gruppe der **Rote Armee Fraktion**, die bis in die 1990er-Jahre Anschläge gegen Repräsentanten der politischen und wirtschaftlichen Führungsschicht verübte.

Der gesellschaftliche Wandel führte auch zu einem politischen Wandel: 1969 übernahm die sozialliberale Koalition unter Willy Brandt (SPD, 1913–1992) die Regierung. Brandt leistete einen entscheidenden Beitrag zur Entspannungspolitik, als er den Ausgleich vor allem mit der Sowjetunion und Polen suchte. In den so genannten **Ostverträgen** bestätigten die jeweiligen Seiten ihren Verzicht auf Gewalt und die Respektierung ihrer aktuellen Grenzen.

Konrad Adenauer (1876–1967)

Im Herbst 1972 folgte der **Grundlagenvertrag** mit der DDR, der beiden Staaten die Achtung ihrer Selbständigkeit versprach. Für seine Bemühungen wurde Willy Brandt im Jahr 1971 mit dem Friedensnobelpreis ausgezeichnet. Obwohl mit überzeugender Mehrheit 1972 wiedergewählt, trat Brandt Mitte 1974 zurück, als die Spionagetätigkeit seines Referenten Günter Guillaume bekannt wurde. Helmut Schmidt (geb. 1918) übernahm nun das Amt des Bundeskanzlers.

Trotz entspannterem Klima verstärkten die Supermächte Mitte der 1970er-Jahre ihre Rüstung. Dagegen wandte sich eine breite außerparlamentarische **Friedensbewegung**, die am 10. Oktober 1981 in Bonn mit der bis dahin **größten Demonstration** in der Geschichte der Bundesrepublik gegen die Stationierung neuer atomarer Waffen protestierte. Auch in der DDR hielten sich ungeachtet der SED-Repressionen die pazifistischen Strömungen, vor allem im Rahmen der evangelischen Kirche. In der Bundesrepublik war

*Willy Brandt
(1913–1992)*

die Friedensbewegung wesentlich von einer neuen gesellschaftlichen Kraft getragen, der Partei der Grünen. Sie hatte sich aus Bürgerinitiativen der 1970er-Jahre gegen Atomkraftwerke und Umweltzerstörung formiert.

1982 löste eine CDU/FDP-Koalition mit Bundeskanzler Helmut Kohl (geb. 1930) die Regierung Schmidt ab. Die eurostrategischen Waffen wurden unter der Regierung Kohl gegen beträchtlichen Widerstand der Friedensbewegung in Stellung gebracht. Die damit einhergehenden Spannungen zwischen Ost und West ließen erst nach, als **Michail S. Gorbatschow** (geb. 1931) 1985 zum Generalsekretär der sowjetischen KPdSU gewählt wurde.

◄ Regierung Kohl

Unmittelbar nach Kriegsende waren die ersten Zeitungen und Verlage wieder zugelassen worden. Hans Werner Richter (1908–1993) scharte zwei Jahre nach Ende des Krieges in Westdeutschland die **»Gruppe 47«** um sich. Aus ihr kam eine ganze Reihe von Literaten, die für lange Zeit die bundesrepublikanische Literatur prägen sollten: Alfred Andersch (1914–1980), Heinrich Böll (1917–1985), Günter Grass (geb. 1927) und Martin Walser (geb. 1927).

Kultur in Ost und West

◄ Literatur

In der DDR fanden die exilierten Schriftsteller und Schriftstellerinnen nach 1945 eine wohlwollendere Aufnahme als im Westen. Anna Seghers (1900–1983) und Bertolt Brecht wurden zu literarischen Leitfiguren der jungen Republik. Bald jedoch war deren kritischer Blick unerwünscht; man brauchte Literatur, die den herrschenden Sozialismus bejahte (Bitterfelder Weg seit 1959). Viele Autoren verließen deshalb die DDR: Peter Huchel (1903–1981), Sarah Kirsch (geb. 1935), Jurek Becker (1937–1997) und Reiner Kunze (geb. 1933). Es gab auch Schriftsteller wie Christa Wolf (geb. 1929), die sich dem Diktat der Partei nicht beugen wollten und trotzdem in der DDR blieben.

Musik und
Bildende Kunst ►

In Deutschland sind seit 1950 die **Donaueschinger Musiktage** für die neue Musik von Bedeutung. In der Bildenden Kunst suchte man in der Bundesrepublik den Anschluss an die Vorkriegszeit und an internationale Tendenzen. So überwog in Westdeutschland zunächst die **abstrakte Malerei**. Das bestimmte noch die ersten Ausstellungen der **documenta**, die sich im Laufe der Jahre zur bedeutendsten Plattform der internationalen Kunst entwickelte. 1955 und 1959 waren der vom Expressionismus zur Abstraktion gelangte Ernst Wilhelm Nay (1902–1968) und ein Vertreter des »Informel« Hans Hartung (1904 bis 1989), an prominenter Stelle zu finden. Die ebenso überragende wie umstrittene Künstlerpersönlichkeit der 1970er-Jahre war **Joseph Beuys** (1921–1986). Expressive Gegenständlichkeit kehrte Anfang der Achtzigerjahre mit den großformatigen Gemälden der sog. Neuen Wilden wieder zurück (Baselitz, Lüppertz, Hödicke u. a.).

In der DDR ging die Malerei durch ihre Bindung an die Partei einen anderen Weg. Hier entwickelte sich mit Wolfgang Mattheuer (geb. 1927), Werner Tübke (geb. 1929), Bernhard Heisig (geb. 1925) und Willi Sitte (geb. 1921) eine vielgestaltige realistische Schule.

Der Weg ins neue Jahrtausend

Vereintes Deutschland

1989	Sturz des Honecker-Regimes und Öffnung der Grenzen
3. 10. 1990	Deutsche Einheit
2002	Einführung des Euro
2003	Deutschland verweigert Teilnahme am Irak-Krieg.
2005	Die Arbeitslosenzahl überschreitet die 5-Millionen-Marke.

Glasnost und
Perestrojka

Die Reformen in der Sowjetunion zeitigten auch in ihren Satellitenstaaten Auswirkungen. Offene Opposition brach in der DDR erst aus, als die Fälschung der Kommunalwahlen vom Mai 1989 bekannt wurde. Die sog. **Leipziger Montagsdemonstrationen** begannen. In Prag stürmten ausreisewillige DDR-Bürger die bundesdeutsche Botschaft, in Ungarn nahm der Druck der Ausreisewilligen derart zu, dass dort vorübergehend die Grenzen nach Österreich geöffnet wurden. Die demonstrierenden Massen verlangten mit dem Ruf »Wir sind das Volk« die Wiedervereinigung. Darüber stürzte schließlich auch Erich Honecker, dessen Nachfolger Egon Krenz nichts anderes mehr übrigblieb, als am 9. November 1989 die Grenzen der DDR zu öffnen. Bundeskanzler Kohl legte am 28. November 1989 dem Bundestag ein Zehn-Punkte-Programm vor, das ein vereinigtes, föderalistisches Deutschland zum Ziel hatte. Die DDR-Volkskammer setzte für den 18. März 1990 freie Wahlen an. Daraus ging eine große Koa-

9. November 1989:
Öffnung der
DDR-Grenzen ►

10. November 1989 am Brandenburger Tor in Berlin:
Seit 24 Stunden ist die Mauer geöffnet.

lition unter Führung des CDU-Politikers Lothar de Maizière (geb. 1940) hervor, die den Beitritt der DDR zur Bundesrepublik beschloss. Nach der Wirtschafts-, Währungs- und Sozialunion trat am 3. Oktober 1990 der **Einigungsvertrag** in Kraft.

◄ 3. Oktober 1990: Deutsche Einheit

Im neuen Jahrtausend sieht sich das vereinte Deutschland Problemen gegenüber, die im **wirtschaftlichen Bereich** (im Februar 2005 lag die Zahl der Arbeitslosen bei 5,2 Mio., das entspricht einer Arbeitslosenquote von 12,6%) liegen, in der Krise des Sozialstaats, in den ungelösten Fragen der Energie- und Umweltpolitik (fortschreitende Klimaveränderungen), der angespannten Haushaltslage des Bundes und nicht zuletzt in der Aufgabe, Ost- und Westdeutschland zusammenwachsen zu lassen. Unter der 1998 gewählten Regierung aus SPD und Grünen mit Bundeskanzler Gerhard Schröder vollzog sich der Umzug von Bundestag, Bundesrat und den meisten Ministerien von Bonn nach Berlin.

Im 21. Jahrhundert

Am 1. Januar 1999 ist auch in Deutschland der Euro – zunächst als Buchwährung – eingeführt worden. Im Jahr 2002 hielten die Bürger Deutschlands zum ersten Mal Banknoten und Münzen der **Europawährung** in Händen. Beim Irakkrieg im Frühjahr 2003 hat Deutschland die USA logistisch und mit Überflugsrechten und Nutzungsrechten der deutschen Infrastruktur unterstützt. 2004 traten zehn weitere Staaten der EU bei, wodurch sich für Deutschland eine weitere Öffnung nach Osten hin ergibt. Seit 2005 müssen Lkw auf deutschen Autobahnen Mautgebühren bezahlen. Soziales Reizthema ist das »Arbeitslosengeld II«, das seit Januar 2005 ausgezahlt wird und für viele Betroffene gravierende finanzielle Einschnitte zur Folge hat. Ob sich die Hoffnung auf mehr Arbeitsplätze erfüllt, ist noch offen.

Berühmte Persönlichkeiten

Wann hatte Ludwig van Beethoven seinen ersten Auftritt? Was wollte Martin Luther wirklich? Wie verschlug es Bertolt Brecht nach Ostberlin? Welcher Leidenschaft hing Maria Sibylla Merian an? Kleine Denkmäler für die, die Deutschland ihren Stempel aufgedrückt haben.

Johann Sebastian Bach (1685–1750)

Der aus einer alten Musikerfamilie stammende, in Eisenach geborene **Organist und** Johann Sebastian Bach komponierte **Werke jeder musikalischen Komponist Richtung** außer Oper und Ballett. Zahlreiche Kantaten, Oratorien und Passionen, Orchester-, Orgel- und Klavierwerke sind erhalten. Vor allem seine Werke für Tasteninstrumente stellen nicht nur einen Höhe-, sondern auch einen Wendepunkt der europäischen Musik dar. Über das Seelenleben des großen Barockkomponisten, der Organist in Arnstadt, Mühlhausen, Weimar, Hofkomponist in Köthen und von 1723 bis zu seinem Tod Thomaskantor in Leipzig war, ist wenig bekannt. Eigenhändige Niederschriften beziehen sich immer nur auf das Pekuniäre: Geldmahnungen, Klagen über Zölle etc.

Ludwig van Beethoven (1770–1827)

Schon früh hatte der Vater, selbst Musiker, das außergewöhnliche Ta- **Komponist** lent seines Sohnes erkannt, sodass er versuchte, ihn nach dem Beispiel Mozarts als Wunderkind zu »vermarkten«. Am 26. März 1778 stellte er sein »Söhngen von sechs Jahren« erstmals dem Kölner Publikum vor – der kleine Ludwig war ein Vierteljahr vorher sieben Jahre alt geworden. Nach musikalischer Ausbildung in Bonn begab sich Ludwig van Beethoven 1792 nach Wien, um dort bei den musikalischen Größen der Zeit – Haydn, Albrechtsberger und Salieri – Unterricht zu nehmen. Im Mittelpunkt seines kompositorischen Schaffens stand die **Instrumentalmusik**; er beschäftigte sich vor allem mit Sinfonie, Streichquartett und Solokonzert. Trotz vieler Pläne komponierte Beethoven nur eine einzige Oper (»Fidelio«), auch schrieb er nur 9 Sinfonien (Mozart ca. 50, Haydn über 100). Als einer der ersten Künstler konnte er dafür aber durch seine Konzerte und immer wieder großzügigen finanziellen Zuwendungen seiner Gönner seinen Lebensunterhalt bestreiten; seinen Erben hinterließ er sogar ein kleines Vermögen. Ungeachtet seiner Taubheit in den letzten Jahren, vermutlich hervorgerufen durch eine Bleivergiftung, komponierte Beethoven bis kurz vor seinem Tod weiter.

Carl Benz (1844–1929)

Viele Tüftler hatten versucht, Fahrzeuge mit Hilfe eines Benzin- oder **Erfinder** Gasmotors in Bewegung zu setzen, doch den Ruhm des »Automobil- **des Autos** erfinders« ernteten sie alle nicht. Die erfolgreiche Kombination von lenkbarem Fahrzeug und wirkungsvollem Antrieb gelang erst dem gelernten Schlosser Carl Benz, der nach jahrelangen Experimenten am 3. Juli 1886 seinen **»Benz-Patent-Motorwagen«** vorstellte. Im Herbst 1886, im selben Jahr, als Benz seinen Motorenwagen patentie-

← *Im Thomaskirchhof in Leipzig lauscht Johann Sebastian Bach auch moderneren Klängen.*

ren ließ, präsentierte der Cannstatter Gottlieb Daimler (1834–1900) der Öffentlichkeit ebenfalls eine »Motorkutsche«. 1926 schlossen sich die Firmen von Daimler und Benz zur Daimler-Benz AG zusammen.

Es bleibt aber ein eigenartiger Zufall, dass die beiden Namensgeber der ältesten Kraftwagenfabrik der Welt sich nie gesehen und nie ein Wort miteinander gesprochen hatten.

Otto von Bismarck (1815–1898)

Otto von Bismarck gilt als einer der größten Staatsmänner der deutschen Geschichte. Ihm ist der **moderne Sozialstaat** zu verdanken, er hat aber auch das Bild des Pickelhauben-Deutschen geprägt. Die berühmtesten Leistungen des preußischen Ministerpräsidenten und Außenministers jedoch waren die Reichsgründung 1871 und die Wahrung des europäischen Gleichgewichts. Bismarck schwebte eine Vereinigung der deutschen Einzelstaaten unter preußischer Führung vor. Der Sieg über Frankreich im Krieg von 1870/1871, ausgelöst durch Manipulationen Bismarcks (»Emser Depesche«), bot die Gelegenheit dazu. Am 18. Januar 1871 konnte Bismarck in Versailles den preußischen König als Wilhelm I. zum Deutschen Kaiser proklamieren lassen. In der Folgezeit achtete der **»Eiserne Kanzler«** mittels eines ausgefeilten Vertragssystems strikt auf eine Balance der europäischen Machtverhältnisse. Persönliche Gegensätze zum jungen, seit 1888 regierenden Kaiser Wilhelm II. führten 1890 zu seiner Entlassung.

Willy Brandt (1913–1992)

Politiker Für viele war Willy Brandt, der 1913 als Herbert Frahm in Lübeck zur Welt kam, ein »vaterlandsloser Geselle«. Man warf ihm vor, dass er sich vor den Nazis ins Ausland abgesetzt und die norwegische Staatsbürgerschaft angenommen hatte. Diffamierungen dieser Art musste sich Brandt zeit seines Lebens anhören: als Regierender Bürgermeister von Berlin, als Außenminister der Großen Koalition unter Kiesinger und als **Bundeskanzler** (1969–1974). Von der Welt wurde sofort verstanden, dass es ihm ein großes Anliegen war, 1970 in Warschau am Denkmal des Ghettoaufstands niederzuknien, was ihm zu Hause z. T. sehr übel genommen wurde. 1971 erhielt er für seine erfolgreiche Deutschland- und Ostpolitik den Friedensnobelpreis. Brandt erregte als Kanzler stets die Gemüter – im Positiven wie im Negativen. 1974 schied Brandt, dem der Christdemokrat Helmut Kohl ausdrücklich attestierte, »immer ein deutscher Patriot« gewesen zu sein, nach der Enttarnung des DDR-Spions Guillaume freiwillig aus dem Amt, politisch aktiv aber blieb er bis kurz vor seinem Tod.

Bertolt Brecht (1898–1956)

Bertolt Brecht war der bedeutendste deutsche Dramatiker, Lyriker **Schriftsteller** und Regisseur des 20. Jahrhunderts. Zuerst arbeitete der in Augsburg geborene, einer gutbürgerlichen Familie entstammende Künstler in Berlin, wo »Die Dreigroschenoper« entstand. Hier schloss er sich der kommunistischen Bewegung an, jedoch ohne sich mit dem Partei-kommunismus zu identifizieren. 1933 musste er vor den Nationalsozialisten fliehen. In den USA entwickelte er seine Dramentheorie, dessen herausragendstes stilistisches Mittel der V-Effekt, die Technik der Verfremdung, ist: In seinem **»Epischen Theater«** soll der Zuschauer nicht zum Mitfühlen animiert werden, sondern er soll aus der Distanz heraus Erkenntnisse gewinnen und Konsequenzen u. a. auch für die Gesellschaft ziehen. Als Brecht nach dem Krieg von den Alliierten die Einreise nach Westdeutschland verwehrt wurde, reiste er nach Ostberlin. Hier gründete er mit seiner Frau Helene Weigel das »Berliner Ensemble«. Auch in der DDR kam es zu Spannungen zwischen dem Dichter und der politischen Führung: So kritisierte Brecht die DDR-Führung nach dem Aufstand vom 17. Juni 1953 in einem Brief.

Marlene Dietrich (1901–1992)

Mit dem Film »Der Blaue Engel« nach Heinrich Manns Roman **Hollywood-** »Professor Unrat« und unter der Regie von Josef von Sternberg wur- **legende** de Marlene Dietrich, geb. Maria Magdalena von Losch, mit einem Schlag zum gefeierten Star. Die Lola im »Blauen En-gel« war aber auch die Abschiedsrolle der Berlinerin vom deutschen Film. Sie folgte von Sternberg, den sie zeit ihres Lebens als ihren Schöpfer, ihren Gott pries, nach Hollywood, wo ihre strahlende Karriere mit dem Welterfolg »Marokko« als Partnerin von Gary Cooper begann. Solange sie Filme drehte (bis 1961, danach stand sie nur noch einmal, 1978, vor der Kamera) und als Chansonsängerin auftrat, blieb sie die **umjubelte Diva**; ihre zahlreichen Bettge-schichten mit Männern und Frauen waren da ein ge-eigneter Werbeträger. Als Hitler und Goebbels ihr anbieten ließen, zurückzukommen, weil die Ufa ei-nen blonden Weltstar brauchte, lehnte sie nicht nur ab, sondern beantragte auch die US-Staatsbürger-schaft, die sie 1939 erhielt. 1944 besuchte sie in Uni-form US-Kampfeinheiten in Europa, um als »one of the boys« die Truppen zu unterstützen. Diese Partei-

nahme für den ehemaligen Feind und gegen die ur-sprüngliche Heimat nahmen ihr in Nachkriegsdeutschland viele übel. Nach ihrem Tod in Paris im Alter von 91 Jahren wurde sie in ihrer Heimatstadt Berlin beigesetzt.

Albrecht Dürer (1471–1528)

Maler und Grafiker

Deutschlands **bedeutendster Maler und Grafiker** schuf 70 Gemälde, rund 100 Kupferstiche, 350 Holzschnitte und 900 Handzeichnungen. Der Doge von Venedig wollte ihn sogar mit glänzenden Angeboten auf Dauer in die Lagunenstadt locken. Doch Dürer, den Reisen u. a. nach Italien und in die Niederlande führten, zog es immer wieder in seine Heimatstadt Nürnberg zurück. In der Frankenmetropole zählte er allerdings zu den Handwerkern, in Italien hingegen fühlte er sich als »Herr«. Albrecht Dürer gehörte einer Epoche an, in der sich Geistesleben, Religion und Sozialwesen tiefgreifend veränderten, und er leistete hierzu einen entscheidenden Beitrag. Wirkungsvoll verband er das neue Formengut der italienischen Renaissance mit den Traditionen der deutschen Kunst des 15. Jh.s, weshalb seine Zeit kunsthistorisch oft als **»Dürer-Zeit«** bezeichnet wird.

Albert Einstein (1879–1955)

Genie

Das »Gehirn des 20. Jh.s« begründete 1905 mit einer nur 25-seitigen Arbeit über die Entdeckung der Lichtquanten, wofür er 1921 den **Nobelpreis für Physik** erhielt, die Quantentheorie und schuf mit seiner Speziellen und später Allgemeinen Relativitätstheorie nicht nur die berühmteste Formel der Welt ($E = mc^2$, d. h. Energie ist Masse mal Lichtgeschwindigkeit im Quadrat), sondern auch ein neues physikalisches Weltbild. In Deutschland hatte der gebürtige Ulmer, der in der Schweiz studiert und am Zürcher Patentamt gearbeitet hatte, bevor er ab 1914 in Berlin Mitglied der Preußischen Akademie der Wissenschaften wurde, keine Zukunft: Er war Jude. Als er sich 1933 von Deutschland verabschiedete und einen Lehrstuhl an der Universität von Princeton (USA) annahm, ließ die Preußische Akademie verlautbaren, es gebe »keinen Anlass, den Austritt Einsteins zu bedauern«. In den USA beging der überzeugte Pazifist und Weltbürger aus Überzeugung seinen wohl größten Fehler, als er einen Brief an den US-Präsidenten schrieb, der den Anstoß zum **Bau der Atombombe** lieferte. In seinen letzten Jahren jedoch entwickelte er sich zu einem der größten Gegner der atomaren Aufrüstung.

Friedrich der Große (1712–1786)

König von Preußen

Als der junge Friedrich seinem Vater, dem »Soldatenkönig« Friedrich Wilhelm I., 1740 auf den Thron folgte, erbte er ein zersplittertes Reich. Unter Ausnutzung der habsburgischen Schwäche brach er drei Kriege vom Zaun, nach deren Ende 1763 Preußen zwar ausgeblutet und verwüstet, aber endgültig in den Kreis der europäischen Großmächte eingetreten war. Nach seinem Tod hinterließ er einen Staat, zweimal so groß, wie er ihn empfangen hatte. Aber Friedrich der Große hatte nicht nur machtpolitische Interessen, er war auch der **»aufgeklärteste« Monarch** seiner Zeit. Er führte ein merkantilistisches Wirtschafts- und Finanzsystem ein, reformierte das Heer-, Rechts- und Erziehungswesen, baute die Landwirtschaft aus. Er verkündete die Meinungs- und Pressefreiheit, setzte sich für religiöse Toleranz ein und schaffte die Folter ab. Friedrich rief aber auch Musiker, Dichter und Gelehrte an seinen Hof, war ein Gönner von Voltaire und Bach sowie ein begeisterter Amateurmusiker. In seinen letzten Lebensjahren jedoch bemächtigte sich des Königs ein immer stärkeres negatives Urteil über die menschliche Vernunft. Verbittert und völlig vereinsamt starb der »Alte Fritz« 1786 im Schloss Sanssouci bei Potsdam.

Johann Wolfgang von Goethe (1749–1832)

Schon zu Lebzeiten, erst recht nach seinem Tod im Jahr 1832 galt und gilt Johann Wolfgang von Goethe als das poetische **Universalgenie** schlechthin und war die alles überragende Gestalt der deutschen Literatur vom Sturm und Drang bis zur Klassik. Der in Frankfurt am Main Geborene wirkte ab 1776 am Hof des Herzogs Carl August in Weimar als Minister. Dieses Amt bescherte ihm genug Muße, eine enorme Produktivität zu entfalten. Von Staatsaufgaben weitgehend entbunden, schuf der Dichter, der mit »Götz von Berlichingen« den literarischen Durchbruch erlangt hatte und mit »Die Leiden des jungen Werther« über Nacht berühmt geworden war, ein lyrisches Werk von unglaublichem Formenreichtum, dazu Dramen, Novellen, Briefromane und Autobiografisches, Kritiken, Reden und sogar naturkundliche Schriften, deren berühmteste die »Farbenlehre« war. Der Höhepunkt seines Schaffens aber ist die Menschheitstragödie **»Faust«**, ein Meisterwerk von universaler Bedeutung.

Olympier

Johannes Gutenberg (ca. 1400–1468)

Mit seiner Erfindung der Buchdruckerkunst bewirkte der Mainzer Goldschmied Johannes Gensfleisch zur Lade, nach seinem Hause »zum Gutenberg« genannt, die **bedeutendste technische Revolution** der vergangenen 1000 Jahre. Gutenbergs geniale Leistung bestand darin, bewegliche Metalltypen (Lettern) zu entwerfen, in schnellem Wechsel zu gießen und in eine leistungsfähige Druckerpresse einzugeben. Zwischen 1452 und 1455 entstand so die berühmte 42-zeilige Gutenberg-Bibel in seiner Werkstatt in Mainz. Von seiner Erfindung konnte der Vater der ersten Medienrevolution nicht profitieren, im Gegenteil, sie führte ihn vielmehr in den Ruin: 1455 musste er seine Werkstatt und sein Werk einem seiner Gläubiger überlassen. Als Gutenberg 1468 völlig verarmt starb, nahmen die Zeitgenossen kaum Anteil am Tod des Menschen, dessen geniale Erfindung wie kaum eine andere die Welt so nachhaltig verändern sollte.

Erfinder der beweglichen Letter

Sepp Herberger (1897–1977)

Trainer des Jahrhunderts

Am 4. Juli 1954 besiegte die deutsche Nationalelf im Endspiel der Fußball-WM das Team der Ungarn, der damals unbestritten weltbesten Kicker, mit 3 : 2. Die Deutschen, die sich nach dem Krieg unterlegen, ausgestoßen und schuldig fühlten, waren wieder wer. Zu verdanken war das **»Wunder von Bern«** Bundestrainer Sepp Herberger. In jungen Jahren hatte er für den SV Waldhof Mannheim, ab 1921 in der Nationalmannschaft gekickt, 1936 war er Reichstrainer geworden, 1950 schließlich Bundestrainer. Seine Mannschaft musste eine von Einsatzwillen und Kameradschaft geprägte »Opfergemeinschaft« bilden, sich selbst betrachtete er als uneingeschränkte, unantastbare Autorität. Herbergers wohl wichtigste Großtat war die Forcierung der Bundesliga, die als sein Werk bezeichnet werden kann. Die deutschen Sportjournalisten dankten ihm am Ausgang des 20. Jh.s für seine Leistungen und kürten ihn 1999 zum »Trainer des Jahrhunderts« und seine Weltmeisterelf von 1954 zur »Mannschaft des Jahrhunderts«.

Karl der Große (742–814)

Vater Europas

Karl der Große wird heute als Vater Europas geehrt. Dem **Frankenherrscher** gelang es, ein gewaltiges, weitgehend gefestigtes Reich zu schaffen. Bis heute ist Karl der Große in Sagen und Legenden lebendig, wird er als »Leuchtturm Europas«, als »Retter des Abendlandes«, als fromm, bescheiden und milde glorifiziert. Doch letzteres war Karl mit Sicherheit nicht: Seine z. T. grenzenlose Härte bekamen als erstes die Langobarden in Oberitalien zu spüren, deren Krone er sich 774 aufsetzte, 788 das bis dahin weitgehend selbständige Bayern, das er in sein Reich eingliederte, ferner die heidnischen Sachsen, die er dreißig Jahre lang (772–804) verbissen bekämpfte, und schließlich die Awaren, die wenig später für immer von der Bildoberfläche verschwanden. Nach innen aber bemühte sich Karl, am Weihnachtstag 800 von Papst Leo III. zum **römischen Kaiser** gekrönt, um die Vereinheitlichung der Reichsverwaltung und der Reichsgesetzgebung. Das Christentum fand überall Eingang, die Kirche stand unter besonderem kaiserlichen Schutz. Und er selbst, der weder lesen noch schreiben konnte, aber an seinem Hof die bedeutendsten Gelehrten seiner Zeit versammelte, führte das Reich in eine neue kulturelle Blütezeit.

Nikolaus Kopernikus (1473–1543)

Domherr und Astronom

Sein Lebenswerk setzte eine geistige Revolution in Gang. Mit der seinerzeit ungeheuerlichen Behauptung, die Erde drehe sich um die eigene Achse und kreise, wie alle Planeten, um die Sonne, beendete der im ostpreußischen Thorn geborene Nikolaus Kopernikus die zweitausendjährige Gültigkeit des Ptolemäischen Weltsystems, das die Erde als Mittelpunkt des Kosmos betrachtet hatte. Damit stellte sich der Domherr aber auch gegen die eigene Kirche, die die Lehre des Ptolemäus eisern verteidigte. An seinem Werk »De revolutionibus orbium coelestium« (**»Über die Umläufe der Himmelskörper«**) arbeitete er 17 Jahre lang, das Buch erschien erst in seinem Todesjahr. Zunächst erregte seine Lehre kein großes Aufsehen, doch 70 Jahre später wurde die katholische Kirche durch den Konflikt mit Galileo Galilei auf das revolutionäre Werk aufmerksam und setzte es 1616 auf den Index der verbotenen Bücher.

Martin Luther (1483–1546)

Reformator

Ohne Gutenbergs Erfindung des Buchdrucks hätte Martin Luther in Deutschland sicherlich nicht viel Gehör gefunden. So aber konnten sich die 95 Thesen des Augustinermönches gegen die gängige Ablass-Praxis binnen weniger Tage über das ganze Reich verbreiten. Luther, der die feste Auffassung vertrat, dass der Mensch allein durch den Glauben erlöst werden könne, strebte keinen Bruch mit der katholischen Kirche an, er wollte nur einen Missstand aus der Welt schaffen. Schließlich brach der »kleine unbekannte Klosterbruder« endgültig mit der alten Kirche, indem er das Papsttum grundsätzlich in Frage stellte. Als er der päpstlichen Aufforderung, sich zu unterwerfen, nicht nachkam, verhängte Rom 1521 den Bann über ihn, die Reichsacht folgte kurze Zeit später auf dem Wormser Reichstag. Doch die reformatorische Bewegung ließ sich damit nicht mehr aufhalten. Luthers Verdienste reichen weiter: Mit seiner **Bibelübersetzung**, seinen religiösen Schriften und geistlichen Dichtungen wirkte er auch entscheidend auf die Entwicklung der deutschen Sprache und Literatur ein.

Rosa Luxemburg (1870–1919)

Revolutionäre Sozialistin

Die aus wohlhabendem jüdischem Haus stammende, im polnischen Zamosz geborene Rosa Luxemburg war Sozialistin und **exzellente Theoretikerin**. Als die SPD 1914 den Kriegskrediten zustimmte, brach sie mit dieser Partei und gründete mit anderen Kriegsgegnern die Gruppe Internationale, aus der sich der Spartakusbund entwickelte. Den Ersten Weltkrieg verbrachte sie wegen Aufrufs zu Massenstreiks fast überwiegend hinter Gefängnismauern. Nach dem Krieg ließ sie gemeinsam mit Karl Liebknecht aus dem Spartakusbund die KPD entstehen. Als sie in der »Roten Fahne« dazu aufrief, die Regierung von Friedrich Ebert zu stürzen und die Macht zu übernehmen, schlugen Freikorps den **»Spartakus-Aufstand«** nieder. Am 15. Januar 1919 wurden Luxemburg und Liebknecht ermordet und ihre Leichen in den Berliner Landwehrkanal geworfen.

Karl Marx (1818–1883)

Vater des Kommunismus

Seine Karriere als wichtigster Theoretiker des Kommunismus begann der Trierer Advokatensohn und promovierte Philosoph als Redakteur für die liberale »Rheinische Zeitung« in Köln. Nach deren Verbot wegen staatsgefährdender Ideen ging er ins Exil, das ihn über Brüssel und Paris schließlich nach London führte. Hier widmete er sich nur noch seinen kritischen Schriften zur Ökonomie. Er schrieb eine klassische Theorie des Geldes, aber mit Geld umgehen konnte er nicht. Ohne die finanzielle Unterstützung seines aus Wuppertal stammenden Freundes Friedrich Engels, eines Kaufmanns und glühenden Sozialisten, wäre er in schwere Nöte geraten, hätten das **»Kommunistische Manifest«** (1848) und sein Lebenswerk, **»Das Kapital«** (1867), nie den Weg in die Öffentlichkeit gefunden. Das Aufgehen seiner Gedankensaat, die letztendlich auf der Idee basierte: »Die Geschichte ist die Geschichte von Klassenkämpfen«, erlebte Marx nicht mehr. Keine andere philosophische Lehre erfuhr eine vergleichbar dramatische Entwicklung wie die von Marx und Engels: Etwa ein Jahrhundert später lebte ein Drittel der Menschheit in sog. kommunistischen Staaten, die sich auf beide Werke beriefen.

Maria Sibylla Merian (1647–1717)

Forschungsreisende

Philatelisten und Besitzer großer Geldscheine haben ihr Gesicht schon einmal gesehen: In den 1980er-Jahren zierte sie eine 40-Pfennig-Briefmarke und sie war die Frau auf dem 500-DM-Schein. Die in Frankfurt am Main geborene Maria Sibylla Merian war **Künstlerin und Wissenschaftlerin**, die es vortrefflich verstand, beide Begabungen miteinander zu verbinden. Das Künstlerische hatte sie von ihrem Vater geerbt, dem berühmten Kupferstecher Matthäus Merian d. Ä. Sie malte nicht nur, sondern sammelte auch leidenschaftlich Raupen und Schmetterlinge; um zu verstehen, was die Wissenschaft über diese Tiere schrieb, brachte sie sich selbst Latein bei. Ihren Büchern, darunter »Der Raupen wunderbare Verwandlung und sonderbare Blumennahrung« (1679), und ihren lebensechten Bildern, die vor allem Blumen in ihrer Beziehung zur Tierwelt, zu Schmetterlingen, Raupen und Käfern zeigen, war zu verdanken, dass sie wohl als erste Frau der neueren Wissenschaftsgeschichte aufgefordert wurde, auf Forschungsreise zu gehen. Im Auftrag der niederländischen Regierung studierte sie von 1699 bis 1701 die Insektenwelt Surinams in Südamerika, worüber sie das sensationelle Buch **»Metamorphosis Insectorum Surinamensium«** (1705) schrieb. 1717 starb die **»Falterfrau«**, wie sie die Indianer Surinams nannten, verarmt in ihrer Wahlheimat Amsterdam.

Friedrich Schiller (1759–1805)

Schiller gilt neben Goethe als der größte deutsche Dichter. Doch **Junger Wilder** während der Patriziersohn Goethe immer ein unbeschwertes Leben führte, hohe gesellschaftliche Anerkennung genoss und finanziell abgesichert war, litt der aus kleinbürgerlichen Verhältnissen stammende, in Marbach am Neckar geborene Schiller ständig unter Geldnöten. Auch ihre Interessen unterschieden sich voneinander. Schiller war stürmischer, schärfer, programmatischer als der ganz in sich ruhende Goethe. Er glaubte, dass die Idee der Freiheit unsterblich sei. Sein literarisches Erstlingswerk **»Die Räuber«**, von Goethe herablassend als »Fratze« bezeichnet, ist vom leidenschaftlichen Protest des Sturm und Drang gegen den feudalen Despotismus und gegen die erstarrte Konvention geprägt; vor allem wegen der in diesem Schauspiel enthaltenen Angriffe auf die Zustände am Württemberger Hof handelte er sich eine Arreststrafe und ein Schreibverbot ein, was ihn zur Flucht ins kurpfälzische Mannheim veranlasste. Der Durchbruch als Dramatiker gelang Schiller, der auch Balladen, Gedichte und historische Abhandlungen verfasste, in Weimar, wo er seit 1787 lebte, mit klassischen Dramen wie **»Maria Stuart«, »Die Jungfrau von Orleans« und »Wilhelm Tell«**. Doch waren die Erfolge des Dichters, dessen Einfluss auf die abendländische Theatergeschichte höchstens von William Shakespeare übertroffen wird, längst von einer Krankheit überschattet, die ihn schließlich in frühem Alter hinwegraffte.

Claus Schenk Graf von Stauffenberg (1907–1944)

Am liebsten wäre dem aus altem Adelsgeschlecht stammenden **Offizier** Graf von Stauffenberg die Monarchie gewesen. Er verabscheute **Hitler-Attentäter** die Parteien der Weimarer Republik, sehnte einen Wiederaufstieg Deutschlands zu alter Größe herbei und begrüßte trotz Bedenken die Machtübernahme der NSDAP. Der Bruch mit dem NS-Regime kam, als sich die deutsche Niederlage im Zweiten Weltkrieg abzeichnete, als der Terror der Nazis immer klarer zum Vorschein kam. Stauffenberg schloss sich der Widerstandsgruppe um Generaloberst Ludwig Beck und Carl Goerdeler an, die sich zum Entschluss durchrang, Hitler zu töten und die Macht im Reich zu übernehmen. Stauffenberg, der seit dem 1. Juli 1944 als Stabsoffizier beim Befehlshaber des Ersatzheeres direkten Zugang zu Adolf Hitler hatte, erklärte sich bereit, das Attentat selbst auszuführen. Bei einer Lagebesprechung am 20. Juli 1944 in Hitlers Hauptquartier, der »Wolfsschanze« bei Rastenburg (heute Ketrzyn in Polen) zündete er eine Bombe. Der Anschlag scheiterte, Hitler überlebte. Noch am selben Tag endete Stauffenberg, der vor der Explosion nach Berlin geflogen war, dort vor einem **Erschießungskommando**. In der Folge wurden mehr als 200 Oppositionelle wegen ihrer Beteiligung an der Verschwörung des 20. Juli hingerichtet.

Praktische Informationen

WELCHER FREIZEITPARK IST BESONDERS
GEEIGNET FÜR MEINE FAMILIE UND MICH?
WANN IST ETWAS GEBOTEN IN MEINEM
FERIENORT? UND WO SIND EIGENTLICH DIE
SCHÖNSTEN WINTERSPORTGEBIETE IN
DEUTSCHLAND? HIER BEKOMMEN SIE
ALLERHAND FERIENPRAKTISCHE TIPPS.

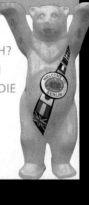

Auskunft

Hinweis Aktuelle Informationen zu einzelnen Sehenswürdigkeiten erhält man bei den örtlichen Touristenbüros, deren Adressen bei den Hauptstichworten (▶Reiseziele von A bis Z) zu finden sind. Im Folgenden sind die zentralen und regionalen Auskunftstellen aufgelistet.

▶ WICHTIGE ADRESSEN

ZENTRALE AUSKUNFT-STELLEN

▶ **Deutsche Zentrale für Tourismus (DZT)**
Beethovenstraße 69,
60325 Frankfurt am Main
Tel. (0 69) 97 46 40,
Fax 75 19 03
www.deutschland-tourismus.de

▶ **Deutscher Tourismusverband (DTV)**
Bertha-von-Suttner-Platz 13,
53111 Bonn
Tel. (02 28) 98 52 20,
Fax 98 52 28
www.deutschertourismusverband.de

▶ **Deutscher Heilbäderverband**
Schumannstraße 111,
53113 Bonn
Tel. (02 28) 20 12 00,
Fax 2 01 20 41
www.deutscher-heilbaederverband.de

▶ **Weitere Links zum Reiseland Deutschland**
www.deutschland.de
www.deutschlandreise.de
www.deutsche-staedte.de
www.staedte-gemeinden.de
www.fremdenverkehr.de
www.urlaubstrip.de
www.hallo-urlaub.de
www.deutschlandtouristik.de
www.pro-tourismus.de

REGIONALE AUSKUNFT-STELLEN

▶ **Baden-Württemberg**
Tourismus-Verband Baden-Württemberg e.V.,
Tourismus Marketing GmbH
Esslinger Straße 8, 70182 Stuttgart
Tel. (07 11) 23 85 80
Fax 2 38 58 99 oder 98
www.tourismus-bw.de

Internationale Bodensee Tourismus GmbH
Hafenstraße 6, 78462 Konstanz
Tel. (0 75 31) 90 94-90
www.bodensee-tourismus.de

Touristikgemeinschaft Schwäbische Alb
Marktplatz 1, 72574 Bad Urach
Tel. (0 71 25) 94 81 06, Fax 94 81 08
www.schwaebischealb.de

Schwarzwald Tourismusverband e.V.
Ludwigstraße 23,
79104 Freiburg i. Br.
Tel. (07 61) 2 96 22 71,
Fax 2 96 22 70
www.schwarzwald-tourist-info.de

▶ **Bayern**
Bayern Tourismus Marketing GmbH
Leopoldstraße 146, 80804 München
Tel. (0 89) 2 12 39 70,
Fax 21 23 97 99
www.bayern.by

Tourismusverband Allgäu /
Bayerisch-Schwaben
Fuggerstraße 9,
86150 Augsburg
Tel. (08 21) 45 04 01-0,
Fax 45 04 01-20
www.bayerisch-schwaben.de

Tourismusverband Franken
Postfach 440 450,
90209 Nürnberg
Tel. (09 11) 94 15 10, Fax 9 41 51 10
www.frankentourismus.de

Tourismusverband
München-Oberbayern e.V.
Bodenseestraße 113,
81243 München
Tel. (0 89) 8 29 21 80,
Fax 82 92 18 28
www.oberbayern.de

Tourismusverband Ostbayern
Luitpoldstraße 20,
93047 Regensburg
Tel. (09 41) 58 53 90, Fax 5 85 39 39
www.ostbayern-tourismus.de

▶ **Berlin**
Berlin Tourismus Marketing
Am Karlsbad 11, 10785 Berlin
Tel. (030) 25 00 25, Fax 25 00 24 24
www.berlin-tourist-information.de

▶ **Brandenburg**
Tourismus-Marketing
Brandenburg GmbH
Am Neuen Markt 1,
14467 Potsdam
Tel. (03 31) 29 87 30, Fax 2 98 73 73
www.reiseland-brandenburg.de

▶ **Bremen**
Bremer Touristik Zentrale
Findorffstraße 105, 28215 Bremen
Tel. (0 18 05) 10 10 30
Fax (04 21) 3 08 00 30
www.bremen-tourism.de

▶ **Hamburg**
Hamburg Tourismus GmbH
Steinstraße 7, 20095 Hamburg
Tel. (0 40) 30 05 13 00,
Fax 30 05 13 33
www.hamburg-tourismus.de

▶ **Hessen**
Hessen Touristik Service e.V.
Abraham-Lincoln-Straße 38–42,
65189 Wiesbaden
Tel. (06 11) 77 88 00, Fax 7 78 80 40
www.hessen-tourismus.de

Fremdenverkehrsverband
Werra-Meißner-Land e.V.
Nordbahnhofsweg 1,
37213 Witzenhausen
Tel. (0 55 42) 95 81 51, Fax 95 81 99
www.werra-meissner.de

Touristik Service
Kurhessisches Bergland e.V.
Parkstraße 6, 34576 Homberg (Efze)
Tel. (0 56 81) 77 54 82, Fax 71 06 14
www.kurhessisches-bergland.de

Touristik-Service Waldhessen
Friedloser Straße 6,
36251 Bad Hersfeld
Tel. (0 66 21) 62 04 44, Fax 62 04 45
www.waldhessen.de

Fremdenverkehrsverband
Vogelsberg + Wetterau e.V.
Landratsamt/Goldhelg 20
36341 Lauterbach
Tel. (0 66 41) 97 72 75, Fax 97 73 36
www.fvv.vogelsberg-wetterau.de

▶ **Mecklenburg-Vorpommern**
Tourismusverband
Mecklenburg-Vorpommern
Platz der Freundschaft 1,
18059 Rostock
Tel. (03 81) 4 03 05 00,
Fax 4 03 05 55
www.auf-nach-mv.de

▶ **Niedersachsen**

TourismusMarketing
Niedersachsen GmbH
Theaterstraße 4–5,
30159 Hannover
Tel. (05 11) 2 70 48 80,
Fax 27 04 88 88
www.reiseland-niedersachsen.de

Die Nordsee GmbH
Olympiastraße 1, 26419 Schortens
Tel. (0 44 21) 80 92 34, Fax 80 92 33
www.die-nordsee.de

Fremdenverkehrsverband
Lüneburger Heide
Barckhausenstraße 35,
21335 Lüneburg
Tel. (0 18 05) 20 07 05
Fax (0 41 31) 4 26 06
www.lueneburger-heide.de

Harzer Verkehrsverband
Marktstraße 45, 38640 Goslar
Tel. (0 53 21) 3 40 40, Fax 34 04 66
www.harzinfo.de

Tourismusverband
Weserbergland-Mittelweser
Deisterallee 1, 31753 Hameln
Tel. (0 51 51) 9 30 00, Fax 93 00 33
www.weserbergland.com

Tourismusverband Hannover
Prinzenstraße 12, 30159 Hannover
Tel. (05 11) 36 61-9 81,
Fax 36 61-9 97
www.tourismus.hannover.de

Tourismusverband
Osnabrücker Land
Postfach 41 49, 49082 Osnabrück
Tel. (05 41) 95 11 10, Fax 9 51 11 22
www.osnabruecker-land.de

TourismusRegion
Braunschweiger Land
Rosenwinkel 8, 38350 Helmstedt

Tel. (0 53 51) 1 21 14 40,
Fax 1 21 16 22
www.braunschweiger-land.de

Verbund Oldenburger
Münsterland e.V.
Oldenburger Straße 246,
49377 Vechta
Tel. (0 44 41) 9 56 50, Fax 95 65 15
www.oldenburger-muensterland.de

▶ **Nordrhein-Westfalen**

NRW Tourismus e.V.
Worringer Straße 22, 50668 Köln
Tel. (02 21) 17 94 50, Fax 1 79 45 17
www.nrw-tourismus.de

Ruhrgebiet Tourismus GmbH
Königswall 21, 44137 Dortmund
Tel. (02 31) 1 81 61 86,
Fax 1 81 61 88
www.ruhrgebiet-touristik.de

Touristik-Agentur
NiederRhein GmbH
Willy-Brandt-Ring 13,
41747 Viersen
Tel. (0 21 62) 81 79 03,
Fax 81 79 180
www.niederrhein-touristik.de

Münsterland Touristik
Grünes Band e.V.
Hohe Schule 13, 48565 Steinfurt
Tel. (0 25 51) 93 92 91, Fax 93 92 93
www.muensterland.com

Eifel Touristik NRW e.V.
Marktstraße 15,
53902 Bad Münstereifel
Tel. (0 22 53) 92 22 22, Fax 92 22 23
www.eifel.info.de

Touristikzentrale Sauerland
Heinrich-Jansen-Weg 14,
59929 Brilon
Tel. (0 29 61) 94 32 29, Fax 94 32 47
www.tiscover.de/sauerland

► Rheinland-Pfalz
Rheinland-Pfalz Tourismus GmbH
Löhrstraße 103–105, 56068 Koblenz
Tel. (0 18 05) 7 57 46 36
www.rlp-info.de

► Saarland
Tourismus Zentrale Saarland
Franz-Josef-Röder-Straße 9,
66119 Saarbrücken
Tel. (06 81) 92 72 00, Fax 9 27 20 40
www.tourismus.saarland.de

► Sachsen
Tourismus Marketing Gesellschaft
Sachsen mbH
Bautzener Straße 45/47,
01099 Dresden
Tel. (03 51) 49 17 00, Fax 4 96 93 06
www.sachsen-tourismus.de

► Sachsen-Anhalt
Landesmarketing Sachsen-Anhalt
Am Alten Theater 6,
39104 Magdeburg
Tel. (03 91) 5 67 70 80,
Fax 5 67 70 81
www.sachsen-anhalt-tourismus.de

► Schleswig-Holstein
Tourismusagentur
Schleswig-Holstein
Waltherdamm 17, 24103 Kiel
Tel. (04 31) 60 06 04, Fax 60 06 44
www.sh-tourismus.de

► Thüringen
Thüringer Tourismus GmbH
Postfach 100 519, 99005 Erfurt
Tel. (03 61) 37 42-0, Fax 37 42-3 88
www.thueringen-tourismus.de

Badeparadiese

Badeparadiese (Erlebnisbad, Freizeitbad, Spaßbad) sind Bäder mit
ausgedehntem Erlebnisbereich: Dazu gehören Einrichtungen wie
Wellen- und/oder Brandungsbad, Wasserrutsche, Meerwasserbecken,
Whirlpool, Sauna, Fitnessräume u. v. a.
Da sich die Öffnungszeiten laufend ändern, sollte man vorab telefo-
nisch nachfragen. Nachfolgend eine Auswahl beliebter Erlebnisbäder.

Nur Freibad reicht nicht mehr

● AUSWAHL

AHLEN

► Freizeitbad Berliner Park Ahlen
Dolberger Straße 66, 59229 Ahlen
Tel. (0 23 82) 78 82 49
www.stadtwerke-ahlen.de
Öffnungszeiten:
Mo. 14.00–23.00, Di. bis Sa.
9.00–23.00, So. 9.00–20.00 Uhr
Freizeitbad, Wasserrutschen, Fin-
nisches Saunadorf, Liegewiesen,
Bistro.

AULENDORF

► Schwaben-Therme
Ebisweilerstraße 5,
88326 Aulendorf
Tel. (0 75 25) 93 50
www.schwaben-therme.de
Öffnungszeiten: Mo. bis Do., So.
9.00–22.00, Fr., Sa. 9.00–23.00 Uhr
Thermalbad, Freizeitbad, Kneipp-
Kurgarten, Sauna & Römerbad,
Erlebnisgastronomie.

Viel Spaß gibt's für Kinder in den Freibädern überall im Land.

BLAUSTEIN

▸ **Badepark Bad Blau**
Boschstraße 12, 89134 Blaustein
Tel. (0 73 04) 80 21 62
www.badblau.de
Öffnungszeiten: Mo. 13.00–22.00,
Di. bis Fr. 9.00–22.00,
Sa., So. 9.00–21.00 Uhr
Abenteuerbecken, Großrutsch-
bahn, Familienbereich, Soleaußen-
becken, Dampfgrotte, Sonnendüne,
Fitness- und Freizeitbereich, Sau-
nadorf, Kneippanlage, Bistro.

BAD HOMBURG v. d. H.

▸ **Taunus Therme Seedammweg**
61352 Bad Homburg v.d.H.
Tel. (0 61 72) 4 06 40
www.taunus-therme.de
Öffnungszeiten:
Mo., Di., Do., So. 9.00–23.00,
Mi., Fr., Sa. 9.00–24.00 Uhr
Thermalbad, Wasserlandschaft,
Saunalandschaft, Thermal-Außen-
becken, Paradiesgarten, Medizini-
sche Therapie, Restaurants.

BAD LAUSICK

▸ **Kur- und Freizeitbad »Riff«**
Am Riff Nr. 3, 04651 Bad Lausick
Tel. (03 43 45) 71 50
www.freizeitbad-riff.de
Öffnungszeiten: Mo. bis Fr. 10.00–
22.00, Sa., So. 9.00–22.00 Uhr
Attraktionsbecken, Spaßpyramide,
Kinderbereich, Außenbecken, Sau-
nalandschaft, Restaurant.

BAD LIPPSPRINGE

▸ **Westfalen-Therme**
Schwimmbadstraße,
33175 Bad Lippspringe
Tel. (0 52 52) 96 40
www.westfalen-therme.de
Öffnungszeiten: tgl. 9.00–23.00 Uhr
Erlebnisbad, Sportbecken, Sauna-
Paradies, Fitness, Shopping &
Beauty-Center, Vital-Hotel.

BAD SCHMIEDEBERG

▸ **FEZ Freizeit GmbH**
Lindenstraße 50,
06905 Bad Schmiedeberg
Tel. (03 49 25) 69 40
www.ferienpark-bad-
schmiedeberg.de
Öffnungszeiten: Mo. bis Do.
10.00–22.00, Fr. 10.00–23.00, Sa.
9.00–23.00, So. 9.00–22.00 Uhr
Großwasserrutsche, Mutter-Kind-
Bereich, beheizte Außenbecken,
Saunalandschaft, Solarien, Restaurants.

BERLIN

▸ **blub Badeparadies**
Buschkrugallee 64, 12359 Berlin
Tel. (0 30) 60 90 60
www.blub-berlin.de
Öffnungszeiten:
tgl. 10.00–23.00 Uhr
Bade- und Erlebnisparadies, Wel-
lenbad, Rutschbahnen, Sommer-
Strandbad, Kinderbecken, Sole-
Becken, Gemeinschafts-Sauna.

BOCHOLT

▷ **Bahia**
Hemdener Weg 169,
46399 Bocholt
Tel. (0 28 71) 27 26 60
www.bahia.de
Öffnungszeiten: Mo. bis Sa.
10.00–22.00, So. 9.00–21.00 Uhr
Erlebnisbad, Riesenrutsche, Was-
serspielgarten, Außenbecken,
Spiele-Außenbereich, Sauna, Bar &
Restaurant.

DRESDEN

▷ **Elbamare Erlebnisbad**
Wölfnitzer Ring 65, 01169 Dresden
Tel. (03 51) 41 00 90
www.elbamare.de
Öffnungszeiten:
tgl. 10.00–22.00 Uhr
Erlebnisbad, Riesenrutsche, Außenbecken, Kinderbereich, Sportbecken, Saunabereich, Restaurant.

GELSENKIRCHEN

▷ **Sport-Paradies Gelsenkirchen**
Adenauerallee 118,
45891 Gelsenkirchen
Tel. (02 09) 9 76 60
www.sport-paradies.de
Öffnungszeiten: Mo. 14.00–23.00,
Di., Do. 10.30–22.00, Mi. 10.00–
22.00, Fr. bis So. 9.00–22.00 Uhr
Hallen- und Wellenbad, Super-
wasserrutschbahn, Solarien, Sau-
nen, Fitness, Freibadeanlage mit
»Paradiesgarten« (FKK).

HAREN

▷ **Ferienzentrum Schloss Dankern**
49733 Haren/Ems
Tel. (0 59 32) 7 22 30
www.schloss-dankern.de
Öffnungszeiten: März bis Oktober
täglich 10.00–18.00 Uhr
Erlebnis-Hallenbad, Wasserrutschen, Wasserspielattraktionen,
Restaurant.

HERTEN

▷ **COPA CA BACKUM**
Über den Knöchel, Teichstraße,
45699 Herten
Tel. (0 23 66) 30 70 und 30 73 10
www.copa-ca-backum.de
Öffnungszeiten: Mo. 10.00–22.00,
Di. 8.00–22.00, Mi. bis Fr. 8.00–
23.00, Sa., So. 8.00–21.00 Uhr
Erlebnisbecken, Wasserrutsche,
Sportbecken, Hallenbad, Freibad,
Kinderparadies, Saunalandschaft,
Restaurants & Bistros.

KASSEL

▷ **Kurhessen Therme**
Wilhelmshöher Allee 361,
34131 Kassel
Tel. (05 61) 31 80 80
www.kurhessen-therme.de
Öffnungszeiten:
Mo., Di., Do., So. 9.00–23.00,
Mi., Fr., Sa. 9.00–24.00 Uhr
Thermal-Solebad, Innen-, Außen-
becken, Wasserrutsche, Kino, So-
larien, Saunawelt, Squashcourts,
Restaurant.

*Kinderparadiese: Neben dem Wasser
bieten die Erlebnisbäder jede Menge
Spielmöglichkeiten.*

KIRCHEN

► monte mare
Auf dem Molzberg,
57548 Kirchen/Sieg
Tel. (0 27 41) 6 20 77
www.monte-mare.de
Öffnungszeiten: Mo. bis Do.
13.00–23.00, Fr. 13.00–24.00, Sa.
10.00–23.00, So. 10.00–21.00 Uhr
Freizeitbad, Röhrenrutsche, Kinderbereich, Sportbecken, Außenanlage mit 10-m-Sprungturm, Saunabereich, Restaurants.

KÖLN

► Aqualand
Merianstraße 1, 50765 Köln
Tel. (02 21) 7 02 80
www.aqualand.de
Öffnungszeiten: Sa. 9.00–24.00,
So. 9.00–23.00, Mo. bis Do.
9.30–23.00, Fr. 9.30–24.00 Uhr
Erlebnisbad, Saunaland, Röhrenrutschen, Außenbereich, Animation, Kinderland, Fitnessland, Restaurants.

NECKARSULM

► Freizeitbad AQUAtoll
Am Wilfenseeweg,
74172 Neckarsulm
Tel. (0 71 32) 2 00 00
www.aquatoll.de
Öffnungszeiten: Mo., Di., Do., Fr.
10.00–22.00, Mi., Sa., So.
9.00–22.00 Uhr
Wildwasserfluss, Röhrenrutsche, Erlebnisbecken, Saunalandschaft, Sommerbad, Kinderbecken.

NEUSTADT

► monte mare
Götzinger Straße 12,
01844 Neustadt
Tel. (0 35 96) 50 20 70
www.monte-mare-neustadt.de
Öffnungszeiten: Mo. 14.00–21.00,
Di. bis Do., So. 10.00–21.00,
Fr., Sa. 10.00–23.00 Uhr

Auch einen Besuch wert: Das Wiesbadener Opelbad bietet neben dem Vergnügen auch einen fantastischen Blick und gilt als eine der schönsten Badeanstalten Deutschlands.

Sport- und Erlebnisbad, Ganz-
jahresaußenbecken, Wellenbecken,
Großrutsche, Kinderbereich, Saunalandschaft, Erlebnisgastronomie.

NORDERSTEDT

▶ **Arriba Erlebnisbad**
Am Hallenbad 14,
22850 Norderstedt
Tel. (0 40) 5 21 98 40,
www.ariba-erlebnisbad.de
Öffnungszeiten: Mo. bis Mi.
6.30–22.00, Do. bis Fr. 6.30–3.00,
Sa., So. 9.00–22.00 Uhr
Erlebnisbereich, Wasserrutsche,
Baby-, Kleinkinderbereich, Sport-
becken, Thermalbad, Solebad,
Sauna und Dampfbad, Freibad,
Restaurants, Animation.

REICHSHOF

▶ **monte mare Reichshof**
Hahnbucherstraße 21,
51580 Reichshof-Eckenhagen
Tel. (0 22 65) 99 74 00
www.monte-mare.de
Öffnungszeiten: Mo. bis Sa.
10.00–22.00, So. 10.00–21.00 Uhr
Sport- und Erlebnisbad, Ganz-
jahresaußenbecken, Riesen- und
Turborutschen, Kinderbereich,
Saunalandschaft, Erlebnisgastro-
nomie.

RENGSDORF

▶ **monte mare**
Monte-Mare-Weg 1,
56579 Rengsdorf
Tel. (0 26 34) 13 81
www.monte-mare.de
Öffnungszeiten: Mo. bis Sa.
10.00–22.00, So. 10.00–21.00 Uhr
Spaß- und Wellenbecken, Riesen-
rutschen, Kindererlebniswelt,
Kinderrutschen, Außenbereich,
Saunalandschaft, Animations-
programme, Erlebnisrestaurant.

SCHARBEUTZ

▶ **Ostsee-Therme**
An der Kammer, 23683 Scharbeutz
Tel. (0 45 03) 3 52 60
www.ostsee-therme.de
Öffnungszeiten: tgl. 9.00–23.00 Uhr
Erlebnisbecken, Tropenlandschaft,
Kinderwelt, Sauna-Paradies, Fit-
ness-Studio, Massage, Beauty-Cen-
ter, Boutique, Bars und Restaurant.

STUTTGART

▶ **Schwaben-Quellen**
Plieninger Straße 100,
70567 Stuttgart
Tel. (07 11) 72 52 53
www.vitaparc.de
Öffnungszeiten: tgl. 10.00–23.30 Uhr
Außenbereich »Tempel der Maya«,
Edelsteinsaunen, Gletscherhöhle,
Türkisches Hamam, Relax- und
Vitalcenter, Restaurant, Boutique,
Kinderhaus, Spielplatz.

WEIL AM RHEIN

▶ **Laguna Badeland**
Sportplatz 1, 79576 Weil am Rhein
Tel. (0 76 21) 95 67 40
www.laguna-badeland.de
Öffnungszeiten: Mo. 14.00–22.00,
Di. bis Do. 10.00–22.00,
Fr. 10.00–23.00, Sa. 9.00–18.30,
So. 9.00–21.00 Uhr
Wellenbad, Riesenrutsche, Sauna,
Solarium, Fitness, Restaurant,
Tauchkurse.

WUPPERTAL

▶ **Bergische Sonne Freizeitbad**
Lichtscheider Straße 90,
42285 Wuppertal
Tel. (02 02) 55 36 05
www.bergische-sonne.de
Öffnungszeiten: tgl. 9.00–23.00,
Mi., Fr., Sa. 9.00–24.00 Uhr
Erlebnisbad, Kinderspielecke, Was-
serrutschen, Saunalandschaft, Son-
nenparadies, Restaurant & Bars.

Eine besondere Spezialität aus dem Bodensee: geräucherte Felchen, eine Forellenart, die nur in ganz tiefen Gewässern vorkommt.

GANZ SCHÖN WAS AUFGETISCHT

Die Deutschen müssen beileibe keine kleinen Brötchen backen: Was Regionalküchen angeht, herrscht zwischen Flensburg und Garmisch, Freiburg und Rostock »Vielfalt pur« – Grund genug, eine kulinarische Landkarte zu zeichnen.

Die Zahlen sind eindrucksvoll: Zum Frühstück oder zur Brotzeit gehört in Deutschland eine der 300 gesunden Sorten Brot – und für ihr Klein- und Feingebäck sind die deutschen Bäcker seit langem berühmt. Auch Durstige haben die Qual der Wahl: Hergestellt von über 1200 Brauereien von der Nordsee bis zu den Alpen fließen knapp 20 verschiedene Biersorten an den deutschen Zapfhähnen; natürliches Mineralwasser sprudelt aus mehr als 550 Quellen.

Aus deutschen Gewässern

Fisch muss man essen, wo er gedeiht: An deutschen Meeresküsten ebenso wie an den vielen klaren Flüssen und Seen des Binnenlandes. Ein Eifler Marwaller im Rieslingsud schmeckt sicher auch in Greifswald und ein Aal in Aspik umgekehrt in Koblenz. Aber wo bleibt das Flair!

Fünf Bundesländer teilen sich die Küsten von Nord- und Ostee. Kulinarisch heißt das: Kieler Sprotten mit Rührei an der Ostsee und Helgoländer Hummersuppe an der Nordsee, mecklenburgische Aal- und holsteinische Muschelsuppe. Aus den Räucherkammern an der Ostsee kommen außer Sprotten auch Rügener Aale mit goldbraunen Bäuchen. Auf Hiddensee werden die frischen Aalstücke von den Boddenfischern in zerlassener Butter zart geschmort.

Bis tief ins Binnenland hinein wird man Kutterscholle mit Speck und Krabben finden und bis zum Alpenland hinunter Matjes mit Zwiebeln und milder Sahnesoße. Die Spreewälder lieben ihren Edelfisch in einem aromatischen Sud aus Wurzelgemüse, verfeinert mit saurer Sahne. Die blauschwarzen Miesmuscheln sollte man wenigstens einmal auf rheinische Art genießen, in Frankens Teichen gedeihen die wohl besten Karpfen. Man isst sie blau oder gebacken, je nach Lust. Aus denselben Wassern kommen Hecht und Zander. Forellen sind ganz im Süden angesagt. Ob blau oder nach Müllerin Art – im Schwarzwald

Auch Wild steht auf den Speisekarten der gehobenen Restaurants in Deutschland.

fehlen sie auf keiner Karte. Ebensowenig wie weiter östlich die verwandten Bodensee-Felchen oder die Renken aus dem Chiemsee, dem Starnberger- und dem Ammersee. Letztere haben besonders geräuchert ihren großen Auftritt – als »Steckerlfisch« im Biergarten.

Speisezettel an der Waterkant

An Nord- und Ostsee mischt man gerne Süß und Sauer. Pommersche Tollatschen vereinen Blut, Griebenschmalz und Rosinen. Die Holsteiner schwören auf Birnen mit Bohnen und Speck und so richtig zuckrig wird es beim Nachtisch mit Lübecker Marzipan. Das Hinterland liefert dagegen Lämmer, Schnucken, Kartoffeln und Kohl, allesamt Grundlagen für würzige Hausmannskost, aber auch eine solide Basis für kulinarische Höhenflüge. Matjesheringe isst man an der mecklenburgischen und schleswigholsteinischen Waterkant mit Pellkartoffeln und Speckstippe. Knackige Rollmöpse gehören zum legendären Hamburger Labskaus mit Spiegelei. Gut gehopfte Biere begleiten in der Regel solch ein Mahl. Den Schlusspunkt setzt dann ein ordentlicher Schnaps: ein ehrlicher Korn oder ein Kümmel. Mit Flensburger Rum dagegen unterfüttert man einen Grog, der Leib und Seele wärmt. Und das nicht nur zur Essenszeit.

... und im Osten

Der Birnbaum des »Herrn von Ribbeck auf Ribbeck im Havelland«, der seine Früchte Kindern und Reisenden schenkte, ist ein Symbol der brandenburgischen Küche. Die von Theodor Fontane in Versen besungenen Birnen haben den Speisezettel der Mark Brandenburg ebenso geprägt wie Teltower Rübchen, die schon Goethe und Heinrich Heine mundeten. Kein Zweifel: Ein literarischer Zauber veredelt die ohnehin schmackhaften Gerichte der Mark. Der Wechsel von Hecht nach Spreewälder Art und gebratenem Havelzander, von Hammelzwiebelfleisch in Meerrettichsoße und Gurkensuppe mit Pökelrippchen ist eine lukullische »Wanderung durch die Mark«. Die Kartoffel verbindet die Brandenburger mit den Sachsen. Hier wie dort gilt ein einfaches Essen als Delikatesse – Pellkartoffeln mit Quark und Leinöl. Einmalig sind Leipziger Allerlei (mit Morcheln und Krebsschwänzen), Dresdner Krautwickel und Bornaer Zwiebelsuppe. Sachsen und Thüringen wiederum streiten um die Erfindung der rohen Klöße. Die flockigen Knödel aus roh geriebenen Kartoffeln gelten in beiden Ländern als unabdingbare Beilage zu soßenreichen Fleischgerichten. Eine Thüringer Erfindung ist aber garantiert seit Jahrhunderten die Rostbratwurst, ein würziges Wunderwerk der Flei-

Bei dem weißen oder grünen Stangengemüse heißt es zugreifen, denn frischen Spargel gibt es in Deutschland nur von Ende April bis Juni.

scherkunst. Sie hat ihren Siegeszug um die Welt angetreten und wird sogar in Feinschmeckerrestaurants in Asien kredenzt.

Tücken des Dialekts

Ein »Hämmche met soore Kappes« entpuppt sich im Rheinland überraschend als leckeres Eisbein mit duftendem Sauerkraut. Man erwarte auch kein Brathähnchen, wenn man dem »Halven Hahn« begegnet. So nennen die Kölner nämlich ein »Röggelchen« (Roggenbrötchen) mit Gouda und viel Senf.

Auch das übrige Nordrhein-Westfalen bietet eine breite Palette regionaler Spezialitäten. Am flachen Niederrhein muss man Miesmuscheln kosten – frisch von der Küste im Weißweinsud. Weiter flussaufwärts gibt es Spargel und fein gewürzten Sauerbraten. In Westfalen lockt die pikante Mettwurst zum Grünkohl. Da darf ein »Steinhäger« nicht fehlen. Der Wacholderschnaps hat den Namen dieser urgermanischen Landschaft ebenso in die Welt getragen wie der dunkle Pumpernickel und der über Wacholderbeeren geräucherte Knochenschinken. Eine Mahlzeit für sich ist die »Bergische Kaffeetafel«. Da kommen nicht nur Waffeln, Sauerkirschen, Honig und Apfelkraut auf den Tisch, sondern auch üppige Platten mit Wurst, Käse und Schinken. Das macht bei allem Kaffee Durst. Doch in Nordrhein-Westfalen ist noch keiner verdurstet. Hier schäumt das Bier in seiner besten Form.

Budeng mit Gelleriewemutsch

An der Mosel probieren sollte man mal »Budeng mit Gelleriewemutsch«. Das ist deutsche Hausmannskost, französisch verpackt. Genau gesagt, eine französische »Boudain«, eine warme Blutwurst also, mit einem deutschen »Mutsch« aus pürierten Karotten und Kartoffeln. Durch die saarländische Grenzlandküche weht unbestritten ein Hauch der Grande Cuisine – tief geprägt ist sie jedoch von den einfachen Bedürfnissen der Bauern und Bergleute. Der Saarländer liebt seinen »Dibbelabbes« (Kartoffelauflauf mit Speckwürfeln), die »Kappes und Grumbeere« (Weißkraut und Kartoffeln), seine »Gequellde« (Pellkartoffeln) und »Gefillde« (Klöße in Speckrahmsauce). Niemals darf ein Ring Lyonerwurst fehlen. Er passt am besten zu »Kerschdscher«, das sind rohe Kartoffelwürfel in heißem Fett geschmort. Erklärtes Lieblingsgericht ist jedoch der Schwenkbraten: Bei Volksfesten drehen sich riesige Roste mit den pikant marinierten Koteletts.

Zum original Schwarzwälder Schinken gehören ein Kirschwasser und natürlich urige Atmosphäre.

Richtung Südwesten

Auch Richtung Südwesten hat jede Region ihre eigenen Spezialitäten. Eine Weinsuppe vom Rhein eröffnet vortrefflich das Menü. Deftig trumpft der Pfälzer Saumagen auf. In Hessen wird das Kraut zum Rippchen mit Wacholder und Lorbeer verfeinert. Die Frankfurter Würstchen sind über 500 Jahre alt – Kaiser Maximilian II. ließ 1562 mit den knackigen Zipfeln einen Ochsen am Bratspieß füllen. Die Württemberger Schwaben haben sich mit Spätzle und Maultaschen oder dem »Gaisburger Marsch«, einer Suppe aus Spätzle, Siedfleisch und Kartoffeln, einen Ehrenplatz an der deutschen Tafel verdient. Zu besonderer Größe aber bringt es die Küche Badens mit Klassikern wie Schäufele, Schwarzwaldforelle, Rehrücken und Spargel. Die mit Kräutern verfeinerte Schneckenrahmsuppe zeugt von der Inspiration durch das benachbarte Elsass.

Irgendwie führen alle Straßen zu den Genüssen, die Leib und Seele zusammenhalten – die Badische Weinstraße oder die Spargelstraße und wie sie alle heißen. Dem Schwarzwälder Schinken müsste eine eigene gewidmet sein. Und die Kirschtorte und das Kirschwasser, der würzige Honig und die frischen Forellen sind längst so berühmt wie die roten Bollenhüte aus dem Gutachtal.

Deftiges aus dem tiefen Süden

Zugegeben – auch der Schweinebraten mit der knusprigen Kruste ist so ein Bayernklischee. Aber er schmeckt weiterhin genauso würzig wie die ebenso legendäre Kalbshaxe. Im Detail wird regional variiert: Im Allgäu und in Bayerisch-Schwaben isst man zum Braten Spätzle, in Oberbayern Semmelknödel, in Franken mit Brotwürfeln gefüllte Kartoffelklöße. Auch die Städte haben ihre Spezialitäten: München steuert seine Weißwurst bei, Nürnberg und Regensburg die Bratwurst vom Rost. Je nach Gericht und Region wählt man das Getränk. Ein Bier passt immer in Bayern, zu einem Böfflamott (Boeuf à la mode) ebenso wie zu einem Donauwaller. In Nordbayern regiert das herbere Pils, im Süden trinkt man lieber ein leicht malzbetontes Märzenbier. Das perlende Weißbier ist im ganzen Freistaat begehrt. Im Biergarten und bei den Volksfesten bestellt man zur Brotzeit gleich eine ganze Maß, also einen Liter.

Feste und Events

 WICHTIGE FESTE UND EVENTS

BADEN-WÜRTTEMBERG

► **Baden-Baden**
Rennwoche in Iffezheim.
Ende August / Anfang September

► **Konstanz**
Seenachtfest. Events auf und um
den Bodensee im Sommer

► **Ludwigsburg**
Schlossfestspiele. Musikreihe von
März bis Oktober unter anderem
im Residenzschloss Ludwigsburg

Venezianische Messe. Barockes
Spektakel auf dem Marktplatz alle
zwei Jahre im September (2007,
2009 ...)

► **Mannheim**
Maimarkt. Größtes Volksfest in
Baden

► **Markgröningen**
Schäferlauf. Sehr traditionsreiches
Fest im August

► **Rothenburg ob der Tauber**
Reichsstadtfesttage. Umzug und
Nachstellung des »Meistertrunks«
im September

► **Rottweil**
Narrensprung. Einer der schönsten
Umzüge der schwäbisch-alemannischen Fasnet am Rosenmontag
und am Fastnachtsdienstag

► **Schwäbisch Hall**
Kuchen- und Brunnenfest der
Salzsieder. Historisches Stadtfest an
Pfingsten

Schwäbisch Haller Freilichtspiele.
Theater auf der Freitreppe der
Michaeliskirche ab Ende Mai

► **Stockach**
Stockacher Narrengericht. Jeweils
am »Schmotzigen Dunstich«
(Fastnachts-Donnerstag) urteilt
das Narrengericht über einen
Prominenten.

► **Stuttgart**
Sommerfest. Dreitägiges Open-
Air-Fest im August

Cannstatter Wasen. Schwäbisches
Gegenstück zum Münchner Oktoberfest im September

► **Tübingen**
Stocherkahnrennen. Studentisches
Traditionsfest mit Wettrennen auf
dem Neckar und Lebertran-Saufen
im Juni

Festival Afro-Brasil. Musik und
Tanz im Juli

BAYERN

► **Augsburg**
Augsburger Puppenspieltage im
Oktober

► **Bad Tölz**
Leonhardifahrt. Farbenprächtige
Pferdeprozession im November

► **Burghausen**
Internationale Jazzwoche. Festival
der Jazzgrößen im April

Dinkelsbühl
Jazz Festival im Mai

Kinderzeche. Stadtfest mit
Historienspiel im Juli

Füssen
Kaiser-Maximilian-I.-Ritterspiele.
Historienspektakel im August

König-Ludwig-Geburtstagsfest
im August

Garmisch-Partenkirchen
Hornschlittenrennen. Rasante
Abfahrt mit riesigen Transport-
schlitten im Januar

Hof
Internationale Hofer Filmwochen
im Oktober

Kaltenberg
Kaltenberger Ritterturnier.
Größtes Ritterfest Deutschlands
mit Turnier im Juli

Kaufbeuren
Tänzelfest. Ältestes bayerisches
Kinderfest, im Juli

Kulmbach
Kulmbacher Bierwoche, Juli/Au-
gust

Landsberg
Ruethenfest. Großes Altstadtfest
mit Umzug und historischen
Trachten im Juli

Landshut
Landshuter Fürstenhochzeit.
Großes Historienfest mit Umzug
alle vier Jahre (2009, 2013 ...)

München
Oktoberfest. Größtes deutsches
Volksfest, September/Oktober

Tegernsee
Tegernseer Jazzfestival im Juni

Tittmoning
Georgiritt. Prächtiger Pferdeum-
zug am letzten Aprilsonntag

BERLIN

Lange Nacht der Museen. Freier
Eintritt und Performances in über
30 Museen im Januar und August

Karneval der Kulturen. Multikul-
turelles Fest mit Umzug im Mai

Christopher Street Day. Größtes
schwul-lesbisches Fest im Land,
Juni

BRANDENBURG

Fredersdorf bei Belzig
Bettenrennen. Kurioses Wettrennen mit bettähnlichen Vehi-
keln am Pfingstsonntag

Lübbenau
Hafenfest. Hafenkonzerte und
Kahnkorso im Juli

Neustadt/Dosse
Hengstparade. Im Brandenburgischen Landesgestüt im September

Peitz
Fischerfest im August

Rheinsberg
Rheinsberger Musiktage an
Pfingsten

Werder
Baumblütenfest. Größtes Volksfest
Brandenburgs, April/Anfang Mai

BREMEN/BREMERHAVEN

Eiswette. Immer im Januar testen
die Bremer Kaufleute die Trag-
fähigkeit des Weser-Eises.

Sail Bremerhaven. Seglertreff mit Windjammerparade im August

HAMBURG

Hafengeburtstag. Volksfest im Mai

Alstervergnügen. Buden, Stände, Vergnügen an der Binnenalster im August

HESSEN

▶ **Bad Vilbel**
Burgfestspiele, Ende Oktober/Anfang November

▶ **Dillenburg**
Hengstparade. Schau des Hessischen Landesgestüts, alle zwei Jahre im September (2007, 2009 ...)

▶ **Erbach**
Wiesenmarkt, letzte Juliwoche

▶ **Frankfurt am Main**
Dippemess. Volksfest März und September

▶ **Rüdesheim am Rhein**
Tage des Federweißen im Oktober

▶ **Weilburg**
Hessentag 2005 im Juli

▶ **Wiesbaden**
Theatrium. Straßenfest im Juni

MECKLENBURG-VORPOMMERN

▶ **Fischland-Darß-Zingst**
Zeesenbootregatta. Wettfahrten mit alten Fischerkähnen, Juli bis September

▶ **Greifswald**
Fischerfest. Mit historischer Regatta und anderen maritimen Wettkämpfen, im August in Wieck

Hauptsache auffallen: Bei der Plauer Badewannenrallye

▶ **Plau**
Badewannenrallye. Kurioses Rennen auf dem Plauer See im Juli

▶ **Reuterstadt Stavenhagen**
Reuterfestspiele. Theater und Literatur auf Plattdeutsch im Juni

▶ **Rostock**
Stromerwachen. Saisoneröffnung mit Drachenflugwettbewerb, Mai

Warnemünder Woche. Internationale Segelregatta mit historischem Umzug, Juli

Hanse Sail. Hafenfest mit Windjammerparade, August

▶ **Schwerin**
Töpfermarkt. Größter Markt für Töpferwaren in Norddeutschland, Juli

Drachenbootfest. Wettrennen prächtig geschmückter Boote auf dem Pfaffenteich

▶ **Stralsund**
Wallensteintage. Größtes historisches Volksfest Norddeutschlands

NIEDERSACHSEN

▶ **Celle**
Celler Hengstparaden. Im Celler Landesgestüt werden September/Oktober die schönsten Pferde prämiert.

▶ **Leer**
Gallimarkt. Größtes Volksfest in Ostfriesland, Oktober

▶ **Wendland**
Kulturelle Landpartie im Frühjahr

NORDRHEIN-WESTFALEN

▶ **Münster**
Barockfest. Festival der Barockmusik, September

▶ **Ruhrgebiet**
Ruhrtriennale. Oper, Theater, Tanz, Konzerte im ganzen Ruhrgebiet, September/Oktober

▶ **Soest**
Allerheiligenkirmes. Größte Innenstadtkirmes Europas

▶ **Warstein**
Internationale Warsteiner Montgolfiade. Großer Ballonfahrertreff mit Bierfest, September

RHEINLAND-PFALZ

▶ **Bad Dürkheim**
Wurstmarkt. Eines der größten Weinfeste, September

▶ **Bernkastel-Kues**
Weinfest im September

▶ **Billigheim bei Landau**
Purzelmarkt. Ältestes Folklorefestival der Pfalz, September

▶ **Deidesheim**
Geißbockversteigerung, immer Dienstag nach Pfingsten

▶ **Idar-Oberstein**
Jazztage, Juni

▶ **Kaiserslautern**
Altstadtfest im Frühling

▶ **Mainz**
Rosenmontagsumzug

Open Ohr Festival. Theater, Musik, Kabarett an Pfingsten

▶ **Speyer**
Brezelfest. Schönes Stadtfest im Juli

▶ **Trier**
Antikenfestspiele. Theater in den Ruinen des Amphitheaters und in den Kaiserthermen, Juni/Juli

▶ **Wittlich**
Säubrennerkirmes. Eines der größten Volksfeste in Rheinland-Pfalz, August

▶ **Worms**
Backfischfest. Bedeutendstes Weinfest am Rhein mit Fischerstechen, September

SAARLAND

▶ **Bostalsee**
Seefest, August

▶ **Saarlouis**
Emmes. Drei Tage Live-Musik bei der Saarlouiser Woche, Mai

SACHSEN

▶ **Annaberg-Buchholz**
Annaberger Kät. Ältestes, größtes Volksfest des Erzgebirges, Juni

▶ **Kamenz**
Lessingtage, Januar

Forstfest. Stadtfest mit Schülerumzügen, August

▶ **Klingenthal**
Internationaler Akkordeon-Wettbewerb, Mai

▶ **Leipzig**
Wave Gotik Treffen, Pfingsten

Lachmesse
Kabarett und Kleinkunst, Oktober

▶ **Oberlausitz**
Osterreiten. Reiterprozessionen rund um Bautzen am Ostersonntag

▶ **Oberwiesenthal**
Skifasching im Februar

▶ **Schneeberg**
Bergstreittag, Juli

SACHSEN-ANHALT

▶ **Blankenburg**
Ritterspiele auf Burg Regenstein. Großes Mittelalterspektakel, Juli

▶ **Brocken/Harz**
Walpurgisnacht. Feiern überall im Harz, aber rund um den Brocken ist das Treiben besonders wild.

▶ **Dessau**
Kurt-Weill-Fest. Veranstaltungen rund um den Dessauer Komponisten, Frühjahr

▶ **Havelberg**
Pferdemarkt, September

▶ **Jerichow**
Klosterfest, Juni

▶ **Lutherstadt Wittenberg**
Luther-Hochzeit. Stadtfest zur Hochzeit des Reformators, Juni

▶ **Quedlinburg**
Kaiserfrühling. Historienfest, Pfingsten

▶ **Querfurt**
Burgfest, Juni

▶ **Naumburg**
Hussiten-Kirschfest. Historischer Umzug im Sommer

▶ **Wörlitz**
Seekonzert. Klassik genießen bei einer Gondelfahrt durch das Gartenreich, Mai bis September

Gartenreichtag, August

SCHLESWIG-HOLSTEIN

▶ **Landesweit**
Schleswig-Holstein-Musikfestival, Juli / August

▶ **Bad Segeberg**
Karl-May-Spiele. Für eingefleischte Freunde von Winnetou und Old Shatterhand, Juni

▶ **Cismar**
Klosterfest. Mit schönem Nostalgie-Kunsthandwerkermarkt, August

▶ **Eutin**
Bluesfest, Mai

Eutiner Festspiele. Auf der Freilichtbühne zu Ehren von Carl Maria von Weber, Juli bis September

▶ **Friedrichskoog**
Krabbentage. Krabben pulen und essen, Oktober

▶ **Husum**
Krokusblütenfest. Romantisches Frühlingsfest im März

▶ **Kappeln**
Heringstage. Beim größten Stadtfest Schleswig-Holsteins steht der Hering im Mittelpunkt, Frühjahr

► **Kiel**
Kieler Woche. Seglerfest mit
Windjammerregatta, Juni

► **Meldorf**
Weberfest. Webertreffen, Kunst-
handwerkermarkt, September

► **Mölln**
Eulenspiegelfestspiele im August

► **Travemünde**
Travemünder Woche. Zweitgrößte
Segelregatta weltweit, Juli

THÜRINGEN

► **Eisenach**
Eisenacher Sommergewinn.
Thüringens größtes Frühlingsfest

► **Erfurt**
Krämerbrückenfest im Juni

Domstufenfestspiele. Juli/August

► **Jena**
Kulturarena. Theater, Musik- und
Filmfest, Juli/August

► **Weimar**
Zwiebelmarkt, Oktober

Freizeit- und Erlebnisparks

Freizeit- und Erlebnisparks haben sich in den letzten Jahren sehr
ausgebreitet. Es gibt Parks mit Fahrattraktionen, Tier- und Wild-
parks sowie Blumen- und Gartenparks. Eine Reihe dieser Parks veranstaltet während der Hochsaison spezielle **Show-Programme.**

▶ AUSWAHL

BAD MERGENTHEIM

► **Wildpark Bad Mergentheim**
97980 Bad Mergentheim
Tel. (0 79 31) 4 13 44, Fax 4 44 26
www.wildtierpark.de
Öffnungszeiten: April bis Okt. tgl.
9.00–18.00 Uhr, im Winter an
Wochenenden und Feiertagen von
10.30 Uhr bis Sonnenuntergang

BESTWIG-WASSERFALL

► **Fort Fun Abenteuerland**
59909 Bestwig-Wasserfall
Tel. (0 29 05) 8 10, Fax 8 11 18
www.fortfun.de
Öffnungszeiten: März bis Okt.
tgl. 10.00–18.00 Uhr

BOTTROP-KIRCHHELLEN

► **Freizeitpark Schloss Beck**
Am Dornbusch 39,
46244 Bottrop-Kirchhellen
Tel. (0 20 45) 51 34, Fax 8 45 25
www.schloss-beck.de
Öffnungszeiten: April bis Okt. tgl.
9.00–18.00 Uhr

► **Warner Bros. Movie World**
Warner Allee 1,
46244 Bottrop-Kirchhellen
Tel. (0 20 45) 89 90, Fax 89 97 06
www.movieworld,de
Öffnungszeiten: April bis Okt.
tgl. 10.00–18.00 Uhr

BRÜHL

▶ **Phantasialand**
Berggeiststraße 31–41,
50321 Brühl
Tel. (0 22 32) 3 62 00, Fax 3 62 36
www.phantasialand.de
Öffnungszeiten: April bis Okt.
tgl. 9.00–18.00 Uhr

CHAM

▶ **Churpfalzpark Loifling**
93455 Cham/Opf.
Tel. (0 99 71) 3 03 00, Fax 3 03 30
www.churpfalzpark.de
Öffnungszeiten: Ostern bis Mitte
Okt. 10.00–17.00 Uhr

CLEEBRONN/TRIPSDRILL

▶ **Erlebnispark Tripsdrill**
74389 Cleebronn
Tel. (0 71 35) 99 99, Fax 99 96 66
www.tripsdrill.de
Öffnungszeiten: April bis Okt.
tgl. 9.00–18.00 Uhr; Wildpark
außerhalb der Saison nur an
Wochenenden

DAUN

▶ **Wildpark Daun**
54550 Daun
Tel. (0 65 92) 31 54, Fax 80 85
www.wildpark-daun.de
Öffnungszeiten: März bis Nov.
9.00–18.00 Uhr

FRIESOYTHE-THÜLE

▶ **Tierpark Thüle**
Über dem Worberg 1,
26169 Friesoythe-Thüle
Tel. (0 44 95) 2 55, Fax 421
www.tierundfreizeitparkthuele.de
Öffnungszeiten: März bis Okt.
tgl. 9.00–19.00 Uhr

GEISELGASTEIG

▶ **Bavaria Filmtour**
Bavariafilmplatz 7,
82031 Geiselgasteig

Tel. (0 89) 64 99 20 00,
Fax 64 99 31 52
www.filmstadt.de
Öffnungszeiten: März bis Okt.
tgl. 9.00–16.00 Uhr

GEISELWIND

▶ **Freizeit-Land Geiselwind**
96160 Geiselwind
Tel. (0 95 56) 2 24, Fax 6 41
Öffnungszeiten: April bis Okt.
tgl. 9.00–17.00/18.00 Uhr

GONDORF

▶ **Eifelpark Gondorf**
54647 Gondorf bei Bitburg
Tel. (0 65 65) 95 66-33,
Fax 95 66-44
www.eifelpark.de
Öffnungszeiten: April bis Okt.
9.30–17.00; Wildpark ganzjährig
geöffnet, 10.00–16.00 Uhr

GÜNZBURG

▶ **Legoland**
Legoland-Allee, 89312 Günzburg
Tel. (0 82 21) 70 07 00, Fax 70 02 50
www.legoland.de
Öffnungszeiten: April bis Nov.
tgl. 10.00 bis mind. 18.00 Uhr

HALTERN-LAVESUM

▶ **Freizeitpark Ketteler Hof**
Rekener Straße 211,
45721 Haltern-Lavesum
Tel. (0 23 64) 34 09, Fax 16 72 30
www.kettelerhof.de
Öffnungszeiten: März bis Okt.
tgl. 9.00–18.00 Uhr

HAREN

▶ **Ferienzentrum Schloss Dankern**
49733 Haren/Ems
Tel. (0 59 32) 7 22 30,
Fax 72 23 33
www.schloss-dankern.de
Öffnungszeiten: März bis Okt.
tgl. 9.00 bzw. 10.00–18.00 Uhr

HASSLOCH/PFALZ

► **Holiday-Park**
Holidaypark-Straße,
67454 Haßloch
Tel. (0 63 24) 5 99 30
Infoline: (0 18 05) 00 32 46
Fax 59 93 50
www.holidaypark.de
Öffnungszeiten: April bis Mitte
Okt. tgl. 10.00–18.00, in der
Hauptsaison 9.00–19.00 Uhr

HODENHAGEN

► **Serengeti Safaripark
Hodenhagen**
29693 Hodenhagen
Tel. (0 51 64) 5 31, Fax 24 51
www.serengeti-park.de
Öffnungszeiten: März bis Okt.
tgl. 10.00–18.00 Uhr

HEROLDSBACH

► **Erlebnispark Schloss Thurn**
Schlossplatz 4,
91336 Heroldsbach
Tel. (0 91 90) 92 98 98,
Fax 92 98 88
Öffnungszeiten: April bis Sept.
tgl. 10.00–17.00 Uhr

JADERBERG

► **Tier- und Freizeitpark
Jaderpark**
Tiergartenstraße 69,
26349 Jaderberg
Tel. (0 44 54) 91 13-0
www.jaderpark.de
Öffnungszeiten: ganzjährig
tgl. 10.00–17.00 Uhr

KAISERBACH-
GMEINWEILER

► **Schwaben-Park Gmeinweiler**
73667 Kaisersbach-Gmeinweiler
Tel. (01 80) 3 23 23 90
www.schwabenpark.com
Öffnungszeiten: April bis Okt.
tgl. 9.00–18.00 Uhr

KIRCHHUNDEM-
OBERHUNDEM

► **Panorama-Park Sauerland**
57399 Kirchhundem-Oberhundem
Tel. (0 27 23) 77 41 00, Fax 77 42 34
www.panorama-park.de
Öffnungszeiten: April bis Okt.
tgl. 10.00–17.00 bzw. 18.00,
Wildpark außerhalb der Saison
11.00–16.00 Uhr

ℹ Auskunft

▪ Noch mehr Adressen und Informationen
erhält man beim Verband Deutscher
Freizeitparks und Freizeitunternehmen e.V.
in Berlin (Tel. 030 / 98 31 40 44,
Fax 98 31 40 46, www.vdfuev.de).

LEIPZIG

► **Belantis**
Leipzig-Zwenkau, 04249 Leipzig
Tel. (0 18 05) 69 46 94,
Fax 91 03 11 11
www.belantis.de
Öffnungszeiten: April bis Okt. Mi.
bis So. 10.00–18.00 Uhr

LÖFFINGEN

► **Schwarzwaldpark Löffingen**
79843 Löffingen
Tel. (0 76 54) 8 08 56 - 0
www.schwarzwaldpark-
loeffingen.de
Öffnungszeiten: Ostern bis Okt.
tgl. 9.00–18.00 Uhr

MECKENBEUREN

► **Ravensburger Spieleland**
Am Hangenwald 1,
88704 Meckenbeuren-Liebenau
Tel. (0 75 42) 40 00,
Fax 40 01 01
www.spieleland.de
Öffnungszeiten: April bis Okt. tgl.
10.00–17.00 Uhr

In den Freizeitparks kommen Liebhaber von Geschwindigkeit, Aufregung und Abenteuer voll auf ihre Kosten.

REISBACH

▸ **Bayern-Park**
Fellbach 1, 94419 Reisbach
Tel. (0 87 34) 8 17, Fax 42 68
www.bayern-park.de
Öffnungszeiten: April bis Okt.
tgl. 9.00–18.00 Uhr

MINDEN

▸ **potts park**
Bergkirchener Straße 99,
32429 Minden
Tel. (05 71) 5 10 88, Fax 5 80 04 21
www.pottspark-minden.de
Öffnungszeiten: April bis Sept. tgl.
10.00–18.00 Uhr

RUHPOLDING

▸ **Märchen- und Familienpark Ruhpolding**
Vorderbrand 7, 83324 Ruhpolding
Tel. (0 86 63) 14 13, Fax 80 06 23
www.maerchenpark.de
Öffnungszeiten: Ostern bis Okt.
tgl. 9.00–18.00 Uhr

PLECH

▸ **Fränkisches Wunderland**
Zum Herlesgrund 13, 91287 Plech
Tel. (0 92 44) 98 90, Fax 74 29
www.wunderland.de
Öffnungszeiten: April bis Okt.
tgl. 9.00–18.00 Uhr

RUST

▸ **Europa-Park**
77977 Rust/Baden
Tel. (0 18 05) 77 66 88,
Fax 77 66 99
www.europapark.de
Öffnungszeiten: April bis Okt.
tgl. 9.00–18.00 Uhr

POTSDAM

▸ **Filmpark Babelsberg**
Großbeerenstraße, 14482 Potsdam
Tel. (03 31) 7 21 27 50,
Fax 7 21 27 37
www.filmpark.potsdam.de
Öffnungszeiten: März bis Okt.
tgl. 10.00–18.00 Uhr

SALZHEMMENDORF

▸ **Rasti-Land**
31020 Salzhemmendorf
Tel. (0 51 53) 9 40 70, Fax 94 07 13
www.rasti-land.de
Öffnungszeiten: April bis Aug.
tgl. 10.00–17.00 bzw. 18.00 Uhr

REHBURG-LOCCUM

▸ **Dinosaurierpark Münchehagen**
Alte Zollstraße 3,
31547 Rehburg-Loccum
Tel. (0 50 37) 20 75, Fax 57 39
www.dinopark.de
Öffnungszeiten: Feb. bis Nov.
tgl. 10.00–18.00 Uhr

SCHLANGENBAD

▸ **Taunus-Wunderland**
65388 Schlangenbad
Tel. (0 61 24) 40 81, Fax 48 61
www.taunuswunderland.de
Öffnungszeiten: April bis Okt.
tgl. 9.00 bzw. 10.00–18.00 Uhr
sowie an Oktoberwochenenden

▶ **Hollywood-Park**
Mittweg 16,
33758 Schloss Holte-Stukenbrock
Tel. (0 52 07) 95 24 25, Fax 95 24 26
www.safaripark.de
Öffnungszeiten: April bis Okt.
tgl. 9.00–18.00 Uhr

▶ **Hansa-Park**
Am Fahrenkrog 1, 23730 Sierksdorf
Tel. (0 45 63) 47 40, Fax 47 41 00
www.hansapark.de
Öffnungszeiten: April bis Okt.
tgl. 9.00–18.00 Uhr

▶ **Heide-Park**
29614 Soltau
Tel. (0 51 91) 91 91, Fax 9 11 11
www.heide-park.de
Öffnungszeiten: April bis Okt.
tgl. 9.00–18.00 Uhr

▶ **Tolk-Schau**
Am Finkmoor 1, 24894 Tolk
Tel. (0 46 22) 9 22, Fax 9 23
Öffnungszeiten: April bis Okt.
tgl. 10.00–18.00 Uhr
www.tolk-schau.de

▶ **Tierpark Ueckermünde**
Chausseestraße 76
17373 Ueckermünde
Tel. (03 97 71) 2 27 48, Fax 2 42 07
www.tierpark-ueckermuende.de
Öffnungszeiten: März bis Nov.
tgl. 9.00–16.00 (im Sommer bis
18.00 Uhr)

▶ **Erse-Park Uetze**
Abbeile, 31311 Uetze
Tel. (0 51 73) 3 52

www.erse-park.de
Öffnungszeiten: April bis Okt.
tgl. 10.00–18.00 Uhr

▶ **Magic Park Verden**
Osterkrug 7, 27283 Verden/Aller
Tel. (0 42 31) 6 61 10, Fax 66 11 77
Öffnungszeiten: März bis Okt.
tgl. 9.00–18.00 Uhr

▶ **Kurpfalzpark Wachenheim**
Forsthaus Rotsteig,
67157 Wachenheim/Weinstraße
Tel. (0 63 25) 95 90 10, Fax 95 90 25
www.kurpfalz-park.de
Öffnungszeiten: April bis Okt.
tgl. 9.00–18.00; Wildpark ganzjährig 10.00–16.00 Uhr

▶ **Freizeitpark Lochmühle**
61273 Wehrheim/Taunus
Tel. (0 61 75) 79 00 60, Fax 79 00 75
www.lochmuehle.de
Öffnungszeiten: April bis Okt.
tgl. 9.00–18.00 Uhr

▶ **Erlebnispark Ziegenhagen**
37217 Witzenhausen
Tel. (0 55 45) 2 46, Fax 63 72
www.erlebnispark-ziegenhagen.de
Öffnungszeiten: März bis Okt.
tgl. 10.00–17.00 (im März nur
am Wochenende, Mai bis Aug.
9.00–18.00 Uhr)

▶ **Märchenwald im Isartal**
Kräuterstraße 39,
82515 Wolfratshausen-Farchet
Tel. (0 81 71) 1 87 60, Fax 2 22 36
www.maerchenwald-isartal.de
Öffnungszeiten: April bis Okt.
tgl. 9.00–18.00 Uhr

Höhlen

Wer einen Blick in die Welt der Tropfsteine und unterirdischen Wasserläufe tun möchte, findet vor allem in **Kalkformationen** eine große Zahl gut erschlossener und gesicherter Schauhöhlen. Da die Lufttemperaturen in den Höhlen auch im Hochsommer selten über 9 °C liegen, ist wetterfeste Kleidung, vor allem aber festes Schuhwerk angebracht. Im Folgenden eine Auswahl von Schauhöhlen.

▶ AUSWAHL

ATTENDORN

▶ **Attahöhle**
Attendorner Tropfsteinhöhle
Postfach 130, 57439 Attendorn
Tel. (0 27 22) 73 75-0
www.atta-hoehle.de

BAD GRUND

▶ **Iberger Tropfsteinhöhle**
(Fossilien)
Kurbetriebsgesellschaft
Postfach 11 53, 37539 Bad Grund
Tel. (0 53 27) 82 93 91
www.ibergtropfsteinhöhle.de

BAD SEGEBERG

▶ **Kalkberghöhle Segeberg**
(Gipshöhle, Laugungsformen)
Kalkberghöhle, Karl-May-Platz,
23795 Bad Segeberg
Tel. (0 45 51) 5 72 36, 5 72 38
www.showcaves.de

BALVE

▶ **Balver Höhle / Reckenhöhle**
(Steinwerkzeuge, Tierskelette,
Knochenfunde)
Verkehrsverein, Kirchplatz 2,
58802 Balve, Tel. (0 23 75) 92 61 90

BRANNENBURG

▶ **Wendelsteinhöhle**
Wendelsteinbahn GmbH
Kerschelweg 30, 83098 Brannenburg, Tel. (0 80 34) 20 71

BUCHEN/EBERSTADT

▶ **Eberstadter Tropfsteinhöhle**
Verwaltung Eberstadter
Tropfsteinhöhle, Rathaus,
74722 Buchen-Eberstadt
Tel. (0 62 92) 2 25, 5 78

ENGELSKIRCHEN

▶ **Aggertalhöhle**
(Kristallbildungen)
Verkehrsamt im Rathaus,
51766 Engelskirchen
Tel. (0 22 63) 8 31 37 und 7 07 02
www.aggertalhoehle.de

ENNEPETAL

▶ **Kluterthöhle**
(auch Höhlensanatorium)
Haus Ennepetal und Kluterthöhle,
Gasstraße 10, 58256 Ennepetal
Tel. (0 23 33) 9 88 00, Fax 7 33 73
www.kluterthoehle.de

ESSING

▶ **Großes Schulerloch**
(Knochenfunde)
Tropfsteinhöhle Schulerloch,
Oberau 1, 93343 Essing
Tel. (0 94 41) 32 77
www.schulerloch.de

FRIEDRICHRODA

▶ **Marienglashöhle**
Verwaltung, 99894 Friedrichroda
Tel. (0 36 23) 30 49 53

GIENGEN/BRENZ (HÜRBEN)

▶ **Charlottenhöhle (Tropfsteine)**
Bürgermeisteramt, Postfach 1140,
89537 Giengen/Brenz
Tel. (0 73 22) 95 22 92
Höhlenverwaltung:
Tel. (0 73 24) 61 85

HASEL

▶ **Erdmannshöhle**
Bürgermeisteramt, 79686 Hasel
Tel. (0 77 62) 93 07

HAYINGEN-WIMSEN

▶ **Friedrichshöhle / Wimsener Höhle**
(Quellhöhle)
Gasthaus zur Friedrichshöhle,
72534 Hayingen-Wimsen
Tel. (0 73 73) 28 13

In den Tropfsteinhöhlen auf der Schwäbischen Alb lassen sich die schönsten Stalaktiten und Stalagmiten anschauen.

HEMER

▶ **Heinrichshöhle**
(Höhlenbären-Skelett)
Stadtverwaltung, Postfach 120,
58675 Hemer, Tel. (0 23 72) 6 15 49
www.heinrichshoehle.de

HEROLDSTATT-SONTHEIM

▶ **Sontheimer Höhle**
Verwaltung, Weberstraße 36,
72535 Heroldstatt
Tel. (0 73 89) 12 12 und 4 63

HERZBERG

▶ **Haus Einhorn**
Einhornhöhle (Steinzeitfunde)
37412 Herzberg-Scharzfeld
Tel. (0 55 21) 99 75 59
www.einhornhoehle.de

ISERLOHN-LETMATHE

▶ **Dechenhöhle**
(Erosionsformen, Tropfsteine)
Betriebsführung Dechenhöhle
Dechenhöhle 5, 58644 Iserlohn
Tel. (02 37 72) 7 14 21
www.dechenhoehle.de

KARSAU-RIEDMATT

▶ **Tschamberhöhle**
Schwarzwaldverein,
Verwaltung Tschamberhöhle
79618 Karsau-Riedmatt
Tel. (0 76 23) 52 56

KITTELSTHAL

▶ **Kittelsthaler Tropfsteinhöhle**
Gemeindeverwaltung,
Hauptstraße 71, 99843 Kittelsthal
Tel. (03 69 29) 33 18

KOLBING

▶ **Kolbinger Höhle**
Schwäbischer Albverein,
Ortsgruppe Kolbingen
Hölderlinstraße 12,
78600 Kolbingen,
Tel. (0 74 63) 85 34

LAICHINGEN

▶ **Laichinger Tiefenhöhle**
(Fossilien; Höhlenmuseum)
Höhlen- und Heimatverein
Postfach 1367, 89150 Laichingen
Tel. (0 73 33) 44 14 und 55 86
www.tiefenhoehle.de

LENNINGEN-GUTENBERG

▶ **Gutenberger Höhle/
Gußmannshöhle**
Verwaltung, Rathaus Gutenberg,
73252 Lenningen,
Tel. (0 70 26) 78 22

LICHTENSTEIN-HONAU

▶ **Olgahöhle**
(Tuffhöhle)
Schwäbischer Albverein,
Ortsgruppe Honau
Schlossstraße 8, 72805 Lichtenstein
Tel. (0 71 29) 51 79

MARKTSCHELLENBERG

▶ **Schellenberger Eishöhle**
Verein für Höhlenkunde
Schellenberg e.V.
Dr.-Brinkmann-Straße 13
83487 Marktschellenberg
Tel. (0 86 50) 3 41
www.eishoehle.net

NEUHAUS A.D. PEGNITZ

▶ **Maximilianshöhle**
(Tropfsteine, Höhlenbären-
knochen)
Grottenhof,
91284 Neuhaus a.d.Pegnitz
Tel. (0 91 56) 4 34
www.maximiliansgrotte.de

OBERMAISELSTEIN

▶ **Sturmannshöhle**
(Erosionserscheinungen)
Gemeinde Obermaiselstein,
87538 Obermaiselstein
Tel. (0 83 26) 3 83 09

POTTENSTEIN

▶ **Teufelshöhle (Tropfsteine,
Höhlenbärenskelett)**
Zweckverband Teufelshöhle
Forchheimer Straße 1,
91278 Pottenstein
Tel. (0 92 43) 2 08
www.teufelshoehle.de

REHLINGEN-SIERSBURG

▶ **Tropfsteinhöhle Niedaltdorf**
Neunkircher Straße 10,
66780 Rehlingen-Siersburg
Tel. (0 68 33) 84 00 und 15 10

ROTTLEBEN/KYFFHÄUSER

▶ **Barbarossahöhle**
Einrichtung Erholungswesen,
Bereich Barbarossahöhle,
06567 Rottleben/Kyffhäuser
Tel. (03 46 71) 5 45 13
www.hoehle.de

RÜBELAND

▶ **Baumanns- und Hermannshöhle**
Höhlenverwaltung
Blankenburger Straße 35,
38889 Rübeland,
Tel. (03 93 53) 4 91 32
www.ruebeland.de

SAALFELD

▶ **Saalfelder Feengrotten**
Feengrottenweg 2, 07318 Saalfeld
Tel. (0 36 71) 5 50 40
www.feengrotten.de

SCHWEINA

▶ **Altensteiner Höhle**
Rat der Gemeinde, 36448 Schweina
Tel. (03 69 61) 26 87 und 7 12 16
www.altsteiner-hoehle.de

SCHELKLINGEN

▶ **Hohler Fels (Knochenfunde)**
Bürgermeisteramt,
Marktstraße 15,
89601 Schelklingen
Tel. (0 73 94) 24 80

SONNENBÜHL-ERPFINGEN

▶ **Bärenhöhle / Karlshöhle**
(Tropfsteine, Höhlenbärenskelett)
Ortschaftsverwaltung,
72820 Sonnenbühl-Erpfingen
Tel. (0 71 28) 92 50 und 9 25 18
www.sonnenbuehl.de

SONNENBÜHL-GENKINGEN

▶ **Nebelhöhle**
Nebelhöhlenverwaltung,
72820 Sonnenbühl-Genkingen
Tel. (0 71 28) 92 50 und 9 25 18
www.sonnenbuehl.de

STEINAU AN DER STRASSE

▶ **Teufelshöhle**
(Tropfsteine)
Städt. Verkehrsamt,
Brüder-Grimm-Straße 47
36396 Steinau an der Straße
Tel. (0 66 63) 9 63 10

SYRAU

▶ **Syrauer Drachenhöhle**
Rat der Gemeinde Syrau
Höhlenverwaltung, 08548 Syrau
Tel. (03 74 31) 37 35
www.drachenhoehle.de

TRONDORF-NEUKIRCHEN

▶ **Osterhöhle**
(Sinterbecken)
Waldschänke Osterhöhle,
Neidsteiner Straße 8,
92259 Trondorf-Neukirchen
Tel. (0 96 63) 17 18

VELBURG

▶ **König-Otto-Tropfsteinhöhle
mit Adventhalle**
Fremdenverkehrsverein,
92355 Velburg
Tel. (0 91 82) 9 30 20 und 27 54

WARSTEIN

▶ **Warsteiner Bilsteinhöhlen**
(Tropfsteine)
Stadtverwaltung, 59581 Warstein
Tel. (0 29 02) 8 10 und 27 31
www.bilsteinhoehle.de

WAISCHENFELD

▶ **Sophienhöhle**
91344 Waischenfeld
Tel. (0 92 02) 97 05 80
www.sophienhoehle.de

WEILBURG

▶ **Kubacher Kristallhöhle**
(Calcitkristalle, Perlsinter)
Höhlenverein Kubach,
35781 Weilburg-Kubach
Tel. (0 64 71) 9 40 00
www.kubacherkristallhoehle.de

WIEHL

▶ **Wiehler Tropfsteinhöhle**
Waldhotel Hartmann,
51674 Wiehl, Tel. (0 22 62) 79 20
www.waldhotel-hartmann.de

WIESENTTAL-STREITBERG

▶ **Binghöhle (Tropfsteine)**
Gemeindeverwaltung,
91346 Markt Wiesenttal-Streitberg
Tel. (0 91 96) 1 94 33
www.binghoehle.de

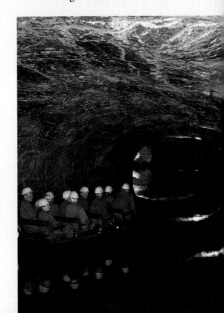

*Einfahren in den Bauch der Erde:
Besuch im Kalibergwerk Sondershausen
in Thüringen.*

Museumseisenbahnen

Allgemeines Oldtimer-Eisenbahnen finden ein immer größeres Publikum. Viele dieser Museumseisenbahnen, die teilweise auch bewirtschaftet sind, werden privat betrieben. Sie verkehren meist nur im Sommerhalbjahr und zu unterschiedlichen Zeiten.

▶ AUSWAHL

BADEN-WÜRTTEMBERG

► **Achern–Ottenhöfen (Achertalbahn)**
Streckenlänge: 11 km
Tourist-Information Achern
Hauptstraße 1, 77855 Achern
Tel. (0 78 41) 22 31, Fax 15 53

► **Amstetten–Gerstetten**
Streckenlänge: 20 km
► **Amstetten–Oppingen (Albbähnle)**
Streckenlänge: 6 km
Ulmer Eisenbahnfreunde
Tel. (0 73 02) 63 06

► **Aulendorf–Altshausen–Pfullendorf**
Streckenlänge: 35 km
Eisenbahnfreunde Zollernbahn
Europastraße 61, 72072 Tübingen
Tel. (0 70 71) 7 67 44, Fax 7 67 49

► **Ettlingen–Busenbach–Bad Herrenalb (Albtalbahn)**
Streckenlänge: 19 km
Ulmer Eisenbahnfreunde
Bahnhofstraße 6, 76275 Ettlingen
Tel. (07 21) 88 33 61

► **Tübingen–Eyach–Haigerloch–Hechingen**
Streckenlänge: 52 km
Eisenbahnfreunde Zollernbahn
Europastraße 61, 72072 Tübingen
Tel. (0 71 71) 7 67 44, Fax 7 67 49

► **Gaildorf–Untergröningen**
Streckenlänge: 18,5 km
Dampfbahn Kochertal
Am Westbahnhof
74405 Gaildorf
Tel. (0 79 71) 91 13 33, Fax 91 13 34

► **Kandern–Haltingen–Basel–Lörrach (Kandertalbahn oder »Chanderli«)**
Verkehrsamt Kandern,
Postfach, 79400 Kandern
Tel./Fax (0 76 26) 97 23 56

► **Hechingen–Gammertingen–Münsingen**
Streckenlänge: 66 km
Eisenbahnfreunde Zollernbahn
Europastraße 61,
72072 Tübingen
Tel. (0 71 71) 7 67 44, Fax 7 67 49

► **Korntal–Weissach (Strohgäubahn)**
Streckenlänge: 22 km
Gesellschaft zur Erhaltung
von Schienenfahrzeugen,
Postfach 710116,
70607 Stuttgart
Tel. (0 70 27) 3 34 45 (abends),
Fax 36 89

► **Neresheim (Härtsfeldbahn)**
Streckenlänge: 3 km
Postfach 9126,
73416 Aalen
Tel./Fax (0 73 61) 8 75 87

▶ Schorndorf–Rudersberg
Streckenlänge: 10 km
Dampfbahn Kochertal,
Am Westbahnhof, 74405 Gaildorf
Tel. (0 79 71) 91 13 33, Fax 91 13 34

▶ Zollhaus-Blumberg–Weizen (Wutachtal- oder »Sauschwänzlesbahn«)
Streckenlänge: 26 km
Hauptstraße 52, 78176 Blumberg
Tel. (0 76 1) 6 96 61 82

BAYERN

▶ Gotteszell–Viechtach
Streckenlänge: 25 km
Interessengemeinschaft
Schienenverkehr Niederbayern,
Postfach 1329, 82181 Gröbenzell
Tel. (0 89) 11 46 52

▶ Ebermannstadt–Behringersmühle
Dampfbahn Fränkische Schweiz
Postfach 1101,
91316 Ebermannstadt
Tel. (0 91 94) 79 45 41

▶ Fünfstetten–Monheim
Streckenlänge: rund 6 km
Bayer. Eisenbahnmuseum
Am Hohen Weg 6,
86720 Nördlingen
Tel. (0 90 81) 98 08

▶ Nürnberg-NO–Eschenau – Gräfenberg
Streckenlänge: 28,5 km
Fränkische Museums-Eisenbahn
Klingenhofstraße 72,
90411 Nürnberg
Tel. (09 11) 5 10 96 38

▶ Prien–Stock (Chiemseebahn)
Chiemsee-Schifffahrt,
Ludwig Feßler, Seestraße 108,
83209 Prien am Chiemsee
Tel. (0 80 51) 60 90

▶ Tegernsee–Gmund–Schaftlach
Streckenlänge: 12 km
Bayerischer Localbahn Verein
Postfach 1311,
83682 Tegernsee
Tel. (0 89) 4 48 12 88

BERLIN

▶ Reinickendorfer Industriebahn
Berliner Eisenbahnfreunde
Waldbahn 2 a,
16352 Basdorf
Tel. (03 33 97) 7 26 56

▶ Berlin-Wuhlheide
Streckenlänge: 7,5 km
FEZ Wuhlheide,
An der Wulheide 197,
12459 Berlin-Köplinde
Tel. (0 30) 5 35 46 10

▶ Britzer Museumsbahn Berlin
Streckenlänge: 6 km
Britzer Museumsbahn Berlin
Buckower Damm 170,
12349 Berlin
Tel. (0 30) 7 81 39 89

BRANDENBURG

▶ Knappenrode–Zeißholz (Lausitzer Grubenbahn)
Förderverein Lausitzer Grubenbahn, Ernst-Thälmann-Straße 8,
02979 Knappenrode
Tel. / Fax (0 35 71) 67 80 92

i Kursbuch

■ Im Verlag Uhle & Kleinmann, Pettenpohlstraße 17, D-32312 Lübbecke, Tel (0 57 41) 72 09, Fax 9 02 24 erscheint jährlich das Kursbuch der deutschen Museumseisenbahnen. Auch das Kursbuch der Deutschen Bahn enthält eine Auflistung der wichtigsten Oldtimer-Eisenbahnen (www.eisenbahnnostalgie.de, www.bahntouristik.de)

HAMBURG

▶ Bergedorf (HH)–Geesthacht
Streckenlänge: 12 km
Arbeitsgemeinschaft Geesthachter
Eisenbahn, Dünenstraße 2,
21502 Geesthacht
Tel. (0 41 52) 7 78 99

HESSEN

▶ Bad Nauheim–Rockenberg– Münzenberg (Wettertalbahn)
Streckenlänge: 9 km
Eisenbahnfreunde Wetterau / Bad
Nauheim, Steinfurter Straße 21,
61231 Bad Nauheim
Tel. (0 60 32) 8 61 11

▶ Frankfurt Eiserner Steg– Griesheim/Mainkur
Streckenlänge: 5,5 km
Historische Eisenbahn,
Intzestraße 34, 60314 Frankfurt
Tel. (0 69) 43 60 93

▶ Kassel-Wilhelmshöhe– Elgershausen–Naumburg
Streckenlänge: 33 km
Arbeitskreis Historischer Zug
Hessencourrier,
Kaulenbergstraße 5, 34131 Kassel
Tel. (05 61) 58 15 50

▶ Darmstadt-Ost–Bessunger Forsthaus
Eisenbahnmuseum Darmstadt-
Kranichstein, Steinstraße 7,
64291 Darmstadt
Tel. (0 61 51) 37 64 01, Fax 37 76 00

▶ Wiesbaden-Dotzheim– Bad Schwalbach–Hohenstein (Aartalbahn)
Streckenlänge: 24 km
Nassauische Touristik-Bahn,
Moritz-Hilf-Platz 2,
65199 Wiesbaden
Tel. (06 11) 1 84 33 30,
Fax 1 84 33 39

MECKLENBURG-VORPOMMERN

▶ Putbus–Göhren (»Rasender Roland«)
Streckenlänge: 24,4 km
Rügensche Kleinbahn,
Binzer Straße 2, 18581 Putbus
Tel. (03 83 01) 8 01 12, Fax 8 01 15

NIEDERSACHSEN

▶ Börßum–Salzgitter
Streckenlänge: 15 km
Dampflok-Gemeinschaft,
Postfach 511380,
38243 Salzgitter
Tel. (05 31) 2 26 22 52

▶ Bremen-Kirchhuchting– Leeste –Thedinghausen
Streckenlänge: 25 km
Kleinbahn Leeste,
Humboldtstraße 18,
28844 Weyhl
Tel. (04 21) 21 41 21 und
(01 79) 6 63 48 99

▶ Bruchhausen-Vilsen– Heiligenberg–Asendorf
Streckenlänge: 8 km
Deutscher Eisenbahn-Verein,
Bahnhof,
27300 Bruchhausen-Vilsen
Tel. (0 42 52) 9 30 00, Fax 93 00 12

▶ Buxtehude–Harsefeld
Streckenlänge: 14,8 km
Buxtehude-Harsefelder
Eisenbahnfreunde
Postfach 11 41, 21694 Harsefeld
Tel. (0 41 64) 7 42 81

▶ Celle–Müden/Örtze
Streckenlänge: 36 km
Braunschweiger Verkehrs-
freunde e.V., Borsigstraße 2 a,
38126 Braunschweig
Tel. (05 31) 26 40 34-0,
Fax 26 40 34-15

▶ **Celle–Hankensbüttel–
Wittingen–Brome–
Braunschweig (Preußenzug)**
Streckenlänge: 64 km
Braunschweiger Verkehrs-
freunde e. V., s. zuvor

▶ **Harpstedt–Delmenhorst**
Streckenlänge: 22 km
Delmenhorst-Harpstedter Eisen-
bahnfreunde, Postfach 1236,
27732 Delmenhorst
Tel. (0 42 44) 23 80

▶ **Eystrup–Hoya–Bruchhausen–
Heiligenfelde**
Streckenlänge: 31 km
Deutscher Eisenbahn-Verein,
Bahnhof,
27300 Bruchhausen-Vilsen
Tel. (0 42 52) 9 30 00, Fax 93 00 12

▶ **Lüneburg–Bleckede–
Waldfrieden**
Streckenlänge: 26 km
Touristik-Eisenbahn Lüneburger
Heide, Theodor-Haubach-Straße 3,
21337 Lüneburg
Tel. (0 41 31) 5 81 36, Fax 5 06 29

▶ **Lüneburg-Süd–Hützel–
Salzhausen**
Streckenlänge: 21 km
Touristik-Eisenbahn Lüneburger
Heide, s. zuvor

*Mit Volldampf durch die Winter-
landschaft: Fichtelbergbahn bei
Unterwiesenthal*

▶ **Meppen–Haselünne–
Löningen–Essen (Oldbg.)**
Streckenlänge: 51 km
Eisenbahnfreunde Hasetal,
Kettelerstraße 12, 49740 Haselünne
Tel. (0 59 61) 68 65 oder
(0 54 32) 59 95 99, Fax 95 55 56

▶ **Norden–Dornum
(Küstenbahn Ostfriesland)**
Streckenlänge: 16 km
Museumseisenbahn »Küstenbahn
Ostfriesland«,
Norddeicher Straße 82 a,
26506 Norden
Tel. (0 49 31) 16 90 30, Fax 16 90 65

▶ **Osnabrück-Piesberg–Eversburg**
Streckenlänge: 2 km
Osnabrücker Dampflokfreunde
c/o Albert Merseburger, Am
Friedhof 6, 49477 Ibbenbüren
Tel./Fax (0 54 51) 1 31 62

▶ **Soltau–Bispingen–
Döhle (Ameisenbär)**
Streckenlänge: 30 km
Verkehrsverein Soltau,
Bornemannstraße 7, 29614 Soltau
Tel. (0 51 91) 82 82 82, Fax 82 82 99

▶ **Spiekeroog: Offener Museums-
Pferdebahnwagen**
Streckenlänge: 1,3 km
Nordseebad Spiekeroog GmbH
Tel. (0 49 76) 91 93 22

▶ **Verden/Aller–Stemmen**
Streckenlänge: 12 km
Verdener Eisenbahn-Freunde,
Postfach 1408, 27264 Verden
Tel. (0 42 39) 12 27

▶ **Wilstedt–Zeven–Tostedt**
Streckenlänge: 61 km
Eisenbahnfreunde der WZTE,
Postfach 1213, 27392 Zeven
Tel. (0 42 81) 45 91

▶ **Winsen-Süd–Salzhausen–**
Döhle–Hützel (Heide-Express)
Streckenlänge: 41 km
Touristik-Eisenbahn
Lüneburger Heide,
Theodor-Haubach-Straße 3,
21337 Lüneburg
Tel. (0 41 31) 5 81 36 und
(0 41 37) 2 84, Fax (0 41 31) 5 06 29
und (0 41 37) 2 84

NORDRHEIN-WESTFALEN

▶ **Barntrup–Bösingfeld–Rinteln**
(Extertalbahn)
Streckenlänge: 23 km
Landeseisenbahn Lippe
Am Bahnhof 1, 32699 Extertal
Tel. (0 52 36) 88 85 70

▶ **Bahnhof Bochum-Dahlhausen–**
Eisenbahnmuseum Bochum-
Dahlhausen
Streckenlänge: 2 km
Eisenbahnmuseum Bochum-
Dahlhausen,
Dr.-C.-Otto-Straße 191,
44879 Bochum
Tel. (02 34) 49 25 16

▶ **Hattingen–Wengern**
Streckenlänge: 18 km
Eisenbahnmuseum Bochum-
Dahlhausen, s. zuvor

▶ **Essen-Kupferdreh–**
Haus Scheppen (Hespertalbahn)
Streckenlänge: 3 km
Verein zur Erhaltung der
Hespertalbahn, Postfach 150223,
45242 Essen
Tel./Fax (02 01) 64 43 82 oder
(0 21 04) 2 78 57

▶ **Geilenkirchen-Gillrath–**
Schierwaldenrath
Streckenlänge: 5,5 km
Interessengemeinschaft Histori-
scher Schienenverkehr (IHS),
Postfach 603, 52007 Aachen
Tel. (02 41) 8 23 69 oder
(0 24 54) 66 99 (Bahnhof
Schierwaldenrath)

▶ **Gütersloh–Lengerich–**
Ibbenbüren
Streckenlänge: 66 km
Eisenbahn-Tradition
Postfach 12 33, 49512 Lengerich
Tel. (0 54 81) 8 29 14

▶ **Hamm–Maximilianpark–**
Lippborg
Streckenlänge: 19 km
Hammer Eisenbahnfreunde im
Verkehrsverein, Postfach 2611,
59016 Hamm
Tel. (0 23 81) 2 34 00

←*Zwischen Weißwasser und*
Kromlau dampft die Waldeisen-
bahn Muskau.

▶ **Minden–Hille**
Streckenlänge: 13 km
▶ **Rahden–Uchte**
Streckenlänge: 25 km
Museums-Eisenbahn Minden,
Ringstraße 115, 32427 Minden
Tel. (0571) 583 00, Fax 53 04 0

▶ **Moers–Oermterberg**
Streckenlänge: 17 km
Niederrheinische Verkehrs-
betriebe AG (NIAG),
Homberger Straße 113,
47441 Moers
Tel. (0 28 41) 20 53 11, Fax 20 53 30

▶ **Plettenberg–Hüinghausen**
Märk. Museumseisenbahn
Elsetalstraße 46, 58849 Herscheid
Tel. (0 23 57) 46 37

▶ **St. Tönis–Krefeld–Hülser Berg**
Streckenlänge: 14 km
Städtische Werke Krefeld
St. Töniser Straße 124,
47804 Krefeld
Tel. (0 21 51) 98 44 82, Fax 98 44 94

▶ **Straßenbahn Kohlfurther**
Brücke–Greuel in Solingen
Bergische Museumsbahnen
Kohlfurther Brücke,
42349 Wuppertal
Tel. (02 02) 47 02 51 und 78 58 89

▶ **Bahnhof Wesel (Ladegleis)–**
Rheinpromenade (Hafenbahn)
Streckenlänge: 3,5 km
Historischer Schienenverkehr
Wesel, Halterner Straße 2a,
46485 Wesel
Tel. (02 81) 8 97 03

▶ **Brohl–Oberzissen–Engeln**
Streckenlänge 17 km
Brohltaleisenbahn GmbH
Brohltalstraße 75,
56651 Niederzissen
Tel. (0 26 36) 8 03 03

▶ **Hermeskeil–Ruwer**
Streckenlänge: 50 km
Hochwaldbahn,
54405 Hermeskeil
Tel. (0 65 03) 92 14 90

▶ **Neustadt an der Weinstraße–**
Lambrecht–Elmstein
Streckenlänge: 13 km
Deutsche Gesellschaft für Eisen-
bahngeschichte, Schillerstraße,
67434 Neustadt an der Weinstraße
Tel. (0 63 21) 3 03 90

▶ **Merzig–Losheim–**
Niederlosheim
(Saar-Hochwald-Museumsbahn)
Streckenlänge: 16 km
Verkehrsverein, Saarbrücker
Straße, 66679 Losheim
Tel. (0 68 72) 35 92

▶ **Bad Schandau–Lichtenauer**
Wasserfall (»Kirnitzschtalbahn«,
Straßenbahn Baujahr 1898)
Streckenlänge: 8 km
Verkehrsgesellschaft Sächsische
Schweiz, Clara-Zetkin-Straße 9,
01796 Pirna
Tel. (0 35 01) 51 14 76, Fax 51 14 38

▶ **Cranzahl-Oberwiesenthal**
Fremdenverkehrsverband
Oberes Erzgebirge,
Karlsbader Straße 171,
09465 Neudorf
Tel. (03 73 42) 1 60 40 oder
(03 73 48) 15 10

▶ **Dresden–Gittersee**
Streckenlänge: 12 km
Sächs. Museumseisenbahn-Verein
Windbergbahn, Hermann-Michel-
Straße 5, 01189 Dresden
Tel. (03 51) 4 01 34 63

▶ **Jöhstadt–Schmalzgrube
(Preßnitztalbahn)**
Streckenlänge: 8 km
Interessengemeinschaft
Preßnitztalbahn, Am Bahnhof 78,
09477 Jöhstadt
Tel. (03 73 43) 8 08 00

▶ **Radebeul–Moritzburg–
Radeburg (»Lößnitzdackel«)**
Streckenlänge: 16 km
Traditionsbahn Radebeul
Postfach 10 02 01, 01436 Radebeul
Tel. (03 51) 46 14 80 01,
Fax 4 61 48 04

▶ **Schönheide–Neuheide**
Streckenlänge: 2 km
Museumsbahn Schönheide/
Carlsfeld, Am Fuchsstein,
'08304 Schönheide
Tel. (03 77 55) 43 03

▶ **Weißwasser–Kromlau–
Bad Muskau**
Streckenlänge: 11,2 km
Waldeisenbahn Muskau,
Jahnstraße 2 c, 02943 Weißwasser
Tel. (0 35 76) 20 74 72

▶ **Freital–Kurort Kipsdorf
(»Rabenauer Bügeleisen«)**
Streckenlänge 26,3 km
IG Weißeritztalbahn
Tel. (03 51) 6 41 27 01

▶ **Zittau–Bertsdorf–Oybin
(»Zittauer Bimmelbahn«)**
Streckenlänge: 13 km
Sächsisch-Oberlausitzer-Eisen-
bahngesellschaft mbH,

Bahnhofstraße 39, 02763 Zittau
Tel. (0 35 83) 54 05 40, Fax 55 44 58

SACHSEN-ANHALT

▶ **Gernrode–Harzgerode/Stiege–
Hasselfelde/Eisfelder Talfelde
(Selketalbahn)**
Streckenlänge: 52 km

▶ **Wernigerode–Drei-Annen-
Hohne–Nordhausen**
Streckenlänge: 60 km
Freundeskreis Selketalbahn
Tel. (03 94 85) 6 16 61

▶ **Drei-Annen-Hohne–Brocken**
Streckenlänge: 19 km
Harzer Schmalspurbahnen,
Friedrichstraße 151,
38855 Wernigerode
Tel. (0 39 43) 55 81 17, Fax 55 81 12

▶ **Klostermansfeld–Hettstedt**
Streckenlänge: 9 km
Mansfelder Bergwerksbahn,
Hauptstraße 15, 06308 Benndorf
Tel. (03 47 72) 2 76 40

SCHLESWIG-HOLSTEIN

▶ **Geesthacht–Bergedorf (HH)**
Streckenlänge: 12 km
Arge Geesthachter Eisenbahn,
Dünenstraße 2, 21502 Geesthacht
Tel. (0 41 52) 7 78 99

▶ **Kappeln–Süderbrarup
(Angeln-Bahn)**
Streckenlänge: 15 km
Freunde des Schienenverkehrs
Flensburg, Postfach 1617,
24906 Flensburg
Tel. (04 61) 1 31 12 und 1 71 90

▶ **Schönberger Strand–Schönberg**
Streckenlänge: 4 km
Museumsbahnhof Schönberger
Strand, 24217 Schönberger Strand
Tel. (0 43 44) 23 23

Nationalparks

In Deutschland gibt es 15 Nationalparks, 14 Biosphärenreservate und EUROPARC DEUTSCHLAND über 90 Naturparks. Deutschland war eines der letzten Länder in Europa, das sich einen Nationalpark leistete. Erst im Jahr 1970 wurde der erste deutsche Nationalpark, der Bayerische Wald, gegründet. Genau hundert Jahre davor hatten die Amerikaner mit dem Yellowstone National Park den weltweit ersten aus der Taufe gehoben. Die länderübergreifende Koordinierung nimmt die 1991 gegründete Dachorganisation EUROPARC DEUTSCHLAND (früher FÖNAD) wahr (www.nationalparke.de). Naturschutz ist in der Bundesrepublik Deutschland Ländersache, die meisten Bundesländer haben eine eigene Nationalparkverwaltung, die man bei Bedarf kontaktieren kann.

 NATIONALPARKVERWALTUNGEN

BAYERN

▶ **Nationalpark Bayerischer Wald**
Nationalparkverwaltung
Freyunger Straße 2,
94481 Grafenau
Tel. (0 85 52) 9 60 00, Fax 13 94,
Info: (0 85 58) 9 61 50
www.nationalpark-bayerischer-wald.de
▶Bayerischer Wald

▶ **Nationalpark Berchtesgaden**
Nationalparkverwaltung
Doktorberg 6,
83471 Berchtesgaden
Tel. (0 86 52) 9 68 60, Fax 96 86 40,
Info: (0 86 52) 6 43 43
www.nationalpark-berchtesgaden.de
▶Berchtesgaden

BRANDENBURG

▶ **Nationalpark Unteres Odertal**
Nationalparkverwaltung
Park 2, 16303 Schwedt/Oder
Tel. (0 33 32) 26 77-0,
Fax 26 77-2 20
www.unteres-odertal.de
▶Uckermark, Umgebung

HAMBURG

▶ **Nationalpark Hamburgisches Wattenmeer**
Nationalparkverwaltung
Naturschutzamt
Billstraße 84, 20539 Hamburg
Tel. (0 40) 42 84 52-1 05,
Fax 42 84 52-5 79
www.wattenmeer-nationalpark.de
▶Cuxhaven

MECKLENBURG-VORPOMMERN

▶ **Nationalpark Vorpommersche Boddenlandschaft**
Nationalparkverwaltung
Am Wald 13, 18375 Born
Tel. (03 82 34) 50 20, Fax 5 02 24
www.nationalpark-vorpommersche-boddenlandschaft.de
▶Fischland · Darß · Zingst

▶ **Nationalpark Jasmund**
Nationalparkamt Rügen
Blieschow 7a,
18586 Lancken-Granitz
Tel. (03 83 03) 885-0,
Fax 885-88
www.nationalpark-jasmund.de
▶Rügen

Er ist in der Sächsischen Schweiz wieder heimisch geworden: der Luchs

▶ **Müritz-Nationalpark**
Nationalparkamt Müritz
Schlossplatz 3, 17237 Hohenzieritz
Tel. (03 98 24) 2 52-0, Fax 2 52-50
www.nationalpark-mueritz.de
▶Mecklenb. Seenplatte

NIEDERSACHSEN

▶ **Nationalpark Niedersächsisches Wattenmeer**
Nationalparkverwaltung
Virchowstr. 1
26382 Wilhelmshaven
Tel. (0 44 21) 91 10, Fax 91 12 80
www.wattenmeer-nationalpark.de
▶Ostfriesische Inseln

▶ **Nationalpark Harz**
Nationalparkverwaltung
Oderhaus, 37444 St. Andreasberg
Tel. (0 55 82) 9 18 90, Fax 91 89 19
www.nationalpark-harz.de
▶Harz

NORDRHEIN-WESTFALEN

▶ **Nationalpark Eifel**
Urftseestr. 34, 53957 Schleiden-Gemünd
Tel. (0 24 44) 95 10 42, Fax 95 10 85
www.nationalpark-eifel.de
▶Eifel

SACHSEN

▶ **Nationalpark Sächsische Schweiz**
Nationalparkverwaltung
An der Elbe 4,
01814 Bad Schandau
Tel. (03 50 22) 9 00 60, Fax 9 00 66
www.nationalpark-saechsische-schweiz.de
▶Sächsische Schweiz

SACHSEN-ANHALT

▶ **Nationalpark Hochharz**
Nationalparkverwaltung Hochharz
Lindenallee 35,
38855 Wernigerode
Tel. (0 39 43) 5 50 20,
Fax 55 02 37
www.nationalpark-hochharz.de
▶Harz

SCHLESWIG-HOLSTEIN

▶ **Nationalpark Schleswig-Holsteinisches Wattenmeer**
Landesamt für den Nationalpark
Schleswig-Holsteinisches
Wattenmeer
Schlossgarten 1, 25832 Tönning
Tel. (0 48 61) 61 60, Fax 6 16 69
www.wattenmeer-nationalpark.de
▶Husum

THÜRINGEN

▶ **Nationalpark Hainich**
Nationalparkverwaltung
Bei der Marktkirche 9,
99947 Bad Langensalza
Tel. (0 36 03) 39 07 28, Fax 39 07 20,
Info: (03 69 24) 7 86 40
www.nationalpark-hainich.de
▶Mühlhausen

Übernachten

Eine Auswahl von Hotels in verschiedenen Kategorien ist bei den einzelnen Reisezielen von A bis Z zu finden. Vollständige Listen halten die Fremdenverkehrsämter der jeweiligen Städte oder Regionen bereit (▶ Auskunft). Viele Hotelketten oder Hotel-Kooperationen unterhalten **zentrale Buchungseinrichtungen** (s. Adressen unten). Von großem Nutzen ist der VARTA-Führer, der mehr als 18 000 Adressen von Hotels und Restaurants nennt und bewertet (www.varta-fuehrer.de).

Hotels

◀ VARTA-Führer

Zahlreiche Hotels und Gasthöfe bieten außerhalb der Hauptsaison günstige Pauschalarrangements; preiswerte Inklusivangebote am Wochenende offerieren vor allem große Hotelketten.

Saisonpreise/ Wochenend-angebote

Über 2000 Campingplätze (auch Wintercampingplätze) und Zeltmöglichkeiten stehen in Deutschland zur Verfügung. Der Deutsche Camping-Club (DCC) in München bringt jährlich einen Campingführer heraus.

Camping

Zahlreiche Bauernhöfe in der Bundesrepublik Deutschland bieten vor allem Familien mit Kindern Möglichkeiten für erholsame Ferienaufenthalte. Etliche Höfe sind in Ferienringen zusammengeschlossen, die auch Gemeinschaftsveranstaltungen organisieren.

Ferien auf dem Bauernhof

Rund 600 Jugendherbergen (JH) stehen jedem offen, der im Besitz eines gültigen Jugendherbergsausweises ist; dieser wird durch eine an den internationalen Verband (IYHF) angeschlossene Jugendherbergsvereinigung ausgestellt. Jugendliche Mitglieder (bis 25 Jahre) werden bevorzugt aufgenommen. Familien sowie Leiter von Schulen und Jugendgruppen benötigen eine besondere Mitgliedskarte, die bei der Einschreibung vorgelegt werden muss. Im Verlag des Deutschen Jugendherbergswerkes erscheint alljährlich das **Deutsche Jugendherbergsverzeichnis.**

Jugend-herbergen

 WICHTIGE ADRESSEN

HOTELKETTEN-RESERVIERUNG

▶ **Dorint AG**
Kaldenkirchener Straße 2,
41603 Mönchengladbach
Tel. (0 21 61) 81 80,
Fax 81 81 00
www.dorint.de

▶ **European Castle
Hotels & Restaurants**
Erika-Köther-Straße 56
67435 Königsbach
Tel. (0 63 21) 9 68-4 87,
Fax 9 68-4 86
www.european-castle.de

▶ **Hyatt Hotels & Resorts**
Service Center
Tel. (0 61 31) 9 73 12 34,
Fax 9 73 12 09
www.hyatt.com

▶ **Kempinski AG**
An der Bundesstraße 456
63263 Neu-Isenburg
Tel. (08 00) 42 63 13 55
www.kempinski.com

▶ **Leading Hotels of the World**
Berliner Straße 44
60311 Frankfurt/M.
Tel. (0 80 08) 52 11 00
Fax (0 69) 13 88 51 40
www.lhw.com

▶ **Relais & Chateaux
Verkaufsbüro**
Schumannstraße 1–3
60325 Frankfurt/M.
Tel. (0 18 05) 33 34 31
oder (08 00) 20 00 00 02
Fax (0 69) 97 58 93 61
www.relaischateaux.fr

▶ **Ringhotels e.V.**
Balanstraße 57, 81541 München
Tel. (0 89) 45 87 03-20
Fax 45 87 03-31
www.ringhotels.de

▶ **Romantik Hotels und
Restaurants**
Hahnstraße 70, 60528 Frankfurt/M.
Tel. (0 69) 66 12 34-0,
Fax 66 12 34-56
www.romantikhotels.com

▶ **SRS – Worldhotels**
Lyoner Straße 40,
60528 Frankfurt/M.
Tel. (08 00) 77 79 67 53
oder (0 69) 66 56 44 74
Fax (0 69) 66 56 48 60
www.srs-worldhotels.com

▶ **Maritim**
Külpstraße 2,
64293 Darmstadt
Tel. (0 61 51) 90 57 60
und (0 18 02) 31 21 21
Fax (0 61 51) 90 57 50
www.maritim.de

FERIEN AUF DEM BAUERNHOF

▶ **Deutsche Zentrale
für Tourismus**
▶Auskunft
Anschriften von Bauernhöfen,
die Zimmer und Wohnungen
vermieten.
www.dzt.de

▶ **Arbeitsgemeinschaft Urlaub
und Freizeit auf dem Lande**
Lindhooperstraße 63,
27283 Verden
Tel. (0 42 31) 9 66 50,
Fax 96 65 66
www.bauernhofferien.de

▶ **Agrartour GmbH**
Eschborner Landstraße 122,
60489 Frankfurt/M.
Tel. (0 69) 24 78 84 90
www.agrartour.de

▶ **Landschriften-Verlag**
Heerstraße 73, 53111 Bonn
Tel. (02 28) 96 30 20
Fax 9 63 02 33
Jährlich aktualisierter Katalog
»Ferien auf dem Lande«.
www.bauernhofurlaub.com

JUGENDHERBERGEN

▶ **Deutsches Jugendherbergs-
werk (DJH)**
Postfach 1455,
32704 Detmold
Tel. (0 52 31) 99 36-0,
Fax 99 36-66.
www.djh.de

Urlaub aktiv

Informationen erteilen u. a. der Deutsche Sportbund, die unter ▶ Auskunft genannte Deutsche Zentrale für Tourismus, die Verkehrsämter und Fremdenverkehrsverbände sowie die nachfolgend erwähnten Verbände für die einzelnen Sportarten.

SPORTVERBÄNDE

ÜBERGEORDNETE STELLE

▶ **Deutscher Sportbund**
Haus des deutschen Sports
Otto-Fleck-Schneise 12, 60528
Frankfurt am Main
Tel. (0 69) 6 70 00, www.dsb.de

BEHINDERTENSPORT

▶ **Deutscher Behinderten-Sportverband**
Friedrich-Alfred-Straße 10,
47055 Duisburg
Tel. (02 03) 7 17 41 70
www.dbs-npc.de

▶ **Deutscher Gehörlosen-Sportverband**
Tenderweg 9, 45141 Essen
Tel. (02 01) 81 41 70
www.dg-sv.de

ANGELN · SPORTFISCHEREI

▶ **Verband Deutscher Sportfischer**
Siemensstraße 11–13,
63071 Offenbach am Main
Tel. (0 69) 85 50 06
www.vdsf.de

BERGSTEIGEN

▶ **Deutscher Alpenverein (DAV)**
Von-Kahr-Straße 2–4,
80997 München
Tel. (0 89) 14 00 30,
Fax 1 40 03 23
www.alpenverein.de

FLUGSPORT

▶ **Deutscher Aero-Club**
Hermann-Blenk-Straße 28,
38108 Braunschweig
Tel. (05 31) 23 54 00,
Fax 2 35 40 11, www.daec.de

GOLF

▶ **Deutscher Golf-Verband**
Viktoriastr. 12, 65189 Wiesbaden
Tel. (06 11) 99 02 00, Fax 9 90 20 75
www.golf.de

RADWANDERN

▶ **Bund Deutscher Radfahrer**
Otto-Fleck-Schneise 4,
60528 Frankfurt am Main
Tel. (0 69) 9 67 80 00,
Fax 96 78 00 80
www.rad-net.de

REITEN

▶ **Deutsche Reiterliche Vereinigung**
Freiherr-von-Langen-Straße 13,
48231 Warendorf
Tel. (0 25 81) 6 36 20, Fax 6 21 44
www.fn-dokr.de

SQUASH

▶ **Deutsche Squash Liga**
Entenbergstraße 10,
73760 Ostfildern
Tel. (07 11) 41 22 55,
Fax 41 35 98
www.squashnet.de

TENNIS

▶ **Deutscher Tennis-Bund**
Hallerstraße 89, 20149 Hamburg
Tel. (0 40) 4 11 78-0, Fax 4 11 78-22
www.dtb-tennis.de

WANDERN

▶ **Verband Deutscher
Gebirgs- und Wandervereine**
Wilhelmshöher Allee 157–159,
34121 Kassel
Tel. (05 61) 93 87 30
www.dt-wanderverband.de

WASSERSPORT

▶ **Deutscher Kanu-Verband**
Bertaallee 8, 47055 Duisburg
Tel. (02 03) 99 75 90
www.kanu.de

▶ **Deutscher Schwimm-Verband**
Korbacher Straße 93, 34132 Kassel
Tel. (05 61) 94 08 30
www.dsv.de

▶ **Deutscher Segler-Verband**
Gründgensstraße 18,
22309 Hamburg
Tel. (0 40) 63 20 09-0,
Fax 63 20 09-28
www.dsv.org

▶ **Deutscher Wasserski-Verband**
Gründgensstraße 18,
22309 Hamburg
Tel. (0 40) 63 99 87 32
www.wasserski-online.de

▶ **Deutscher Motoryacht-Verband**
Vinckeufer 12–14, 47119 Duisburg
Tel. (02 03) 80 95 80, Fax 8 09 58 58
www.dmyv.de

▶ **Deutscher Ruderverband**
Ferd.-Wilhelm-Fricke-Weg 10,
30169 Hannover
Tel. (05 11) 98 09 40, Fax 9 80 94 25
www.rudern.de

WINTERSPORTVERBÄNDE

▶ **Bob- und Schlittensport**
Deutscher Bob- und Schlitten-
sportverband
An der Schießstätte 4,
83471 Berchtesgaden
Tel. (0 86 52) 9 58 80
www.bsd-portal.de

▶ **Eissport**
Deutscher Eissport-Verband
Menzinger Straße 68,
80992 München
Tel. (0 89) 8 11 10 57

▶ **Skisport**
Deutscher Skiverband
Hubertusstraße 1, 82152 Planegg
Tel. (0 89) 85 79 00
Schneeberichte: (0 89) 85 79 02 20
www.ski-online.de

WINTERSPORTGEBIETE

▶ **Allgäu • Oberstaufen**
Kurverwaltung, 87528 Oberstaufen
Tel. (0 83 86) 9 30 00, Fax 93 00 20
Schneetelefon: 93 00 22

▶ **Bayerischzell**
Kuramt, 83735 Bayerischzell
Tel. (0 80 23) 6 48, Fax 10 34
Schneetelefon: 4 28

▶ **Berchtesgadener Land**
Fremdenverkehrsverband
Königsseerstraße 2,
83471 Berchtesgaden
Tel. (0 86 52) 96 70, Fax 96 74 00
Schneetelefon: 96 72 97

▶ **Garmisch-Partenkirchen**
Verkehrsamt, Postfach 1562,
82455 Garmisch-Partenkirchen
Tel. (0 88 21) 7 97-0, Fax 7 97-9 01
Schneetelefon: Wank-, Eckbauer-
und Hausberggebiet: 75 33 33,
Zugspitz- und Alpspitzgebiet:
79 79 79

▶ Hindelang
Gästeinformation,
87539 Hindelang
Tel. (0 83 24) 89 20, Fax 80 55
Schneetelefon: 80 81 und 80 82

▶ Hörnergruppe, Bolsterlang, Ofterschwang
Verkehrsamt, 87538 Bolsterlang
Tel. (0 83 26) 83 14, Fax 94 06
Schneetelefon: 90 93
Verkehrsamt, 87527 Ofterschwang
Tel. (0 83 21) 8 21 57 und 8 90 19,
Fax 8 97 77, Schneetelefon: 67 03 33
www.hoernerbahn.de/wetter

▶ Immenstadt • Rettenberg
Gästeinformation, Marienplatz 3,
87509 Immenstadt
Tel. (0 83 23) 91 41 76, Fax 91 41 95
Gäste- und Sportamt, Burg-
bergerstraße 15, 87549 Rettenberg
Tel. (0 83 27) 9 30 40, Fax 93 04 29
Schneetelefon: 93 04 22

▶ Lenggries
Verkehrsamt, 83661 Lenggries
Tel. (0 80 42) 50 08 40, Fax 50 08 44
Schneetelefon: 50 18 25

▶ Mittenwald
Kurverwaltung, 82481 Mittenwald
Tel. (0 88 23) 3 39 81, Fax 27 01
Schneetelefon: Kranzberg: 59 95,
Dammkar: 53 96

▶ Oberbayern • Oberammergau
Verkehrs- und Reisebüro der
Gemeinde Oberammergau
Eugen-Papst-Straße 9 a,
82487 Oberammergau
Tel. (0 88 22) 9 23 10, Fax 92 31 90
Schneetelefon: 92 31 31

▶ Oberstdorf
Touristik-Information,
87553 Oberstdorf
Tel. (0 83 22) 70 00, Fax 70 02 36

Schneetelefon:
Fellhorn: (07 00) 5 53 38 88,
Nebelhorn: (07 00) 55 53 36 66,
Söllereck: 57 57

▶ Ostallgäu
Tourismusverband Ostallgäu,
87610 Marktoberdorf
Tel. (0 83 42) 91 13 14, Fax 91 15 44
Schneetelefon:
Breitenbergbahn: (0 83 63) 392,
Tegelbergbahn: (0 83 62) 8 10 10,
Alpspitzbahn: (0 83 61) 12 70

▶ Reit im Winkl
Verkehrsamt, Rathausplatz 1,
83242 Reit im Winkl
Tel. (0 86 40) 8 00 21, Fax 8 00 29
Schneetelefon: 8 00 25

▶ Schliersee • Spitzingsee
Gästeinformation
Bahnhofstraße 11 a,
83727 Schliersee
Tel. (0 80 26) 6 06 50, Fax 60 65 20
Schneetelefon: 70 99

▶ Tegernseer Tal
Tegernseer Tal-Gemeinschaft
Hauptstraße 2, 83684 Tegernsee
Tel. (0 80 22) 18 01 49, Fax 37 58

Touren

GRÜNE
KÜSTENSTRASSE

ÜBER 80 TOURISTIKSTRASSEN
ERSCHLIESSEN DIE SCHÖNSTEN GEGENDEN UND
ORTE IN DEUTSCHLAND. WIR HABEN EINE BUNTE
MISCHUNG FÜR SIE AUSGEWÄHLT. DIE TOUREN
FÜHREN SIE Z. B. AN DER NORDSEE- BZW. OSTSEE-
KÜSTE ENTLANG ODER ERZÄHLEN VON MÄRCHEN
AUF DEN SPUREN DER GEBRÜDER GRIMM.

TOUREN DURCH DEUTSCHLAND

Romantik pur oder Burgen und Schlösser? Berge oder lieber flaches Küstengebiet? Sie wissen noch nicht, wohin Sie Ihre Reise führen soll? Wie wär's mit einmal quer durch? Anhand der folgenden Vorschläge können Sie sich Ihre Reiseroute zusammenstellen.

TOUR 1   Grüne Küstenstraße
Immer den Geruch der Nordsee in der Nase, fahren Sie an der Küste
entlang von der dänischen Grenze bis nach Emden und im Landes-
inneren wieder retour nach Hamburg ▶ **Seite 127**

TOUR 2   Nordostdeutsche Hanse-Route
Die Hanse, ein Zusammenschluss von Kaufleuten, hat die Städte
entlang dieser Tour reich gemacht. Steinerne Zeugen »erzählen«
davon. ▶ **Seite 129**

TOUR 3   Deutsche Alleenstraße
Sie fahren ein Stück entlang der Deutschen Alleenstraße von der Insel
Rügen über Dresden und Eisenach bis nach Goslar. ▶ **Seite 131**

TOUR 4   Deutsche Märchenstraße
Begegnen Sie den Bremer Stadtmusikanten, dem Rattenfänger von
Hameln oder Doktor Eisenbart! Aber aufgepasst, dass Ihnen Max und
Moritz keine Streiche spielen ... ▶ **Seite 133**

TOUR 5   Liebfrauen- und Bergstraße
Diese Tour macht Sie mit dem Rheintal bekannt. Geschichtsträchtige
Städte wie Worms, Speyer oder Heidelberg bieten Kulturdenkmäler
ersten Ranges. ▶ **Seite 135**

TOUR 6   Nibelungen- und Siegfriedstraße
Durchs Sagenland führt diese Rundtour von der Nibelungenstadt Worms
bis nach Würzburg und über Wertheim, Tauberbischofsheim und
Amorbach wieder zurück. ▶ **Seite 136**

TOUR 7   Burgenstraße
Nicht nur Burgen und Schlösser bietet diese Tour, sondern auch
mittelalterliche Städtchen und reizvolle Landschaften ▶ **Seite 138**

TOUR 8   Romantische Straße
Vom Madonnenländchen zwischen Main und Tauber bis zum Pfaffenwinkel im Voralpenland geht's durch eine abwechslungsreiche Kulturlandschaft. ▶ **Seite 140**

TOUR 9   Schwarzwald-Hochstraße und -Tälerstraße
Bergluft schnuppern Sie bei dieser Tour entlang des Schwarzwald-
Kamms und durch die Täler von Murg und Kinzig. ▶ **Seite 142**

TOUR 10 Oberschwäbische Barockstraße und Deutsche Alpenstraße
Hier werden Sie zunächst ins »Himmelreich des Barock« entführt
und dann nähern Sie sich auch geografisch dem Himmel, denn die
Deutsche Alpenstraße führt durch die Allgäuer und die Bayerischen
Alpen. ▶ **Seite 143**

Unterwegs in Deutschland

Vielseitiges Land
Deutschland ist ein ausgesprochen vielseitiges Land. Badeurlaub auf den Inseln in Nord- und Ostsee wie Rügen, Sylt oder Helgoland ist ebenso möglich wie Wanderurlaub im Gebirge, z. B. bei der Zugspitze oder in den Bayerischen Alpen. Zwischendrin liegen fast 900 Kilometer, die an Kulturdenkmälern, geschichtsträchtigen Orten und reizvollen Landschaften kaum reicher sein könnten. Für manchen Reisenden, der die unendlichen Weiten etwa Kanadas oder der USA erprobt hat, mag eine solche Distanz lächerlich erscheinen. Bedenkt man jedoch, dass den Deutschlandurlauber ein dichtes Netz von Sehenswürdigkeiten und spannenden Orten erwartet, sollte man die Abmessungen Deutschlands nicht unterschätzen.

> ## ! *Baedeker* TIPP
>
> ### Planlos?
>
> Im vorliegenden Reiseführer können nur Pläne der touristisch wichtigsten Städte abgedruckt werden. Trotzdem muss man nicht planlos auf Deutschlandfahrt gehen. Deutschlandweite, hausnummergenaue Straßensuche ermöglicht der Internetauftritt des Falk-Verlags unter: www.falk.de.

Für eine Reise durch Deutschland gilt der alte Grundsatz: weniger ist oft mehr. Bei der riesigen Vielfalt an Reisezielen muss man wohl oder übel auswählen. Durch die relativ geringen Entfernungen kann man sich davon allerdings in ganz Deutschland genügend herauspicken. Man könnte sogar rein theoretisch einen Strandurlaub am Meer mit einem Wanderurlaub in den Bergen kombinieren. Aber wer macht das schon? Empfehlenswerter ist eine Tour entlang einer der Ferienstraßen, wobei das Thema der Tour meistens nur eine grobe Orientierungshilfe ist. Bei der Burgenstraße z.B. sieht man natürlich nicht nur Burgen, sondern auch andere Baudenkmäler, reizvolle Landschaften und bedeutende Städte. Man kann natürlich auch mehrere Ferienstraßen miteinander verbinden oder beliebig viele Abstecher machen.

Deutsche Ferienstraßen

Bahn oder Auto?
In Deutschland gibt es ein dichtes Bahnnetz, ergänzt durch zahlreiche Busslinien, auf denen man fast jeden Ort des Landes erreicht. 80 größere Städte sind im Stunden- oder 2-Stundentakt durch moderne Züge miteinander verbunden. Regionalzentren werden im 2-Stundentakt angefahren. Von dort kommt man dann mit Bussen an entfernt gelegenere Reiseziele.

Autoreisezüge ▶
Wer nicht gänzlich auf das Auto verzichten will, kann auch in Autoreisezügen unterwegs sein. Diese verkehrern auf mehreren Strecken innerhalb der Bundesrepublik Deutschland, z. B. nach Sylt, sowie zu verschiedenen ausländischen Zielbahnhöfen.

Straßennetz ▶
Das Straßennetz in Deutschland ist ebenso gut wie das Bahnnetz ausgebaut, allerdings sollte man bedenken, dass es vor allem in den Hauptreisezeiten oft kilometerlange Staus auf den Autobahnen gibt.

Auch die morgendliche Rushhour in und um die größeren Städte sollte man bei Ausflügen bedenken, zumal man ja in einer fremden Region keine »Schleichwege« kennt.

Wer besonders wenig Zeit hat, kann auch mit dem Flugzeug die größeren Städte anfliegen. Im Zeitalter der Billigflüge gibt es zahlreiche Fluggesellschaften, die sehr preiswerte Angebote für innerdeutsche Flüge offerieren.

◄ Innerdeutsche Flüge

Tour 1 Grüne Küstenstraße

Länge der Tour: 750 km   **Tourdauer:** ca. 2 Wochen

Die Grüne Küstenstraße gliedert sich in zwei Teile. Die erste Route verläuft von der dänischen Grenze bis zur Elbe, die zweite Strecke zieht sich durch das nördliche Niedersachsen. Als Symbol weist der Neptun-Dreizack auf Orte und Sehenswürdigkeiten entlang der Grünen Küstenstraße hin.

Der erste Teil der Grünen Küstenstraße beginnt bei ❶ **Süderlügum** an der deutsch-dänischen Grenze und führt, nach einem Abstecher zum shenswrten ❷ ✻ **Nolde-Museum in Seebüll**, parallel zur Nordseeküste durch Nordfriesland. Von Niebüll aus kann man die Insel ❸ ✻ **Sylt** mit ihren traumhaften Stränden und Dünen oder die ❹ ✻ **Halligen im Nationalpark Wattenmeer** besuchen. Über Bredstedt gelangt man schließlich nach ❺ ✻ **Husum**, der von Theodor Storm so benannten »Grauen Stadt am Meer«. Wenige Kilometer südlich von Husum lohnt ein Abstecher auf die ❻ **Halbinsel Eiderstedt** mit ihren stattlichen reetgedeckten Bauernhäusern. An der Spitze der Halbinsel erreicht man das viel besuchte Seebad ❼ ✻ **St. Peter-Ording**. In ❽ ✻ **Friedrichstadt** mit seinen Grachten und putzigen Giebelhäuschen meint man sich nach Holland versetzt. Vor Sturmfluten schützt in dieser Gegend der gewaltige Damm des ❾ **Eidersperrwerkes**. Von dort geht es südwärts durch den Wesselburerer Koog nach ❿ **Büsum**, dem malerischen Hafen der Nordsee-Krabbenfischer. Wenige Autominuten nordöstlich erreicht man das Städtchen ⓫ **Heide**. Hier gabelt sich die Grüne Küstenstraße. Ihr östlicher Zweig führt landeinwärts über den Geestrücken, überquert danach den Nordostsee-Kanal und erreicht schließlich die Städte Itzehoe und Elmshorn.

Die interessantere, südwestliche Route führt von Heide und durch die Landschaft Dithmarschen zur Unterelbe. Dabei passiert man die Kreisstadt ⓬ **Meldorf** mit dem weithin sichtbaren Dom der Dithmarscher. Südlich von Meldorf streift die Route das junge Marschland der Köge. In der Industriestadt Brunsbüttel sind vor allem die gewaltigen Schleusenanlagen des ⓭ **Nord-Ostsee-Kanals** sehenswert.

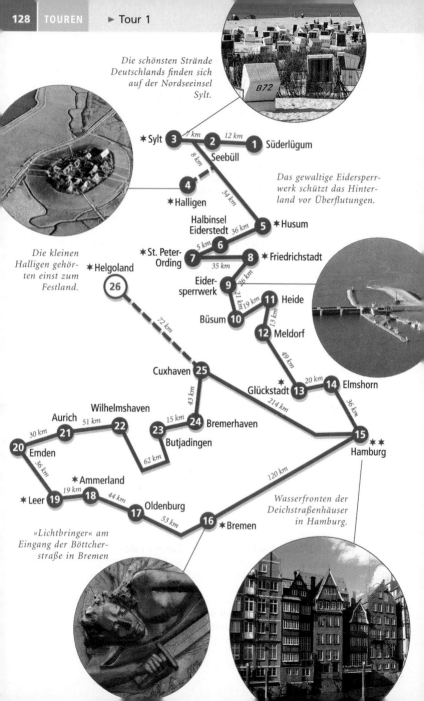

Die schönsten Strände Deutschlands finden sich auf der Nordseeinsel Sylt.

872

★ Sylt **3** 7 km **2** 12 km **1** Süderlügum

8 km Seebüll

4 34 km

★ Halligen

Das gewaltige Eidersperrwerk schützt das Hinterland vor Überflutungen.

Halbinsel Eiderstedt 36 km **5** ★ Husum

★ St. Peter-Ording **7** 5 km **6**

8 ★ Friedrichstadt

★ Helgoland 35 km

Die kleinen Halligen gehörten einst zum Festland.

Eidersperrwerk **9** 36 km

26 21 km 19 km **11** Heide

Büsum **10** 13 km

12 Meldorf

72 km 49 km

Cuxhaven **25**

Glückstadt **13** 20 km **14** Elmshorn

43 km 214 km 36 km

Wilhelmshaven

Aurich 51 km **22** 15 km **24** Bremerhaven

21 **23**

30 km Butjadingen

20 62 km **15** ★★

Emden Hamburg

36 km

★ Ammerland

★ Leer **19** 19 km **18** 44 km

17 Oldenburg

120 km

53 km **16** ★ Bremen

Wasserfronten der Deichstraßenhäuser in Hamburg.

»Lichtbringer« am Eingang der Böttcherstraße in Bremen

Etwa eine halbe Autostunde elbaufwärts erreicht man den Hafen ⑭ ✳ **Glückstadt**. Die heute recht malerisch wirkende Festungsstadt ist 1617 vom Dänenkönig Christian IV. gegründet worden. Über die Rosenstadt Elmshorn gelangt man dann in die Freie und Hansestadt ⑮ ✳ ✳ **Hamburg**, die berühmte Hafenstadt und zweitgrößte Stadt Deutschlands.

Der zweite Teil der Grünen Küstenstraße führt von Hamburg nach ⑯ ✳ **Bremen**, dessen historischer Kern mit Marktplatz, Böttcherstraße und Schnoorviertel interessante Einblicke in eine Stadt bietet, die jahrhundertelang von Schifffahrt und Handel geprägt wurde. Die Hauptroute überquert die Weser und erreicht über die Delmenhorster Geest und den Hasbruch die alte Residenzstadt ⑰ **Oldenburg**. Danach geht es durch das flach gewellte ⑱ ✳ **Ammerland** mit saftigen Weiden und dem Wassersport-Dorado Zwischenahner Meer bis nach ⑲ ✳ **Leer**, dem »Tor nach Ostfriesland«. In ⑳ **Emden** lohnt ein Besuch der modernen Kunsthalle und ein Abstecher nach ㉑ **Aurich**, ins Herz Ostfrieslands. Nach einem Besuch des traditionellen Marinestützpunktes ㉒ **Wilhelmshaven** fährt man gemächlich rund um den Jadebusen auf die Halbinsel ㉓ **Butjadingen** und von dort mit der Fähre über die Wesermündung nach ㉔ **Bremerhaven**. Das große Nordseeheilbad ㉕ **Cuxhaven** besitzt ausgedehnte Sandstrände und ist Ausgangspunkt für Fahrten zur Insel ㉖ ✳ **Helgoland**.

Tour 2 Nordostdeutsche Hanse-Route

Länge der Tour: 480 km   **Tourdauer:** ca. 10 Tage

Die Hanse war über 500 Jahre lang ein Zusammenschluss von Kaufleuten von Flandern bis zum Finnischen Meerbusen. In allen über 200 Hansestädten, die durch den Bund wohlhabend wurden, hat die Hanse mit ihren Backsteinbauten eindrucksvolle steinerne Zeugnisse einer hohen wirtschaftlichen Blüte hinterlassen. Die Tour führt Sie in einige dieser Städte.

Wer den Spuren der Hanse folgen will, sollte in ① ✳ ✳ **Lübeck** starten, »der Königin der Hanse«. Über ② **Klütz** mit Schloss Bothmer, dem größten Barockschloss Mecklenburgs, gelangt man nach ③ ✳ **Wismar**, der einst zweitmächtigsten Stadt im Handelsbund. In ④ **Kühlungsborn** erinnern prächtige Villen an die große Zeit des Ostseebades. Weiter geht es nach ⑤ **Heiligendamm**, »Weiße Stadt am Meer« genannt, und nach ⑥ **Bad Doberan**, das man durch eine großartige Lindenallee erreicht. Man fährt am eindrucksvollen gotischen Münster vorbei und biegt wieder auf die B 105 ein, die in die alte Hansestadt ⑦ ✳ **Rostock** führt.

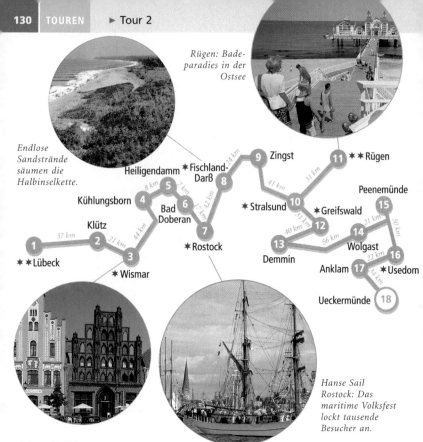

Rügen: Bade-paradies in der Ostsee

Endlose Sandstrände säumen die Halbinselkette.

Hanse Sail Rostock: Das maritime Volksfest lockt tausende Besucher an.

Schöne Staffel-giebelhäuser in Wismar

Stadtauswärts geht es Richtung **8** ✳ **Fischland-Darß**. Kurz vor Körk-witz überrascht ein herrlicher Blick auf den Saaler Bodden. Auf der Weiterfahrt in das Ostseebad **9** **Zingst** streift man das Ahrenshooper Holz, ein geschlossenes Waldgebiet aus Buchen und Eichen.

10 ✳ **Stralsund** gilt als die »Perle der Hanse« und als Tor zur Insel **11** ✳✳ **Rügen** mit seiner berühmten Kreideküste. Zweite bedeutende Hansestadt in Vorpommern ist **12** ✳ **Greifswald**, von wo aus man die südwestlich gelegene Hansestadt **13** **Demmin** besuchen kann.

In Wolgast empfiehlt sich ein Abstecher nach **14** **Peenemünde**. Das geschichtsträchtige Dorf informiert über seine Vergangenheit im his-torisch-technischen Informationszentrum. Hinter dem Badeort Zin-nowitz erreicht man bald **15** ✳ **Usedom**. Die schöne Inselnatur machte Usedom bereits im 19. Jh. zu einem der beliebtesten Urlaubs-ziele im Norden Deutschlands. Nächste Station ist die alte Hansestadt **16** **Anklam**. Im Otto-Lilienthal-Museum wird der Flug-pionier und Sohn der Stadt geehrt. Endpunkt der nordostdeutschen Hanse-Route ist **17** **Ueckermünde** am Stettiner Haff.

Tour 3 Deutsche Alleenstraße

Länge der Tour: 1230 km   **Tourdauer:** 3–4 Wochen

Entlang der Deutschen Alleenstraße fahren Sie bei dieser Tour ab Rügen durch die wunderschönen Landschaften der Mecklenburgischen Seenplatte, der Sächsischen Schweiz und des Erzgebirges. Dabei besuchen Sie weltberühmte Städte wie Lutherstadt Wittenberg, Dresden und Goslar.

Die Route beginnt im reizvoll gelegenen Ostseebad Sellin auf der Insel ❶ ✱ ✱ **Rügen**. Über den Rügendamm erreicht man die Hansestädte ❷ ✱ **Stralsund** und ❸**Demmin**. Die Route erreicht nun die reizvolle Landschaft der ❹ ✱ **Mecklenburgischen Schweiz** mit den Orten Malchin und Teterow, mit Kummerower und Malchiner See sowie der Reuterstadt Stavenhagen. Man verlässt Malchin südwärts und erreicht bald das teilweise unter Naturschutz stehende Gebiet der ❺ ✱ ✱ **Mecklenburgischen Seen**, die für Wassersportler ideale Bedingungen bieten. Bei Wesenberg lohnt ein Abstecher in die Barockstadt ❻**Neustrelitz**. Durch eine weitgehend unberührte Seenlandschaft geht es weiter bis nach ❼**Rheinsberg** mit seinem weltbekannten Schloss am Grienerick-See.

Durch die ❽ ✱ **Ruppiner Schweiz**, die Fontane in seinen Wanderungen durch die Mark Brandenburg eindrucksvoll beschrieben hat, geht es in seine Heimatstadt ❾ ✱ **Neuruppin**, wo man ihm dafür ein Denkmal gesetzt hat. Rund 20 km südöstlich der geschichtsträchtigen Stadt ❿**Brandenburg** überrascht in der märkischen Heide das wuchtige Lehnin-Kloster. Vom 33 m hohen Bergfried der Burg Eisenhardt bietet sich eine gute Aussicht über den ⓫**Hohen Fläming**. Bald darauf erreicht man ⓬ ✱ **Lutherstadt Wittenberg**. Fährt man von dort in südlicher Richtung, erreicht man die alte Residenzstadt ⓭**Torgau** mit der nahen ⓮ ✱ **Dahlener Heide**, wo es sich herrlich wandern lässt. Von der Porzellanstadt ⓯ ✱ **Meißen** lohnen zwei Abstecher: Das herrliche Schloss Moritzburg trägt die Handschrift Augusts des Starken und Radebeul die von Karl May.

Sachsens Landeshauptstadt ⓰ ✱ ✱ **Dresden** mit dem weltberühmten Zwinger wird nicht umsonst »Elbflorenz« genannt. Vom Kulturprogramm erholt man sich am besten bei einem Ausflug in die ⓱ ✱ ✱ **Sächsische Schweiz**. Auch das ⓲ ✱ ✱ **Erzgebirge** im weiteren Verlauf der Tour eignet sich natürlich prächtig zum Wandern und zur Erholung. Nordwestlich von Plauen, dem kulturellen Zentrum des ⓳ ✱ **Vogtlands** liegt ⓴**Lobenstein** mit seinem altfränkischen Markt. Von dort führt der Weg weiter nach ㉑**Rudolstadt**, das von der barocken Heidecksburg überragt wird.

Über den ㉒ ✱ **Thüringer Wald** mit dem Wintersportort Oberhof gelangt man in die Residenzstadt ㉓**Meiningen**, die man in nordwestlicher Richtung verlässt. Besonders der Aufenthalt Martin Luthers auf

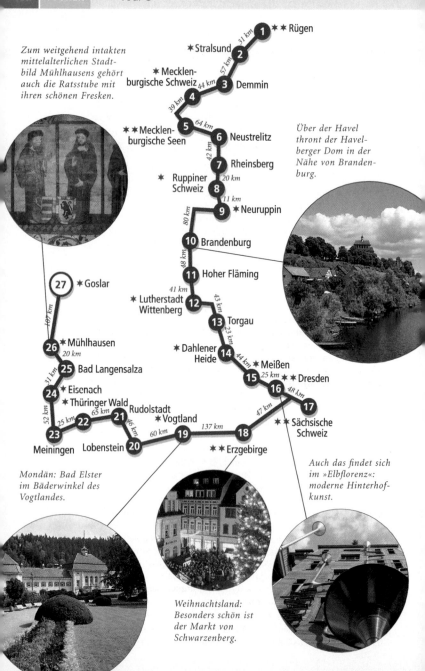

Zum weitgehend intakten mittelalterlichen Stadtbild Mühlhausens gehört auch die Ratsstube mit ihren schönen Fresken.

1 ✶✶ Rügen

31 km

✶ Stralsund
2

57 km

✶ Mecklenburgische Schweiz *44 km* **3** Demmin

4

39 km

✶✶ Mecklenburgische Seen **5**

64 km

6 Neustrelitz

42 km

7 ✶ Rheinsberg

✶ Ruppiner Schweiz *20 km*
8

11 km

9 ✶ Neuruppin

80 km

10 Brandenburg

48 km

11 Hoher Fläming

41 km

✶ Lutherstadt Wittenberg **12**

43 km

13 Torgau

23 km

✶ Dahlener Heide **14**

44 km ✶ Meißen

15 *25 km* ✶✶ Dresden
16

17

48 km

✶✶ Sächsische Schweiz

Über der Havel thront der Havelberger Dom in der Nähe von Brandenburg.

27 ✶ Goslar

107 km

26 ✶ Mühlhausen
20 km

25 Bad Langensalza

31 km

24 ✶ Eisenach

✶ Thüringer Wald Rudolstadt
52 km *25 km* *65 km* **21** ✶ Vogtland
22
23 *46 km*

Meiningen Lobenstein **20** *60 km* **19** *137 km* **18** *47 km*

✶✶ Erzgebirge

Mondän: Bad Elster im Bäderwinkel des Vogtlandes.

Weihnachtsland: Besonders schön ist der Markt von Schwarzenberg.

Auch das findet sich im »Elbflorenz«: moderne Hinterhofkunst.

der Wartburg hat ㉔ ✳ **Eisenach** kulturgeschichtliche Bedeutung verliehen. Wer sich ㉕**Bad Langensalza** ansieht, sollte an Türmen und Toren Gefallen finden. Danach schlängelt sich die B 247 entlang der Unstrut über ㉖ ✳ **Mühlhausen** nördlich bis Leinefelde, auch Tor zum Eichsfeld genannt. Über Heiligenstadt, wo Theodor Storm einige Jahre lebte, Duderstadt und Northeim erreicht man schließlich ㉗ ✳ **Goslar** mit der berühmten Kaiserpfalz.

Tour 4 Deutsche Märchenstraße

Länge der Tour: 600 km   **Tourdauer:** ca. 2 Wochen

Von Bremen bis Hanau reihen sich die Lebensstationen der Brüder Grimm sowie die Orte und Landschaften, aus denen ihre Märchen stammen, zu einem märchen- und fabelhaften Reiseweg aneinander. Ebenso märchenhaft sind die Landschaften: Acht Naturparks und mehrere Landschaftsschutzgebiete liegen am Weg.

In der Freien und Hansestadt ❶ ✳ **Bremen**, bei den Bremer Stadtmusikanten, beginnt die märchenhafte Reise und führt über die Reiterstadt Verden in südlicher Richtung nach ❷ ✳ **Minden**. Hier lohnen, neben der sehenswerten Altstadt, Potts Freizeitpark und die Museumseisenbahn einen Besuch. Ein Abstecher führt ins Hubschraubermuseum nach ❸ **Bückeburg**. Südlich von Minden bezaubert in ❹**Bad Oeynhausen** das Märchen- und Wesersagenmuseum. Auf B 238 und B 83 erreicht man das Münchhausenschloss in Hess. Oldendorf und die Stadt ❺ ✳ **Hameln**. Prachtvolle Zeugnisse der Weserrenaissance säumen die Straßen Hamelns. Vor dieser zauberhaften Kulisse folgt man auf Schritt und Tritt dem sagenhaften Rattenfänger. Über ❻**Bad Pyrmont** führt die Route in die Münchhausen-Stadt ❼**Bodenwerder**, wo der Lügenbaron einst seine Geschichten erzählte. Über ❽**Holzminden** und den Naturpark Solling-Vogler gelangt man schließlich nach ❾ ✳ **Göttingen**. Hier lehrten einst die Brüder Grimm; Generationen von Studenten verhalfen der anmutigen Gänseliesel zum Attribut »meistgeküsstes Mädchen der Welt«. In der alten Herrenmühle in ❿**Ebergötzen** verübten Wilhelm Busch und sein Freund Erich Bachmann die tollen Streiche von Max und Moritz. Im südlich gelegenen ⓫**Witzenhausen** lohnt das Völkerkundemuseum ebenso einen Besuch wie der Erlebnispark mit dem sehenswerten Automuseum. Und in der alten Salz- und Badestadt ⓬**Bad Sooden-Allendorf** plätschert noch immer der Brunnen vor dem Tore. Mittelpunkt der Märchenstraße ist die documenta-Stadt ⓭ ✳ **Kassel**. Leben und Werk der beiden berühmtesten deutschen Märchenonkel sind im Gebrüder-Grimm-Museum zu sehen. Südwestlich von Kassel beginnt bei Niedenstein der Naturpark Habichts-

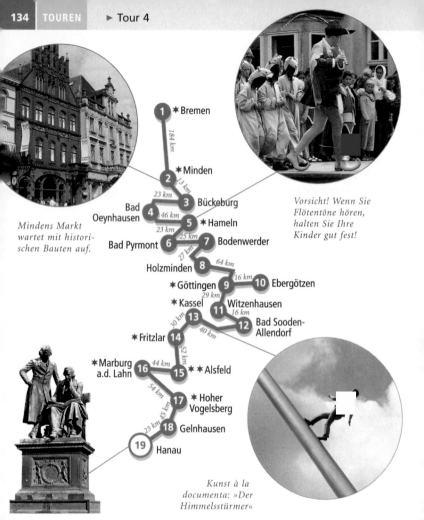

Mindens Markt wartet mit historischen Bauten auf.

1 ✳ Bremen

184 km

2 ✳ Minden

13 km

3 Bückeburg

23 km

Bad Oeynhausen 4

46 km

5 ✳ Hameln

23 km

Bad Pyrmont 6

25 km

7 Bodenwerder

27 km

8 Holzminden

64 km

✳ Göttingen 9

16 km

10 Ebergötzen

✳ Kassel 11 Witzenhausen

29 km

13 16 km

30 km 12 Bad Sooden-Allendorf

✳ Fritzlar 14

40 km

52 km

✳ Marburg a.d. Lahn 16 15 ✳✳ Alsfeld

44 km

54 km 17 ✳ Hoher Vogelsberg

23 km 43 km

18 Gelnhausen

19 Hanau

Vorsicht! Wenn Sie Flötentöne hören, halten Sie Ihre Kinder gut fest!

Kunst à la documenta: »Der Himmelsstürmer«

Nicht nur jedes Kind kennt sie: die Gebrüder Grimm und ihre Märchen.

wald. Die alte Kaiserstadt ⓮ ✳ **Fritzlar** präsentiert sich als mittelalterliche Stadt auf dem Weg durch das Rotkäppchen-Land. Die Route führt weiter über die B 254 in die Fachwerkstadt ⓯ ✳✳ **Alsfeld** und, als Abstecher, in die Universitätsstadt ⓰ ✳ **Marburg an der Lahn**. In dieser historischen Stadt begannen die Brüder Grimm mit der Erforschung der Volksliteratur.

Über den sagenumwobenen ⓱ ✳ **Hohen Vogelsberg** geht es weiter in die Barbarossa-Stadt ⓲**Gelnhausen**, die Erinnerungen an Kaiser Rotbart weckt. In der letzten Station der Tour ⓳**Hanau am Main** kamen Jacob und Wilhelm Grimm 1785 bzw. 1786 zur Welt. Am Gebrüder-Grimm-Denkmal endet die Deutsche Märchenstraße.

Tour 5 Liebfrauen- und Bergstraße

Länge der Tour: 200 km   **Tourdauer:** ca. 1 Woche

Die Liebfrauen- und Bergstraße, zwei landschaftlich verschiedene Ferienstraßen, erschließen das Rheintal. Westlich des Rheins verbindet die Liebfrauenstraße Bingen mit Worms und Speyer und östlich des Flusses verläuft die Bergstraße, die durch ein mildes Klima verwöhnt wird. Sie ist mit braunen Schildern gekennzeichnet.

Startpunkt der Liebfrauenstraße ist die alte Römerstadt ❶**Bingen** mit dem markanten Mäuseturm und Burg Ehrenfels. Über Ingelheim erreicht man die rheinland-pfälzische Landeshauptstadt ❷ ✳ **Mainz**

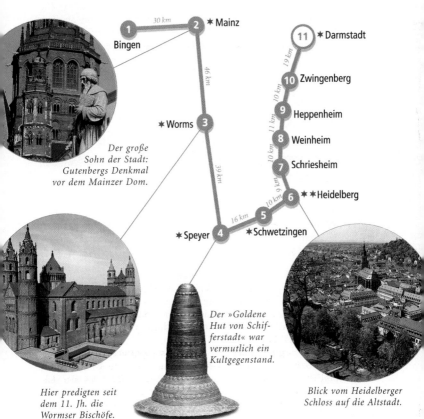

Der große Sohn der Stadt: Gutenbergs Denkmal vor dem Mainzer Dom.

Hier predigten seit dem 11. Jh. die Wormser Bischöfe.

Der »Goldene Hut von Schifferstadt« war vermutlich ein Kultgegenstand.

Blick vom Heidelberger Schloss auf die Altstadt.

mit ihrem über 1000 Jahre alten Dom. Besonders sehenswert ist u. a. das Gutenberg-Museum am Liebfrauenplatz. Über berühmte Weinorte wie Nierstein und Oppenheim gelangt man schließlich nach ❸ ✳ **Worms**, das mit seiner über 5000-jährigen Geschichte zu den ältesten Siedlungsplätzen Deutschlands zählt. Bedeutendstes Bauwerk ist der romanische Dom, der genauso sehenswert ist wie der Kaiserdom zu ❹ ✳ **Speyer**, der von der UNESCO in die Liste des Weltkulturerbes aufgenommen wurde. Ab Speyer verläuft die Route quer durch die Rheinebene zur Bergstraße, die am westlichen Hang des Odenwalds entlangführt. Auf dem Weg dorthin können Sie zunächst durch den berühmten Schlossgarten in ❺ ✳ **Schwetzingen** schlendern und dann auf den Spuren berühmter Dichter und Denker durch die Universitätsstadt ❻ ✳✳ **Heidelberg** streifen. Altstadt und Schloss, Ziel von Touristen aus aller Welt, vermitteln noch heute eine ganz eigene Atmosphäre. Über ❼ **Schriesheim** erhebt sich die Ruine Strahlenburg. Das Pfalzgrafenschloss in ❽ **Weinheim** liegt am Rand eines reizvollen Parks, dem sich ein Exotenwald anschließt. Die Fachwerkstadt ❾ **Heppenheim** kündigt sich mit der Ruine Starkenburg an. Zu Füßen des Melibokus, mit 515 m der höchsten Erhebung des vorderen Odenwaldes, liegt ❿ **Zwingenberg**, dessen mittelalterliches Stadtbild zu einem Besuch einlädt. Wer sich für Jugendstil interessiert, ist in ⓫ ✳ **Darmstadt** richtig, der einstigen Residenzstadt der hessischen Großherzöge.

Tour 6 Nibelungen- und Siegfriedstraße

Länge der Tour: 310 km   **Tourdauer:** ca. 1 Woche

Die beiden Straßen durch Sagenlandschaften führen in einer Rundstrecke vom Rhein zum Main und an die Tauber, berühren dabei alte Städtchen, geheimnisvolle Schlösser und Burgen, schlängeln sich durch schöne Täler und verschwiegene Wälder.

Ausgangs- und Endpunkt der Rundreise ist ❶ ✳ **Worms**, die ehem. Hauptstadt des Nibelungenreichs. Als Meisterwerk der Romanik gilt der Wormser Dom. Östlich davon birgt ❷ ✳ **Lorsch** mit den Resten der ehemaligen Reichsabtei, der berühmten Königshalle, ein Juwel karolingischer Baukunst. Nach ❸ **Bensheim** steigt die Nibelungenstraße etwas steiler an. Vom Parkplatz »Schöne Aussicht« überblickt man das Nibelungenland, wie der Odenwald auch genannt wird. Lassen Sie sich in ❹ ✳ **Michelstadt**, oft auch als Herz des Odenwalds bezeichnet, von seiner märchenhaften Altstadt verzaubern oder steigen Sie im Hotel Zum Riesen, Deutschlands ältester Fürstenherberge, in dem hübschen Fachwerkstädtchen ❺ ✳ **Miltenberg** ab. Sie wären

Wenn Sie auf die Wertheimer Burg gekraxelt sind, haben Sie sich eine Erfrischung in der Burgschenke verdient.

Der Wormser Judenfriedhof ist der älteste seiner Art in Europa.

* Worms   Bensheim   * Michelstadt   * Miltenberg   * Wertheim   * Würzburg

1   16 km   2   7 km   3   44 km   4   30 km   5   26 km   6   39 km   7

* Lorsch   31 km

12   38 km   11   35 km   10   16 km   9   28 km   8   Tauberbischofsheim

Heppenheim   Beerfelden   Amorbach   Walldürn

Das spätgotische Rathaus am Marktplatz ist das Wahrzeichen Michelstadts.

So merkwürdig es klingt: In der Würzburger Residenz fasziniert vor allem das Treppenhaus.

in guter Gesellschaft, denn im 16. und 17. Jh. logierten hier bedeutende Persönlichkeiten. Die Nibelungenstraße orientiert sich nun am Main, bis die fränkische Kleinstadt ❻ ✶ **Wertheim** erreicht wird. Von dort lohnt ein Abstecher mainaufwärts nach ❼ ✶ **Würzburg**. Die ehem. fürstbischöfliche Residenz gehört zu den bedeutendsten Profanbauten des deutschen Barock. Hinter Wertheim verläuft die Route im romantischen Taubertal nach ❽ **Tauberbischofsheim**, das mit zwei charakteristischen Türmen aufwartet: Der Türmersturm ziert das kurmainzische Schloss, der viereckige Turm die Stadtkirche. Nächste Stationen sind ❾ **Walldürn** mit der berühmten Wallfahrtskirche und ❿ **Amorbach** mit seiner nicht weniger berühmten Abteikirche. Über ⓫ **Beerfelden** führt die Strecke dann am Stausee Marbach entlang und erreicht bald darauf ⓬ **Heppenheim** mit seinem viel bewunderten mittelalterlichen Stadtbild. Von hier kann man nun die B 3, die Bergstraße, überqueren und durch die Oberrheinische Tiefebene zurück nach Worms fahren.

Tour 7 Burgenstraße

Länge der Tour: 460 km   **Tourdauer:** ca. 10 Tage

Die Burgenstraße führt in West-Ost-Richtung durch reizvolle Landschaften und berührt dabei mittelalterliche Städte mit bedeutenden kulturellen Schätzen. So säumen neben Burgen und Schlössern weitere eindrucksvolle Zeugen der Vergangenheit diese Route. Zur Orientierung dient ein Symbol, das stilisierte Zinnen und die Aufschrift Burgenstraße trägt.

Ausgangspunkt ist ❶**Mannheim** mit dem Kurfürstlichen Residenzschloss, eine der größten barocken Schlossanlagen. Auch in dem südöstlich von Mannheim gelegenen ❷✳✳ **Heidelberg** dominiert das Schloss, einst glanzvolle Residenz der Kurpfalz.
Die Burgenstraße schlängelt sich am Neckar entlang über die Vierburgenstadt ❸**Neckarsteinach**, ❹✳ **Burg Hirschhorn**, ❺**Burg Zwingenberg**, einem Musterbeispiel gotischer Burgenarchitektur, und die sagenumwobene Minneburg, hoch über ❻**Neckargerach**, bis Obrigheim. Bei ❼**Neckarzimmern** sieht man den Bergfried der Ruine Hornberg, in der Götz von Berlichingen viele Jahre seines Lebens verbrachte. Wenn Sie Raubvögeln bei ihren Flugvorführungen zusehen möchten, dann sollten Sie ❽✳ **Burg Guttenberg**, einer fast unzerstörten Burganlage aus der Stauferzeit, einen Besuch abstatten.
❾ ✳ **Bad Wimpfen**, einer der Höhepunkte der Burgenstraße, grüßt mit seiner berühmten Silhouette. Das malerische Ensemble der Altstadt wird von den mächtigen Türmen der Kaiserpfalz überragt. Nächste Station ist ❿**Neckarsulm** mit dem Deutschen Zweiradmuseum im ehem. Deutschordensschloss. Bei ⓫**Heilbronn** verlässt die Route das Neckartal Richtung Osten, streift auf der B 39 die Weinbaugemeinde ⓬**Weinsberg** und die Burgruine Weibertreu, die durch eine Ballade von Justinus Kerner bekannt wurde. Das Wasserschloss in ⓭**Neuenstein**, eine prunkvolle Residenz, zählt zu den bedeutendsten Renaissance-Schlössern in Hohenlohe. Durch das bezaubernde Jagsttal gelangt man nach ⓮**Langenburg**. Prunkstück des von Rundtürmen flankierten Schlosses ist der Renaissance-Innenhof, im Marstallgebäude befindet sich das Deutsche Automobilmuseum.
Die Route führt weiter nach ⓯✳✳ **Rothenburg ob der Tauber**. Dieses einzigartige Juwel des Mittelalters lockt mit seiner reichsstädtischen Vergangenheit und mit hübschen Fachwerkwinkeln. In ⓰**Ansbach**, der Stadt des fränkischen Rokoko, sollte man das Markgrafenschloss besuchen. Von dort fährt man auf der B 14 nach Südosten und in die alte Freie Reichsstadt ⓱✳✳ **Nürnberg**, deren mittelalterliches Stadtbild zu einem längeren Aufenthalt einlädt. Parallel zur Regnitz und zum Main-Donau-Kanal wird die Bischofs- und Kaiserstadt ⓲✳✳ **Bamberg** erreicht. Nordöstlich von Bamberg ragt hoch über ⓳✳ **Coburg** die mächtige gleichnamige Veste auf. Von

hier geht es weiter nach ❷⓿**Kronach**, am Fuß der mittelalterlichen Festung Rosenberg gelegen und Geburtsort des Malers Lucas Cranach d. Ä. Die guterhaltene Plassenburg in ❷❶**Kulmbach** birgt das sehenswerte Deutsche Zinnfigurenmuseum. Letzte Station der Burgenstraße, die grenzüberschreitend bis nach Prag weiterführt, bildet auf deutscher Seite die am Roten Main gelegene Richard-Wagner-Stadt ❷❷ ✳ **Bayreuth**. Sehenswert sind die barocken Schlösser, das Richard-Wagner-Festspielhaus nördlich der Stadt und der Landschaftspark Eremitage.

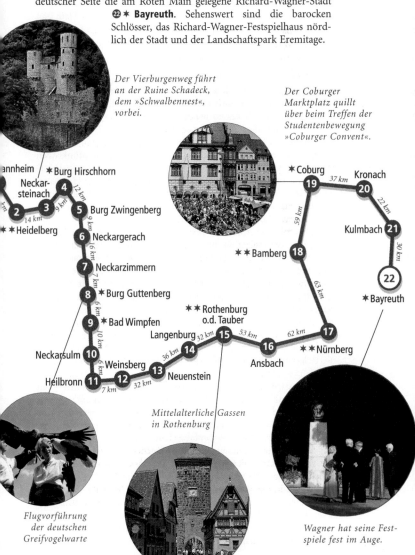

Der Vierburgenweg führt an der Ruine Schadeck, dem »Schwalbennest«, vorbei.

Der Coburger Marktplatz quillt über beim Treffen der Studentenbewegung »Coburger Convent«.

annheim   ✳ Burg Hirschhorn

Neckar-
steinach   **4**   12 km

km
2   **3**   9 km   **5**   Burg Zwingenberg
14 km
✳ ✳ Heidelberg   9 km   **6**   Neckargerach

16 km

7   Neckarzimmern

7 km

8   ✳ Burg Guttenberg

6 km

9   ✳ Bad Wimpfen   ✳ ✳ Rothenburg
o.d. Tauber
10 km   Langenburg   32 km   **15**   53 km

Neckarsulm   **10**   36 km   **14**   **16**   62 km   **17**
6 km   Weinsberg   13   Neuenstein   Ansbach   ✳ ✳ Nürnberg
Heilbronn   **11**   **12**   **13**
7 km   32 km

✳ Coburg   37 km   Kronach
19   **20**   22 km

59 km   Kulmbach   **21**

✳ ✳ Bamberg   **18**   30 km

63 km   **22**

✳ Bayreuth

Mittelalterliche Gassen in Rothenburg

Flugvorführung der deutschen Greifvogelwarte

Wagner hat seine Festspiele fest im Auge.

Tour 8 Romantische Straße

Länge der Tour: 370 km   **Tourdauer:** ca. 1 Woche

Die Romantische Straße verläuft zwischen Würzburg im Norden und Füssen im Süden, vom Madonnenländchen zwischen Main und Tauber bis zum Pfaffenwinkel im Voralpenland. Das bedeutet Kultur und Natur, Baukunst und landschaftliche Vielfalt in einer abwechslungsreichen Kulturlandschaft.

① ✳ **Würzburg** bildet mit der Festung Marienberg den glanzvollen Auftakt dieser Route. Auf der B 27 folgt nun ② **Tauberbischofsheim**, eine der ältesten Städte im »Lieblichen Taubertal«. Um den Türmersturm gruppiert sich das kurmainzische Schloss. ③ ✳ **Bad Mergentheim**, die ehemalige Residenzstadt der Hoch- und Deutschmeister des Deutschen Ritterordens genießt als Heilbad internationalen Ruf. Bald darauf erreicht man ④ **Weikersheim** mit seinem prunkvollen Renaissanceschloss. ⑤ **Creglingen** im so genannten Herrgottsländle birgt mit Tilman Riemenschneiders Marienaltar in der Herrgottskirche ein Kleinod von kunsthistorischem Rang. Die ehemalige Freie Reichsstadt ⑥ ✳✳ **Rothenburg ob der Tauber** präsentiert anschließend ihr einzigartiges mittelalterliches Stadtbild.

Die Romantische Straße, bis Augsburg mit der B 25 identisch, führt über ⑦ **Feuchtwangen** in das idyllische Wörnitztal und in die einstige Freie Reichsstadt ⑧ ✳ **Dinkelsbühl**. Das unverwechselbare Stadtbild besticht durch seine geschlossene Anlage, die seit dem 16. Jh. fast unverändert geblieben ist. Die rundum begehbare Stadtmauer in ⑨ ✳ **Nördlingen** ist einzigartig, der historische Marktplatz weit bekannt. An der Mündung der Wörnitz in die Donau liegt die ehemalige Freie Reichsstadt ⑩ **Donauwörth**, die mit der Reichsstraße einen der schönsten Straßenzüge Süddeutschlands besitzt. Durch das Lechtal fahren Sie dann weiter in die uralte Stadt ⑪ ✳ **Augsburg**, deren wirtschaftliche und kulturelle Blütezeit im 15. Jh. durch die Geschicke mächtiger Kaufmannsfamilien begann.

Die Romantische Straße folgt nun der B 17 nach ⑫ ✳ **Landsberg am Lech**, einer Gründung Heinrichs des Löwen. Am Lech entlang geht es weiter südwärts in den Pfaffenwinkel und ins mittelalterliche ⑬ **Schongau**. Von dort lohnt, der schönen Aussicht wegen, ein Abstecher auf den Hohen Peißenberg. Hinter Peiting führt die Route auf der B 23 über Rottenbuch nach Steingaden und biegt kurz davor zur weltbekannten ⑭ ✳✳ **Wieskirche** ab, einem Kleinod des bayerischen Rokoko.

Man verlässt Steingaden, folgt der B 17 bis ⑮ ✳ **Schwangau** und besucht die Königsschlösser Hohenschwangau und Neuschwanstein. Kurz darauf erreicht man ⑯ ✳ **Füssen** mit Hohem Schloss und schmucker Innenstadt. Die Stadt im Ostallgäu markiert zugleich den Endpunkt der Romantischen Straße.

1 ＊ Würzburg

Tauber-
bischofsheim 2

Weikersheim

3 4

5 Creglingen

＊ Bad Mergentheim

6 ＊＊ Rothenburg
o.d.Tauber

7 Feuchtwangen

8 ＊ Dinkelsbühl

9 ＊ Nördlingen

10 Donauwörth

11 ＊ Augsburg

12 ＊ Landsberg

13 Schongau

14 ＊＊ Wieskirche

＊ Füssen 16 15 ＊ Schwangau

36 km *18 km* *13 km* *13 km* *19 km* *31 km* *12 km* *33 km* *29 km* *44 km* *39 km* *29 km* *18 km* *7 km* *4 km*

*Festumzug bei
der Kinderzeche
in Dinkelsbühl*

*Kreuzgangfest-
spiele in Feucht-
wangen*

*Zu den herrlichen Deckenfresken
der Wieskirche pilgern auch un-
religiöse Menschen.*

*Durch das
Bayertor be-
tritt man die
Altstadt von
Landsberg am
Lech.*

*Prachtvolle Anlage:
Kloster St. Mang*

*Fantasie-
voll: Hier
träumte
Ludwig II.*

Tour 9 Schwarzwald-Hochstraße und -Tälerstraße

Länge der Tour: 200 km   **Tourdauer:** ca. 1 Woche

Die großartige Schwarzwald-Hochstraße führt von Baden-Baden nach Freudenstadt am Kamm des nördlichen Schwarzwaldes entlang. Die Route erschließt die Schönheiten dieser Berglandschaft in unvergleichlicher Weise. Auf der Schwarzwald-Tälerstraße geht es dann wieder zurück durch die wildromantischen Täler von Murg und Kinzig und von Freudenstadt über Wolfach nach Rastatt.

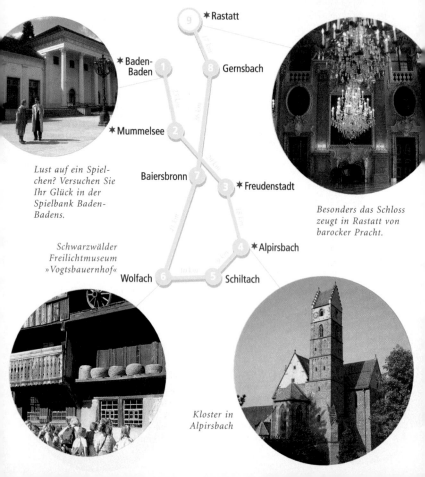

Lust auf ein Spielchen? Versuchen Sie Ihr Glück in der Spielbank Baden-Badens.

Schwarzwälder Freilichtmuseum »Vogtsbauernhof«

Besonders das Schloss zeugt in Rastatt von barocker Pracht.

Kloster in Alpirsbach

9 ✱Rastatt

✱Baden-Baden   1   8 Gernsbach

✱Mummelsee   2

Baiersbronn   7   3 ✱Freudenstadt

4 ✱Alpirsbach

Wolfach   6   5 Schiltach

Die Auffahrt zur Hochstraße beginnt in ⑨ ✶ **Baden-Baden**, der weltberühmten Kurstadt am Fuße des Schwarzwalds. Nach kurvenreicher
Bergfahrt auf der B 500 gelangt man zum noblen Schlosshotel Bühlerhöhe. Auf dem nächsten Abschnitt bietet die Hochstraße schöne
ausgeschilderte Aussichtspunkte. Man erreicht den links neben der
Route in 1036 m Höhe gelegenen ⑩ ✶ **Mummelsee**. Über Kniebis
fährt man hinunter nach ⑪ ✶ **Freudenstadt**. Der große, fast quadratische Marktplatz im Zentrum lädt zur Pause ein.

Die Straße führt weiter hinab in die Täler von Kinzig und Murg,
durch die sich die Schwarzwald-Tälerstraße windet. Man verlässt
Freudenstadt auf der B 28 und biegt nach 2 km auf die B 294 ein,
fährt durch das malerische Kinzigtal und nach ⑫ ✶ **Alpirsbach**. Der
Luftkurort besitzt eine sehenswerte Klosterkirche, deren Kreuzgang
den Rahmen für stimmungsvolle Konzerte bildet. Die Tälerstraße
schlängelt sich weiter durch das enge Kinzigtal, streift die reizvollen
Orte ⑬**Schiltach** und ⑭**Wolfach** und erreicht auf einem Abstecher
das Freilichtmuseum Vogtsbauernhof. Ab Wolfach verläuft die Straße
durch das liebliche Schapbachtal, kurz vor Bad Rippoldsau zweigt sie
in Richtung Freudenstadt ab. Steil und kurvenreich geht es hinauf
bis Zwieselberg und weiter nach Freudenstadt. Von dort verläuft die
Tälerstraße auf der B 462 und erreicht ⑮**Baiersbronn**. Die Wälder
weichen nun Obstgärten und Weinbergen, vor ⑯**Gernsbach** erkennt
man hoch über dem Tal Schloss Eberstein. In ⑰ ✶ **Rastatt**, dem
Endpunkt der Schwarzwald-Tälerstraße, ließ Markgraf Ludwig Wilhelm von Baden seine prächtige Barockresidenz errichten.

Tour 10 Oberschwäbische Barock- und Deutsche Alpenstraße

Länge der Tour: 330 km   **Tourdauer:** ca. 1 Woche

Unser letzter Vorschlag für eine Tour durch Deutschland verläuft
ein Stück an der Oberschwäbischen Barockstraße und der Deutschen Alpenstraße entlang. Wir wollen Sie durch das »Himmelreich
des Barock« zwischen Donau und Bodensee und dann am Saum der
Allgäuer Alpen entlang bis nach Füssen lotsen.

In ❶ ✶ **Ulm** nimmt die Oberschwäbische Barockstraße ihren Ausgang. Das gotische Münster mit dem höchsten Kirchturm der Welt
und das malerische Fischerviertel erinnern an vergangene Zeiten.
Die Route führt auf der B 28 an der Blau entlang nach ❷ ✶ **Blaubeuren** mit seiner sehenswerten Klosteranlage und dem sagenumwobenen Blautopf. ❸**Ehingen** wartet mit bedeutenden Baudenkmälern

aus der Barockzeit auf, ebenso wie ❹**Obermarchtal**. Die bemerkenswerte Kirche der ehemaligen Prämonstratenserabtei stammt noch aus der Frühzeit des Barock. Der Innenraum des zweitürmigen Münsters in ❺✴ **Zwiefalten**, das man kurz darauf erreicht, bietet einen Überreichtum an Glanz und Pracht. Südlich davon liegt das Städtchen ❻**Riedlingen**, dessen historische Altstadt zum Bummeln einlädt. In ❼**Bad Buchau** lohnt ein Abstecher zum Federsee.

Die Fahrt verläuft nun durch eine weite, ebene Moorlandschaft nach ❽**Steinhausen**, wo die schönste Dorfkirche der Welt, ein Werk des genialen Dominikus Zimmermann und seiner Helfer, steht. Wenige Kilometer entfernt liegt ❾**Bad Schussenried** mit einem sehenswerten Bibliothekssaal im ehemaligen Prämonstratenserkloster. ❿**Bad Waldsee**, die nächste Station, wird von zwei Seen umrahmt. Zu den schönsten Profanbauten in Oberschwaben zählt sein gotisches Rathaus. Von Bad Waldsee führt die Route auf der B 30 in südwestlicher Richtung nach ⓫**Weingarten**. Die Basilika auf dem Martinsberg ist ein Höhepunkt süddeutschen Barocks. Direkter Nachbar von Weingarten ist ⓬✴ **Ravensburg** mit seiner historischen Altstadt. Über Meckenbeuren führt die Strecke nach ⓭**Friedrichshafen**, der Zeppelinstadt. Auf der B 31 gelangt man in südöstlicher Richtung nach

Riesen der Lüfte: Zeppeline über Friedrichshafen.

⓮**Langenargen** mit stattlicher Barockkirche und dem auf einer Halbinsel liegenden, im maurischen Stil erbauten Schloss Montfort. Hinter Langenargen wird die B 31 überquert und ⓯**Tettnang**, die Stadt der Schlösser und Kapellen, erreicht. Prunkstück ist das Neue Schloss mit seinen markanten Ecktürmen.

Von ⓰✴ **Lindau** am Bodensee steigt man kurvenreich nach Scheidegg auf. Dort beginnt eine der beeindruckendsten Panoramastrecken der Alpenstraße. Auf den nächsten 40 km bis ⓱**Oberstaufen** erlebt man immer neue Landschaftsbilder und genießt großartige Ausblicke. Hinter Oberstaufen senkt sich die Alpenstraße zum Großen Alpsee und nach ⓲**Immenstadt**, von wo sich ein Abstecher nach Kempten anbietet. Auf der gut ausgebauten B 19 führt der Weg in den Luftkurort ⓳**Sonthofen**. Die Straße steigt nun wieder an, bald ist ⓴**Hindelang** erreicht. Östlich davon beginnt eine der schönsten Passstraßen Deutschlands, die Jochstraße. Der Oberjochpass in 1178 m Höhe bildet zugleich den höchsten Punkt der Deutschen Alpenstraße. Über Wertach gelangt man nach ㉑✴ **Pfronten** mit seiner imposanten Burgruine Falkenstein und später nach ㉒✴ **Füssen**. Sehenswert sind hier die malerische Altstadt, das Hohe Schloss und die Königsschlösser bei Schwangau.

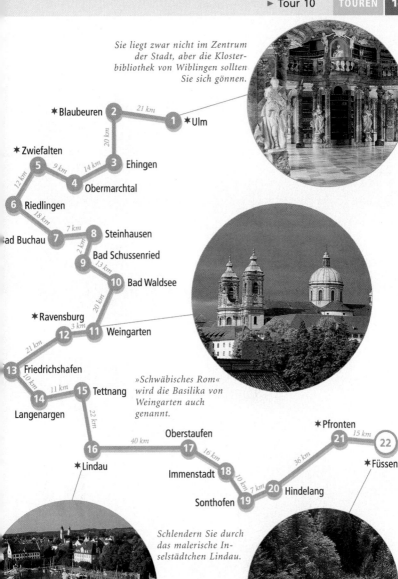

Sie liegt zwar nicht im Zentrum
der Stadt, aber die Klosterbibliothek von Wiblingen sollten
Sie sich gönnen.

✳ Blaubeuren ② — *21 km* — ① ✳ **Ulm**

20 km

✳ **Zwiefalten**
⑤ — *9 km* — *14 km* — ③ **Ehingen**
12 km ④ **Obermarchtal**

⑥ **Riedlingen**
18 km
ad Buchau ⑦ — *7 km* — ⑧ **Steinhausen**
2 km
Bad Schussenried
⑨
13 km
⑩ **Bad Waldsee**

20 km

✳ **Ravensburg**
⑫ — *3 km* — ⑪ **Weingarten**
21 km

⑬ **Friedrichshafen**
10 km — *11 km* — ⑮ **Tettnang**
⑭
Langenargen

»Schwäbisches Rom«
wird die Basilika von
Weingarten auch
genannt.

22 km

✳ **Pfronten**
40 km   **Oberstaufen**   ㉑ — *15 km* — ㉒
⑯ — ⑰ — *16 km*
✳ **Lindau**   **Immenstadt** ⑱   *36 km*   ✳ **Füssen**
10 km *7 km* ⑳ **Hindelang**
Sonthofen ⑲

Schlendern Sie durch
das malerische In-
selstädtchen Lindau.

Das Umland von
Füssen kann er-
wandert werden.

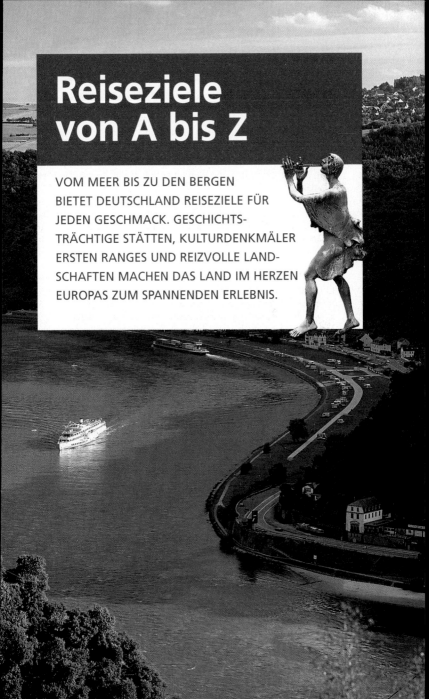

Reiseziele
von A bis Z

VOM MEER BIS ZU DEN BERGEN
BIETET DEUTSCHLAND REISEZIELE FÜR
JEDEN GESCHMACK. GESCHICHTS-
TRÄCHTIGE STÄTTEN, KULTURDENKMÄLER
ERSTEN RANGES UND REIZVOLLE LAND-
SCHAFTEN MACHEN DAS LAND IM HERZEN
EUROPAS ZUM SPANNENDEN ERLEBNIS.

✶✶ Aachen

Atlasteil: S. 33 • C 3
Höhe: 125–410 m ü. d. M.

Bundesland: Nordrhein-Westfalen
Einwohnerzahl: 256 000

600 Jahre lang war Aachen der Krönungsort der deutschen Könige und seit Karl dem Großen das Zentrum des Reiches. Die große Bedeutung für die Geschichte Europas prägt die Stadt bis heute. Aachen ist seit den Kelten und Römern auch bekannt für seine heißen Quellen.

Kaiserstadt
Aachen, die westlichste Stadt Deutschlands, liegt nahe der niederländischen und der belgischen Grenze in einem waldumkränzten Talkessel an den Ausläufern der ▶Eifel und der Ardennen. Die Stadt ist u. a. Sitz der bedeutenden Rheinisch-Westfälischen Technischen Hochschule und besitzt das größte Klinikum Europas. Aachen vergibt jedes Jahr seit 1949 den »Internationalen Karlspreis zu Aachen« für Verdienste um die Verständigung und die internationale Zusammenarbeit in Europa; aber auch der »Orden wider den tierischen Ernst« des Aachener Karnevalsvereins gilt als hohe Auszeichnung. Ein Ereignis ist auch der alljährlich im Reitstadion ausgetragene CHIO, ein internationales Reit-, Spring- und Fahrturnier, das sog. Wimbledon der Reiterei. Schließlich gilt Aachen auch als Kur- und Bäderstadt mit heißen, schwefelhaltigen Kochsalzquellen, die besonders gegen Gicht, Rheuma und Ischias wirksam sind.

Geschichte
Mit dem Ausbau zur Residenzstadt unter Karl dem Großen (742–814) wurde Aachen zum Zentrum des Reiches und nach der Heiligsprechung des Kaisers 1165 zu einem der **bedeutendsten Wallfahrtsorte Europas**. Seit der Krönung Ottos I. zum deutschen König (936) blieb Aachen für 600 Jahre Krönungsort der deutschen Könige sowie Tagungsort zahlreicher Reichstage und Kirchenversammlungen. Ein Stadtbrand vernichtete 1656 fast 80% aller Häuser. Zum eleganten »Bad der Könige« schwang sich der Ort erst wieder im 18. und 19. Jh. auf. Das schwer beschädigte Aachen war die erste große

❗ *Baedeker* TIPP

Aachener Printen

Aachens Beitrag zum Konditorwesen ist die Printe. Das ursprünglich harte Honiggebäck – seinen Namen verdankt es dem »Pressen = prenten« in eine Form – wird heute feuchter Luft ausgesetzt und damit weich, außerdem wird es mit Schokolade überzogen. Probieren kann man die Printen z. B. in den Alt Aachener Kaffeestuben (Café Van den Daele), Büchel 18.

Aachen Orientierung

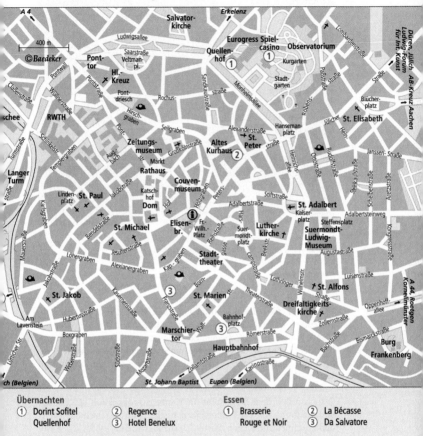

Übernachten
1. Dorint Sofitel Quellenhof
2. Regence
3. Hotel Benelux

Essen
1. Brasserie Rouge et Noir
2. La Bécasse
3. Da Salvatore

deutsche Stadt, die von alliierten Truppen – US-Amerikanern im Oktober 1944 – besetzt wurde; beim Wiederaufbau nach 1945 hat man die bedeutenden Kulturdenkmäler wieder hergestellt.

Altstadt

Im Mittelpunkt der Altstadt erhebt sich das **Wahrzeichen Aachens**, der Dom. Als erstes deutsches Bauwerk ging er in die UNESCO-Liste der Weltkulturgüter ein. Der achteckige Mittelbau wurde von Karl dem Großen um 800 als Pfalzkapelle errichtet – zur Zeit ihrer Entstehung war sie der größte Kuppelbau nördlich der Alpen; über 30 deutsche Könige erhielten hier ihre Krone. In dem nach antiken Vor-

✶✶ Dom

Im Aachener Dom, der zu den UNESCO-Weltkulturgütern zählt, wurden jahrhundertelang die deutschen Könige gekrönt.

bildern geschaffenen Oktogon steht der Marmorthron Karls des Großen; unter der mosaikgeschmückten Kuppel hängt ein von Friedrich I. Barbarossa gestifteter Radleuchter. 1414 baute man die gotische Chorhalle, in der sich wertvolle Schätze wie der goldene Karlsschrein mit den Gebeinen des Kaisers und die vergoldete Kanzel befinden. **Sakrale Kunstschätze von einzigartigem Wert** birgt die Domschatzkammer (Eingang Klosterstraße; Öffnungszeiten: tgl. 10.00–18.00; Mo. bis 13.00, Do. bis 21.00 Uhr).

✷ ✷
Domschatz-
kammer ▶

Rund um
den Dom

Östlich neben dem Dom steht die Kirche St. Foilian mit einer schönen Madonna von 1411. Ebenfalls nahe des Doms, wo sich die Nachbildung eines römischen Portikus erhebt, wurden 1967/1968 Reste römischer Badeanlagen und Tempel freigelegt. Westlich vom Dom liegt der Fischmarkt mit schönen alten Bürgerhäusern und Brunnen; südwestlich vom Dom befindet sich im »Grashaus« (1267) das Stadtarchiv.

Rathaus

Auf dem Marktplatz steht der »Keiser Karl eijjene Eäzekömpche – Kaiser Karl im Erbssuppentopf« genannte **Marktbrunnen** mit einem im 17. Jh. gegossenen Standbild Karls des Großen. Das um 1350 auf den Grundmauern der Palastaula der karolingischen Kaiserpfalz errichtete Rathaus trägt an der reich geschmückten Nordfassade die Statuen der in Aachen gekrönten Kaiser und Könige. Im Erdgeschoss sind der barocke Weiße Saal, ein prachtvoller Repräsentationsraum, und der Ratssaal untergebracht. Im Krönungs- bzw. Reichssaal im zweiten Obergeschoss wurden die Festbankette nach den Krönungsfeierlichkeiten ausgerichtet. Fünf Karlsfresken von Alfred Rethel zieren die Wände, in einer Vitrine sind die Kopien der Reichsinsignien (Reichsapfel, Schwert, Krone; Originale heute in Wien) ausgestellt. Südlich des Rathauses dehnt sich der Katschhof aus, der ehemalige karolingische Palasthof.

Im südöstlich vom Rathaus gelegenen Couven-Museum (Hühnermarkt 17) wird in einem alten Bürgerhaus Aachener Wohnkultur von 1740 bis etwa 1840 vorgestellt. **Couven-Museum**

Das Internationale Zeitungsmuseum in der Pontstraße 13 zeigt v. a. Jubiläums-, Erst- und auch Letztausgaben der deutschen und internationalen Presse. **Zeitungsmuseum**

Als **Wahrzeichen des Bades Aachen** gilt der klassizistische Elisenbrunnen auf dem Friedrich-Wilhelm-Platz. Wenige Schritte entfernt steht das im Jahr 1825 erbaute Theater Aachen. **Elisenbrunnen**

Außerhalb der Graben-Straßen

In der Wilhelmstraße 18 präsentiert das Suermondt-Ludwig-Museum Malerei und Skulptur vom Mittelalter bis zur Gegenwart. Schwerpunkte sind Werke des Spätmittelalters und aus dem 17. Jh. sowie Spezialsammlungen zur Antike und aus den Bereichen Glasmalerei und Kunsthandwerk. **Suermondt-Ludwig-Museum**

Im Nordosten der Stadt beginnt das »Kurgebiet Monheimsallee«, in dem sich das **Eurogress Aachen** befindet, der gesellschaftliche Mittelpunkt der Stadt mit einem Tagungs- und Kongresszentrum, außerdem das Internationale Spielkasino Bad Aachen im Neuen Kurhaus sowie die Carolus Thermen und der Kurpark. Weiter westlich, am Ende der Ludwigsallee erhebt sich das trutzige Ponttor mit Vorburg (um 1320). Ein weiterer Kurbezirk liegt im südlichen Stadtteil Burtscheid. **Kurbezirk**

? WUSSTEN SIE SCHON …?

■ wie sich die Aachener fern der Heimat erkennen? Sie grüßen sich mit dem so genannten »Klenkes«, indem sie nur den kleinen Finger in die Höhe halten. In der Ursulinenstraße zeigt eine entsprechende Bronzeplastik diesen ausgefallenen Gruß.

Das Ludwig-Forum für Internationale Kunst liegt östlich des Kurbezirks an der Jülicher Straße 97–109. In der **ehemaligen Schirmfabrik im Bauhausstil** werden zeitgenössische berühmte und auch unbekannte Künstler aus aller Welt ausgestellt. Die Ausstellung wird durch regelmäßige Darbietungen darstellender Kunst ergänzt. **Ludwig-Forum für Internationale Kunst**

In der Burg Frankenberg (Bismarckstraße 68), östlich vom Hauptbahnhof, hat man das **Heimatmuseum** untergebracht, das die lange und ereignisreiche Stadtgeschichte dokumentiert. **Burg Frankenberg**

● AACHEN ERLEBEN

AUSKUNFT

Tourist-Service
Friedrich-Wilhelm-Platz,
52062 Aachen
Tel. (02 41) 1 80 29 60, Fax 1 80 29 30
www.aachen-tourist.de

ESSEN

► Fein & Teuer

② *La Bécasse*
Hanbrucher Straße 1, 52064 Aachen
Tel. (02 41) 7 44 44
www.labecasse.de
Vorzüglich zubereitete französische
Gourmetküche mit provenzalischem
Einschlag wird in dem charmanten
Bistro aufgetragen. Probieren Sie den
Steinbutt mit Lavendelkruste und
Champagnersauce.

► Erschwinglich

① *Brasserie Rouge et Noir*
Monsheimalle 44 (im Casino),
52062 Aachen
Tel. (02 41) 1 80 87 00
Genießen Sie im eleganten Ambiente
des Casinos feine internationale Küche
bei Kerzenschein.

► Preiswert

③ *Da Salvatore*
Bahnhofsplatz 5, 52064 Aachen
Tel. (02 41) 3 13 77
Wer richtig gut italienisch essen gehen
will, ist in dem hübschen Restaurant
mitten in der City bestens aufgehoben.

ÜBERNACHTEN

► Luxus

① *Dorint Sofitel Quellenhof*
Monheimsallee 52, 52062 Aachen
Tel. (02 41) 9 13 20, Fax 9 13 25 55
www.dorint.com/Aachen
Elegantes, traditionsreiches Haus,
unmittelbar neben Spielcasino und
Kurpark gelegen mit direktem Zugang
zum Kurmittelhaus. Luxuriös ausgestattete Zimmer, herrlich Gartenterrasse, französisches Restaurant mit
edlen Stuckdecken.

► Komfortabel

② *Regence*
Peterstraße 71, 52062 Aachen
Tel. (0241) 4 78 70, Fax 3 90 55
www.regence.bestwestern.de
Modernes Designer-Hotel im Herzen
der Kaiserstadt, das komplett im Feng-
Shui-Stil eingerichtet wurde. Großzügige, komfortable Zimmer mit
schicken Möbeln. Im Restaurant
können Sie den japanischen Köchen
bei der Zubereitung der Speisen zusehen.

► Günstig

③ *Hotel Benelux*
Franzstraße 21–23, 52064 Aachen
Tel. (02 41) 2 23 43, Fax 2 23 45
www.hotel-benelux.de.
Ruhiges, freundliches Haus in der
Innenstadt, gepflegte und wohnliche
Zimmer.

Klinikum Am westlichen Stadtrand erhebt sich der weitläufige Neubau des zur
Rheinisch-Westfälischen Technischen Hochschule gehörenden Klini-
kums Aachen. Das labyrinthische Gebäude mit seiner avantgardisti-
schen Architektur, die völlig von den technischen Anforderungen an
eine Großklinik geprägt ist, war bereits in der Entstehungszeit nicht
unumstritten.

In der Sommerfeldstraße 32/Ecke Melatenstraße (nahe beim Klini- **Computer-**
kum) liegt das Computer-Museum, das die Entwicklung der Rech- **Museum**
nertechnik und der Datenverarbeitung vom Abakus zum PC darstellt
(geöffnet nur Dienstagvormittag und Mittwochnachmittag).

Umgebung von Aachen

Der hübsche Aachener Stadtteil Kornelimünster mit seinem histori- **Kornelimünster**
schen Stadtbild liegt rund 6 km südöstlich vom Zentrum. Einen Besuch lohnt vor allem die aus karolingischer Zeit stammende **Propsteikirche und das ehemalige Benediktinerkloster** (Kirche 14./15. Jh.).
Im barocken Ambiente der ehemaligen Reichsabtei wird zeitgenössische Kunst aus Nordrhein-Westfalen gezeigt.

Dreißig Kilometer nordöstlich von Aachen liegt die von den Römern **Jülich**
gegründete Stadt Jülich, deren historische Substanz und Baudenkmäler allerdings im Zweiten Weltkrieg bis auf wenige Reste zerstört
wurden. Die Zitadelle, ein Entwurf von Alessandro Pasqualini, ist das
größte erhaltene Festungsbauwerk italienischen Stils in deutschsprachigen Raum. Innerhalb ihrer Wälle steht das 1547 ebenfalls von
Pasqualini erbaute Schloss im Stil der italienischen Hochrenaissance,
dessen Geschichte im Schlosskellermuseum dargestellt wird. Den so
genannten Brückenkopf an der Rur bauten ab 1799 die Franzosen.
Er wurde 1998 zur Landesgartenschau NRW in einen Park umgewandelt.

✳ Ahrtal

Atlasteil: S. 33 • D 4 und S. 34 • A 4   **Bundesland:** Rheinland-Pfalz

**Eindrucksvolle Flusslandschaften und enge Talabschnitte mit male-
rischen Orten, Burgen auf Höhen, ausgedehnte Rebflächen – so
zeigt sich das Ahrtal als eines der schönsten Nebentäler des Rheins
im Norden der ►Eifel.**

Die 89 km lange Ahr entspringt bei Blankenheim, schlängelt sich **Reizvolle**
durch das Rheinische Schiefergebirge und mündet unterhalb von **Rebenlandschaft**
Sinzig in den Rhein. Im engen, gewundenen Tal drängen sich die
Weinorte Altenahr, Mayschoß, Rech, Dernau, Marienthal, Walporz-
heim, Bachem und Ahrweiler. Landschaftlicher Höhepunkt ist das
romantische Flussstück der mittleren Ahr zwischen Altenahr und
Bad Neuenahr-Ahrweiler. Hier bahnt sich der Fluss in zahlreichen
Windungen seinen Weg durch zerklüftete Schieferfelsen.
Besonders eindrucksvoll ist die hohe Felswand »Bunte Kuh« bei Wal-
porzheim. Schon seit der Römerzeit (etwa seit 260 n. Chr.) wird im
Ahrtal Weinbau betrieben. Hier reifen vorwiegend Rotweine (Spät-

▶ DAS AHRTAL ERLEBEN

AUSKUNFT

Touristik-Service Ahrtal
Felix-Rütten-Straße 2,
53474 Bad Neuenahr-Ahrweiler
Tel. (0 26 41) 9 77 30, Fax 97 73 73
www.ahr-rhein-eifel.de

WEINE VON DER AHR

Wer eine Flasche Spätburgunder mit
nach Hause nehmen will, ist hier gut
beraten: Die Weine vom Weingut
Meyer-Näkel (Hardtbergstraße 20,
53507 Dernau, Tel. 0 26 43/4 16 28)
zählen zu den Spitzenprodukten der
Region und sind entsprechend teuer
(▶Baedeker Special S. 358). Etwas
volkstümlichere Preise und immer
noch sehr gute Tropfen gibt es bei
J. J. Adeneuer (Max-Planck-Straße,
53474 Bad Neuenahr-Ahrweiler,
Tel. 0 26 41/3 44 73).

ESSEN

▶ Fein & Teuer

Steinheuers Restaurant
Landskroner Straße 110,
53474 Bad Neuenahr-Ahrweiler,
Ortsteil Heppingen
Tel. (0 26 41) 9 48 60
Eine der besten Gourmetadressen im
Lande. Stefan Steinheuer bereitet hier
exquisite kulinarische Köstlichkeiten
zu, die auch den anspruchsvollen
Feinschmecker zum Schwärmen
bringen.

▶ Erschwinglich

Freudenreich
Göppinger Straße 13,
(im Weinhaus Nelles)
53474 Bad Neuenahr-Ahrweiler,
Ortsteil Heimersheim
Tel. (0 26 41) 68 68
Leckere regionale und mediterrane
Küche, die sorgfältig und in beach-
tenswerter Qualität zubereitet wird.

ÜBERNACHTEN

▶ Luxus

Steigenberger
Kurgartenstraße 1,
53475 Bad Neuenahr-Ahrweiler
Tel. (0 26 41) 94 10, Fax 94 14 13
www.bad-neuenahr.steigenberger.de
Der prachtvolle Bau aus der Gründerzeit liegt gleich neben dem Spielcasino im Zentrum des Ortes.
Großzügige Zimmer und elegante
Suiten, die eindrucksvolle Bäder-
abteilung bietet umfangreiche Kur-
und Wellnessangebote an.

▶ Komfortabel

Villa Aurora
Georg-Kreuzberg-Straße 11,
53474 Bad Neuenahr-Ahrweiler
Tel. (0 26 41) 94 30, Fax 94 32 00
www.aurora.de
Aus drei imposanten Jugendstil-Villen
besteht dieses engagiert geführte Hotel
mit seinen geschmackvoll eingerichteten Zimmern, Restaurant nur für
Hausgäste. Schwimmbad, Sauna und
ein herrlicher Garten runden das
Angebot ab.

burgunder). Dem Wanderer erschließt sich die reizvolle Rebenlandschaft auf dem 30 km langen Rotwein-Wanderweg von Altenahr bis Lohrsdorf. Viel besucht sind die Weinfeste in den Winzerorten im Spätsommer und Herbst.

Reiseziele im Ahrtal

Der zwischen zwei Ahrschleifen gelegene, 1000-jährige Weinbauort **Altenahr** mit seinem malerischen Ortsbild ist ein beliebtes Ausflugsziel. Oberhalb Altenahrs erhebt sich die Ruine der um 1100 gebauten Burg Are, wo auch der Rotwein-Wanderweg beginnt. Von hier aus hat man eine wunderbare Aussicht über Altenahr und das Tal.

Dem Fluss in östlicher Richtung folgend, erreicht man zunächst **Mayschoß** Mayschoß mit der ältesten Winzergenossenschaft Deutschlands und der Ruine der ältesten Burg des Ahrtals, der **Saffenburg**.

Der Doppelort Bad Neuenahr-Ahrweiler hat zwei völlig unterschied- **Bad Neuenahr-** liche Gesichter: Ahrweiler, 1969 mit Bad Neuenahr zur Stadt vereint, **Ahrweiler** besticht durch seine malerische Altstadt mit zahlreichen Fachwerkhäusern und seinem alten Rathaus des Spätrokoko am Marktplatz. Eine mittelalterliche Stadtmauer umgibt den Ort.

Mit seinen Weinbergen und Wäldern ist das Ahrtal ein reizvolles Wander- und Radfahrgebiet.

Ahrweiler ► Während Ahrweiler ein bekanntes Zentrum des Rotweinhandels ist, präsentiert sich Bad Neuenahr als eleganter Kurort mit Spielcasino und Kuranlagen, die sich entlang des rechten Ufers der Ahr erstrecken. Bad Neuenahr ist für die heilende Wirkung der **einzigen alkalischen Thermalquellen Deutschlands** (36 °C) bekannt und für die Apollinaris-Quelle, deren Mineralwasser hier in Flaschen abgefüllt wird. Über Neuenahr erhebt sich die gleichnamige Burg; im Süden des Orts liegt die Willibrorduskirche (18. Jh.).

✶✶ Allgäu

Atlasteil:
S. 61 • C/D 1–3 und S. 62 • A 1/2

Bundesländer:
Baden-Württemberg und Bayern

Das Allgäu ist eine der schönsten Ferienregionen im Süden von Deutschland; landschaftlich sehr vielgestaltig hat es für Erholungssuchende, Wanderer und Skifahrer gleichermaßen viel zu bieten.

Urlaubsidyll Das Allgäu erstreckt sich vom ►Bodensee bzw. vom Bodenseezufluss Argen ostwärts hinüber bis zum Lech. Ausgedehnte Wälder und große Moor- und Riedflächen mit Birken, Föhren, Wollgras sowie Heidekraut prägen den nördlichen Teil des Allgäus.

Weiter im Süden dominieren die typischen, meist von kleinen Waldstücken bekrönten Moränenhügel mit ihren sattgrünen Viehweiden das Landschaftsbild. Eingebettet in diese Hügellandschaft liegen idyllische Seen und stille Weiher. Skifreunde und Bergwanderer zieht es vor allem in den äußersten Süden des Allgäus, in die **Allgäuer Alpen**, eine Hochgebirgslandschaft mit bis zu 2657 m hohen Gipfeln, Hochplateaus und tief eingeschnittenen Tälern. Land- und Forstwirtschaft, Milchverwertung bzw. Nahrungsmittelindustrie, Holz- und Papierindustrie sowie der Fremdenverkehr – etwa ein Fünftel aller Fremdenbetten Bayerns stehen im Allgäu – sind die wirtschaftlichen Säulen der Region.

? WUSSTEN SIE SCHON ...?

■ Vier Ferienstraßen durchqueren bzw. berühren das Allgäu: der westliche Teil der Deutschen Alpenstraße (in diesem Kapitel beschrieben), der östliche Zweig der Oberschwäbischen Barockstraße sowie die Schwäbische Bäderstraße. An der Ostgrenze des Allgäus verläuft die Romantische Straße, die in Füssen endet.

Rundfahrt durch das Allgäu

Route Die nachfolgende Route berührt die interessantesten Reiseziele im Allgäu, ausgenommen die Allgäuer Alpen, die anhand der Deutschen Alpenstraße beschrieben werden. Ausgangspunkt ist die Stadt Lindau, die unter dem Stichwort ►Bodensee näher beschrieben wird.

Die einstige Freie Reichsstadt Wangen im Allgäu liegt rund 20 km
nordöstlich von Lindau im oberen Argental und ist heute **touristischer Mittelpunkt** des württembergischen Allgäus. Gemütliche Lokale und ansprechende Geschäfte findet man vor allem in der mittelalterlichen Altstadt von Wangen. Am Marktplatz steht das z. T. noch
aus dem 15. Jh. stammende, 1721 barock umgebaute **Rathaus**, neben
dem der »Ratloch« genannte Torturm ins Auge fällt. Das Innere der
ebenfalls dem Rathaus benachbarten, spätgotischen Stadtpfarrkirche
St. Martin (13. Jh.) ist 1684 barock ausgestattet worden. Südlich unterhalb des Gotteshauses öffnet sich der Saumarkt mit dem Anto-
niusbrunnen (»Saubrunnen«; Bronzefigur des hl. Antonius, umgeben
von Schweinen). Bei einem Gang durch die Herrenstraße, die vom
Marktplatz nordwärts zum mittelalterlichen Ravensburger Tor (Lieb-
frauentor) zieht, passiert man einige **historische Bauten** mit schönen
Fassadenmalereien. Von der Südecke des Marktes führt die reizvolle
Paradiesstraße westwärts zum bemalten Martinstor (Lindauer Tor),
das im 14. Jh. errichtet und 1608 umgestaltet worden ist. Durch das
Ratloch gelangt man östlich zum malerischen Postplatz (auch Korn-
hausplatz oder Kornmarkt), dem Hauptplatz der Unterstadt, der
vom 1595 erbauten Kornhaus beherrscht wird. Von hier führt die
Spitalstraße nordöstlich zum Alten Spital mit seiner 1732 erbauten
Kirche und zur ehemaligen Eselsmühle, in der heute das **Heimat-
und Käsereimuseum** untergebracht ist. Nahebei lädt das **Eichendorff-
Museum** zum Besuch ein.

**Wangen
im Allgäu**

Der ländliche Luftkurort rund 15 km nördlich von Wangen besitzt
zwei Schlösser. Im Neuen Schloss wird eine Kunstsammlung mit
Werken des sog. expressiven Realismus gezeigt. Hervorragend zum
Baden geeignet sind der Kißlegger Obersee oder einer der anderen
Seen in der Umgebung.

Kißlegg

Publikumsmagnet in Wolfegg, etwa 25 km nördlich von Wangen gelegen, ist das **Freilichtmuseum** mit 13 originalgetreu wieder aufgebauten Bauernhäusern und einer Museumsgaststätte. Das auf einem
Hügel thronende Schloss wird noch bewohnt und kann nur im Rahmen von Konzerten während des Sommers besichtigt werden. In Nebengebäuden des Schlosses ist ein **Automobilmuseum** untergebracht.

Wolfegg

Etwa 23 km nordöstlich von Wangen erreicht man die einstige Freie
Reichsstadt Leutkirch. Ihr Schmuckstück ist das **Rathaus** von 1741
am Marktplatz. Dahinter befindet sich der sog. Bock mit dem Bock-
oder Blaserturm. Der Bock beherbergt das reichhaltige **Heimatmuseum** der Stadt. Unterhaltung und Informationen rund um das Glas
gibt es im historischen Glasmacherdorf Schmidsfelden. Im Museum
werden Gerätschaften gezeigt und die Glasherstellung demonstriert.
Wenige Kilometer nordwestlich von Leutkirch liegt das um 1600 erbaute und heute noch bewohnte Stammschloss der Fürsten Waldburg-Zeil.

Leutkirch

◄ Schloss Zeil

Leutkirch zeigt ein über Jahrhunderte gewachsenes Stadtbild.

Memmingen ►dort

✳
Mindelheim
Nächste Station ist Mindelheim mit seiner hübschen, von der **Min-delburg** beherrschten Altstadt. Die im 12. Jh. angelegte Feste war Sitz von Georg von Frundsberg (1473–1528), dem berühmten Heerführer der Landsknechte im Bauernkrieg. Vom Oberen Tor (14. Jh.) im Osten der Altstadt führt die breite, von schönen Giebelhäusern flankierte Maximilianstraße zum Untertor. Dort steht die 1625 errichtete und 1721 umgestaltete Jesuitenkirche mit ihrer spätbarocken Ausstattung. Das **ehem. Jesuitenkolleg** beherbergt interessante Funde aus der Hallstattzeit und vor allem aus der Landnahmezeit der Alamannen. Ferner sind hier das schwäbische Krippenmuseum sowie ein Textilmuseum untergebracht.

Beachtung verdienen auch das Heimatmuseum im ehem. Heilig-Kreuz-Kloster sowie das Turmuhrenmuseum in der ehem. Silvesterkirche. In der 1712 erbauten Pfarrkirche St. Stephan beachte man das gotische Grabmal von Herzog Ulrich und Herzogin Ursula von Teck.

✳
Bad
Wörishofen
Etwa 10 km südöstlich von Mindelheim liegt an der durchs Unterallgäu führenden Schwäbischen Bäderstraße die aus einer Klostersiedlung hervorgegangene Kurstadt Bad Wörishofen. Zwei Sakralbauten verdienen besondere Beachtung: die katholische Pfarrkirche (16. u. 18. Jh.) sowie die von Franz Beer im 18. Jh. erbaute Klosterkirche St. Maria mit Fresken von Johann Baptist Zimmermann. In Bad Wö-

rishofen führte Pfarrer Sebastian Kneipp (1821–1897) ab 1855 seine Wasserkuren ein. Das Kneipp-Museum im Klosterhof würdigt ihn und seine Kuren, durch die der Ort Weltruhm erlangte.

Im Sommer ist das **Rosarium in den Kuranlagen** eine Augenweide. Die Falknerei im nahen Zillertal gehört mit über 300 Tieren zu den größten in Europa.

Die an der Wertach gelegene ehemalige Freie Reichsstadt Kaufbeuren ✴
ging aus einem im 8. Jh. angelegten fränkischen Königshof hervor. **Kaufbeuren**
Alljährlich im Juli findet hier das **historische Tänzelfest** statt. Hauptachse der hübschen Altstadt ist die breite Kaiser-Max-Straße. Roma-

nische und gotische Stilelemente weist die im 15. Jh. erbaute Martinskirche auf. Im Kaisergässchen findet man das Stadtmuseum mit dem Arbeitszimmer des bayerischen Heimatschriftstellers Ludwig Ganghofer (1855–1920), der in Kaufbeuren geboren wurde. Im nahen historischen Spielberger Hof ist ein sehenswertes Puppentheatermuseum eingerichtet. Die 1436 erbaute St.-Blasius-Kapelle beherbergt einen Schnitzaltar aus dem Jahr 1518.

Sebastian Kneipps Sprechzimmer in Bad Wörishofen

Nach dem Zweiten Weltkrieg wurden aus dem Raum Gablonz (Neiße) vertriebene Sudetendeutsche am nordöstlichen Rand Kaufbeurens im neuen Stadtteil Neugablonz angesiedelt. Diese haben hier ihre aus der alten Heimat mitgebrachte **Glas- und Schmuckindustrie** wieder aufblühen lassen, was auch zur Einrichtung des Industrie- und Schmuckmuseums geführt hat.

In der Kreisstadt Marktoberdorf sind die 1738 auf dem Schlossberg **Marktoberdorf**
erbaute barocke Pfarrkirche, das aus dem 15. Jh. stammende Alte Rathaus mit dem Heimatmuseum sowie das Paul-Röder-Museum mit seinen wertvollen Stilmöbeln sehenswert.

►dort   **Kempten**

Bei Altusried, einem aus fünf Dörfern und mehr als 150 Einzelhöfen **Altusried**
bestehenden ländlichen Erholungsort an der Iller, lockt vor allem der
Illerdurchbruch viele Besucher an. Der Fluss hat hier ein wildroman- ✴
tisches Durchbruchstal mit einer mehr als 70 m hohen Steilwand ge- ◄ Illerdurchbruch
schaffen.

Die Altstadt von Isny, 26 km westlich von Kempten, ist von einem ✴
mittelalterlichen Mauerring umgeben. Beachtung verdienen in der **Isny**
ehemals Freien Reichsstadt der schlanke Blaserturm am Markt, das

▶ ALLGÄU ERLEBEN

AUSKUNFT

**Tourismusverband
Allgäu/Bayerisch-Schwaben**
Postfach 102529, 86150 Augsburg
Tel. (0 18 05) 12 70 00, Fax 13 70 00
www.allgaeu.de

ESSEN

▶ Erschwinglich

Adler
Obere Dorfstraße 4,
88239 Wangen-Deuchelried
Tel. (0 75 22) 70 74 77
Gepflegtes Gasthaus im Zentrum der
Stadt bei der Kirche, schmackhafte
gutbürgerliche Küche.

Sonnenbüchel
Beim Städtischen Freibad,
86825 Bad Wörishofen
Tel. (0 82 47) 95 99 00
Hübsches, gemütliches Lokal mit
zünftiger »Kachelofen-Atmosphäre«
und einer sehr beachtenswerten
regionalen Küche.

▶ Preiswert

Krone
Bahnhofstraße 13, 88316 Isny
Tel. (0 75 62) 24 42
In dem behaglichen Gasthof werden
Sie mit typisch schwäbischen Gericht-
en bewirtet.

Brauereigasthof Mohren
Wangener Straße 1, 88299 Leutkirch
Tel. (0 75 61) 91 39 70
Allgäuer Filettopf und Versoffene
Jungfer – das urige Lokal verwöhnt
Gäste mit regionalen Spezialitäten.

ÜBERNACHTEN

▶ Luxus

Fontenay
Eichwaldstraße 8–12,
86825 Bad Wörishofen
Tel. (0 82 47) 30 60, Fax 30 61 85
www.hotel-fontenay.de
Attraktives Kur- und Ferienhotel, sehr
komfortable Zimmer und luxuriöse
Suiten, klassisch-elegantes Restaurant.

▶ Komfortabel

Landgasthof Mohren
Bodenseestraße 7,
88239 Wangen-Neuravensburg
Tel. (0 75 28) 95 00
www.landgasthof-mohren.de
Ruhig gelegenes Haus, hübsche und
bequeme Zimmer. Im rustikalen Restaurant werden Spezialitäten aus der
schwäbisch-allgäuer Küche serviert.

Alpenhotel Krone
Tiroler Straße 29, 87459 Pfronten
Tel. (0 83 63) 6 90 50, Fax 6 90 55 55
www.alpenhotel-krone.de
Alttraktiver Alpengasthof mit zeitge-
mäßem Komfort, wohnliche, modern
eingerichtete Zimmer mit hübschem
Parkett, ländliches Restaurant.

▶ Günstig

Leitner
Neugablonzer Straße 68,
87600 Kaufbeuren
Tel. (0 83 41) 33 44, Fax 87 46 70
Im Zentrum der Stadt, mit einfachen,
aber gepflegten Zimmern und gemütlichem, rustikalen Restaurant.

Ganz frisch schmeckt er am besten: Käserei in Stiefenhofen

im 17. Jh. in der Wassertorstraße erbaute Rathaus und die 1288 im romanischen Stil errichtete Nikolauskirche mit ihrer Predigerbibliothek. Der Wassertorturm neben dem Gotteshaus beherbergt das **Heimatmuseum**.

Etwa 6 km östlich von Isny erhebt sich der Schwarze Grat, mit 1118 m der **höchste Punkt des württembergischen Allgäus**. Er bietet eine herrliche Aussicht.

 ◀ Schwarzer Grat

Zwischen den Dörfern Maierhöfen und Grünenbach hat sich im Laufe von Jahrtausenden eine wildromantische Schlucht ins Gestein gegraben. Der Eistobel ist mit seinen Wasserfällen im Sommer und bizarren Eisformationen im Winter eine Augenweide für Geologen, Tier- und Pflanzenfreunde.

★ ◀ Eistobel

Deutsche Alpenstraße (Westabschnitt)

Die 500 km lange Deutsche Alpenstraße stellt eine West-Ost-Verbindung vom Bodensee durch die Allgäuer und Bayerischen Alpen zum Königssee im Berchtesgadener Land her. **Herrliche Ausblicke** auf die Allgäuer Alpen begleiten den Westabschnitt zwischen Lindau (▶ Bodensee) und ▶ Füssen. Die attraktivsten Orte an dieser Strecke sind nachfolgend beschrieben.

Immer der Nase nach dürften Sie nach Lindenberg gelangen. Denn hier produziert eine der **größten Käsereien Deutschlands**. Aber auch die Hutfabrikation hat in Lindenberg eine lange Tradition, wie man anschaulich im **Hutmuseum** westlich der Pfarrkirche erfährt.

Lindenberg im Allgäu

Oberstaufen

Vor allem wegen der Schroth-Kuren ist Oberstaufen einer der meist-besuchten Kurorte des Allgäus. Sehenswert sind das Heimatmuseum mit komplett eingerichteter Sennerei aus dem 19. Jh. sowie die Pfarr-kirche mit einer Kreuzigungsgruppe aus dem 15. Jh. Südlich ober-halb liegt auf 861 m Höhe das **Skidorf Steibis** am Imberg (Sessellift).

✳
Hoher Häderich,
Hochgrat ▶

Zwei sehr lohnende Gipfelziele der Allgäuer Voralpen sind der Hohe Häderich südwestlich von Steibis und der Hochgrat südöstlich von Steibis, dessen Gipfel man auch per Seilbahn erreicht.

Immenstadt

Immenstadt, ein **alter Salzhandelsstützpunkt** am Fuß des Immen-städter Horns, 16 km östlich von Oberstaufen, ist heute trotz seiner Industrieansiedlungen auch ein lebhafter Fremdenverkehrsort. Am Marienplatz im historischen Stadtkern stehen das 1620 vollendete spätgotische Schloss mit schönem Rittersaal sowie das 1640 erbaute Rathaus. Die barocke Pfarrkirche St. Nikolaus besitzt schöne Fresken und gotische Plastiken. Die Entwicklung der Stadt stellt das Museum Hofmühle dar.

Ein beliebtes Ausflugsziel nahe Immenstadt ist der 1452 m hohe Mit-tag, den man bequem per Sessellift erklimmen kann. Westlich von Immenstadt breitet sich der 3 km lange, von Wassersportlern ge-schätzte **Große Alpsee** aus, den das 1450 m hohe Gschwendner Horn überragt. In Bühl am Alpsee sollte man die Kirche St. Stephan und die Loretokapelle (beide 17. Jh.) besuchen.

Im **Freilicht-Bergbauernmuseum** in Diepolz nördlich von Immen-stadt dreht sich alles um die Arbeit auf der Alm und um die Milch-wirtschaft.

Von der Jochstraße blickt man weit ins Tal auf Hindelang und Bad Oberdorf.

Beachtenswert in Sonthofen sind die 1891 erneuerte Stadtpfarrkirche **Sonthofen**
St. Michael, der Marktplatz mit dem Alten und Neuen Rathaus sowie
ein als »Heimathaus« hergerichtetes altes Bauernhaus mit volkskund-
licher Ausstellung. Südöstlich außerhalb der Stadt ließen 1935–1941
die Nationalsozialisten die düster wirkende **»Ordensburg«** erbauen,
heute Sitz einer Bundeswehrschule. Am östlichen Stadtrand erhebt
sich der Kalvarienberg, an dessen Fuß ein Soldatenfriedhof mit Gedenkstätte angelegt ist. Nordöstlich von Sonthofen ist die wildro- ◀ **Starzlachklamm**
mantische Starzlachklamm ein gern besuchtes Wanderziel. Ebenfalls ✳
nordöstlich erhebt sich der bei Skiläufern beliebte Grünten mit sei- ◀ **Grünten**
nem weithin sichtbaren Sendemast. Von dem 1738 m hohen Berg,
der auch als **»Wächter des Allgäus«** bekannt ist, reicht der Blick bei
günstiger Witterung bis zur Zugspitze und zum Säntis.
Einige Fahrminuten südlich von Sonthofen erreicht man die vor der ◀ **Fischen**
überwältigenden Kulisse der höchsten Gipfel der Allgäuer Alpen ge- **Oberstdorf**
legenen Ferienorte Fischen und Oberstdorf. Von hier lohnt ein Ab- **Kleinwalsertal**
stecher ins Kleinwalsertal unbedingt (▶Oberstdorf, Kleinwalsertal).

Etwa sieben Kilometer trennen Sonthofen von dem bekannten Kli- **Hindelang**
makurort und Wintersportplatz Hindelang. Früher war Hindelang
wichtige Zwischenstation an der Salzhandelsstraße, die von Hall in
Tirol kommend über das Oberjoch
weiter an den Bodensee bzw. nach
Oberschwaben führte. Sehenswert
ist das Rathaus mit seiner barocken
Hochzeitskapelle, das im 17. Jh.
Jagdschloss der Fürstbischöfe von
Augsburg war. Das »Haus mit den
drei Kugeln« beherbergte einstmals
die Hindelanger Salzfakturei. Ein
lohnendes Wanderziel ist das südlich von Hindelang gelegene **Naturschutzgebiet Rettenbachtal**. Im
Ortsteil Bad Oberdorf erholt man
sich im Luitpoldbad (Moor- und

! *Baedeker* TIPP

Viehscheid

Immer ein großes Ereignis im Allgäuer Jahreslauf
ist der Alpabtrieb, wenn die Rinder von den
Sommerweiden zurück in den Stall getrieben
werden, um dort den Winter zu verbringen. Dazu
werden die Tiere prächtig geschmückt, und
besonders schön tut man das zum Immenstädter
Viehscheid in der dritten Septemberwoche.

Schwefelbäder). Die Pfarrkirche von Bad Oberdorf hat einen berühmten, 1519 von Jörg Lederer geschaffenen »Hindelanger Altar«
sowie eine 1493 von Hans Holbein d. Ä. gemalte Madonna.

Sehr zu empfehlen ist die Weiterfahrt auf der kurvenreichen Joch- ✳
straße nach Oberjoch. Denn von dort aus bietet sich ein hervorra- **Jochstraße**
gender Blick auf die imposante Kulisse der Allgäuer Alpen: Imberger
Horn, Iseler, Breitenberg, Nebelhorn und Großer Daumen breiten
sich vor dem Betrachter aus.

Knapp 4 km hinter Oy-Mittelberg, an der B 309, liegt der Luftkur- **Nesselwang**
und Wintersportort . Als besonders **schneesicher** gelten seine »Hausberge« Edelsberg (1629 m) und Alpspitze (1575 m). Die Besichtigung

! Baedeker TIPP

Zauberwelt

Sicher, es ist natürlich ein Kutschenmuseum, was Martin Weber in Hindelang-Hinterstein in einer Scheune zusammengetragen hat. Aber es ist auch eine Zauberwelt, denn rund um die Gefährte hat er allerlei Flohmarktkram – ausgestopfte Tiere, kostümierte Puppen etc. – drapiert, und das Ganze wird untermalt von sphärischen Klängen. Lassen Sie sich verzaubern! (Ortsende von Hinterstein; tgl. 8.00–20.00 Uhr).

der barocken Wallfahrtskirche Maria Trost erfordert einen knapp einstündigen Spaziergang. Ebenfalls nur zu Fuß erreicht man die heutige Ruine Nesselburg, im frühen 13. Jh. erbaut und 1595 abgebrannt.

Die Gemeinde **Pfronten** besteht aus nicht weniger als 13 Siedlungen, die im weiten Tal der Vils nahe der Grenze zu Österreich (Tirol) verstreut liegen. Die überaus reizvolle Umgebung sowie die vielen Kur- und Erholungseinrichtungen haben Pfronten zu einem **beliebten Ferienort** werden lassen. Wahrzeichen der Stadt ist die spätbarocke Pfarrkirche St. Nikolaus im Ortsteil Berg mit ihrem schlanken, hohen Turm. Die Fresken stammen von dem einheimischen Künstler Josef Anton Keller.

✳ Burgruine Falkenstein ► Östlich oberhalb von Pfronten-Steinach thront die Ruine der 1646 zerstörten Burg Falkenstein 1284 m auf steilem Fels. Im 19. Jh. wollte »Märchenkönig« Ludwig II. hier oben ein weiteres Prunkschloss errichten lassen, das jedoch nur Modell-Stadium erreichte. Weiter südlich erhebt sich der 1987 m hohe Aggenstein (Naturschutzgebiet), ebenfalls ein herrlicher Aussichtspunkt.

✳ Aggenstein ►

Füssen ►dort

Altenburg

Atlasteil: S. 39 • C 3	**Bundesland:** Thüringen
Höhe: 180–230 m ü. d. M.	**Einwohnerzahl:** 44 000

Altenburg, einst Kaiserpfalz und Residenzstadt, hat ansehnliche Baudenkmäler und Kunstschätze zu bieten. Berühmt ist es aber vor allem als »Skatstadt«, denn 1810 wurde das Spiel hier erfunden.

Geschichte Altenburg, rund 45 km südlich von ►Leipzig, wurde 976 erstmals urkundlich erwähnt. Die Stadt entstand im Schutz einer Burg als Marktsiedlung niedersächsischer Kaufleute. 1180 von Stauferkaiser Friedrich I. Barbarossa zur **Reichsstadt** und Residenz erhoben, wurde die Burg zur Kaiserpfalz. Als die Macht der Staufer schwand, gelangte die Stadt 1328 in die Hand der Markgrafen von Meißen. 1603–1672 und 1826–1918 war Altenburg Hauptstadt des Herzogtums Sachsen-Altenburg, 1518–1929 Hauptstadt des Freistaats Sachsen-Altenburg. 1990 wurde die Stadt an Thüringen angeschlossen.

◉ ALTENBURG ERLEBEN

AUSKUNFT

Touristeninformtion
Moritzstraße 21, 04600 Altenburg
Tel. (0 34 47) 55 18 38, Fax 51 99 94
www.altenburg-tourismus.de

ESSEN

▶ Erschwinglich

Mittelalterliche Erlebnisschänke
Johann-Sebastian-Bach-Straße 11,
04600 Altenburg
Tel. (0 34 47) 31 35 32
Hier erleben Sie eine Zeitreise ins
Mittelalter – deftig-derbe Rittermahle
samt zünftiger Unterhaltung.

Ratskeller
Markt 1, 04600 Altenburg
Tel. (0 34 47) 31 12 26
In dem traditionsreichen Gewölbekel-
ler werden Sie mit schmackhaften
regionalen Gerichten verwöhnt.

ÜBERNACHTEN

▶ Komfortabel

Parkhotel am großen Teich
August-Bebel-Straße 16–17,
04600 Altenburg
Tel. (0 34 47) 58 30, Fax 58 34 44
www.success-hotels.de
Modernes, zweckmäßiges Haus im
Herzen der Stadt, heimische Küche im
Restaurant.

▶ Günstig

Engel
Johannisstraße 27, 04600 Altenburg
Tel. (0 34 47) 5 65 10, Fax 56 51 14
www.hotel-engel-altenburg.de
In der Nähe des historischen Marktes
gelegen, bietet das Haus zeitgemäße
Zimmer, die mit viel Liebe zum Detail
eingerichtet wurden. Im Restaurant
genießen Sie gutbürgerliche thüringische und sächsische Küche.

Trubel herrscht beim Skatbrunnenfest in Altenburg.

Im Spielkartenmuseum von Altenburg

Sehenswertes in Altenburg

Schloss
Das Schloss steht auf einem Porphyrfelsen nordöstlich des Stadtkerns. Eine geschwungene Auffahrt (1725) mit zwei Obelisken führt zum Triumphtor (1742–1744). Durch den Glockenturm betritt man den geräumigen Schlosshof mit dem Neptunbrunnen und der Pferdeschwemme. Vom Hausmannsturm aus hat man einen schönen Rundblick. Die »Flasche«, ein Mantelturm, der einst als Burgverlies diente, stammt aus dem 11. Jh., die Renaissancegalerie aus dem Jahre 1604. Ansonsten ist das Schloss im Wesentlichen durch die Umbauten aus dem 18. Jh. geprägt. Im Inneren verdienen unter den prunkvollen Räumen vor allem der Festsaal mit dem Deckengemälde »Amor und Psyche« (K. Moosdorf) und der Bachsaal mit Deckengemälden zur wettinischen Geschichte Beachtung. Das **Schlossmuseum** umfasst neben einer ostasiatischen und einer Meißner Porzellansammlung sowie einer Waffensammlung natürlich auch ein Spielkartenmuseum mit einer Kartenmacherwerkstatt von 1600. In der Schlosskirche (nach 1444) befindet sich eine Orgel von H.G. Trost (1738), auf der Johann Sebastian Bach im Jahre 1739 spielte. Sie erklingt im Sommer bei Orgelkonzerten.

Schlosspark mit Museen
Über den H.-Gottfried-Trost-Weg kommt man in den weitläufigen, 400 Jahre alten Schlosspark, der nordöstlich an das Schloss anschließt. Hier passiert man zunächst das Teehaus, einen Rokokopavillon und die Orangerie (1712). Am nördlichen Ende des Parks steht – nahe dem Lindenau-Museum (s. Baedeker-Tipp) das naturkundliche Museum **»Mauritianum«**, das vor allem die heimische Tierwelt (Vögel, Kleinsäuger, Insekten) dokumentiert.

Brühl
Unterhalb des Schlosses steht am Theaterplatz das 1869 bis 1871 errichtete Landestheater, ein viergeschossiger runder Neorenaissance-

bau. Hinter dem Theater öffnet sich der Brühl, **der älteste Markt-platz von Altenburg**. An seiner Südseite fällt das barocke Secken-dorffsche Palais (1724/1725) auf; gegenüber verdient das ehemalige Regierungsgebäude von 1604 we-gen seiner außergewöhnlichen Mo-deldecke – d. i. gestempelter Stuck – Beachtung.

Überquert man die südlich des Brühl verlaufende Burgstraße und biegt in die Sporenstraße ein, steht man auf dem großen, von schönen alten Bürgerhäusern umrahmten

! **Baedeker** TIPP

Lindenau-Museum

Als wahres Kleinod entpuppt sich das Lindenau-Museum im Altenburger Schlosspark. Denn die von Bernhard August von Lindenau (1779–1854) zusammengetragene Sammlung frühitalienischer Malerei mit 180 Tafelbildern des 13.–16. Jh.s zählt zum Feinsten, was es auf diesem Gebiet in Deutschland zu sehen gibt. Dazu kommt noch ein sehr schönes Museumscafé inmitten der Abgusssammlung antiker Plastiken (Öffnungs-zeiten: tgl. außer Mo. 10.00–18.00 Uhr).

Markt. Beherrscht wird er vom Renaissance-Rathaus (1562/1564) nach Plänen von Nikolaus Grohmann. Der Backsteinbau der Brüder-kirche (1901/1904) mit einem großen Wandmosaik schließt den Markt nach Westen ab.

Die Roten Spitzen, ein romanischer Ziegelbau mit einem spitzen und einem geschweiften Turm, ragen hinter der östlichen Marktfront auf. Sie sind Reste der Kirche eines **Augustiner-Chorherren-Stiftes** aus dem Jahr 1172.   **Rote Spitzen**

Sehenswert ist auch das Nikolaiviertel, ein malerisches altes Stadt-viertel, das sich südlich an den Altenburger Markt anschließt. Vom Nikolaiturm (12. Jh.) auf dem Nikolaikirchhof hat man einen schö-nen Blick über die Stadt. Man erreicht das Viertel vom Markt aus über die Moritzstraße, die am Topf- und Kornmarkt vorbei auf den Rossmarkt stößt.   **Nikolaiviertel**

Südöstlich des Nikolaiviertels dehnt sich der Große Teich aus. Auf seiner Insel befindet sich ein **Kleintierzoo**, dahinter liegt der Volks-park mit einer Schwimmhalle. Am Talhang und auf der Höhe er-streckt sich der Stadtwald mit dem Turm der Jugend.   **Volkspark**

Umgebung von Altenburg

Altenburg ist das Herz des Altenburger Landes, einer sanften Hügel-landschaft mit Tälern, Fluss- und Bachläufen, Seen, Landschafts-schutzgebieten, Burgen, Schlössern und idyllischen Dörfern. 7 km nördlich von Altenburg steht in Windischleuba an Stelle einer ehe-maligen Wasserburg aus dem 14. Jh. jetzt ein Schloss, heute Jugend-herberge. Hier wohnte der **Balladendichter Börries von Münchhau-sen** (1874–1945). Nördlich von Windischleuba liegt das Naherho-lungsgebiet am Pleiße-Stausee (165 ha).   **Altenburger Land**

Schmölln ► Schmölln, 13 km südlich von Altenburg, war Zentrum der **Knopfindustrie**. Davon berichtet das Knopf- und Regionalmuseum. Südlich
Burg Posterstein ► von Schmölln, jenseits der A 4, liegt die im 12. Jh. begonnene Burg Posterstein, deren Museum Ausstellungen zur Burggeschichte und auch über den Musenhof Löbichau der Herzogin von Kurland zeigt.

Altmark

Atlasteil: S. 18 • A/B 4   **Bundesland:** Sachsen-Anhalt
und S. 29 • A/B 1

Die Altmark besticht durch eine fast unberührte Landschaft mit malerisch gelegenen Dörfern und Städten. Ihre leichten, sandigen Böden werden land- und forstwirtschaftlich genutzt. Geschlossene Waldgebiete erstrecken sich im Südteil der Altmark, in der Colbitz-Letzlinger Heide.

Zwischen Elbe
und Lüneburger
Heide

Die Altmark liegt nördlich von Magdeburg und wird nach Osten und Norden von der Elbe begrenzt. Im Nordwesten stößt sie an das Wendland in Niedersachsen, im Westen an die Lüneburger Heide.
Das ehemalige Grenzgebiet hat eine Ausdehnung von ca. 80 km in nordsüdlicher und 70 km in westöstlicher Richtung. Der Oberflächengestalt nach ist die Altmark ein teils ebenes, teils flachwelliges Gebiet mit ausgedehnten feuchten Niederungen; prägend für die Landschaft ist auch das Elbtal im Norden und Osten.

Stendal und Umgebung

✳
Stendal

Stendal, die größte Stadt der Altmark, ist das **Wirtschafts- und Kulturzentrum** der Region. Hier wurde Johann Joachim Winckelmann (1717–1768) geboren, der Begründer der modernen Kunstwissenschaft und Archäologie.
Den Stendaler Marktplatz in der Altstadt bestimmt das Ensemble aus Marienkirche, Rathaus und Roland. Das gotische Rathaus mit seinen Staffel- und Schweifgiebeln ist ein Kleinod aus dem 14. Jh. und wurde später mehrfach verändert. Das Leben in Stendal spielt sich vornehmlich in der Breiten Straße ab, die von zahlreichen Backsteinbauten mit prachtvollen Giebeln gesäumt ist.
Am Domplatz erhebt sich St. Nikolai (1423–1467), ein klassisches Beispiel **mittelalterlicher Backsteingotik**, in dem sich als größter Schatz ein spätgotischer Glasgemäldezyklus (Leben Christi und Heiligenlegenden) befindet. Gegenüber liegt das 1456 gegründete ehemalige Katharinenkloster. Von den spätgotischen Gebäuden sind neben der Klosterkirche noch Reste des Süd- und des Westflügels der Klausur sowie ein kleiner schmaler Kreuzgang vorhanden. Dort ist jetzt das Altmärkische Museum zu Geschichte und Kultur der Altmark

Stadtansicht des denkmalgschützten Tangermünde mit Rathaus und Schrotturm

untergebracht. Wenig weiter trifft man auf das Tangermünder Tor (1220), einen der zwei von der mittelalterlichen Stadtbefestigung erhaltenen Tortürme. Im Geburtshaus Johann Joachim Winckelmanns (Winckelmannstraße 36) ist ein Museum eingerichtet, das sein Leben und sein Werk dokumentiert. Das zweite erhaltene Stadttor, das Uenglinger Tor aus dem 15. Jh. im Nordwesten der Altstadt, ist eines der **schönsten Backsteintore Norddeutschlands.**

Arneburg

Arneburg, 11 km nordöstlich von Stendal am Steilufer der Elbe gelegen, ist eine der ältesten Siedlungen der Altmark. Der Marktplatz wird von sog. Ackerbürgerhäusern eingerahmt; im Rathaus befindet sich das Heimatmuseum. Vom Burgberg, auf dem nur noch Reste der ehemals mächtigen Burganlage zu sehen sind, hat man einen schönen Blick in das Elbtal.

Tangermünde und Umgebung

Tangermünde

Das mittelalterliche Stadtbild von Tangermünde ist noch weitgehend erhalten; Bauwerke der Backsteingotik und Fachwerkhäuser prägen das Gesicht der Innenstadt, die **unter Denkmalschutz** steht.
Nahezu vollständig erhalten ist die mittelalterliche Stadtbefestigung: die Stadtmauer aus Backstein (um 1300) mit Wiekhäusern und Türmen, darunter der stattliche Schrotturm.
Ein bedeutender Bau der Backsteingotik ist das Rathaus (um 1430), dessen Schaugiebel mit reichem Filigranwerk geschmückt ist. Über die Kirchstraße und die Lange Straße kommt man an zahlreichen

✷
◄ Rathaus

Fachwerkhäusern (17. Jh.) mit teilweise schmuckreichen Portalen vorbei. Am Ende der Langen Straße liegt die Kirche St. Stephan, ein spätgotischer Backsteinbau mit Renaissancekanzel von 1619 und Taufkessel von 1508.

Außerhalb der Stadtmauern stehen dicht am Steilrand der Elbe die **Überreste der Burg**; sie wurde nach 1373 von Kaiser Karl IV. neu ausgebaut, im 15. Jh. verändert und – nachdem sie 1640 niedergebrannt war – 1902 historisierend ergänzt. Nordwestlich der Burg thront auf der Höhe die spätgotische Kapelle St. Elisabeth, eine einstige Spitalkapelle, nun Konzert- und Ausstellungshalle.

* *
Klosterkirche Jerichow

Jerichow, östlich der Elbe, ist wegen seiner **Klosterkirche** berühmt, ein meisterhafter spätromanischer Backsteinbau und zugleich der älteste der Altmark. Sie ist Teil des 1144 gegründeten Prämonstratenserklosters. In der zweischiffigen Krypta ist an einem Pfeiler das Sandsteinrelief, das die Marienkrönung zeigt, besonders beachtenswert (14. Jh.). Südlich der Kirche liegen Reste des Klosters. Die spätromantische Pfarrkirche von Jerichow besitzt ein bemerkenswertes Wandepitaph von Arnstedt (1609).

Krumke

In Krumke fühlen sich Pflanzenkundler besonders wohl. Denn im englischen Park faszinieren **seltene Baumarten**, eindrucksvolle Rhododendronbestände, Buchsbaumhecken und Sumpfzypressen am Parkteich.

Idyllisch gibt sich die Elblandschaft in der Altmark (hier bei Arneburg).

Eine Fläche von rund 540 ha nimmt der Arendsee, die **»Perle der** ✱
Altmark«, ein, der 15 km westlich von Seehausen liegt. Die Land-　**Arendsee**
schaft mit ihren Seen und Wäldern ist das am stärksten besuchte Erholungsgebiet der Region. Ein Wanderweg am Seeufer entlang beginnt am Parkplatz beim Strandbad.

Im Luftkurort Arendsee sind ein ehemaliges Benediktinerkloster mit
einer spätromanischen Pfeilerbasilika und Fachwerkhäuser aus der
ersten Hälfte des 19. Jh.s sehenswert. Das im Spätmittelalter
(1184–1210) errichtete Kloster liegt hoch über dem See.

Salzwedel und Umgebung

Salzwedel, die zweitgrößte Stadt der Altmark, liegt am Zusammen-　✱
fluss von Dumme und Jeetze westlich des Arendsees. Die sehenswer-　**Salzwedel**
ten Fachwerkbauten der mittelalterlichen Stadt zeugen noch heute
von ihrer Bedeutung als Hansestadt (1263–1518).

Von der **ehemaligen Burg**, 1112 erstmals urkundlich erwähnt, sind
der Bergfried, ein mächtiger Rundturm aus Backstein (vermutlich
aus dem 12./13. Jh.) und Reste der Burgkapelle St. Anna erhalten.
Bemerkenswert sind die noch vorhandenen Teile der Stadtmauer
(14./15. Jh.), vor allem im Westen
und Süden (Park des Friedens). Bei
Restaurierungsarbeiten der St.-Ka-
tharinen-Kirche wurden 1983 wertvolle Wandmalereien entdeckt, die
Teile der mittelalterlichen Stadt
zeigen. Unweit der St.-Lorenz-Kir-
che steht das altstädtische Rathaus
(16. Jh.), eine spätgotische Zweiflü-
gelanlage mit Staffelgiebeln und
Türmchen (heute Kreisgericht).
Westlich der St.-Lorenz-Kirche erreicht man ein stattliches Barockgebäude (Jenny-Marx-Straße 20),
das Geburtshaus der **Jenny von**

 Baedeker TIPP

Baumkuchen

Baumkuchen aus Salzwedel ist Legende. Er soll
urkundlich erstmals 1682 erwähnt worden sein.
Wie man ihn macht – am offenen Feuer, ständig
mit Teig begossen –, kann man in der Ersten
Baumkuchenbäckerei Salzwedel verfolgen, wo
nach dem Originalrezept des Firmengründers von
1807 gebacken wird (St.-Georg-Straße 87,
29140 Salzwedel, Tel. 0 39 01/3 23 06).

Westphalen (1814–1881), der Lebensgefährtin von Karl Marx; es ist
heute ein Museum. Die ursprünglich spätromanische Pfarrkirche
St. Marien (12. Jh.; 1450–1468 spätgotisch umgestaltet) ist eine fünfschiffige Backsteinbasilika mit Kreuzrippengewölben und spätgotischer Innenausstattung. In der ehemaligen Propstei befindet sich das
Museum des Historikers Johann Friedrich Danneil († 1868 in Salzwedel). Hier werden neben Exponaten zur Ur- und Frühgeschichte
der Altmark auch Kostbarkeiten wie die **Salzwedler Madonna**
(13. Jh.) und ein Altarbild von Lucas Cranach d. J. (1582) gezeigt. Sehenswert sind auch die mit reichem Fachwerk verzierten Bürgerhäuser, darunter das Hochständerhaus (Schmiedestraße 30). Zu den
schönsten Bauten der Stadt gehört das **Ritterhaus** (Radestraße 9) mit
seinem reichen Renaissanceschnitzwerk.

▶ ALTMARK ERLEBEN

AUSKUNFT

Fremdenverkehrsverband Altmark
Marktstraße 13, 39590 Tangermünde
Tel. (0 39 22) 34 60, Fax 4 32 33
www.altmarktourismus.de

ESSEN

▶ Erschwinglich
Hotel Restaurant
Schloss Tangermünde
Auf der Burg, Amt 1,
39590 Tangermünde
Tel. (0 39 22) 73 73
Das schöne Restaurant auf der alten
Burg wird für altmärkische Speisen
und internationale Klassiker geschätzt.

▶ Preiswert
Kartoffelhaus im Ratskeller
Kornmarkt, 39576 Stendal
Tel. (0 39 31) 79 50 50
Nomen est omen – im Keller des Rat-
hauses gibt es raffinierte Kartoffelge-
richte und märkische Spezialitäten.

Zur Grünen Laterne
Hallstraße 73, 39576 Stendal
Tel. (0 39 31) 21 57 59
In der Nähe des Marktes werden Sie in
der ältesten Bier- und Weinstube
Stendals, um 1790 erbaut, mit deftiger
Hausmannskost bewirtet.

ÜBERNACHTEN

▶ Komfortabel
Altstadt-Hotel
Breite Straße 60, 39576 Stendal
Tel. (0 39 31) 6 98 90, Fax 69 89 39
www.altstadthotelstendal.de
Im Herzen des Städtchens liegt dieses
charmante Hotel mit wohnlichen
Zimmern und modernem Restaurant.

Ringhotel Schwarzer Adler
Lange Straße 52,
39590 Tangermünde
Tel. (0 39 22) 9 60, Fax 36 42
www.schwarzer-adler-tangermünde.de
In dem historischen Landhotel, dessen
Ursprünge auf das Jahr 1632 zurückgehen, erwarten Sie schick eingerichtete Zimmer im Landhausstil und ein
gediegenes Restaurant. Gemütlich-
rustikal geht's im Kutscherstübchen
zu.

▶ Günstig
Union
Goethestraße 11, 29410 Salzwedel
Tel. (0 39 01) 42 20 97, Fax 42 21 36
www.hotel-union-salzwedel.de
Alteingesessenes Hotel an der mittel-
alterlichen Stadtmauer, hochwertig
eingerichtete Zimmer, Restaurant im
Tiroler Stil, Sauna im Haus.

Gardelegen und Umgebung
Eine Stadtbesichtigung von Gardelegen sollte am Rathaus (1526 bis
1552) mit dem offenen Laubengang im Erdgeschoss vorbeiführen.
Ferner sind das Salzwedeler Tor, der einzige Rest der Stadtbefestigung, mit den zwei mächtigen Rundbastionen und der Renaissancebau des ehemaligen Hospitals St. Spiritus (1591) sehenswert. An die
spätromanische fünfschiffige Hallenkirche Sankt Marien (um 1200)
wurde im 14. Jh. ein gotischer Chor angebaut. Die Kirche hat eine
sehr reiche Ausstattung aus dem 15. und 16. Jh. Vor den Toren der
Stadt erinnert die **Gedenkstätte »Isenschnibber Feldscheune«** an die

am 13. April 1945 von der SS lebendig verbrannten 1016 Häftlinge des zum Thüringer KZ »Mittelbau Dora« gehörenden Außenlagers Rottleberode.

Die im 12. Jh. angelegte Stadt Haldensleben liegt 40 km nordwestlich von Magdeburg am Südrand der Altmark. Beim 1703 erbauten Rathaus am Markt steht eine Kopie des reitenden Rolands. Die Pfarrkirche St. Marien wurde im 14./15. Jh. erbaut und nach einem Stadtbrand 1665 stark verändert. ◀ Haldensleben

Von der Stadtbefestigung sind noch das Bülstringer und das Stendaler Tor erhalten. Das wertvollste Exponat des Kreismuseums im Breiten Gang ist ein Gemälde von Lucas Cranach d. Ä. Im Haldenslebener Forst im Westen des Ortes befindet sich ein reiches **prähistorisches Großsteingräbergebiet**.

Wendland

Nördlich von Salzwedel schließt sich an die Altmark das Wendland mit den mittelalterlichen Städtchen Hitzacker, Dannenberg, Lüchow und Schnackenburg an. In diesem Idyll an der Elbe finden sich noch zahlreiche Beispiele der Siedlungsform des **Rundlingsdorfs**, bei der alle Höfe mit den Stirnseiten einen großen Dorfplatz umschließen. Ein touristischer Vorzeige-Rundling ist Lübeln mit Multimedia-Museum. Die Elbuferstraße, die östlich von Hamburg beginnt, hat einen besonders schönen Abschnitt im Wendland zwischen Jasebeck und Damnatz. **Idyll an der Elbe**

✳ Altmühltal

Atlasteil: S. 54 • A/B 1/2   **Bundesland:** Bayern

Das Altmühltal, besonders in seinem unteren Abschnitt landschaftlich überaus reizvoll, ist ein Paradies für Paddler. Da der Rätische Limes von der Fränkischen Alb, das Altmühltal kreuzend, zur Donau führte, stößt man in dieser Gegend vielfach auf Reste römischer Legionslager und Siedlungen.

Die Altmühl, ein linker Nebenfluss der Donau, entspringt auf der Frankenhöhe und fließt durch das Keuperland der Fränkischen Alb, die sie in einem felsenreichen Tal durchbricht, um dann bei Kelheim in die Donau zu münden. **Nebenfluss der Donau**

Eichstätt

Eichstätt, im Naturpark Altmühltal am Fuß der Fränkischen Alb, wird von der mächtigen **Willibaldsburg** überragt. Keltische Funde weisen auf eine frühe Besiedlung dieser Gegend hin. **Bischofsstadt**

Das Hauptschiff des Eichstätter Doms

Der hl. Willibald, ein Angelsachse und Gehilfe des hl. Bonifatius, gründete 741 in »Eihstat« ein Missionskloster. Mit dem Wirken seiner Schwester Wallburga entfaltete sich Eichstätt zu einem Wallfahrtsort. 1634 brannten große Teile der Stadt nieder. Seit 1980 ist Eichstätt Sitz der einzigen katholischen Universität im deutschsprachigen Raum.

✳ ✳
Dom

Das Zentrum der mittelalterlichen Stadt bildet der Dom St. Salvator, Unsere Liebe Frau und St. Willibald. Aus romanischer Zeit stammen die beiden Türme. Teile von Vorgängerbauten wurden in den Neubau der um 1350 bis 1396 errichteten **dreischiffigen gotischen Pfeilerhalle** mit einbezogen. Gabriel de Gabrieli schuf die barocke Westfassade. Am Hauptportal (Nordseite) sind Darstellungen des Marientods und der Marienkrönung zu sehen.

Im Dom kann man eine Fülle wertvoller Ausstattungsstücke bewundern. Der Westchor, der so genannte Willibaldschor, birgt in einer Marmorurne auf dem Altar die Gebeine des hl. Willibald. Im nördlichen Querschiff befindet sich der figurenreiche Pappenheimer Altar, der wahrscheinlich um 1495 vom Nürnberger Bildhauer Veit Wirsberger geschaffen wurde. An der Südostseite des Doms verläuft ein zweigeschossiger Kreuzgang mit einem zweischiffigen Mortuarium (15. Jh.), der ehemaligen Domgrablege der Domkapitelherren und anderer Geistlicher. Hier fallen neben den Grabplatten die Schöne Säule und die von Hans Holbein d. Ä. entworfenen Glasfenster an der Ostwand auf. Das Dachgeschoss des Mortuariums beherbergt das Diözesanmuseum mit der **Domschatzkammer**.

Glanzpunkt von Eichstätt ist der Residenzplatz, der durch seine barocke Einheitlichkeit zu den **schönsten Stadtplätzen Deutschlands** gehört. Blickfang ist die einem Brunnenbecken entwachsende, 16 m hohe Mariensäule. Den nördlichen Platzabschluss bildet die ehemalige fürstbischöfliche Residenz, jetzt Landratsamt.

✶ ✶
Residenzplatz

Nördlich vom Domplatz liegt der annähernd dreieckige Marktplatz, Mittelpunkt der Bürgerstadt. Sein barockes Erscheinungsbild wird vom Rathaus und vom Willibaldsbrunnen (1695) bestimmt.

Marktplatz

In der ehemaligen Klosterkirche Notre Dame de Sacré Coeur (Notre Dame 1) ist das »Informationszentrum Naturpark Altmühltal« eingerichtet. Die **Ausstellung »Natur«** zeigt in Dioramen, Schauvitrinen und Filmen die ökologischen Systeme, die für den Naturpark Altmühltal bestimmend sind. Dazu informiert sie über Sinn und Zweck des Naturparks.

Informationszentrum Naturpark Altmühltal

Außerhalb von Eichstätt erhebt sich, auf einem Felssporn über dem Altmühltal und von einem Befestigungsgürtel umgeben, das **Wahrzeichen der Stadt**, die Willibaldsburg. Sie war von 1335 bis zum 18. Jh. Residenz der Eichstätter Fürstbischöfe. Nach der Säkularisation (1803) begann der Zerfall. Heute sind in der Burg das Jura-Museum sowie ein Museum für Ur- und Frühgeschichte untergebracht. Das Jura-Museum zeigt die erdgeschichtliche Entwicklung und die Besonderheiten der südlichen Fränkischen Alb. Den Schwerpunkt bilden die 150 Millionen Jahre alten Fossilien der weltberühmten Solnhofener Plattenkalke aus dem Oberen Jura. Eine Multivisionsschau stellt die Fossilien in den größeren Rahmen der Entstehung des Lebens auf der Erde.

Willibaldsburg

✶ ✶
 ◀ Jura-Museum

NICHT VERSÄUMEN

- Skelett des Urvogels Archaeopteryx
- Aquarienraum mit »lebenden« Fossilien, wie Perlboote oder Pfeilschwänze
- im Sommer Tierfütterungen

Östlich von Eichstätt, an der Jura-Hochstraße nach Kinding, kommt man zum »Figurenfeld Eichstätt«. Der Bildhauer Alois Wünsche-Mitterecker stellte 78 Figuren in die karge Juralandschaft, die er nach eigenem Bekunden als **Mahnmal gegen Krieg und Gewalt** versteht. Als Material verwendete er Portlandzement mit Granit- und Basaltkörnern.

Figurenfeld Eichstätt

✳ Naturpark Altmühltal

Der Naturpark Altmühltal ist mit 3000 km² Fläche der **größte deutsche Naturpark**. Über 90 km zieht sich die Altmühl mit zahlreichen romantischen Nebentälern, ausgedehnten Wäldern, Wildgehegen und Lehrpfaden durch die urtümliche Schönheit dieser Flussregion. Die Stadt Eichstätt und ihr Umland bilden den Kernbereich des Na-

Urtümliche Schönheit

Der »Urvogel« Archaeopteryx, ausgestellt im Solnhofener Jura-Museum

Wandern
Radfahren
Paddeln ▶
turparks, dessen Bild geprägt ist durch den Wechsel von schroffen Felspartien mit sanften, wacholderbewachsenen Hängen. Der Naturpark Altmühltal ist eine ideale Region für Wanderungen und Radtouren. Das Gebiet ist mit einem **dichten Netz von Radwegen** durchzogen, sodass Radfahrer die landschaftlichen Schönheiten und die Sehenswürdigkeiten aus römischer Zeit leicht erreichen können. Die Gesamtstrecke des Altmühlradwegs von Gunzenhausen nach Kelheim beträgt 157 km. Schließlich ist die Altmühl auch ein sehr beliebtes (und gemächliches) Revier für Kanu- und Kajakfahrer. Entlang des Flusslaufs sind verschiedene Übernachtungs- und Campingplätze mit Anlegern für die Wasserwanderer eingerichtet; an den Wehren gibt es zumeist Bootsrutschen.

Hofstetten
Fränkische Bauernwelt präsentiert das **Jura-Bauernhof-Museum** in Hofstetten südöstlich von Eichstätt (Autobahn München–Nürnberg). Gezeigt werden alte Einrichtungen – ein gusseiserner Ofen, die »Rußkuchl« mit offenem Kamin und die »Speis« mit Geräten der bäuerlichen Wirtschaft. In der Schlafkammer steht das Himmelbett.

Römerkastell
Pfünz
Östlich von Eichstätt liegt das im 1. Jh. n. Chr. angelegte Römerkastell Pfünz. Um einen möglichst lebensnahen Eindruck von der Unterkunft der Legionäre zu geben, wurden das Nordtor und ein Eckturm originalgetreu rekonstruiert. Das Tor ist Ausgangspunkt für einen **Römer-Lehrpfad**.

Limesturm
Mitten durch Erkertshofen, einen Ort nördlich von Eichstätt, verlief einst der Limes, der vom Rhein bei Koblenz bis zur Donau bei Ei-

⏵ ALTMÜHLTAL ERLEBEN

AUSKUNFT

Tourist-Information
»Naturpark Altmühltal«
Notre Dame 1, 85072 Eichstätt
Tel. (0 84 21) 9 87 60, Fax 98 76 54
www.naturpark-altmuehltal.de

FREIZEITBUS

Die schönste Radtour wird zur Qual,
wenn man genug hat. Damit man
trotzdem zu weiter entfernten Zielen
kommt, gibt es im Altmühltal (ab
Kehlheim im Donautal) den Freizeit-
Bus. Busse der Regionalbus Augsburg
nehmen Räder mit, und zwar an den
auf den Fahrplänen rot unterlegten
Haltestellen (Auskunft: Regionalbus
Augsburg, Betrieb Ingolstadt, Tel.
0 84 58/32 49-0).

ESSEN

► Erschwinglich
Domherrnhof
Domplatz 5, 85072 Eichstätt
Tel. (0 84 21) 61 26, Fax 8 08 49

Weinfreunde werden sich über das
historische Kellergewölbe freuen, wo
erlesene Tropfen aus aller Welt lagern.

ÜBERNACHTEN

► Komfortabel
Adler
Marktplatz 22, 85072 Eichstätt
Tel. (0 84 21) 67 67, Fax 82 83
www.ei-online.de/adler
In einem herrlichen Barockbau aus
dem 17. Jh. ist dieses moderne Hotel
untergebracht. Großzügig ausgestat-
tete Zimmer, reichhaltiges Frühstück,
Sauna im Haus.

Zur Post
Bahnhofstraße 7,
91710 Gunzenhausen
Tel. (0 98 31) 6 74 70, Fax 6 74 72 22
Für fränkische Gastlichkeit der gehobenen Art ist die Reichsposthalterei
aus dem Jahr 1656 bekannt. Ländliche
Zimmer und ein behagliches Restaurant sorgen für Gemütlichkeit.

---

ning als römische Reichsgrenze Germanien durchzog. Bei Erkertshofen wurde ein steinerner Limesturm nachgebildet, von dem ein Lehrpfad zu zwei originalen Turmresten führt.

Von Eichstätt im Altmühltal aufwärts

Von Eichstätt folgt man dem windungsreichen Tal der Altmühl.
Über **Dollnstein**, einen Markt mit eindrucksvollen Befestigungsanlagen aus dem 12. Jh., der als **Altmühlübergang** entstand, erreicht
man Solnhofen.

Das Gebiet um Solnhofen ist durch den Abbau von Jurakalk, den so   **Solnhofen**
genannten Solnhofner Schiefer, bekannt geworden. Im Plattenkalk
der Steinbrüche fand man **zahlreiche Fossilien** von Pflanzen und
Tieren aus dem Jurameer, das sich vor 150 Mio. Jahren hier ausgebreitet hat. Von besonderer Schönheit sind im Ort die Reste der um
600 erbauten Sola-Basilika (mit herrlichen Rundbogenarkaden).

In einer Schleife der Altmühl folgt der Luftkurort **Pappenheim**, in dem die gotische Stadtkirche aus dem 15. Jh. und die Galluskirche, ferner das Alte (1593) und das Neue Schloss (1819/1820) beachtenswert sind. Von der Stammburg der Grafen von Pappenheim sind Reste des romanischen Bergfrieds und Mauerteile des Palas erhalten.

Einen Abstecher wert ist **Weißenburg** nördlich vom Altmühltal. Ein Mauergürtel umzieht noch in geschlossenem Ring die Stadt. Erhalten sind das Ellinger Tor, das die von Nürnberg kommende Straße einlässt, und das Spitaltor, durch das früher die Augsburger Straße führte. Aus der Römerzeit stammt der 1977 freigelegte Rest einer Thermenanlage; weitere Funde sind im Römermuseum von Weißenburg ausgestellt.

Ellingen   Das 1100 Jahre alte Ellingen, 3 km nördlich von Weißenburg, wird auch die **»Perle des Fränkischen Barock«** genannt, denn im 18. Jh. ließ Karl Heinrich Freiherr von Hornstein nicht nur das imposante Deutschordensschloss errichten, auch manch schmuckes Bürgerhaus und das Rathaus entstanden.

✶ Ammersee · Starnberger See

Atlasteil: S. 62 • A/B 1   **Bundesland:** Bayern

Schöne Ausflugs- und Urlaubsorte, bewaldete Uferhöhen und Parkanlagen säumen die Seeufer des Ammersees und des Starnberger Sees. Strandbäder laden zum Schwimmen ein, es besteht vielfältige Gelegenheit zum Rudern, Segeln und Angeln. Im Süden bietet die ferne Alpenkette eine eindrucksvolle Kulisse.

Produkt der Eiszeit   Der Ammersee liegt 35 km südwestlich von ►München im Alpenvorland und bedeckt eine Fläche von rund 47 km². Seine Entstehung verdankt er der letzten Eiszeit, die aus dem Loisachtal einen mächtigen Gletscher nach Norden vorschob. Ursprünglich war die Wasserfläche des lang gestreckten Sees fast doppelt so groß wie heute; Anschwemmungen der Ammer ließen ihn im Norden und Süden immer mehr verlanden.

Der Starnberger See oder Würmsee liegt ebenfalls südwestlich von München, östlich vom Ammersee. Der See, an dessen Nordende die Würm austritt, füllt ein von Moränenhügeln umschlossenes ehemaliges Gletscherbecken von rund 20 km Länge.

Ammersee

Auf dem Ammersee verkehren Linienschiffe zwischen den größeren   **Schifffahrt**
Orten des West- und Ostufers sowie zwischen kleineren Ortschaften
an jeweils einer Seeseite.

An der Nordspitze des Ammersees liegt Inning, ein Ort mit einer   **Inning, Wörthsee**
hübschen Rokoko-Dorfkirche. Südöstlich von Inning erstreckt sich
Oberbayerns wärmster Badesee, der Wörthsee. Auf der Insel
Wörth, nach der der See benannt wurde, steht ein kleines Schloss.
Der Pilsensee, ca. 4 km südlich des
Wörthsees, ist eine ehemalige
Bucht des Ammersees.

Der viel besuchte Ort **Herrsching**
liegt am »Herrschinger Winkel«,
der östlichen Bucht des Sees, der
hier mit 6 km seine größte Breite
erreicht. Auf einem Hügel steht die
Kirche St. Martin, das Wahrzeichen
von Herrsching. Im **archäologischen Park** sind u. a. altbayerische
Adelsgräber zu sehen.

> **! Baedeker TIPP**
>
> ### Tal der Träume
> Südwestlich von München breitet sich eine für
> Oberbayern typische Bilderbuchlandschaft mit
> saftig grünen Weiden und alten Eichen aus. Das
> Aubachtal – oft auch als »Tal der Träume«
> bezeichnet – ist ein viel besuchtes Ausflugsziel.
> Am Talende, im Schloss Seefeld der Grafen von
> Toerring, wird in ihrem Bräustüberl und hüb-
> schen Schlosshof, der im Sommer als Biergarten
> dient, bestes Bier nach alter Väter Sitte noch
> ohne Kohlensäure frisch vom Fass gezapft.

Unweit südlich von Herrsching erhebt sich der »heilige Berg« Andechs mit seinem Benediktiner-
kloster. Die Klosterkirche, ein bekanntes Wallfahrtsziel, wurde 1754   ✷
von J. B. Zimmermann im Rokokostil ausgestaltet. Das berühmte   **Andechs**
Gnadenbild der thronenden Muttergottes im Hochaltar stammt aus
der Zeit um 1500. Der Komponist Carl Orff, der seit 1955 in Dießen
lebte, ist in der Klosterkirche beigesetzt. Bekanntheit über Bayerns
Grenzen hinaus hat Andechs jedoch der **Klosterbrauerei** zu verdanken, die besonders an heißen Sommerwochenenden tausende Trink-
freudige heranströmen lässt, um hier einer durchaus gewöhnungsbe-
dürftigen Mischung aus Bierseligkeit und Frömmigkeit zu huldigen.

In Dießen am südwestlichen Ufer des Ammersees entstand im 12. Jh.   ✷
ein Augustiner-Chorherrenstift. Die Klosterkirche, heute Pfarrkirche,   **Dießen**
1732–1739 von J. M. Fischer erbaut, ist ein **Meisterwerk des bayerischen Rokoko**. Beachtung verdienen der Hochaltar von François de
Cuvilliés, die Figuren der vier Kirchenväter von Joachim Dietrich,
ein Gemälde von Giovanni Battista Tiepolo, die Stuckarbeiten von
Franz Xaver und Johann Michael Feichtmayr sowie die sehr farbenprächtigen Deckenbilder.

Südlich von Dießen steht bei Raisting eine **Satelliten-Funkstation**   **Erdfunkstelle**
mit riesigen Parabolspiegeln. Auf über 2500 Kanälen für den Fern-   **Raisting**

sprech-, Fernschreib- und Datenverkehr wird über Raisting Verbindung mit rund 50 Ländern unterhalten. Weiter im Süden begrenzen das Ammergebirge und die Benediktenwand die Seelandschaft. Bei klarem Wetter kann man von hier bis zur Zugspitze blicken.

Von Schondorf aus führt der von allen Ortschaften gut ausgeschilderte **Ammersee-Höhenweg** parallel zum Westufer des Sees südwärts nach Dießen. Er ist mittlerweile auch bei Radfahrern sehr beliebt.

Starnberger See

Starnberg An der Nordspitze des Sees steigt in Terrassen das freundliche Städtchen Starnberg an, darüber steht auf einem Hügel das ehemalige Schloss der Herzöge von Bayern (16. Jh.). In der Pfarrkirche St. Josef sind die Rokoko-Ausstattung, der von Ignaz Günther geschaffene Hochaltar und die Fresken in Chor und Langhaus beachtenswert. Im städtischen Heimatmuseum, einem Bauernhof aus dem 17. Jh., wird eine Sammlung zur Geschichte des Starnberger Raums gezeigt, ferner Gemälde und Skulpturen. Den Höhepunkt bildet die von Ignaz Günther geschaffene Skulptur einer Heiligen.

✱
Berg Am nördlichen Ostufer liegt das Dorf Berg mit dem Schlösschen gleichen Namens. Ludwig II., der berühmte bayerische Märchenkönig,

Viele Orte am Ammersee lassen sich auf erholsame Weise per Schiff erreichen.

fand hier zusammen mit seinem Begleiter, dem Arzt Dr. Gudden, den Tod. Ein Kreuz im See und eine Votivkapelle am Ufer weisen darauf hin.

Am landschaftlich reizvollen Südende des Starnberger Sees liegt Seeshaupt. Beachtenswert ist die katholische Kirche St. Michael, auf Resten aus romanischer Zeit errichtet. Südlich von Seeshaupt findet man versteckt die malerischen **Osterseen**. | Seeshaupt

Der Ort Bernried liegt am Südwestufer des Starnberger Sees inmitten von Obstgärten. In der um 1670 neu erbauten Klosterkirche St. Martin verdienen das Altarblatt und ein Flügelaltar aus der Zeit um 1500 Beachtung. | Bernried

Nach jahrelangem Streit um den Standort hat sich im Mai 2001 mit der Eröffnung des **Museums der Fantasie** im Höhenrieder Park der Lebenstraum von Lothar-Günther Buchheim erfüllt: In einem von Günter Benisch entworfenen und vom Freistaat Bayern finanzierten Neubau kann er nun seine einzigartige Sammlung **expressionistischer Gemälde** präsentieren. | ◄ Museum der Fantasie

Die Stadt Tutzing ist heute der zweitgrößte Ort am Starnberger See und Mittelpunkt des westlichen Seeufers. Zum Ortsbild gehören ansehnliche Villen. Das bereits im 16. Jh. erwähnte Schloss, eine dreiflügelige klassizistische Anlage, ist heute Sitz der renommierten Evangelischen Akademie Tutzing. Um 1870 gestaltete Hofgartenbaumeister Karl Effner den Tutzinger Schlosspark im englischen Stil. Oberhalb von Tutzing befindet sich die Ilkahöhe (711 m ü. d. M.), von der sich eine prächtige Aussicht auf den See und die Alpen vom Watzmann bis zum Grünten bietet. | ★ Tutzing

Possenhofen, am nördlichen Teil des Westufers, gehört zur Gemeinde Pöcking. Die spätere Kaiserin und Gemahlin Franz Josephs von Österreich, **die berühmte Sisi,** verbrachte dort ihre Kindheit. | Pöcking

Umgebung von Ammersee und Starnberger See

Ein beliebtes Ausflugsziel der Münchner ist Wolfratshausen, östlich vom Starnberger See an der Loisach gelegen. Am Straßenmarkt findet man etliche **typisch oberbayerische Giebelhäuser**, die aus dem 17. und 18. Jh. stammen. Einen Besuch lohnt das Heimatmuseum in der Bahnhofstraße. Zahlreiche Gemälde und alte Stiche, Möbel und Trachten informieren dort über Kultur und Brauchtum der Region. Von der Frauenkapelle im Norden der Stadt führt ein Kreuzweg hinauf zur Dreifaltigkeitskapelle. | ★ Wolfratshausen

Unterhalb der Benediktenwand (1801 m ü. d. M.) liegt Benediktbeuern, bekannt wegen seines **Benediktinerklosters**, das als Kloster im engeren Sinne 1803 seine Funktion verlor. Die Klosterbibliothek | ★ Benediktbeuern

► AMMERSEE · STARNBERGER SEE ERLEBEN

AUSKUNFT

Tourismusverband
Starnberger Fünf-Seen-Land
Wittelsbacherstraße 2 c,
82319 Starnberg
Tel. (0 81 51) 9 06 00,
Fax 90 60 90
www.starnberger-fuenf-seen-land.de

ESSEN

► Erschwinglich
Al Torchio
Kaiser-Wilhelm-Straße 2,
82319 Starnberg
Tel. (0 81 51) 74 44 66, Fax 29 83 1
Gehobene italienische Küche in
gediegen-rustikalem Ambiente.

► Preiswert
Starnberger Alm –
Illguths Gasthaus
Schlossbergstraße 24,
82319 Starnberg
Tel. (0 81 51) 1 55 77
In dem urigen Lokal mit Hütten-
charakter werden klassische schwäbi-
sche und bayerische Spezialitäten
angeboten. Erstaunliche Auswahl an
Württemberger Weinen.

Landgasthof Mühlfeld-Bräu
Mühlfeld 13, 82211 Herrsching
Tel. (0 81 52) 55 78
Würziges Bier und bayerische Haus-
mannskost.

ÜBERNACHTEN

► Komfortabel
Alte Linde
Wieling 5, 82340 Feldafing
Tel. (0 81 57) 93 31 80, Fax 93 31 89
Gediegenes, traditionsreiches Haus,
familiär geführt. Zweckmäßig einge-
richtete Zimmer. In der typisch
bayerischen Gaststube wird regionale
Küche angeboten.

Forsthaus am See
Am See 1,
82343 Pöcking-Possenhofen
Tel. (0 81 57) 9 30 10, Fax 42 92
Zünftig-bayerische Unterkunft mit
gepflegten Zimmern im 1870 gebauten
Forsthaus, wo einst König Ludwig und
seine Cousine Sisi zusammenkamen.
Ein eigener Badesteg, der herrliche
Blick auf den See und die ruhige Lage
sorgen für einen angenehmen Aufent-
halt.

► Günstig
Strandhotel
Jahnstraße 10,
86911 Dießen
Tel. (0 88 07) 9 22 20, Fax 89 58
www.diessen.net/strandhotel
Ruhiges, idyllisch gelegenes Hotel
mit schöner Seeterrasse. Familiäre
Atmosphäre.

Baedeker-Empfehlung

Seehaus
Seeweg Süd 22,
Riederau bei Dießen
Tel. (0 88 07) 73 00
Ein lauer Sommerabend am See – man kann
ihn kaum schöner verbringen als bei einem
gepflegten Abendessen auf der Terrasse des
Café-Restaurants »Seehaus«. Serviert wird
solide Küche mit Anspruch.

Die Stukkaturen im ehemaligen Gästetrakt des Klosters Wessobrunn entstanden um 1690.

enthielt neben Gemälden und Handschriften die »Carmina Burana«, die bedeutendste Sammlung mittelalterlicher Vagantenlieder des 13. Jh.s (heute in der Bayerischen Staatsbibliothek, München). Berühmt wurde die »Carmina Burana« durch die Vertonung von Carl Orff. Die zweitürmige Klosterkirche St. Benedikt ist in den Formen des italienischen Barock errichtet.

In einmaliger Lage hoch über dem Kochelsee liegt das Freilichtmuseum des Bezirks Oberbayern an der Glentleiten. Hier werden größere Höfe und Anwesen von Kleinbauern, Handwerksstätten und die verschiedenen Haustypen Oberbayerns, **originalgetreu** hergerichtet, vorgestellt.

✸ **Freilichtmuseum Glentleiten**

Am östlichen Ufer des Kochelsees, malerisch zwischen den weiten Moorflächen im Norden und den ihn südlich umrahmenden steilen Wald- und Felshängen gebettet, liegt der Luftkurort Kochel am See. An Franz Marc (1880–1916), der eine Zeit lang in Kochel lebte und arbeitete, erinnert das **Museum der Franz-Marc-Stiftung** (Herzogstandweg 43) mit Werken des Künstlers und seiner Freunde.

✸ **Kochel am See**

Eines der schönsten Naturerlebnisse Oberbayerns vermittelt der Walchensee mit seinem blaugrünen Wasser und den schroffen Kalkwänden von Karwendel- und Wettersteingebirge. Südlich der Ortschaft Kochel liegt der Zugang zum **Walchensee-Kraftwerk** der Bayernwerk AG. Bei dieser Anlage dient der Walchensee als Speicher-

✸ **Walchensee**

becken, während dem Kochelsee die Rolle des Ausgleichbeckens zukommt. Das Speicherbecken wird durch Zuleitung von Wasser der Isar und, seit 1949, durch Einleitung des Rissbaches gespeist.

✳ Murnau

Auf einem Höhenrücken zwischen dem Murnauer Moos und den drei Seen Staffelsee, Riegsee und Froschhauser See liegt – vor der großartigen Kulisse von Ammer- und Estergebirge – der ansprechende Ort Murnau. **Wassily Kandinsky** (1866–1944) und Gabriele Münter (1877–1962) lebten mit ihren Freunden von 1909 bis 1914 in Murnau. In der Kottmüllerallee 6 steht das Gabriele-Münter-Haus, das an das Künstlerpaar erinnert. Nicht nur Regionalgeschichte erzählt das Kunst- und Regionalmuseum Murnaus, es dokumentiert auch die Geschichte der ehemals ortsansässigen Künstler und die regionale Kunst mit Gemälde, Glasmalerei, Votivbildern u. a. Der Literatur, vor allem **Ödön von Horváths**, der 1924–1933 in Murnau lebte, wird im Obergeschoss gedacht.

Wessobrunn

Bekannt wurde Wessobrunn durch sein Kloster, vor allem aber durch das »**Wessobrunner Gebet**« und die **Wessobrunner Schule**. Unter der Dorflinde ist auf einem Steinblock das »Wessobrunner Gebet« eingemeißelt. Es handelt sich dabei um eines der ältesten deutschen Sprachdenkmäler, das bald nach 800 im Kloster aufgezeichnet wurde. In Stabreimen wird darin die Schöpfungsgeschichte beschrieben; heute befindet sich die Handschrift in der Bayerischen Staatsbibliothek, München. Im 17. und 18. Jh. war Wessobrunn Zentrum des Stuckatoren-Handwerks. Zur Wessobrunner Schule, deren Vertreter seit dem Jahre 1680 in Oberbayern und Oberschwaben viele Kirchen mit Stuck ausstatteten, gehörten neben den Schmuzers bedeutende Stuckatoren, Architekten und Maler, darunter die Familien Feichtmayr und Zimmermann.

> ## ! Baedeker TIPP
>
> ### Herzogstand
>
> Vom Herzogstand (1761 m ü. d. M.), einem Berg am westlichen Rand des Walchensees, bietet sich eine herrliche Rundsicht über das Wetterstein- und das Karwendelgebirge bis hin zu den Tiroler Alpen. Der Herzogstand ist Ausgangspunkt für interessante Bergwanderungen. Darüber hinaus bietet er mit seinen Liften gute Voraussetzungen für den Wintersport.

Schongau liegt auf einem ehemals vom Lech umflossenen Hügel, eingefasst von einer fast vollständig erhaltenen Stadtbefestigung (14. bis 17. Jh.) mit hölzernem Wehrgang,

✳ Basilika von Altenstadt ►

Toren und Türmen. Rund 3 km nordwestlich von Schongau steht die katholische Pfarrkirche St. Michael, der **bedeutendste romanische Kirchenbau in Oberbayern**. Um 1200 wurde die dreischiffige Basilika mit zwei mächtigen Osttürmen aus Tuffquadern erbaut. Als kunsthistorisch bedeutendstes Ausstattungsstück gilt ein als wundertätig verehrtes romanisches Kruzifix, der »Große Gott von Altenstadt« (nach 1220). Am nördlichen Seitenschiff liegt die Taufkapelle, deren romanisches Taufbecken zu den schönsten in Deutschland zählt.

Ansbach

Atlasteil: S. 46 • A 4
Höhe: 409 m ü. d. M.

Bundesland: Bayern
Einwohnerzahl: 40 000

Ansbach mit seinem hübschen barocken Stadtbild liegt im Tal der Rezat und ist von sanften Hügeln und herrlichen Wäldern umgeben. Geprägt wurde der Ort westlich von Nürnberg von den Markgrafen von Brandenburg-Ansbach, die hier mehr als 300 Jahre residierten. Heute ist Ansbach die Regierungshauptstadt von Mittelfranken. Die gelungene Altstadtsanierung gilt als Paradebeispiel für ganz Bayern.

Ansbach (früher Onoldsbach) entstand aus einem im Jahr 748 gegründeten Benediktinerkloster. Die 1221 erstmals urkundlich als Stadt erwähnte Siedlung kam 1331 durch Kauf an die Burggrafen von Nürnberg, von 1460 bis 1791 war sie Residenz der Markgrafen von Brandenburg-Ansbach. 1791 fiel Ansbach an Preußen, 1806 an Bayern. Von 1830 bis 1833 lebte der geheimnisumwitterte Kaspar Hauser in der Pfarrstraße Nr. 18. Der vermeintliche Abkömmling des Badischen Adelshauses wuchs eingesperrt und isoliert in einem Kerker auf und wurde 1833 im Ansbacher Hofgarten ermordet.

Geschichte

Sehenswertes in Ansbach

Am nordöstlichen Rande der Altstadt liegt die ehemalige markgräfliche Residenz, eines der **bedeutendsten Schlösser des 18. Jh.s in Franken**. Ursprünglich eine Wasserburg (14. Jh.), wurde sie zunächst zu einem Renaissanceschloss (16. Jh.), dann im Stil des Barock umgestaltet. Die 27 prunkvollen Rokoko-Staatsräume sind zu besichtigen, Höhepunkte sind der Festsaal, das Spiegelkabinett, der Kachelsaal und das Audienzzimmer. Beachtlich sind auch die Bayerische Staatssammlung »Ansbacher Fayence und Porzellan« und die Staatsgalerie mit Gemälden aus dem 17. und 18. Jahrhundert.

Alljährlich lebt bei den Rokoko-Festspielen im Ansbacher Hofgarten höfische Pracht auf.

✶
Residenz

Hofgarten Südöstlich vom Schloss erstreckt sich der wunderbare Hofgarten mit der 102 m langen Orangerie (1726–1734) und einem Gedenkstein für den 1833 hier erstochenen Kaspar Hauser.

Altstadt Auch in der Altstadt erinnert in der Platenstraße ein Denkmal an Kaspar Hauser. Es zeigt ihn einmal bei seiner Ankunft 1830 und kurz vor seinem Tod. Am Johann-Sebastian-Bach-Platz steht die Gumbertuskirche (11. Jh.) mit »drei Türmen ohne Dach«. Vergrößert und umgebaut wurde die ehemalige Stifts- und Hofkirche im 18. Jh. Links hinter dem Altar liegt der Eingang zur Schwanenritterkapelle, darunter die romanische Krypta und Fürstengruft (25 Sarkophage). Am Martin-Luther-Platz ragt die Johannis-Kirche auf, eine spätgotische Hallenkirche aus dem 15. Jh. An der Schaitbergerstraße, nördlich vom Martin-Luther-Platz, dokumentiert das **Markgrafen-Museum** die Stadtgeschichte. Im südlichen Innenstadtbereich an der Rosenbadstraße erinnert die barocke Synagoge an die große jüdische Gemeinde der Stadt.

> ! *Baedeker* TIPP
>
> **Alles über Kaspar Hauser**
> ... erfährt man in drei Räumen des Markgrafen-Museums. Modernste Technik beleuchtet das Phänomen um das Findelkind von allen Seiten – und kommt doch nicht an gegen die Faszination, die von Kaspar Hausers originalen Kleidungsstücken ausgeht (Öffnungszeiten: tgl. außer Mo. 10.00–12.00 und 14.00–17.00 Uhr).

Umgebung von Ansbach

Wolframs-Eschenbach ✳ Gut 20 km südöstlich mutet Wolframs-Eschenbach noch mittelalterlich an. Der im 11. Jh. erstmals erwähnte Ort Eschenbach trägt erst seit 1917 den Doppelnamen zu Ehren des **Dichters Wolfram von Eschenbach** (um 1170 bis um 1220), der laut Überlieferung in der Pfarrkirche begraben sein soll. Sein Denkmal befindet sich am Markt, wo auch das Fachwerk-Rathaus, die ehemalige Deutschordenskomturei und das Liebfrauenmünster stehen. Im Alten Rathaus ist das originelle **Neue Literaturmuseum Wolfram von Eschenbach** untergebracht: In neun kleinen Räumen sind Szenen und Motive aus Wolframs Werken »Parzival« und »Willehalm« dargestellt. Sehenswert sind auch die gut erhaltene Stadtbefestigung, der Wolframs-Brunnen und die Alte Vogtei mit einem vorzüglichen Restaurant.

Heilsbronn Die Klosterkirche von Heilsbronn, 16 km östlich von Ansbach, bis 1625 Hohenzollerngrablege, ist reich mit spätmittelalterlicher Kunst ausgestattet.

Neues Fränkisches Seenland Südlich von Ansbach erstreckt sich um Altmühlsee, den Brombachsee und den Rothsee das durch den Bau des Rhein-Main-Donau-Kanals entstandene Neue Fränkische Seenland mit **vielen Wassersportmöglichkeiten**.

ANSBACH ERLEBEN

AUSKUNFT

Amt für Kultur und Touristik
Johann-Sebastian-Bach-Platz 1,
91522 Ansbach
Tel. (09 81) 5 12 43, Fax 5 13 65
www.ansbach.de

ESSEN

► **Erschwinglich**
Drechselstuben
Am Drechselgarten 1, 91522 Ansbach
Tel. (09 81) 8 90 20
Stilvolles Hotel-Restaurant mit guter
fränkischer Küche und toller Aussicht.

► **Preiswert**
Gasthaus Kronacher
Kronacherstraße 1, 91522 Ansbach
Tel. (09 81) 9 77 78 90
Nostalgisch angehauchte Gaststube
mit regionalen Spezialitäten.

ÜBERNACHTEN

► **Komfortabel**
Best Western Am Drechselsgarten
Am Drechselsgarten 1,
91522 Ansbach
Tel. (09 81) 8 90 20
Fax 8 90 26 05
www.drechselsgarten.bestwestern.de
Modern ausgestattete Zimmer, teils
mit herrlicher Aussicht, Restaurant
mit Gartenterrasse, Sauna im Haus.

► **Günstig**
Schwarzer Bock
Pfarrstraße 31, 91522 Ansbach
Tel. (09 81) 4 21 24
Fax 4 21 24 24
www.schwarzerbock.com
Familiengeführtes Hotel in einem
charmanten Rokoko-Haus direkt in
der Innenstadt.

Im Fränkischen Freilandmuseum, ca. 35 km nordwestlich von Ans-   ✱
bach, wird den Besuchern Bad Windsheims auf ca. 40 ha in rund 60   **Bad**
historischen Gebäuden die **fränkisch-ländliche Bauernkultur** seit   **Windsheim**
dem 14. Jh. näher gebracht. Sondervorführungen zeigen u. a., wie
man einst Brot buk.

Aschaffenburg

Atlasteil: S. 44 • B 2   **Höhe:** 130 m ü. d. M.
Bundesland: Bayern   **Einwohnerzahl:** 67 000

Das Stadtbild der unterfränkischen Stadt Aschaffenburg wird beherrscht vom mächtigen Renaissancebau des Schlosses, der ehemaligen Residenz der Mainzer Kurfürsten. Gemeinsam mit Stiftskirche und Brücke bildet es seit dem Mittelalter den Kern der Stadt.

Aschaffenburg, am rechten Ufer des Mains am Rande des Spessarts   **Geschichte**
gelegen, entwickelte sich um ein fränkisches Kastell und kam mit
dem Mitte des 10. Jh.s gegründeten Kollegiatstift um 957 an das

Im malerisch am Main gelegenen Schloss Johannisburg ist die zweitgrößte Staatsgemälde-Sammlung Bayerns nach der in München untergebracht.

Erzstift Mainz, bei dem die Stadt bis 1803 verblieb. Als **Brückenstadt und wichtige Zollstätte** gelangte Aschaffenburg, seit 1122 befestigt, zu hoher Blüte und wurde seit Ende des 13. Jh.s neben Mainz Residenz der Kurfürsten; 1803–1810 war es Hauptstadt des für Karl von Dahlberg neu gebildeten Fürstentums Aschaffenburg, das 1814 Bayern zugeschlagen wurde.

Sehenswertes in Aschaffenburg

Schloss

An der Nordwestseite der Altstadt erhebt sich über dem Main Schloss Johannisburg, ein 1605–1614 als zweite Residenz der Mainzer Kurfürsten errichteter Spätrenaissancebau. Die in seinen Räumen untergebrachte Zweiggalerie der Bayerischen Staatsgemälde-Sammlung besitzt u. a. Gemälde von Lucas Cranach und Rubens. Zu besichtigen sind außerdem die fürstlichen Prunkräume, das Schlossmuseum und die Schlossbibliothek. Nordwestlich vom Schloss liegt der Schlossgarten, dahinter das Kapuzinerkloster und das Pompejanum, eine 1842–1849 errichtete Nachbildung der in Pompeji ausgegrabenen »Villa des Castor und Pollux«. 1994 wurde sie als Teil-Domizil der **Bayerischen Antikensammlungen** wieder eröffnet. Von hier aus bietet sich ein schöner Blick auf den Main.

Staatsgalerie ▶

Pompejanum ▶

Schlossgasse und Altstadt

In südöstlicher Richtung führt die Schlossgasse am klassizistischen Stadttheater (1811) vorbei; vis-à-vis erhebt sich die Pfarrkirche Zu Unserer Lieben Frau mit ihrer herrlichen Barockfassade und einem romanisch-gotischen Turm (13. Jh.). In der Altstadt lohnt ein Bummel durch die Straßen mit ihren schmucken Fachwerkhäuschen und typischen Kneipen und Restaurants.

Beim Rathaus steht auch die Stiftskirche St. Peter und Alexander aus dem 12./13. Jh. Die päpstliche Basilika, die durch etliche Umbauten Stilelemente der Romanik, Gotik und des Barock vereint, birgt wertvolle Kunstwerke, u. a. die »Beweinung Christi« von Matthias Grünewald und ein romanisches Kruzifix aus dem 10. Jh. Von einiger Bedeutung ist auch der spätromanische Kreuzgang. Im ehemaligen Stiftskapitelhaus ist das **Stiftsmuseum** untergebracht, das kirchliche Kunst sowie eine ansehnliche Fayencesammlung zeigt.

★ Stiftskirche

Östlich der Stiftskirche, an der Wermbachstraße, steht der dreiflügelige barocke Schönborner Hof, in dem das Naturwissenschaftliche Museum zu finden ist.

Schönborner Hof

Vom Rathaus führen Freihof- und Sandgasse in östliche Richtung. Am Anfang der Würzburger Straße steht die 1756 in Formen des Rokoko erbaute Sandkirche, mit reicher Ausstattung. Nördlich gegenüber erstreckt sich der 1780 angelegte Park Schöntal mit idyllischen Seen, Magnolienbäumen und einer malerischen Klosterruine.

Sandkirche und Park Schöntal

Am südlichen Stadtrand in der Obernauer Straße 125 findet man das Renn- und Sportwagenmuseum »Rosso Bianco Collection«. Diese **größte Sportwagensammlung der Welt** vereint unter ihrem Dach zahlreiche, zum Teil einmalige Oldtimer, Straßen- und Rennsportwagen, darunter auch die größte Ferrari-Sammlung Deutschlands sowie die weltweit umfangreichsten Sammlungen der Marken Alfa Romeo, Lola und McLaren.

★ Automuseum

Umgebung von Aschaffenburg

Zum Spazieren und Verweilen lädt der Park Schönbusch, ein englischer Landschaftsgarten mit klassizistischem Lustschlösschen, See, Pavillons und Restaurants, knapp 4 km südwestlich der Stadt, ein.

★ Schönbusch

Der Spessart ist ein Mittelgebirge von durchschnittlich etwa 500 m Höhe nördlich und östlich von Aschaffenburg. Die wellige Hochfläche wird durch tiefe, gewundene Täler in breite Rücken gegliedert. Den südlichen Teil bildet der im 585 m hohen Geiersberg gipfelnde Hochspessart, der von schönem Ei-chen- und Buchenwald bedeckt ist. Nördlich der Linie Aschaffen-burg–Lohr erstreckt sich der über-wiegend mit Kiefern bewachsene Hinterspessart. Der Vorspessart nördlich von Aschaffenburg ist ein fruchtbares Hügelland, das im Hahnenkamm 437 m Höhe er-reicht. Der Spessart umschließt heute einen der **größten Natur-**

Spessart

! **Baedeker** TIPP

Spessart-Touren

Mehrere unterschiedlich lange Routen laden dazu ein, das Gebiet von Main und Spessart per Fahrrad zu erkunden, z.B. auf einer Radwanderung zum ehemaligen Klosterhof Lichtenau, in dessen Nähe schöne alte Eichenbestände sind.

▶ ASCHAFFENBURG ERLEBEN

AUSKUNFT

Tourist-Information
Schlossplatz 1,
63739 Aschaffenburg
Tel. (0 60 21) 39 58 00,
Fax 39 58 02
www.aschaffenburg.de

ESSEN

▸ Erschwinglich
Schlossweinstuben
im Schloss Johannisburg
Schlossplatz 4,
63739 Aschaffenburg
Tel. (0 60 21) 1 24 40
www.schlossweinstuben.de
Stilvolle Weinstuben mit bayerischer
und fränkischer Küche. Die Weine
stammen aus dem staatlichen Hof-
keller Würzburg.

▸ Preiswert
Bistro Oscar (im Hotel Post)
Goldbacher Straße 19,
63739 Aschaffenburg
Tel. (0 60 21) 33 40
www.post-ab.de
Heitere, gemütliche Atmoshäre,
typische Bistro-Küche: einfach, aber
sehr lecker.

ÜBERNACHTEN

▸ Komfortabel
Post
Goldbacher Straße 19,
63739 Aschaffenburg
Tel. (0 60 21) 33 40, Fax 1 34 83
www.post-ab.de
Funktionell ausgestattete Zimmer zu
moderaten Preisen. Gutbürgerliches
Restaurant, nettes Bistro, Sauna und
Schwimmbad im Haus.

Wilder Mann
Löherstraße 51, 63739 Aschaffenburg
Tel. (0 60 21) 30 20, Fax 30 22 34
www. hotel-wilder-mann.de
Haus mit 450 Jahre alter Tradition und
Wohlfühlatmosphäre. Gemütliche
Zimmer und Appartements, rustikales
Restaurant.

▸ Günstig
Zum Goldenen Ochsen
Karlstraße 16,
63739 Aschaffenburg
Tel. (0 60 21) 2 31 32, Fax 2 57 85
www.zumgoldenenochsen.de
Hinter einer wunderschönen, denkmalgeschützten Fassade erwarten Sie
gepflegte Zimmer und ein gemütliches, ländliches Restaurant.

parks in Deutschland – von dessen Gebiet zwei Drittel zu Bayern
und ein Drittel zu Hessen gehören – und bietet erlebnisreiche Wanderungen. Ein besonders schönes, fast verwunschenes Waldgebiet ist
der Fürstlich Löwensteinsche Park.

✱
Schloss
Mespelbrunn
Das im 15./16. Jh. erbaute Schloss Mespelbrunn liegt etwa 20 km
südöstlich von Aschaffenburg überaus malerisch in die schönen
Spessartwälder eingebettet. In dem von einem breiten Wassergraben
umgebenen, heute noch bewohnten Wasserschloss kann man im
Nordflügel die Repräsentationsräume besichtigen und dabei erlesenes
Porzellan, Möbel und Gemälde bewundern.

✳ Augsburg

Atlasteil: S. 54 • A/B 3   **Höhe:** 496 m ü. d. M.
Bundesland: Bayern   **Einwohnerzahl:** 265 000

Als wohlhabende Reichsstadt, in der die Textilherstellung und andere Handwerke blühten, Fugger und Welser ihre Geschäfte tätigten und Kurfürsten zu Reichstagen zusammenkamen, ging Augsburg in die Geschichte ein. Den früheren Glanz spürt man noch bei einem Spaziergang durch die historische Altstadt mit ihren stattlichen Patrizierhäusern, Handwerkervierteln, Kirchen und Klöstern.

Das 65 km nordwestlich von ▶ München, am Zusammenfluss von Lech und Wertach gelegene Augsburg, Geburtsort von Bertolt Brecht (▶ Berühmte Persönlichkeiten), ist nach München und ▶ Nürnberg drittgrößte Stadt Bayerns, Verwaltungssitz des Regierungsbezirks Bayerisch-Schwaben und seit 1970 auch Universitätsstadt.

Drittgrößte Stadt Bayerns

Augsburg ist eine der **ältesten Städte Deutschlands** – 1985 feierte sie ihr 2000-jähriges Jubiläum. Aus einem römischen Militärlager entwickelte sich die Siedlung Augusta Vindelicum, die mit Verona durch eine Römerstraße verbunden war. In der Nähe Augsburgs, auf dem Lechfeld, stoppte König Otto der Große 955 in der berühmten Schlacht die nach Westen vordringenden Ungarn. Ab dem 12. Jh. wuchs südlich der Bischofsstadt um den Dom die Kaufmannssiedlung heran. Die freie Reichsstadt (seit 1276) war im 15./16. Jh. der bedeutendste Warenumschlagsplatz Süddeutschlands. Auf dem Reichstag 1530 proklamierten die protestantischen Fürsten die grundlegenden Bekenntnisse der lutherischen Kirche (»Augsburgische Konfession«).

Der Augsburger Rathausplatz mit dem Renaissance-Rathaus und dem Perlachturm ist beliebter Treffpunkt.

Der Dreißigjährige Krieg beendete die wirtschaftliche und kulturelle Blüte. 1806 kam die Stadt an das junge Königreich Bayern. Im Zweiten Weltkrieg erlitt Augsburg schwere Bombenschäden, doch wurde die historische Altstadt wieder aufgebaut.

Sehenswertes in Augsburg

Rathaus ✳ Mittelpunkt der Altstadt ist der Rathausplatz, der von dem mächtigen Renaissancebau des Rathauses, 1615–1620 nach Plänen von Stadtbaumeister Elias Holl entstanden, beherrscht wird. Innen kann der 1985 rekonstruierte **»Goldene Saal«** besichtigt werden. Neben dem Rathaus erhebt sich der 78 m hohe Perlachturm (schöner Rundblick). Der Augustusbrunnen (1589–1594) ist nach dem römischen Kaiser benannt.

Maximilianstraße ✳ Südlich des Rathausplatzes verläuft die Maximilianstraße, das erste Stück der römischen Kaiserstraße nach Italien. Mit ihren Renaissance- und Barockbauten ist sie die **Prachtstraße Augsburgs.**

Weberhaus ▶ Bei der Einmündung der Wintergasse stehen an der Westseite das Weberhaus, eines der vielen Zunfthäuser der Stadt, und die gotische St.-Moritz-Kirche mit dem Merkurbrunnen von 1599 davor.

Fuggerhaus ▶ Durch den Zusammenschluss mehrerer Gebäude hinter einer einheitlichen Renaissancefassade entstand das Fuggerhaus, die 1512 bis 1515 erbaute Stadtresidenz der Fürsten Fugger von Babenhausen; sehenswert ist vor allem der **Damenhof** von 1516.

Schaezler-Palais, Herkulesbrunnen ▶ ✳ Einen Häuserblock weiter beherrscht der Herkulesbrunnen von Adriaen de Vries (1602) das Straßenbild. Das 1765–1770 erbaute Schaezler-Palais, ein Rokokobau mit großem Festsaal, beherbergt die **Deutsche Barockgalerie** mit bedeutenden Werken des 17. und 18. Jh.s sowie die **Staatsgalerie** mit Gemälden altdeutscher Meister (u. a. von Holbein, Burgkmair, Dürer).

St. Ulrich und Afra ▶ Den südlichen Abschluss der Maximilianstraße bildet das Ensemble aus der turmbekrönten, spätgotischen Kirche St. Ulrich und St. Afra und der kleinen evangelischen Ulrichskirche (1458).

Highlights Augsburg

Fuggerei
Jakob Fugger gründete 1516 diese älteste Sozialsiedlung der Welt. Jahresmiete ist noch heute ein rheinischer Gulden.
▶ Seite 193

Rathausplatz
Setzen Sie sich in ein Café und genießen Sie reichsstädtische Atmosphäre!
▶ Seite 192

Schaezler-Palais
Eindrucksvoller Rokoko-Bau, beherbergt heute u. a. die Deutsche Barockgalerie und die Staatsgalerie.
▶ Seite 192

Maximilianstraße
Schlendern Sie auf der Prachtstraße Augsburgs und versäumen Sie nicht einen Blick in die Innenhöfe zu werfen!
▶ Seite 192

Augsburger Puppenkiste
Für Urmel, Jim Knopf und Kater Mikesch kann man gar nicht zu alt sein.
▶ Seite 195

Dom
Die Fenster an der Südseite gelten als die ältesten figürlichen Glasmalereien in Deutschland.
▶ Seite 193

Nördlich des Rathausplatzes führen Karolinenstraße und Hoher Weg zum Dom (9.–14. Jh.) mit seinem prächtigen Südportal und einer Bronzetür aus dem 11. Jh. Im Innern beachte man v. a. die Altargemälde von Hans Holbein d. Ä. und die fünf Fenster an der Südseite mit Prophetendarstellungen (Mitte 12. Jh.), die als **die ältesten figürlichen Glasmalereien Deutschlands** gelten.

✳
Dom

Östlich des Rathausplatzes, in der sog. Jakobervorstadt, liegt die Fuggerei. Die 1516 von den Fuggern für schuldlos verarmte Bürger gestiftete, durch vier Tore abgeschlossene »Stadt in der Stadt« ist die **älteste Sozialsiedlung der Welt** und wird heute noch bewohnt. Eines der Häuser ist als Fuggereimuseum zu besichtigen.

✳ ✳
Fuggerei

Von der Fuggerei ist es nicht weit zu den schmalen Gassen entlang der teils unterirdischen, teils aufgedeckten Lechkanäle. Ein ausge-

Lechviertel

Augsburg Orientierung

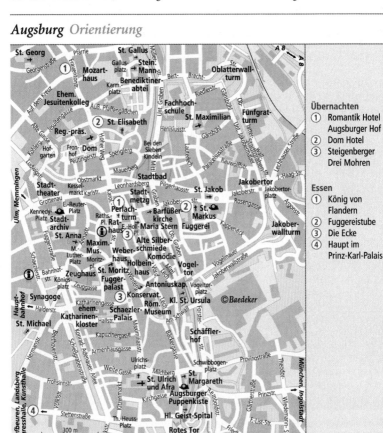

Übernachten
① Romantik Hotel Augsburger Hof
② Dom Hotel
③ Steigenberger Drei Mohren

Essen
① König von Flandern
② Fuggereistube
③ Die Ecke
④ Haupt im Prinz-Karl-Palais

© Baedeker

schilderter **»Handwerkerweg«** führt heute die Besucher durch dieses alte Handwerksviertel, in dem sich einige Werkstätten erhalten haben oder wieder belebt wurden. In der Gasse Auf dem Rain wurde Bertolt Brecht in Haus Nr. 7 geboren (Gedenkstätte).

Maximilian-museum

Stadtgeschichte und Augsburger Kunsthandwerk sind die Themen des Maximilianmuseums in der Philippine-Welser-Straße Nr. 24, einem Bürgerhaus mit rekonstruierter Fassadenmalerei (1546). In der westlich parallel verlaufenden Annastraße lohnt die ev. St.-Anna-Kirche (1321; im 15. Jh. erweitert; 1747/1749 umgestaltet) wegen der dortigen Grabkapelle der Familie Fugger einen Besuch. Sie gilt als **erstes größeres Renaissancebauwerk in Deutschland**. Durch einen Häuserdurchgang kommt man von der Annastraße auf den Stadtmarkt, wo man sich mit bayerischen Spezialitäten stärken kann.

Zeughaus

Für kulturelle Zwecke wird heute das ehemalige Zeughaus am gleichnamigen Platz genutzt. Das 1607 von Elias Holl entworfene Gebäude glänzt mit einer herrlichen manieristischen Fassade.

Auch heute noch wohnt man in der Fuggerei sehr günstig und dennoch schön.

In der ehemaligen Dominikanerkirche ist heute das Römische Museum untergebracht (Vor- und Frühgeschichte, römische und alemannische Funde).

Römisches Museum

Im Heilig-Geist-Spital (1631; Elias Holl) im Süden der Altstadt hat die Augsburger Puppenkiste ihren Sitz. Im ehemaligen Brunnenmeisterhaus daneben informiert das **Handwerksmuseum** über rund 40 Handwerksberufe. Den südlichen Eingang in die Stadt bildet das Rote Tor mit einem Turm von Elias Holl (1622). In den Wallanlagen davor befindet sich seit 1929 die **Freilichtbühne** von Augsburg.

✱ Augsburger Puppenkiste

Südöstlich vom Roten Tor und jenseits der Eisenbahnlinie liegen am Rand des Siebentisch-Walds der Augsburger Zoo mit über 2000 Tieren und der schöne Botanische Garten.

Zoo Botanischer Garten

Umgebung von Augsburg

Sehr hübsch bietet sich in Friedberg der Stadtplatz mit dem Marienbrunnen dar. Beachtung verdienen außerdem das im 13. Jh. unter Ludwig dem Strengen erbaute Schloss, das im 17. Jh. von Elias Holl errichtete Rathaus sowie das Stadtgeschichtliche Museum, das u. a. das **Uhrmacherhandwerk** dokumentiert und Fayencen zeigt.

Friedberg

Ein Relikt aus dem Mittelalter ist in Aichach die Stadtmauer mit dem Oberen und dem Unteren Tor. Der malerische Stadtplatz wird von hübschen Giebelhäusern umrahmt. Als **Musterbeispiel barocker Baukunst** zeigt sich das Rathaus. Sehenswerte Sakralbauten sind die Pfarrkirche (16. Jh.) mit ihrem wunderschönen Rokoko-Altar sowie die bereits Mitte des 15. Jh.s entstandene Spitalkirche. Wenige Kilometer nordöstlich von Aichach, im Stadtteil Oberwittelsbach, sind noch Reste der 1209 zerstörten Stammburg der Wittelsbacher nachweisbar. Dieses Adelsgeschlecht regierte von 1180 bis 1918 ununterbrochen in Bayern.

Aichach

> ## ! *Baedeker* TIPP
>
> ### Urmel, Jim Knopf, Bill Bo ...
>
> ... und seine Bande aus der Augsburger Puppenkiste kennt jedes Kind, meistens allerdings nur aus dem Fernsehen. Wer die Puppen einmal live auf der Bühne erleben will, sollte zwei Wochen im Voraus Karten unter Tel. 08 21/45 03 45 40 bestellen. Zur Einstimmung kann man noch das Puppentheatermuseum im Obergeschoss anschauen.

Inchenhofen, wenig nordwestlich von Aichach, war einst einer der **bedeutendsten Wallfahrtsorte Europas**. Hier wird der heilige Leonhard, einer der vierzehn Nothelfer, verehrt. Die ihm geweihte Kirche strahlt heute in überbordendem Barock.

Westlich von Augsburg erstreckt sich der als **Naherholungsgebiet** geschätzte Naturpark. Flache, dicht bewaldete Hügel und liebliche Täler prägen diese Landschaft zwischen Lech und Mindel.

Naturpark Augsburg – Westliche Wälder

▶ AUGSBURG ERLEBEN

AUSKUNFT

Augsburg-Tourismus
Bahnhofstraße 7, 86150 Augsburg
Tel. (08 21) 50 20 70, Fax 5 02 07 46
www.augsburg.de

ESSEN

▶ Fein & Teuer

③ *Die Ecke*
Elias-Holl-Platz 2, 86150 Augsburg
Tel. (08 21) 51 06 00
Historisches Haus, in dem sich Holbein, Mozart und Brecht genauso wohl fühlten wie die Stammgäste heute. Moderne, schnörkellose Küche, geschmackvolle Einrichtung.

▶ Erschwinglich

④ *Haupt im Prinz Karl Palais*
Schertlinstraße 23, 86159 Augsburg
Tel. (08 21) 5 89 84 75
In einer aufwändig sanierten Kaserne aus dem 19. Jh. ist dieses moderne Restaurant untergebracht. Unter den original erhaltenen Kreuzbögen genießt man hervorragende deutsche Küche und Gerichte mit mediterranen und asiatischen Einflüssen.

② *Fuggereistube*
Jakoberstraße 26, 86159 Augsburg
Tel. (08 21) 3 08 70
Rustikales Restaurant in altem Gemäuer mit wunderschönem Kreuzgewölbe, regionale Küche. Reservierung ratsam.

▶ Preiswert

① *König von Flandern*
Karolinenstraße 12, 86150 Augsburg
Tel. (08 21) 15 80 50
Urgemütliches Brauereigasthaus – zu den bayerischen und schwäbischen Spezialitäten passt das im Haus selbst gebraute voll-würzige Drei-Heller-Bier besonders gut.

ÜBERNACHTEN

▶ Luxus

③ *Steigenberger Drei Mohren*
Maximilianstraße 40, 86150 Augsburg
Tel. (08 21) 5 03 60, Fax 15 78 64
www.augsburg.steigenberger.de
Traditionsreiches Hotel im Stadtzentrum mit sehr komfortablen Zimmern und exquisiten Suiten. Großzügiger Hallenbereich, elegantes Restaurant mit klassischem Ambiente und schöner Terrasse.

▶ Komfortabel

② *Dom Hotel*
Frauentorstraße 8, 86152 Augsburg
Tel. (08 21) 34 39 30, Fax 34 39 32 00
www.domhotel-augsburg.de
Ruhiges Stadthotel mit gepflegten Zimmern in einem historischen Gebäude mitten in der Altstadt.

① *Romantik Hotel Augsburger Hof*
Auf dem Kreuz 2, 86152 Augsburg
Tel. (08 21) 34 30 50, Fax 3 43 05 55
www.augsburger-hof.de
Mit modernem Komfort und individuell eingerichteten Zimmern empfängt Sie eines der ältesten Gasthäuser Augsburgs. Empfehlenswert ist das gemütliche Restaurant im Schwarzwälder Stil, wo feine schwäbische Gerichte nach Omas Rezepten, aber auch Internationales zubereitet wird.

Oehmichens
Marionetten
Theater

Am Südwestrand des Naturparks liegt die Ortschaft Kirchheim in Schwaben mit ihrem weithin sichtbaren **Fuggerschloss** (16. Jh.). Besonders prachtvoll bieten sich die Eingangshalle, der Festsaal und der Empfangssaal dar. Ein kunsthistorisches Kleinod ist die Schlosskirche, in der u. a. Altarbilder von Domenico Zampieri und Peter Paul Rubens zu sehen sind.

✱ Kirchheim in Schwaben

Südlich von Augsburg weitet sich das Lechfeld, eine von den reißenden Gebirgsflüssen Lech und Wertach aufgeschüttete Schotterebene, wo Kaiser Otto I. im Jahre 955 die herandrängenden Ungarn vernichtend schlug. Hauptattraktion von Königsbrunn auf dem Lechfeld ist das moderne **Erlebnisbad Königstherme**.

Lechfeld

◄ Königsbrunn

Ca. 24 km südlich von Augsburg liegt Klosterlechfeld mit seiner wunderschönen, 1603 von Elias Holl erbauten Wallfahrtskirche Maria Hilf. In ihrer Nachbarschaft haben sich wenig später Franziskaner niedergelassen. In der Umgebung der Klostersiedlung bestehen seit Jahrzehnten große Militäreinrichtungen der Bundeswehr.

✱ Klosterlechfeld

Die Stadt Landsberg am Lech, ca. 36 km südlich von Augsburg gelegen, baut sich mit ihren alten Stadtmauern, Toren, Türmen, Kirchen und Giebelhäusern malerisch über dem rechten Ufer des Flusses am Südrand des Lechfeldes auf. Sie wurde 1160 von Heinrich dem Löwen gegründet und entwickelte sich in der Folgezeit zu einem wichtigen Salzhandelsplatz und Gewerbestandort. Mitte des 18. Jh.s prägte der berühmte Baumeister Dominikus Zimmermann das Bild der Stadt nachhaltig, z. B. mit dem Rathaus (um 1700) und der Johanniskirche (1750–1752). Nach seinem Putschversuch 1923/24 war Adolf Hitler in Landsberg inhaftiert und verfasste hier sein berüchtigtes Werk »Mein Kampf«. Mittelpunkt der Stadt ist der von schmucken Bürgerhäusern umrahmte, nahezu dreieckige Marktplatz mit seinem hübschen, von einer Mariensäule gezierten Brunnen. Unweit nordöstlich erhebt sich die Stadtpfarrkirche Mariä Himmelfahrt, ein im Kern gotischer Sakralbau, der um 1700 barockisiert worden ist. Im Innern sind Glasgemälde aus dem 15. und 16. Jh. sowie eine geschnitzte Madonna (um 1440) des Ulmer Meisters Hans Multscher beachtenswert. Vom Hauptplatz gelangt man durch den Schönen Turm (»Schmalztor«) und die steile Alte Bergstraße aufwärts zur ehemaligen Jesuitenklosterkirche Heilig Kreuz, Mitte des 18. Jh.s prunkvoll

✱ Landsberg am Lech

> **! Baedeker TIPP**
>
> **Up, up and away**
>
> ... hieß es einst am Stadtrand von Gersthofen, nördlich von Augsburg. Denn hier war bis in die 1970er-Jahre hinein eine Hochburg der Gasballonfahrer. Geblieben ist davon das Ballonmuseum von Alfred Eckert, der im 30 m hohen Wasserturm an der Bahnhofstraße über 2000 Exponate zur Geschichte der Ballonfahrt zusammengetragen hat (Öffnungszeiten: Sa., So. und Fei. 10.00–18.00 Uhr; für Gruppen auch nach Vereinbarung, Tel. 08 21/2 49 11 35).

im Stil des Rokoko ausgestattet. Im gegenüberliegenden ehemaligen Jesuitengymnasium ist das Stadtmuseum untergebracht.

Am oberen Ende der Bergstraße schließt das 36 m hohe Bayertor (1425) als stattliche und vollständig erhaltene gotische Toranlage den eigentlichen Altstadtkern ab.

Am jenseitigen Flussufer ließ der deutsch-englische Porträtmaler Sir Hubert Herkomer 1884–1888 einen neuromanischen Atelierturm errichten und widmete ihn seiner Mutter. Heute kann man im **Atelier Herkomer** Gemälde und Grafiken des Künstlers bewundern. Alle vier

✳
◄ Ruethenfest

Jahre (nächster Termin: Juli 2007) wird in Landsberg eines der ältesten und schönsten Kinderfeste Bayerns, das Ruethenfest, mit historischem Umzug abgehalten.

✳ Baden-Baden

Atlasteil: S. 51 • D 2   **Bundesland:** Baden-Württemberg
Höhe: 183 m ü. d. M.   **Einwohnerzahl:** 50 000

Baden-Baden wird gerne als »Sommerhauptstadt Europas« bezeichnet, hier trifft sich die elegante Welt im Casino und zum Pferderennen in Iffezheim. Kulturelle Highlights setzt das neue Festspielhaus, das viertgrößte Opernhaus der Welt. Die günstige Lage, das milde Klima und die elf warmen Thermen (68 °C) haben die Kleinstadt zum internationalen Kur- und Bäderort werden lassen.

Geschichte Die Heilkraft der hier entspringenden Thermalquellen war schon den Römern bekannt, die den Ort **Civitas Aurelia Aquensis** nannten. Die Franken errichteten auf dem Schlossberg eine Königspfalz, die als Altes Schloss gegen Ende des 12. Jh.s Sitz der Zähringer wurde. Zu Füßen des Schlossberges entstand die mittelalterliche Stadt. Markgraf Christoph I. erbaute 1479 das Neue Schloss, umgab die Stadt mit Mauern und erließ 1507 eine Stadtordnung für das Bäder- und Herbergswesen. 1689 brannten die Franzosen die Stadt nieder; Anfang des 19. Jh.s wurde sie zur Sommerresidenz des von Napoleon geschaffenen Großherzogtums Baden. Im 20. Jh. erweiterte sich das Stadtgebiet durch umfangreiche Eingemeindungen.

Sehenswertes in Baden-Baden

Altstadt Östlich des Oosbachs zieht sich die eng gebaute Altstadt am Schlossberg entlang. Am klassizistischen Rathaus und dem Stadtmuseum vorbei erreicht man auf halber Höhe die gotische Stiftskirche, in der vor allem das Grabmal des als »Türkenlouis« bekannten Markgrafen Ludwig Wilhelm († 1707) und das Sandsteinkruzifix des Nikolaus von Leyden von 1467 beachtenswert sind. Am Römerplatz beim Friedrichsbad liegen auch das Frauenkloster und die Kirche vom

Hier trifft sich, wer das nötige Kleingeld hat: Kurhaus und Spielbank von Baden-Baden.

Heiligen Grab (17. Jh.); unter dem Platz entdeckte man 1847 **römische Badruinen** aus dem 2. nachchristlichen Jahrhundert.

Östlich am Hang liegt die Caracalla-Therme, ein modernes Bade- und Therapiezentrum mit heißen und kalten Innen- und Außenbecken und einem »Wasserpilz« als Mittelpunkt. Südlich der Caracalla-Therme befindet sich das **»Paradies«**, eine 1925 geschaffene Wasserkunst mit Kaskaden.

✶ **Caracalla-Therme**

Auf der Höhe nördlich des Friedrichsbads erhebt sich das 1479 erbaute Neue Schloss, das zeitweilig als Wohnsitz der großherzoglichen Familie diente. Diese hat es an eine kuweitische Hotelkette verkauft, die hier ein Luxushotel einrichten will.

Neues Schloss

Mittelpunkt des eleganten Kurlebens ist der von der Durchgangsstraße untertunnelte Kurgarten. In dem 1821–1824 von Friedrich Weinbrenner erbauten Kurhaus an der Werderstraße ist außer einem Café-Restaurant auch das Spielcasino untergebracht. In den Kolonnaden vor dem Kurhaus sind die Auslagen der **elegantesten Läden Baden-Badens** zu bestaunen. Nördlich vom Kurhaus befindet sich im Kurpark die 1839–1842 erbaute Trinkhalle mit Fresken, die Schwarzwaldsagen illustrieren. Nordwestlich über der Trinkhalle erhebt sich am Michaelsberg die 1863–1866 von Leo v. Klenze erbaute griechisch-rumänische Kapelle mit Grabmälern der Bojarenfamilie Stourdza. Von hier aus hat man eine wunderbare Aussicht über die Stadt. Südlich vom Kurhaus stößt man auf das Kleine Theater und

✶ **Kurgarten**
◀ Casino

✶
◀ Trinkhalle

! *Baedeker* TIPP

Sammlung Frieder Burda

Wer sich für zeitgenössische Kunst und die klassische Moderne interessiert, ist bestens aufgehoben im 2004 eröffneten Museum direkt neben der Kunsthalle. Die Sammlung Frieder Burda umfasst 550 Kunstwerke, wechselnde Präsentationen zeigen jeweils eine Auswahl der Sammlung (Auskunft: Tel. 0 72 21/3 98 98-0).

die Staatliche **Kunsthalle**, die Wechselausstellungen zur Kunst des 19. und 20. Jh.s zeigt. Östlich, jenseits der Oos, befinden sich das Haus des Kurgastes und das Kongresshaus.

Bei der Kunsthalle beginnt die berühmte **Lichtentaler Allee**; sie führt in südliche Richtung am linken Ufer der Oos an den Tennisplätzen, dem Bertholdbad und der Gönneranlage vorüber, einem wunderbaren **Jugendstilgarten**, zur 1245 gestifteten und bis heute weitgehend erhaltenen Zisterzienserinnen-Abtei Lichtental mit einer 1248 geweihten Kirche, der Fürstenkapelle und dem Klostermuseum. 400 m östlich liegt das Brahmshaus, der Wohnsitz des Komponisten in den Jahren 1865–1874.

✳ Merkur Über den 670 m hohen Aussichtsberg Merkur 4 km östlich von Baden-Baden schlängeln sich ein **Naturlehrpfad** und Wanderwege. Eine Bergbahn und ein Lift führen hinauf zu einem Aussichtsturm, der einen sensationellen Blick über das Rheintal bietet.

Hohenbaden Die knapp fünf Kilometer nördlich von Baden-Baden gelegene Ruine des Alten Schlosses Hohenbaden war einst die Residenz der Markgrafen von Baden. Vom Turm aus hat man eine prachtvolle Aussicht. In der Nähe beginnt das **Naturschutzgebiet Battertfelsen**, wo sich auch eine Kletterschule befindet.

Umgebung von Baden-Baden

✳ Rastatt Die Barockstadt Rastatt liegt in der Oberrheinebene an der Murg, etwa 10 km nördlich von Baden-Baden. 1689 wurde der Ort nach seiner Zerstörung durch französische Truppen nach einheitlichem Plan neu angelegt, weshalb er bis heute **deutlich barockes Gepräge** zeigt. 1700 erhielt Rastatt Stadtrechte; der Friede von Rastatt beendete 1714 den Spanischen Erbfolgekrieg.

✳ Schloss ▶ Das zur Besichtigung freigegebene Schloss an der Herrenstraße mitten in der Stadt ist ein stattlicher Barockbau mit einer 230 m langen Gartenfront. Der Grundriss des Schlosses lehnt sich weitgehend an das **Vorbild von Versailles** an und bezieht auch die angrenzende Innenstadt in seine Symmetrieachse ein. Markgraf Ludwig Wilhelm (»Türkenlouis«) berief 1697 nach dem großen Stadtbrand den italienischen Architekten Domenico Egidio Rossi zum Leiter der Stadtplanung; 1700 schloss dieser die Errichtung des Schlosses ab. Die prunkvolle Innenausstattung besorgten italienische Künstler. In der 1719–1723 erbauten, reich ausgestatteten Schlosskirche befindet sich das Grab der Markgräfin Sibylla Augusta († 1733). Von den im Schloss untergebrachten Museen ist an erster Stelle das **Wehrge-schichtliche Museum** zu nennen. Es zeigt deutsche Wehrkunde vom Mittelalter bis zur Neuzeit (Uniformen, Rüstungen, Waffen, Diora-men). Der Schwerpunkt des Freiheitsmuseums liegt auf den Revolu-tionen von 1789/1790 und 1848/1849. Rechtwinklig zur Symmetrie-achse des Schlosses verläuft die Kaiserstraße. Mitten in dem breiten Straßenzug liegt das barocke Rathaus (1750), davor der Alexiusbrun-nen; südöstlich schließen der Johannesbrunnen und die Stadtkirche St. Alexander (1756–1764) mit einem prächtigen Hochaltar an.

Südöstlich außerhalb von Rastatt, nicht weit von Kuppenheim, wur-de 1710–1712 das hübsche barocke Lustschloss Favorite als Sommer-sitz für Sibylla Augusta, der Witwe des »Türkenlouis«, errichtet. Die Einrichtung gibt einen guten Überblick über die Wohnkultur jener Zeit; herausragend ist die neu gestaltete Präsentation der Porzellan-sammlung der Markgräfin Sibylla Augusta.

✱
Schloss
Favorite

Barocker Prunk im Rastatter Schloss, daher nennt man es auch
»Versailles am Oberrhein«.

✱ Gernsbach
Der Luftkurort Gernsbach, 10 km östlich von Baden-Baden, hat neben einem malerischen Stadtbild den Storchenturm, die Liebfrauenkirche (14. Jh.), ein Renaissance-Rathaus und die Jakobskirche (15. Jh.) als Sehenswürdigkeiten zu bieten.

 BADEN-BADEN ERLEBEN

AUSKUNFT

Baden-Baden
Kur & Tourismus GmbH
Solmsstraße 1,
76530 Baden-Baden
Tel. (0 72 21) 27 52 00, Fax 27 52 02
www.baden-baden.de

BADEN

In Baden-Baden muss man einfach baden. Unser Tipp: *das Friedrichsbad*. Der 1877 im Stil der Neurenaissance errichtete Badetempel am Abhang des Schlossberges bietet ein klassisches römisch-irisches Dampfbad in 16 Stationen inkl. Thermal-Bewegungsbad in der prächtigen Kuppelhalle: Entspannung und Erholung pur (Auskunft: Tel. 0 72 21/27 59 20).

ESSEN

► Fein & Teuer
Le jardin de France
Lichtentalerstraße 13,
76530 Baden-Baden
Tel. (0 72 21) 3 00 78 60
Klassische französische Küche in exquisiter Qualität. Hübsche Terrasse im Innenhof.

► Erschwinglich
Klosterschänke
An der Straße nach Steinbach,
76530 Baden-Baden
Tel. (0 72 21) 74 35
In dem rustikalen Restaurant kocht die Chefin höchstpersönlich, und zwar regionale Küche mit italienischen Einflüssen. Dazu gibt es einen herrlichen Blick!

► Preiswert
Molkenkur
Quettigstraße 19,
76530 Baden-Baden
Tel. (0 72 21) 3 32 57
Bürgerlich-badische Küche im ältesten Wirtshaus Baden-Badens.

ÜBERNACHTEN

► Luxus
Brenner's Park Hotel
Schillerstraße 4, 76530 Baden-Baden
Tel. (0 72 21) 90 90, Fax 3 87 72
www.brenners.com
Schöne Lage, elegante Zimmer, noble Suiten, erstklassiges gastronomisches Angebot, außergewöhnlicher Spa-Bereich und ein perfekter Service lassen Sie auf Wolke 7 schweben.

► Komfortabel
Bad Hotel Zum Hirsch
Hirschstraße 1, 76530 Baden-Baden
Tel. (0 72 21) 93 90, Fax 3 81 48
www.zum-hirsch.steigenberger.de
In dem 1689 erbauten Gebäude in der Altstadt wohnen die Gäste in stilvoll eingerichteten Zimmern mit nostalgischem Charme, Restaurant nur für Hausgäste, viele Wellnessangebote.

► Günstig
Am Markt
Marktplatz 18, 76530 Baden-Baden
Tel. (0 72 21) 2 70 40, Fax 27 04 44
www.hotel-am-markt-baden.de
Sehr persönlich geführtes Haus garni mit familiärer Atmosphäre, das in zentraler Lage Ruhe und Erholung verspricht. Einige Zimmer ohne Bad.

Knapp 10 km südwestlich von Baden-Baden liegt die durch ihren **Obstbau** bekannte Stadt Bühl; berühmt sind die Bühler Frühzwetschgen. Die alte Kirche mit einem Turm aus dem 16. Jh. wurde zum Rathaus umgebaut. In der Luisenstraße 2 befindet sich das Heimatmuseum, südlich der Stadt das attraktive Schwarzwaldbad.

Bühl

Südlich bei Baden-Baden bzw. südöstlich von Bühl liegt an der Schwarzwald-Hochstraße in einem Waldpark das bekannte, luxuriöse Schlosshotel Bühlerhöhe.

✱
◄ Bühlerhöhe

✱ Bad Reichenhall

Atlasteil: S, 64 • A 2   **Bundesland:** Bayern
Höhe: 470 m ü. d. M.   **Einwohnerzahl:** 18 000

Wohlstand und Ansehen des Alpen-Kurorts Bad Reichenhall gründet sich auf das »Weiße Gold«, denn seit dem 16. Jh. wurde hier Salz abgebaut. Im 18. Jh. begann man die Sole auch zur Heilung von Krankheiten zu nutzen, bis heute vorwiegend bei Rheuma und Atemwegserkrankungen. Der Predigtstuhl (1613 m ü. d. M.) und der Hochstaufen (1771 m ü. d. M.) sind die Reichenhaller »Hausberge«.

Sehenswertes in Bad Reichenhall

Mittelpunkt des Kurviertels sind die Ludwigstraße und die Salzburger Straße, an der sich der Kurgarten mit dem Salzbrunnen, dem Kurhaus, dem Kurmittelhaus, der Trinkhalle und dem Gradierwerk entlangzieht. Das moderne Kurgastzentrum an der Wittelsbacher Straße ist das eigentliche kulturelle und gesellschaftliche Zentrum des Staatsbads. In der **Bayerischen Spielbank** an der Wittelsbacher Straße wird Roulette und Blackjack gespielt.

✱
Kureinrichtungen

Im Quellenbau der alten Saline (Salinenstraße) und im Salzmuseum ist die **Geschichte der Sole- und Salzgewinnung** nachvollziehbar. Die moderne Technik der Salzherstellung wird in einem Film gezeigt.

Im **Städtischen Heimatmuseum** in der Getreidegasse sind Zeugnisse der frühen Siedlungsgeschichte des Saalachtals zu sehen. Ein Diorama zeigt Vögel und Tiere dieser Gegend.

Museale Maschinerie in der Alten Saline

▶ BAD REICHENHALL ERLEBEN

AUSKUNFT

Tourist Information
Wittelsbacherstraße 15,
83435 Bad Reichenhall
Tel. (0 86 51) 60 63 03, Fax 60 63 11
www.bad-reichenhall.de

ESSEN

► Erschwinglich
Landgasthof Madlbauer
Thumsee 2, 83435 Bad Reichenhall
Tel. (0 86 51) 22 96
Der rustikale Gasthof bietet bayerische
Spezialitäten und eine tolle Aussicht.

► Preiswert
Brauerei-Gasthof Bürgerbräu
Waaggasse 2 (Am Rathausplatz),
83435 Bad Reichenhall
Tel. (0 86 51) 60 89
Zünftige Atmosphäre, deftige regio-
nale Kost und schmackhaftes Bier!

ÜBERNACHTEN

► Luxus
Steigenberger Axelmannstein
Salzburger Straße 2,
83435 Bad Reichenhall
Tel. (0 86 51) 77 70, Fax 59 32
www.bad-reichenhall.steigenberger.de
Altehrwürdiges Grandhotel in einer
schönen Parkanlage. Erstklassiges
Restaurant und gemütliche Gaststube,
prachtvolle Badelandschaft mit hervorragender medizinischer Abteilung.

► Komfortabel
Haus Seeblick
Thumsee 10, 83435 Bad Reichenhall
Tel. (0 86 51), Fax 98 63 88
www.hubertus-thumsee.de
Behagliches Haus in herrlicher Lage,
schöne Zimmer, teils mit grandiosem
Blick auf den Thumsee und das
Ristfeucht-Horn.

Baedeker-Empfehlung

Alles Bio
So ziemlich alles, was im Gasthaus Ober-
mühle bei Bad Reichenhall auf den Tisch
kommt, stammt vom eigenen Hof – man
schmeckt's (in Marzoll-Weißbach, Turmstraße 11, Tel. 0 86 51/21 93).
Reservierung ratsam.

Bad Reichenhall von hoher Warte

✳ St. Zeno Im Nordosten der Stadt liegt das ehemalige Augustinerkloster St. Zeno, das 1803 aufgehoben wurde. In die romanische, später gotisch
veränderte Kirche führt ein Stufenportal aus Untersberger Marmor,
flankiert von Löwen. Beachtenswert sind ein Taufstein mit geschnitz-
tem Deckel und am Hochaltar eine Gruppe mit Marienkrönung.

✳ Predigtstuhl Auf den Predigtstuhl (1613 m ü. d. M.), von dem sich eine schöne
Aussicht bietet, führt eine **Kabinenseilbahn**.

✦✦ Bamberg

Atlasteil: S. 46 • A 2	**Bundesland:** Bayern
Höhe: 231–386 m ü. d. M.	**Einwohnerzahl:** 71 000

Tausend Jahre Baukunst prägen das unverwechselbare Stadtbild des wie das antike Rom auf sieben Hügeln erbauten Bamberg. Seine vom Krieg verschont gebliebene Altstadt, überragt vom einzigartigen Kaiserdom, ist ein denkmalgeschütztes Gesamtkunstwerk zwischen Gotik und bürgerlichem Barock, das zum Weltkulturerbe der UNESCO gehört.

Bamberg wurde im Jahr 902 als Sitz des Geschlechts der Babenberger (castrum Babenberch) erstmals genannt. 1007 gründete Kaiser Heinrich II. das Bistum, errichtete eine Kaiserpfalz und ließ den 1012 vollendeten ersten Dom erbauen. Dieser brannte allerdings zweimal nieder und wurde von 1211 an durch den heutigen Dom mit dem berühmten Bamberger Reiter ersetzt.

Geschichte

Im 16. Jh. probten die Bürger den Aufstand, doch behielten die katholischen Fürstbischöfe die Oberhand. Folgerichtig stand die Stadt

Es scheint geradezu, als schwebe das kleine, an das Alte Rathaus angebaute Rottmeisterhaus über dem Fluss.

Bamberg Orientierung

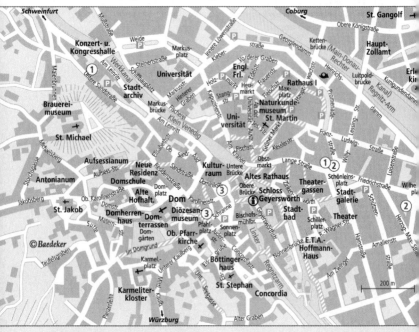

Übernachten

① Residenzschloss

② Romantik Hotel
Messerschmitt

③ Barockhotel am Dom

Essen

① Messerschmitt

② Kaiserdomstuben
El Niu

③ Brauereiausscha
Schlenkerla

im Dreißigjährigen Krieg auf Seiten der Katholischen Liga; nach dessen Ende (1648) erlangte Bamberg unter den Fürstbischöfen Lothar
Franz und Friedrich Karl von Schönborn eine hohe kulturelle Blüte:
Der Barock hielt Einzug. 1818 wurde das Bistum zum Erzbistum erhoben.

Bürgerstadt

Grüner Markt Mittelpunkt der zwischen den beiden Armen der Regnitz gelegenen
Bürgerstadt ist der lang gestreckte, vom Barock geprägte Grüne
Markt. Diesen Stil verkörpern höchst repräsentativ die imposante,
1686–1691 von den Brüdern Dientzenhofer erbaute **St.-Martins-Kir-
che** mit ihrem Hochaltar von Giovanni Battista Brenno sowie das
großbürgerliche Raulinohaus (Nr. 14). An die Kirche schließt sich
rückseitig das Jesuitenkolleg an, in dem das **Naturkunde-Museum**
eingerichtet ist.

Auf den Grünen Markt folgt der Maximiliansplatz mit dem Katharinenspital und dem einstigen Priesterseminar, heute Rathaus. Beide Gebäude entwarf Balthasar Neumann.

Maximiliansplatz

Am Schillerplatz Nr. 26 wohnte von 1809–1813 der Dichter und Kapellmeister E. T. A. Hoffmann; heute ist die Wohnung ein Museum.

E. T. A.-Hoffmann-Haus

BAMBERG ERLEBEN

AUSKUNFT
Bamberg Tourist & Kongress Service
Geyerswörthstraße 3, 96047 Bamberg
Tel. (09 51) 2 97 62 00, Fax 2 97 62 22
www.bamberg.de

ESSEN
▶ Erschwinglich
② **Kaiserdomstuben El Niu**
Urbanstraße 18, 96047 Bamberg
Tel. (09 51) 98 07 30
Spanische, liebevoll zubereitete Gerichte in einem charmanten Haus.

① **Messerschmitt**
Lange Straße 41, 96047 Bamberg
Tel. (09 51) 2 78 66
Das historische Weinhaus pflegt eine vorzügliche Küche: Probieren Sie z. B. Bach-Saibling in Rieslingschaum oder die Landente. Dazu werden beste fränkische Weine gereicht.

▶ Preiswert
③ **Brauereiausschank Schlenkerla**
Dominikanerstraße 6, 96049 Bamberg
Tel. (09 51) 5 60 60
In dieser Bamberger Institution mit seiner rauchgeschwärzten Holzdecke isst man urig-fränkisch und trinkt das »aecht Schlenkerla Rauchbier«.

ÜBERNACHTEN
▶ Luxus
① **Residenzschloss**
Untere Sandstraße 32, 96049 Bamberg
Tel. (09 51) 6 09 10, Fax 6 09 17 01
www.residenzschloss.com

Der ehemalige kurfürstliche Bischofssitz ist inzwischen ein modernes, elegantes Hotel mit allem Komfort und eigener Hauskapelle sowie zwei vorzüglichen Restaurants, Sauna und Fitnessoase.

▶ Komfortabel
② **Romantik-Hotel Messerschmitt**
Lange Straße 41, 96047 Bamberg
Tel. (09 51) 2 78 66, Fax 2 61 41
www.hotel-messerschmitt.de
Hotel im Geburtshaus des Flugzeugkonstrukteurs Willy Messerschmitt, seit 1832 im Familienbesitz. Gemütlich-komfortable Unterkunft mitten in der Stadt.

▶ Günstig
③ **Barockhotel am Dom**
Vorderer Bach 4, 96049 Bamberg
Tel. (09 51) 5 40 31, Fax 5 40 21
Sehr ruhiges und freundliches Hotel in einem historischen Stadtpalais, unterhalb des Doms gelegen. Genießen Sie Ihr Frühstück unter gotischem Gewölbe.

Baedeker-Empfehlung

Brotzeit
Eine zünftige Brotzeit mit Presskopf, Knöchlasulz oder Zwetschenbamers kann man in der Gastwirtschaft Kramer in Buttenheim-Ketschendorf südlich von Bamberg genießen (Tel. 0 95 45/74 32).

Altes Rathaus
★★

Vom Grünen Markt gelangt man über den Obstmarkt Richtung Domberg zur 1453–1456 erbauten Oberen Brücke. Hier, inmitten der Regnitz und genau auf der Grenze zwischen Bürger- und Bischofsstadt, posiert in einzigartiger Lage das farbenfrohe Alte Rathaus. Es zeigt sich heute im barocken Gewand, das ihm 1744–1756 J. M. Küchel anpasste, ist im Kern aber das gotische Gebäude von 1463 geblieben. Der Fachwerkbau des **Rottmeisterhauses** wurde 1688 vorgebaut. Heute werden im Alten Rathaus Fayencen und Porzellan des 18. Jh.s aus der Sammlung Ludwig ausgestellt. Den schönsten Blick hat man vom wenig oberhalb über das Regnitzwehr führenden Steg. Er führt zum Wasserschloss Geyerswörth, 1585 als fürstbischöfliches Stadtschloss erbaut.

<table>
<tr><td>

? WUSSTEN SIE SCHON …?

■ dass die Standbilder von Adam und Eva von der Adamspforte des Bamberger Doms die ersten nackten Gestalten der deutschen Kunst sind? Sie werden im Diözesanmuseum im Domkapitelhaus aufbewahrt.
</td></tr>
</table>

Blick auf »Klein-Venedig« ►
★

Von der Unteren Brücke genießt man regnitzabwärts den Anblick von »Klein-Venedig«, putzigen ehemaligen Fischerhäuschen direkt am Wasser.

Bischofsstadt

Dom
★★

Hoch über der Stadt ragen am Domplatz die vier Türme des Bamberger Doms auf, einem der **herrlichsten Bauten des deutschen Mittelalters**, 1211 begonnen und 1237 geweiht. Am nördlichen Seitenschiff zeigt das Fürstentor die auf den Schultern der Propheten stehenden Apostel und im Bogenfeld das Jüngste Gericht; die um 1220 entstandene Adamspforte an der Südseite des Ostchors ist das älteste Domportal.

Bamberger Reiter ►
★★

Im Georgen- bzw. Ostchor sind in einem 1499–1513 von Tilman Riemenschneider gearbeiteten Hochgrab Kaiser Heinrich II. († 1024) und seine Gemahlin Kunigunde († 1033) begraben. Am linken Chorpfeiler thront auf einer Akanthuskonsole der berühmte Bamberger Reiter. Diese um 1235 geschaffene Skulptur ist einer der Höhepunkte mittelalterlicher deutscher Bildhauerkunst und soll König Stephan den Heiligen von Ungarn, Schwager Kaiser Heinrichs II., verkörpern – es gibt allerdings auch genügend andere Deutungen. An den Außenseiten der steinernen Chorschranken stellen je zwölf Reliefgestalten die Apostel und die Propheten dar, zwischen den Propheten am Pfeiler Figuren von Maria und Elisabeth und auf der Apostelseite die Allegorien auf Kirche und Synagoge.

In der Ostkrypta sieht man den neuzeitlichen Sandsteinsarkophag König Konrads III. († 1152 in Bamberg), im Peters- oder Westchor befindet sich das Marmorgrab des Papstes Clemens II. († 1047) und vormaligen Bischofs von Bam-

Das alte idyllische Fischerviertel trägt den Beinamen »Klein-Venedig«.

berg, das **einzige Papstgrab in Deutschland** (um 1235). An der Westwand des südlichen Querschiffs befindet sich der so genannte Bamberger Altar (1520–1523) von Veit Stoß.

✳ **Alte Hofhaltung**

An der Westseite des Domplatzes zeigt ein herrliches Renaissanceportal den Eingang zur Alten Hofhaltung (Alte Residenz) an, die
1571–1576 als bischöflicher Sitz erbaut wurde. Auf dem Portal sieht
man Heinrich II. und Kunigunde mit einem Modell des Doms.
Schönster Teil ist der Renaissancebau der Ratsstube; im Hauptbau ist
das **Historische Museum** untergebracht.

✳ **Neue Residenz**

Quer über den großartigen Domplatz geht man nun zur Neuen Residenz (1695–1704), Hauptwerk von Johann Leonhard Dientzenhofer.
Die historischen Räume, u. a. der Kaisersaal und das Zimmer, in
dem Napoleon am 6. Oktober 1806 die Kriegserklärung an Preußen
unterzeichnete, sind zu besichtigen. Ferner wartet in der Residenz
die **Staatsgalerie** mit altdeutschen,
flämischen, fränkischen und barocken Gemälden auf.

Zwischen Neuer Residenz und
Hofhaltung hindurch erreicht man
den Jakobsplatz. Dort geht es
rechts bergab und bald wieder
hinauf zur ehemaligen Benediktinerabtei Michaelsberg (1015 gestiftet, 1803 aufgehoben) mit der
St.-Michaels-Kirche (12.–15. Jh.),
deren Gewölbe außergewöhnliche
Darstellungen von Heilkräutern

 Baedeker TIPP

**Nicht nur Bau-, auch Braukunst
ist hier zu Hause!**

Zehn Brauereien versorgen die durstigen Kehlen
in Bamberg. Zwei von ihnen – das urig-
gemütliche Schlenkerla in der Dominikanerstraße
und im Sommer der Spezial-»Keller« (Biergarten)
auf dem Stephansberg – brauen mit dem
würzigen Rauchbier eine echte Bamberger
Spezialität. Unbedingt probieren!

✳
Michaelsberg ▶ aufweist. Die Abteigebäude sind 1696–1702 von J. L. Dientzenhofer bzw. 1742 von Balthasar Neumann neu errichtet worden. In der ehemaligen Klosterbrauerei ist ein sehenswertes **Brauereimuseum** mit einem imposanten Eiskeller eingerichtet.

Domgrund Vom Jakobsplatz geht es links hinab durch verwinkelte, stimmungsvolle Sträßchen zum grünen und stillen Domgrund. Man kommt am Pfahlplatz heraus, von wo einerseits der Untere Kaulberg zur Oberen Pfarrkirche abzweigt, dem **bedeutendsten gotischen Bauwerk der**
Böttingerhaus ▶ **Stadt** (14./15. Jh.), andererseits die Judenstraße zum barocken Böttingerhaus (1706–1713) und weiter zum Barockpalast Concordia (1716–1722) führt.

Umgebung von Bamberg

✳
Schloss Das prunkvolle Barockschloss Weißenstein bei Pommersfelden, 20 km
Weißenstein südwestlich von Bamberg, wurde 1711–1718 von J. L. Dientzenhofer errichtet und besitzt eines der **berühmtesten Treppenhäuser der Barockarchitektur**. Die erlesene Gemäldegalerie zeigt vor allem Werke niederländischer Maler.

Buttenheim In Buttenheim, knappe 20 km südöstlich von Bamberg, wurde Levi Strauss geboren, der Erfinder der Jeans. Seit Sommer 2000 gibt es in seinem Geburtshaus das **Levi-Strauss-Museum**, das sich mit ihm und der Welt der Jeans beschäftigt.

Fränk. Schweiz ▶dort

Bautzen

Atlasteil: S. 41 • C 2	**Bundesland:** Sachsen
Höhe: 219 m ü. d. M.	**Einwohnerzahl:** 46 000

Die imposante Silhouette der vieltürmigen Stadt auf einem Granitplateau über der Spree und das mittelalterlich-barocke Stadtbild machen Bautzen zu einer der anziehendsten Städte im Osten Deutschlands. Heute ist das Städtchen Mittelpunkt des kulturellen und politischen Lebens der (überwiegend katholischen) Oberlausitzer Sorben.

Geschichte An Stelle des einstigen Stammeszentrums der slawischen Milzener und nach wechselvollen Kämpfen während der deutschen Ostexpansion als Grenzfeste Ortenburg der Markgrafen von Meißen errichtet, wurde der Ort 1002 erstmals urkundlich erwähnt. Um 1200 begann die planmäßige Anlage der Stadt durch deutsche Kolonisten, 1213 erhielt Bautzen Stadtrecht. Seiner raschen Entwicklung verdankte es die führende Stellung im Lausitzer Sechsstädtebund (1346–1815). Mit der Strumpfwirkerei (17. Jh.) und der Tuchweberei (18. Jh.) entwickelten sich bescheidene Ansätze eines industriellen Aufschwungs, der sich im 19. Jh. weiter verstärkte. Als 1963 die Staatssicherheit der DDR die Gefängnisse übernahm, um dort – wie bereits von 1945 bis 1950 die Sowjets – politisch Andersdenkende einzusperren, wurde der Name der Stadt ungerechterweise zu einem **Synonym für das Unrechtssystem der DDR**.

? WUSSTEN SIE SCHON ...?

■ dass es nicht nur in Pisa einen schiefen Turm gibt? Am Ende der Reichenstraße erhebt sich Bautzens »Schiefer Turm«, der um 1,44 m von der Senkrechten abweichende Reichenturm (1490–1492).

Sehenswertes in Bautzen

✱ Hauptmarkt

Traditioneller Mittelpunkt der Stadt ist der Hauptmarkt. An seiner Nordseite ragt der Turm des **barocken Rathauses** (1729–1732) auf; die Ost- und Westseite des Platzes zieren Patrizierhäuser wie das »Goldene Buch« (Nr. 5), die Stadtapotheke und der Gasthof Goldener Adler.
Ecke Hauptmarkt/Innere Lauenstraße steht das Gewandhaus, ein Bau im Stil der Neurenaissance (1882/1883) mit dem Ratskeller von 1472; gegenüber das barocke Jahreszeitenhaus. Die hier beginnende Innere Lauenstraße – auch sie gesäumt von stattlichen Bürgerhäusern – führt zum 1400 in die Stadtbefestigung eingefügten Lauenturm.

Reichenstraße

Noch schöner sind die barocken Bürgerbauten entlang der vom Hauptmarkt nach Osten abgehenden Reichenstraße, vor allem die Hausnummern 12, 27 und 29.

✱ Dom St. Peter

Hinter dem Rathaus öffnet sich der Fleischmarkt, wo sich das Denkmal des sächsischen Kurfürsten Johann Georg I. (1865) unter Bäumen fast versteckt. Unübersehbar dagegen ist der Dom St. Peter (Petridom), eine **dreischiffige gotische Hallenkirche** (1213–1497) mit fast 85 m hohem Turm. Der Dom, heute Konkathedrale des Bistums Dresden-Meißen, kann drei Besonderheiten vorweisen: Sein Grundriss ist in der Längsachse geknickt, den drei Schiffen wurde 1463 ein viertes hinzugefügt, und er ist seit 1524 Simultankirche für Katholiken und Protestanten. Im katholischen Teil (Chor) ist vor allem der Hochaltar (1722–1724) von Fossati mit dem Altarbild »Petrus empfängt den Schlüssel« von Pellegrini und den Sandsteinplastiken des Permoser-Schülers Benjamin Thomae sowie dem lebensgroßen Kruzifix (1714) von Permoser sehenswert. Im protestantischen Teil befindet sich die Fürstenloge (1673/1674). Der Domschatz wird im Haus An der Petrikirche Nr. 6 ausgestellt.

◄ Domschatz

Links am Dom vorbei führt der Weg in die Burgstadt hinein auf das farbenfrohe Hauptportal des Domstifts von 1683 zu.

◄ Domstift

Burgstadt

Die Straßen An der Petrikirche und Schlossstraße – mit dem ehemaligen Ständehaus von 1668 und der Schlossapotheke von 1699 – führen durch den ältesten Stadtteil, der in Bautzens Frühzeit unregelmäßig im Schutze der Ortenburg gewachsen war.

✳
Ortenburg ▶

Die über tausendjährige Ortenburg, einst **Sitz der königlichen Verwalter der Oberlausitz**, macht infolge starker Zerstörungen im Dreißigjährigen Krieg und mehrerer Umbauten architektonisch einen wenig geschlossenen Eindruck. Man betritt die Anlage durch den spätgotischen Mathiasturm (1486), den ein Sitzbild des ungarischen Königs Mathias Corvinus schmückt – die Lausitz war 1469 bis 1490 eine Provinz des ungarischen Königreiches. Links sieht man das ebenfalls auf die Spätgotik zurückgehende Hauptgebäude des Schlosses, das nicht besichtigt werden kann. Unbedingt anschauen sollte man sich das Sorbische Museum, das über die Geschichte und Kultur der Sorben unterrichtet.

✳
Sorbisches Museum ▶

Entlang der Stadtbefestigungen

Mehrere Bautzener Architekturdenkmäler kann man auf dem Spaziergang entlang der alten Stadtbefestigungen kennen lernen. Dazu gehören in der nördlichen Burgstadt der Nikolaiturm (vor 1522) und die Ruine der im Dreißigjährigen Krieg (1620 und 1634) abgebrannten Nikolaikirche (1444), die Gerberbastei (1503) und der Schülerturm (vor 1515), von dem man wieder zum Hauptmarkt zurückkommt.

Am Oster-Reymann-Weg, der an der Ausfallpforte der Ortenburg beginnt, liegt der Burgwasserturm mit der Fronfeste, wohl aus dem 10. Jh., dann gelangt man an der Mühlbastei (um 1480) vorbei und durch das 1606 neu erbaute Mühltor auf den Wendischen Kirchhof mit der Michaeliskirche der evangelischen Sorben (1498 vollendet) und schließlich zum **Wahrzeichen Bautzens**, der Alten Wasserkunst, die dem Schutz und mit ihrem Schöpfwerk zugleich der Wasserversorgung der Stadt diente. Die Schöpfanlage wurde 1588 von Wenzel Röhrscheidt d. Ä. konstruiert und ist heute noch funktionsfähig, wie eine Vorführung beweist.

Der klassische Bautzen-Blick: links die Alte Wasserkunst, rechts der Dom St. Petri

Neue Wasserkunst

Jenseits der Friedensbrücke erreicht man in der Fischergasse die Neue Wasserkunst, von Wenzel Röhrscheidt d. J. 1606–1610 erbaut. Unweit der Neuen Wasserkunst steht bei den Schilleranlagen das 1975 errichtete Gebäude des **Deutsch-Sorbischen Volkstheaters**. Am Postplatz befindet sich das Haus der Sorben (Serbski Dom), in dem auch der Bundesvorstand der »Domowina« seinen Sitz hat.

Das ehemalige Stasi-Gefängnis Bautzen II ist zur Gedenk- und Begegnungsstätte umgestaltet worden. Dokumentiert wird die Geschichte der beiden Gefängnisse in der Stadt (Weigangstraße 8 a).

◄ Gedenkstätte Bautzen

Umgebung von Bautzen

Mit Sauriern hat es angefangen, nun besitzt das 5 km nördlich von Bautzen liegende Kleinwelka schon drei Freizeitparks: den **Saurierpark** mit lebensgroßen Modellen der Urtiere, einen großen Irrgarten und den Miniaturenpark, u. a. mit »Klein-Ossiland«.

Kleinwelka

In Neschwitz (sorb. Njeswcidlo), noch einmal 6 km weiter von Kleinwelka, ließ sich Herzog Friedrich von Württemberg-Teck 1723 ein sehr hübsches **Barockschlösschen** bauen, das man besichtigen kann; auch der Park mit exotischen Gehölzern lohnt den Besuch.

Neschwitz

Das 15 km südlich liegende Schirgiswalde (sorb. Šeachow) nennt sich die **»Perle der Oberlausitz«** und ist ein beliebter Ferienort. Sehenswert sind die barocke Pfarrkirche, der Markt mit dem klassizistischen Rathaus (1818), zwei Laubenhäusern und einigen Umgebindehäusern. Im ehemaligen Domstiftlichen Herrenhaus (St.-Pius-Haus) sind noch handgedruckte Tapeten aus dem 19. Jh. erhalten.

Schirgiswalde

▶ BAUTZEN ERLEBEN

AUSKUNFT

Tourist-Information
Hauptmarkt 1, 02625 Bautzen
Tel. (0 35 91) 46 44 32, Fax 46 44 99
www.bautzen.de

ESSEN

► Erschwinglich
Schloss-Schänke
Burgplatz 5, 02625 Bautzen
Tel. (03 5 91) 30 49 90
Viel historisches Flair versprüht das 600 Jahre alte Gasthaus., in dem regionale und internationale Speisen serviert werden.

► Preiswert
Wjelbik
Kornstraße 7, 02625 Bautzen
Tel. (03 5 91) 4 20 60
Hier wird nach original sorbischen und alten Lausitzer Rezepten gekocht.

ÜBERNACHTEN

► Komfortabel
Goldener Adler
Hauptmarkt 4, 02625 Bautzen
Tel. (03 5 91) 4 86 60, Fax 49 21 00
www.goldeneradler.de
Mitten in der Altstadt liegt dieses Renaissance-Gebäude von 1540, mit zeitgemäßem Komfort ausgestattet. Im Restaurant mit historischem Ambiente genießen Sie sächsische Spezialitäten.

► Günstig
Villa Antonia
Lessingstraße 1, 02625 Bautzen
Tel. (03 5 91) 50 10 20, Fax 50 10 44
www.hotel-villa-antonia.de
Gepflegte Unterkunft in einer schönen, restaurierten Villa. Urgemütliches, im Tiroler Stil gehaltenes Restaurant.

In Kleinwelka fasziniert neben dem Saurierpark vor allem der Irrgarten.

Weißenberg In Weißenberg, 18 km östlich von Bautzen, sollte man das Heimatmuseum »Alte Pfefferküchlerei« nicht versäumen. Es handelt sich dabei um eine 1643 gegründete und erst 1937 aufgegebene **Pfefferkuchenbackstube** mit allerlei alter Gerätschaft.

✱✱ Bayerische Alpen

Atlasteil: S. 61 • D 2/3, S. 62/63 •   **Bundesland:** Bayern
A–D 2/3 und S. 64 • A/B 1/2

Die mächtigen Berge, die tief in das Gebirge eingeschnittenen Täler und die unzähligen hübschen Orte der Bayerischen Alpen sind ein Paradies für Urlauber, Wanderer und Skiläufer. Die eindrucksvollsten Felslandschaften findet man im Wettersteingebirge mit der Zugspitze als höchstem Gipfel Deutschlands (2964 m ü. d. M.) und im wild zerrissenen Karwendelgebirge.

Unterteilung Die Bayerischen Alpen umfassen mit ihrem Vorland das Gebiet zwischen Allgäuer Alpen und Chiemgauer Alpen, d. h. etwa vom Lech bzw. Pfronten und Füssen im Westen bis zum Inn im Osten. Die Bayerischen Alpen lassen sich untergliedern in die Ammergauer Alpen, den nördlichen Teil des Wetterstein- und Karwendelgebirges, die Walchensee-, Tegernsee- und Schlierseeberge, die Isarwinkel- und Mangfallgebirge sowie die Chiemgauer Alpen. Hinter den Nördlichen Kalkalpen erheben sich die höheren Zentralalpen. Das Gebirge ragt in der Zugspitze fast bis 3000 m ü. d. M. auf, während seine Haupttäler 700–1000 m hoch liegen. Das von zahlreichen Seen durchzogene Vorland bildet eine Hochfläche, die von etwa 500 m im Süden auf ca. 700 m im Norden ansteigt und durch 50–200 m tiefe Täler gegliedert ist.

Erdgeschichtlich sind die Kalkalpen ein verhältnismäßig **junges Ge-** **birge**. Sie wurden im Tertiär, also vor rund 70 Mio. Jahren, aufgefaltet. Die tiefen Taleinschnitte verdanken ihre Entstehung den Gletschern der Eiszeit, die auch das hügelige Alpenvorland durch Schotterablagerungen und Moränen prägten. Beim Abschmelzen des Eises entstanden die vielen heute als Ausflugsziele beliebten Seen.

Entstehungs- *geschichte*

Die Bayerischen Alpen sind auch ein **Rückzugsgebiet** einiger charakteristischer Tierarten. Typische Alpentiere sind die Gämsen mit ihren nach hinten gekrümmten Hörnern und schwarzem Rückenstreifen und die kleinen Murmeltiere. Über 1300 m Höhe leben Schneehasen mit einem graubraunen bis grauen Sommerpelz und einem weißen Winterpelz. Die seltenen Steinadler – mit bis zu 2 m Flügelspannweite – horsten auf Felsvorsprüngen.

Alpentiere

Nachstehend die wichtigsten Alpenpflanzen, die in ihrem Bestand gefährdet und daher **unter Naturschutz** gestellt sind: Akelei, Alpenrose, Alpenveilchen, Anemone, Aurikel, Bergwohlverleih, Christrose, Edelweiß, Eibe, Eisenhut, Enzian, Gelber Fingerhut, Himmelsschlüssel, Küchenschelle, Leberblümchen, Gelbe Narzisse, Orchideen (u. a. Frauenschuh), Schwertlilie, Seidelbast, Silberdistel, Steinbrech, Trollblume und Türkenbund. In Naturschutzgebieten darf nichts gepflückt werden.

Alpenpflanzen

Eigene Kapitel sind den Orten ▶ Berchtesgaden mit Umgebung, ▶ Füssen mit Pfronten und Umgebung, sowie ▶ Garmisch-Partenkirchen mit der Zugspitze und Umgebung gewidmet.

Hinweis

Bad Tölz und Umgebung

Seit dem 19. Jh. ist Bad Tölz Heilbad und seit 1969 **heilklimatischer** **Kurort**. Einen Schwerpunkt der Anwendungen bilden die Jodquellen-Trink- und -Badekuren; ein anderes Heilverfahren ist die Moortherapie. Im 17. Jh. entstand die Marktstraße, die an der Isar beginnt. Mit ihren heiteren, kunstvoll mit Stuck, Lüftlmalerei und Sinnsprüchen verzierten Fassaden gehört sie zu den eindrucksvollsten Straßenzügen Oberbayerns. In der Nr. 48 ist das Heimatmuseum der Stadt Bad Tölz zu Hause.

Bad Tölz

Über die Isarbrücke gelangt man von der malerischen Altstadt in das Kurviertel. Hier gibt es eine Trink- und Wandelhalle sowie ein Kurhaus, ferner das Freizeit-Center »Alpamare« mit Wellenbad, Freibad und Solarium.
Die Leonhardikapelle steht auf dem Kalvarienberg über Bad Tölz neben einer Kreuzigungsgruppe.

 Baedeker TIPP

Leonhardifahrt

Weit über Bad Tölz hinaus bekannt ist die Leonhardifahrt am 6. November. Sie ist dem hl. Leonhard, Patron der Pferde, geweiht, und deshalb fährt man mit Vierergespannen in einem langen Zug auf den Kalvarienberg zur Leonhardikapelle.

Hoch über der Isar erhebt sich auf dem Kalvarienberg die Leonhardikapelle.

✱ **Leonhardikapelle** ▶ Ein langer **Kreuzweg** führt von der Stadt hinauf. Tölzer Zimmerleute errichteten die Kapelle 1718 zum Dank für ihre unversehrte Heimkehr aus der Sendlinger Bauernschlacht (1705). Das Innere füllen zahlreiche Votivgaben aus.

✱ **Weyarn** Nördlich von Bad Tölz sollte man die Orte Weyarn und Dietramszell besuchen, die beide auf Klostergründungen zurückgehen und daher sehenswerte Stiftskirchen besitzen. Die barocke Kirche des ehemaligen Augustiner-Chorherrenstifts von Weyarn wurde von Johann Baptist Zimmermann mit Stuckaturen und Fresken ausgestattet. Verbunden ist die Kirche jedoch auf ganz besondere Art und Weise mit dem Namen des Münchner Bildhauers Ignaz Günther, der für das Gotteshaus meisterhafte Bildwerke schuf: Schnitzgruppen der Verkündigung, der Beweinung Christi und der Immaculata.

Nach mehrfachem Umbau des Klosters und der Kirche wurde Dietramszell 1803 zu einem Ort, an dem Ordensschwestern zusammenkamen, die durch die Säkularisation ihre Bleibe verloren hatten. Seit 1830 wird es von Salesianerinnen bewohnt.
Die spätbarocke Klosterkirche Mariä Himmelfahrt zählt zu den großen Barockkirchen Oberbayerns. Das Innere schmücken Deckengemälde und Stuck in leuchtenden Farben von Johann Baptist Zimmermann, der auch das Altarbild »Himmelfahrt Mariens« (1745) schuf. An der Wand des südlichen Seitenschiffes befindet sich die Figur des seligen Dietram, eine gotische Arbeit, die vermutlich von einem Hochgrab stammt.

Reiseziele am Tegernsee

✱ **Tegernsee** Von Bad Tölz aus bieten sich Ausflüge zum Tegernsee und zum Schliersee an. Der Tegernsee zählt mit seinem Kranz schöner, bis hoch hinauf mit Wald und Matten bedeckter Berge zu den **beliebtes-**

ten Luftkur- und Wintersportgebieten in Oberbayern. Der See ist nicht groß: 6 km lang und bis zu 2 km breit, und seine Ufer sind nur an wenigen Stellen frei zugänglich; baden kann man praktisch nur in den Strandbädern. Am besten lernt man ihn vom Wasser aus kennen, auf einem der kleinen weißen Motorboote, welche die vier Hauptorte am See miteinander verbinden: Gmund, Tegernsee, Rottach-Egern und Bad Wiessee.

Als »Tor zum Tegernsee« wird Gmund am nördlichen Ende des Sees bezeichnet. Sehenswert ist die Pfarrkirche St. Ägidius mit einem Gemälde von Hans Georg Asam, das die Geschichte des hl. Ägid darstellt. Aus Gmund stammt der Viehhändler Hans Obermayr, dessen Kühe den Grundstock für das **bayerische Alpenfleckvieh** bildeten, das er aus eigenen und Schweizer Kühen kreuzte.

Gmund am Tegernsee

Die ansprechende Ortschaft Tegernsee am Ostufer des gleichnamigen Sees ist heilklimatischer Kurort und wird »Sonnenterrasse des Tegernseer Tales« genannt. Der Ort ist aus einer 746 gegründeten Benediktinerabtei hervorgegangen. Kloster Tegernsee wurde u. a. berühmt durch die kunstvolle Buch- und Glasmalerei seiner Mönche. Später haben sich hier Maler und Schriftsteller niedergelassen, darunter Ludwig Ganghofer und Ludwig Thoma.

✱ **Tegernsee (Ort)**

Am Südostufer des Sees liegt Rottach-Egern, im Zentrum überragt vom schlanken Turm der spätgotischen Pfarrkirche St. Laurentius. Auf dem Friedhof in Egern sind bekannte Künstler beigesetzt, darunter Ludwig Thoma, Ludwig Ganghofer, Leo Slezak und Heinrich Spoerl. Im örtlichen Heimatmuseum sind Bauerntruhen zu bewundern. Lohnend ist ein Besuch der **»Ludwig-Thoma-Bühne«**, die Stücke von Ludwig Thoma aufführt.

✱ **Rottach-Egern**

> **!** *Baedeker* TIPP
>
> **Ein Norweger in Bayern**
>
> Der aus Norwegen stammende, vor allem wegen seiner Zeichnungen für den »Simplicissimus« berühmt gewordene Olaf Gulbransson ließ sich in Tegernsee nieder. Seine Karikaturen, aber auch Ölgemälde kann man im Olaf-Gulbransson-Museum im Kurgarten sehen (Öffnungszeiten: Dez. bis Okt. tgl. außer Mo. 14.00–18.00 Uhr).

Bad Wiessee, schön am Westufer des Sees gelegen, ist das **einzige Heilbad am Tegernsee**. Die heilende Wirkung der Quellen beruht auf dem hohen Jod-Schwefel-Gehalt. Die Kureinrichtungen liegen in Wiessee-Nord, in Wiessee-Süd mit Alt-Wiessee stehen noch gemütliche, alte Wohnhäuser; auch eine Spielbank gibt es. Etwas außerhalb des Orts liegt ein Golfplatz. Auf der beliebten Seepromenade über den Ringseeweg führt ein Spaziergang südwärts nach Abwinkel, einem Ortsteil von Bad Wiessee. Über den Prinzenruheweg gelangt man durch das Zeiselbachtal zum Aussichtspunkt Prinzenruhe: Von dort bietet sich eine herrliche Sicht über den Tegernsee.

✱ **Bad Wiessee**

Blasmusik – hier mit Wendelsteinpanorama – gehört zu jedem oberbayerischen Fest.

Schliersee und Umgebung

Schliersee

Rund 7 km östlich des Tegernsees umrahmen die Berge den kleineren Schliersee. Er ist Mittelpunkt eines viel besuchten **Sommererholungs- und Wintersportgebiets**. Mitten im See erstreckt sich die kleine, allerdings in Privatbesitz befindliche Insel Wörth. Um den See führt ein 7 km langer Rundweg.

Schliersee (Ort)

An der Nordspitze des Sees liegt der Markt Schliersee, von den Einheimischen »Schliers« genannt. In der barocken Pfarrkirche St. Sixtus befinden sich schöne Stuckaturen und Fresken von Johann Baptist Zimmermann (im Chor Darstellung des hl. Sixtus); Im Ortsbild fallen das Rathaus auf, das spätgotische Schrödelhaus, in dem das Heimatmuseum untergebracht ist, ferner das Schlierseer Bauerntheater, in dem immer noch gespielt wird. Von der Weinbergkapelle oberhalb der Pfarrkirche bietet sich ein schöner Blick über den See.

Spitzingsee

Vom Südende des Schliersees führt die Spitzingstraße über den Spitzingsattel zum hoch gelegenen Spitzingsee, der sehr viel kleiner ist als der Tegernsee und der Schliersee. Er ist Mittelpunkt einer für Touristen ganzjährig attraktiven Region: Im Sommer und Herbst lädt sie Wanderer ein, im Winter und Frühjahr Skifahrer. Der See selbst ist zum Baden zu kalt, doch von **Surfern** entdeckt worden. Die bekanntesten Gipfel ringsum sind Stümpfling, Bodenschneid, Taubenstein und Rotwand, mit 1885 m ü. d. M. der höchste von allen. Vom Spitzingsattel (1128 m ü. d. M.) bietet sich ein weiter Blick über den Schliersee im Norden.

BAYERISCHE ALPEN ERLEBEN

AUSKUNFT

Bayerische Alpen
Tourismusverband
München-Oberbayern e.V.
Bodenseestraße 113, 81243 München
Tel. (0 89) 8 29 21 80, Fax 82 92 18 28
www.oberbayern.de

ESSEN

▶ Erschwinglich
Herzogliches Bräustüberl
Im Schloss
83684 Tegernsee
Tel. (0 80 22) 41 41
Zünftige Schänke unter weit ausladen-
den Gewölben. Küche natürlich deftig-
bayerisch.

Sachs
Neuhauser Straße 12
83727 Schliersee-Neuhaus
Tel. (0 80 26) 72 38
Im alpenländischen Stil eingerichtetes
Restaurant mit heimeliger Zirbelstube
und feinen Speisen der Region.

Altes Fährhaus
An der Isarlust 1, 83646 Bad Tölz
Tel. (0 80 41) 60 30
Ehemaliges Fährhaus direkt an der Isar
mit rustikal-gediegenem Ambiente und
mediterran beeinflusster Küche.

ÜBERNACHTEN

▶ Luxus
Jodquellenhof Alpamare
Ludwigstraße 13–15, 83646 Bad Tölz
Tel. (0 80 41) 50 90, Fax 50 95 55
www.jodquellenhof.com
Klassisches, alteingesessenes Kurhotel
in ruhiger Lage. Sehr gediegene Atmo-
sphäre, hochwertig ausgestattete Zim-
mer, direkter Zugang zum attraktiven
Alpamare-Badezentrum, das über eine
Indoor-Surf-Anlage verfügt. Schönes
Restaurant mit internationaler
Küche.

▶ Komfortabel
Bayern
Neureuthstraße 23, 83684 Tegernsee
Tel. (0 80 22) 18 20, Fax 18 21 00
www.hotel-bayern.de
Großzügige und komfortable Hotelanlage mit verschiedenen Gasthäusern
im alpinen Stil. Schöner Blick auf See
und Berge.

▶ Günstig
Gästehaus Lechner am See
Seestraße 33, 83727 Schliersee
Tel. (0 80 26) 9 43 80, Fax 94 38 99
www.gaestehaus-lechner.com
Gepflegtes Haus mit einer schönen
Liegewiese am See.

Auf den 1838 m hohen Wendelstein nördlich von Bayrischzell kann
man von Osterhofen mit einer Seilbahn fahren oder in 2 ½ Stunden
zu Fuß hinaufgehen. Auf dem Gipfel, von dem sich eine weite Sicht
bietet, steht die Wendelsteinkapelle. Wegen der exponierten Lage des
Berges sind dort mehrere technische Anlagen errichtet worden: ein
Sonnenobservatorium und eine Wetterwarte, eine Rundfunkstation
und ein Fernsehsender. Von Brannenburg, einem Ferienort im Inntal, fährt die Wendelsteinbahn den Berg hinauf (Fahrzeit 25 Min.).
Sie wurde 1912 eröffnet; zu besonderen Anlässen verkehren auch
nostalgische Züge.

✳ **Wendelstein**

Miesbach Bayerisches Brauchtum wird in Miesbach, 6 km nördlich des Schliersees, besonders gepflegt. Im 17. und 18. Jh. erlebte der Ort eine Blütezeit durch die Wallfahrten zur Schmerzhaften Maria und durch das Kunsthandwerk, das auf Holz- und Edelmetallverarbeitung basierte. Das ursprüngliche Gnadenbild ist noch in der Stadtpfarrkirche Mariä Himmelfahrt zu sehen. Die Altstadt steht heute **unter Denkmalschutz**. Im Miesbacher Heimatmuseum (Waagstraße 2) sind lokalgeschichtliche und volkskundliche Sammlungen ausgestellt, den Schwerpunkt setzen bemalte Möbel.

✳ Bayerischer Wald

Atlasteil: S. 56 • A–C 1/2   **Bundesland:** Bayern

Die dünn besiedelte Region (98 Einwohner/km²) besticht durch ihre weitgehend ursprüngliche Natur, zahlreiche Wander- und Skirouten über sanft gewellte Hügellandschaften und an einsamen Seen entlang, kleine Kirchdörfer, Schlösser, Burgen und Kunstdenkmäler.

Grenzland Als Bayerischer Wald wird das große Waldgebirge im Osten Bayerns bezeichnet. Im Süden wird es von der Donau (zwischen Regensburg und Passau) begrenzt. Nordöstlich geht es in den Böhmerwald (Tschechien und Österreich) über und setzt sich im Nordwesten im Oberpfälzer Wald fort. Am Südwestrand des Bayerischen Waldes liegen an der Donau die großen Städte ▸Regensburg, ▸Straubing und ▸Passau.

In der Nähe der Donau liegt der **Vordere Wald**, ein etwa bis 1100 m hohes, welliges Bergland, in dem nur die höchsten Teile und die steileren Hänge noch bewaldet sind. Dahinter erhebt sich als Hauptzug des Gebirges der **Hintere Wald**, der im Arber (1457 m ü. d. M.) bei Bayerisch Eisenstein gipfelt. Zwischen Vorderem und Hinterem Wald verläuft ein besonderer Gesteinszug: der etwa 140 km lange Pfahl, ein riffartiger, aus dem Granit und Gneis durch Verwitterung freigelegter, 50–100 m breiter Quarzgang. Da Quarz der wichtigste Rohstoff für die Glasherstellung ist, siedelten sich hier früh die Glasmacher an. Die charakteristische Schönheit des Gebirges, die Adalbert Stifter im 19. Jh. beschrieb, bildet der z. T. urwaldartig erhaltene Hochwald (Buchen, Tannen und Fichten) im südlichen Teil, vor allem in einigen Naturschutzgebieten (u. a. am Arber, am Falkenstein und am Dreisessel). Unterhalb von Arber und Rachel liegen einsame Seen; sie bildeten sich in Becken, welche von eiszeitlichen Gletschern ausgeschürft worden waren.

Glasherstellung Ein beliebtes Souvenir und das **typische Erzeugnis aus dieser Gegend** ist Glas: mundgeblasene Vasen und Trinkgefäße, Kristallglas und Werke der Hinterglasmalerei. Bekannte Glashütten, die allesamt

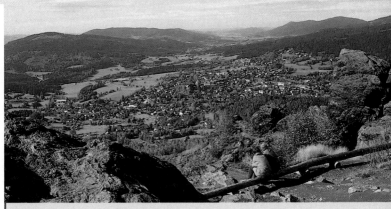

Blick vom Silberberg auf Bodenmais, den beliebten Urlaubsort.

auch Betriebsbesichtigungen anbieten, findet man vor allem in der Umgebung von Bodenmais, in Zwiesel, Spiegelau und Frauenau. Die Glasstraße von Weiden in der ►Oberpfalz nach Passau berührt die bedeutendsten Glasorte.

Reiseziele im Bayerischen Wald

Bewegt man sich von Nordwesten nach Südosten durch den Bayerischen Wald, kommt man zunächst durch die Stadt Cham mit der südlich gelegenen ehemaligen Klosterkirche Chammünster (13. Jh.). Von der Stadtbefestigung (13. Jh.) ist das mächtige Burgtor erhalten; weitere sehenswerte Zeugnisse der jahrhundertealten Stadt sind das Rathaus und die Pfarrkirche St. Jakob. In Loifling befindet sich der **größte Freizeit- und Erlebnispark Ostbayerns**, der Churpfalz-Park.

✳ Cham

Falkenstein im Südwesten von Cham lohnt einen Abstecher wegen seiner wunderbar gelegenen Burganlage mit sehenswertem Arkadenhof (11. Jh.) und dem die Burg umgebenden Naturfelsenpark.

Falkenstein

Nördlich von Cham liegt Furth im Wald mit seiner schönen barocken Kirche und einem neugotischen Stadtturm. Im Sommer findet der **Further Drachenstich** statt, ein großes Spektakel, bei dem »Ritter« gegen einen (mechanischen) Drachen kämpfen (►Bild S. 223).

Furth im Wald

Das mit Wehranlage und Befestigungsringen geschützte Schloss, die hübsche historische Altstadt und der Kurpark sind die Attraktionen des Luftkurorts Kötzting östlich von Cham. Beim berühmten **Kötztinger Pfingstritt** veranstalten am Pfingstmontag 600 Reiter einen Umzug durch die Stadt, der mit einer »Pfingsthochzeit« gekrönt wird. Oberhalb der Stadt erhebt sich die barocke Wallfahrtskirche Weißenregen mit der Fischerkanzel.

✳ Kötzting

Lam ► Östlich von Kötzting, auf dem Weg zum Großen Osser, passiert man das hübsche Örtchen Lam, das ein Mineralienmuseum und in Lambach ein **Märchen- und Gespensterhaus** besitzt.

Viechtach In Viechtach südlich von Kötzting lohnt die Besichtigung des barocken Rathauses und der Rokokokirche St. Augustinus. Im **Naturschutzgebiet bei Viechtach** ragt ein weißes Quarzfelsenriff des ansonsten meist unterirdisch verlaufenden »Pfahls« aus der Erdoberfläche heraus. In der »gläsernen Scheune« im Ortsteil Blossersberg hat der Glaskünstler Rudolf Schmid die Geschichte um den düsteren Bayerwald-Propheten Mühlhiasl gestaltet.

> ! **Baedeker** TIPP
>
> **Gesundheit!**
> Südöstlich von Regen ist die größte Schnupftabaksammlung der Welt in der Burgruine Weißenstein zu Hause (Öffnungszeiten: Mitte Mai bis Okt. tgl. 9.30–12.00 und 13.00–16.30 Uhr).

Am **Regen**, dem wichtigsten Fluss im Bayerischen Wald, liegt die gleichnamige hübsche Kreisstadt, ein Wintersport- und Erholungsort. Das Niederbayerische Landwirtschaftsmuseum in der Schulgasse 2 dokumentiert 150 Jahre Bauerngeschichte. Jedes Jahr im Juli feiert man hier das Pichelsteinerfest, natürlich mit dem berühmten Eintopf, der zu den 100 berühmtesten Rezepten der Welt zählt.

Bodenmais Der wohl **meistbesuchte Urlaubsort im Bayerischen Wald** ist Bodenmais (700 m ü. d. M.) in reizvoller Lage am Südwesthang des Arbermassivs. Im 15. Jh. gelangte der Ort durch den Silberbergbau zu erheblichem Wohlstand; hinzu kam etwa gleichzeitig die Glasherstellung, die auch heute noch eine wichtige Rolle spielt, vor allem seit nach dem Zweiten Weltkrieg viele böhmische Glasbläser einwanderten. Heute ist vielfach eine Glashüttenbesichtigung möglich, z. B. in der Waldglashütte Joska (beim Postamt).

Silberberg Südöstlich von Bodenmais erhebt sich der 955 m hohe Silberberg mit Sommerrodelbahn, Wildgehege, Abenteuerspielplatz und Streichelzoo. Eine **Sesselbahn** führt hinauf – von oben hat man einen wunderbaren Rundblick. In den Berg wurden früher etliche Stollen zum Erzabbau getrieben, die man heute z. T. befahren kann (Stollentherapie für Asthmatiker).

★ Großer Arber Nördlich von Bodenmais steigt der Große Arber auf, mit 1457 m ü. d. M. der höchste Berg des hier nach Bayern reichenden Böhmerwalds und ein beliebtes Wintersportgelände. An seinem Fuß breiten sich die Arberseen aus, von wo man zu Fuß in ca. 2 Std. oder per Seilbahn auf den Gipfel gelangen kann. Von oben genießt man eine großartige Rundsicht. Um den **Großen Arbersee** führt ein Uferrundweg, es gibt auch einen Bootsverleih. An der Straße nach Regenhütte liegt die Freizeitanlage Märchenwald.

Nördlich von Metten lohnt die Besichtigung der Burg Egg, einer mittelalterlichen Burganlage, in die heute ein Schlosshotel eingezogen ist. Noch interessanter ist allerdings ein Besuch im Kloster Metten, seit dem 8. Jh. nachgewiesen und somit eines der **ältesten Klöster Bayerns**. Es besticht durch seine herrliche hochbarocke Klosterbibliothek von 1720.

✳ **Kloster Metten**

◄ Burg Egg

Die Asamkirche (1727–1740) in Osterhofen-Altenmarkt gilt als eine der **prunkvollsten barocken Kirchen Bayerns**. Neben überreichem Stuck, Gewölbefresken und sonstiger Ausstattung bildet der Hochaltar von E. Q. Asam den Höhepunkt.

✳ **Asamkirche**

Nordöstlich von Regen liegt Zwiesel, der Hauptort des Bayerischen Waldes, der vor allem für seine Glashütten bekannt ist. In der Stadtmitte liegt das **Glasmuseum Theresienthal**, das die ehemalige Produktion der königlich privilegierten Glasfabrik Theresienthal zeigt – u. a. Goldrubingläser für das bayerische Königshaus. Nebenan befinden sich die Glasbläserei Schmid und die Theresienthaler Krystallglas- und Porzellanmanufaktur sowie der Schott-Zwiesel-Werksverkauf. Der Ort zeichnet sich außerdem durch mehrere Museen aus, allen voran das hervorragende Waldmuseum (Stadtplatz 29) mit Abteilungen zum Naturraum des Bayerischen Waldes sowie zur Glasmacherkunst und zum bäuerlichen Leben. Sehenswert sind auch das Spielzeugmuseum am Stadtplatz 35, die neugotische Backsteinkirche St. Nikolaus und das Bauernhausmuseum im nahen Lindberg.

Zwiesel

✳ ◄ Waldmuseum

Vollhydraulisches Monster: Ritter Udo besiegt das Ungeheuer beim Further Drachenstich.

Großer Falkenstein
Von Zwiesel führt eine abwechslungsreiche Strecke durch die Glashüttenorte Buchenau und Spiegelhütte zum Großen Falkenstein. Über das Forsthaus Scheuereck und die Höllbach-Schwelle erreicht man den Gipfel (1315 m ü. d. M.). Alternativ biegt man von der Straße von Zwiesel nach Bayerisch Eisenstein etwa auf halber Strecke in eine Nebenstraße zum Zwieseler Waldhaus ab, von wo man zu Fuß in knapp 2 Std. den Großen Falkenstein ersteigen kann.

> **!** *Baedeker* TIPP
>
> **Zwieseler Fink**
> Wer Volksmusik allein für trachtenseliges Fernsehgedudel hält, wird beim Zwieseler Fink möglicherweise eines Besseren belehrt: Was auf diesem Fest im Juni (Jugendfink) bzw. im September geboten wird, ist tatsächlich Musik aus dem Volk, Lichtjahre entfernt von den sattsam bekannten Sangesschwestern und Herzbuben.

Der Weg von Zwiesel nach Grafenau im Südosten führt an mehreren Orten vorbei, die für ihre Glaserzeugnisse bekannt sind, vor allem an **Frauenau**, dem »gläsernen Herz des Bayerischen Waldes«. Hier zeigt das Glasmuseum 2500 Jahre Glasgeschichte, während die **älteste Glasfabrik der Welt**, die Firma der von Poschingers, eine Fabrikbesichtigung anbietet.

Grafenau
In Grafenau im südlichen Teil des Bayerischen Waldes lohnen das Schnupftabak- und Stadtmuseum (Spitalstraße 4) sowie das Bauernmöbelmuseum im Parkweg einen Besuch. Sehenswert sind auch die Reste der Stadtbefestigung (18. Jh.), die barock erneuerte Kirche Mariä Himmelfahrt und die Spitalkirche von 1760. Nördlich von Grafenau erstreckt sich das **Rachelgebiet** mit dem ursprünglichen Waldgebiet, dem tiefen Rachelsee und dem Rachelberg (1453 m ü. d. M.).

✳✳ Nationalpark Bayerischer Wald
Der Nationalpark, der mit 24 300 ha als **größter europäischer Waldnationalpark** gilt, nimmt das Gebiet im Südosten des Bayerischen Waldes entlang der Grenze zur Tschechien ein. Herrliche Wanderwege und Lehrpfade (z. B. beim Rachelsee, bei Neuschönau und bei Finsterau) führen durch die riesigen Wälder. Am Nationalparkhaus nördlich von Neuschönau beginnt der Wanderweg durch ein großes

Finsterau ▶
Tierfreigelände. Bei Finsterau liegt der malerischste und größte Stausee der Region, die **Reschbachklause**. Im Freilichtmuseum Finsterau ist u. a. ein im 18. Jh. errichteter Dreiseithof aus Trautmannnsried zu sehen. Schöne Wanderwege ziehen sich auch um den Dreisesselberg bei Haidmühle, einem kleinen Erholungsort am Fuß des Berges. Mit einer Dampflok kann man von Haidmühle aus zum Moldau-Stausee fahren.

Freyung
Über dem Luftkurort Freyung südöstlich des Nationalparks erhebt sich das Renaissance-Schloss Wolfenstein, das heute ein **Jagd- und Fischereimuseum** beherbergt. Im Schramlhaus in der Abteistraße Nr. 8 werden Exponate zur Heimatgeschichte gezeigt.

Die im 13. Jh. gegründete Stadt Waldkirchen gilt heute als beliebte **Waldkirchen** Einkaufsstadt mit verschiedensten Freizeitmöglichkeiten, vom großen Schwimmbad bis zum Golfplatz. Um die Altstadt zog sich einst eine große Wehrmauer, die heute nur noch zum Teil erhalten ist. Die große neugotische Kirche St. Peter und Paul wird oft auch als **»Dom des Bayerischen Waldes«** bezeichnet.

Am Dreiburgensee im Nordwesten von Tittling liegt mit dem Museumsdorf Dreiburgensee ein sehenswertes weitläufiges **Freilichtmuseum**, ein Ensemble von Waldlerhäusern, Mühlen, historischen Handwerkerbetrieben usw.

★
Museumsdorf Dreiburgensee

DEN BAYERISCHEN WALD ERLEBEN

AUSKUNFT

Tourismusverband Ostbayern
Luitpoldstraße 20,
93047 Regensburg
Tel. (09 41) 58 53 90, Fax 5 85 39 39
www.bayerischer-wald.de

ESSEN

► Erschwinglich

Säumerhof
Steinberg 32, 94481 Grafenau
Tel. (0 85 52) 40 89 90
Stillvolles Restaurant, das für seine sorgfältig zubereitete Saisonküche und darüber hinaus seinen aufmerksamen Service bekannt ist.

► Preiswert

Marktstube
Angerstraße 31,
94227 Zwiesel
Tel. (0 99 22) 62 85, Fax 46 38
Modernes, sehr freundlich geführtes Restaurant, das sich auf heimische Küche spezialisiert hat.

Bräu-Pfandl
Lucknerstraße 11,
93413 Cham
Tel. (0 99 71) 2 07 87
In dem urgemütlichen, rustikalen Gasthaus wird regionale Küche mit mediterranen Einflüssen serviert.

ÜBERNACHTEN

► Komfortabel

Mercure Sonnenhof
Sonnenstraße 12, 94481 Grafenau
Tel. (0 85 52) 44 80, Fax 46 80
Attraktives Ferienhotel am Ortsrand mit hübschen Zimmern; vielfältige Freizeitaktivitäten.

► Günstig

Landhotel Magdalenenhof
Ahornweg 17, 94227 Zwiesel
Tel. (0 99 22) 85 60, Fax 67 08
www.urlaubstip.de/magdalenenhof
Am Waldrand gelegenes Sporthotel, das viele Möglichkeiten für einen erholsamen Ferienaufenthalt bietet.

Hubertus
Grüb 20, 94481 Grafenau-Grüb
Tel. (0 85 52) 9 64 90, Fax 52 65
www.hubertus-grafenau.de
Gemütlich ausgestattete Zimmer bietet das charmante Haus; Schwimmbad, Sauna und türkischem Dampfbad.

Randsberger Hof
Randsbergerhofstraße 15, 93413 Cham
Tel. (0 99 71) 8 57 70, Fax 2 02 99
www.randsbergerhof.de
Früher tummelten sich hier Ritter und Adelige, heute präsentiert sich der Gasthof mit gediegenem Komfort.

✳ Bayreuth

Atlasteil: S. 47 • C 2	**Bundesland:** Bayern
Höhe: 342 m ü. d. M.	**Einwohnerzahl:** 73 000

Als dem Werk Richard Wagners verpflichtete Festspielstadt genießt Bayreuth bis heute Weltruf. Beeindruckend ist auch das Stadtbild mit seinen zahlreichen Barockbauten und Rokokopalästen. Die preußische Königstochter Wilhelmine von Bayreuth ließ die Stadt im 18. Jh. zu einer schillernden Residenz mit Schlössern und Lustgärten ausbauen.

Richard-Wagner-Festspiele

Die Bayreuther Festspiele wurden 1872 von Richard Wagner gegründet und dienen ausschließlich der Aufführung seiner Musikdramen. Nach Wagners Tod leiteten zunächst seine Witwe Cosima, dann sein Sohn Siegfried bzw. dessen Witwe Winifred die Spiele. Auch seit der Neueröffnung (1951) liegt die Leitung in den Händen von Familienmitgliedern. Die alljährlich stattfindenden Festspiele, für die von Anfang an ein eigenes Opernhaus zur Verfügung stand, beginnen im letzten Drittel des Juli und dauern bis Ende August. Mit wechselndem Spielplan bringen sie Musiker, Sänger und Regisseure von internationalem Rang nach Bayreuth.

Sehenswertes in Bayreuth

Opernhaus

In der Opernstraße steht das 1745–1748 auf Veranlassung von Prinzessin Wilhelmine erbaute Markgräfliche Opernhaus, das dank seiner prächtigen Barockausstattung als eines der **schönsten Theater dieser Epoche in der Welt** gilt. Nahebei in der Münzgasse zeigt das **Iwalewa-Haus** (Nr. 9) zeitgenössische Kunst aus der Dritten Welt.

Altes Schloss

Das Alte Schloss in der Maximilianstraße wurde im 13. Jh. als Vierflügelanlage errichtet, im 17. Jh. umgebaut und in den Fünfzigerjahren nach seiner Zerstörung im Zweiten Weltkrieg wieder aufgebaut. In der anschließenden ehemaligen **Schlosskirche** (1753–1754) fallen die reiche Stuckverzierung des Kirchenschiffs und die Grabmäler des Markgrafen Friedrich und seiner Gemahlin Wilhelmine auf. Südwestlich von hier befindet sich die **Stadtkirche** (15. Jh.) mit der Fürstengruft. An der Friedrichstraße Nr. 5 steht das **Wohn- und Sterbehaus des Dichters Jean Paul**.

Auch das in nur zwei Jahren (1753–1754) entstandene **Neue Schloss** an der Ludwigstraße ist der

---

! *Baedeker* TIPP

Lesestoff

Wer es mit Wagner hat, dem sei Herbert Rosendorfers »Bayreuth für Anfänger« (dtv) ans Herz gelegt: Humorvoll und mit Leichtigkeit erzählt er vom Wagner-Clan, auch die Geschichte der Stadt wird kurz umrissen.

Ganz nach barocker Mode: Chinoiserien im Bayreuther Neuen Schloss

Initiative Wilhelmines zu verdanken, die vorhandene Gebäude umbauen, erweitern und miteinander zu einem Ganzen verbinden ließ. Besichtigt werden können die markgräflichen Wohnräume, das Museum Bayreuther Fayencen und im Italienischen Bau das Archäologische Museum. Dahinter dehnt sich der großzügige **Hofgarten** aus, an dessen Nordostseite auch das Freimaurer-Museum zu finden ist.

★ **Neues Schloss**

An der Richard-Wagner-Straße 48, am Nordostrand des Hofgartens, dokumentiert das Museum im 1873 erbauten Haus Wahnfried, in dem Richard Wagner ab 1874 lebte, Leben und Werk des berühmten Komponisten und die Geschichte der Festspiele. Hinter dem Haus liegen die Gräber Wagners und seiner Gattin Cosima, der Tochter von Franz Liszt.

Haus Wahnfried

In der Nähe befindet sich Ecke Wahnfried- und Lisztstraße das Sterbehaus von Franz Liszt (1811–1886), das zum Liszt-Museum umgebaut wurde. Das Jean-Paul-Museum nahebei (Wahnfriedstraße 1) ist dem Dichter Jean Paul Friedrich Richter gewidmet.

Liszt-Museum Jean-Paul-Museum

Auf dem berühmten Grünen Hügel nördlich vor der Stadt (1 km vom Bahnhof) thront das Richard-Wagner-Festspielhaus (1800 Sitzplätze), eine der **größten Opernbühnen der Welt**, für die alljährlichen Richard-Wagner-Festspiele.

Richard-Wagner-Festspielhaus

Die Eremitage, 5 km östlich des Stadtzentrums, war das **Lustschloss der Markgrafen**. Prachtvoll ist nicht nur der große Landschaftspark, sondern auch das dortige Alte Schloss (1715–1718) mit einer Inneren Grotte und das Neue Schloss (1749–1753) mit Sonnentempel und Wasserspielen.

★ **Eremitage**

Umgebung von Bayreuth

Schloss Fantaisie
Im Schloss Fantaisie, 5 km westlich von Bayreuth, ist im Sommer 2000 das Deutsche **Museum für Gartenkunst** eröffnet worden.

Kulmbach
Rund 23 km nordöstlich erreicht man die am Weißen Main gelegene Stadt Kulmbach, die nicht zuletzt für ihre vielen Brauereien bekannt ist (Starkbierfest zu Beginn der Fastenzeit; Bierfest Juli/August). Am Markt fällt das Rathaus mit seiner fein gegliederten Rokoko-Schauseite (1752) auf. Am Burgberg erhebt sich der ehemalige Langheimer Klosterhof, ein reicher Barockbau von 1694.

✳
Plassenburg ▶
Vom Markt Kulmbachs gelangt man hinauf zur mächtigen Plassenburg, die 1340 an die Hohenzollern kam und bis 1604 Sitz der Markgrafen von Brandenburg-Kulmbach war. Der heutige Bau wurde im Wesentlichen 1560–1570 errichtet; sein Glanzstück ist der im Renaissancestil erbaute **Schöne Hof**, der von übereinander liegenden Arkadengängen eingerahmt wird. Die Schlossräume enthalten u. a. das eindrucksvolle Deutsche Zinnfigurenmuseum mit mehr als 300 000 Figuren in über 220 Dioramen; in ungeraden Jahren finden Zinnfigurenbörsen statt.

✳
Deutsches Zinnfigurenmuseum ▶

▶ BAYREUTH ERLEBEN

AUSKUNFT

Kongress- und Tourismuszentrale
Luitpoldplatz 9, 95444 Bayreuth
Tel. (09 21) 8 85 88, Fax 8 85 55
www.bayreuth.de

ESSEN

▶ **Erschwinglich**
Ristorante Italiano auf der Bürgerreuth
An der Bürgerreuth 20,
95445 Bayreuth
Tel. (09 21) 7 84 00
Klassische italienische Küche für Genießer.

▶ **Preiswert**
Oskar
Maximillianstraße 33,
95444 Bayreuth
Tel. (09 21) 5 16 05 53
In den urigen Gasträumen werden herzhafte fränkische Gerichte mit Pfiff serviert. Herrliche Terrasse am Markt.

ÜBERNACHTEN

▶ **Komfortabel**
Goldener Anker
Opernstraße 6, 95444 Bayreuth
Tel. (09 21) 6 50 51, Fax 6 55 00
www.anker-bayreuth.de
Traditionsreiches Haus in der Altstadt, großzügige Zimmer mit persönlicher Note. Teils mit Stilmöbeln und Antiquitäten, teils wohnlich-modern eingerichtet. Im Restaurant mit seinem eleganten Mahagoni-Salon aus dem Jahre 1927 wird klassische Küche serviert.

▶ **Günstig**
Goldener Löwe
Kulmbacher Straße 30,
95444 Bayreuth
Tel. (09 21) 74 60 60, Fax 4 77 77
www.goldener-loewe-bayreuth.de
Behaglicher, typisch fränkischer Gasthof mit rustikal eingerichteten Zimmern.

✳ ✳ Berchtesgaden

Atlasteil: S. 64 • B 2   **Bundesland:** Bayern
Höhe: 573 m ü. d. M.   **Einwohnerzahl:** 8500

Berchtesgaden liegt wunderschön von hohen Bergen umgeben in einem Talkessel im südöstlichsten Winkel Bayerns. Die traumhafte Lage – das Panorama wird vom Watzmann bestimmt – und die vielfältigen Möglichkeiten zum Wandern und zum Wintersport machen den Ort zu einem der beliebtesten Reiseziele in Bayern.

Das Berchtesgadener Land umfasst das Gebiet der Berchtesgadener Alpen zwischen der Saalach im Westen und der Salzach im Osten, dem Steinernen Meer im Süden und dem Untersberg im Norden. Das Gebiet südlich von Berchtesgaden nimmt der Nationalpark Berchtesgaden ein. Sein Zentrum und auch die größte touristische Attraktion ist der herrliche Königssee unter dem 2713 m hohen Watzmann.

✳
Berchtesgadener Land

Sehenswertes in Berchtesgaden

Am Marktplatz stammen fast alle Gebäude – z. T. mit Fresken – aus dem Mittelalter. Jahrhundertelang wohnten dort besonders **Holzwaren- und Spielzeughersteller.**

Marktplatz

Majestätisch ragt der Watzmann über dem Berchtesgadener Land auf.

Die Pfarrkirche in Ramsau samt gebirgsgrüner Ache

In der Nähe des Markts steht das prächtige **Schloss** der Wittelsbacher, das heute ein Museum beherbergt. Ausgestellt sind Waffen, Möbel und Porzellan; ferner gibt es eine Skulpturensammlung und Gemälde, die im schönen frühgotischen Dormitorium, dem ehemaligen Schlafraum der Chorherren, untergebracht sind. Der romanische Kreuzgang (13. Jh.) gilt mit seinen drei Arkadenflügeln als einer der besterhaltenen seiner Art.

Kennzeichnend für die **Stiftskirche** ist die **Doppelturmfassade** aus romanischer Zeit. Die Wände des Langhauses und des Chors sind geschmückt mit bemerkenswerten Grabsteinen der Fürstpröpste.

Heimatmuseum Nordöstlich vom Ortskern, an der Schroffenbergallee, ist im Schloss Adelsheim das Heimatmuseum untergebracht, das vorwiegend Werke der einheimischen Holzschnitzerei zeigt.

✳
**Salzbergwerk
und -museum** Im Nordosten der Stadt kann man ein Salzbergwerk besichtigen. Angeschlossen ist ein Salzmuseum, das über die Geologie der Salzlagerstätten und die Salzgewinnung informiert. Das **Kur- und Erlebnisbad Watzmann-Therme** in der Nähe des Salzbergwerks bietet Möglichkeit zu Erholung und Entspannung.

Umgebung von Berchtesgaden

✳
Obersalzberg Südöstlich von Berchtesgaden erhebt sich der Obersalzberg mit parkartiger Landschaft und prachtvollem Ausblick. Im Gästehaus Hoher Göll unterrichtet eine Dokumentationsstelle über die Geschichte des Obersalzbergs: Adolf Hitler und sein Gefolge hatten sich auf dem

⏵ BERCHTESGADEN ERLEBEN

AUSKUNFT

Kurdirektion Berchtesgaden
Königsseer Straße 2,
83741 Berchtesgaden
Tel. (0 86 52) 96 70, Fax 96 74 00
www.berchtesgadenerland.com

ESSEN

► Erschwinglich

Fischer
Königseer Straße 51,
83471 Berchtesgaden
Tel. (0 86 52) 95 20
Gehobene bayerische Küche und internationale Spezialitäten bietet das feine Restaurant im Hotel Fischer.

► Preiswert

Gasthaus Bier-Adam
Marktplatz 22,
83471 Berchtesgaden
Tel. (0 86 52) 23 90
Im wohl ältesten Wirtshaus Berchtesgadens, das auf eine über 400-jährige Geschichte zurückblickt, wird bodenständige Hausmannskost serviert. Kein Ruhetag.

ÜBERNACHTEN

► Komfortabel

Vier Jahreszeiten
Maximilianstraße 20,
83471 Berchtesgaden
Tel. (0 86 52) 95 20, Fax 50 29
www.berchtesgaden.com/
vierjahreszeiten
Im alpenländischen Stil gehaltene Unterkunft. Gemütlich eingerichtete Zimmer, teilweise mit grandiosem Panoramablick. Zum Haus gehören Hallenbad, Sauna und Golfplatz.

► Günstig

Alpenhotel Weiherbach
Weiherbachweg 6,
83471 Berchtesgaden
Tel. (0 86 52) 97 88 80, Fax 50 29
www.weiherbach.de
Sehr persönlich geführtes Haus mit familiärer Atmosphäre. Hübsche Zimmer und Ferienwohnungen im Landhausstil, teils mit Aussicht, Schwimmbad und Sauna im Haus. Kneippanlage, Langlaufloipe und Skischule am Haus.

Obersalzberg ihre Refugien eingerichtet, nachdem die Grundstücksbesitzer enteignet worden waren. Heute kann man sich in einem Anfang 2005 eröffneten, wegen seiner Lage etwas umstrittenen Fünf-Sterne-Luxushotel verwöhnen lassen.

Ein **Meisterwerk der Ingenieurskunst** ist die 6,5 km lange, in den Felsen gebaute Straße vom Obersalzberg zum Kehlstein. Vom Parkplatz am Ende der Kehlsteinstraße führt ein Tunnel zum Aufzug, der die Besucher in ein paar Sekunden ins Innere des Kehlsteinhauses bringt. Das Kehlsteinhaus, ein Beispiel nationalsozialistischer Architektur, eröffnet den Besuchern einen überwältigenden Blick über das Berchtesgadener Land.

✳ **Kehlstein**

Der Königssee (602 m ü. d. M.) ist einer der **landschaftlich schönsten Punkte des Berchtesgadener Landes**. Ein Fußweg führt am Ostufer

✳ ✳ **Königssee**

zum bekannten Malerwinkel; von dort bietet sich eine herrliche Sicht auf den See, St. Bartholomä, die Funtenseetauern und die Schönfeldspitze. Am Ufer befindet sich die Abfahrtsstelle für eine Bootsfahrt zum Südende des Sees; von dort führt ein Fußweg zum Obersee. Die Hauptattraktion während einer solchen Fahrt ist die Halbinsel St. Bartholomä, ein Landvorsprung, der sich am Fuß des kleinen Watzmann weit in den See vorschiebt. Das architektonische Wahrzeichen des Königssees, die Wallfahrtskapelle St. Bartholomä, stammt aus dem 12. Jahrhundert.

! Baedeker TIPP

Männer und Frauen ohne Nerven

Dazu braucht man wirklich Mut: Mit 120 Sachen im Viererbob – immerhin mit erfahrenen Bobfahrern an den Seilen – den Eiskanal am Königssee hinunterbrettern (Info: Bob- und Schlittenverband für Deutschland, Tel. 0 86 52/9 58 80 oder www.rennbob-taxi.de). Oder sich am 25 m hohen, von Dezember bis März vereisten Stahlgerüst mit 240 m² Kletterfläche an der Bergstation des Jenner versuchen.

Der über dem Königssee 1874 m hoch aufragende **Jenner** hat ganzjährig Saison: im Sommer als beliebte Wanderregion und im Winter als viel besuchtes Skigebiet. Die Jennerbahn führt vom Königssee auf 1802 m Höhe hinauf.

✳ **Nationalpark Berchtesgaden**

Der rund 210 km² große Nationalpark Berchtesgaden nimmt den Südzipfel des Berchtesgadener Landes mit dem Königssee und der Berggruppe des Watzmanns ein. Hier wird die Natur weitgehend sich selbst überlassen. Sogar der Fremdenverkehr unterliegt Einschränkungen; gefördert werden dagegen die Alm- und die mit traditionellen Mitteln betriebene Forstwirtschaft. Unter den hier gedeihenden Blütenpflanzen sind Tauernblümchen, Steinbrech, Alpenmohn und Zwerg-Alpenrose hervorzuheben. Von den Tieren verdienen der Adler, Schneehase und Alpensalamander besondere Beachtung. Von Mai bis Oktober werden **geführte Wanderungen** angeboten.

✳ **Ramsau**

Ramsau ist ein viel besuchter **heilklimatischer Kurort** südwestlich von Berchtesgaden, über dem im Westen die Reiter Alpe und im Süden der Hochkalter aufragen.

Zu Füßen der Reiter Alpe liegen der stimmungsvolle **Hintersee** und der gleichnamige Ort. In etwa einer Stunde kann man den See umwandern. Er ist Ausgangspunkt für Bergtouren, u. a. zum Blaueisgletscher, einem weit nach Norden vorgeschobenen Alpengletscher.

✳✳ **Watzmann**

Südlich von Ramsau ragt unvergleichlich majestätisch das Bergmassiv des Watzmann auf, des höchsten Bergstocks der Berchtesgadener Alpen (Südspitze: 2712 m ü. d. M.). Nach Osten fällt er steil zum Königssee ab. Eine Herausforderung ist für viele Kletterer die Durchsteigung der Watzmann-Ostwand (Wandhöhe: ca. 1800 m ab Einstieg). Von den Hauptrouten gilt der Kederbachweg als der klassische Durchstieg.

✴ ✴ Berlin

Atlasteil: S. 30 • A/B 1/2
Bundesland: Hauptstadt der Bundesrepublik Deutschland und Bundesland

Höhe: 35–50 m ü. d. M.
Einwohnerzahl: 3,39 Mio.

**Die Hauptstadt präsentiert sich als Metropole mit einer Museums-
landschaft, die sich nur im europäischen Rahmen vergleichen lässt,
einem Nachtleben, das in Deutschland ohne Konkurrenz ist und allmählich europäisches Niveau erreicht, und einem Kulturangebot, das
von den Berliner Philharmonikern bis zu den Filmfestspielen reicht.**

Berlin, erster Amtssitz des Bundespräsidenten, Sitz von Bundestag,
Bundesregierung und Bundesrat und als Stadtstaat auch Bundesland,
liegt inmitten der Norddeutschen Tiefebene, umgeben vom Land
Brandenburg. Die **Hauptstadtfunktion** bekleidet die Spreemetropole
offiziell wieder seit dem Beschluss des Deutschen Bundestags vom
20. Juni 1991 über den Umzug von Parlament und Regierung, fak-
tisch mit der Aufnahme der Arbeit von Bundestag und Bundesregierung in Berlin im April bzw. August 1999. Viele große Bauvorhaben
sind vollendet, aber immer noch wird gebaut, sowohl am repräsenta-
tiv-offiziellen als auch am privatwirtschaftlichen und kulturellen Berlin, nicht immer zur Freude der Berliner und der Architekturkritiker,
aber auf jeden Fall sehr groß und meist auch sehr teuer.

Ausführlich be-
schrieben im
Baedeker Allianz
Reiseführer
»Berlin •
Potsdam«

Lichtermeer am Potsdamer Platz

Berlin ist ein Zentrum von Forschung und Wissenschaft mit drei Universitäten (Freie Universität, Technische Universität und Humboldt-Universität) und renommierten Forschungsinstituten wie dem Hahn-Meitner-Institut für Kernforschung sowie die bedeutendste deutsche Industriestadt, für die Namen wie Siemens, AEG und Borsig stehen. Seine Position als Messestadt hat Berlin mit der Vergrößerung des Messegeländes am Funkturm weiter ausgebaut.

Geschichte Berlins

um 600	Westslawische Stämme besiedeln den Berliner Raum.
1237	Erste urkundliche Erwähnung von Cölln: Stadtgründungsdatum
1470	Berlin wird Residenz des Kurfürstentums Brandenburg.
1709	Der erste preußische König Friedrich I. macht Berlin zur Haupt- und Residenzstadt Preußens.
1871	Berlin wird Hauptstadt des deutschen Kaiserreichs.
1848/1849	Berlin-Blockade
1961	Spaltung der Stadt durch den Mauerbau
9.11.1989	Die Mauer fällt.
1999	Bundestag und -regierung ziehen nach Berlin.

Gründung
Unter den Askaniern entstanden an der Spree beim heutigen Mühlendamm als Kaufmannssiedlungen die beiden Dörfer Berlin und das 1237 erstmals erwähnte Cölln, die sich 1307 ein gemeinsames Rathaus bauten. Den Askaniern folgten die Hohenzollern, deren Graf Friedrich II. den Grundstein zum Bau des **»Schlosses zu Cölln«** legte. 1470 wurde Berlin zur Residenz des Landesherrn erhoben.

Hauptstadt Preußens
In den nächsten 180 Jahren dezimierten die Pest und der Dreißigjährige Krieg die Einwohnerzahl beträchtlich; erst die zielbewusste Regierung des Großen Kurfürsten Friedrich Wilhelm (1610–1688) brachte der Stadt und der Mark Brandenburg einen neuen Aufschwung, Anfang des 18. Jh.s wird es gar Haupt- und Residenzstadt des Königreichs Preußen. Friedrich der Große forcierte die Ansiedlung von Manufakturen, ließ repräsentative Bauten errichten und machte Berlin zur **»deutschen Hauptstadt der Aufklärung«**. Nach dem Ende der zweijährigen französischen Besetzung 1808 setzte eine Entwicklung ein, die Berlin zu einer modernen Industriestadt, zum Knotenpunkt des europäischen Eisenbahnverkehrs und am Ende des 19. Jh.s schließlich zu einer Weltstadt werden ließ.

Hauptstadt des Deutschen Reichs
Auch politisch hielt die Stadt Schritt: Mit der Proklamation des Deutschen Kaiserreichs am 18. Januar 1871 wurde sie zu dessen Hauptstadt. Betrug die Einwohnerzahl zu dieser Zeit 823 000, waren

es am Vorabend des Ersten Weltkriegs 1,9 Millionen. Am Ende dieses Kriegs erlebte Berlin die entscheidenden Augenblicke des Werdens der deutschen Republik: Abdankung des Kaisers, Ausrufung der Republik, Spartakusaufstand und Kapp-Putsch. In diese Zeit fiel auch die Zusammenlegung einer Vielzahl von Vororten und -städten zur Stadtgemeinde Groß-Berlin. Kaum hatte sich die Republik konsolidiert und war Berlin zur **vibrierenden Metropole der Goldenen Zwanziger** geworden, war auch schon alles wieder vorbei: Die Nazis feierten am 30. Januar 1933 ihren Führer und neuen Reichskanzler mit einem Fackelzug durch das Brandenburger Tor; dann verwandelten sie binnen weniger Monate Berlin in die Schaltzentrale ihres Terrors. Mit der Olympiade 1936 versuchten sie das Ausland noch einmal zu blenden, doch drei Jahre später begann der Zweite Weltkrieg, an dessen Ende von zuvor 4,3 Mio. Menschen noch 2,8 Mio. in der Stadt lebten; von 82 000 jüdischen Berlinern überlebten 7 427. Das Zentrum der Stadt war zu drei Vierteln zerstört.

Die Mauer ist nur noch historische und künstlerische Reminiszenz.

Kurz vor Kriegsende hatten die Alliierten auf der Konferenz von Jalta den **Viermächte-Status** für Berlin beschlossen. Differenzen zwischen den Besatzungsmächten führten 1948 zur Blockade Berlins durch die Sowjetunion, die in ihrer Besatzungszone ein sozialistisches System etablierte. Als 1949 zunächst die Bundesrepublik und bald darauf die DDR gegründet wurden, war Berlin zweigeteilt: Westberlin als Exklave der Bundesrepublik und Ostberlin als Hauptstadt der DDR. Dort – wie auch in anderen Städten der DDR – schlugen sowjetische Panzer den Aufstand vom 17. Juni 1953 nieder. Die Spaltung der Stadt wurde durch den Mauerbau vom 13. August 1961 zementiert; erst 1963 wurde die Grenze durch das erste Passierscheinabkommen wieder etwas durchlässig. Während es in Ostberlin unter der Kontrolle der Stasi lange ruhig blieb, wurde Westberlin Ende der Sechzigerjahre zum Brennpunkt der Außerparlamentarischen Opposition und in den Achtzigern zum Zentrum der linksalternativen Bewegung.

Vereintes Berlin

1989 aber bekam auch die SED den Unmut des Volkes zu spüren: Erich Honecker stürzte, und seinem Nachfolger blieb nichts anderes übrig, als am 9. November 1989 die Grenzen zu öffnen. Die feierliche Öffnung der Mauer am 22. Dezember 1989 zu beiden Seiten des Brandenburger Tores beendete nach 28 Jahren symbolisch die Teilung der Stadt. Den Weg zur völligen Vereinigung der Stadthälften ebneten die **Unterzeichnung des Einigungsvertrags** zwischen den

Berlin Stadtbezirke

— Einstiger Verlauf der Mauer

© Baedeker

I Mitte	**V** Spandau	**IX** Treptow-Köpenick
II Friedrichshain-Kreuzberg	**VI** Steglitz-Zehlendorf	**X** Marzahn-Hellersdorf
III Pankow	**VII** Tempelhof-Schöneberg	**XI** Lichtenberg
IV Charlottenburg-Wilmersdorf	**VIII** Neukölln	**XII** Reinickendorf

beiden deutschen Staaten im Palais Unter den Linden am 31. August 1990 und die so genannten »Zwei + Vier-Verhandlungen«, in denen die Siegermächte des Zweiten Weltkrieges mit sofortiger Wirkung ihre besonderen Rechte in Bezug auf Deutschland als Ganzes und auf Berlin suspendierten. In der Nacht vom 2. auf den 3. Oktober 1990 fand zur Wiedervereinigung Deutschlands ein großes Volksfest rund um das Brandenburger Tor statt. Am Tag darauf trat das aus Volkskammer und Bundestag gebildete gesamtdeutsche Parlament im Reichstag zusammen; am 20. Juni 1991 bestimmte der erste für ganz Deutschland frei gewählte Bundestag die Verlegung von Parlament und Regierungssitz nach Berlin, das nach der Sommerpause 1999 offiziell »bezogen« wurde. Bittere Pille für die Euphorie aber bleibt die Ablehnung der Fusion von Berlin und Brandenburg per Volksentscheid im Mai 1996. Mit der Jahreswende 2000/2001 wurden die vormals 23 Berliner Bezirke auf zwölf verringert.

Highlights *Berlin*

Brandenburger Tor
Das Symbol der überwundenen Teilung verkörpert deutsche Geschichte pur.
► Seite 237

Unter den Linden
Schlendern Sie von einem historischen Ort zum nächsten.
► Seite 245

Gendarmenmarkt
Wer hier nichts von Geschichte hören mag, genießt einfach den schönsten Platz Berlins.
► Seite 246

Museumsinsel
Wahrlich eine Insel der Kunst und Kultur
► Seite 249

Potsdamer Platz
Kein Bauvorhaben in Berlin hat so viel Aufsehen erregt wie seine Neugestaltung.
► Seite 253

Gemäldegalerie am Kulturforum
Alte Meister von Weltrang
► Seite 258

Schloss Charlottenburg
Einst wohnte hier der preußische König Friedrich der Große.
► Seite 260

**Spandauer Vorstadt
und Scheunenviertel**
Hier ist nachts was geboten
► Seite 248

Berlin-Mitte

Berlins Wahrzeichen und **Symbol der überwundenen Teilung** schlechthin ist das Brandenburger Tor zwischen Mitte und Tiergarten. Es wurde 1788–1791 von Carl Gotthard Langhans nach Motiven der Propyläen in Athen als repräsentativer Abschluss der »Linden« errichtet. Die seitlichen Säulenhallen sind 1868 von Johann Heinrich Strack angebaut worden. Das Tor bekrönt eine Quadriga mit der Siegesgöttin Viktoria. Wie kein anderer Ort war das Brandenburger Tor Zeuge der deutschen Geschichte, von den Siegesparaden der Preußen bis zum SA-Fackelzug, vom Mauerbau und symbolträchtigsten Ort der Teilung bis zum Vereinigungsvolksfest am 2./3. Oktober 1990.

**★ ★
Brandenburger Tor**

Südlich vom Brandenburger Tor wurde im Mai 2005 das Holocaust-Mahnmal eröffnet. Architekt Peter Eisenman schuf einen »begehbare Struktur« aus 2711 Betonstelen; im unterirdischen »Ort der Information« wird anhand von Einzelschicksalen die Geschchte des Holocaust nachvollzogen.

Holocaust-Mahnmal

Zu den Linden hin öffnet sich der Pariser Platz. Hier steht wieder das legendäre Luxushotel Adlon an der Ecke zur **Wilhelmstraße**. Daneben durchbricht der neue Glasbau der **Akademie der Künste** die historisierenden Bauvorgaben des Senats. Vom einstigen Regierungsviertels an der Wilhelmstraße ist nur das ehemalige Reichsluftfahrt- und jetzige Bundesfinanzministerium (Ecke Leipziger Str.) erhalten.

Pariser Platz

Berlin West

Flughafen Tegel ↑
St. Paulus
Turmstraße Rathaus
Heilandskirche
Innen-ministerium
Kaiserin- Augusta- Allee
Neues Ufer
Goslarer
Beusselstr.
Alt Moabit
Essener Str.
Stromstr.
Quedlinburger Str.
Am Spreebord
Spree
Sommeringstraße
Produktions-technisches Zentrum
Helmholtzstraße
Levetzowstraße
Bundesratufer
Bhf. Bellevue S
Rathaus
Lietzow-kirche
Otto- Suhr- Allee
Calvinstr.
Freuhoferstr.
Guericke str.
Sickingenstr.
Saizuter
Emdenstraße
Frankinstraße
Landwehrkanal
St. Ansgar
Akad. d. Künste
Schlosspark Bellevue
Bachstraße
Klopstockstr.
Altonaer
HANSA-VIERTEL
Zillestr.
KPM
Bhf. Tiergarten S
Kaiser-Friedr.-Ged.-kirche
Großer Stern
Deutsche Oper Berlin
Bismarck stra ß e
Marchstr.
Technische Universität
Straße des 17.Juni
Neuer See
Schiller-Theater
Schillerstraße
Technische Universität
TU
Thomas-Dehler-Str.
Wilmersdorfer Str.
Goethestraße
Leibnizstraße
Goethestraße
Hardenbergstraße
Bundesverw-gericht
★ ★ Zoologischer Garten
Cornelliusstr.
Trinitatskirche
Pestalozzistr.
Stein-platz
Theater des Westens
ⓘ Bhf. Zoologischer Garten
Stuttgarter-Platz
① Savigny-platz
Bhf. Savignyplatz S
④ Kantstraße Jüdische
Breitscheid-platz
Budapester Str.
Mommsenstr.
Knesebeckstr.
Gem.haus ✿
★ Kais.-Wilh. Ged.-kirche
ⓘ Europa-Center
Sybel- straße
Lietzenburger straße
Kurfürstendamm
Theater ⑤
Augsburger Straße
Wittenberg-platz
KaDeWe
③
Ku´-Damm-Karree
Lietzenburger Straße
Joachimstaler
Lietzenburger Str.
Geisbergstraße
Olympiastadion, Funkturm, Ausstellungshallen, Kongresszentrum
Pariser Str.
Ludwigs-kirche
Uhlandstraße
Nürnberger Platz
Regensburger Str.
Bayreuther
Vikt.-Luise-Platz
Westfälische Straße
Bayerische Str.
Württemberger Str.
Dusseldorfer Straße
Pariser Str.
Hohenstaufenstraße
Motzstr.
Barbarossastr.
WILMERSDORF
500 m
© Baedeker
Fehrbelliner Platz
Hohenzollerndamm
Uhlandstraße
Bamberger Straße
Bayer. Platz
Rathaus
Berliner Straße
Berliner Straße
Badensche Straße
Rathaus Schöneberg

↑ Dahlem Zehlendorf

—— ehemaliger Verlauf
der Mauer

↓ Botan. Garten, Klinikum ↓   ↓ Dahlem, Zehlendorf ↓

Essen
① Suriya
② Café am Neuen See
③ Tony Roma's
④ Franz Diener
⑤ Diekmann

Übernachten
① Grand Hotel Esplanade
② Bleibtreu
③ Dittberner

Berlin Ost

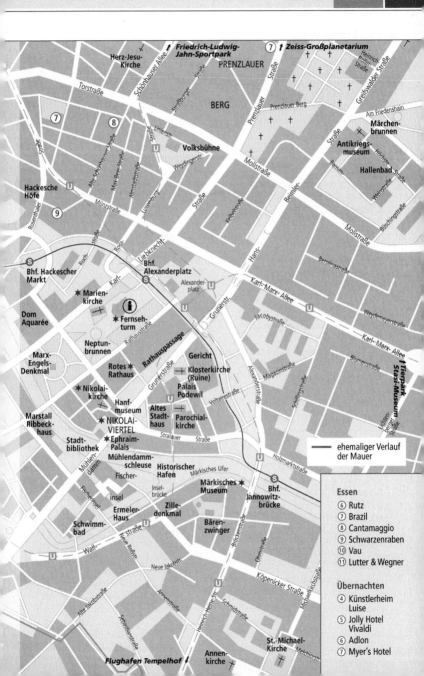

Essen
- ⑥ Rutz
- ⑦ Brazil
- ⑧ Cantamaggio
- ⑨ Schwarzenraben
- ⑩ Vau
- ⑪ Lutter & Wegner

Übernachten
- ④ Künstlerheim Luise
- ⑤ Jolly Hotel Vivaldi
- ⑥ Adlon
- ⑦ Myer's Hotel

ehemaliger Verlauf der Mauer

► BERLIN ERLEBEN

AUSKUNFT

Berlin Tourismus Marketing
Am Karlsbad 11, 10785 Berlin
Tel. (0 30) 25 00 25, Fax 25 00 24 24
www.berlin-tourist-information.de

Stadtbüros:
Europa-Center (Eingang Budapester Straße 45)
KaDeWe Reisecenter (Tauentzienstraße 21–24, im Erdgeschoss)
Brandenburger Tor (im Südflügel)
Fernsehturm (Alexanderplatz)

AUSGEHEN

Das Berliner Nachtleben ist das schrillste der Republik. Tatsächlich gibt es keine Sperrstunde. Wer die notwendige Ausdauer mitbringt, kann grundsätzlich davon ausgehen, dass irgendwo immer etwas passiert. Besonders viel passiert u. a. in Clubs wie *Maria am Ostbahnhof* (An der Schillingbrücke), im *SO 36* (Oranienstraße) und – sommers – im *Club der Visionäre* beim Freiluft-Chillout (Am Flutgraben 1 in Treptow). Berühmt für seine »Russendisko« ist das *Kaffee Burger* (Torstraße 60).
An Szenekneipen herrscht kein Mangel. Empfehlungen: *An einem Sonntag im August* (Kastanienallee 103), *Ankerklause* (Kottbusser Damm 104), *Green Door* (Winterfeldtstraße 50), *Oxymoron* (Hackesche Höfe), *Ständige Vertretung* (Schiffbauerdamm 8) und der *Zwiebelfisch* (Savignyplatz 7).

MUSEEN

Informationen über alle Museen in Berlin finden sich im Internet unter www.berlinsmuseen.de; die Staatlichen Museen Preußischer Kulturbesitz werden unter www.smb.spk-berlin.de vorgestellt.

NAHVERKEHR

Mit S- und U-Bahn, Straßenbahnen und Bussen werden fast alle Sehenswürdigkeiten problemlos erreicht. Die *Berlin-Potsdam-Welcome-Card* erlaubt u. a. 3 Tage freie Fahrt in Bussen und Bahnen und gewährt Ermäßigungen in einigen Museen. Erhältlich bei den Tourist-Informationen und in Hotels.

SIGHTSEEING MAL ANDERS

Wer sich in einer guten halben Stunde einen Überblick verschaffen will, kann eine Bustour mit den *Linien 100 oder 200* unternehmen. Die 100er-Busse fahren vom Bahnhof Zoo zum Alexanderplatz, die 200er vom Bhf. Zoo nach Prenzlauer Berg – an den wichtigsten Sehenswürdigkeiten vorbei. Ganz andere Eindrücke von Berlin erhält man bei *Ausflugsfahrten auf Spree und Havel*, die u. a. am Wannsee, vor der Terrasse der Kongresshalle und am Festungsgraben neben dem Zeughaus starten.

SHOPPING

Immer noch ist *Charlottenburg-Wilmersdorf* eine klassische Einkaufsgegend: der Kurfürstendamm mit seinen Neben- und Seitenstraßen wie Savignyplatz, Kantstraße, Bleibtreustraße und Mommsenstraße, dazu die Tauentzienstraße und natürlich: das *KaDeWe* am Wittenbergplatz, das zu den berühmtesten Kaufhäusern Deutschlands zählt.
Das östliche Pendant dazu ist die *Friedrichstraße* mit den Einkaufsquartieren 205 (v. a. Mode), 206 (sehr exklusiv: Schuhe, Kosmetik, Mode, Accessoires, Edeldesign) und 207, wo die *Galeries Lafayette* zu Hause sind. Die *Arkaden am Potsdamer Platz* mit über 100 Geschäften – v. a. Mode –

bemühen sich redlich, im Konzert der Großen mitzumischen.

Auch etwas abseits lohnt sich der Einkauf, vor allem, weil es dort oft wirklich Ausgefallenes gibt: in der *Spandauer Vorstadt* – Auguststraße, Hackesche oder Heckmann-Höfe – in der *Simon-Dach-Straße* in *Friedrichshain*, in der *Kastanienallee in Prenzlauer Berg*, rund um den *Winterfeldtplatz* und in der *Maaßenstraße in Schöneberg* und in *Kreuzbergs Bergmannstraße*.

ESSEN

► Fein & Teuer

⑩ *Vau*
Jägerstraße 54/55, Mitte
Tel. (0 30) 2 02 97 30
Erstklassige Menüs aus frischen saisonalen Produkten. Meisterhafte Architektur und Kunst machen das Vau auch zu einem Augenschmaus.

► Erschwinglich

④ *Restaurant Franz Diener*
Grolmanstraße 47, Charlottenburg
Tel. (0 30) 8 81 53 29
Seit 40 Jahren am Platz. Illustres, der Kunst zugetanes Publikum.

⑤ *Diekmann*
Meinekestraße 7, Charlottenburg
Tel. (0 30) 39 01 16 98
Bistroküche im Ambiente eines Kolonialwarenladens.

⑥ *Rutz*
Chausseestraße 8, Mitte
Tel. (0 30) 24 62 87 60
Originelles Weinlokal mit einer Weinkarte der Superlative und Bistroküche.

⑨ *Schwarzenraben*
Neue Schönhauser Straße 13, Mitte
Tel. (0 30) 28 39 16 98
Wo einst im Volkskaffeehaus Platz für alle war, speisen heute Designträger und Szenegänger durchaus gut, aber teuer. Sehr angesagt.

⑪ *Lutter & Wegner*
Charlottenstraße 56, Mitte
Tel. (0 30) 20 29 54 10
Österreichisch-deutsche Küche. Hier war E. T. A. Hoffmann Stammgast.

► Preiswert

① *Suriya*
Grolmanstraße 22, Charlottenburg
Tel. (0 30) 3 12 91 23
Außen und innen eher unscheinbar, aber die Küche hat es in sich: eines der authentischsten indischen Restaurants in Berlin.

② *Café am Neuen See*
Lichtensteinallee 2, Tiergarten
Tel. (0 30) 2 54 49 30
Einer der beliebtesten Biergärten der Stadt in schöner Umgebung.

③ *Tony Roma's*
Marlene-Dietrich-Platz 3, Tiergarten
Tel. (0 30) 25 29 58 30
Chicken- und Spareribs-Variationen.

⑦ *Brazil*
Gormannstraße 22, Mitte
Tel. (0 30) 28 59 90 26
Feijoada, Fisch und andere Leckereien aus Brasilien im Scheunenviertel. Immer gut besucht.

⑧ *Cantamaggio*
Alte Schönhauser Straße 4, Mitte
Tel. (0 30) 2 83 18 95
Wunderbar moderne Gerichte aus der sardisch-italienischen Küche.

► Ausflugslokale

Alter Dorfkrug Lübars
Alt-Lübars 8 (Reinickendorf)
Tel. (0 30) 40 20 84 00; Bus 222 ab
S-Bhf. Waidmannslust
Ziemlich weit draußen, aber schönes
dörfliches Idyll. Berliner Küche.

Schrörs
Josef-Nawrocki-Straße 16 (Köpenick)
Tel. (0 30) 64 09 58 80
Tram 60/61 ab S-Bhf. Friedrichshagen
Biergarten direkt am Müggelsee.

Blockhaus Nikolskoe
Nikolskoer Weg, Wannsee (Zehlen-
dorf), Tel. (0 30) 8 05 29 14
Bus 316 ab S-Bhf. Wannsee
Sehr schöne Gartenwirtschaft an his-
torischem Ort über dem Wannsee.

Zenner
Alt-Treptow 14–17 (Treptow)
Tel. (0 30) 5 33 73 70
S-Bahn: Treptower Park
Traditionelles Ausflugsziel im Trep-
tower Park. Großer Terrassenbier-
garten direkt an der Spree.

ÜBERNACHTEN

► Luxus

① Grand Hotel Esplanade
Lützowufer 15 (Tiergarten)
10785 Berlin
Tel. (0 30) 2 54 78-0, Fax 2 43 78-82 22
www.esplanade.de
Luxushotel im schlicht-eleganten De-
signerstil. Gourmetrestaurant Harle-
kin, rustikale Eckkneipe. Beliebter
Treffpunkt: Harry's New York Bar.

⑥ Adlon Kempinski Berlin
Unter den Linden 77 (Mitte)
10117 Berlin
Tel. (0 30) 22 61-0, Fax 22 61-22 22
www.hotel-adlon.de
Hotellegende, in der schon Enrico
Caruso, Zar Nikolaus, Albert Einstein

oder Thomas Alva Edison wohnten.
Restaurant, Bars und Wintergärten,
Business Center, 12 Boutiquen.

► Komfortabel

② Bleibtreu
Bleibtreustraße 31 (Charlottenburg)
10707 Berlin
Tel. (0 30) 8 84 74-0, Fax 8 84 74-444
www.bleibtreu.com
In großbürgerlichem Stadthaus, ökologischer Anspruch in Einrichtung
und Küche.

④ Künstlerheim Luise
Luisenstraße 19 (Mitte), 10117 Berlin
Tel. (0 30) 2 84 48-0, Fax 2 84 48-448
www.kuenstlerheim-luise.de
Originelles Haus direkt am Regie-
rungsviertel, in dem jedes Zimmer,
Lobby und Treppenhaus von einem
anderen Künstler gestaltet wurde.

⑤ Jolly Hotel Vivaldi
Friedrichstraße 96 (Mitte)
10117 Berlin
Tel. (0 30) 20 62 66-0,
Fax 20 62 66-999
www.jollyhotels.de
Neu, sehr zentral, mit italienischem
Touch im Service, im Restaurant
Vivaldi, im Bistro und in der Weinbar.

► Günstig

③ Dittberner
Wielandstraße 26 (Charlottenburg),
10707 Berlin
Tel. (0 30) 8 81 50 01, Fax 8 83 58 87
Pension in einem verwinkelten
Bürgerhaus, sehr freundlicher Service.

⑦ Myer's Hotel
Metzstraße 26 (Prenzlauer Berg)
10405 Berlin
Tel. (0 30) 4 40 14-0, Fax 4 40 14-104
Stilvolle Zimmer, viel versprechende
Lage für abendliches Ausgehen in
Prenzlauer Berg.

Die etwa 1400 m lange und 60 m breite **berühmte Straße** Unter den Linden verbindet den Pariser Platz mit der zum Schlossplatz führenden Schlossbrücke. Sie entstand aus einem mit Linden bepflanzten kurfürstlichen Reitweg und erhielt vor allem unter Friedrich dem Großen ihre prächtigen Bauten. Ein Spaziergang beginnt am besten am Pariser Platz.

✶✶
Unter den Linden

Den Abschnitt westlich der Kreuzung mit der Friedrichstraße säumen überwiegend moderne Nachkriegsgebäude (darunter das Gebäude der Deutschen Bank mit der **Deutschen Guggenheim**), jenseits der Friedrichstraße ist die historische Bebauung meist nach dem Krieg wiederhergestellt worden. Auf der linken Straßenseite fällt hier zunächst die **Staatsbibliothek** auf, 1903–1914 an Stelle des Marstalls erbaut. Auf sie folgt das Gebäude der **Humboldt-Universität**, das 1748–1753 von J. Boumann d. Ä. als Palais für Prinz Heinrich, den Bruder Friedrichs II., errichtet und 1809 auf die Initiative Wilhelm von Humboldts (1767–1835) zur Hochschule umgewidmet wurde. Seit 1946 trägt sie seinen Namen. Standbilder des Gründers und seines Bruders Alexander säumen den Eingang.

Auf dem Mittelstreifen bei Bibliothek und Universität erinnert ein Reiterdenkmal von Christian Daniel Rauch (1851) an Friedrich II. Das 13,50 m hohe Standbild, das lange Zeit im Park von Sanssouci stand, wurde 1980 wieder an seinen angestammten Platz gebracht. Es zeigt den König im Krönungsmantel auf seinem Lieblingspferd »Condé« sowie preußische Feldherren und Reliefs mit Szenen aus dem Leben Friedrichs.

✶
◄ Reiterdenkmal Friedrichs II.

Gegenüber der Universität öffnet sich der **Bebelplatz**, früher Opernplatz, unter Friedrich dem Großen als **repräsentatives Forum Fridericianum** geplant. Die Westseite des Platzes, in dessen Mitte ein Mahnmal für die Bücherverbrennung vom Mai 1933 eingelassen ist, säumt die wegen ihrer geschwungenen Form »Kommode« genannte Alte Bibliothek (1774–1788), an die zur Straße hin das Alte Palais (1834–1836) anschließt, einst Wohnung Kaiser Wilhelms I. In der Südostecke des Platzes liegt die St.-Hedwigs-Kathedrale (1747–1773), ein Zentralbau nach dem Muster des römischen Pantheon und **einziger großer friderizianischer Kirchenbau in Berlin.**

✶
◄ St.-Hedwigs-Kathedrale

Die Deutsche Staatsoper gegenüber der »Kommode« wurde als erster Bau des Forums 1741–1743 durch Georg Wenzeslaus von Knobelsdorff errichtet und nach dem Brand von 1843 durch Carl Ferdinand Langhans in veränderter Form erneuert. Nach der Zerstörung 1945 ist sie bereits 1955 wieder eröffnet und 1986 umfassend restauriert worden. An die Oper schließt sich das ehemalige **Kronprinzessinnenpalais** (1733–1737) an, das die drei Töchter Friedrich Wilhelms III. bis zu ihrer Verheiratung bewohnten (heute Operncafé). In der davor liegenden Grünanlage stehen vier Denkmäler der preußischen Generäle Scharnhorst, Blücher, Yorck und Gneisenau von Rauch und seinen Schülern. Letztes Gebäude auf dieser Straßenseite ist das 1732 in barockem Stil umgebaute Kronprinzenpalais, in dem Kaiser Wilhelm II. geboren wurde.

✶
◄ Deutsche Staatsoper

◄ Kronprinzenpalais

Neue Wache ▶

Die Neue Wache (1816–1818) gegenüber der Oper ist eines der bekanntesten Bauwerke von Karl Friedrich Schinkel. Nach dem Muster eines römischen Kastells als Wachgebäude errichtet, ist sie in der Weimarer Republik zum Ehrenmal für die Gefallenen des Ersten Weltkriegs umgewidmet worden, um in der DDR Mahnmal für die Opfer von Faschismus und Militarismus und nach 1990 schließlich zentrale Gedenkstätte der Bundesrepublik Deutschland zu werden. Als solche erhielt sie eine mehrfach vergrößerte Kopie der Pietà von Käthe Kollwitz. Hinter der Neuen Wache liegt das **Maxim-Gorki-Theater** im Gebäude der ehemaligen Singakademie.

Auf dem Zeughaus thront Kriegsgott Mars.

Das **älteste Bauwerk Unter den Linden** ist das benachbarte Zeughaus, 1695–1706 von Johann Arnold Nering, Andreas Schlüter und Jean de Bodt als einer

Zeughaus (Deutsches Historisches Museum) ▶

der schönsten deutschen Barockbauten errichtet. Der plastische Schmuck, vor allem auch die berühmten »Köpfe sterbender Krieger« im Innenhof, stammt überwiegend von Schlüter, die allegorischen Gestalten der Pyrotechnik, Arithmetik, Geometrie und Mechanik am Eingang und die Dachfiguren schuf Guillaume Hulot. Das Zeughaus beherbergt das Deutsche Historische Museum, das – inkl. eines Neubaus von I. M. Pei – 2005 neu eröffnet wurde.

Schlossbrücke ▶

Beim Zeughaus führt die Schlossbrücke über einen Spreearm zum Schlossplatz. Die acht **Skulpturengruppen antiker Gottheiten** entstanden 1845–1857 nach Entwürfen Schinkels.

Friedrichwerdersche Kirche (Schinkelmuseum)

Die Fläche hinter dem Kommandantenhaus belegte das Außenministerium der DDR. Hier soll der alte Schinkelplatz neu entstehen. Ganz am Südende sieht man die Backsteintürme der im 19. Jh. nach Plänen Schinkels erbauten Friedrichwerderschen Kirche, heute als Schinkelmuseum Leben und Werk des Baumeisters Karl Friedrich Schinkel (1781–1841) dokumentierend.

Werderscher Markt ▶

Südlich jenseits der Werderstraße steht am Werderschen Markt das einstige Gebäude des Zentralkomitees der SED, früher Reichsbank und nun – mit modernem Vorbau – **Auswärtiges Amt**.

Gendarmenmarkt
Schauspielhaus ▶

Berlins schönster Platz, der Gendarmenmarkt, verdankt seinen Namen dem hier von 1736–1782 stationierten Garderegiment »Gens d'Armes«. Nach dem Krieg ist er in jahrelanger Arbeit wiederhergestellt worden. Den Platz beherrscht das ehemalige Schauspielhaus (1818–1821) von Schinkel, unter Intendanten wie Gustaf Gründgens eine der bedeutendsten Bühnen Deutschlands (heute Konzerthaus Berlin). Davor steht das 1871 enthüllte Schillerdenkmal, das erst 1988 wieder hierher zurückgekehrt ist.

An der Südwestseite des Platzes wurde der Deutsche Dom 1701–1708 für die reformierte lutherische Gemeinde errichtet. 1848 hat man auf seinen Stufen die »Märzgefallenen« aufgebahrt – auch dies Thema einer Ausstellung im Dom über die Geschichte der parlamentarischen Demokratie in Deutschland. Als Gegenstück zum Deutschen Dom ist 1701–1705 auf der Nordseite der Französische Dom für die französisch-reformierte Gemeinde erbaut worden. Wie auch am Deutschen Dom stammt der prächtige Kuppelturm von Karl von Gontard. Im Dom illustriert das **Hugenotten-Museum** die Geschichte der Hugenotten in Frankreich und in Preußen.

◄ Deutscher Dom, Französischer Dom

Die Friedrichstraße kreuzt die Linden ungefähr in deren Mitte. Sie war im kaiserlichen Berlin die weltstädtisch-elegante Geschäfts- und Vergnügungsmeile schlechthin, was sie – zumindest nach dem Willen der Investoren – durch eine Masse von Neubauten von meist weltbekannten Architekten auch wieder werden soll.

Friedrichstraße

Die Bautätigkeit macht sich am frappierendsten im Abschnitt südlich der Linden bemerkbar. Die spektakulärsten neuen Gebäude sind die **Friedrichstadtpassagen** mit dem Kaufhaus Galeries Lafayette von Jean Nouvel und, an der Grenze zum Bezirk Kreuzberg, das American Business Center von Philip Johnson. Dieses Riesengebäude bedeckt fast völlig den ehemaligen Checkpoint Charlie, den **legendären Ausländerübergang** im geteilten Berlin. Wenig südlich, schon in Kreuzberg, erfährt man im Museum **Haus am Checkpoint Charlie**, wie es hier einmal ausgesehen hat und auf welche Weise viele Menschen versuchten, die Mauer zu überwinden.

◄ Südliche Friedrichstraße

Der Gendarmenmarkt gilt als Berlins schönster Platz.

Nördliche Friedrichstraße ▶ Nördlich der Kreuzung mit den Linden kommt man zum Bahnhof Friedrichstraße, nach dem Mauerbau die einzige Anknüpfungsstelle für Fern- und Nahbahnen in der geteilten Stadt. Darauf folgt rechts der ehemalige Admiralspalast (1910), nun Metropol-Theater, in dem 1946 die Zwangsvereinigung von KPD und SPD zur SED vollzogen wurde. Jenseits der über die Spree führenden Weidendammer Brücke (1895/1896) erreicht man den 1984 eröffneten neuen **Friedrichstadtpalast** mit einem Denkmal für die Diseuse Claire Waldoff (1884 bis 1957) davor. Von der Brücke blickt man nach links auf das Theater am Schiffbauerdamm, seit 1954 Sitz des »Berliner Ensembles« und Wirkungsstätte von Bertolt Brecht und Helene Weigel.

✳ **Dorotheenstädtischer Friedhof** Brecht und Weigel sind ebenso wie z. B. Johann Gottlieb Fichte, Georg Wilhelm Friedrich Hegel, Karl Friedrich Schinkel, Gottfried Schadow, Heinrich Mann, Hans Eisler, Arnold Zweig, Anna Seghers und Heiner Müller auf dem Dorotheenstädtischen Friedhof an der Chausseestraße im Anschluss an die Friedrichstraße begraben.

Brecht-Haus ▶ Neben dem Eingang des Friedhofs kommt man zur letzten Wohnung von Brecht und Weigel, die heute das Bertolt-Brecht-Zentrum mit den Archiven der beiden beherbergt sowie deren original gestaltete Wohn- und Arbeitsräume zeigt.

✳ **Museum für Naturkunde** Das Museum für Naturkunde an der Invalidenstraße Nr. 34 besitzt Sammlungen zur **Erd- und Naturgeschichte**, eine sehenswerte Mineraliensammlung sowie Riesensaurierskelette.

Oranienburger Straße Das **Nachtleben** von Berlin-Mitte findet u. a. in der von der Friedrichstraße abzweigenden Oranienburger Straße statt: vom koscheren Restaurant, Szenekneipen, alternativen Kunstzentrum bis hin zum Straßenstrich. Auf ihr kommt man, am **Kulturzentrum Tacheles** vorbei, zur wieder aufgebauten, ursprünglich 1866 eröffneten **Neuen Synagoge**, einst das größte jüdische Gotteshaus Deutschlands. Hier zeigt das **Centrum Judaicum** u. a. die Geschichte der jüdischen Gemeinde Berlins.

! *Baedeker* TIPP

Scheunenviertel

Zu beiden Seiten der Rosenthaler Straße dehnt sich das Scheunenviertel aus, das dabei ist, wieder das zu werden, was es im Vorkriegs-Berlin war: ein Kneipenviertel, neudeutsch Szeneviertel. Restaurants und Kneipen reihen sich aneinander, eines besser als das andere.

Nach der Synagoge führt die Krausnickstraße zur **Großen Hamburger Straße**. Dort lag der erste jüdische Friedhof Berlins, auf dem Moses Mendelssohn († 1786) begraben war. Ein Gedenkstein erinnert an das jüdische Altersheim, das von 1941 an Sammelstelle für die zum Transport in die Vernichtungslager bestimmten Berliner Juden war. Kurz darauf sieht man die zwischen 1721 und 1734 errichtete **Sophienkirche**, die den wohl schönsten barocken Kirchenturm Berlins besitzt.

Fixstern der Szene in der Spandauer Vorstadt: die Hackeschen Höfe

Am Ende der Oranienburger Straße liegt der Hackesche Markt, wo man über die Rosenthaler Straße die 1906 entstandenen Hackeschen Höfe betritt, damals größter zusammenhängender Arbeits- und Wohnkomplex Europas, heute **wunderschön restaurierter Szenetreff** mit Kneipen, Läden, Theater und Kino.

✳ Hackesche Höfe

Die von Spreekanal und Kupfergraben umflossene Museumsinsel nördlich der Linden wurde im Jahre 1841 durch königliche Order zu einem **»der Kunst und der Altertumswissenschaft geweihten Bezirk«** bestimmt und ab 1843 ausgebaut. Bereits seit 1830 bestand das Alte Museum im Lustgarten, 1843–1855 entstand das Neue Museum, 1897–1904 folgte das heutige Bode-Museum und schließlich 1909–1930 das Pergamonmuseum. Unter dem 1905–1920 amtierenden Generaldirektor Wilhelm von Bode gelangten die Sammlungen zur **Weltgeltung**. Die Auslagerung im Krieg hatte zur Folge, dass während der Teilung der Stadt die Sammlungen auseinander gerissen wurden. Sie werden nun, allerdings nicht immer an den alten Standorten, unter den Fittichen der Staatlichen Museen Preußischer Kulturbesitz wieder zusammengeführt.

✳✳ Museumsinsel
🕐 Öffnungszeiten für alle Museen:
Di. bis So.
10.00–18.00

Von der Friedrichstraße kommend, erreicht man zuerst das 1956 nach Bode benannte vormalige Kaiser-Friedrich-Museum. Der neobarocke Museumsbau ist ein Werk des Baumeisters Ernst von Ihne. Im kuppelüberwölbten großen Treppenhaus steht auf dem Originalsockel ein Bronzeabguss von Schlüters Reiterdenkmal des Großen Kurfürsten, das sich früher auf der Langen Brücke (heute Rathausbrücke am Nikolaiviertel) befand.

✳ ◀ Bodemuseum

Im Bodemuseum ist zurzeit nur das **Münzkabinett** zu sehen, die numismatische Sammlung vom Beginn der Münzprägung im 7. Jh. v. Chr. in Kleinasien bis zu den Münzen und Medaillen des 20. Jh.s. Die Abteilungen Spätantike, Skulpturensammlung und Byzantinische Kunst werden derzeit neu eingerichtet. Die Wiedereröffnung ist für 2006 geplant.

✳ ✳
Pergamon-
museum ▶

Auch das Pergamonmuseum, **größtes und bedeutendstes Museum auf der Insel**, umfasst mehrere Einzelmuseen. Die Antikensammlung besitzt so einmalige Schätze wie den namengebenden Pergamonaltar, außerdem sind wertvolle griechische und römische Plastiken zu sehen. Das Vorderasiatische Museum verfügt über eindrucksvolle Denkmäler der neubabylonischen Baukunst. Aus älterer Zeit stammen die Stiftmosaikwand (um 3000 v. Chr.) und die Backsteinfassade (etwa 1415 v. Chr.) aus dem Eanna-Heiligtum in Uruk. Das wertvollste Stück des Islamischen Museums ist die Fassade des Wüstenschlosses Mschatta in Jordanien (8. Jh.). Außerdem werden persische und indische Miniaturen, Teppiche und Schnitzereien gezeigt.

Neues Museum ▶

Am Wiederaufbau des Neuen Museums wird seit 1986 gearbeitet. Nach der voraussichtlichen **Wiedereröffnung im Jahr 2009** werden die Sammlungen des Ägyptischen Museums hier an ihrem angestammten Platz präsentiert werden.

✳ ✳
Alte National-
galerie ▶

Hinter dem Neuen Museum erhebt sich die frisch renovierte Alte Nationalgalerie, die Gemälde und Plastiken deutscher Meister aus dem 19. und frühen 20. Jh., vor allem Berliner Künstler, sowie Werke französischer Impressionisten ausstellt; ein Schwerpunkt sind u. a. die Werke Adolph von Menzels.

✳
Altes Museum
(Antiken-
sammlung) ▶

Jenseits des Kupfergrabens und mit der Front auf den Lustgarten zeigend, steht das Alte Museum, **Schinkels bedeutendste städtebauliche Leistung**, mit großer Freitreppe und lang gestreckter Säulenhalle. Hier hat nun die Antikensammlung ihren Platz gefunden. Bis zur Fertigstellung des Neuen Museums werden im Obergeschoss auch die wichtigsten Stücke aus dem **Ägyptischen Museum** gezeigt.

Lustgarten ▶

Vor dem Alten Museum erstreckt sich der Lustgarten, einer der wichtigsten Kundgebungsplätze des alten Berlin. Die große Granitschale vor der Freitreppe des Museums, 1827 bis 1830 entstanden, wurde aus einem einzigen märkischen Findling gehauen.

✔ NICHT VERSÄUMEN

- ▪ Im Pergamonmuseum:
  - Pergamonaltar (180–160 v. Chr.)
  - Markttor von Milet (um 165 n. Chr.)
  - Ischtar-Tor aus Babylon aus der Zeit Nebukadnezars II.
- ▪ Im Alten Museum: Nofretete
- ▪ In der Alten Nationalgalerie: Gemälde von Adolph Menzel

Der Berliner Dom an der Ostseite des Lustgartens wurde 1894–1905 ✱
nach Plänen von Julius Raschdorff auf Wunsch Kaiser Wilhelm II. als **Berliner Dom**
Hauptkirche des preußischen Protestantismus an Stelle einer früheren Domkirche von 1750 errichtet. Im Kirchenraum sind der Große Kurfürst und seine Gemahlin, das preußische Königspaar Friedrich I. und Sophie Charlotte sowie in der Hohenzollerngruft 90 weitere Mitglieder des Herrscherhauses bestattet. Über das Kaiserliche Treppenhaus kommt man auch hinauf zur Kuppel, die eine herrliche Sicht über das Zentrum Berlins bietet.

Jenseits der Karl-Liebknecht-Straße stand das große Berliner Stadt- **Schlossplatz**
schloss, dessen Ruine man 1950 sprengte, um unter Einbeziehung des Lustgartens einen weiten Aufmarschplatz zu schaffen. Der Platz wird beherrscht vom **Palast der Republik** (1973–1976), bis 1990 Sitz der Volkskammer, Versammlungs- und Kulturstätte und seit Jahren wegen Asbestverseuchung geschlossen – er soll jetzt abgerissen werden. Den Platz begrenzt an der Südostseite das ehemalige Gebäude des Staatsrats der DDR, in dessen Fassade das Portal IV des Stadtschlosses eingefügt wurde. Von hier aus hatte **Karl Liebknecht** am 9. November 1918 die **deutsche sozialistische Republik** ausgerufen.

Links vom ehem. Staatsratsgebäude liegen der Alte Marstall (1665 bis **Ribbeckhaus**
1670) und daran anschließend das Ribbeckhaus, 1624 für die bei Theodor Fontane vorkommende märkische Adelsfamilie erbaut und **einzig erhaltenes Renaissancehaus Berlins**.

In der Brüderstraße südlich vom Schlossplatz wohnte im Haus **Nicolaihaus**
Nr. 13 der Verleger Friedrich Nicolai (1733–1811), der sein Heim zu einem Treffpunkt der bedeutendsten Köpfe der deutschen Aufklärung machte.

Das Nikolaiviertel südöstlich vom Schlossplatz am jenseitigen Spree- ✱
ufer ist eine auf dem Reißbrett entworfene **»Alt-Berliner Milieu-Insel«** **Nikolaiviertel**
mit historischen Bauten, die sich früher z. T. andernorts befanden. Die Gebäude scharen sich um die auf einer romanischen Basilika erbaute spätgotische **Nikolaikirche** (14./15. Jh.), deren spitzer Doppelturm das Wahrzeichen des Viertels ist. Von 1657–1666 wirkte hier **Paul Gerhardt**, der Verfasser vieler evangelischer Kirchenlieder, als Geistlicher. Der Kirchenraum zeigt die Stadtgeschichte vom Mittelalter bis zum Dreißigjährigen Krieg.
Zu den bekanntesten historischen Gebäuden gehören die Gerichtslaube des mittelalterlichen Rathauses, das Lessinghaus, in dem Lessing die »Minna von Barnhelm« schrieb, das herrlich ausgestattete Knoblauchhaus (1754–1760), das prachtvolle barocke Ephraim-Palais (1764; heute Galerie der Berliner Kunst vom 17.–19. Jh.), das **Heinrich-Zille-Museum** in der Propststraße und das Restaurant »Zum Nussbaum«. Nicht weit vom Ephraim-Palais befindet sich am Mühlendamm das **originelle Hanfmuseum**.

Der Turm des Roten Rathauses behauptet sich auch neben dem Fernsehturm.

Molkenmarkt und Umgebung Über dem an das Nikolaiviertel anschließenden Molkenmarkt ragt der Turm des Alten Stadthauses auf. An ihm vorbei kommt man zu Berlins erster Barockkirche, der Parochialkirche (1695–1714), und dahinter zu einem Rest der Berliner Stadtmauer (13. Jh.) mit der angeblich ältesten Kneipe Berlins **»Zur Letzten Instanz«** daneben. Weiterhin findet man in diesem Viertel das Stadtgericht Berlin-Mitte (1896–1905) mit seinem sehenswerten Jugendstil-Treppenhaus und die Ruine der Franziskaner-Klosterkirche (13. Jh.), nun als Skulpturengarten genutzt.

Rotes Rathaus Nicht etwa der Politik, sondern seiner roten Backsteine wegen wird das Berliner Rathaus »Rotes Rathaus« genannt. Es wurde 1861–1869 als dreigeschossige Neurenaissance-Mehrflügelanlage mit 74 m hohem Turm errichtet. Auf dem umlaufenden Terrakottafries berichtet die **»Steinerne Chronik«** aus der Geschichte Berlins. Das Rote Rathaus ist heute Sitz des Regierenden Bürgermeisters und des Senats. Der Neptunbrunnen (1891) vor dem Rathaus zeigt den Meeresgott, umgeben von vier Allegorien auf Elbe, Oder, Rhein und Weichsel. Links sieht man an der Rückseite des Palasts der Republik das Marx-Engels-Forum.

✳ **Marienkirche** Über den Brunnen hinweg schaut man zur **ältesten erhaltenen Berliner Kirche**. Die 1270 begonnene und 1380 erweiterte Marienkirche bewahrt in der Turmhalle das Freskogemälde »Totentanz« mit niederdeutschen Versen (1484). Zur reichen Ausstattung gehören eine barocke Alabasterkanzel (1703) von Andreas Schlüter und das Lucas Cranach d. Ä. zugeschriebene Schnitzbild der Heiligen Familie.

✳ **Fernsehturm** Alles überragend steigt 365 m hoch der 1969 vollendete Fernsehturm auf. Er bietet eine **Aussichtsplattform** in 207 m Höhe und ein drehbares Café.

Unter den Hochgleisen hindurch betritt man den 1805 zu Ehren **Zar Alexanders I. von Russland** so benannten Alexanderplatz, von dessen Vorkriegsbebauung so gut wie nichts mehr geblieben ist und den heute mehr oder weniger einfallslose Neubauten prägen.

Alexanderplatz

An der **Stadtgeschichte** Interessierte sollten den Weg zum Märkischen Museum über den Mühlendamm und die Fischerinsel auf sich nehmen. Das Gebäude im Stil der märkischen Backsteingotik wurde von 1899–1908 erbaut.

**✴
Märkisches
Museum**

Im Herzen Berlins ließ Friedrich Wilhelm I. 1741 den Potsdamer Platz angelegen. Vor dem Zweiten Weltkrieg war er der verkehrsreichste Platz Europas. Die Bomben des Zweiten Weltkriegs zerstörten sämtliche Gebäude bis auf das **Weinhaus Huth** und Teile des Hotels Esplanade. Mit dem Bau der Berliner Mauer wurde der Platz zum öden Niemandsland zwischen zwei Mauerlinien. Nach dem Mauerfall angelten sich Großkonzerne wie Daimler-Benz und Sony die Grundstücke und ließen von einigen der namhaftesten Architekten der Welt ein neues Stadtzentrum errichten. »Quartier DaimlerChrysler« mit seiner blitzenden Einkaufspassage, der Spielbank Berlin, dem 3D-Kino und dem »Panorama-Punkt« in 96 m Höhe eröffnete 1998 als erstes, das **Sony Center** gleich gegenüber zog 2000 nach. Seine Hauptattraktion ist das Filmmuseum Berlin, das u. a. den **Nachlass von Marlene Dietrich** präsentiert.

**✴ ✴
Potsdamer Platz**

Leicht und luftig trotz seiner Größe: das Zeltdach über dem Sony Center

Die **Leipziger Straße** führt ostwärts zur Wilhelmstraße. Hier steht das jetzige Bundesfinanzministerium, 1934–1936 als Reichsluftfahrtministerium erbaut, dann Haus der Ministerien der DDR und danach Sitz der Treuhandanstalt. Ein Glasdenkmal erinnert an den 17. Juni 1953. Daneben hat der Bundesrat seinen Sitz im ehemaligen Preußischen Abgeordnetenhaus, etwas weiter an der Mauerstraße befindet sich das **Museum für Kommunikation**.

An der Niederkirchnerstraße entlang trennte einst die Mauer die Bezirke Mitte und Kreuzberg. Zu Nazizeiten befanden sich hier die Zentralen von SS, SD und Gestapo. In freigelegten Kellerräumen eines Nebengebäudes der Gestapozentrale ruft die Ausstellung **»Topo-**

Niederkirchnerstraße

grafie des Terrors« diese Zeit wieder in Erinnerung. Heute zieht vor allem der für seine Kunstausstellungen bekannte **Martin-Gropius-Bau** viele Besucher an.

Tiergarten

★★

Reichstagsgebäude

Vom Brandenburger Tor sieht man bereits das Reichstagsgebäude, das 1884–1894 von Paul Wallot im Stil der italienischen Hochrenaissance entworfen wurde. Bis zum 27. Februar 1933, dem Tag des **Reichstagsbrandes**, kam hier der Deutsche Reichstag zusammen.

Ein wenig groß geraten: das Bundeskanzleramt

Der Brand, mit großer Wahrscheinlichkeit von dem niederländischen Kommunisten Marinus van der Lubbe als Alleintäter gelegt, war Anlass für die »Verordnung zum Schutz von Volk und Staat« am Tag darauf, die den Nazis die Gelegenheit gab, ihre politischen Gegner zu verfolgen und zu beseitigen.

Der Reichstag ist nach dem Aus- und Umbau nach Plänen des britischen Architekten Norman Foster ständiger Tagungsort des Bundestags. Seine große touristische Attraktion ist die **Glaskuppel** auf dem Dach, zu deren Spitze man auf spiralförmigen Rampen wandelt. Von oben überblickt man u. a. sehr gut den Spreebogen mit dem riesenhaften **Bundeskanzleramt**, der Schweizer Botschaft davor (die den Krieg mehr oder weniger unbeschadet überstanden hat) und die Blöcke mit den Abgeordnetenbüros.

Tiergarten

Schloss Bellevue ▶

Der Tiergarten ist nicht nur der Name eines Bezirks (er ist im neuen Bezirk Mitte = Wedding-Tiergarten-Mitte aufgegangen), sondern auch **Berlins größter Innenstadtpark**. Sehenswert hier sind die ehemalige Kongresshalle, nun Haus der Kulturen der Welt, sowie Schloss Bellevue (1785), einst Sommerwohnung von Prinz August Ferdinand, des Bruders Friedrichs des Großen, heute Amtssitz des Bundespräsidenten. Westlich an den Bellevuepark anschließend, erbauten 1955–1957 führende Architekten der Welt (u. a. Aalto, Düttmann, Eiermann, Gropius, Niemeyer) das seinerzeit wegweisende **Hansaviertel**.

Von Westen nach Osten durchzieht den Tiergarten die **Straße des 17. Juni**. Am Großen Stern erhebt sich die 67 m hohe **Siegessäule**, ursprünglich vor dem Reichstag für die Feldzüge von 1864, 1866 und 1870/1871 aufgerichtet und 1938 hierher versetzt. Von ihrer Plattform bietet sich eine **hervorragende Rundsicht**. Kurz vor dem Brandenburger Tor erinnert das Sowjetische Ehrenmal an die Toten der Roten Armee beim Kampf um Berlin.

REICHSTAGSGEBÄUDE

✷✷ **1894 eingeweiht, 1933 ausgebrannt, 1945 zerschossen, seit 1990 wieder gesamtdeutsches Parlament: Das Reichstagsgebäude hat eine wechselvolle Geschichte. Die neue Kuppel ist ein Wahrzeichen Berlins geworden.**

⏱ Öffnungszeiten (Kuppel):
tgl. 8.00–22.00 Uhr (z. T. längere Wartezeiten)

① **Sicherheitsschleuse**
Bevor man auf die Kuppel darf, muss man die Sicherheitsschleuse passieren. Im gläsernen Besucheraufzug geht es hinauf.

② **Kuppel**
Die gläserne Kuppel ist 23,5 m hoch und hat an der Basis einen Durchmesser von 40 m. Zwei gegenläufige Rampen führen hinauf zur Aussichtsplattform bzw. wieder hinab. Ihre bautechnische Funktion: Sie leitet Frischluft und durch die Spiegelkonstruktion Licht in den Plenarsaal.

Nach dem Zweiten Weltkrieg wurde der Reichstag wieder hergestellt – ohne Kuppel.

③ **Dachterrasse**
Für eine Pause bietet sich das Dachgartenrestaurant an.

④ **Plenarsaal**
Die Zahl der Sitzplätze schwankt durch so genannte Überhangmandate je nach Wahlergebnis; die Sitzreihen werden ebenfalls in jeder Legislaturperiode neu angeordnet. Von den Abgeordneten aus gesehen befinden sich links vom Rednerpult und den Präsidiumsplätzen die Regierungsbank, rechts die Plätze für Vertreter des Bundesrats.

⑤ **Fraktionssitzungssäle**
Im Südflügel liegt unter den Sitzungssälen das Bundestagspräsidium.

⑥ **Moderne Kunst**
Zeitgenössische Künstler haben im Reichstagsgebäude ihre Arbeiten hinterlassen, darunter in der Eingangshalle die deutschen Farben in der Bearbeitung von Gerhard Richter und im südlichen Lichthof ein Bodenrelief von Ulrich Rückriem.

⑦ **Graffitti**
Inschriften, die sowjetische Soldaten nach der Eroberung an den Wänden angebracht haben, sind z.T. konserviert worden.

Reichstag um 1930 mit der Kuppel von Paul Wallot

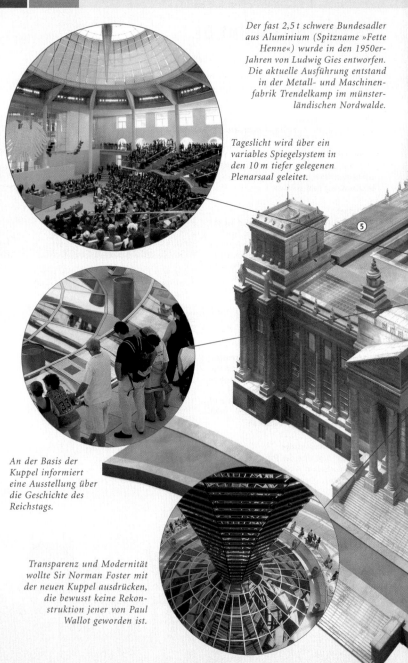

Der fast 2,5 t schwere Bundesadler aus Aluminium (Spitzname »Fette Henne«) wurde in den 1950er-Jahren von Ludwig Gies entworfen. Die aktuelle Ausführung entstand in der Metall- und Maschinenfabrik Trendelkamp im münsterländischen Nordwalde.

Tageslicht wird über ein variables Spiegelsystem in den 10 m tiefer gelegenen Plenarsaal geleitet.

An der Basis der Kuppel informiert eine Ausstellung über die Geschichte des Reichstags.

Transparenz und Modernität wollte Sir Norman Foster mit der neuen Kuppel ausdrücken, die bewusst keine Rekonstruktion jener von Paul Wallot geworden ist.

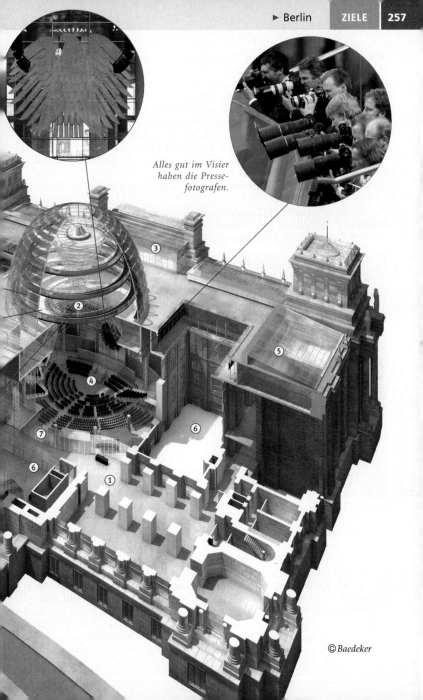

Alles gut im Visier haben die Pressefotografen.

© Baedeker

Kulturforum

Am Südostrand des Tiergartens ist am Kemperplatz und um die St.-Matthäus-Kirche (1846 von Friedrich August Stüler) von 1960 bis heute das Kulturforum entstanden, sowohl Schauplatz moderner Architektur als auch zweiter großer Museumsstandort Berlins, in dem schwerpunktmäßig die **Europäische Kunst** versammelt ist.

Philharmonie
Staatsbibliothek ►

Als erstes Gebäude wurde 1960–1963 die von Hans Scharoun entworfene Philharmonie erbaut. Von ihm stammt auch die 1967–1978 entstandene Staatsbibliothek jenseits der Potsdamer Straße.

✳
Musikinstrumenten-
museum ►

Mit der Philharmonie verbunden ist das Musikinstrumentenmuseum, das 500 unterschiedlichste Instrumente vom 16.–20. Jh. zeigt, darunter als Glanzstück die riesige Kino-Orgel »The Mighty Wurlitzer« von 1929.

✳ ✳
Kunstgewerbe-
museum ►

Das bereits 1867 gegründete Kunstgewerbemuseum zog 1985 in den Neubau von Rolf Gutbrod. Es zeigt Beispiele aus allen Bereichen des europäischen Kunsthandwerks vom Mittelalter bis heute. Höhepunkt

Europäische Malerei ist in der Gemäldegalerie zu sehen.

ist der **Welfenschatz** mit 44 Reliquiaren, Kreuzen und Tragaltären aus dem 11.–15. Jh. (Öffnungszeiten: Di. bis Fr. 10.00–18.00, Sa. und So. 11.00–18.00 Uhr).

1994 hat das **Kupferstichkabinett** sein Domizil bezogen. Die ausgestellten Werke reichen vom Mittelalter bis zur Gegenwart und beinhalten Illustrationen Botticellis zu Dantes »Göttlicher Komödie« ebenso wie Arbeiten der Expressionisten des »Blauen Reiters« und der »Brücke«. Angeschlossen ist die Kunstbibliothek.

Mitte 1998 eröffnete die vordem in Dahlem angesiedelte **Gemäldegalerie** ihre neuen Räume. Sie bietet einen ausgezeichneten Überblick über die europäische Malerei bis zum 19. Jh., darunter acht Werke von Albrecht Dürer und als besonderen Schwerpunkt innerhalb der für sich schon umfangreichen niederländischen Abteilung Werke von Rembrandt und seiner Werkstatt, vor allem den berühmten »Mann mit dem Goldhelm« (Öffnungszeiten: Di. bis So. 10.00–18.00, Do. bis 22.00 Uhr).

✳
Neue National-
galerie ►
Hamburger
Bahnhof ►

Der Moderne widmet sich die Neue Nationalgalerie in ihrer 1965 bis 1968 nach Plänen von Ludwig Mies van der Rohe erbauten Stahl- und Glashalle. Ausgestellt sind u. a. Werke von Edvard Munch, George Grosz, Max Beckmann und Max Ernst. Kunst ab 1960 präsentiert die Neue Nationalgalerie im **Museum der Gegenwart** im völlig neu gestalteten ehemaligen Hamburger Bahnhof nördlich vom Spreebogen an der Invalidenstraße.

Die Gedenkstätte Deutscher Widerstand gehört zwar nicht mehr zum Kulturforum, liegt aber nur wenig entfernt von ihm, im ehemaligen Oberkommando der Wehrmacht, dem so genannten **Bendlerblock**. Eine Ausstellung beschreibt den Widerstand aller politischen Richtungen gegen die Nazis. Eine weitere Gedenkstätte zum Widerstand befindet sich im Bezirk Charlottenburg in der ehemaligen Haftanstalt Plötzensee, wo 1800 Männer, Frauen und Jugendliche hingerichtet wurden.

Gedenkstätte Deutscher Widerstand

Charlottenburg und Wilmersdorf

Im Osten von Charlottenburg, am Breitscheidplatz, gilt die Turmruine der neuromanischen Kaiser-Wilhelm-Gedächtniskirche (1891–1895) als eines der **bekanntesten Wahrzeichen Berlins**. Die Kirche wurde 1943 bei einem Bombenangriff zerstört, ihre Ruine beließ man als Mahnmal, unmittelbar daneben aber ist 1959–1961 nach Plänen von Egon Eiermann ein achteckiger, blau verglaster Neubau mit Turm entstanden.

★
Kaiser-Wilhelm-Gedächtniskirche

Nachbar der Kirche ist das 1963–1965 erbaute Europa-Center, ein **Geschäftskomplex** mit 22-geschossigem Hochhaus. Die Freifläche zwischen Kirche und Hochhaus ist, rund um die Brunnenskulptur namens »Wasserklops«, ein beliebter Treffpunkt.

Europa-Center

Der Breitscheidplatz und seine unmittelbare Umgebung gehört zu den **lebhaftesten Ecken Berlins**. Hier beginnen die Tauentzienstraße, die südöstlich zum Wittenbergplatz mit dem großen, für seine Lebensmittelabteilung bekannten Kaufhaus **KaDeWe** führt, und die Budapester Straße. An ihr liegt das Elefantentor, einer der Eingänge zum **Zoologischen Garten** (Bezirk Tiergarten). Besondere Attraktion dieses ältesten Zoos in Deutschland sind die Menschenaffen, einer der wenigen Pandabären in Europa und das Aquarium.

Breitscheidplatz

> ! *Baedeker* TIPP
>
> **Currywurst**
> Dass die Currywurst im Nachkriegs-Berlin erfunden wurde, hat sich schon herumgesprochen. Wo aber schmeckt sie besonders gut? Sicher, der allseits empfohlene Konopke am U-Bahnhof Eberswalder Straße macht sie sehr gut. Aber was sagt eigentlich der berühmte Berliner Taxifahrer dazu? Der empfiehlt den Imbissstand Wilmersdorfer Straße 104 (beim Adenauerplatz) – und Droschkenkutscher können nicht irren.

Der vom Breitscheidplatz nach Westen bis nach Wilmersdorf führende, 3,5 km lange Kurfürstendamm hat sich vom kurfürstlichen Reitweg des 16. Jh.s zur **Flanier- und Einkaufsmeile** gewandelt, auf der man an zahllosen Geschäften, Restaurants, Cafés, Kinos und Theatern vorbeispaziert. Das viel beschworene Weltstadtflair allerdings hat angesichts der Masse von Fastfoodlokalen, Schuhfilialen, Kaufhäusern und Spielsalons erhebliche Kratzer erlitten. Ein kürzerer Spaziergang beginnt am besten am

★
Kurfürstendamm

Kaiser-Wilhelm-Gedächtniskirche

Breitscheidplatz und führt zur Fasanenstraße, an der südlich das **Käthe-Kollwitz-Museum** und nördlich das Jüdische Gemeindehaus liegen. Es folgt das Kurfürstendammkarree, dann weiter bis zur Knesebeckstraße und auf dieser hinauf zum atmosphärisch stimmigen Savignyplatz, wo es weit schönere Kneipen gibt als am Kudamm. Von dort führt die Kantstraße wieder zurück zum Breitscheidplatz.

✳ ✳ Schloss Charlottenburg

Im Herzen von Charlottenburg liegt das in mehreren Etappen zwischen 1695 und 1746 entstandene Charlottenburger Schloss, nach dem Verlust des Stadtschlosses bestes Beispiel für die Baulust der preußischen Könige in Berlin. Seine markante Note erhält es durch den fast 50 m hohen **Kuppelturm**, der über dem Ehrenhof mit dem Reiterstandbild des Großen Kurfürsten aufragt. Die historischen Räume im von Johann Arnold Nering und Eosander Göthe entworfenen Mittelbau sind nach Kriegsschäden originalgetreu wieder hergestellt worden. Höhepunkt sind das Porzellankabinett und die Wohnräume Friedrichs des Großen (Öffnungszeiten: Di. bis Fr. 9.00–17.00, Sa. und So. 10.00–17.00 Uhr). Im Westflügel befasst sich das Museum für Vor- und Frühgeschichte mit den Ursprüngen der Kulturen Alteuropas und des alten Orients.

✳ Schlosspark

Besondere Beachtung verdienen im Schlosspark das Mausoleum für Königin Luise († 1810) und ihren Gemahl König Friedrich Wilhelm III. († 1840), die in von Christian Daniel Rauch geschaffenen Grabmälern ruhen. Auch Kaiser Wilhelm I. († 1888) mit Kaiserin Augusta († 1890) sowie andere Hohenzollern sind hier bestattet. Das Belvedere beherbergt eine **Sammlung »Berliner Porzellan«**.

✳ Sammlung Berggruen

Sammlung Scharf/ Gerstenberg ►

Die beiden Gebäude gegenüber vom Schloss wurden 1850 von Friedrich August Stüler erbaut. Der Westtrakt beherbergt einen weiteren Stern an Berlins Museumshimmel: Die Sammlung Berggruen ist eine der **bedeutendsten Privatsammlungen moderner Malerei** und besitzt allein 70 Werke von Pablo Picasso. Im Osttrakt, zuvor Ägyptisches Museum, wird voraussichtlich ab 2007 die Sammlung Scharf/ Gerstenberg präsentiert. Sie umfasst über 200 Werke mit Schwerpunkt Grafik, darunter Goya, Klee, Max Ernst und Picasso.
Im Gebäude neben der Sammlung Berggruen zeigt das Bröhan-Museum erlesene **Jugendstil- und Art-Deco-Stücke**.

Messegelände

Im Charlottenburger Stadtteil Westend erstreckt sich das Ausstellungs- und Messegelände, das der Schauplatz aller großen Berliner Ausstellungen wie Funkausstellung, Grüne Woche und ITB ist. Inmitten der Hallen erhebt sich ein weiteres Wahrzeichen Berlins, der mit Antenne 150 m hohe **Funkturm**, der 1924–1926 zur Funkausstellung errichtet wurde. Das Messegelände ist mit dem 1979 fertig gestellten Internationalen Congress-Centrum (CC) verbunden.

Das Olympiastadion im Nordwesten von Charlottenburg ist von 1934 bis 1936 nach Plänen von Werner March für die XI. Olympischen Spiele angelegt worden. Das 300 m lange, 230 m breite und 12 m abgesenkte Stadion für 76 000 Zuschauer strahlt in seiner Gesamtheit den Monumentalcharakter nationalsozialistischen Bauens aus. Unmittelbar nordwestlich liegt die ebenfalls von March für Thingspiele geplante Waldbühne.

✷ **Olympiastadion**

Die grüne Lunge Berlins ist der 3149 ha große Grunewald, der entlang von Havel und Wannsee durch die Bezirke Wilmersdorf und Zehlendorf reicht. Im Wilmersdorfer Teil liegen der nach dem Krieg aus Trümmerschutt aufgerichtete 115 m hohe **Teufelsberg** als höchste Erhebung im Westen Berlins, der prächtige Aussichten über die Havel bietende **Grunewaldturm** und das 1542 als Renaissancebau errichtete und im 18. Jh. umgebaute **Jagdschloss Grunewald**. Es beherbergt neben dem Jagdzeugmagazin und einer Waldlehrschau eine feine Sammlung deutscher und niederländischer Gemälde, darunter von Lucas Cranach d. Ä. und Jacob Jordaens.

✷ **Grunewald**

Einst Lustschloss, wurde Schloss Charlottenburg zu Berlins schönster barocker Schlossanlage.

Zehlendorf und Steglitz

✷✷
Dahlem-Museen

🕐

Zum Bezirk Zehlendorf-Steglitz ganz im Südwesten Berlins gehört der Stadtteil Dahlem mit Auditorium Maximum der Freien Universität Berlin, den Instituten der Max-Planck-Gesellschaft und den an der Lansstraße liegenden Museen, die als **dritter großer Museumsstandort** neben Museumsinsel und Kulturforum ihren Schwerpunkt in der Völkerkunde haben (Öffnungszeiten für alle Museen: Di. bis Fr. 10.00–18.00, Sa. und So. 11.00–18.00 Uhr).

✷✷
Ethnologisches Museum ►

Dieses Museum nimmt eine **Spitzenposition unter den ethnografischen Museen Europas** ein. Zu seinen Prunkstücken zählen Terrakottaplastiken aus dem westnigerianischen Ife (10.–13. Jh.), Bronzen des 16. Jh.s aus Benin und die sog. Goldkammer mit Stücken aus Kolumbien, Mittelamerika und Peru.

✷
Museum für Indische Kunst ►

Das Museum für Indische Kunst ist das einzige selbstständige Haus seiner Art in Deutschland. Herausragend ist eine Sammlung von Wandmalereien des 5.–12. Jh.s aus den Turfan-Klöstern an der nördlichen Seidenstraße in Zentralasien.

✷
Museum für Ostasiatische Kunst ►

Die aus China, Japan und Korea stammenden Stücke sind der Rest der einst wesentlich größeren Ostasiatischen Kunstsammlung, deren schönste Objekte 1945 in die Sowjetunion verbracht wurden und sich zum größten Teil noch immer in der Eremitage von St. Petersburg befinden.

Weitere Museen

Drei weitere sehenswerte Museen gehören nicht zu den Dahlem-Museen. Das **Brücke-Museum** am Bussardsteig widmet sich der expressionistischen Künstlergemeinschaft »Die Brücke«; das **Museumsdorf Düppel** südwestlich von Dahlem stellt die Rekonstruktion einer mittelalterlichen Siedlung dar. Das **Alliiertenmuseum** in der Clayallee, untergebracht im ehem. Army-Kino »Outpost«, dokumentiert die Anwesenheit der drei Westalliierten in Berlin. Im Freigelände zu sehen sind u. a. das **berühmte Wachhäuschen vom Checkpoint Charlie** und ein französischer Militärwaggon.

Botanischer Garten

In Nachbarschaft der Museen, aber bereits in Steglitz liegt der Botanische Garten, dessen Attraktionen das Victoria-Regia-Haus, das Botanische Museum, der Kurfürstliche Garten aus dem 17. Jh. sowie ein Duft- und Tastgarten für Sehbehinderte sind.

✷
Wannsee

Gedenkstätte Wannseevilla ►

Der von der Havel durchflossene Wannsee bedeckt eine Fläche von 260 ha. Mit ihm besitzt Zehlendorf **Berlins beliebtestes Naherholungsgebiet**, das Strandbäder, Wassersport und Ausflugschifffahrt bietet. Der Stadtteil Wannsee ist einer der bevorzugtesten Wohngegenden der Stadt, von denen sich die Insel Schwanenwerder die exklusivste nennen darf. In der Villa Am Großen Wannsee 56–58 allerdings fand am 20. Januar 1942 die so genannte Wannsee-Konferenz »zur Endlösung der Judenfrage« statt. Heute ist hier eine erschütternde Gedenkstätte eingerichtet.

Auf der Pfaueninsel

Der reizvollste Punkt des Havelgebiets ist die weit im Südwesten liegende Pfaueninsel mit dem 1794–1797 im Stil einer Ruine erbauten Lustschloss und einem schönen englischen Park. Schloss Glienicke über der Havel ist 1826 von Karl Friedrich Schinkel als Sommerresidenz für Prinz Carl von Preußen erbaut worden. Auch die Pavillons und den gotischen Jägerhof für den Schlosspark Glienicke schuf er. Unterhalb vom Schloss verbindet die legendäre **Glienicker Brücke** Berlin mit Potsdam. Hier spielte sich während des Kalten Kriegs mancher **Austausch hochrangiger Agenten** ab.

Spandau

Im westlich an Charlottenburg anschließenden Bezirk Spandau sollte man die in der Havel liegende Zitadelle besuchen. Sie ist ab 1560 auf den Mauern einer Wasserburg der Askanier und unter Einschluss älterer Bauten zum Schutz der Stadt Berlin errichtet worden. Ihre wichtigsten Teile sind das Kommandantenhaus mit dem Stadtgeschichtlichen Museum Spandau, der auf das Jahr 1350 zurückgehende Palas und der Juliusturm vom Beginn des 14. Jh.s, somit ältester Teil der Anlage. In ihm ist von 1874 an der so genannte **Reichskriegsschatz** aufbewahrt worden.

★ **Zitadelle**

In den Hangars des ehemals britischen Militärflugplatzes Gatow – weit westlich jenseits der Havel – stellt das aus Hamburg hierher verlegte Luftwaffenmuseum der Bundeswehr Militärmaschinen vom Ersten Weltkrieg bis zur Gegenwart aus.

Luftwaffenmuseum

Schöneberg und Tempelhof

Das Rathaus Schöneberg am John-F.-Kennedy-Platz war bis 1991 Amtssitz des Regierenden Bürgermeisters von Berlin. Heute ehrt eine Ausstellung den langjährigen Regierenden Bürgermeister und Bundeskanzler Willy Brandt. Vor dem Rathaus sprach John F. Kennedy 1963 die berühmten Worte »Ich bin ein Berliner«. Eine Gedenktafel erinnert an den Besuch des kurz darauf ermordeten US-Präsidenten.

Rathaus Schöneberg

Immer noch genutzt wird der **Flughafen Tempelhof**. Das weite Tempelhofer Feld war seit dem 18. Jh. Paradeplatz der Berliner Garnison, 1923–1974 Zentralflughafen von Berlin und ist seit 1986 Regionalflughafen. Vor dem großen Flughafengebäude, 1936–1939 von Ernst Sagebiel im nationalsozialistischen Monumentalstil erbaut, erinnert das 1951 enthüllte **Luftbrückendenkmal** an die Luftbrücke der westlichen Alliierten zur Versorgung der Stadt während der sowjetischen Blockade vom Juni 1948 bis zum Mai 1949.

Kreuzberg und Friedrichshain

Randale und alternatives Leben

Der an Tiergarten und Mitte grenzende Bezirk Kreuzberg, nun mit Friedrichshain vereint, war lange Jahre Inbegriff für Randale und alternatives Leben. Mit der Wende ist er von der Randlage in Westberlin plötzlich in das Zentrum der vereinten Stadt gerückt – mit der Folge, dass Immobilienspekulanten viele Alternative verdrängten, manche soziale Probleme aber auch verschärft wurden. So zählt die einst alternative Hochburg SO 36 heute zu den **Problemvierteln der Stadt**. Immer noch aber gibt es den Kreuzberger Kiez wie in der Gegend um die Bergmannstraße, und immer noch ist Kreuzberg eine »kleine Türkei«, was besonders beim türkischen Markt (Di. und Fr.) am Maybachufer des Landwehrkanals (allerdings schon in Neukölln) zu erleben ist. Mittlerweile ist Friedrichshain dabei, die Nachfolge als Szeneviertel anzutreten.

Kreuzberg (Viktoriapark)

Seinen Namen verdankt der Bezirk dem ganz im Süden liegenden und vom Flughafen Tempelhof zu sehenden, 66 m hohen Kreuzberg. Seinen Gipfel ziert das von Schinkel entworfene Denkmal für die Befreiungskriege. Auf dem Kreuzberg wird sogar Wein angebaut, an seinem Fuß liegt die burgartige Schultheiß-Brauerei.

✳
Oberbaumbrücke

Oberhalb der Einmündung des Landwehrkanals in die Spree verbindet die 1896 im Stil der **märkischen Backsteingotik** erbaute Oberbaumbrücke die Bezirke Kreuzberg und Friedrichshain.

✳
Deutsches Technikmuseum

Das Deutsche Technikmuseum auf einem ehemaligen Bahnbetriebsgelände begeistert mit originalen Ausstellungsstücken aus Schienen- und Straßenverkehr, Luftfahrt, Haushalts- und Fertigungstechnik, Druck, Maschinenbau, Elektronik u. a. und bietet auch eine **Experimentierabteilung**.

✳
Jüdisches Museum

Kaum ein deutsches Museum hat so viel Furore gemacht wie das Jüdische Museum – schon vor der Eröffnung, denn es zeichnet sich durch die **exzentrische Architektur** von Daniel Libeskind aus. Die Sammlung versucht mit einer überbordenden Vielfalt von Objekten die Geschichte des Judentums in Deutschland darzustellen. Der Eingang erfolgt über das ehemalige Alte Kammergericht (1734/1735).

Volkspark Friedrichshain

Der Volkspark Friedrichshain ist eine der größten Parkanlagen der Innenstadt, im Jahr 1846 an den Hängen des »Mühlenbergs« nach Entwürfen von Gustav Meyer angelegt. Anziehungspunkte sind der neubarocke Märchenbrunnen (1913) und der Friedhof der Märzgefallenen für die Opfer der Berliner Barrikadenkämpfe von 1848.

Prenzlauer Berg, Pankow und Weißensee

Der Prenzlauer Berg nordöstlich von Berlin-Mitte, nun mit Pankow und Weißensee zu einem Bezirk zusammengefasst, gehört zu den am dichtesten besiedelten Gebieten Berlins. Hierher geht man weniger aus touristischen Gründen, sondern vielmehr, um – vor allem in Prenzlauer Berg – Kneipen und Kultur, Szene und Kiez zu erleben. Dafür bietet sich u. a. die Kulturbrauerei an der Sredzkistraße und die Gegend um den Kollwitzplatz herum an.

Im **Ernst-Thälmann-Park** hat ein recht monumentales Denkmal für den im KZ Buchenwald ermordeten deutschen Kommunistenführer die Wende überstanden. Interessanter ist aber wohl das **Zeiss-Großplanetarium** mit seiner Ausstellung über die Astronomie und den von Mi. bis So. gebotenen verschiedenen Vorführungen.

Hier herrschte Erich Mielke: heute Stasi-Museum

Schloss Schönhausen in Pankow erhielt 1704 von Eosander von Göthe seine heutige Gestalt. Es diente 1949–1960 als Amtssitz des DDR-Staatspräsidenten Wilhelm Pieck, war danach Gästehaus der DDR-Regierung, erlebte die Verhandlungen am Runden Tisch und die Zwei + Vier-Gespräche und ist heute Gästehaus der Bundesregierung. Der ursprüngliche Rokokogarten, den Peter Joseph Lenné später zu einem **englischen Park** umgestaltete, ist zugänglich.

Der Jüdische Friedhof in Weißensee ist der **größte in Europa**. Hier sind u. a. der Kaufhausbesitzer Hermann Tietz (Hertie), der Verleger Samuel Fischer und die Eltern von Kurt Tucholsky beerdigt.

Jüdischer Friedhof Weißensee

Lichtenberg

Im ehemaligen Hauptquartier der DDR-Staatssicherheit an der Rusche-/Normannenstraße in Lichtenberg (nun mit Hohenschönhausen vereint) dokumentiert die Forschungs- und Gedenkstätte Normannenstraße die **Methoden der Stasi.** Mittel- und Höhepunkt der Ausstellung ist das Dienstzimmer des Stasi-Chefs Erich Mielke; eher eine kuriose Sammlung von Stasi-Trophäen.

✶ Stasi-Museum

Der Tierpark Friedrichsfelde ist 1955 im Park des 1719 gebauten Schlosses Friedrichsfelde (in diesem die Ausstellung »Herrschaftliches Wohnen«) als Pendant zum Zoologischen Garten im Westen eröffnet worden. Besonderheiten sind das Alfred-Brehm-Haus mit der **Tropenhalle und dem Großkatzengehege.**

✶ Tierpark Friedrichsfelde

Deutsch-
Russisches
Museum

Als weitere Sehenswürdigkeit bietet Lichtenberg das Deutsch-Russische Museum im ehemaligen Hauptquartier des Sowjetmarschalls Schukow im Ortsteil Karlshorst, wo am 8. Mai 1945 die deutsche Kapitulation unterzeichnet wurde. Dies und andere Ereignisse der deutsch-russischen Geschichte seit 1917 dokumentiert das Museum.

Treptow und Köpenick

✳
Treptower
Park

Der Treptower Park im Südosten Berlins wurde 1876–1882 vom ersten Berliner Gartenbaudirektor Gustav Meyer angelegt und war 1896 Schauplatz der »Großen Berliner Gewerbeausstellung«. Die weite, an der Spree sich hinziehende Gartenlandschaft ist eines der **beliebtesten und schönsten Ausflugsziele** im Osten Berlins.

✳
Sowjetisches
Ehrenmal ►

Das riesige Sowjetische Ehrenmal (1947–1949) im Treptower Park ist die zentrale Gedenkstätte für die 1945 bei den Kämpfen um Berlin gefallenen Sowjetsoldaten. 5000 von ihnen sind hier bestattet. An der großen Frauenfigur »Mutter Heimat« vorbei kommt man zum Hauptmonument, ein den Heldengräbern der Donebene nachempfundenes Mausoleum. Auf ihm steht eine 11,60 m hohe Soldatenfigur, die ein Kind auf dem Arm trägt und ein gesenktes Schwert hält, welches das Hakenkreuz zerschlagen hat. Der Kuppelsaal des Mausoleums ist mit dem Mosaik »Die Vertreter aller Unionsrepubliken gedenken ihrer Toten« ausgeschmückt.

Im Südostteil des Parks liegt am Straßenstück Alt-Treptow die Archenhold-Sternwarte, 1896 anlässlich der Berliner Gewerbeausstellung erbaut und 1908/1909 erneuert. Die Hauptattraktion der Volkssternwarte ist das 21 m lange Riesenfernrohr, das **größte Linsenfernrohr der Welt.**

Im **Hain der Kosmonauten** erinnern Denkmäler an die sowjetischen Raumflüge und an den Flug des DDR-Kosmonauten Sigmund Jähn 1978.

Hinter dem S-Bahnhof steigen die 1997/1998 erbauten, 125 m hohen Allianz Treptowers auf; davor steht in der Spree die Monumentalskulptur »Molecule Men« von Jonathan Borofsky.

In der Altstadt von Köpenick muss man natürlich zum alten **Rathaus** (1901–1904), das durch den legendären »Hauptmann von Köpenick«, den Schuhmacher Wilhelm Voigt, weithin bekannt wurde.

Altrussisches Heldengrab:
das sowjetische Ehrenmal

Das Köpenicker Schloss auf der Schlossinsel entstand in seiner heutigen Form Ende des 17. Jh.s nach Plänen von Rutger van Langerfeld. Im Oktober 1730 tagte hier das Kriegsgericht über den Kronprinzen Friedrich, den späteren Friedrich II., und seinen Freund Leutnant Katte, der dem Prinzen bei seinem Fluchtversuch geholfen hatte. Schloss Köpenick wurde 2004 nach grundlegender Renovierung als **Kunstgewerbemuseum** wieder eröffnet.

✱ Schloss Köpenick

Was den Wessis der Wannsee, ist den Ossis der Müggelsee. Müggelsee und Müggelberge sind zu allen Jahreszeiten beliebte Ausflugsziele. Außer Müggelturm und Spreetunnel ist das Strandbad im Sommer ein Besuchermagnet.

✱ Müggelsee

Sehenswertes in den übrigen Bezirken

Die bauliche Einöde von Marzahn lockt nicht gerade. Aber es gibt hier drei hübsche Sachen: das Dorfmuseum Alt-Marzahn mit bäuerlichem Gerät und das Friseur- und Badermuseum in Alt-Marzahn sowie den »Garten des wiedergewonnenen Mondes«, den **größten Chinagarten außerhalb Chinas**. Das Gründerzeitmuseum der Charlotte von Mahlsdorf liegt in Hellersdorf.

Marzahn

> ! **Baedeker** TIPP
>
> ### Eine Molle an der Spree
>
> Wem es beim Ausflug in den Treptower Park nach einer kühlen Molle gelüstet, der setze sich in den Biergarten die »Eierschale-Zenner«. Seit 1822 zieht es die Berliner hier auf die Terrassen über der Spree, die als »Neues Gartenhaus an der Spree« gebaut und als »Zenner« legendär wurden (Alt-Treptow 14–17).

Echte ländliche Idylle findet man im Dorf **Lübars** ganz im Nordwesten des Bezirks Reinickendorf.

Die **Hasenheide** in Neukölln wurde 1936–1939 zum Volkspark umgewandelt. Nach dem Krieg kam der Trümmerschuttberg Rixdorfer Höhe hinzu. Bekannt geworden aber ist sie als **erster deutscher Turnplatz**, 1810 vom »Turnvater« Friedrich Ludwig Jahn gegründet.

Umgebung von Berlin

Das 22 km nordöstlich liegende Bernau bietet das **Kuriosum** einer sozialistischen Planstadt in mittelalterlichen Stadtmauern. Immerhin sind die Neubauten nicht höher als vier Stockwerke. An alter Bausubstanz sind Reste der Stadtmauer, Wiekhäuser, Pulverturm, Hungerturm und Steintor, jetzt Heimatmuseum, sowie das Henkerhaus, ebenfalls Museum. In der Kirche St. Marien verdient ein spätgotischer Hochaltar mit sechs Flügeln Beachtung.

✱ Bernau

Das 1216 erstmals urkundlich erwähnte und von der Havel durchflossene Oranienburg liegt 30 km nordwestlich von Berlin und ist von dort aus problemlos auch mit der S-Bahn (S 1) zu erreichen. Schloss Oranienburg, im 17. Jh. erbaut und auch erweitert, zeigt sich als zweigeschossige Dreiflügelanlage mit einer die Jahreszeiten symbolisierenden Figurenattika an der Stadtseite. Westlich davon er-

Oranienburg

◄ Schloss Oranienburg

streckt sich der **Schlosspark**, der ein sehenswertes Gartenportal von 1690, geschaffen von Johann Arnold Nering, und die 1754 erbaute Orangerie besitzt. Das Heimatmuseum im alten Amtshauptmannshaus (Breite Straße 1), einem frühbarocken Putzbau von 1657, würdigt u. a. das Schaffen des Chemikers Friedlieb Ferdinand Runge (1795–1867).

Heimatmuseum ▶

✳
Mahn- und
Gedenkstätte
Sachsenhausen ▶

Im Jahr 1933 richteten die Nazis in einer ehemaligen Brauerei ein erstes Konzentrationslager ein, dem 1936 im Nordosten der Stadt das Lager Sachsenhausen folgte. Von den über 200 000 Häftlingen aus vielen Nationen wurden mehr als 100 000 ermordet. Deren Schicksal beschreibt das **Museum** zur Geschichte des Konzentrationslagers Sachsenhausen in der ehemaligen Häftlingsküche; ein neuer Teil dokumentiert auch die Geschichte des Lagers nach 1945, als die Sowjets hier Nazis und solche, die sie dafür hielten, sowie politische Gegner – selbst kurz zuvor dem KZ entronnene Häftlinge – internierten. Noch einmal 65 000 Menschen starben.

Wandlitz, 28 km nördlich von Berlins Zentrum am Wandlitzer See, erwählten sich die DDR-Oberen als Refugium. Sie ließen sich hier, vom übrigen Ort abgeschieden und streng abgeschirmt, 23 komfortable Häuser in den Wald bauen. Heute ist hier eine Rehabilitationsklinik eingerichtet. Wie Erich Honecker mit einigem kapitalistischem Komfort dem sozialistischen Alltag zu entrinnen trachtete, kann man in seinem zum Museum umgewandelten Haus sehen.

! **Baedeker** TIPP

Von Löwen umringt
Ein echtes Highlight in Eberswalde ist der Zoo. Experten wählten ihn unter die zehn attraktivsten in Deutschland. Er bietet u. a. ein Löwenfreigelände, in dem die Besucher von den Tieren umgeben sind (Am Wasserfall; Öffnungszeiten: tgl. 9.00 Uhr bis Einbruch der Dunkelheit).

✳
Märkische
Schweiz

Die Märkische Schweiz im Osten von Berlin ist ein beliebtes Naherholungsgebiet der Hauptstädter. Hier wird gewandert, etwa auf die Bollersdorfer Höhe, die einen prachtvollen Ausblick über den **Scharmützelsee** bietet, den man auch per Ruderboot erkunden kann. Mittelpunkt der Märkischen Schweiz ist die über 700 Jahre alte **Kleinstadt Buckow**. Hier lebten Bertolt Brecht und Helene Weigel. In ihrem nun zur Gedenkstätte umgewidmeten Haus entstanden 1953 die »Buckower Elegien«.

Teupitzer Seen

Auch die Teupitz-Köriser Seen im Süden von Berlin locken viele Ausflügler an. Man erreicht sie nicht nur auf dem Landweg, sondern mit den Schiffen der Weißen Flotte auch über die Dahme auf dem Wasserweg.

Königs Wuster-
hausen

Vom Sender Königs Wusterhausen südlich von Berlin wurde 1920 die **erste Rundfunksendung Deutschlands** ausgestrahlt, woran das Funkmuseum erinnert. Frisch renoviert ist das Jagdschloss Friedrich

Wilhelm I., der bekanntlich seinen Sohn Friedrich II. verbannte und dessen Freund Katte zum Tod verurteilte – das Heimatmuseum zeigt den Schreibtisch, an dem der König diese Dekrete unterzeichnete.

Der Scharmützelsee, mit 10 km Länge und 13,8 km² Fläche der größte der 3000 brandenburgischen Seen, liegt in der Saarower Hügellandschaft südöstlich von Berlin. An seiner Nordseite steigen bis auf 148 m ü. d. M. die Rauenschen Berge an, in denen mit den Markgrafensteinen zwei große **Eiszeit-Findlinge** geblieben sind. Der größere von ihnen wurde 1827 halbiert, um aus der einen Hälfte eine große Granitschale herzustellen, die heute vor dem Alten Museum in Berlin steht. Hauptanlaufstelle ist Bad Saarow-Pieskow, wo Kurhaus, Strandbad und Campingplatz bereit stehen. Nördlich vom See liegt Fürstenwalde, eine askanische Gründung. Sehenswert sind die gotische Marienkirche und das Rathaus (um 1550).

✴ Scharmützelsee

◄ Fürstenwalde

Malerisch durchzieht der 1620 eröffnete Finowkanal die Innenstadt von Eberswalde, die mit einem sehenswerten Marktplatz und schönen alten Gebäuden aufwartet.

Eberswalde

Nördlich von Eberswalde erstreckt sich die Schorfheide, seit Jahrhunderten beliebtes Jagdrevier, zuletzt für Honecker und Genossen. Zusammen mit dem sich östlich anschließenden Choriner Endmoränenbogen gilt sie als **beliebtes Erholungsgebiet**. Im Biosphärenreservat Schorfheide-Chorin, einer flach gewellten Landschaft aus Dünen und Kiefernwäldern, liegt neben anderen Seen der **Werbellinsee**. An seinem westlichen Ufer ließ König Friedrich Wilhelm IV. um 1850 das Schloss Hubertusstock erbauen. Später fand an diesem Jagdschloss Hermann Göring Gefallen, dann Honecker, der es zum Gästehaus der DDR-Regierung umfunktionierte. Der Zaun rundum, der die Privilegierten von der Außenwelt abschirmen sollte, hatte die positive Folge, dass Biber, Kraniche, Seeadler und andere Tiere auf dem Gelände heimisch wurden. Heute beherbergt das Schloss ein Hotel.

✴ Schorfheide

Außerordentlich schön liegt in einem Landschaftsschutzgebiet nahe dem Parsteiner See der Ort Chorin, der vor allem wegen der Ruine von Kloster Chorin Berühmtheit erlangte. Noch heute ist die Klosterruine das **bedeutendste Beispiel norddeutscher Backsteingotik** in der Mark Brandenburg. Jahr für Jahr ziehen die Konzerte im Rahmen des Choriner Musiksommers viele Besucher an.

✴✴ Klosterruine Chorin

Ebenfalls am Rande des Oderbruchs findet man ein **einmaliges technisches Denkmal**: das Schiffshebewerk des 1909–1914 angelegten Oder-Havel-Kanals bei Niederfinow. Schon früh suchte man, den Höhenunterschied von 36 m zwischen Havel und Oder mittels Schleusen zu überwinden. Von 1927 bis 1934 wurde dann das Schiffshebewerk Niederfinow errichtet. Noch heute lassen sich täglich bis zu zwanzig Schiffe in dem 86 m langen Trog hochhieven.

✴ Schiffshebewerk Niederfinnow

Bernburg

Atlasteil: S. 28 • B 4
Höhe: 85 m ü. d. M.

Bundesland: Sachsen-Anhalt
Einwohnerzahl: 36 600

Die einstige Residenzstadt der Fürsten und späteren Herzöge von Anhalt-Bernburg besticht besonders durch ihre herrliche Lage an der Saale und ihr Residenzschloss. Darüber hinaus verlocken zahlreiche Baudenkmäler aus unterschiedlichsten Epochen und eine teilweise erhaltene Stadtmauer zum Bummel durch die Gassen.

Sehenswertes in Bernburg

✳ **Schloss**
Das über der Saale gelegene Schloss mit seinen Renaissanceteilen (Langhaus, 1538-1570), dem prächtigen Barockportal, dem Blauen Turm (1300) und dem romanischen Eulenspiegelturm, der erkennbar schief im Ensemble steht, ist zum **Wahrzeichen der Stadt** geworden. Im Schloss ist das Kreismuseum untergebracht und auf dem Gelände steht auch das klassizistische Hoftheater (1826/1827), heute Carl-Maria-von-Weber-Theater. Die überwiegend barocke Schlosskirche (1752) birgt die dreigeschossige Fürstengruft mit Prunksärgen der Fürsten und Herzöge von Anhalt-Bernburg. Eine Attraktion ist der **Bärenzwinger**, in dem 1860 erstmals Bären gehalten wurden.

Blick über die Saale zum Schloss

Von den **Wohnhäusern**, meist aus der Zeit der Renaissance und des Barock, ist das ehemalige Regierungsgebäude am Marktplatz (Nr. 28) bemerkenswert. In der Breiten Straße findet sich die um 1600 gebaute ehemalige fürstliche Kanzlei, außerdem ein reich verzierter spätbarocker Bau.

Die zwischen dem 15. und 17. Jh. entstandene **Mauer um Altstadt und Neustadt** ist noch teilweise erhalten, ebenso einige Türme wie der Nienburger Torturm (um 1400) mit Renaissancegiebel und der aus dem 15. Jh. stammende Hasenturm. In die Stadtmauer einbezogen ist auch das bereits in der Neustadt gelegene, um 1300 erbaute **Augustinerkloster**.

Kirchen
Bedeutende sakrale Bauwerke Bernburgs sind die dreischiffige Pfarrkirche St. Marien (13. Jh.) mit einem reich skulptierten Chor (um 1420) und die unvollendete spätgotische Hallenkirche St. Nicolai, die Kirche St. Stephan (12. Jh.) im Ortsteil Waldau, ein einschiffiger romanischer Bau mit Flachdecke, ist Bestandteil der **»Straße der Romanik«**.

BERNBURG ERLEBEN

AUSKUNFT

Fremdenverkehrsverband
Bernburg und Anhalt
Solbadstraße 2, 06406 Bernburg
Tel. (0 34 71) 30 12 04
www.bernburg-tourismus.de

ESSEN

► **Erschwinglich**
Fürsteneck
Große Einsiedelgasse 2,
06406 Bernburg
Tel. (0 34 71) 3 46 70
Im Stil einer Brasserie gehaltenes
Hotel-Restaurant im Stadtzentrum.

Amadeus
Breite Straße 2, 06406 Bernburg
Tel. (0 34 71) 35 42 00
Schickes angesagtes Lokal, das für
seine leckeren Grünkohl-Spezialitäten
bekannt ist.

ÜBERNACHTEN

► **Komfortabel**
Parkhotel
Aderstedter Straße 1,
06406 Bernburg
Tel. (0 34 71) 36 20, Fax 36 21 11
www.parkhotel-bernburg.de
In verkehrsgünstiger Lage am Stadt-
rand gelegenes Haus mit schön ein-
gerichteten Zimmern in barocker
Manier.

► **Günstig**
Askania
Breite Straße 2,
06406 Bernburg
Tel. (0 34 71) 35 40, Fax 35 41 35
www.askania-hotel-bernburg.de
Nahe des Marktplatzes finden Sie
hinter einer schönen klassizistischen
Fassade zeitgemäß eingerichtete und
sehr gepflegte Zimmer vor.

Im Stadtbereich überspannen zwei Brücken die Saale. Die Neustädter **Brücken**
Brücke, ein technisches Denkmal mit mehreren Bögen und Strom-
pfeilern, ist im 15. Jh. errichtet worden und wurde 1787 erneuert.
Die Waldauer Brücke geht auf das 14. Jh. zurück.

Umgebung von Bernburg

In Nienburg (5 km nördlich) steht eine ehemalige Benediktinerklos- **Nienburg**
terkirche, die 1242 als Basilika begonnen und nach 1282 als Hallenkirche fertig gestellt wurde. Sie ist ein **Hauptwerk der deutschen
Hochgotik.**

Köthen, die einstige Residenzstadt des Fürstentums Anhalt-Köthen, **✳**
liegt knapp 20 km östlich von Bernburg in Richtung Dessau. Ab **Köthen**
1629 wirkte hier die »Fruchtbringende Gesellschaft«, die erste deutsche Vereinigung zur Pflege der Sprache. **Johann Sebastian Bach** war
von 1717 bis 1723 in Köthen als Hofkapellmeister tätig; hier entstanden seine bedeutenden Instrumentalwerke. Von 1821 bis 1835 prak-
tizierte hier der Begründer der Homöopathie, Samuel Hahnemann
(1755–1843), erstmals nach den Grundsätzen seiner Lehre.

Das älteste Bauwerk und Wahrzeichen der Stadt, deren mittelalterliche Befestigung (um 1560) z. T. erhalten blieb, ist die spätgotische Marktkirche St. Jakob (14.–16. Jh.); die Türme wurden um 1897 umgebaut. Im Renaissanceschloss (1547–1608) sind das Historische Museum und die Bach-Gedenkstätte untergebracht. Die Kirche St. Agnus, 1694–1698 in holländischem Barock erbaut, ist mit Gemälden aus der Werkstatt von Lucas Cranach und von Antoine Pesne ausgestattet.

! **Baedeker TIPP**

Biedermeierliche Vögel

Johann Friedrich Naumann (1780–1857), Begründer der wissenschaftlichen Vogelkunde, wurde in Ziebigk bei Köthen geboren. Seine vogelkundliche Sammlung – Präparate fast aller Vögel Europas sowie Aquarelle – wird im Nordflügel des Schlosses, dem Ferdinandsbau, präsentiert. Es gilt als einziges aus dem Biedermeier original erhaltenes ornithologisches Museum.

In **Gröbzig** (12 km südlich von Köthen) steht eine 1796 erbaute Synagoge. Sie ist eine der wenigen jüdischen Sakralbauten, die in der Pogromnacht vom 9. November 1938 nicht zerstört worden sind. Die Synagoge ist als Museum zugänglich.

Bielefeld

Atlasteil: S. 25 • D 3	**Bundesland:** Nordrhein-Westfalen
Höhe: 115 m ü. d. M.	**Einwohnerzahl:** 325 000

Bielefeld, an einer alten Handelsstraße durch den ▶ Teutoburger Wald gelegen, ist der wirtschaftliche und – mit junger Universität, Fachhochschule, Theater und Veranstaltungshallen – auch der kulturelle Mittelpunkt Ostwestfalens. Bombenangriffe haben die Altstadt im Zweiten Weltkrieg schwer in Mitleidenschaft gezogen. Wahrzeichen der Stadt ist der hohe Turm der Sparrenburg.

Geschichte 1015 wurde Bielefeld erstmals urkundlich erwähnt, 1214 von Graf Hermann von Ravensberg zur Stadt erhoben. Wenig später errichteten die Grafen die Sparrenburg. Seit dem Ende des 14. Jh.s war Bielefeld Mitglied der Hanse. 1647 fiel das Ravensberger Land an Preußen: Der Große Kurfürst ließ die alte Burg verstärken und errichtete 1678 eine Leinenschauanstalt (Legge). Durch die Förderung des Leinenhandels legte er die Grundlage für die industrielle Entwicklung, bei der **Leinenherstellung und -verarbeitung** lange vorherrschten.

Sehenswertes in Bielefeld

Alter Markt Die Bielefelder Innenstadt ist von den Wallstraßen, die an die alte Stadtbefestigung erinnern, ringförmig umgeben. ihr **Zentrum** ist der Alte Markt mit dem Merkurbrunnen und Bürgerhäusern wie dem

Batig-Haus (1680) mit einem schönen Renaissancegiebel. Gegenüber liegt das Theater am Alten Markt. Am Eingang zur Obernstraße, einer der Hauptgeschäftsstraßen, steht das um 1530 erbaute **Crüwell-Haus** mit einem prachtvollen spätgotischen Treppengiebel.
Nördlich des Markts lohnt ein Besuch der im Zweiten Weltkrieg zerstörten, jedoch wieder aufgebauten Altstädter **Nikolaikirche** (1340); sie birgt einen kostbaren Antwerpener Schnitzaltar mit über 250 Schnitzfiguren (1520). Östlich der Kirche steht der **Leineweber-brunnen** (1909).

Der wertvollste Schatz der spätgotischen **St.-Jodokus-Kirche** (1511 geweiht) ist eine »Schwarze Madonna« von 1220. Südlich der Kirche hat das **Kulturhistorische Museum** seinen Sitz in einem ehemaligen Adelshof, dem Waldhof (Welle 61). In der Artur-Ladebeck-Straße im Südwesten der Innenstadt zeigt die **Kunsthalle** (1966–1968) ihre bedeutenden Sammlungen zur Kunst des 20. Jh.s.

In der Kreuzstraße weiter östlich ist im **Spiegelshof** (Nr. 20), einem ehemaligen Adelshof des 16. Jh.s im Stil der Frührenaissance mit einem schönen Kleeblattgiebel, vorübergehend das **Naturkundemuseum** untergebracht.

Nahebei erhebt sich die doppeltürmige, spätgotische **Neustädter Marienkirche**. Die dreischiffige Hallenkirche aus dem 13./14. Jh. ist vor allem wegen ihrer beachtenswerten Maßwerkfenster und eines wertvollen Flügelaltars (1400) einen Besuch wert.

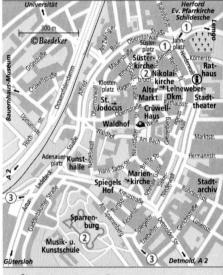

Bielefeld Orientierung

Übernachten
① Mövenpick
② Ravensburger Hof
③ Novotel

Essen
① Klötzer's kleines Restaurant
② Sparrenburg
③ Gasthaus Buschkamp

Östlich vom Alten Markt erbaute man 1904 sowohl das Stadttheater im Jugendstil als auch nebenan das Alte Rathaus im Stil der Neurenaissance und Neugotik. **Stadttheater**
Weiter östlich steht im Rochdale-Park das Gebäude der ehemaligen Ravensberger Spinnerei (1855–1857), in der heute u. a. die Volkshochschule untergebracht ist. Nördlich vom Rochdale-Park ist das Wiesenbad mit Sprungturm, Eisbahn, Spielflächen und Tribüne ein **beliebtes Freizeitziel**. ◄ **Spinnerei**

✳ Sparrenburg
Die alte Burg der Ravensberger Grafen, die Sparrenburg, wurde um 1240 errichtet. Beeindruckend sind die 300 m langen **unterirdischen Gänge** und der 37 m hohe Aussichtsturm. Zur alten Bausubstanz zählen das gotische Eingangstor und die vier Renaissance-Bastionen, die erst 1535 errichtet wurden; der heutige Hauptbau entstand durch Um- und Neubauten im 19. Jh.

Bethel
Südwestlich der Sparrenburg richtete Pastor Friedrich von Bodelschwingh (1831–1910) im Stadtteil Gadderbaum die Heilanstalt Bethel ein, in der auch heute noch Epileptiker und psychisch Kranke behandelt werden; eine Sammlung dokumentiert die Geschichte der Anstalt.

 BIELEFELD ERLEBEN

AUSKUNFT

Tourist-Information
Neues Rathaus, Niederwall 23,
33602 Bielefeld
Tel. (05 21) 51 69 99, Fax 17 88 11
www.bielefeld.de

ESSEN

▶ **Erschwinglich**

③ *Gasthaus Buschkamp*
Buschkampstraße 75,
33659 Bielefeld-Senne
Tel. (05 21) 49 28 00
Fantasievolle Regionalküche nach Omas Rezepten in einem romantischen Fachwerkhaus, das auf eine 150-jährige Gastronomietradition zurückblickt.

① *Klötzer's Kleines Restaurant*
Ritterstraße 33, 33602 Bielefeld
Tel. (05 21) 9 67 75 20
Gemütliches Lokal mit dazugehörigem Feinkostladen mitten in der Fußgängerzone. Bekannt für exklusive Kaviarspezialitäten!

② *Sparrenburg*
Am Sparrenberg 33, 33602 Bielefeld
Tel. (05 21) 6 59 39
Beliebtes Ausflugslokal in der alten Burganlage, bodenständige Küche.

ÜBERNACHTEN

▶ **Komfortabel**

① *Mövenpick*
Am Bahnhof 3, 33602 Bielefeld
Tel. (05 21) 5 28 20, Fax 5 28 21 00
www.moevenpick-bielefeld.com
Direkt am Bahnhof liegt dieses ebenso komfortable wie ansprechende Haus mit seinen geschmackvoll eingerichteten Zimmern. Das Restaurant erinnert in seiner Gestaltung an ein Zugabteil.

② *Ravensberger Hof*
Güsenstraße 4, 33602 Bielefeld
Tel. (05 21) 9 62 11, Fax 9 62 13 00
www.hotel-ravensberger-hof.de
Schön gestaltetes, sehr ruhiges Hotel mitten in der Altstadt von Bielefeld, elegante Halle, gepflegte Zimmer.

▶ **Günstig**

③ *Novotel*
Am Johannisberg 5,
33615 Bielefeld
Tel. (05 21) 9 61 80, Fax 9 61 83 33
www.novotel.de
Eingebettet in einen großen Park am Johannisberg erwarten Sie hier ruhige, zweckmäßig eingerichtete Zimmer in schöner Aussichtslage, Schwimmbad und Restaurant im Haus.

Die Innenstadt wird westlich vom Ostwestfalendamm (Durchgangsstraße) und der Bahnlinie begrenzt. Jenseits davon liegen der Botanische Garten Bielefeld und der Heimattierpark Olderdissen.

Tierpark

Unweit nördlich vom Tierpark gelangt man zum Bauernhausmuseum, das sich rühmt, das **älteste Freilichtmuseum Deutschlands** zu sein. In der Anlage sind u. a. eine Windmühle (1686), ein Backhaus (1764) und eine Bokemühle (1826) zu sehen.

◄ Bauernhausmuseum

Umgebung von Bielefeld

Die einstige Hansestadt Herford, 14 km nordöstlich von Bielefeld gelegen, ist in das fruchtbare Ravensberger Hügelland zwischen Wiehengebirge, Weser und Teutoburger Wald gebettet. In der Hauptstadt des »Wittekindslandes« wurde 1662 der Barockbaumeister Matthäus Daniel Pöppelmann geboren, der den Zwinger in ▶Dresden entwarf. Die Altstadt, in der sich zahlreiche Fachwerkhäuser des 16./17. Jh.s finden, gruppiert sich um die Münsterkirche des einstigen Damenstifts (13. Jh.), **die älteste Hallenkirche Westfalens**. Sie birgt ein spätgotisches Taufbecken aus dem 16. Jh. Gegenüber befindet sich das Rathaus (1917). Weiter westlich steht die Jakobikirche (14. Jh.) mit einer Barockausstattung aus dem 17. Jh.; nahebei liegt der beschauliche Gänsemarkt. Am Deichtorwall am westlichen Rand der Altstadt ist das Städtische Museum im Daniel-Pöppelmann-Haus untergebracht. Nordöstlich der Münsterkirche am Neuen Markt stößt man auf die Johanniskirche (Mitte des 14. Jh.s) mit gotischen Glasfenstern und geschnitzten Zunftemporen (17. Jh.). An der nach Südwesten führenden

✳ Herford

◄ Altstadt

> ! **Baedeker** TIPP
>
> **Burgfest**
> Wer sich als Burgfräulein oder Ritter fühlen möchte, sollte zum Sparrenburgfest im Sommer nach Bielefeld reisen. Händler, Handwerker, Spielleute und Komödianten lassen sich dann für drei Tage auf der mittelalterlichen Burg nieder.

Höckerstraße (Fußgängerzone) sieht man einen schönen spätgotischen Staffelgiebel am ehemaligen Bürgermeisterhaus von 1538. Dieses Gebäude soll angeblich das Geburtshaus von Matthäus Daniel Pöppelmann sein. Architektonisch bemerkenswert ist auch das an der nahen Brüderstraße stehende Remensnider-Haus, ein Fachwerkbau (1521) mit figurenreichen Knaggen (dreieckigen Stützen).

Das 2005 eröffnete MARTa (M für Möbel, ART für Kunst und a Architektur und Ambiente) ist in einem überaus vielgestaltigen Gebäude des Stararchitekten Frank O. Gehry unweit des Bahnhofes untergebracht. Das dreiteilige Konzept will die verschiedenen künstlerischen Disziplinen in einen pannenden Dialog bringen – nicht nur untereinander, sondern auch mit der Wirtschaft und der Industrie.

✳ ◄ MARTa-Museum

Östlich außerhalb der Herforder Innenstadt erhebt sich auf dem Lutterberg die **Stiftberger Kirche**, auch Marienkirche genannt, aus dem 14. Jh. Im Inneren der gotischen Hallenkirche ist vor allem das spätgotische Sakramentshäuschen auf dem Hochaltar bemerkenswert.

Bad Salzuflen   6 km südöstlich von Herford liegt Bad Salzuflen, eine alte Salzstätte, heute vor allem wegen ihres **Heilbades mit Sol- und Thermalquellen** bekannt. In der Altstadt fallen die alten Bürgerhäuser, besonders um den Markt, das spätgotische Rathaus (1545) mit seinem schönen Renaissancegiebel, die Reste der Stadtbefestigung und der Kurpark auf.

Enger   Enger, 9 km nordwestlich von Herford, ist als »Wittekindstadt« bekannt. In der ehemaligen Stiftskirche St. Dionysius (12./14. Jh.) wird der Sarkophag des angeblich 807 gestorbenen **Sachsenherzogs Widukund** (»Wittekind«) mit einer Reliefplatte (um 1100) aufbewahrt.

Gütersloh   Gütersloh liegt 15 km südwestlich von Bielefeld. Obwohl es schon seit mehr als 800 Jahren existiert, entwickelte es sich erst im 18. Jh. zu einer Stadt und ist heute Sitz eines der **weltgrößten Medienkonzerne**. Herzstück ist der Alte Kirchplatz mit schönen Fachwerkhäuser, darunter das Veerhoffhaus, der Sitz des Kunstvereins. Südlich setzt die Stadtbibliothek einen städtebaulichen Akzent. Unweit nordöstlich (Kökerstraße 7–9) liegt das Stadtmuseum mit Schwerpunkt auf Medizin- und Industriegeschichte. Südöstlich außerhalb befinden sich der Stadtpark sowie der feine Botanische Garten. Nördlich liegt das Westfälische Kleinbahn- und Dampflokmuseum Mühlenstroth.

Bochum

Atlasteil: S. 34 • A 1   **Bundesland:** Nordrhein-Westfalen
Höhe: 104 m ü. d. M.   **Einwohnerzahl:** 405 000

Bochum verdankt seinen Aufschwung der Kohle und dem Stahl. Heute gibt es hier im Herzen des ▶Ruhrgebiets keine Zechen mehr. Ruhr-Universität, Schauspielhaus und Musicalbühne »Starlight Express« setzen kulturelle Akzente in der Stadt, die nicht gerade eine Schönheit ist, aber ihre Vergangenheit als Bergbaustadt wach hält.

Sehenswertes in Bochum

Propsteikirche   Die Propsteikirche am Unteren Markt stammt aus dem 16. Jh. und besitzt u. a. einen romanischen Taufstein vom Ende des 12. Jh.s.

✶ ✶
Deutsches Bergbau-Museum   Wer sich für die Geschichte des Ruhrgebiets und des Kohlebergbaus interessiert, sollte das 1930 gegründete Deutsche Bergbau-Museum am Europaplatz besuchen, das **größte diesem Thema gewidmete Museum der Welt**. Sein 68 m hoher Förderturm ist ein Wahrzeichen der Stadt. In einem 20 m unter der Erde aufgebauten Stollen mit insgesamt 3 km Gängen werden Maschinen und die Gewinnung von Kohle vorgeführt (Öffnungszeiten: Di. bis Fr. 8.30–17.30, Sa. und So. 10.00–16.00 Uhr).

Im Planetarium (Castroper Straße 67) kann man sich über Himmelskörper und künstliche Satelliten informieren. Nördlich davon erstreckt sich der Stadtpark mit **Tierpark und Aussichtsturm**. Gegenüber der Südwestecke des Parks zeigt das Museum Bochum moderne Kunst nach 1945.

Planetarium und Stadtpark

Südöstlich der Innenstadt liegt die Ruhr-Universität Bochum. Sie unterhält eine **Kunstsammlung** mit Exponaten aus der Antike und modernen Kunstwerken.

Ruhr-Universität

180 Dampf und Diesellokomotiven stehen bereit, um im Eisenbahnmuseum in Bochum-Dahlhausen bewundert zu werden. Die Betriebsanlagen des stillgelegten Bahnhofs von 1914 – inkl. Ringlokschuppen – sind weitgehend original erhalten.

✸
Eisenbahnmuseum

 ## BOCHUM ERLEBEN

AUSKUNFT

Tourist Info
Huestraße 9, 44787 Bochum
Tel. (02 34) 96 30 20, Fax 9 63 02 55
www.bochum.de

ESSEN

► Fein & Teuer
Stadtparkrestaurant
Klinikstraße 41, 44791 Bochum
Tel. (02 34) 50 70 90
Ambitionierte internationale Küche im Ambiente eines hübschen Palais.

► Erschwinglich
Livingroom
Luisenstraße 9, 44787 Bochum
Tel. (02 34) 9 53 56 85
Bar, Lounge und Restaurant unter einem Dach, alles angesagt und schick durchgestylt. Serviert werden internationale Gerichte.

► Preiswert
Mutter Wittig
Bongardstraße 35, 44787 Bochum
Tel. (02 34) 1 21 41
Bürgerliche Küche in liebevoll-nostalgischem Ambiente: Dieses Gasthaus ist eine echte Bochumer Institution.

ÜBERNACHTEN

► Komfortabel
Courtyard by Marriott
Klinikstraße 43, 44791 Bochum
Tel. (02 34) 6 10 00, Fax 6 10 04 44
www.courtyard.com/qbocy
Modernes Hotel beim Stadtpark mit ansprechend gestalteten Zimmern. Im Restaurant findet sich auf der internationalen Karte für jeden Geschmack etwas Passendes.

► Günstig
Excelsior
Max-Greve-Straße 32, 44791 Bochum
Tel. (02 34) 9 55 50, Fax 9 55 55 55
www.excelsior-bochum.de
Im Zentrum, aber sehr ruhig, präsentiert sich dieses moderne Haus. Im Restaurant Rafaello kommt feine italienische Küche auf den Tisch.

Oekey
Auf der alten Kamp 10, 44803 Bochum
Tel. (02 34) 38 81 30, Fax 3 88 13 88
www.oekey.de
Schlichte, aber praktische Zimmer in einem ruhig gelegenen, familiär geführten Haus. Rustikal gestaltetes Restaurant und eigener Biergarten.

★★ Bodensee

Atlasteil: S. 60/61 • A–C 1/2	**Wasserspiegel:** 395 m ü. d. M.
Bundesländer:	**Anrainerstaaten:**
Bayern und Baden-Württemberg	Schweiz und Österreich

Der Bodensee, das »Schwäbische Meer«, ist Deutschlands größter Binnensee und eines der beliebtesten touristischen Ziele. Dazu tragen nicht nur die Schönheit der Landschaft und der Orte, sondern auch das günstige Klima bei.

Ausführlich beschrieben im Baedeker Allianz Reiseführer »Bodensee«

Der See, der sich von Südost nach Nordwest erstreckt, liegt im Alpenvorland im Dreiländereck Deutschland, Österreich, Schweiz. Zwischen Bregenz (Österreich) und Konstanz dehnt sich der Obersee aus. Im Nordwesten zweigen der fördenartige Überlinger See und der von sanften Hügeln umrahmte Untersee ab. Zwischen diese beiden schiebt sich der Bodanrücken. Ganz im Westen trennt die Halbinsel Mettnau den Gnadensee vom Zeller See. In jedem der drei Seebecken liegt eine größere Insel: am Ostende des Obersees die Inselstadt Lindau, am Südende des Überlinger Sees die Blumeninsel Mainau und inmitten des Untersees die Gemüseinsel Reichenau mit ihren kunst- und religionsgeschichtlich bedeutenden Denkmälern.

Die einzigartige, südliche **Hochgebirgskulisse** des Sees bilden die Appenzeller Alpen mit dem 2504 m hohen Säntis. Südöstlich des Sees erheben sich die Gipfel des Bregenzer Waldes und der Allgäuer

Hier schweift der Blick über die Inselstadt Lindau bis zu den Allgäuer Alpen und dem Bregenzer Wald.

Alpen. Das nördliche deutsche Seeufer prägt ein reizvolles, von vielen
Bach- und Flussläufen durchzogenes Hügelland, dessen höchste Erhebung der Höchsten (837 m
ü. d. M.) ist. Obstkulturen, Hopfengärten und Rebhänge bedecken
die seenahen Hügel.
Ein Kranz geschichtsträchtiger
Städte und malerischer Ortschaften

umschließt den See. Die Ufer des Obersees sind weithin flach und
besonders im Bereich des Mündungsdeltas von Rhein, Dornbirner
und Bregenzer Ach durch große Buchten gekennzeichnet.

Rings um den Bodensee führt mit wechselndem Abstand vom See-   **Rundwanderweg**
ufer und in unterschiedlicher Höhenlage sowohl ein Wander- als   **Fahrradrundweg**
auch ein Radweg. Der Wanderweg ist mit einem gebogenen schwar-
zen Pfeil um einen blauen Punkt markiert, der Radweg mit einem
Radfahrer auf weißem Grund mit blauem Rad.

✳ Hegau

Der Hegau, die Landschaft, die sich nordwestlich des Bodensees aus-   **Altbesiedelte**
dehnt und in Singen ihren Hauptort hat, gehört zu den altbesiedelten **Kulturlandschaft**
Kulturlandschaften Südwestdeutschlands. Er war im Mittelalter
Kernraum des Herzogtums Schwaben. Der Hegau erhält seinen besonderen landschaftlichen Reiz durch zwei Reihen von **Vulkanen**.
Die markanteste Erhebung der westlichen Reihe ist der Doppelgipfel
des Hohenstoffels (844 m ü. d. M.) und des Hohenhewens (846 m
ü. d. M.), zur östlichen Reihe gehören bei Singen der Hohentwiel
(686 m ü. d. M.), Hohenkrähen (643 m ü. d. M.) und Mägdeberg
(664 m ü. d. M.).

In der malerischen Altstadt von Engen sind die spätromanisch er-   ✳
baute, später barock umgestaltete Stadtpfarrkirche Mariä Himmel-   **Engen**
fahrt und das Krenkinger Schloss (14. Jh.) sehenswert. Das **Städ-**
tische Museum (Klostergasse 19) im ehemaligen Kloster St. Wolfgang
zeigt Funde aus dem Magdalénien und wertvolle Exponate sakraler   ✳
Kunst. Im **Schloss Langenstein**, 12 km östlich von Engen, ist ein Mu-   ◀ Fasnachts-
seum zur schwäbisch-alemannischen Fasnacht untergebracht.   museum

Der kleine alte Stadtkern von Tengen liegt auf einem nach drei Seiten **Tengen**
steil abfallenden Felsen. Gut erhalten sind das alte Stadttor und die
alten Brücken. Darüber finden sich die Reste der vor 1200 errichteten Burg mit einer 32 m hohen Turmruine. Unterhalb der Stadt verläuft die wildromantische **Mühlbachschlucht** mit Wasserfällen und
Resten einer Mühle. Der Ortsteil Blumenfeld 2 km östlich besitzt ein
bemerkenswertes Deutschordensschloss (16. Jh.).

✳ Römischer Gutshof ► Etwa 4 km südöstlich wurde beim Stadtteil Büßlingen ein römischer Gutshof freigelegt und als **Freilichtmuseum** eingerichtet. Ausgegraben sind die Fundamente von neun Gebäuden, darunter Herrenhaus, Wirtschaftsgebäude, Werkstätten und Badeanlagen. Der Büßlinger Gutshof ist die größte derartige Anlage, die bislang in Deutschland gefunden wurde. Zwei Räume des Herrenhauses besaßen sogar Fußbodenheizung.

Singen Singen, Hauptort und **Wirtschaftszentrum des Hegaus**, ist eine regelmäßig angelegte Stadt am Fuß des Hohentwiel. Nördlich vom Rathaus (1960), das mit Fresken von Otto Dix ausgeschmückt ist, steht das 1810 erbaute ehemalige gräfliche Schloss. Es beherbergt das Hegaumuseum mit vor- und frühgeschichtlichen Sammlungen. Im Kunstmuseum östlich vom Rathaus sind Werke des 20. Jh.s vorwiegend aus dem westlichen Bodenseeraum ausgestellt.

✳ ✳ Hohentwiel ► Westlich über der Stadt ragt der Vulkanschlot des Hohentwiel (686 m ü. d. M.) auf. Ihn krönt eine mächtige Burgruine, eine der größten Festungsruinen Deutschlands. Auf der Anhöhe erhebt sich der Turm der zerstörten Kirche. Unweit des Hohentwiel bei Engen bahnt sich die Aachquelle, Deutschlands stärkste Quelle, ihren Weg an die Oberfläche.

Höri

Lage Die südlich von Singen gelegene Halbinsel Höri mit dem auf 708 m ansteigenden Schiener Berg schneidet tief in den Untersee ein. Sie beginnt ca. 4 km südwestlich von Radolfzell mit der Gemeinde Moos und endet an der Schweizer Grenze vor Stein am Rhein.

Gaienhofen Das Dorf Gaienhofen war schon früh bevorzugter Wohnsitz von Malern und Dichtern, darunter Hermann Hesse. Unmittelbar neben der Schiffslände steht das im 12. Jh. erbaute und im 17. Jh. erneuerte Schloss, das heute eine Internatsschule beherbergt.

! *Baedeker* TIPP

Rund um die Bülle

Alljährlich am ersten Oktobersonntag findet auf der Vorderen Höri in Moos das Büllefest statt, bei dem sich alles um die Zwiebel (= Bülle) dreht. An fantasievoll geschmückten Ständen werden handgeflochtene Zwiebelzöpfe, selbst gebastelte Zwiebelfiguren und Kunsthandwerk angeboten. Und wer einmal eine echte Büllesuppe oder eine Bülledünne, die badische Variante des Zwiebelkuchens, zu einem Viertele probiert hat, wird auf alle Fälle wiederkommen.

HOHENTWIEL

✳ ✳ **Der Hohentwiel, der sich auf dem gleichnamigen Vulkankegel erhebt, ist die größte Festungsruine Deutschlands. Die bis auf das 10. Jh. zurückgehende Burg hat eine wechselvolle Geschichte. Das heute als Naturschutzgebiet ausgewiesene Gelände ist eine besondere Mischung von Kultur- und Naturerlebnis.**

🕐 Öffnungszeiten:
16. März bis 31. März 10.00–18.00;
April bis Sept. 9.00–19.30;
16. Sept. bis 31. Okt. 10.00–18.00;
Nov. bis 15. März 11.00–16.00 Uhr

① Kloster

Das Kloster wurde im frühen 10. Jh. von Herzog Burkhard III. gegründet. Nach dem Tod des Herzogs baute seine Witwe, Herzogin Hadwig, die Anlage zu einem kulturellen und religiösen Zentrum aus. In seinem Roman »Ekkehard« setze der Dichter Josef Viktor von Scheffel der Herzogin ein literarisches Denkmal. König Heinrich II. verlegte jedoch bereits 1005 das Kloster nach Stein am Rhein. Die Anlage mit Kreuzgang wurde später zu Kasernen umfunktioniert. Auch als Vorrats- und Munitionslager dienten die Klostergebäude.

② Fürstenburg

Zentrum der Burganlage ist die Fürstenburg, die von den wechselnden Herren – dazu gehörten die Zähringer, die Herren von Singen und die Familie von Klingenberg – als Herrschersitz genutzt wurde. Sie umfasst Wohnräume und Stallungen.

③ Gefängnis

Im 18. Jh. war die Burg ein gefürchtetes Gefängnis, in dem vor allem politische Gefangene in den Verliesen schmachteten.

④ Altan

Der Altan, der auch »Scharfes Eck« genannt wird, markiert den höchsten Punkt der Burg.

Malerisch erhebt sich der Hohentwiel mit seiner Festungsruine aus der Vulkanlandschaft des Hegau. Dahinter sind schon die schneebedeckten Höhenzüge der Alpen zu erahnen.

Imposant thront die mächtige Burgruine des Hohentwiel auf dem gleichnamigen Berg.

Der Aufstieg auf den Hohentwiel lohnt sich nicht nur wegen der Ruine, sondern auch wegen des herrlichen Ausblicks.

©Baedeker

Prominentester Gefangener auf dem Hohentwiel war der Staatsrechtler Johann Jakob Moser (1701 – 1785).

So präsentierte sich der Hohentwiel 1643 auf einem Stich von Merian.

Romantisch angehaucht ist die Darstellung des Hohentwiel von 1850.

Hermann-Hesse-Höri-Museum ►

In der Kapellenstraße 8 findet sich das Hermann-Hesse-Höri-Museum, eine Gedenkstätte für Höri-Künstler, in der die Wohnräume von Hermann Hesse und dem Arzt Ludwig Finckh zu sehen sind. Ferner werden die neuesten Ergebnisse der **Pfahlbauarchäologie** vorgestellt.

Horn ►

Horn, der bei Malern beliebte Ortsteil von Gaienhofen, besitzt hübsche Fachwerkhäuser, die einzigartig gelegene spätgotische Kirche St. Johann und St. Veit, das Wahrzeichen der Höri, sowie Schloss Hornstaad mit Gaststätte direkt am See.

Hemmenhofen

Den **Kur- und Ferienort** Hemmenhofen schmücken schöne Fachwerkhäuser und eine große ehemalige Zehntscheuer. Die spätgotische Pfarrkirche St. Agatha und St. Katharina (um 1400) weist einen teilweise romanischen Chorturm auf. Im Ort lebte seit 1936 Otto Dix. 1991 wurde sein ehemaliges Wohnhaus als **Gedenkstätte Otto-Dix-Haus** eröffnet.

Öhningen

Auch Öhningen besitzt hübsche Fachwerkhäuser des 15.–19. Jh.s. und einige sehenswerte sakrale Bauten, wie das ehemalige Augustiner-Chorherrenstift oder die katholische Pfarrkirche. Der ruhige Teilort Schienen, am Hang des aussichtsreichen Schiener Berges gelegen, ist als Wanderzentrum beliebt.

Radolfzell

Altstadt

Die Stadt Radolfzell liegt am Zeller See und begrenzt die Höri im Nordosten. Die malerische Altstadt mit engen, verwinkelten Gassen schmücken schöne Adels- und Patrizierhäuser. Mittelpunkt ist der **Marktplatz mit dem Ratoldusbrunnen.** Beherrscht wird der Platz von dem gotischen Münster Unserer Lieben Frau, das 1436 erbaut, später z. T. barockisiert und 1963–1965 erneuert wurde. Sehenswert sind die Altäre und der Münsterschatz. Nahe dem Münster findet

Münster ►

man das Österreichische Schlösschen, ein Renaissancebau mit Staffelgiebel, das 1620 begonnen und im 18. Jh. fertig gestellt wurde, und das Reichsritterschaftsgebäude der Adelsgesellschaft zu St. Georgenschild, ein mächtiger Renaissance- und Barockbau von 1626, heute

? WUSSTEN SIE SCHON …?

■ dass die Klosterinsel Reichenau im Jahr 2000 in die Liste der Weltkulturerbe der UNESCO eingetragen wurde?

Amtsgericht. Ferner beachtenswert sind die Reste der Stadtmauer mit drei erhaltenen Türmen und die »Griener Winkel« genannten Teile einer Fischersiedlung.

Halbinsel Mettnau

Auf der zum Stadtgebiet von Radolfzell gehörenden Halbinsel Mettnau kann man z. B. kuren, kneippen oder Sport treiben. Am Südostende des Mettnauparks, bei der Kurverwaltung, erinnert das Scheffelschlösschen an den Dichter Joseph Viktor von Scheffel (1826–1886).

Der gotische Flügelaltar in Radolfzells Münster

Im Untersee liegt 19 km östlich von Radolfzell die Insel Reichenau, mit 4,3 km² die größte Bodenseeinsel. Bekannt ist sie vor allem wegen ihres bedeutenden **Klosters**. Die Kirchen des 724 von Karl Martell gegründeten und einst wegen seiner Buchmalereien berühmten Klosters Reichenau in den Siedlungen Oberzell (Stiftskirche St. Georg mit prachtvollen Wandmalereien aus ottonischer Zeit), Mittelzell (Münster St. Maria und St. Markus mit sehenswerter Schatzkammer) und Niederzell (Stiftskirche St. Peter und Paul) gehören mit ihren großartigen Fresken zu den wichtigsten Zeugnissen frühromanischer Kunst in Deutschland. Auf der äußersten Landspitze steht das »Bürgle« genannte Schloss Windegg (14./15. Jh.).

★
**Insel
Reichenau**

◄ Schloss
Windegg

►dort

Konstanz

✱ ✱ Insel Mainau

Rund 7 km nördlich von ► Konstanz liegt nahe dem Südufer des Überlinger Sees die 45 ha große **»Blumeninsel«** Mainau. Sie ist wegen ihrer prachtvollen Park- und Gartenanlagen mit subtropischer und tropischer Vegetation das meistbesuchte Ausflugsziel am Bodensee. Auch ein Schmetterlingshaus gibt es. Die Insel gehört einer Stiftung, die von der schwedischen Grafenfamilie Bernadotte geleitet wird (Öffnungszeiten: tgl. von 7.00 Uhr bis zur Dämmerung).

**Park- und
Gartenanlagen**

🕐

Schloss

Das ehemalige großherzoglich-badische Schloss (1739–1746) mit seinem reich geschmückten Weißen Saal trägt ein großes Deutschordenswappen am Giebel. Westlich gegenüber erheben sich ein alter Wehrturm – einer von einst 16 – und das Torgebäude.

Überlingen und Umgebung

Überlingen

In ganz Baden-Württemberg haben Sie nur hier in Überlingen die Möglichkeit, Kneipp-Heilkuren zu machen. In der ehemaligen Freien Reichsstadt am Überlinger See ziert den »Hofstatt« genannten Platz das Rathaus (14./15. Jh.), dessen Ratssaal mit prachtvollen Holzschnitzereien ausgestattet ist. Über dem Rathaus erhebt sich die gotische Münster St. Nikolaus aus dem 14.–16. Jh.; im kleineren der beiden Türme hängt die unvollendete, 6650 kg schwere »Osannaglocke«. Innen sind schöne Renaissance- und Barockaltäre zu besichtigen. Am Münsterplatz findet sich zudem das Stadtarchiv, dessen Bau auf das Jahr 1600 zurückgeht. Nordwestlich steht die spätgotische Franziskanerkirche (14./15. Jh.) mit barocker Ausstattung. Vom Münsterplatz in nordöstlicher Richtung trifft man auf das Reichlin-von-Meldegg-Haus mit dem **Städtischen Museum**, in dem vor- und frühgeschichtliche, römische und stadthistorische Sammlungen sowie 50 historische Puppenstuben gezeigt werden. Südwestlich vom Münster steht das spätgotische ehemalige Zeughaus aus dem 16. Jh. mit einer privaten Waffensammlung. Der Stadtgarten westlich der Altstadt bietet einen Rosen- und Kakteengarten sowie ein Rehgehege. Weiter südlich erstreckt sich am See der Kurgarten.

Wer die Insel Mainau besucht, taucht in ein Blütenmeer ein.

! *Baedeker* TIPP

Urlaub in der Steinzeit

Das Pfahlbaumuseum in Unteruhldingen bietet im Sommer »Ferien in den Pfahlbauten« an. Kinder und Eltern können bei einer Grabung mitmachen, mit Bronzebeilen einen Einbaum bauen, Steinzeitbrot backen und sonntags im August sogar mit Steinzeitmann »Uhldi« im Einbaum paddeln. (Informationen: Tel. 0 75 76/85 43 oder 65 37)

In der so genannten Erlebniswelt in Sipplingen (6 km nördlich von Überlingen) ist eine **Modellautosammlung** zu sehen, die größte dieser Art in der Welt. Mehr als 20 000 Automodelle aus 40 Ländern sowie Motorräder, Blechspielzeug, alte Tanksäulen, Plakate, Modelleisenbahnen u. v. m. sind hier zu bestaunen. Außerdem gibt es ein Puppenmuseum und ein Reptilienhaus.

Die barocke Wallfahrtskirche St. Maria (1746–1750) des ehemaligen Salemer Filialklosters Birnau thront hoch über dem Bodensee. Das Innere ist in verschwenderisch **reichem Rokokostil** ausgestattet; bemerkenswert sind vor allem die überaus fantasievollen Stuckaturen von Joseph Anton Feuchtmayr.

★ ★
Birnau

Die Hauptsehenswürdigkeit von Unteruhldingen (3 km südlich von Birnau) ist das Pfahlbaumuseum. In zwei rekonstruierten Pfahlbausiedlungen werden Sie in die **Stein- und Bronzezeit** versetzt. Das angegliederte Museum zeigt Ausgrabungsfunde aus dem gesamten Bodenseeraum von der Stein- bis zur Völkerwanderungszeit.

★
Pfahlbaumuseum Unteruhldingen

★ Meersburg

Das Gesicht des alten hübschen Bodenseestädtchens Meersburg wurde vor allem in jener Zeit geprägt, als es Sitz der Konstanzer Bischöfe war (1526–1803). Heute ist der Ort am steilen Uferhang zwischen Obersee und Überlinger See **Hauptort des Fremdenverkehrs** am Bodensee. Der älteste Teil des Orts ist die Unterstadt, die aus einer Fischersiedlung entstand und 1299 zur Stadt erhoben wurde. 1994 stieß man bei Bohrungen auf eine Thermalquelle, deren Wasser seit 2003 in dem großen Thermalbad »Meersburg Therme« genutzt wird.

Stadtbild

In der Oberstadt erhebt sich als **älteste bewohnte Burg Deutschlands** das bis ins 7. Jh. zurückgehende Alte Schloss, die »Meersburg«, ein 1508 mit vier Rundtürmen versehener Bau. Die Dichterin Annet-

★
Oberstadt

BODENSEE ERLEBEN

AUSKUNFT

Internationale Bodensee
Tourismus GmbH
78465 Insel Mainau
Tel. (0 75 31) 9 09 40, Fax 90 94 24
www.bodensee-tourismus.de

ESSEN

► Fein & Teuer
Flohr's
Blumenstraße 11
78224 Singen-Überlingen
Tel. (0 77 31) 9 32 30
Ein kulinarisches Vergnügen in
ländlich-elegantem Rahmen. Die
bemerkenswerte Mittelmeer- und
Regionalküche und eine hervorragende Weinkarte werden Sie
überzeugen.

► Erschwinglich
Mettnau-Stuben
Strandbadstraße 23
78315 Radolfzell-Mettnau
Tel. (0 77 32) 1 36 44
Rustikal gehaltenes Restaurant, das für
seine regionalen Fisch-Spezialitäten
bekannt ist. Schöne Terrasse!

Maier
Poststraße 1
88048 Friedrichshafen-Fischbach
Tel. (0 75 41) 40 40
Feine schwäbische Küche genießt das
Publikum in der behaglichen, ge-
schmackvoll eingerichteten Gaststube
des Hotels Maier.

► Preiswert
Alte Post
Fischergasse 3, 88131 Lindau
Tel. (0 83 32) 9 34 60
Regionale und steirische Köstlich-
keiten bietet dieser gutbürgerliche,
liebevoll eingerichtete Gasthof.
Schöner Biergarten.

ÜBERNACHTEN

► Luxus
Bayerischer Hof
Seepromenade, 88131 Lindau
Tel. (0 83 82) 91 50, Fax 91 55 91
www.bayerischerhof-lindau.de
Residenz direkt an der Uferpromenade
mit allem, was das Leben angenehm
macht. Elegante, teils luxuriöse Zimmer, mondänes Restaurant, prachtvolle Badelandschaft. Grandioser Blick
auf See und Bergkulisse.

► Komfortabel
Am Stadtgarten
Höllturmpassage 2, 78315 Radolfzell
Tel. (0 77 32) 9 24 60, Fax 92 46 46
www.hotel-am-stadtgarten.de
Die günstige Lage nahe beim See und
sehr hübsche, ansprechende Zimmer
machen das Hotel zu einer angenehmen Unterkunft.

Baedeker-Empfehlung

Buchhorner Hof
Friedrichstraße 33
88045 Friedrichshafen
Tel. (0 75 41) 20 50, Fax 3 26 63
www.buchhorn.de
Ebenso elegantes wie geschmackvoll eingerichtetes Haus. Dank der tollen Lage
unmittelbar am Seeufer bietet sich von
vielen Zimmern aus ein fantastischer
Blick auf den Bodensee und die Alpen.

► Günstig
Lamm
Alemannenstraße 42, 78224 Singen
Tel. (0 77 31) 40 20, Fax 40 22 00
www.hotellamm.com
Familiär geführtes Haus mit soliden,
sehr gepflegten Zimmern, nettes Res-
taurant.

te von Droste-Hülshoff lebte hier von 1841 bis zu ihrem Tod 1848. Sehenswert sind zahlreiche Schauräume und vor allem die Droste-Zimmer.

Östlich am Schlossplatz sieht man das 1741–1750 nach Plänen von Balthasar Neumann als neue Residenz der Konstanzer Bischöfe erbaute Neue Schloss. Heute ist hier das **Dornier-Museum** untergebracht. Innen sind das großartige Treppenhaus, die Deckengemälde von Joseph Ignaz Appiani und die Stuckaturen von Carlo Pozzi hervorzuheben.

✳
◄ Neues Schloss

! *Baedeker* TIPP

Fisch aus dem Bodensee

Kein Aufenthalt am Bodensee, ohne einmal Bodenseefisch gekostet zu haben. Wirklich lecker und aus eigenem Fang gibt's ihn im Fischrestaurant Schwedi in Friedrichshafen (Schwedi 1, Tel. 0 75 43/93 49 50).

Am Schlossplatz befindet sich zudem noch das **Zeppelinmuseum** mit Zeppelinmodellen und historischen Dokumenten. Im Weinbaumuseum östlich vom Schlossplatz ist u. a. das riesige so genannte Türkenfass zu sehen. Nördlich vom Schlossplatz erreicht man den Marktplatz mit seinen schönen Fachwerkbauten und dem Obertor (1300– 1330). Weiter nordwestwärts, bei der Stadtkirche, steht das ehemalige Dominikanerinnenkloster (15. Jh.), in dem die Bibelgalerie, die Stadtbücherei und das Stadtmuseum untergebracht sind. Unweit östlich vom Obertor liegt in den Weinbergen das Fürstenhäusle (oder Fuggerhäusle), das das Droste-Museum enthält.

In der direkt am Wasser gelegenen Unterstadt verläuft die **Seepromenade**, an deren Ostende das Gredhaus steht, ein ehemaliger Kornspeicher von 1505. Am Westende sieht man das Gasthaus »Zum Schiff«, ursprünglich Kapitelhof des Domstifts Konstanz. Gegenüber erhebt sich das Seetor, Rest der Stadtbefestigung.

Unterstadt

Friedrichshafen und Umgebung

Friedrichshafen, die **»Messe- und Zeppelinstadt«**, ist nach Konstanz der zweitgrößte Ort am Bodensee und Sitz einer vielseitigen Industrie (Motoren- und Getriebebau, Luftfahrt-, Elektro-, Textil- und Lederindustrie) sowie wichtiger Bodenseehafen.

Friedrichshafen

Am belebten Hafen steht der 1933 fertig gestellte Hafenbahnhof, der das Zeppelin Museum beherbergt, die **weltweit bedeutendste Sammlung zur Geschichte der Luftschifffahrt**, u. a. mit der Rekonstruktion des legendären Luftschiffs »Hindenburg«.

✳
Zeppelin Museum

Vom Schiffs- und Fährhafen gelangt man über die Seestraße, dann am Stadtgarten mit dem Zeppelin-Denkmal über die Uferstraße nach Westen zum Jachthafen. Von dort hat man einen schönen Blick auf den See und die Alpen. Am Jachthafen wurde 1985 das **Graf-Zeppe-**

Weitere Sehenswürdigkeiten

Im malerischen Hafen von Lindau legen die Schiffe der Weißen Flotte an.

lin-Haus, ein Kultur- und Kongresszentrum, eröffnet. Wenige Schritte nördlich, an der Friedrichstraße, trifft man auf das Oberschwäbische Schulmuseum, u. a. mit original eingerichteten Klassenzimmern aus den Jahren 1850, 1900 und 1930. Westlich vom Graf-Zeppelin-Haus steht in einem Park das 1654–1701 erbaute Schloss, heute Wohnsitz des Herzogs Karl von Württemberg, mit der weithin sichtbaren barocken Schlosskirche.

Langenargen 12 km südöstlich liegt am Seeufer der Ort Langenargen mit dem in maurischem Stil erbauten Schloss Montfort (Kultur- und Kongresszentrum, Restaurant), Kunstmuseum und schöner barocker Pfarrkirche. Langenargen ist Sitz des **Staatlichen Instituts für Seenforschung**, zu dem auch eine Fischbrutanstalt gehört.

✴ Lindau am Bodensee

Insel- und Gartenstadt Lindau, die größte Stadt am bayerischen Ufer des Bodensees, besteht aus der malerischen Inselstadt im See mit dem Hafen – sie stellt die eigentliche Altstadt dar – und der durch die Seebrücke und einen Eisenbahndamm damit verbundenen, sich weitläufig zwischen Obstkulturen erstreckenden Gartenstadt auf dem Festland. Lindau war ursprünglich eine **Fischersiedlung**, die im Mittelalter mit Marktrechten ausgestattet und 1220 sogar Freie Reichsstadt wurde. Durch Handel und Schifffahrt kam der Ort zu Reichtum. 1805 gelangte es an das Königreich Bayern.

An der Südseite der Stadt liegt der Seehafen mit dem Alten Leuchtturm oder Mangturm (13. Jh.) zwischen Hafenplatz und Seepromenade. Auf den beiden Molen stehen die **Lindauer Wahrzeichen**: der 6 m hohe bayerische Löwe (1853–1856) und der 33 m hohe Neue Leuchtturm (1856), von dem sich eine herrliche Aussicht auf Stadt und Alpen bietet.

In der Altstadt findet man noch viele von Gotik, Renaissance und Barock geprägte Straßen. Besonders stimmungsvoll gibt sich die Maximilianstraße, die Hauptstraße der Stadt, mit ihren schmucken Patrizierhäusern, Laubengängen (den so genannten Brodlauben»), Brunnen und Straßenlokalen. Das Alte Rathaus mit farbenprächtiger Fassade am Reichsplatz wurde 1422–1436 errichtet und 1578 im Renaissancestil umgebaut. Nordwestlich, am Schrannenplatz, trifft man auf die um 1000 gegründete und 1928 zu einer Kriegergedenkstätte umgestaltete ehemalige Peterskirche mit den um 1480 entstandenen, **einzigen erhaltenen Fresken von Hans Holbein d. Ä.** Daneben erhebt sich der Diebsturm von 1380. Im Ostteil der Altstadt, an dem mit einem Neptunbrunnen geschmückten Marktplatz, befindet sich das Haus zum Cavazzen mit dem Heimatmuseum und den Städtischen Kunstsammlungen. An der Ostseite des Marktplatzes stehen harmonisch nebeneinander die evangelische Stadtpfarrkirche St. Stephan (1180, 1782 barockisiert) und die katholische Stadtpfarrkirche St. Marien, die 1748–1752 erbaute ehemalige Kirche des 1802 aufgehobenen Damenstifts.

◄ Altstadt

> **! Baedeker TIPP**
>
> **Uferweg**
> Lohnend ist ein Spaziergang auf dem Uferweg rings um die Inselstadt, der von den ehemaligen Bastionen Gerberschanze und Sternschanze sowie beim Pulverturm und der Pulverschanze prächtige Ausblicke bietet.

✳ Bonn

Atlasteil: S. 34 • A 3/4 **Bundesland:** Nordrhein-Westfalen
Höhe: 64 m ü. d. M. **Einwohnerzahl:** 313 000

Die Co-Bundeshauptstadt beidseitig des Rheins hat ihren Charme als alte Residenzstadt bewahrt. Die kulturelle Ausstrahlung der altbekannten Universität, die gut erhaltene Bausubstanz, das rege Geschäftsleben und das reizvolle Landschaftsbild geben der Stadt ihr besonderes Gepräge. Seit der Eingemeindung von Beuel und Bad Godesberg hat Bonn auch ein renommiertes Heilbad.

Castra Bonnensia wurde das römische Heerlager bei dem Kastell genannt, das 11 v. Chr. als eines der ersten am Rhein angelegt wurde. Nachdem die um das Kastell gewachsene Siedlung im 12. Jh. erstmals

Geschichte

mit einer Stadtmauer befestigt worden war, wählten die Kölner Erzbischöfe die Stadt zu ihrer Residenz (1238–1794). Im 18. Jh. bauten die Kurfürsten Joseph Clemens und Clemens August Bonn zur Barockresidenz aus. Am 10. Mai 1949 wurde die Stadt zum Sitz der Bundesregierung gewählt. Im Jahre 1989 feierte Bonn sein **zweitausendjähriges Bestehen**; im Jahr darauf bestimmte man im deutschen Einigungsvertrag Berlin zur Bundeshauptstadt. 1991 beschloss der Bundestag, seinen Sitz nach Berlin zu verlegen; das Berlin/Bonn-Gesetz (1994) sieht dabei eine »faire Arbeitsteilung« vor: Sechs Ministerien – Verteidigung, Umwelt, Verbraucherschutz und Landwirtschaft, Gesundheit, Forschung, wirtschaftliche Zusammenarbeit – haben ihren ersten Dienstsitz weiterhin am Rhein.

11 v. Chr.	Das römische Kastell »Castra Bonnensia« wird errichtet
ab 1238	Bonn wird Residenz der Kölner Erzbischöfe
18. Jh.	Ausbau Bonns zur Barockresidenz
1949–1991	Bonn ist Sitz der Bundesregierung
1994	Das Berlin/Bonn-Gesetz verteilt die Ministerien

»Bundeshauptdorf« Die 2000-jährige Stadt am Rhein strahlt viel Beschaulichkeit aus – was ihr zwischen 1949 und 1990 den Spitznamen »Bundeshauptdorf« einbrachte. Neben der Altstadt mit einigen prächtigen Bauwerken bestechen der Stadtteil Poppelsdorf mit seinem gründerzeitlichen Wohnviertel und der Villenvorort Bad Godesberg. Mit den kulturellen Höhepunkten entlang der **Museumsmeile** setzt die Stadt neue Akzente.

Highlights *Bonn*

Beethovenhaus
Im Geburtshaus des berühmten Komponisten ist u. a. sein letzter Flügel zu bestaunen.
▶ Seite 293

Münster
Weithin sichtbares Wahrzeichen der Stadt. Besichtigen Sie den einzigen gut erhaltenen romanischen Kreuzgang nördlich der Alpen.
▶ Seite 294

Haus der Geschichte
Stöbern Sie in der Geschichte des geteilten und vereinigten Deutschlands!
▶ Seite 295

Kunstmuseum Bonn
Hier wird Ihnen die deutsche Kunst seit 1945 näher gebracht.
▶ Seite 296

Schloss Poppelsdorf
Ein ehemaliges Lustschloss und Mineralien aller Art, das passt nicht zusammen, sagen Sie? Dann schauen Sie doch mal im Schloss Poppelsdorf vorbei.
▶ Seite 297

Siebengebirge
Entweder Sie selber oder die Züge der ältesten Zahnradbahn Deutschlands zuckeln mit Ihnen auf den Drachenfels!
▶ Seite 297

Dem berühmtesten Sohn Bonns, Ludwig van Beethoven, wurde auf dem Münsterplatz ein Denkmal errichtet.

Innenstadt

Mittelpunkt der Altstadt ist der Marktplatz mit dem 1737–1738 errichteten, prunkvollen Alten Rathaus im Rokokostil. In der nordöstlich angrenzenden Rathausgasse (Nr. 7) sind die **Städtischen Kunstsammlungen** mit deutscher Malerei und Plastik des 20. Jh.s untergebracht. Unweit nördlich erhebt sich die hochgotische dreischiffige Remigiuskirche (14. Jh.). **Marktplatz**

In der Bonngasse 20 steht das als Museum eingerichtete Geburtshaus Ludwig van Beethovens (1770–1827). Der berühmte Komponist verbrachte hier seine Jugend, bis er 1798 nach Wien ging. ★ **Beethovenhaus**

Die weitläufige Gebäudegruppe südwestlich vom Marktplatz wurde 1697–1725 von Enrico Zuccali und Robert de Cotte ursprünglich als **spätbarockes kurfürstliches Schloss** errichtet. Seit 1818 wird sie als Universität genutzt. Der lange, parallel zur Franziskanerstraße verlaufende Ostflügel, in den das Koblenzer Tor eingefügt ist, reicht fast bis an den Rhein. Das im Stil eines Triumphbogens erbaute Tor sollte der Abschluss des Residenzschlosses werden. **Universität**

Über dem Koblenzer Tor im Regina-Pacis-Weg 7 hat im März 2001 das Ägyptische Museum eröffnet. In der Franziskanerstraße präsentiert das Stadtmuseum Bonn die Geschichte der Stadt. Im östlich anschließenden Hofgarten befindet sich das Akademische Kunstmuseum der Universität Bonn (Am Hofgarten 21) mit der **größten Sammlung originaler griechischer und römischer Antiken in Nordrhein-Westfalen**. ◀ **Museen**

Münster

Am Ende der Straße Am Hof stößt man auf den Münsterplatz mit dem altehrwürdigen Münster, einer der **schönsten romanischen Kirchen am Rhein**. Sie wurde im 11.–13. Jh. erbaut und bestimmt bis heute mit ihren vier Türmen und dem mächtigen Vierungsturm die Stadtsilhouette. Südlich schließt ein stimmungsvoller Kreuzgang aus dem 12. Jh. an, der einzige gut erhaltene romanische Kreuzgang nördlich der Alpen.

? WUSSTEN SIE SCHON …?

■ Ausgrabungen haben unter der langen, dreischiffigen Krypta (11. Jh.) des Münsters eine der frühesten Kultstätten des Christentums im Rheinland zutage gefördert: eine »cella memoriae« zu Ehren der Märtyrer Cassius und Florentinus, heute Stadtpatrone von Bonn.

Vom Marktplatz geht es in nordöstlicher Richtung zum Rheinufer. Vor der Kennedybrücke liegt die Oper Bonn (1963–1965), dahinter steht die Beethovenhalle (1957–1959). Bei den Schiffsanlegestellen südlich der Oper erreicht man den Stadtgarten und den Alten Zoll, die Bastei des ehemaligen Festungsgürtels der Stadt. Von ihr hat man eine wunderbare Aussicht auf die Stadt, den Rhein und das nahe **Siebengebirge**. Rheinaufwärts befindet sich das Ernst-Moritz-Arndt-Haus, das Wohnhaus des Schriftstellers und Politikers, der hier 1860 starb.

Frauenmuseum

Nördlich der Innenstadt befindet sich das erste Frauenmuseum Deutschlands (Im Krausfeld 10), das frauenspezifische Dokumentationen aus Geschichte, Politik und »Dritter Welt« zeigt.

Landesmuseum

Im Südwesten der Innenstadt und westlich vom Bahnhof zeigt das Rheinische Landesmuseum (Colmantstraße 14–16) Zeugnisse rheinischer Geschichte, Kunst und Kultur von der Urgeschichte bis zur Gegenwart, darunter den Schädel eines Neandertalers.

Bundesviertel und Museumsmeile

Bundesviertel

Parallel zum Rheinufer und zur Adenauerallee zieht sich südlich der Innenstadt das Bundesviertel mit nach wie vor **zahlreichen Bundesbehörden** hin. Die bekanntesten sind die 1860 erbaute Villa Hammerschmidt (Adenauerallee 135), der Bonner Amtssitz des Bundespräsidenten, und das im Neorenaissance-Stil erbaute Palais Schaumburg (1860), 1949–1976 Bundeskanzleramt. Sein Name erinnert an den ersten Besitzer, den Prinzen zu Schaumburg-Lippe. Östlich schließt das moderne Bundeskanzleramt an, das 1974–1976 errichtet wurde und nun Sitz des Ministeriums für wirtschaftliche Zusammenarbeit ist. Davor steht seit 1981 das Adenauer-Denkmal. Östlich dehnt sich in Rheinnähe der mehrfach erweiterte Komplex des »Bundeshauses« (Heussallee) mit dem neuen Plenarsaal von 1992 aus, in dem Bundestag und Bundesrat ihren Sitz hatten. Das Bundeshaus und das benachbarte Wasserwerk sind zum internationalen Kongresszentrum umfunktioniert worden. Weiter östlich (Hermann-

Bonn Orientierung

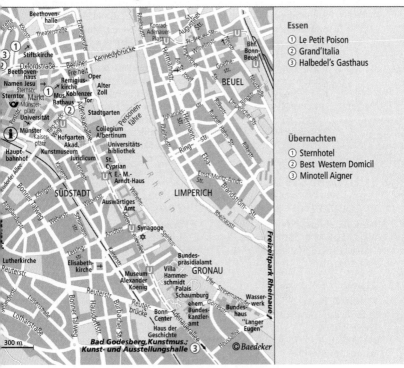

Essen
① Le Petit Poison
② Grand'Italia
③ Halbedel's Gasthaus

Übernachten
① Sternhotel
② Best Western Domicil
③ Minotell Aigner

© Baedeker

Ehlers-Straße) ragt der »Lange Eugen« auf, das 29-stöckige Abgeordneten-Hochhaus, das Egon Eiermann entwarf (1965/1966). Der Freizeitpark Rheinaue diente 1979 als Gelände für die Bundesgartenschau. Hier hat sich die Deutsche Post von Stararchitekt Helmut Jahn ihre neue Zentrale mit 158 m hohem Turm bauen lassen.

In direkter Nachbarschaft zum Bundesviertel erstreckt sich die Museumsmeile mit vier bedeutenden Museen an der Adenauerallee und an ihrer Verlängerung nach Süden, der Friedrich-Ebert-Allee.
Im Norden liegt das Museum Alexander König (Adenauerallee 160), eines der **bedeutendsten zoologischen Museen Deutschlands** mit 30 000 präparierten Säugetieren, 80 000 Vögeln und über einer Million Insekten, dazu Reptilien, Fische und eine riesige Eiersammlung.
An der Adenauerallee 250 zeigt das 1994 eröffnete Haus der Geschichte auf fünf chronologisch gegliederten Ausstellungsebenen die **Geschichte des geteilten und vereinigten Deutschlands** anhand von zahlreichen Originalobjekten, nachgebauten Kulissen, Filmen, Fotos und Dokumenten (Öffnungszeiten: Di. bis So. 9.00–19.00 Uhr).

Adenauerallee und Friedrich-Ebert-Allee

★
◄ Museum Alexander König
★ ★
◄ Haus der Geschichte

🕐

✳ ✳
Kunstmuseum
Bonn ►

Das Kunstmuseum Bonn in der Friedrich-Ebert-Allee 2 ist mit den Sammlungsschwerpunkten »August Macke und die Rheinischen Expressionisten« und »Deutsche Kunst seit 1945« ein Museum für die Kunst des 20. Jh.s. Auch architektonisch ist das vor 40 Jahren von dem Berliner Architekten Axel Schultes entworfene Gebäude sehenswert (Öffnungszeiten: Di. bis So. 10.00–18.00, Mi. bis 21.00 Uhr).

✳
Kunst- und Aus-
stellungshalle ►

Gleich nebenan (Friedrich-Ebert-Allee 4) eröffnete 1992 mit der Kunst- und Ausstellungshalle (Architekt Gustav Peichl) ein Haus, das auf einer riesigen Fläche (5400 m²) bis zu fünf wechselnde Ausstellungen internationalen Ranges zur Bildenden Kunst, Architektur, Kulturgeschichte, Wissenschaft und Technik zeigt. Auf dem Dach erwartet den Besucher ein 8000 m² großer **Skulpturengarten**.

 ## BONN ERLEBEN

AUSKUNFT

Bonn Information
Windeckstraße 2, 53103 Bonn
Tel. (02 28) 77 50 00, Fax 77 50 77
www.bonn.de

ESSEN

► Fein & Teuer
③ **Halbedel's Gasthaus**
Rheinallee 47,
53173 Bonn-Bad Godesberg
Tel. (02 28) 35 42 53
Die Gourmet-Adresse schlechthin:
In einer prachtvollen Jugendstilvilla werden die Gäste mit ausgezeichneter französischer Kochkunst verwöhnt.

► Erschwinglich
② **Grand'Italia**
Bischofsplatz 1, 53111 Bonn
Tel. (02 28) 63 83 33
Seit über dreißig Jahren ist dieses charmante Ristorante eine der besten Bonner Adressen für Pasta und Pizza.

① **Le Petit Poison**
Wilhelmstraße 23 a, 53225 Bonn
Tel. (02 28) 63 38 83
In dem klitzekleinen Ecklokal mit dem üppigen Raumdekor genießen Sie französische, aber auch asiatisch beeinflusste Küche.

ÜBERNACHTEN

► Luxus
② **Best Western Domicil**
Thomas-Mann-Straße 24, 53111 Bonn
Tel. (02 28) 72 90 90, Fax 69 12 07
Originell ist zunächst die Zusammensetzung des Hotels: sieben Häuser verschiedener Epochen gruppieren sich um einen schmucken Innenhof – edles Design, wohin man blickt, großzügige und individuell gestaltete Zimmer.

► Komfortabel
① **Sternhotel**
Markt 8, 53111 Bonn
Tel. (02 28) 7 26 70, Fax 72 61 25
www. sternhotel-bonn.de
Das traditionsreiche Haus, bereits 1620 urkundlich erwähnt, mit reizvoller Architektur liegt direkt am Markt neben dem alten Rathaus. Die mit allen Annehmlichkeiten ausgestatteten Zimmer sind aber sehr ruhig.

► Günstig
③ **Minotell Aigner**
Dorotheenstraße 12, 53111 Bonn
Tel. (02 28) 60 40 60, Fax 6 04 06 70
www.hotel-aigner.de
Gepflegtes, familiäres Haus in der verkehrsberuhigten Altstadt.

Poppelsdorf

Im Südwesten der Stadt steht am Ende der Poppelsdorfer Allee das **✶** prächtige, zwischen 1715 und 1730 erbaute Poppelsdorfer Schloss, in **Schloss** dem heute das **Mineralogisch-Petrologische Museum** der Universität Bonn untergebracht ist. Dahinter liegt der Botanische Garten mit zehn Gewächshäusern.

Die Straßen der Südstadt – südlich von Hofgarten und Poppelsdorfer **Südstadt** Allee – bilden das **gründerzeitliche Wohnviertel** mit herrschaftlichen Bürgerhäusern aus der Zeit zwischen 1860 und 1914.

Südwestlich vom Poppelsdorfer Schloss liegen auf dem Kreuzberg **Kreuzberg** (125 m) ein ehemaliges Franziskanerkloster und eine weit sichtbare Barockkirche (1627–1637) mit einer östlich angebauten »Heiligen Stiege« von Balthasar Neumann (1746–1751).

Bad Godesberg

Im südlichen Stadtteil Bad Godesberg, einem **reichen Villenvorort** **Villenvorort** von Bonn und ehemals Sitz diplomatischer Vertretungen, lohnt die Besichtigung der zentral gelegenen Redoute, ein kurfürstliches Roko-koschloss, das zu Bonner Regierungszeiten Schauplatz von Staatsempfängen war. Östlich der Redoute dehnen sich der großzügige, im englischen Stil angelegte Stadtpark und anschließend der Redoutenpark aus. Im Norden Godesbergs erhebt sich die Burgruine Godesburg (1210–1244), von deren 32 m hohem Bergfried man einen weiten Blick auf Bonn, das Rheintal und das Siebengebirge hat. In der Ahrstraße 45 (Nähe Kennedyallee) veranschaulicht im Wissenschaftszentrum Bonn das **Deutsche Museum** die Bedeutung der Grundlagenforschung und mögliche Anwendungen.

! *Baedeker* TIPP

Wie im Bilderbuch

Troisdorf, nordöstlich von Bonn auf dem rechten Rheinufer, besitzt mit dem Museum Burg Wissem das einzige Bilderbuchmuseum Europas. Für Kinder gibt es eine Schmökerecke, (nicht nur) für Erwachsene die kostbare Bilderbuchsammlung mit 2000 Stücken von 1498 bis heute (Öffnungszeiten: Di. bis So. 11.00–17.00 Uhr).

Der Stadtteil Schwarzrheindorf auf dem rechten Rheinufer besitzt **◄ Schwarzrheindorf** eine **einzigartige romanische Doppelkirche** (12. Jh.).

Umgebung von Bonn

Das Siebengebirge, das **älteste deutsche Naturschutzgebiet**, verläuft **✶** südlich von Bonn entlang des rechten Rheinufers. 100 km Wander- **Siebengebirge** wege führen durch schattige Laubwälder und bieten immer wieder schöne Ausblicke ins Rheintal. Der bekannteste Berg ist der Drachenfels (321 m ü. d. M.), auf dem die älteste Zahnradbahn Deutsch-

Blick in das Arbeitszimmer von Konrad Adenauer in Rhöndorf

lands im Einsatz ist. Auf dem Weg zum Gipfel passiert man das neu-gotische Schloss Drachenburg (1879–1884), inmitten von malerisch gruppierten Baum- und Parkanlagen, von dessen 122 m langer Rheinterrasse man einen wunderbaren Blick ins Tal hat. Weiter berg-an erhebt sich die 1147 erbaute und 1634 zerstörte Burgruine Dra-chenfels. Das hoch gelegene ehemalige Petersberg-Hotel auf dem Pe-tersberg nördlich des Drachenfelsens war lange Zeit Gästehaus der Bundesregierung.

Königswinter Zu Füßen von Drachenfels und Petersberg liegt Königswinter, wegen seiner schönen Uferlage eines der meistbesuchten Ausflugsziele in Bonns Umgebung. Hier findet man gemütliche Weinlokale und das **Siebengebirgsmuseum** (Kellerstraße 16).

Bad Honnef Gepflegte Uferpromenaden laden in Bad Honnef, südlich von Kö-nigswinter am Rhein, zum Flanieren ein. Der Ort war Wohnsitz von Konrad Adenauer (1876–1967), dem ersten Kanzler der Bundesre-publik Deutschland; sein einstiges Wohnhaus im Ortsteil Rhöndorf ist als Gedenkstätte eingerichtet.

✳
Adenauerhaus ▶

Euskirchen Rund um Euskirchen begegnet man trutzigen Burgen und roman-tischen Schlössern, so z. B. der zweiteiligen Burganlage westlich von Euskirchen bei Wißkirchen, der Burg Satzvey (14. Jh.), und der stärksten Burganlage im Kreis Euskirchen, der Wasserburg Veynau (1340) in Obergartzem.

Burg Satzvey und
Burg Veynau ▶

Brandenburg

Atlasteil: S. 29 • D 2   **Bundesland:** Brandenburg
Höhe: 31 m ü. d. M.   **Einwohnerzahl:** 90 000

Den besonderen Reiz der einstigen Bischofsstadt Brandenburg machen die Flussarme der Havel und die Kanäle aus, die das Stadtgebiet durchziehen. Der Ort ist umgeben von Plauer See, Breitlingsee und Beetzsee, wo man herrlich schwimmen, Boot fahren oder angeln kann.

Brandenburg war bis zur Mitte des 12. Jh.s Hauptfestung der slawischen Heveller. Unter König Heinrich I. wurde die Siedlung 928/929 erstmalig erobert; zeitweilig war sie Sitz des 948 gegründeten Bistums. Bis 1157 blieb die Burg heftig umkämpft. Auf **drei Inseln** entstanden die Siedlungskerne: der Dom bzw. Bischofssitz, die altstädtische Siedlung und die neustädtische Kaufmannssiedlung. Der Ausbau der deutschen Landesherrschaft in der Mark Brandenburg

Geschichte

▶ BRANDENBURG ERLEBEN

AUSKUNFT

Brandenburg-Information
Hauptstraße 51, 14766 Brandenburg
Tel. (0 33 81) 1 94 33, Fax 22 37 43
www.stadt-brb.de

ESSEN

▶ Erschwinglich
An der Dominsel
Neustädtische Fischerstraße 14,
14776 Brandenburg
Tel. (0 33 81) 22 45 35
Rustikales Gasthaus mit maritimem Ambiente direkt am Ufer der Havel, wundervoller Blick auf den Dom. Neben deutscher Küche gibt es ein großes Angebot an Fischgerichten.

▶ Preiswert
Bismarck Terrassen
Bergstraße 20, 14770 Brandenburg
Tel. (0 33 81) 30 09 39
Klassische Gerichte aus dem Havelland stehen in dem originellen Restaurant auf dem Speiseplan.

ÜBERNACHTEN

▶ Komfortabel
Sorat
Altstädtischer Markt 1,
14770 Brandenburg
Tel. (0 33 81) 59 70, Fax 59 74 44
www.sorat-hotels.com
Geschmackvoll eingerichtetes Hotel im Stadtzentrum gegenüber dem mittelalterlichen Rathaus. Dennoch ruhig, da die meisten Zimmer in Richtung Stadtpark liegen. Regionale Küche bestimmt das Angebot im Restaurant.

▶ Günstig
Axxon
Magdeburger Landstraße 228,
14770 Brandenburg
Tel. (0 33 81) 32 10, Fax 32 11 11
www.axxon-hotel.de
Modernes Hotel mit bequemen Zimmern und schicken Marmorbädern. Im Restaurant Rossini werden Sie mit Spezialitäten aus der Toskana und ausgesuchten Weinen Italiens verwöhnt.

führte dann zum Aufblühen der Stadt, die im 13./14. Jh. hauptstädtische Bedeutung erlangte. Als die Hohenzollern 1451 ihre Residenz nach Berlin verlegten, begann der Abstieg Brandenburgs. 1715 vereinigten sich Alt- und Neustadt.

Sehenswertes in Brandenburg

Dominsel
✳
Dom ▸

Der 1165 begonnene Dom St. Peter und Paul auf der Dominsel ist eine dreischiffige romanische Basilika. In der großen zweischiffigen Krypta (1235) befindet sich seit 1953 eine Gedächtnisstätte für die im Zweiten Weltkrieg ermordeten Christen. Von der reichen Ausstattung des Domes sind die Glasmalereien (13. Jh.), das romanische Kruzifix, der Böhmische Altar (14. Jh.), der 1518 gestiftete Lehniner Altar und der Marienaltar (um 1430) hervorzuheben. In den teilweise erhaltenen Klausurgebäuden befinden sich der Kreuzgang und das Domarchiv mit wertvollen Handschriften, ferner das **Dommuseum** mit kostbaren mittelalterlichen Gewändern und dem Brandenburger Hungertuch (um 1290).

Petrikapelle ▸

Am Burgweg liegt die gotische Petrikapelle, seit 1320 Pfarrkirche der Domgemeinde, die 1520 mit Zellengewölben versehen wurde.

Altstadt

Von der mittelalterlichen Stadtbefestigung um die Altstadt existieren noch Teile der Stadtmauer mit mehreren Türmen.

✳
Altstädtisches
Rathaus ▸

Besonders sehenswert ist das Altstädtische Rathaus (1470), ein spätgotischer zweigeschossiger Backsteinbau mit Staffelgiebel, Turm und Portal mit reichem Backstein-Maßwerk und großem Spitzbogenportal am Nordostgiebel. Vor dem Rathaus steht eine über 5 m große **Rolandsfigur** (1474).

St. Gotthardt ▸

Nördlich vom Rathaus erhebt sich das **älteste Bauwerk Brandenburgs**, die Pfarrkirche St. Gotthardt (12. Jh.) mit spätgotischer Backsteinhalle (15. Jh.) und barocker Turmhaube von 1767. Von der Ausstattung sind die romanische Bronzetaufe (13. Jh.), die spätgotische Triumphkreuzgruppe (15. Jh.), Gobelins (um 1463, Darstellung einer Einhornjagd) und ein Renaissancealtar (1559) bemerkenswert.

Stadtmuseum ▸

Das Museum der Stadt im Freyhaus (Hauptstraße 96) von 1723 besitzt neben Darstellungen der Stadtgeschichte eine bedeutende Sammlung **europäischer Grafik** (16.–20. Jh.) mit dem fast vollständigen Werk Daniel Chodowieckis.

St. Johannis ▸

Nikolaikirche ▸

Im Süden der Brandenburger Altstadt befindet sich die Ruine der Pfarrkirche St. Johannis, ein frühgotischer Backsteinbau aus dem 13. Jh. Südwestlich der Altstadt steht die Nikolaikirche, eine zwischen 1170 und 1230 entstandene spätromanische Backsteinbasilika.

Neustadt

✳
St. Katharinen ▸

Die Pfarrkirche St. Katharinen (1395–1401) im Zentrum der Neustadt gilt als hervorragendes Werk der Backsteingotik und Hauptwerk von Hinrich Brunsberg. Der Giebel der Fronleichnams- bzw. Marienkapelle an der Nordseite der dreischiffigen gewölbten Hallenkirche ist besonders hervorzuheben. Im Inneren sind ein spätgoti-

Die frühgotische Kirche des ehemaligen Zisterzienserklosters Lehnin

scher Doppelflügelaltar (1474), der Hedwigsaltar (1457, Südkapelle), die Taufe (1440, Nordkapelle), die Kanzel (1668) und die Epitaphe sehenswert.

Vom ehemaligen Dominikanerkloster St. Pauli (1286) ist seit 1945 nur noch die Kirche komplett erhalten. Bis zum Jahr 2006 soll das gesamte Kloster saniert und zum **Archäologischen Landesmuseum Brandenburg** ausgebaut werden.

Interessante **Bürgerbauten** des 18. Jh.s finden sich in der Steinstraße 21, am Neustädtischen Markt 7 und 11, am Gorrenberg 14, in der Kleinen Münzstraße 6 und der Kurstraße 7. An der Hauptstraße errichtete man das Denkmal des Brandenburger Originals »Fritze Bollmann«, dessen Anglermoritat noch heute bekannt ist.

Auf dem 69 m hohen Marienberg liegt der Park Marienberg. Hier ◀ Marienberg verehrten die germanischen Semnonen die Göttin Freya. Heute befinden sich hier eine Freilichtbühne, ein Schwimmbad, ein Aussichtsturm und ein Ehrenmal für die im Dritten Reich im Zuchthaus Brandenburg-Görden hingerichteten Widerstandskämpfer.

Umgebung von Brandenburg

Das berühmte Kloster Lehnin, 20 km südöstlich von Brandenburg, ★ ★ war die erste Zisterzienserniederlassung in der Mark, als Hauskloster **Kloster Lehnin** der Askanier von Markgraf Otto I. 1180 gegründet. Die Klosterkirche St. Marien, eine frühgotische Pfeilerbasilika, 1190 begonnen und 1262 geweiht, ist eines der ältesten und bedeutendsten Beispiele norddeutscher **Backsteinarchitektur**. Erhalten sind die Klausur, das Königshaus, das Kornhaus, das Falkonierhaus und die Klostermauer mit dreipfortigem Tor.

Havelland

Besonders reizvoll im Havelland mit seinen ausgedehnten moorigen Niederungen, flachwelligen Dünengebieten und vereinzelten Kiefern- und Mischwäldchen ist der mittlere Abschnitt der Havel zwischen Potsdam und Brandenburg, wo sich der Fluss zu zahlreichen lang gestreckten, gewundenen Seen erweitert. Zu den bekanntesten und beliebtesten zählen der Schwielowsee südlich von Potsdam, der Trebelsee zwischen Potsdam und Brandenburg bei Ketzin, der Beetzsee bei Ketzür nördlich von Brandenburg und der Plauer See im Süden Brandenburgs. Alle bieten Möglichkeiten zum Baden, Wandern und für Wassersportler. Die **Regattastrecke** auf dem Beetzsee ist eine international bekannte Wassersportstätte. Die Städte Werder (▶Potsdam, Umgebung), Ketzür, Rathenow und Havelberg sind neben Potsdam, Brandenburg und Neuruppin (▶Rheinsberg · Neuruppin) die interessantesten im Havelland.

✷
Havelseen ▶

Havelberg

✷ ✷
Mariendom ▶

Nahe der Einmündung der Havel in die Elbe liegt die hübsche Kreisstadt Havelberg. Bedeutend ist hier der Dom St. Marien, der 1170 geweiht und 1279–1330 gotisch umgebaut wurde. Im Innern der **dreischiffigen Basilika** beeindrucken gotische Glasmalereien (14./15. Jh.) und bemerkenswerte Bauplastiken, besonders die Reliefplatten am Lettner und an den Chorschranken, drei Sandsteinleuchter (13. Jh.) und die gotische Triumphkreuzgruppe (13. Jh.). Südlich des Doms liegen die Stiftsgebäude. Am Marktplatz steht das spätklassizistische Rathaus.

✷ Braunschweig

Atlasteil: S. 27 • D 2
Höhe: 72 m ü. d. M.

Bundesland: Niedersachsen
Einwohnerzahl: 255 000

In der alten Welfenstadt Braunschweig wechseln sich moderne Straßenzüge mit so genannten »Traditionsinseln« ab, hübschen Bezirken mit alten Fachwerkhäusern und sehenswerten Kirchen an kopfsteingepflasterten Straßen und idyllischen Plätzen. Die 1745 gegründete Technische Hochschule (heute Universität) ist die älteste Deutschlands. Nördlich der Stadt verläuft der Mittellandkanal.

Geschichte

Im 12. Jh. war Braunschweig Residenz und Lieblingsaufenthalt Heinrichs des Löwen (1129–1195), der den Ort zur Stadt erhob. 1247 trat

diese der Hanse bei und stieg zu einem **bedeutenden Binnenhandels-Umschlagplatz** auf. 1753–1918 war Braunschweig die Residenz des gleichnamigen Herzogtums. Im Zweiten Weltkrieg wurde der alte Stadtkern fast gänzlich zerstört – bis auf die »Traditionsinseln« trägt die Stadt deshalb ein modernes Gesicht.

Um den Marienbrunnen auf dem Altstadtmarkt ist ein ganzes Ensemble schöner historischer Bauwerke versammelt. Hier: Martinikirche und gotisches Altstadtrathaus.

Sehenswertes in Braunschweig

In der heutigen Stadtmitte am Burgplatz, residierte einst Heinrich der Löwe in seiner Burg Dankwarderode. Der jetzige Bau wurde auf dem Grundriss des 1175 entstandenen Saalbaus des Herzogs ab 1887 rekonstruiert. Die Burg enthält die mittelalterliche Abteilung des **Herzog-Anton-Ulrich-Museums**, in der vor allem religiöse Goldschmiedekunst zu sehen ist. Mitten auf dem Burgplatz ließ Heinrich der Löwe 1166 einen in Erz gegossenen prachtvollen Löwen (Nachbildung, Original im Burgmuseum) als Zeichen seiner Macht aufstellen. Das 1536 erbaute **Huneborstelsche Haus** an der Nordseite des Platzes dient heute als Gildehaus, und daneben hat sich die Handwerkskammer in den letzten erhaltenen Adelshof am Burgplatz, in das Haus der Familie von Veltheim (1573), einquartiert.

Dom, Burgplatz

✳
◀ **Burglöwe**

Das klassizistische Gebäude des Verlages Vieweg (1799–1804) beherbergt das Braunschweigische Landesmuseum, das mit insgesamt vier Häusern eines der **größten Museen Deutschlands** ist. Am Burgplatz wird in 14 chronologisch geordneten Stationen die Landesgeschichte vorgestellt.

◀ **Landesmuseum**

Der romanisch-gotische Dom St. Blasius, der erste große Gewölbebau Niedersachsens, wurde 1173–1195 unter Heinrich dem Löwen erbaut. Im Mittelschiff wurde sein Grabmal und das seiner Gemahlin Mathilde aufgestellt. Es gilt als ein Hauptwerk der **spätromanischen sächsischen Bildhauerschule** (um 1250). Vor dem Chor ruhen unter einer Messingplatte von 1707 Kaiser Otto IV. († 1218) und seine Gemahlin Beatrix; im Hochchor, den ebenso wie das südliche Querschiff romanische Wandmalereien schmücken, ist ein 4,5 m hoher, von Heinrich dem Löwen gestifteter siebenarmiger Bronzeleuchter

✳ ✳
◀ **Dom**

Braunschweig Orientierung

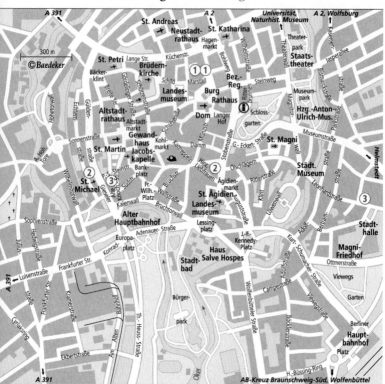

Übernachten
① Deutsches Haus ③ An der Stadthalle
② Stadtpalais

Essen
① Al Duomo ③ Ritter St. Georg
② Hansestube

beachtenswert. Ältestes und kunstgeschichtlich bedeutendstes Stück der Ausstattung ist das vom ersten Dom übernommene romanische Imerward-Kruzifix (1150). An das neugotische Rathaus (1893–1900) wurde 1971 ein Erweiterungsbau angefügt.

Rathaus ▶

Hagenmarkt Auch auf dem Hagenmarkt begegnet man Heinrich dem Löwen, diesmal als Brunnendenkmal (1874). Die Katharinenkirche am Hagenmarkt wurde um 1200 als Pfeilerbasilika begonnen und im 13. Jh. in eine gotische Hallenkirche umgebaut. Unweit westlich liegt das 1294 erstmals erwähnte, um 1780 klassizistisch umgestaltete Rathaus der Neustadt. Nordwestlich davon erhebt sich die im 12. Jh. erbaute Andreaskirche. 1740 erhielt ihr Südturm, mit 93 m der **höchste Kirchturm der Stadt,** eine barocke Haube. Die 1361 geweihte Brüdernkirche südlich der Andreaskirche ist die einzige Bettelordenskirche in Niedersachsen. Sie birgt einen kostbaren Schnitzaltar aus dem 15. Jh. sowie ein prächtiges Chorgestühl.

In der 1745 als »Collegium Carolinum« gegründeten Technischen Universität werden vor allem naturwissenschaftliche Disziplinen gelehrt. Wenig weiter nördlich, im **Staatlichen Naturhistorischen Museum** (Pockelsstraße 10 a) wird die heimische Tierwelt in einem großen Schauaquarium und mit Hilfe von Dioramen veranschaulicht.

Universität

Der südwestlich vom Burgplatz gelegene Altstadtmarkt ist das **Herzstück der alten Handels- und Hansestadt**. Er entstand aus einem Straßenmarkt des 11. und 12. Jh.s. In seiner Mitte steht der Marienbrunnen, ein einzigartiges Zeugnis spätgotischen Kunsthandwerks

Altstadtmarkt

 # BRAUNSCHWEIG ERLEBEN

AUSKUNFT

Tourist-Information
Vor der Burg 1, 38100 Braunschweig
Tel. (05 31) 27 35 50, Fax 2 73 55 29
www.braunschweig.de

ESSEN

▶ Erschwinglich
③ *Ritter St. Georg*
Alte Knochenhauerstraße 12
38100 Braunschweig
Tel. (05 31) 6 18 01 00
Einfallsreiche saisonale Küche – und das im schönen Ambiente eines Fachwerkhauses aus dem 15. Jh.

▶ Preiswert
② *Hansestube*
Güldenstraße 7, 38100 Braunschweig
Tel. (05 31) 24 39 00
Trendige internationale Gerichte kommen hier auf den Tisch.

① *Al Duomo*
Ruhfäutchenplatz 1
38100 Braunschweig
Tel. (05 31) 1 20 04 90
In einem schicken, mit moderner Kunst ausgestatteten Saal genießen Sie klassische italienische Küche.

ÜBERNACHTEN

▶ Komfortabel
② *Stadtpalais*
Hinter Liebfrauen 1 a
38100 Braunschweig
Tel. (05 31) 24 10 24, Fax 24 10 25
www.palais-braunschweig.
bestwestern.de
Elegantes Haus im Zentrum. Moderne Möbel und schicke Marmorbäder sorgen für angenehme Atmosphäre.

① *Deutsches Haus*
Ruhfäutchenplatz 1
38100 Braunschweig
Tel. (05 31) 12 00 00, Fax 12 04 44
www.ringhotel-deutscheshaus.de
Mitten im historischen Stadtkern liegt dieses traditionsreiche und zweckmäßig eingerichtete Hotel.

▶ Günstig
③ *An der Stadthalle*
Leonhardtstraße 21
38100 Braunschweig
Tel. (05 31) 7 30 68, Fax 7 51 48
www.hotel-an-der-stadthalle.de
Hotel in einem ehemaligen Wohnhaus am Rande der Innenstadt. Schlichte, aber angenehme Zimmer.

Altstadtrathaus ▶ (1408). Das gotische Altstadtrathaus an der Westseite des Platzes, ein Festsaalbau des 14. Jh.s mit vorgelagertem zweigeschossigen Laubengang, ist eines der schönsten mittelalterlichen Baudenkmäler. Gegenüber sieht man die Martinikirche (12.–14. Jh.), die als gewölbte Pfeilerbasilika gebaut wurde, bevor man sie im 13./14. Jh. zu einer geräumigen Hallenkirche veränderte. An der Südseite des Platzes liegt das mittelalterliche Gewandhaus (1303 erstmals erwähnt), dessen Ostgiebel (1591) das Hauptwerk der Renaissance in Braunschweig ist. An seine Nordwestecke setzte man das Rüninger Zollhaus von 1643.

Michaeliskirche Die kleine, 1157 geweihte Michaeliskirche ist ein gotischer Hallenbau des 14. Jh.s. In der Alten Knochenhauerstraße ist **Braunschweigs älteste Fachwerkfassade** (Nr. 11) von 1470 sehenswert; in der Güldenstraße 7 steht das stattliche Haus zur Hanse von 1567. Reste der im 12. Jh. angelegten und im 15. und 17. Jh. erhöhten Stadtmauer finden sich am Prinzenweg südwestlich der Kirche.

? WUSSTEN SIE SCHON …?

▪ dass der berühmte Narr Till Eulenspiegel in einer Bäckerei beim Altstadtmarkt die Eulen und Meerkatzen gebacken haben soll, die heute noch gern gekauft werden? Der Eulenspiegelbrunnen am Bäckerklint erinnert daran. Geboren wurde Eulenspiegel um 1300 wahrscheinlich in Kneitlingen bei Schöppenstedt, wo ihm ein Museum gewidmet ist.

Südlich vom Burgplatz ist um die gotische Kirche **St. Ägidien** mit einem Chor aus dem 13. und einem Langhaus aus dem 14. Jh. noch der hübsche Fachwerkwinkel **Othilienteil** erhalten. Neben der Kirche brachte man im einstigen Dominikanerkloster eine Außenstelle des Braunschweigischen Landesmuseums unter. Im reizvollen Klosterhof befindet sich ein mittelalterlicher Brunnen aus dem Jahr 1473.

Magnikirche Mitten in einem schönen Ensemble historisch wertvoller Fachwerkhäuser erhebt sich südöstlich vom Burgplatz die nach dem Zweiten Weltkrieg eindrucksvoll wieder hergestellte Magnikirche, die 1031 geweiht wurde. Alte Bausubstanz findet man vor allem auf dem Platz »Hinter der Magnikirche«, wo sich außerdem Gasthaus an Gasthaus reiht, und in den Gassen östlich der Kirche wie Herrendorftwete und Am Magnitor. Hier steht auch das **Städtische Museum**, das die braunschweigische Kunst- und Kulturgeschichte dokumentiert.

Herzog-Anton-Ulrich-Museum Am Museumspark in der Museumstraße 1 zeigt das Herzog-Anton-Ulrich-Museum, **das älteste Museum Deutschlands**, u. a. den Kaisermantel Ottos IV. und eine Sammlung niederländischer Meister (Rembrandt, van Dyck u. a.). Am anderen Ende des Parks liegt das im Stil der florentinischen Renaissance erbaute Staatstheater.

Magnifriedhof Auf dem Magnifriedhof (ca. 700 m südöstlich) befindet sich das Grab von Gotthold Ephraim Lessing (1729–1781). An der Ostseite des Friedhofs wurde 1965 die Stadthalle erbaut.

Weit im Süden Braunschweigs ließ der Herzog von Braunschweig/ **Schloss**
Wolfenbüttel in den Jahren 1768 und 1769 das anmutige Schloss **Richmond**
Richmond für seine Gemahlin errichten. Das nach dem Krieg wieder
hergestellte Schloss dient heute repräsentativen Zwecken. In einem
der beiden »Kavaliershäuser« daneben ist eine Gedenkstätte für den
in Hamburg geborenen **Schriftsteller Friedrich Gerstäcker** (1816–
1872) untergebracht, der mit Abenteuerromanen und Reiseberichten
erfolgreich war und in Braunschweig starb.

Umgebung von Braunschweig

Von Braunschweig bieten sich Abstecher zu den 10–35 km entfern-   **Ausflugsziele**
ten Städten ► Wolfenbüttel und Salzgitter (► Wolfenbüttel, Umge-
bung) sowie nach ►Wolfsburg und ►Hildesheim an.

In Königslutter 22 km östlich von Braunschweig ließ sich Lothar von   **Königslutter**
Süpplingenburg, der 1133 in Rom zum Kaiser gekrönt wurde, den
Kaiserdom als Grabeskirche errichten. Vorbild für das Löwentor, die
Träger im Kreuzgang u. a. waren wahrscheinlich italienische Bauten.

Die ehemalige innerdeutsche Grenzstadt Helmstedt, 35 km östlich von   **Helmstedt**
Braunschweig am Südrand des Lappwalds gelegen, zieren zahlreiche
Fachwerkhäuser aus dem 16. Jh. und sakrale Bauten sowie Reste der
im 15. Jh. errichteten Stadtmauer. 1576 gründete Herzog Julius von
Braunschweig hier eine protestantische Universität (Academia Julia),
zeitweilig die meistbesuchte in Deutschland, die aber 1810 aufgeho-
ben wurde. In der Umgebung liegen bedeutende Braunkohlelager.
Am Ostrand der Stadt liegt das im 9. Jh. gegründete, 1803 aufgehobene **Benediktinerkloster St. Ludgeri**. Das wieder errichtete Türken-
tor (1716) bildete früher den Eingang zum Kloster. Die um 1050 entstandene Doppelkapelle auf dem Klosterhof ist das **älteste kirchliche
Baudenkmal der Umgebung**. Unter der ursprünglich romanischen
Klosterkirche befindet sich die romanische Felicitaskrypta (11. Jh.).
Südlich vom Marktplatz in der Straße Am Südertor (Nr. 6) bietet das   ✱
1995 eingerichtete Zonengrenzmuseum eine authentische Darstel-   ◄ Zonengrenz-
lung der ehemaligen Grenzsituation durch Originalobjekte, Fotogra-   museum
fien und lebensgroße Inszenierungen. Am Juliusplatz nordwestlich
des Markts liegt das 1592–1597 errichtete **Juleum**, das palastartige
Hauptgebäude der ehemaligen Universität; im Inneren sind das Auditorium Maximum, der Bibliothekssaal (ca. 30 000 Titel) sowie im
Keller das Kreisheimatmuseum beachtenswert. Im Westen der Innenstadt erhebt sich auf einer Anhöhe das 1176 gegründete Augusti-
nerinnenstift Marienberg mit seiner spätromanischen Pfeilerbasilika.
In der Schatzkammer im Kreuzgang werden mittelalterliche Wand-
behänge und Paramente gezeigt.
Westlich vor den Toren der Stadt sind die »Lübbensteine« zu finden,   ◄ Lübbensteine
zwei jungsteinzeitliche Großsteingräber aus dem 3. vorchristlichen
Jahrtausend.

✳ Bremen

Atlasteil: S. 15 • D 3
Bundesland: Hauptstadt des
Bundeslandes Bremen

Höhe: 5 m ü. d. M.
Einwohnerzahl: 556 000

Der älteste und hübscheste Teil Bremens zwischen Domhügel und Weser umfasst Marktplatz, Böttcherstraße und Schnoor. Seit 1970 ist die Freie Hansestadt an der Unterweser Sitz einer Universität. Werften, Stahlhütte, Ölraffinerie, Elektroindustrie, Kraftfahrzeugbau, Textilfabriken, Kaffeeröstereien und Bierbrauerei prägen das Wirtschaftsbild der Stadt.

Geschichte Die Stadt wurde 787 von Karl dem Großen zum Bischofssitz erhoben. Seit 845 Erzbistum, erlebte Bremen dann unter Erzbischof Adalbert (1043–1072) seine erste Blüte. 1358 trat die Stadt der Hanse bei, 1646 wurde sie Freie Reichsstadt. 1827 gründete der rührige Bürgermeister Smidt Bremerhaven. 1886–1895 wurde durch eine großzügige Korrektur der Fahrrinne die Schiffbarkeit der Weser für Seeschiffe bis Bremen gesichert. Einst war der Ort einer der **größten Seehäfen und Seehandelsplätze Deutschlands**. Nach schweren Zerstörungen des Zweiten Weltkriegs hat der Wiederaufbau das Gesicht der Stadt vielerorts verändert. Heute ist Bremen Hauptstadt des Bundeslandes Bremen, das aus den Städten Bremen und ►Bremerhaven besteht. Richtungsweisend für die modernen Trabantenstädte war seinerzeit die Großsiedlung Neue Vahr (1957–1963) mit ca. 10 000 Wohneinheiten im Stadtteil Vahr im Osten Bremens.

Altstadt

Wallanlagen Die Altstadt wird östlich und nordöstlich vom Stadtgraben und den einstigen Wallanlagen, auf denen Grünflächen angelegt sind, umzogen. Nahe der Bürgermeister-Smidt-Straße steht eine **Windmühle**.

✳ **Marktplatz** Um den weitläufigen Marktplatz, auf dem auch die **zwei bedeutendsten Denkmäler Bremens** stehen, sind die ältesten Gebäude der Stadt versammelt. Auffällig ist hier zunächst der mitten auf dem Platz vor dem Rathaus emporragende, berühmte Roland (1404), der

✳ ✳ **Roland ►** mit Baldachin fast 10 m hoch ist und als Sinnbild der Gerichtsbarkeit und der Stadtfreiheit gilt. Zusammen mit dem Rathaus gehört der Roland seit Juli 2004 zum Weltkulturerbe der UNESCO.

✳ **Rathaus ►** Das Rathaus auf dem Marktplatz ist ein 1405–1410 errichteter gotischer Backsteinbau, dem 1609–1612 eine prächtige Renaissancefassade vorgelegt wurde; an seiner Ostseite befindet sich das Neue Rathaus (1912). Seine 40 m lange, 13 m breite und 8 m hohe Große Halle gilt als einer der **vornehmsten Festsäle Deutschlands**. An seine frühere Funktion als Gerichtssaal erinnert das große Wandgemälde

Zwischen Dom und Rathaus lässt man sich's an sonnigen Tagen auf dem Bremer Marktplatz gut gehen.

»Das Salomonische Urteil« von 1537. Hier wird alljährlich die Schaffermahlzeit eingenommen, das traditionelle Essen der Reeder und Schiffer. Ein einst mit vergoldeten Ledertapeten geschmückter Ratssaal, die Güldenkammer, und eine reich geschnitzte Wendeltreppe gelten als kostbarste Bestandteile des Saals. An der Nordwestseite des Alten Rathauses steht die berühmte Bronzeplastik »Die Bremer Stadtmusikanten« von Gerhard Marcks (1953). ◄ Bremer Stadtmusikanten

Der Eingang zu dem wegen seines reichhaltigen Weinkellers (über 600 Weine) gerühmten Ratskellers befindet sich an der Westseite des Alten Rathauses; im Hauffsaal sind die Fresken (1927) von Max Slevogt zu Wilhelm Hauffs 1827 entstandenen **»Phantasien im Bremer Ratskeller«** zu sehen. ◄ Ratskeller

Die dem Rathaus benachbarte Liebfrauenkirche (13. Jh.), die ehemalige Ratskirche, besitzt mittelalterliche Wandmalereien und Glasfenster (1966–1973) nach Entwürfen von Alfred Manessier. ◄ Liebfrauenkirche

Der im 11. Jh. errichtete Dom (St. Petri) wurde im 13. und 16. Jh. äußerlich stark verändert; die Westfassade mit den 98 m hohen Türmen und der Vierungsturm wurden 1888–1898 erneuert. Die reich geschmückte Barockkanzel (1638) ist ein Geschenk von Königin Christine von Schweden; besonders bemerkenswert sind auch die Orgeln. Bedeutsame Grabfunde, vor allem Grabteile aus den mittelalterlichen Bremer Bischofsgräbern, sind im **Dom-Museum** ausge- Dom stellt. Im »Bleikeller« in den Kellergewölben unter dem ehemaligen Kreuzgang können mehrere, aus ungeklärten Gründen lederartig eingetrocknete Mumien besichtigt werden.

Böttcherstraße ✳ Hinter dem Schütting beginnt die schmale Böttcherstraße, die 1926–1930 auf Kosten des Bremer Kaffeekaufmanns Ludwig Roselius zu einer architektonisch abwechslungsreichen Kulturstraße mit hohen Giebelhäusern und expressionistischen Bau- und Schmuckformen umgestaltet wurde. Hier finden sich Museen, Künstlerwerkstätten, Läden, Gastronomie und die Bremer Spielbank. Links sieht man das Paula-Becker-Modersohn-Haus (Nr. 8) mit Werken der 1907 verstorbenen Worpsweder Malerin sowie des Bildhauers Bernhard Hoetger, rechts das Hag-Haus, dann links das Roselius-Haus (Nr. 6) von 1588 mit niederdeutscher Kunst (Möbel, Teppiche, Gemälde, Kunsthandwerk) von der Gotik bis zum Barock. Eine kleine Attraktion ist ferner das um 12.15 und um 18.00 Uhr erklingende Spiel vom **Haus des Glockenspiels** und das mit Tierkreiszeichen verzierte Atlantishaus. Von hier sieht man die Hallenkirche St. Martini (13./14. Jh.).

Stadtwaage Links um die Ecke der Marktplatz-Westseite stößt man auf die Stadtwaage (Langenstraße 18), einen Bau aus dem 16. Jh. mit prächtiger

Bremen *Orientierung*

Übernachten
① Park Hotel ③ Lichtsinn
② Zur Post

Essen
① Alte Gilde ③ a'point
② L'Orchidee

Im Schnoor-Spielzeugmuseum schlagen Kinderherzen höher.

Renaissancefassade. Im Nordwesten der Fußgängerzone liegt das Gewerbehaus, das ehemalige Zunfthaus der Tuchmacher (1618/1619), heute Sitz der Handwerkskammer, und eines der schönsten Beispiele **Bremer Baukunst zwischen Renaissance und Barock**.

◄ Gewerbehaus

Hinter der Baumwollbörse (Wachtstraße) beginnt das reizvolle Schnoorviertel, das älteste Wohn- und **Künstlerviertel** Bremens mit Bürgerhäusern aus dem 15.–18. Jh. und alten Schänken. Hier reihen sich Restaurants, Kunstgewerbeläden, Museen (Spielzeugmuseum: Schnoor 24) und Galerien aneinander, hier steht auch die Kirche St. Johannis im Stil der Backsteingotik (14. Jh.).

* Schnoorviertel

An der Weser entlang bummelt man auf der mit Läden und Kneipen wieder erweckten Schlachte, u. a. vorbei an Nachbauten **historischer Schiffe**.

Schlachte

Südöstlich der Altstadt am Ostertor liegt die Kunsthalle, die schwerpunktmäßig niederländische Malerei des 17. Jh.s, italienische Malerei des 18. Jh.s sowie deutsche und französische Meister vom 18. bis 20. Jh. und Werke der Worpsweder zeigt.

* Kunsthalle

Im Norden der Altstadt, an der Westseite des Bahnhofsplatzes, präsentiert das Überseemuseum Sammlungen zur **Natur-, Handels- und Völkerkunde** aus der Südsee, aus Asien, Afrika und Amerika (u. a. Häuser, Schiffe, Tempel und ein Südseefischerdorf). Zu den Themen gehören neben der Geschichte und Gegenwart der Länder und Kulturen auch Fragen zur Ökologie und Politik. Hinzu kommt die regionale Abteilung zu Handel und Wirtschaft Bremens.

* Überseemuseum

▶ BREMEN ERLEBEN

AUSKUNFT

Tourismusinformation
Bahnhofsplatz 15 (im Bahnhof)
28215 Bremen
Tel. (01805) 10 10 30
Fax (04 21) 3 08 00 30
www.bremen-tourism.de

ESSEN
▶ Fein & Teuer
② *L'Orchidee*
Am Markt, 28195 Bremen
Tel. (04 21) 3 34 79 27
In edlen Räumen des alten Rathauses
kommen Gourmets auf ihre Kosten.
Gerühmt wird die Lasagne aus Hum-
mer und Steinpilzen mit Champag-
nersauce oder der gratinierte
Lammrücken mit Bärlauch-Polenta.

▶ Erschwinglich
③ *a'point*
Am Markt 13, 28195 Bremen
Tel. (04 21) 3 64 84 59
In der Handelskammer ist dieses
beachtenswerte Restaurant untergebracht. Die leckere mediterrane
Küche sorgt für Essvergnügen der
ganz besonderen Art.

▶ Preiswert
① *Alte Gilde*
Ansgaritorstraße 24, 28195 Bremen
Tel. (04 21) 17 17 12
Behagliches Restaurant mit gutbürgerlicher Küche in einem imposanten Kellergewölbe.

ÜBERNACHTEN
▶ Luxus
① *Park Hotel Bremen*
Im Bürgerpark, 28195 Bremen
Tel. (04 21) 3 40 80, Fax 3 40 86 02
www.park-hotel-bremen.de
Der prachtvolle Landsitz am Hollersee
beherbergt ein außergewöhnliches

Hotel. Ein Gourmet-Restaurant, erstklassiger Service und eine exklusive
Einrichtung machen den Aufenthalt
hier zum reinen Genuss.

▶ Komfortabel
② *Zur Post*
Bahnhofsplatz 11, 28195 Bremen
Tel. (04 21) 3 05 90, Fax 3 5 95 91
www.zurpost.bestwestern.de
Engagiert geführtes Stadthotel mit
eigenem Schwimmbad und großem
Wellness-Saunabereich. Das italieni-
sche Restaurant ist ganz im Trattoria-
Stil gehalten.

▶ Günstig
③ *Lichtsinn*
Rembertistraße 11, 28195 Bremen
Tel. (04 21) 36 80 70, Fax 32 72 87
www.hotel-lichtsinn.de
Charmantes, gut geführtes Haus. Die
Zimmer sind geschmackvoll und mit
viel Liebe zum Detail ausgestattet.

Der berühmte Roland von Bremen

Sehenswertes außerhalb der Altstadt

Nordöstlich des Hauptbahnhofs erstreckt sich der 1866 im englischen Stil angelegte, 200 ha große Bürgerpark, an dem u. a. die Stadthalle, das **Rundfunkmuseum** (Findorffstraße 85) und das Kulturzentrum **Schlachthof** stehen.

Bürgerpark

In vier alten Speicherhäusern auf der Landzunge in der Weser ist **eines der größten Museen für zeitgenössische Kunst in Deutschland** beheimatet. Es zeigt Werke u. a. von Warhol, Kienholz, Morris Louis, Serra, Beuys, Richter, Rebecca Horn und Boltanski.

◄ Neues Museum
Weserburg

Nicht entgehen lassen sollte man sich den Besuch des Focke-Museums in der nordöstlichen Vorstadt Schwachhausen (Schwachhauser Heerstraße Nr. 240). Zu sehen sind bremische Altertümer, Sammlungen zur Wohnkultur, zur Geschichte Bremens und zur niederdeutschen Kulturgeschichte und eine Abteilung zu Seefahrt und Handel vom Mittelalter bis heute. Rechts von der Allee, die zum Focke-Museum führt, sind im **Haus Riensberg**, einem Museum in einem ehemaligen Gutshof, Spielzeug aus dem 19. Jh., Möbel vom 16. Jh. bis zum Jugendstil und Damenmode aus dem 19. Jh. ausgestellt. Östlich des Focke-Museums liegt der weitläufige Rhododendronpark mit dem Azaleen-Museum, dem Botanischen Garten sowie dem ganz neuen **»Naturerlebniszentrum Botanika«**.

✳
Focke-Museum

Wie funktioniert die Welt? Antworten gibt's im »Universum«.

Ebenfalls im Nordosten Bremens ist im Spätsommer 2000 das **»Wissenschafts-Erlebniszentrum«** der Universität Bremen eröffnet worden. Im Gebäude, das an einen auftauchenden Wal erinnern soll, lässt sich mit allerlei Hightech experimentieren und im Erdbebensimulator erleben, wie die Wände wackeln.

Universum Science Center

Rund 18 km nordwestlich vom Zentrum erreicht man den Bremer Stadtteil Vegesack, wo 1865 die Deutsche Gesellschaft zur Rettung Schiffbrüchiger (DGzRS) gegründet wurde. Hier befindet sich die Ökologiestation des Senats mit Naturlehrpfad. Auch der **schönste Windjammer Deutschlands**, das denkmalgeschützte Segelschulschiff »Deutschland«, liegt in Vegesack für immer vor Anker. Im **Schloss Schönebeck**, einem stattlichen Fachwerkbau aus dem 17. Jh., befindet sich ein Heimatmuseum (Im Dorfe 3 – 5).

Bremen-Vegesack

Umgebung von Bremen

Worpswede
Das Künstlerdorf Worpswede, etwa 28 km nordöstlich von Bremen, entstand Ende des 19. Jh.s aus einer kleinen Siedlung im Teufelsmoor. Die bekannte Malerkolonie, deren bedeutendste Einwohner Heinrich Vogeler und Paula Becker-Modersohn waren, zieht noch heute Künstler und Kunsthandwerker an. Sehenswert sind vor allem der **Barkenhoff**, das ehemalige Wohnhaus Heinrich Vogelers, das Haus im Schluh, die Alte Molkerei, das vom Jugendstil inspirierte Café Worpswede, die Große Kunstschau und das Ludwig-Roselius-Museum für Frühgeschichte.

Delmenhorst
Delmenhorst liegt ca. 16 km westlich von Bremen unweit des linken Weserufers. Die um eine Burg aus dem 13. Jh. entstandene Siedlung bekam 1371 die Stadtrechte verliehen. Im Zentrum der Stadt trifft man auf das Rathaus, einen stattlichen Jugendstilbau von 1914/1915; daneben ragt der 42 m hohe Wasserturm (Aussicht) aus derselben Zeit auf. Nordöstlich gelangt man zur Stadtkirche (17./18. Jh.) mit der Grablege der letzten Delmenhorster Grafen. Noch weiter nordöstlich beherbergt das im Jugendstil gebaute **Haus Coburg** die Städtische Galerie. Südlich der Stadtmitte stand die 1711 abgebrochene Burg, an welche noch die von zwei Gräften (Wassergräben) umzogene Burginsel mit dem ehemaligen gräflichen Gartenhaus erinnert. Nordöstlich hinter dem Bahndamm befindet sich das Nordwollegelände mit dem Fabrikmuseum.

Bremerhaven

Atlasteil: S. 15 • D 2	**Bundesland:** Bremen
Höhe: 3 m ü. d. M.	**Einwohnerzahl:** 130 000

Die betriebsame Stadt hat den größten Fischereihafen des europäischen Kontinents, ist Europas größter Autoverladungshafen und Sitz des Alfred-Wegener-Instituts für Polar- und Meeresforschung. Von der Stadt Bremen, mit der es ein Bundesland bildet, ist Bremerhaven durch niedersächsisches Gebiet getrennt.

Sehenswertes in Bremerhaven

Fischereihafen
Der südlichste Teil der ausgedehnten Hafenanlagen ist der Fischereihafen, in dem rund 50% der deutschen Fänge angelandet werden. Selten finden noch Fischauktionen in den Fischauktionshallen statt.

Schaufenster Fischereihafen
Die ehemalige Fischpackhalle IV am Fischereihafen hat sich in ein umtriebiges Nebeneinander von Kneipen, gehobeneren Fischrestaurants und Geschäften mit maritimem Einschlag verwandelt. Außer-

Die einzige erhaltene Hansekogge der Welt ist im Schifffahrtsmuseum zu sehen.

dem kann man beim Fischräuchern zuschauen und das **Museumsschiff »Gera«** inspizieren. Größte Attraktion aber ist das »Atlanticum«, eine interaktive Multivisionsschau über die Nordsee inklusive Riesenaquarium.

✳
◀ Atlanticum

Im östlich anschließenden Stadtteil Geestemünde (An der Geeste) ist das kreativ und abwechslungsreich gestaltete Historische Museum/ Morgenstern-Museum sehenswert, das sich auf anschauliche Weise mit der **Stadtgeschichte** und mit Volkskunde beschäftigt. Eine Außenstelle des Museums an der Deichpromenade veranschaulicht seit 1995 in einer Dauerausstellung mit dem Titel »Aufbruch in die Fremde« die Geschichte Bremerhavens als wichtiger Auswandererhafen und die schwierige Situation der Auswanderer.

Historisches Museum, Morgenstern-Museum

Nördlich jenseits der Geeste liegt in der Nähe des Radarturms unmittelbar am Weserdeich der Alte Hafen mit dem Deutschen Schifffahrtsmuseum. Es ist der letzte Großbau des Architekten Hans Scharoun. Dokumentiert wird die **Geschichte der deutschen Kriegs- und Handelsmarine** und ihrer Vorläufer seit der Antike. Attraktionen sind vor allem eine originale, bei Ausbaggerungsarbeiten gehobene Bremer Hansekogge von 1380, zahlreiche Segel- und Dampfschiffmodelle, die Schiffsbrücke eines Frachters, Instrumente aus der Seefahrt u. v. m. (Öffnungszeiten: April bis Okt. tgl. 10.00–18.00 Uhr; Nov. bis März Mo. geschlossen).

✳✳
Deutsches Schifffahrtsmuseum

⊕

Technik- und Freilichtmuseum ▶ Im Hafen vor dem Deutschen Schifffahrtsmuseum liegen verschiedene Schiffe, die besichtigt werden können. Hinzu kommt das von einem Privatverein betriebene **Museums-U-Boot** »Wilhelm Bauer«. Auf dem Viermaster **»Seute Deern«** befindet sich ein Restaurant. Beim Hafenbecken ragt der Radarturm (112 m) mit einer Aussichtsplattform auf.

Zoo am Meer ▶ 2004 hat der Themenzoo mit einer einmaligen Spezialisierung auf nordische Tiere im »Zoo am Meer« wieder eröffnet. Besucher sehen am Weserdeich u. a. Robben, Eisbären und eine »Heulerstation«, wo junge Robben aufgepäppelt werden.

Container-Terminal Nördlicher Abschluss des Hafenbereichs ist das Container-Terminal, das **zweitgrößte seiner Art in Deutschland**; am Westende der 3 km langen Kaje überblickt man vom Container-Aussichtsturm die gewaltige Anlage.

BREMERHAVEN ERLEBEN

AUSKUNFT

Bremerhaven Touristik
Obere Bürger 37
(im Columbus-Center)
27568 Bremerhaven
Tel. (04 71) 4 30 00,
Fax 4 30 80
www.seestadtbremerhaven.de

ESSEN

▶ Erschwinglich
Natusch Fischereihafen-Restaurant
Am Fischbahnhof
27572 Bremerhaven
Tel. (04 71) 7 10 21
So beachtenswert wie die kreative Fischküche ist auch die originell gestaltete Gaststube mit ihrer durch und durch maritimen Dekoration.

▶ Preiswert
Seute Deern
Am Alten Hafen
(beim Schifffahrtsmuseum)
27568 Bremerhaven
Tel. (04 71) 41 62 64
Regionale Küche wird im Rumpf einer alten Dreimast-Bark aus dem Jahre 1919 serviert.

ÜBERNACHTEN

▶ Komfortabel
Haverkamp
Prager Straße 34, 27568 Bremerhaven
Tel. (04 71) 4 83 30, Fax 4 83 32 81
www.hotel-haverkamp.de
Gediegenes, sehr komfortables Haus mit unterschiedlich eingerichteten Zimmern: teils praktisch-modern, teils gemütlich-rustikal. Sehr schönes Restaurant im klassischen Stil.

▶ Günstig
Atlantic
Nordstraße 80
27580 Bremerhaven-Lehe
Tel. (04 71) 80 62 60, Fax 8 06 26 26
www.atlantic-hotel-amfloetenkiel.de
Modernes Hotel mit einfachen Zimmern und hübschem Frühstücksraum.

Umgebung von Bremerhaven

Bad Bederkesa ist ein hübscher **Moorheilbadeort** am Elbe-Weserka-nal, 20 km nordöstlich von Bremerhaven. Große Attraktion des Mu-seums in der im 12. Jh. gegründeten Burg ist ein im Moor gefunde-ner, als Sarg benutzter frühgeschichtlicher Einbaum.

Bad Bederkesa

Knappe 40 km östlich von Bremerhaven liegt im Zentrum des Elbe-Weser-Dreiecks Bremervörde. Sehenswert sind die **St.-Liborius-Kir-che** von 1651, die einstige erzbischöfliche Kanzlei (heute Bachmann-Museum zur Ur- und Frühgeschichte des norddeutschen Tieflands) und das Haus am See, ein großer niedersächsischer Vierflügelhof am Vöder See. In der Umgebung lohnen der **Historische Moorhof** in Au-gustendorf und das Glasmuseum Marienhütte.

Bremervörde

✳ Celle

Atlasteil: S. 27 • B 1
Höhe: 40 m ü. d. M.

Bundesland: Niedersachsen
Einwohnerzahl: 74 000

Weit über Niedersachsen hinaus bekannt ist Celle, die alte Herzogs-stadt an der Aller, für ihren hübschen geschlossenen Altstadtkern. Pferdenarren schätzen den Ort am Südrand der Lüneburger Heide als Sitz des Niedersächsischen Landgestüts, das der hannoverschen Warmblutzucht zur Weltgeltung verhalf. Überdies besitzt die Stadt eine der größten Orchideenzuchtanlagen Europas.

Um 990 taucht in einer Urkunde Ottos III. der Name »Kellu« auf, was »**Siedlung am Fluss**« bedeutet. Aus ihm wurde später »Zelle« (la-tinisiert Celle). Otto das Kind er-hob den Ort 1248 zur Stadt. Um bessere Voraussetzungen für die Flussschifffahrt zu schaffen, grün-dete Herzog Otto der Strenge 1292 ca. 3 km flussabwärts eine neue Stadt mit einer Burg und siedelte die Bewohner der alten um. 1378 machte Herzog Albrecht Celle zur Residenz des Herzogtums Lüne-burg. Mit dem Tode von Herzog Georg Wilhelm (1705), unter dem Celle nochmals eine hohe künstle-rische Blüte erlebt hatte, starb die Lüneburger Welfenlinie aus. 1711 wurde die Stadt, quasi als Entschä-digung für den Verlust der Residenz, Sitz des höchsten Gerichts, des Oberappellationsgerichts (später Oberlandesgericht).

Geschichte

> ❗ *Baedeker* TIPP
>
> ### Ein Abend im Theater
>
> Was im 17. Jh. nur wenigen Adligen vorbehal-ten war, ist heute jedermann möglich: ein Besuch im Schlosstheater von Celle. Das hübsche barocke Theater wird von einem eigenen Ensemble ganzjährig bespielt. (Auskünfte und Reservierung: www.schlosstheater-celle.de; Tel. 0 51 41/1 27 13).

Fachwerk in Reih und Glied in Celles Zöllnerstraße

Sehenswertes in Celle

✳ Schloss Die ältesten Bauteile des Schlosses, das aus einer Burganlage von 1292 hervorgegangen ist, stammen noch aus dem Mittelalter. Sein heutiges Aussehen erhielt der Bau im 16. und 17. Jh. Eindrucksvoll präsentiert sich die Renaissancefassade mit ihren Giebeln und Erkern. Die Prunkräume, die Schlosskapelle (Renaissance-Ausstattung) und das barocke Theater (eigenes Ensemble) sind mit **Führungen** zugänglich.

Bomann-Museum Gegenüber dem Schloss befindet sich am Rande der Altstadt das Bomann-Museum mit seinen volkskundlichen und historischen Sammlungen, dessen besondere Attraktion ein komplett eingerichtetes Bauernhaus von 1571 ist.

Stadtkirche Die so genannte Stechbahn, ehemals Turnierplatz, führt zur 1308 geweihten Stadtkirche mit barocker Innenausstattung und Fürstengruft. Im Sommer kann der Kirchturm bestiegen werden; der **Turmbläser** ist tgl. gegen 8.15 und 17.15 Uhr zu hören.

Rathaus Das Rathaus wurde 1530–1581 im Stil der Spätrenaissance umgebaut. Im Ratskeller ist ein gotisches Kreuzbandgewölbe erhalten.

✳✳ Fachwerkbauten Vor der Stadtkirche zweigt von der Stechbahn die verträumte Kalandgasse ab (ehem. Lateinschule von 1602). Weitere prächtige Fachwerkhäuser findet man in der Zöllnerstraße (Verlängerung der Stechbahn). Schönstes Fachwerkgebäude ist das **Hoppener-Haus** (1532; Poststraße 8). Das Stechinelli-Haus etwas weiter südlich (Großer Plan 14) ist ein klassizistischer Bau vom Ende des 18. Jh.s.

Südlich begrenzt der im 18./19. Jh. angelegte Französische Garten die Altstadt. Hier hat das Niedersächsische Landesinstitut für Bienenforschung, zu dem ein **Imkereimuseum** gehört, seinen Sitz.

Französischer Garten

Das Niedersächsische Landgestüt am Südufer der Fuhse wurde 1735 gegründet. Zwischen Mitte Juli und Mitte Februar kann das Gestüt besichtigt werden. Weltbekannt sind die alljährlich zwischen Ende September und Anfang Oktober stattfindenden **Hengstparaden**.

✴
Niedersächsisches Landgestüt

Umgebung von Celle

Das Celler Land, den südlichen Teil der ► Lüneburger Heide, kann man auch per Schiff auf der Aller (Anlegestelle nordwestlich des Celler Schlosses) oder mit dem Celler Land Express erkunden. Die historische Eisenbahn verkehrt zwischen Celle und Müden/Örtze bzw. Hankensbüttel.

Celler Land

 CELLE ERLEBEN

AUSKUNFT

Tourismus Region Celle
Markt 14 (Eing. Stechbahn)
29221 Celle
Tel. (0 51 41) 12 12, Fax 1 24 59
www.celle.de

ESSEN

► **Fein & Teuer**
Endtenfang
Hannoversche Straße 55
(im Hotel Fürstenhof),
29221 Celle
Tel. (0 51 41) 20 11 40
Elegantes und stilvolles Restaurant, das mit seiner hervorragenden, klassisch-französische Küche die Gourmet-Herzen höher schlagen lässt.

► **Erschwinglich**
Ratskeller
Markt 14, 29221 Celle
Tel. (0 51 41) 2 90 99
Im gotischen Kellergewölbe des ältesten Gasthauses Niedersachsens aus dem Jahre 1378 werden gutbürgerliche Gerichte und internationale Spezialitäten serviert.

► **Preiswert**
Weinkeller Postmeister von Hinüber
Zöllnerstraße 25, 29221 Celle
Tel. (0 51 41) 2 84 44
In einem Fachwerkhaus mitten in der Altstadt liegt dieser urige Weinkeller mit nostalgischem Charme, der für saisonorientierte Küche und ein hervorragendes Weinangebot bekannt ist.

ÜBERNACHTEN

► **Luxus**
Fürstenhof Celle
Hannoversche Straße 55, 29221 Celle
Tel. (0 51 41) 20 10, Fax 20 11 20
Eine wahrlich fürstliche und trotzdem charmante Unterkunft finden Sie im Palais des Barons Capellini-Stechinelli aus dem Jahr 1656 neben dem Schloss.

► **Günstig**
Schaper
Heese 6, 29225 Celle
Tel. (0 51 41) 9 48 80, Fax 94 88 30
www.hotel-schaper.de
Das bestens gepflegte, familiengeführte Hotel bietet eine angenehme (und preiswerte) Unterkunft.

25 km nördlich von Celle liegt die Kleinstadt Bergen. Sie besitzt ein Heimatmuseum im Römstedthaus. Das ehemalige **Konzentrationslager Bergen-Belsen** (7 km südwestlich) ist heute eine Gedenkstätte. Unter den Zehntausenden, die hier ermordet wurden, befand sich auch Anne Frank.

★★
Kloster
Wienhausen

Kloster Wienhausen (10 km südöstlich), ein ehemaliges Zisterzienserinnenkloster (13.–14. Jh.; jetzt ev. Damenstift), gilt als eines der **bedeutendsten mittelalterlichen Bauwerke in Norddeutschland**. Berühmt ist es vor allem wegen seiner Wand- und Gewölbemalereien aus dem 14. Jh. und wegen neun gotischer Wandteppiche, die nur einmal jährlich um Pfingsten für zwei Wochen ausgestellt werden.

Chemnitz

Atlasteil: S. 40 • A 3	**Bundesland:** Sachsen
Höhe: 309 m ü. d. M.	**Einwohnerzahl:** 265 000

Von einem bedeutenden Zentrum der Textilproduktion des Kurfürstentums Sachsen (16. Jh.) entwickelte sich Chemnitz im 19. Jh. zur Industriemetropole und machte sich als »Sächsisches Manchester« einen Namen.

Geschichte
Als Freie Reichsstadt entstand Chemnitz aus einer Kaufmannsniederlassung an der Kreuzung der Salz- und der Frankenstraße. Bereits im Jahr 1136 hatte Kaiser Lothar hier ein Benediktinerkloster gestiftet, als Gründungsjahr der Siedlung gilt 1165. 1357 erhielt Chemnitz das Bleichprivileg, das die Stadt zu einem **Mittelpunkt der Leinenweberei** und des Leinenhandels werden ließ. Auch der erzgebirgische Bergbau wirkte sich positiv auf die wirtschaftliche Entwicklung aus. Schon im 15. Jh. arbeiteten hier ein Kupferhammer und eine Saigerhütte. Nach 1800 stieg Chemnitz zum Hauptort des Maschinenbaus in Sachsen und als Folge dieser Entwicklung zu einem Brennpunkt der deutschen Arbeiterbewegung auf – Grund genug für die DDR-Führung, die nach dem Zweiten Weltkrieg neu aufgebaute Stadt nach Karl Marx zu benennen, der selbst nie in Chemnitz war. 1990 stimmte die Mehrheit der Chemnitzer für die Rückbenennung.

Innenstadt

Den Mittelpunkt des in den 1960er-Jahren erneuerten Stadtzentrums bildet der Platz Am Roten Turm. Mit der Stadthalle, dem Hotel Mercure und dem lang gestreckten, neungeschossigen Gebäude an der Nordseite – ehemals Sitz der Bezirksverwaltung und der Bezirksleitung der SED – stellt er ein Beispiel für Architektur unter **sozialistischen Vorzeichen** dar. Vor letztgenanntem Gebäude erhebt sich der allseits bekannte, monumentale Karl-Marx-Kopf von Lew Kerbel (insgesamt 11,40 m hoch), den die Chemnitzer »Nischel« nennen und offenbar auch nicht missen wollen, denn er steht immer noch da. Als Relikt des mittelalterlichen Chemnitz ist der Rote Turm geblieben, ein auf das 12. Jh. zurückgehender Teil der Stadtbefestigung.

Am Roten Turm

Südlich des neuen Zentrums und durch dieses an die Peripherie gedrängt liegt der Markt, das **mittelalterliche Zentrum**, das im Zweiten Weltkrieg weitgehend zerstört und danach wieder aufgebaut wurde.

Markt

Chemnitz *Orientierung*

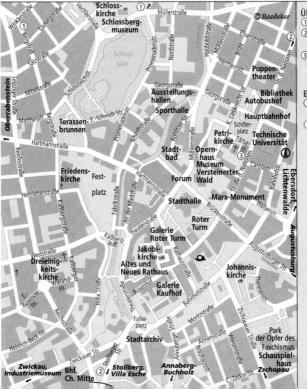

Übernachten
① Renaissance
② Avenue Hotel Becker
③ Günnewig Hotel

Essen
① Streller's Restaurant
② Villa Esche

CHEMNITZ ERLEBEN

AUSKUNFT

Tourist-Information
Markt 1
09111 Chemnitz
Tel. (03 71) 69 06 80,
Fax 6 90 68 30
www.chemnitz-tourismus.de

ESSEN

▶ Erschwinglich

② *Villa Esche*
Parkstraße 58
09120 Chemnitz
Tel. (03 71) 2 36 13 63
In einer schönen Jugendstilvilla, 1902 von Henry van der Velde erbaut, wird Ihnen beachtenswerte französische und mediterrane Küche serviert.

▶ Preiswert

① *Streller's Restaurant*
Bergstraße 69
09113 Chemnitz
Tel. (03 71) 3 55 19 00
Sympathisches Restaurant im Erdgeschoss eines Altstadthauses.

ÜBERNACHTEN

▶ Komfortabel

① *Renaissance*
Salzstraße 56, 09113 Chemnitz
Tel. (03 71) 3 34 10, Fax 33 41 77 77
Niveauvolles Haus, das Eleganz und Funktionalität perfekt verbindet.

③ *Günnewig Hotel Chemnitzer Hof*
Theaterplatz 4, 09111 Chemnitz
Tel. (03 71) 68 40, Fax 6 76 25 87
www.guennewig.de
In der Nähe von Stadtzentrum und Park gelegen, besticht dieses Haus durch moderne Eleganz und wohnliche Zimmer. Sehr angenehme Atmosphäre herrscht im gediegenen Restaurant Opera.

▶ Günstig

② *Avenue Hotel Becker*
Dresdner Straße 136, 09131 Chemnitz
Tel. (03 71) 47 19 10, Fax 4 71 69 50
www.avenuehotel.de
Flottes Design und praktisch eingerichtete Zimmer zu erfreulichen Preisen.

✳ Altes Rathaus Den Platz dominiert das 1496–1498 erbaute, im 16. und 17. Jh. umgestaltete Alte Rathaus. Ihm vorgebaut ist der 1486 entstandene Turm, in den beim Wiederaufbau das Renaissanceportal (1559) des zerstörten Hauses Markt Nr. 15 integriert wurde. Versetzt dahinter erhebt sich der auf das 12. Jh. zurückgehende **Hohe Turm**, Sitz des Stadtvogts und des Türmers. Mit dem Alten Rathaus verbunden ist das 1907–1911 erbaute Neue Rathaus mit seiner außergewöhnlichen Innenausstattung im Jugendstil. Das Siegertsche Haus (1731–1741) an der Südostseite des Platzes besitzt die **einzige noch erhaltene Barockfassade** der Stadt.

Stadtkirche St. Jakobi Von den Rathäusern mehr oder weniger umgeben ist die Stadtkirche St. Jakobi, 1350–1365 an Stelle eines romanischen Vorgängerbaus errichtet und heute von den Umbauten im Jugendstil (1911/1912) geprägt. Die Innenausstattung – allem voran der Flügelaltar von Peter Breuer (1505) – ist Ersatz für die im Krieg verbrannten Kunstwerke.

250 Millionen Jahre liegen zwischen der Entstehung des »Versteinerten Waldes« und dem Bau des Opernhauses.

Architektonisch bedeutend ist das von Richard Möbius geplante Ensemble am Theaterplatz mit Opernhaus (1906–1909), neogotischer Kirche und dem König-Albert-Bau. Er wurde als Heimstatt für die Städtischen Sammlungen erbaut, die die Kunstsammlungen mit Werken des Impressionismus und des Expressionismus (u. a. vom im Vorort Rottluff geborenen Karl Schmidt-Rottluff und von Edvard Munch), die Textil- und Kunstgewerbesammlung und das Museum für Naturkunde umfassen.

Theaterplatz

◄ Städtische Sammlungen

Dazu gehört auch der »Versteinerte Wald«, etwa **250 Millionen Jahre alte verkieselte Baumstämme**, von denen ein Teil vor dem Gebäude aufgestellt ist. Etwas abseits liegt das **Stadtbad** (1928–1935), ein sehr gelungenes Beispiel der **Bauhausarchitektur** und bei Eröffnung das größte und modernste Hallenbad in Europa.

✳
◄ Versteinerter Wald

Auf dem Schlossberg nordwestlich der Innenstadt wurde 1136 das Benediktinerkloster gegründet. Die ehemalige Klosterkirche St. Maria zeigt sich heute als spätgotische dreischiffige Hallenkirche (1514–1526), ausgeschmückt mit spätgotischen Malereien. Berühmt sind das monumentale, 1505–1525 von Hans Witten und Franz Maidburg geschaffene Astwerkportal und die hölzerne Geißelsäule, ein weiteres Meisterwerk (1515) von Witten. Das **Schlossbergmuseum** zeigt u. a. sakrale Plastik und Grafik.

✳
Schlosskirche

Sehenswertes in den Außenbezirken

Industrie-museum Chemnitz

In die Geschichte des **»Sächsischen Manchester«** taucht man ein im Industriemuseum Chemnitz. Es zeigt auf dem Gelände einer ehemaligen Gießerei an der Zwickauer Straße eine Vielzahl von – teilweise noch funktionsfähigen – Maschinen aus dem 19. und frühen 20. Jh.

Sächsisches Eisenbahn-museum

Im Stadtteil Hilbersdorf ist am Rand eines der größten deutschen Rangierbahnhöfe das Sächsische Eisenbahnmuseum entstanden, das u. a. eine stattliche Zahl restaurierter Dampfloks besitzt. Das Gelände war bis 1994 als Ausbesserungswerk in Betrieb.

Stiftskirche Ebersdorf

Die Stiftskirche Unserer Lieben Frauen (15. Jh.) im nördlichen Ortsteil Ebersdorf besitzt eine der **reichsten Kirchenausstattungen Sachsens,** darunter als Glanzstücke einen 1513 von Hans Hesse geschaffenen spätgotischen Flügelaltar und vier Skulpturen von Hans Witten.

Oberrabenstein am westlichen Rand der Stadt ist ein sehr beliebtes **Naherholungsgebiet.** Außer dem Rabensteiner Wald gibt es hier das **Schaubergwerk Felsendome Rabenstein** – ein ehemaliges Kalkbergwerk mit kuppelartigen Hohlräumen, prachtvollen Kalkkristallen und Teichen – sowie die **Burg Rabenstein** mit einer Waffenausstellung und den **Chemnitzer Zoo.**

! *Baedeker* TIPP

Kaßberg

Wenig bekannt ist, dass Chemnitz mit dem Stadtteil Kaßberg Deutschlands größtes geschlossenes Gründerzeit- und Jugendstilviertel besitzt. Es ist nun größtenteils saniert; besondere architektonische Kleinodien sind das majolikaverzierte Wohnhaus Barbarossastraße 48/52 oder das ehemalige Kreissteueramt in der Hohen Straße 35, heute Neue Sächsische Galerie.

Umgebung von Chemnitz

Lichtenwalde

Lichtenwalde, besitzt eines der **stattlichsten Barockschlösser Sachsens** (1722–1726), umgeben von einem üppig mit Pavillons, Skulpturen und Wasserkünsten ausgestatteten Schlosspark (1730–1737).

Hohenstein-Ernstthal

Jedem Karl-May-Leser ist Hohenstein-Ernstthal, 20 km westlich, ein Begriff, denn hier wurde der Abenteuerschriftsteller geboren. Sein winziges Elternhaus in der Karl-May-Straße 54 kann man besichtigen; die Stätten seiner Jugend verfolgt der **Karl-May-Wanderweg.** Außerdem sehenswert ist das Textil- und Heimatmuseum. Etwas außerhalb liegt die in den 1920er- und 1930er-Jjahren berühmte, nun wieder belebte **Rennstrecke Sachsenring.**

Zwönitz

Im 18 km südlich gelegenen Zwönitz bietet das Technische Museum Papiermühle ein einzigartiges technikgeschichtliches Schaustück: eine um die Wende vom 19. zum 20. Jh. installierte, heute noch funktionsfähige **Papiermühle.**

Einst wurden sie in Zschopau hergestellt, heute stehen sie im Museum.

Zschopau

Zschopau, 13 km südöstlich von Chemnitz, hat unter Motorradfahrern einen guten Namen: Von hier kamen vor dem Zweiten Weltkrieg die DKW-Motorräder. Zu DDR-Zeiten fertigte man die MZ, heute in bescheidenerem Umfang die MuZ. Sehenswert ist **Burg Wildeck** (12./16. Jh.), Jagdschloss von Kurfürst Moritz von Sachsen, mit dem mächtigen Rundturm »Dicker Heinrich«. Im 10 km westlich gelegenen Gelenau wurde 1992 das Deutsche Strumpfmuseum eröffnet.

◄ Gelenau

Augustusburg

Das Städtchen Augustusburg liegt rund 13 km östlich von Chemnitz im mittleren Erzgebirge oberhalb des Zschopautales, überragt vom weithin sichtbaren kurfürstlichen **Jagdschloss**. Zu ihm gelangt man auf der steilen, von terrassenartigen Freitreppen (sog. Heisten) gesäumten Hauptstraße und über den steilen Markt hinauf. Als Alternative bietet sich die Standseilbahn (1911) vom Bahnhof Erdmannsdorf im Zschopautal an (Höhenunterschied 168 m, Streckenlänge 1200 m, Fahrzeit 8 Min.).

✱
◄ Schloss

Das viertürmige, auf quadratischem Grundriss erbaute Renaissanceschloss (1567–1572) gilt als das **mächtigste Schloss des Erzgebirges** und wurde als Jagdschloss für Kurfürst August I. errichtet. Von der Stadt her kommend, betritt man den Schlosshof durch das Nordtor. Rechts liegt das Sommerhaus mit Jugendherberge und Restaurant, gefolgt vom Hasenhaus in der Südwestecke. Es verdankt seinen Namen dem Bilderzyklus »Krieg der Hasen gegen die Stadt der Jäger und Hunde« (1572) von Heinrich Göding und beherbergt heute das Museum für Jagdtier- und Vogelkunde des Erzgebirges. Die Südwestecke nimmt das Küchenhaus ein, in dem das Motorradmuseum mit über 170 Maschinen die große Vergangenheit von Chemnitz und Zschopau als Motorradfabrikationsstätte lebendig werden lässt. Im Lindenhaus in der Nordostecke werden die Baugeschichte des Schlosses dokumentiert und Waffen gezeigt. Die Schlosskapelle (1572; Erhard van der Meer) besitzt einen Altar mit einem Gemälde von Lucas Cranach d. J., das Kurfürst August mit Familie darstellt.

✱
◄ Motorradmuseum

Mittweida Im rund 20 km nördlich von Chemnitz an der Zschopau gelegenen Mittweida besichtigt man die spätgotische dreischiffige Stadtkirche St. Marien mit ihrem Schnitzaltar von 1661 und der Sandsteinkanzel (1667), die von einer Replik der Mosesfigur Michelangelos getragen wird.

? WUSSTEN SIE SCHON ...?

■ dass Karl May in Mittweida wegen Diebstahl und Betrugs im Gefängnis (heute Stadtarchiv in der Rochlitzer Straße 1) saß?

Hainichen, 9 km östlich von Mittweida, ist bekannt als Geburtsort des aufklärerischen Fabelschriftstellers Christian Fürchtegott Gellert (1715–1769). Sein Geburtshaus, das damalige Pfarrhaus, stand am heutigen Gellertplatz. Leben und Werk des Dichters dokumentiert das Gellert-Museum im Stadtpark. Auf dem Rahmenberg steht eine 1885 gestiftete Camera obscura.

✳ ✳
Burg Kriebstein Von Mittweida nordwärts kommt man – vorbei an der Talsperre Kriebstein – zur **»schönsten Ritterburg Sachsens«**, Burg Kriebstein. Majestätisch thront sie auf einem Felssporn über der Zschopau.

✳ Rochlitzer Muldental

Idyllische Tallandschaft Das mittlere Tal der Zwickauer Mulde zwischen Penig im Süden und Rochlitz im Norden, rund 30 km nordwestlich von Chemnitz, gehört zu den **romantischsten Tallandschaften Sachsens**.

Rochsburg Über das Weber- und Töpferstädtchen Penig erreicht man nach 25 km nordwestlich von Chemnitz Ort und Burg Rochsburg. Die Rochsburg entstand um 1170 und erhielt bis 1596 in Grundzügen ihr heutiges Aussehen. Das **Schlossmuseum** zeigt u. a. Barock-, Rokoko- und Empirezimmer.

Amerika ▶ Man darf sich wundern, aber in der Umgebung von Rochsburg gibt es ein Amerika. Man erreicht es auf einer Wanderung 3 km flussaufwärts durch das romantische Muldental. Die Siedlung entstand um 1835 für eine Baumwollspinnerei, die lange Zeit so abgelegen war, dass man die Reise dorthin als »Fahrt nach Amerika« bezeichnete.

✳
Göhrener Eisenbahnviadukt Weiter die Mulde flussabwärts passiert man den 381 m langen und 68 m hohen Göhrener Eisenbahnviadukt, der in den Jahren 1869 bis 1871 erbaut wurde

Wechselburg Bald darauf erreicht man Wechselburg, dessen 1160–1180 in der
✳ ✳ klassischen Gestalt einer dreischiffigen Pfeilerbasilika auf kreuzförmigem Grundriss erbaute Stiftskirche als das **besterhaltene romanische**
Stiftskirche ▶ **Bauwerk in Sachsen** gilt. Den hellen und festlichen Innenraum bestimmt das Wechselspiel von weißem Putz und warmem Rot des Rochlitzer Porphyrs. Herausragende Ausstattungsgegenstände sind das Grabmal (13. Jh.) für das Stifterpaar Dedo von Groitzsch

BURG KRIEBSTEIN

✶✶ In der Nähe von Chemnitz erhebt sich die Burg Kriebstein auf einem steilen Felsen über die Zschopau. Innerhalb der großen Gruppe der Höhenburgen verkörpert sie den Typ der Bergspornburg, d. h. die Anlage liegt auf dem äußersten Ausläufer eines von drei Seiten von der Zschopau in weitem Bogen umflossenen Bergsporns. Ihre noch spätmittelalterlichen Erkertürmchen und der Dachreiter bestimmen das reizvolle Bild der Burg mit der unverwechselbaren Dachsilhouette.

🕐 Öffnungszeiten:
5. Februar bis April, November Di. bis Fr.
10.00–16.00, Sa., So. 10.00–17.30;
Mai bis Oktober Di. bis Fr. 9.00–17.00, Sa., So.
10.00–17.30 Uhr;
letzter Einlass eine halbe Stunde vor Schließung

Ihre erste urkundliche Erwähnung datiert auf das Jahr 1382, zwischen 1384 und 1407 erfolgte der repräsentative Ausbau, dem bis ins 19. Jh. weitere folgten. Die Burgkapelle (um 1410) und das Kriebsteinzimmer, eine farbig gefasste und vollständig ausgemalte Bohlenstube, sind die schönsten Räume.

① Burgkapelle
Die komplette Ausmalung der Burgkapelle gehört zu den besterhaltensten spätmittelalterlichen Bildprogrammen Deutschlands. Sie entstand im 15. Jh. und verkörpert die ausgeprägte Marienverehrung zu dieser Zeit.

❗ Baedeker TIPP

Verschlossene Türen

... auf Burg Kriebstein öffnet die Familienführung »Hinter verschlossene Türen geschaut«, die in der Regel einmal monatlich stattfindet. Dabei erfahren die Sprösslinge in Begleitung ihrer Eltern manch Ungewöhnliches aus dem Ritterleben (Auskunft: Tel. 03 43 27/952-0; www.burg-kriebstein.de).

② Museum
Man kann fast die gesamte Burganlage besichtigen. Im eigentlichen Museumsteil findet man eine Vielfalt an Einrichtungsgegenständen sowie »Hausrat« und Kunst früherer Bewohner.

③ Küchenbau
Unmittelbar an den Wohnturm fügt sich im Mittelpunkt der Burg der spätgotische Küchenbau an.

④ Palas
Das 45 m hohe, gotische Hauptgebäude der mittelalterlichen Burg krönen insgesamt sechs Türmchen.

⑤ Torhaus
Nicht willkommene Besucher müssen schon hier wieder umdrehen, sonst »regnet« es heißes Pech aufs Haupt, zumindest früher war das so.

Eine Ritterburg wie aus dem Bilderbuch: Burg Kriebstein hoch über der Zschopau.

Die Anordnung der ein-
zelnen Gebäude auf einer
ovalen Fläche spiegelt die
Idealvorstellungen einer
Ritterburg wider.

Der malerische Anblick und ihre herrliche Lage machen aus Burg Kriebstein eine klassische Ritterburg.

Im spätgotischen Festsaal finden Konzerte und andere Veranstaltungen statt. Man kann den Saal auch für eigene Festivitäten mieten.

Wer sein ritterliches Ja-Wort vor entsprechender Kulisse geben möchte, kann sein »Burgfräulein« im ehemaligen Pferdestall, der Säulenhalle, ehelichen.

Das gotische Schatzgewölbe mit seinen prachtvollen Wandmalereien und dem Schatzfund sollte man nicht versäumen.

Den Höhepunkt der Bilderausstattung im Kriebsteinzimmer bildet die Verkündigungsszene nach dem Lukas-Evangelium auf der Bohlenlängswand: Erzengel Gabriel verkündet der Jungfrau Maria die Geburt Jesu.

©Baedeker

(† 1190) und dessen Ehefrau Mechthild († 1189) und vor allem der um 1230 entstandene romanische Kanzellettner, dessen einmaliges Bildprogramm in enger Beziehung zur Goldenen Pforte am Dom zu ▶Freiberg steht.

Rochlitz Das 7 km nördlich von Wechselburg liegende Rochlitz ist bekannt für das in der Umgebung gewonnene Porphyrgestein, den **»sächsischen Marmor«**. Die rein spätgotische **Kunigundenkirche** (1417–1476) am ansonsten klassizistisch gestalteten Markt birgt den Hochaltar (1513) mit Holzskulpturen von Philipp Koch, dem Meister der Freiberger Domapostel, sowie einen Flügelaltar von Lucas Cranach d. Ä. (1476). Über der Mulde thront das **Schloss** (16. Jh.), an dessen Westende die beiden 53 m hohen Türme aufragen (13./14. Jh.), in denen ein 14 m tiefes Verlies seit dem 16. Jh. als berüchtigtes Staatsgefängnis diente.

Kohren-Sahlis: im Töpferhaus Arnold

Weitere 12 km flussabwärts liegt Colditz, als **Kriegsgefangenenlager** für alliierte Offiziere des Zweiten Weltkriegs international bekannt geworden, vor allem in Großbritannien. Auf Schloss Colditz wurden Offiziere interniert, die schon anderweitig Fluchtversuche unternommen hatten – und dies hier über 300-mal wieder versuchten, wie die Ausstellung im Wachhaus belegt.

✳ Kohrener Land

Idylle in Mittelsachsen Mischwälder und Wiesen, Teiche und Bäche, historische Hinterlassenschaften und eine traditionelle Töpferkunst stehen für den Reiz des Kohrener Landes ca. 40 km nordwestlich von Chemnitz.

Kohren-Sahlis Hauptort ist die Doppelgemeinde Kohren-Sahlis, Zentrum der im Umkreis betriebenen **Töpferei**. So ist ihr Wahrzeichen der 1928 aufgestellte bunte Töpferbrunnen. Von einst 14 Töpfereien stellen zwei bis heute die gelbbraune Kohrener Irdenware mit Löffel- und Latzmuster sowie blau-weiß dekorierte Keramik her. Diese Tradition dokumentiert das Töpfermuseum. Im Ortsteil Sahlis sollte man Gut

✳

Gut Rüdigsdorf ▶ Rüdigsdorf aufsuchen, um in der **Orangerie** Moritz von Schwinds neun Fresken zum Thema »Amor und Psyche« (1838) und im Saal des Herrenhauses eine **einzigartige Grisailletapete** des französischen Tapetenmalers Pere von 1824 zu bewundern.

Die dritte der Burgen des Kohrener Lands überragt den Ort Gnandstein wenig westlich von Kohren-Sahlis. Die **älteste erhaltene romanische Burganlage östlich der Saale** entstand Mitte des 12. Jh.s, wurde im Dreißigjährigen Krieg größtenteils zerstört und danach wieder aufgebaut. Im dritten Geschoss liegt der in seinem Erhaltungszustand für Sachsen einmalige Fest- bzw. Rittersaal. Die spätgotische Kapelle bewahrt einen Bartholomäus-, einen Annen- und einen Marienaltar des Zwickauer Riemenschneider-Schülers Peter Breuer aus den Jahren 1502 und 1503.

✱
**Burg
Gnandstein**

Chiemsee · Chiemgau

Atlasteil: S. 63 • D 1/2   **Bundesland:** Bayern
und S. 64 • A 1/2

Der Chiemsee mit seinen drei hübschen Inseln ist mit 82 km² der größte bayerische See und ein beliebtes Revier für Wassersportler und Segler. Hinzu kommt die südlich des Sees gelegene Hügellandschaft vor der Kulisse der Chiemgauer Berge, die man als Chiemgau bezeichnet: ein kleines Wintersport- und Wanderparadies.

✱ Chiemsee

Prien am westlichen Ufer ist durch den Hafen im Ortsteil Stock das **Zentrum der Chiemseeschifffahrt**. Einen Besuch lohnen das Heimatmuseum mit Trachtenstuben, Hinterglasbildern und Objekten der Chiemseefischerei sowie die von Johann Baptist Zimmermann ausgemalte Pfarrkirche Mariä Himmelfahrt.

Prien

Am östlichen Ufer lädt der 6 km lange **Strand** in Chieming zum Baden ein. Die neuromanische Pfarrkirche besitzt drei römische Altarsteine. Von Chieming führt ein Uferweg nach Süden zum Deltagebiet der Tiroler Ache, die hier in den Chiemsee mündet, ein ausgedehntes Naturschutzgebiet.

Chieming

! *Baedeker* TIPP

Schratzen aus dem Chiemsee
Eine Spezialität aus dem Chiemsee sind Schratzen. Der Inselwirt auf Frauenchiemsee versteht sich besonders gut auf die Zubereitung dieser Barscharт; noch besser schmecken sie, wenn das Wetter mitmacht, in seinem Biergarten.

Drei Inseln liegen im Chiemsee: Herreninsel, auch Herrenchiemsee, Fraueninsel, auch Frauenchiemsee, und die kleine Krautinsel. Das um 1880 für König Ludwig II. erbaute, von einem Park umgebene **Schloss Herrenchiemsee** blieb unvollendet. Zu den wichtigsten Räumen gehören die Spiegelgalerie und das Prunkschlafzimmer Ludwigs II. Im südlichen Flügel ist das König-Ludwig II.-Museum eingerichtet.

✱
Herrenchiemsee

Frauenchiemsee ✳ Auf der stimmungsvollen Fraueninsel hat Herzog Tassilo III. im 8. Jh. das Benediktinerinnenkloster Frauenwörth gegründet. In der Klosterkirche sind besonders die **Fresken aus romanischer Zeit** sehenswert. Im Norden der Insel liegt ein kleines **Fischerdorf**.

Von der Seemitte bietet sich ein schöner Blick auf den gezackten Gebirgskamm der Chiemgauer Alpen mit der Kampenwand (1669 m ü. d. M.) und dem Hochfelln (1670 m ü. d. M.).

Chiemgau

Aschau Bei Aschau, am Fuß der Kampenwand (1669 m ü. d. M.) im Priental gelegen, ist besonders **Schloss Hohenaschau** mit einem mittelalterlichen Bergfried und Ringmauern sehenswert. In der Nähe befindet sich die Talstation der Kampenwandseilbahn. Von der Bergstation (1460 m ü. d. M.) sind schöne Wanderungen möglich, u. a. zur Hochplatte und nach Bernau. In Aschau ist das bekannte **Chiemgauer Volkstheater** zu Hause.

Marquartstein Im waldumrahmten Tal der Tiroler Ache liegt der hübsche Luftkurort Marquartstein. Seine Umgebung bietet vielfältige Wandermög-

Prunkvoller Treppenaufgang im Schloss Herrenchiemsee

⏵ CHIEMSEE · CHIEMGAU ERLEBEN

AUSKUNFT

Tourismusverband Chiemsee
Rottauer Straße 6
83233 Bernau am Chiemsee
Tel. (0 80 51) 22 80, Fax 6 10 97
www.mychiemsee.de

ESSEN
► Fein & Teuer
Mühlberger
Bernauer Straße 40
83209 Prien am Chiemsee
Tel. (0 80 51) 96 68 88
Klassische Gourmetküche auf hohem
Niveau machen das alpenländisch
gehaltene Restaurant zu einer emp-
fehlenswerten Adresse für Fein-
schmecker.

► Erschwinglich
Klauser's Restaurant
Birnbacher Straße 8
83242 Reit im Winkl
Tel. (0 86 40) 84 24
Raffiniert zubereitete bayerische Kost
in einer sehr gemütlichen, typisch
alpenländischen Gaststube.

Zirbelstube
Am Hauchen 10
83242 Reit im Winkl
Tel. (0 86 40) 79 79 60
Hübsch aufgemachtes, einladendes
Restaurant mit landestypischer Küche.

► Preiswert
Inselwirt
Frauenchiemsee 43
83256 Chiemsee-Fraueninsel
Tel. (0 80 54) 6 30
Genießen Sie im Garten des legendären Gasthauses bayerische Spezialitäten. Wer nicht zurück aufs Festland mag, kann sich in einem der drei
gemütlichen Gästezimmer einquartie-
ren (Reservierung ratsam).

Schnitzlbaumer
Taubenmarkt 11a, 83278 Traunstein
Tel. (0 8 61) 98 66 50
In den rustikalen Gaststuben der
ältesten Brauerei Traunsteins kommen
Liebhaber bayerischer Bierseligkeit voll
und ganz auf ihre Kosten.

ÜBERNACHTEN
► Luxus
Unterwirt
Kirchplatz 2, 83242 Reit im Winkl
Tel. (0 86 40) 80 10, Fax 80 11 50
www.unterwirt.de
Die wunderschöne Urlaubsadresse
verwöhnt Sie mit allem Komfort.
Bemerkenswert ist die prachtvoll ge-
staltete Wellness-Landschaft mit
Schwimmbad, Sauna, Fitnessoase,
Garten und einem beheizten Freibad.

► Komfortabel
Zur Linde
Haus Nr. 1
83256 Chiemsee-Fraueninsel
Tel. (0 80 54) 9 03 66, Fax 7 29 99
www.inselhotel-zurlinde.de
Gemütlicher Gasthof auf der auto-
freien Insel Frauenchiemsee.

Park-Hotel Traunsteiner Hof
Bahnhofstraße 11, 83278 Traunstein
Tel. (0 8 61) 98 88 20, Fax 85 12
www.parkhotel-traunstein.de
Direkt am Stadtpark gelegen, überzeugt die traditionsreiche Unterkunft
von 1888 mit großzügigen Zimmern.

► Günstig
Villa am See
Harrasser Straße 8, 83209 Prien
Tel. (0 80 51) 10 13, Fax 6 43 46
www.hotel-prien.de
Familiär geführtes Haus mit persön-
licher Note, gepflegte Zimmer, Res-
taurant.

lichkeiten: So gelangt man in einer Stunde auf einem Naturlehrpfad durch das Lanzinger und das Süssener Moor nach Raiten. Eine weitere lohnende Tour führt auf den Hochfelln (1670 m ü. d. M.).

Reit im Winkl Reit im Winkl, nahe an der deutsch-österreichischen Grenze, gilt als der schneereichste und **schneesicherste Wintersportort der Bayerischen Alpen**. Eine Sesselbahn führt auf den Walmberg (1060 m ü. d. M.), der relativ leichte Skipisten bietet. Gute Skipisten gibt es auch im Bereich der Winklmoosalm (1160 m ü. d. M.), Heimat der Olympiasiegerin Rosi Mittermaier.

Bergen Am Fuß des Hochfelln liegt Bergen mit etlichen Sporteinrichtungen und gemütlichen Wirtshäusern. Im Westen von Bergen erstreckt sich das landschaftlich reizvolle **Bergener Moos**, ein Naturschutzgebiet mit seltenen Blumen und Stauden.

Hochfelln ► Vom Hochfelln, auf dessen Gipfel eine Kabinenseilbahn fährt, hat man eine herrliche Aussicht. Eine schöne Wanderung führt von der Maximilianshütte in vier Stunden über das Bründlinghaus und den Hochfellnweg zur Hochfellnscharte.

Ruhpolding Die Kleinstadt Ruhpolding liegt in einem Talkessel der Weißen Traun. Seit Anfang der Dreißigerjahre hat sie sich zum meistbesuchten Erholungsort der Chiemgauer Alpen entwickelt. Ihre Pfarrkirche St. Georg ist eine der **schönsten Dorfkirchen Oberbayerns**; beachten sollte man die »Ruhpoldinger Madonna« (um 1230) im rechten Seitenaltar; das **Heimatmuseum** besitzt eine der vollständigsten und wertvollsten Sammlungen alpenländischer Volkskunst.

> ## ! *Baedeker* TIPP
>
> ### Windbeutel bei der Gräfin
> Schleckermäuler können den unterschiedlich gefüllten luftigen Teigklößen kaum widerstehen. Im Café Windbeutelgräfin in der Brandnerstraße 37 in Ruhpolding ist's besonders schwer.

Fast noch interessanter ist das **Holzknechtmuseum**, das das Dasein der in der Ruhpoldinger Saline arbeitenden Holzknechte dokumentiert. Im Winter ist Ruhpolding ein günstiger Ausgangspunkt für alle Arten von Wintersport; das hoch gelegene Skigebiet am Rauschberg (Alpenlehrpfad) ist nur eines von vielen.

Traunstein Wer sich in **Sol-, Moor- und Kneippbädern** wohlfühlt, ist in Traunstein gut aufgehoben. Die schön auf einer Anhöhe über der Traun gelegene Stadt ist aus einer alten Siedlung am Übergang der Römerstraße von Augsburg nach Salzburg hervorgegangen. Gebäude im barockisierenden Stil prägen das Bild der Stadt. Im Stadtteil Au lag ursprünglich das Salinengebäude; ein beeindruckender Überrest ist die Salinenkapelle St. Rupertus und Maximilian. Mehrere Wanderwege führen südwärts zum Hochberg, dem Hausberg der Stadt, von dem sich eine sehr schöne Aussicht bietet.

✳ Coburg

Atlasteil: S. 46 • A 2   **Bundesland:** Bayern
Höhe: 297 m ü. d. M.   **Einwohnerzahl:** 44 000

Die ehemalige Herzogsresidenz Coburg wird von der stattlichen Veste überragt – eine der größten Festungsanlagen Deutschlands. In der historischen Innenstadt sind stilvoll restaurierte fränkische Fachwerkhäuser, mittelalterliche Gassen und der Schlossplatz mit der Ehrenburg zu bewundern.

Die 1056 erstmals erwähnte Stadt erhielt 1231 Stadtrecht. Die Markgrafen von Meißen bauten die Stadt nach 1347 zu einem ihrer Hauptorte aus; seit dem 16. Jh. war Coburg mehrfach Residenzstadt. Die gewaltige Festungsanlage oberhalb der Stadt, die seit 1074 bezeugt ist, konnte im Dreißigjährigen Krieg nicht eingenommen werden. Prominentestes Mitglied des Herzoghauses Sachsen-Coburg-Gotha waren Prinz Albert, Gemahl von Queen Victoria, und Leopold I., der erste König Belgiens. 1920 kam Coburg durch Volksabstimmung zu Bayern. **Geschichte**

Die Veste Coburg, eine der größten mittelalterlichen Burganlagen Deutschlands, gilt als die »Krone Frankens«.

Sehenswertes in Coburg

Marktplatz ✳ Am hübschen Markt steht das 1579 erbaute **Rathaus** mit einem sehenswerten Renaissancesaal und dem kunsthistorisch bedeutenden so genannten Coburger Erker an der Ecke zur Ketschengasse. Das

Stadthaus, das ehemalige herzogliche Regierungsgebäude von 1597 mit einer prächtigen Spätrenaissancefassade, nimmt die gesamte Nordseite des Marktplatzes ein. Südöstlich vom Markt ragen die ungleichen Türme der Morizkirche auf (14.–16. Jh.), deren Chorraum vom 13 m hohen Grabmal Johann Friedrichs des Mittleren von Sachsen beherrscht wird. Gegenüber steht das 1605 von Herzog Johann Casimir gestiftete Gymnasium Casimirianum, der schönste profane Renaissancebau der Stadt.

»Randvoll« ist der Marktplatz beim Studententreffen des »Coburger Convents«.

Unweit östlich des Marktplatzes liegt der weite Schlossplatz mit der 1816–1838 nach Plänen von Schinkel umgebauten **Ehrenburg**, dem ehemaligen Residenzschloss. Neben sehenswerten Sälen und Gemächern aus dem 17.–19. Jh. beherbergt die Ehrenburg auch die **Coburger Landesbibliothek**. In den Westflügel ist die barocke Hofkirche integriert.

Hofgarten Hinter einer vom ehemaligen Ballhaus stammenden Arkadenreihe östlich vom Schlossplatz beginnt der schöne Hofgarten, der am Berghang zur Veste hinaufzieht; auf halber Höhe liegt das **Natur-Museum**, das neben einer umfassenden tierkundlichen Abteilung auch botanische, mineralogische, gesteinskundliche, erd-, ur-, frühgeschichtliche und völkerkundliche Ausstellungen bietet.

Veste Coburg ✳ Die ältesten Bestandteile der Veste Coburg (464 m ü. d. M.) gehen auf das 11. Jh. zurück; ihr heutiges Aussehen erhielt sie im Wesentlichen im 16. Jh. Sie ist mit einer Fläche von gut 25 000 m² eine der **größten mittelalterlichen Burgen Deutschlands**. Im Fürstenbau sind die ehemaligen Wohnräume der herzoglichen Familie zu besichtigen. Eine bedeutende kunst- und kulturgeschichtliche Sammlung, bestehend aus Kunstgewerbe des 16.–19. Jh.s, Glas und Kupferstichen ist ebenfalls in den Räumen der Burg untergebracht. Von den Zinnen der Burg bietet sich eine großartige Aussicht über weite Gebiete des Coburger Landes, des Thüringer Waldes und des Maintals.

Im Süden der Altstadt ist das **Ketschentor** Teil der äußeren Stadtmauer. Über die Ketschengasse kommt man zum Rosengarten mit dem Kongresshaus und dem Palmenhaus.

Umgebung von Coburg

Eine besondere Attraktion in Tambach, 8 km westlich von Coburg, ist der **große Wildpark** mit ca. 200 Tieren und einer Falknerei (Bayerischer Jagdfalkenhof). Einheimische Greifvögel zeigen hier ihre Flugkünste. Im Schloss Tambach befindet sich ferner das Jagd- und Fischereimuseum.   **Tambach**

Wer nach Seßlach, 14 km südwestlich von Coburg, kommt, wähnt sich im Mittelalter, denn der Altstadtkern aus dieser Zeit ist unversehrt erhalten.   ✶ ◄ Seßlach

Entspannung pur verspricht in Rodach, eine **Thermalheilquelle** in einer großzügigen Badelandschaft. Sehenswert sind außerdem das stattliche Rathaus und die Fachwerkbauten.   ◄ Rodach

▶ COBURG ERLEBEN

AUSKUNFT

Tourist-Information
Herrngasse 4, 96450 Coburg
Tel. (0 95 61) 7 41 80, Fax 74 18 29
www.coburg.de

ESSEN

► **Erschwinglich**
Restaurant Schaller
Ketschendorfer Straße 22,
(im Hotel Coburger Tor)
96450 Coburg
Tel. (0 95 61) 2 50 74
Traditionsreiches Restaurant mit klassischem, international ausgelegtem Speiseangebot.

Adria
Callenberger Straße 9, 96450 Coburg
Tel. (0 95 61) 79 02 20
Elegantes italienisches Restaurant in der Innenstadt. Bei schönem Wetter lockt die hübsche Terrasse.

ÜBERNACHTEN

► **Komfortabel**
Romantik Hotel Goldene Traube
Am Viktoriabrunnen 2,
96450 Coburg
Tel. (0 95 61) 87 60, Fax 87 62 22
www.romantikhotels.com/coburg
Sehr gepflegtes Hotel am Rande der Altstadt. Freundlich gestaltete Zimmer, das Restaurant »Meer & mehr« bietet ambitionierte Küche im eleganten Rahmen (und zu moderaten Preisen). Interessante Weinkarte!

► **Günstig**
Festungshof
Festungshof 1, 96450 Coburg
Tel. (0 95 61) 8 02 90 , Fax 80 29 33
www.hotel-festungshof.de
Ruhige Unterkunft in einem ehemaligen Kurhof aus dem 14. Jh. am Fuße der Festung Coburg. In den rustikalen Stuben gibt es gutbürgerliche Kost.

Schloss Rosenau Schloss Rosenau in Rödental, 10 km nordöstlich von Coburg, ist vor allem als Geburtsort von Albert, dem späteren Prinzgemahl der englischen Königin Victoria, bekannt. Das Schloss inmitten eines englischen Landschaftsparks war ursprünglich eine mittelalterliche Burg und wurde ab 1808 neugotisch umgebaut. Die herzoglichen Räume sind zu besichtigen. In der ehemaligen Orangerie zeigt das Museum für Modernes Glas zeitgenössische Glaskunst.

✳
Museum für Modernes Glas ►

Neustadt Nicht nur Kinder spricht das **Museum der deutschen Spielzeugindustrie** mit seiner Trachtenpuppensammlung in Neustadt an. Ebenso der nahe gelegene Märchenpark. Die Grenzausstellung in der Thüringisch-Fränkischen Begegnungsstätte dokumentiert die Teilung Deutschlands.

Kronach Über dem 32 km östlich von Coburg gelegenen Kronach erhebt sich die **Festung Rosenberg** aus dem 12. Jh., in der das Frankenwaldmuseum sowie eine Zweiggalerie des Bayerischen Nationalmuseums untergebracht sind, die u. a. Werke des 1472 in Kronach geborenen Lucas Cranach d. Ä. besitzt. In der Stadt sind die gotische Kirche und die teilweise erhaltene Stadtmauer sehenswert.

Staffelstein Benutzen Sie gelegentlich den Ausdruck »Nach Adam Ries(e)«? Rund 25 km südlich von Coburg, in Staffelstein, ist der »Rechenmeister« (1492–1559) geboren. Der Ort wird überragt vom aussichtsreichen Staffelberg (539 m). Im schönen Rathaus, einem Fachwerkbau von 1687, ist das Heimatmuseum untergebracht. Entspannung bietet die große »Obermaintherme«, **Bayerns stärkste Solequelle**.

! *Baedeker* TIPP

Banzer Kammermusik
Die alljährlich veranstaltete Kammermusikreihe im Kaisersaal von Kloster Banz, meist mit Ensembles aus dem Kreis der Bamberger Symphoniker, genießt einen hervorragenden Ruf (Auskunft und Karten: Tel. 0 95 73/41 92).

Nördlich von Staffelstein thront hoch über dem rechten Mainufer das ehemalige **Benediktinerkloster Banz**. 1695 begann Johann Leonhard Dientzenhofer mit dem schlossartigen Klosterbau, dessen großes Geviert von einem Torflü-

✳
Banz gelbau Balthasar Neumanns gekrönt wird. Die prachtvolle zweitürmige Klosterkirche (1710–1719) enthält im Inneren reiche Stuckierungen und Deckenfresken, der Hochaltar stammt von Balthasar Esterbauer (1714). Im ehemaligen Kloster sind Abtskapelle und Kaisersaal sehenswert, ferner die ägyptische Sammlung und die Petrefaktensammlung mit Versteinerungen aus dem Juragestein der Umgebung.

✳✳
Vierzehnheiligen Von Banz erblickt man in südöstlicher Richtung die Türme von Vierzehnheiligen. Die hoch über dem linken Mainufer aufragende Wallfahrtskirche (387 m ü. d. M.), 1743–1772 nach Plänen von Bal-

thasar Neumann erbaut, ist der **Glanzpunkt des barocken Kirchenbaus in Franken**. Beachtenswert ist der Grundriss mit ineinander greifenden Kreisen und Ovalen; fantasievoll ist auch der von Johann Michael Feichtmayr und Johann Georg Übelherr ausgestattete Innenraum, dessen schöne Deckenfresken Giuseppe Appiani schuf. Über der Stelle, an der im Jahr 1445 einem Schäfer die vierzehn Nothelfer erschienen sein sollen, erhebt sich der prunkvolle Gnadenaltar. In den Seitenkapellen sieht man zahllose Votivtäfelchen.

Cottbus

Atlasteil: S. 31 • C 3/4   **Bundesland:** Brandenburg
Höhe: 77 m ü. d. M.   **Einwohnerzahl:** 108 000

Cottbus (sorb. Choebuz) an der Spree, die zweitgrößte Stadt Brandenburgs, ist das Wirtschafts-, Wissenschafts- und Messezentrum Südbrandenburgs und Hauptort der Niederlausitz. Trotz weitläufiger Neubaugebiete und endloser Braunkohlefelder in der Umgebung ist Cottbus dank seiner großzügigen Parks eine grüne Stadt, deren Charakter das Nebeneinander von Deutschen und Sorben prägt.

Die im Jahr 1156 erstmals urkundlich erwähnte Siedlung entwickelte sich zu einem bedeutenden **Ort der Textilherstellung**: Tuchmacher und Leineweber erhielten als Erste das Zunftrecht. Nach der Verwüstung der Stadt im Dreißigjährigen Krieg belebten die hier 1701 angesiedelten Pfälzer und Hugenotten Handwerk und Wirtschaft wieder. Den Aufschwung brachte insbesondere die Einführung der Seidenspinnerei, der Strumpfwirkerei und der Tabakverarbeitung. Mit der Mechanisierung setzte zu Beginn des 19. Jh.s eine sprunghafte Entwicklung der Textilindustrie ein. Vor allem nach dem Zweiten Weltkrieg wurde die Braunkohle des Umlands in großem Stil abgebaut.

Geschichte

? WUSSTEN SIE SCHON ...?

■ Auch wenn Sie den folgenden Zungenbrecher nicht aussprechen können, freut sich Cottbus auf Ihren Besuch: »Der Cottbuser Postkutscher putzt den Cottbuser Postkutschkasten«.

Sehenswertes in Cottbus

Der Altmarkt, auf dem bis 1945 das Rathaus stand, bietet mit seinen barocken Bürgerhäusern und schlichten Traufhäusern ein hübsches Ensemble. Hervorzuheben sind die Häuser Nr. 14 (1693), Nr. 16 (1675) und Nr. 24, die 1586 gegründete Löwenapotheke, nun Sitz des Niederlausitzer Apothekenmuseums mit seltenen historischen Apothekeneinrichtungen wie Giftkammer und Galenischem Labor.

Altmarkt

In der Wasserpyramide im Branitzer Park von Cottbus ließ Fürst Pückler neben seiner Gattin sein Herz bestatten.

Oberkirche ▶ Bei der Ostecke des Altmarkts erhebt sich die Oberkirche (14. Jh.), das **größte Gotteshaus der Niederlausitz**. Sie besitzt einen 11 m hohen Altar von 1664 des Torgauer Meisters Andreas Schultze.

Wendische Kirche Die Wendische Kirche (um 1300) ist die ehemalige Franziskaner-Klosterkirche, in der bis zum 20. Jh. auch in sorbischer Sprache gepredigt wurde. In der Kirche ist der **Stadtgründer Fredehelmus** von Cottbus begraben.

Spremberger Straße In südlicher Richtung kommt man auf der Spremberger Straße zu den **Brandenburgischen Kunstsammlungen** für zeitgenössische Kunst, Design und Fotografie; dann folgt die Mühlenstraße mit dem Wendischen Museum zur Kultur der Niederlausitzer Sorben. Weiter geht es zur 1714–1717 von Hugenotten errichteten Schlosskirche und schließlich zum Spremberger Turm (13. Jh.), Rest der Befestigungsanlagen. Dieses Wahrzeichen der Stadt erhielt seine Zinnenkrone nach Plänen von Schinkel.

Stadtmuseum Das Stadtmuseum (Bahnhofstraße 52) beschäftigt sich mit der Geschichte von Cottbus, mit der Lausitzer Glas- und Teppichproduktion und mit dem in Cottbus geborenen Maler Carl Blechen (1798–1840).

✳ **Stadttheater** Südöstlich der Altstadt am Schillerplatz sollte man das Stadttheater (1908) nicht auslassen, Deutschlands einziges innen wie außen im **reinen Jugendstil** gehaltene Theater.

Ehemaliges Gelände der Bundesgartenschau Die innerstädtischen Parks und Grünanlagen entlang der Spree wurden durch die Schaffung des Spreeauenparks zur Bundesgartenausstellung 1995 mit dem Zoo und dem Branitzer Park im Südosten der Stadt verbunden. Im Elias-Park verkehrt eine **dampfbetriebene Kleineisenbahn**.

Ein Meisterwerk deutscher Gartenbaukunst ist der 1846 begonnene **Branitzer Park** und erst 1888 vollendete Branitzer Park, der letzte große deutsche Landschaftsgarten des 19. Jh.s. Sein Schöpfer war Hermann Fürst von Pückler-Muskau (1785–1871), der hier wie zuvor in Bad Muskau (▶ Lausitz) die vollkommene Harmonie zwischen gestalteter Landschaft, Architektur und Plastik verwirklichen wollte. **Einmalig in Europa** sind die aus dem Aushub aufgeschüttete Landpyramide und die »Tumulus« genannte Seepyramide, in der Pücklers Frau Lucie und sein Herz bestattet sind – sein Körper wurde seinem Wunsch entsprechend in Säure aufgelöst.

Das 1772 erbaute Barockschloss bezog Pückler 1845, nachdem er die Arbeiten in Bad Muskau wegen

> ## ! *Baedeker* TIPP
>
> ### Ausflugsziele
>
> Das Peitzer Teichgebiet mit seinen berühmten Zuchtstätten von Karpfen, Hechten und Aalen lohnt für alle Fischliebhaber. Wer sich dagegen fürs Müllerhandwerk interessiert, ist in der Spreewehrmühle am Großen Spreewehr richtig. Und die Attraktion in Forst ist der Rosengarten auf der Wehrinsel mit 30 000 Rosenstöcken.

Geldmangels hatte einstellen müssen. Er ließ das Gebäude nach Anregungen von Gottfried Semper umgestalten. Heute spiegeln die Räume wie der Musiksaal, die auch in ihren Beständen rekonstruierte Bibliothek und Sonderausstellungen die Lebensweise des **exzentrischen Adligen** wider. Am südöstlichen Parkrand steht die von Friedrich August Stüler entworfene Schmiede. ◀ **Fürst-Pückler-Museum**

COTTBUS ERLEBEN

AUSKUNFT

Cottbus Service
Berliner Platz 6, 03046 Cottbus
Tel. (03 55) 7 54 20, Fax 7 54 24 55
www.cottbus.de

ESSEN

▶ Erschwinglich
Lynaris
Berliner Platz (im Hotel Holiday Inn)
03046 Cottbus, Tel. (03 55) 36 60
Feine regionale Kost aus dem Spreewald und klassische Kompositionen.

▶ Preiswert
Kartoffelkiste
Spremberger Straße 37
03046 Cottbus, Tel. (03 55) 2 28 38
Leckere Gerichte rund um die Kartoffel bietet das originelle Restaurant.

ÜBERNACHTEN

▶ Komfortabel
Best Western Parkhotel Branitz & Spa
Heinrich-Zille-Straße, 03042 Cottbus
Tel. (03 55) 7 51 00, Fax 71 31 72
www.branitz.bestwestern.de
Ruhige und idyllische Oase. Im parkähnlichen Innenhof lädt der Wellnessbereich zum Erholen ein. Nur wenige Gehminuten zum Fürst-Pückler-Park und Schloss Branitz.

▶ Günstig
Ahorn
Bautzener Straße 134, 03050 Cottbus
Tel. (03 55) 47 80 00, Fax 4 78 00 40
www.ahornhotel.com
Ordentliche, solide Zimmer in einem freundlich geführten Haus.

Cuxhaven

Atlasteil: S. 6 • B 4
Höhe: 3 m ü. d. M.

Bundesland: Niedersachsen
Einwohnerzahl: 56 000

Das zweitälteste deutsche Seebad Cuxhaven liegt am äußersten Westufer der hier 15 km breiten Elbmündung. Die Strände der Stadt dehnen sich abseits des Hafens in den Stadtteilen Duhnen, Döse und Sahlenburg. Die Stadt besitzt einen der wichtigsten Fischereihäfen Deutschlands.

Geschichte Eine Siedlung von Fischern und Lotsen entwickelte sich an dem 1570 erstmals bezeugten »Kooghafen« (Koog = Marschland) an der Mündung der Elbe. Von 1394 bis 1937 gehörte die Stadt zu Hamburg. 1816 wurde Cuxhaven zum Seebad erhoben, 1872 mit dem alten Amt Ritzebüttel vereinigt und 1907 endlich zur Stadt ernannt. Der Fischereihafen existiert bereits seit 1892.

Das Feuerschiff »Elbe 1«

Sehenswertes in Cuxhaven

In der im Süden der Stadt gelegenen Altstadt befindet sich **Schloss Ritzebüttel,** ein um 1300 erbauter und 1616 erweiterter Wehrturm, um den sich einst die Kernstadt entwickelte und der jahrhundertelang als hamburgischer Amtssitz diente. Hier ist ein Teil des Stadtmuseums untergebracht, das auch im Reyerschen Haus über Ausstellungsräume verfügt. In diesem unweit vom Schloss in der Südersteinstraße 38 gelegenen klassizistischen Bau werden die Vor- und Frühgeschichte der Stadt sowie die Schifffahrt dokumentiert.

Im Osten der Stadt liegen der **Fischereihafen** und der Großfischmarkt, auf dem ab 7.00 Uhr früh **Fischversteigerungen** stattfinden; vom Fischversandbahnhof aus werden auch Führungen angeboten. Unweit östlich befindet sich der heute wenig benutzte, um 1900 hauptsächlich für die HAPAG erbaute Amerikahafen; die großen Passagierschiffe legen an der Außenmole »Steubenhöft« an. Zwischen Fischereihafen und dem nördlich gelegenen Jacht- und Fährhafen hat nahe des Wasserturms das Feuerschiff »Elbe 1« festgemacht, das 1988 als letztes bemanntes Feuerschiff außer Dienst gestellt wurde (Deichstraße/Zollkaje).

✳
Feuerschiff
»Elbe 1« ►

▶ CUXHAVEN ERLEBEN

AUSKUNFT

Kurverwaltung
Cuxhavener Straße 92
27476 Cuxhaven
Tel. (0 47 21) 40 40, Fax 40 41 98
www.cuxhaven.de

WATT-DERBY

Alljährlich im Juli ist Duhnen Schauplatz eines einzigartigen Spektakels: Das Duhner Wattrennen ist das einzige Pferderennen der Welt im Watt. Ausgetragen werden Galopper- und Traberwettbewerbe (Informationen: Tel. 0 47 21/40 41 27).

ESSEN

▶ Fein & Teuer
Sterneck
Cuxhavener Straße 86,
(im Badhotel Sternhagen)
27476 Cuxhaven-Duhnen
Tel. (0 47 21) 43 30
Mit Panoramablick auf die Nordsee werden Sie mit erlesenen Köstlichkeiten verwöhnt. Probieren Sie den Steinbutt im Kräutersud mit Ochsenschwanzravioli und Pfifferlingen.

▶ Erschwinglich
Schobert
Schillerstraße 5, 27472 Cuxhaven
Tel. (0 47 21) 3 87 18
Mediterran ausgelegte Küche. Viele Fischspezialitäten!

▶ Preiswert
Fischerstube
Nordstraße 6,
27476 Cuxhaven-Duhnen
Tel. (0 47 21) 4 20 70
Gemütliches, maritim eingerichtetes Fisch-Restaurant.

ÜBERNACHTEN

▶ Luxus
Badhotel Sternhagen
Cuxhavener Straße 86,
27476 Cuxhaven-Duhnen
Tel. (0 47 21) 43 30, Fax 43 44 44
www.badhotel-sternhagen.de
Wohlfühlatmosphäre herrscht in diesem Haus, wo man sich ganz individuell um die Gäste kümmert. Klassisch-elegante Wohnräume und Suiten, teilweise mit Nordseeblick. Hervorragendes gastronomisches Angebot, ansprechender Wellnessbereich mit Schwimmbad, Sauna, Fitnessstudio.

▶ Komfortabel
Seepavillon Donner
Bei der alten Liebe 5,
27472 Cuxhaven
Tel. (0 47 21) 56 60, Fax 56 61 30
www.seepavillon-donner.de
Direkt am Hafen und an der Elbmündung gelegen, gemütliche Zimmer und Suiten, teilweise mit Seeblick, nettes Restaurant, Sauna im Haus.

An der Nordspitze der Hafenbecken überblickt man von der »Alte Liebe« genannten **Aussichtsplattform**, ehemals Landungsbrücke, den Hafen. Hier ragt der 34 m hohe Radarturm auf. An der nordwestlich anschließenden Seebäderbrücke legen u.a. die Schiffe nach ▶Helgoland ab. Der Leuchtturm nördlich wurde 1803 erbaut.   ◀ Alte Liebe

500 m südwestlich der Alten Liebe befindet sich in der Schillerstraße das Schillerzentrum, ein Einkaufszentrum mit Häusern des 19. Jh.s   ◀ Schillerzentrum

Stadtteil Döse An der äußersten nördlichen Landspitze, im Stadtteil Döse, erstreckt sich der Kurpark mit Seehundbecken und Vogelwiese. Östlich, am Ende eines 250 m langen Damms, trifft man auf das **Wahrzeichen Cuxhavens**, die große hölzerne Kugelbake. Bis ins Zeitalter der Radarlotsung diente sie den Seeleuten als nautisches Seezeichen. Das vor 125 Jahren an der Kugelbake erbaute Fort wurde zur Verteidigung des Schifffahrtsweges Elbe gebaut.

Stadtteil Duhnen Rund 5 km westlich vom Zentrum liegt hinter Döse das 1935 eingemeindete Seebad Duhnen mit schönem Strand, Promenade, Kurmittelhaus und **Meerwasser-Brandungshallenbad**. In Duhnen gibt es das »Lütt Schiffsmuseum« (Wehrbergsweg 7), das nautisches Gerät, Schiffsmodelle, »Buddelschiffe«, Marinemalerei u. a. zeigt. Das Puppenmuseum, das Theaterpuppen aus aller Welt ausstellt, liegt im Wehrbergsweg 28. Von Duhnen aus starten hochräderige, von Pferden gezogene Wattwagen zur 12 km entfernten Insel Neuwerk.

✳
Wrackmuseum Im Wrackmuseum in der Dorfstraße 80 im **Stadtteil Stickenbüttel** dreht sich alles um Katastrophen und Schiffsuntergänge. Mit Funden aus gesunkenen Schiffen u. a. werden das Schiff, seine Reise, der Untergang, die menschlichen Schicksale und Rettungsversuche anschaulich dargestellt.

Umgebung von Cuxhaven

Neuwerk und Scharhörn Nordwestlich von Cuxhaven liegen in einer Entfernung von rund 12 bzw. 17 km die Inseln Neuwerk (3 km²; 36 Bewohner) und Scharhörn (2,8 km²) im Watt. Beide gehören verwaltungsmäßig zum Bundesland Freie und Hansestadt Hamburg, sind aber von Cuxhaven am bequemsten zu erreichen, nämlich per Schiff, bei Niedrigwasser auch mit dem Pferdewagen oder per Wattwanderung. Ungefähr ein Drittel von Neuwerk ist eingedeichtes Ackerland; der Rest dient großenteils als Viehweide. **Wahrzeichen der Insel** ist der 35 m hohe Leuchtturm, der 1814 aus einem Wehrturm des 13./14. Jh.s entstand und einen schönen Rundblick bietet, auch auf den »Friedhof der Namenlosen« mit Gräbern von unbekannten Seeleuten.

Nationalpark Hamburgisches Wattenmeer Vergleichsweise klein ist der im Jahre 1990 erklärte Nationalpark Hamburgisches Wattenmeer mit einer Fläche von 117 km². Auf den Inseln Scharhörn (Wattwanderung von Neuwerk, nur mit Führer!) und Nigehörn sowie in den Salzwiesen im östlichen Vorland Neuwerks liegen **einzigartige Seevögel-Brutgebiete**.

Otterndorf Kunstfreunde sollten sich im 19 km elbaufwärts gelegenen Otterndorf das Museum gegenstandsfreier Kunst nicht entgehen lassen; Blumenfreunde zieht es ins südöstlich davon gelegene Wingst in die Schaugärten der Kamelienzucht Fischer, einem der **schönsten Kamelienparks in Europa**.

★ Darmstadt

Atlasteil: S. 44 • A 2
Höhe: 146 m ü. d. M.

Bundesland: Hessen
Einwohnerzahl: 138 000

Die restaurierten Fassaden der vielen Gründerzeithäuser, die Gebäudegruppe Schloss und Landesmuseum und die Mathildenhöhe sind die Hauptattraktionen von Darmstadt. Um 1900 eines der Zentren des Jugendstils, nennt sich die ehemalige Hauptstadt des Großherzogtums Hessen heute »Wissenschaftsstadt«.

Angesichts der vielen wissenschaftlichen Einrichtungen scheint die kleine Großstadt an den Ausläufern des Odenwalds diesen Titel auch zu verdienen. Denn Darmstadt ist u. a. Sitz des Europäischen Operationszentrums für Weltraumforschung, einer Technischen Hochschule, der Deutschen Akademie für Sprache und Dichtung sowie des Deutschen PEN-Zentrums. Alljährlich wird hier der **wichtigste deutsche Literaturpreis**, der Georg-Büchner-Preis, vergeben, benannt nach dem in Darmstadt aktiven Vormärzschriftsteller.

»Wissenschaftsstadt«

Im Mittelalter war Darmstadt Residenz der Grafen von Katzenelnbogen, bis es 1479 an Hessen fiel. 1567 wurde Darmstadt Residenz der Landgrafschaft Hessen-Darmstadt. Unter Ludwig I. (1790–1830)

Geschichte

Darmstadt Orientierung

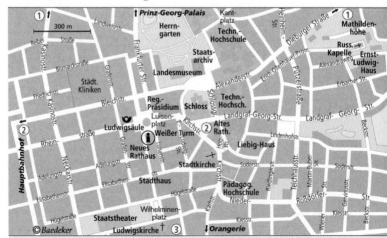

© Baedeker

Essen	Übernachten
① Landgraf Ludwig VIII	① Prinz Heinrich
② Ratskeller	② Maritim
③ Trattoria Romagnola	Rhein-Main Hotel

▶ DARMSTADT ERLEBEN

AUSKUNFT

Info Darmstadt
Luisenplatz 5, 64283 Darmstadt
Tel. (0 61 51) 13 27 80, Fax 13 34 34
www.darmstadt.de

ESSEN

▶ Erschwinglich

① *Landgraf Ludwig VIII*
Kranichsteiner Straße 261
64289 Darmstadt-Kranichstein
Tel. (0 61 51) 9 77 90
Im fürstlich-eleganten Ambiente des
Hotels Jagdschloss Kranichstein wird
internationale Küche serviert.

③ *Trattoria Romagnola*
Heinrichstraße 39, 64283 Darmstadt
Tel. (0 61 51) 2 01 59
Sehr geschmackvoll eingerichtetes
Lokal, kreative italienische Küche.

▶ Preiswert

② *Ratskeller*
Marktplatz 8, 64283 Darmstadt
Tel. (0 61 51) 2 64 44
In der rustikalen Gaststube werden
traditionelle bayerische Spezialitäten
angeboten. Großer Biergarten!

ÜBERNACHTEN

▶ Luxus

② *Maritim Rhein-Main Hotel*
Am Kavalleriesand 6
64295 Darmstadt
Tel. (0 61 51) 30 30
Fax 30 31 11
www.maritim.de
Nobles Ambiente im ganzen Haus,
geräumige Zimmer und luxuriöse
Suiten, modern und elegant eingerichtet. Im obersten Stock befindet
sich (mit Blick über Darmstadt) eine
beeindruckende Wellnessabteilung,
Schwimmbad und Sauna. Im feinen
Restaurant Rotisserie werden internationale Klassiker serviert.

▶ Günstig

① *Prinz Heinrich*
Bleichstraße 48
64293 Darmstadt
Tel. (0 61 51) 8 13 70, Fax 94 13 13
www.hotel-prinz-heinrich.de
Hinter einer völlig von wildem Wein
zugewachsenen Fassade verstecken
sich gemütliche, rustikal eingerichtete
Zimmer mit echten Bauernmöbeln aus
massiver Eiche.

erlebte die Stadt eine **große kulturelle Blüte**, und das Ende des 18. Jh.s entstandene Großherzogtum verzeichnete einen erheblichen Gebietszuwachs. 1899 gründete Großherzog Ernst Ludwig die Künst-lerkolonie Mathildenhöhe. 1949 wurde Darmstadt Sitz der Deut-schen Akademie für Sprache und Dichtung.

Sehenswertes in Darmstadt

Luisenplatz   Stadtmittelpunkt ist der Luisenplatz mit der 33 m hohen **Ludwigs-säule**, gekrönt von einem Bronzestandbild des Großherzogs Ludwig I. An der Nordseite des Luisenplatzes steht das ehemalige Kollegiengebäude (1780), heute Regierungspräsidium; an der Südsei-te liegen das Neue Rathaus und das Kongresszentrum.

Östlich vom Luisenplatz trifft man auf das zwischen dem 16. und 19. Jh. entstandene Schloss. In ihm ist – außer der Landes- und Hochschulbibliothek – im Glockenbau das **Schlossmuseum** untergebracht. Es zeigt Staatskarossen, verziertes Zaumwerk, Mobiliar, Jugendstilzimmer und Gemälde, darunter als Prunkstück die »Darmstädter Madonna« von Hans Holbein.

Schloss

Der Weiße Turm südlich des Schlosses stellt einen Rest der mittelalterlichen Stadtbefestigung dar. Direkt auf dem Marktplatz ist das wieder aufgebaute Alte Rathaus ein Renaissancebau mit vorgesetztem Treppenturm. Unweit südlich ragt die Stadtkirche (1369) in die Höhe, unter der sich die vermutlich 1587 angelegte Fürstengruft mit Grabmälern hessischer Landgrafen befindet. Südöstlich der Stadtkirche liegt **Hessens älteste Lateinschule** (Pädagogstraße), das so genannte Pädagog, ein Renaissancebau von 1629.

Marktplatz und Umgebung

Nördlich vom Schloss am Friedensplatz präsentiert das Hessische Landesmuseum seine kunst- und kulturgeschichtlichen Sammlungen: Archäologie, Malerei vom 13.–19. Jh., Kunst des 20. Jh.s, Zeichnungen, Druckgrafik, Kunsthandwerk mit einer reichhaltigen Jugendstilsammlung, Glasmalerei, zoologische Sammlungen sowie mineralogische, geologische und paläontologische Exponate.
Nördlich dahinter erstreckt sich der Herrngarten, die **»gud Stubb«** der Darmstädter. Der Park wurde bereits Mitte des 16. Jh.s angelegt.

✱
Landesmuseum

◄ Herrngarten

Am Ostrand des Herrngartens liegt die Technische Hochschule, am Nordrand das **Prinz-Georg-Palais**, auch Porzellanschlösschen ge-

Prinz-Georg-Palais

Hochzeitsturm und Russische Kapelle auf der Mathildenhöhe

nannt. Das um 1710 im Rokokostil errichtete Gebäude birgt eine wertvolle Porzellansammlung aus den berühmtesten Manufakturen der Welt. Umgeben ist das Palais von einem Rokokogarten.

Ludwigskirche Wenn Ihnen der Wilhelminenplatz römisch vorkommt, dann hat das seine Richtigkeit. Denn die Anfang des 19. Jh.s erbaute klassizistische St.-Ludwigs-Kirche ist eine Nachbildung des Pantheons in Rom; davor steht das obeliskförmige Denkmal für Prinzessin Alice, Gemahlin des Großherzogs Ludwig IV. Über die Karlstraße noch weiter südlich erreicht man die barocke Orangerie (Bessunger Straße), die 1719 für Orangenbäume aus Sardinien errichtet wurde und heute ein Tagungsort ist.

✳ ✳
Mathilden-
höhe

Im Osten der Stadt gründete im Jahr 1899 Großherzog Ernst Ludwig die »**Künstlerkolonie**« auf der Mathildenhöhe. Nach den Vorstellungen der anfänglich sieben hier arbeitenden Künstler entstanden mehrere Jugendstil-Wohnhäuser mit dazugehörenden Ateliergebäuden. Im Zentrum der Kolonie steht der 48 m hohe Hochzeitsturm, der 1908 von Joseph Olbrich errichtet wurde, mit einem Aussichtszimmer (Aufzug). In seiner Eingangshalle sind die zwei Mosaiken von Kleukens sehenswert. Gleich nebenan wirkt die schöne, mit goldenen Kuppeln und vielerlei Verzierungen geschmückte Russische Kapelle ein wenig fremd zwischen den vielen Jugendstilgebäuden. Im Ernst-Ludwig-Haus zeigt das **Museum Künstlerkolonie Darmstadt** einen repräsentativen Querschnitt durch das Schaffen der Darmstädter Künstlerkolonie von ihrer Gründung bis zu ihrer Auflösung im Jahr 1914.

Vivarium,
Tiergarten

Reptilien, Strauße, Riesenschildkröten, Affen, Kamele u. a. tummeln sich im Vivarium am östlichen Stradtrand und im Tiergarten in der Heinrichstraße.

Umgebung von Darmstadt

Kranichstein Das Ende des 16. Jh.s begonnene Jagdschloss Kranichstein (5 km nordöstlich von Darmstadt) beherbergt ein **Jagdmuseum**. Die einstige Sommerresidenz der Landgrafen wurde als Renaissancebau angelegt, dann barock umgestaltet und gilt als einer der wenigen barocken Jägerhöfe Deutschlands. Das ehemalige Bahnbetriebswerk Darmstadt-Kranichstein ist heute **Eisenbahnmuseum**.

Messel ▶ Nordöstlich des Jagdschlosses liegt der Ort Messel, der durch die im nahen Ölschiefer gefundenen Fossilien bekannt geworden ist. Die schönsten werden im Heimatmuseum Messel gezeigt; von einer Plattform kann man die Grube überschauen.

✳ Dessau

Atlasteil: S. 29 • C 3/4
Höhe: 61 m ü. d. M.

Bundesland: Sachsen-Anhalt
Einwohnerzahl: 90 000

Das Gesicht der Stadt Dessau prägt der Bauhaus-Stil, durch den die Stadt seit 1925 weltweite Bedeutung erlangte. Im Dezember 1996 wurden die Bauhaus-Gebäude Dessaus in die Liste des Weltkulturerbes der UNESCO aufgenommen.

Erstmals 1213 urkundlich als Siedlung und 1298 als Stadt erwähnt, war Dessau von 1471–1918 Residenz askanischer Fürsten von Anhalt-Dessau, von 1918–1945 Hauptstadt des Freistaates Anhalt. 1774 gründete der Hamburger Pädagoge Johann Bernhard Basedow (1724–1790) in Dessau das Philanthropinum als »Schule der Menschenfreunde«. 1892 entstanden hier die **Junkers-Werke**, die zwischen den beiden Weltkriegen zu einem bedeutenden Unternehmen im Flugzeugbau wurden.

Geschichte

✳ ✳ Bauhausbauten

1925/1926 wurde in Dessau das berühmte Bauhausgebäude nach Entwürfen von **Walter Gropius** errichtet. Das raumgreifende Ensemble aus Glas, Stahl und Beton, in das jeder Gegenstand ohne aufgesetzte Effekte integriert ist, entspricht der Idee seines Begründers: Die Form gehorcht der Funktion. In diesem Gebäude fand die aus Weimar vertriebene Hochschule für Gestaltung eine neue Wirkungsstätte, bis sie 1932 von den Nationalsozialisten geschlossen wurde. Ateliertrakt, Berufsschule, Werkstätten und Bühne verkörpern den Bauhausgedanken. Heute ist das Gebäude Sitz der Stiftung Bauhaus Dessau. Bemerkenswert sind vor allem die 1400 m² große, frei hängende Glas-Vorhangfassade, die Bauhaus-Brücke und

Bauhaus

! *Baedeker* TIPP

Ins Bauhaus

Wer sich das Bauhaus mit fachkundiger Erklärung anschauen will, kann sich den Führungen anschließen, die ganzjährig tgl. um 11.00 und um 14.00 Uhr, Mitte Feb. bis Ende Okt. Sa. und So. zusätzlich um 16.00 Uhr, angeboten werden. Gruppen können auch Rundfahrten (im eigenen Bus!) zu den Bauhausbauten arrangieren (Voranmeldung Tel. 03 40/6 50 82 51).

der Eingang. Originalgetreu restauriert (1976–1979) wurden auch die Aula mit Bühne, die Mensa, das Vestibül sowie der Ausstellungs- und Vortragsraum.

In der Ebertallee nordwestlich des Bauhauses entstanden zeitgleich mit dem Bauhausgebäude drei Meisterhäuser für die Bauhausmeister und ein Einzelhaus für den Direktor, das allerdings ebenso wie eine Doppelhaushälfte im Krieg zerstört wurde. Die Häuser von Kandins-

Meisterhäuser

Als eines der bedeutendsten Architekturdenkmale des 20. Jh.s genießt das Bauhaus in Dessau internationalen Ruf.

ky/Klee, Feininger und Muche/Schlemmer wurden renoviert und zeigen sich – im Kontrast zum nüchternen Äußeren – innen wieder in originaler Farbenpracht.

Kornhaus Von der Ebertallee Richtung Aken biegt man nach einigen hundert Metern rechts in die Elballee ab, an deren Ende das Kornhaus steht. Dieses 1996 renovierte Bauhausgebäude mit schöner Terrasse beherbergt einen Tanzsaal, eine Bierhalle und ein Café. Seine **wunderschöne Lage am Elbufer** lädt zu einem Spaziergang ein.

Arbeitsamt Im südlichen Teil der Innenstadt steht mit dem von Walter Gropius 1928 erbauten Arbeitsamt, einem halbrunden Flachbau mit anschließendem zweigeschossigen Bürotrakt, eine **optische Ausnahmeerscheinung** unter den Bauhausbauten durch seinen Grundriss und das Stahlskelett mit Ziegelmauerwerk.

Bauhaus-Siedlung Dessau-Törten Die Bauhaus-Siedlung in Dessau-Törten südöstlich vom Stadtzentrum mit 316 Häusern sollte die Idee der Mechanisierung des Bauens verwirklichen: Das Stahlhaus (1926, Südstraße) von Georg Muche und Richard Paulick steht auf Stahlstützen und ist mit einer Stahlblech-Außenhaut umhüllt; die fünf Laubenganghäuser in der Peterholzstraße, 1930 von Hannes Meyer entworfen, sind dreigeschossig mit je 18 Wohnungen und besitzen Treppenhäuser, die über Laubengänge zu den Wohnungen führen.

Innenstadt

Das **Museum für Naturkunde und Vorgeschichte** (1746–1750), Ecke Askanische Straße/Kavalierstraße, wurde als **Leopolddank-Stift** errichtet. Ausgestellt sind Sammlungen der Geologie, Mineralogie, Botanik, Paläontologie und Zoologie.

? WUSSTEN SIE SCHON …?

■ dass der 40 m hohe, kantige Turm (1847) des Museums für Naturkunde und Vorgeschichte eine Nachbildung des Hospitals Santo Spirito in Rom ist?

Die **Kirche St. Georg** wurde 1712–1717 in niederländischem Barock erbaut, um 1820 erfolgten Anbauten durch Carlo Ignazio Pozzi. Nachdem sie 1945 ausgebrannt war, wurde sie in den Sechzigern wieder hergestellt und 1991 umfassend restauriert. Eindrucksvoll sind der dreigeschossige Zwiebelturm und das elliptische Mansardendach.

Johannbau

Vom **Residenzschloss** der Fürsten von Anhalt ist nur noch der Johannbau erhalten. In unmittelbarer Nähe liegt das Lustgartentor, der mittlere Teil der Mauer, die im 18. Jh. als Begrenzung des Schlossparks zum Lustgarten errichtet wurde.

Stadtpark

Im Stadtpark, dem ehemaligen Palaisgarten, sind vor allem das klassizistische Teehäuschen (um 1780, ursprünglich Orangerie), die Stadtmauer, ein Teil der Akzisemauer von 1712 mit einer Zentauren-Plastik aus Bronze (1881, von Reinhold Begas) und Denkmäler sehenswert, z. B. des Philosophen Moses Mendelssohn und des Verfassers des »Sachsenspiegels«, Eike von Repgow.

Dessau *Orientierung*

Übernachten
① An den 7 Säulen
② Steigenberger Hotel Fürst Leopold
③ NH Dessau

Essen
① Pächterhaus
② Mariannenklause

© Baedeker

✴ Das Georgium, ein englischer Garten, atmet den Geist des **Klassizis-**
Georgium mit **mus**. Im klassizistischen Schloss Georgium (1782, Friedrich Wilhelm
Gemäldegalerie von Erdmannsdorff) zeigt die Anhaltische Gemäldegalerie neben Bildern von Dürer, Cranach d. Ä. und Tischbein auch Werke holländischer und flämischer Malerei.

Tierpark Im angrenzenden Lehrpark für Tier- und Pflanzenkunde sind fast 500 Tiere 110 verschiedener Arten beheimatet. 125 beschriftete Gehölzarten bestimmen das Profil des großen Parkes, der im 19. Jh. von August Hooff angelegt wurde.

✴ Ein Kleinod deutscher Architektur des 18. Jh.s ist das nach Plänen
Schloss von Georg Wenzeslaus von Knobelsdorff erbaute Schloss Mosigkau,
Mosigkau rund 9 km südwestlich vom Stadtzentrum. In z. T. original ausgestatteten Kabinetten sind Möbel, Spiegel, Porzellan und Fayencen zu sehen. Holländische, flämische und deutsche Gemälde des 17./18. Jh.s (u. a. Rubens, Pesne, Jordaens und van Dyck) hängen in dem mit rei-

▶ DESSAU ERLEBEN

AUSKUNFT

Tourist-Information
Zerbster Straße 2 c
06844 Dessau
Tel. (03 40) 2 04 14 42,
Fax 2 20 30 03
www.dessau.de

ESSEN

▶ **Erschwinglich**

① *Pächterhaus*
Kirchstraße 1, 06846 Dessau
Tel. (03 40) 6 50 14 47
In einem aufwändig restaurierten Fachwerkhaus aus dem Jahr 1743 werden die Gäste mit hervorragender regionaler Küche verwöhnt.

② *Mariannenklause*
Mariannenstraße 13, 06844 Dessau
Tel. (03 40) 2 21 33 70
Speisen wie in Omas Wohnküche – zwischen alten Kohlenherden und antiken Küchenmöbeln kommen in dem originellen Lokal altdeutsche Gerichte und regionale Spezialitäten auf den Tisch.

ÜBERNACHTEN

▶ **Komfortabel**

② *Steigenberger Fürst Leopold*
Friedensplatz, 06844 Dessau
Tel. (03 40) 2 51 50, Fax 2 51 51 77
www.dessau.steigenberger.de
Das schicke Hotel im Bauhaus-Stil ist idealer Ausgangspunkt für Exkursionen ins Dessau-Wörlitzer Gartenreich. Großzügige Zimmer und Suiten.

③ *NH Dessau*
Zerbster Straße 29, 06844 Dessau
Tel. (03 40) 2 51 40, Fax 2 51 41 00
www.nh-hotels.com
Großzügiges Tagungshotel mit modernen Zimmern und einem Restaurant im Bistro-Stil. Von der Dachterrasse des Saunabereiches bietet sich ein herrlicher Blick über die Stadt.

▶ **Günstig**

① *An den 7 Säulen*
Ebertallee 66, 06846 Dessau
Tel. (03 40) 6 40 09 00, Fax 61 96 22
Charmant geführtes Haus am Rand der Innenstadt, gepflegte Zimmer.

Spaziergang im Weltkulturerbe: der Wörlitzer Park mit seinen Seen und unterschiedlichsten Bauwerken

cher Stuckzier geschmückten Galeriesaal. Im Mosigkauer Park (1755–1757) gibt es auch einen **Irrgarten**. In den Orangerien finden jährlich (Juli–Sept.) Sommerausstellungen statt. Das japanische Teehäuschen wurde 1775 gebaut.

Der Landschaftspark Luisium im Ortsteil Waldersee, vier Kilometer östlich vom Dessauer Stadtkern, ist ein intimer **englischer Garten** von 1780. Das klassizistische Schloss (1774–1777) ist ein Meisterwerk von Friedrich Wilhelm von Erdmannsdorff. Im stimmungsvollen Garten trifft man auf Tempel, Statuen, Denkmäler, Grotten, eine chinesische Brücke und eine Orangerie.

✳ Landschaftspark Luisium

Umgebung von Dessau

Das kleine Städtchen Wörlitz, knapp 20 km östlich von Dessau, wird hauptsächlich wegen seines berühmten Parks besucht, den die UNESCO zum Weltkulturerbe erklärt hat. Der Wörlitzer Park, zwischen 1765 und 1810 gestaltet und einer der **ersten Landschaftsgärten auf dem europäischen Festland**, besticht durch seine abwechslungsreiche und natürlich wirkende Anlage und lädt mit seinen Seen und Kanälen, den klassizistischen und neugotischen Bauwerken, unterschiedlichsten Brücken, Grotten und Statuen zu ausgedehnten Spaziergängen ein. Er besteht aus insgesamt fünf Teilen. In seiner Gestaltung und in seinen Bauwerken spiegelt sich die Rezeption der Antike ebenso wie die Entdeckung der Natur im Zeitalter der bürgerlichen Aufklärung wider.

✳ ✳ Wörlitzer Park

Nach dem Vorbild englischer Landsitze entstand 1769–1773 das Wörlitzer Schloss, das wie fast alle Bauwerke im Park von Friedrich Wilhelm von Erdmannsdorff entworfen wurde. Der frühklassizistische Bau besitzt eine besonders schöne Innenausstattung und eine wertvolle Kunstsammlung. Etwas weiter östlich werden in der Galerie am Grauen Haus (1789) Sonderausstellungen gezeigt. Die Synagoge (1789/1790, ehemaliger Vesta-Tempel) wurde in der Pogromnacht 1938 teilweise zerstört und 1948 restauriert. Im Westen des Schlossgartens beginnen die **Gondelfahrten** über den Wörlitzer See.

◀ Schlossgarten mit Schloss Wörlitz

! **Baedeker** TIPP

Ferropolis

Die riesige aufgelassene Braunkohlegrube Golpa-Nord bei Jüdenberg ist zum technischen Museum umfunktioniert worden. Fünf gigantische Bagger (der größte ist 125 m lang) bilden die Kulisse für Konzerte, Theater und Partys. Hinzu kommt ein Schienenfahrzeugmuseum (Öffnungszeiten: im Sommer tgl. 10.00–20.00 Uhr, im Winter tgl. 10.00 Uhr bis Einbruch der Dunkelheit).

In Schochs Garten befindet sich das von Georg Christoph Hesekiel gebaute »Gotische Haus« (1773–1813), seinerzeit das **größte neogotische Bauwerk in Deutschland**, in dem heute u. a. Bilder von Lucas Cranach d. Ä. zu sehen sind. Das 1767/1768 entworfene Nymphäum wurde den Wassergöttinnen gewidmet. Der Blumengöttin geweiht ist der rechteckige Floratempel (1796–1798), der runde Venustempel (1797) mit der »Venus von Medici« erinnert an den Ruinentempel der Sibylle in Tivoli bei Rom.

◀ Gotisches Haus

Nordwestlich vom See liegt das Pantheon, 1795/1796 erbaut, in dem eine Sammlung antiker Statuen und Büsten aufbewahrt wird. Die Eiserne Brücke (1791) hat ihr Vorbild in der Brücke über den Severn in Coalbrookdale (Großbritannien) und ist die erste Brücke dieser Bauart auf dem europäischen Festland. Die Villa Hamilton (1791–1794) entstand auf der künstlich geschaffenen Insel »Stein« (1788–1794), auf der auch der Vesuv sowie Grotten nachgebildet wurden. Letzter der fünf Parkteile ist der **Palmengarten**.

◀ Neue Anlage

Zerbst (20 km nordwestlich von Dessau) verfügt über eine fast vollständig erhaltene, 4 km lange **Stadtmauer** mit Wehrgang und drei Stadttoren (15. Jh.). Fayencen, Wiegendrucke, Handschriften, Cranach-Bibel von 1541 u. a. sind im Museum in der einstigen Klosterkirche (1252) ausgestellt. Die Trinitatiskirche (1683–1696) von Cornelis Ryckwaert ist im Stil des holländischen Barock gehalten und besitzt schöne Plastiken von Giovanni Simonetti.

Zerbst

Der Ort Wolfen, 22 km südlich von Dessau, sagt Fotografen etwas: Hier errichtete die AGFA AG 1909 eine Filmfabrik, in der 1936 der erste **universell einsetzbare Farbfilm** hergestellt wurde. Ab 1964 kamen von hier die ORWO-Filme (= »ORiginal WOlfen«). Heute kann man das Werk mit Maschinen, z. T. aus den Zwanzigerjahren, besichtigen und lernt die komplexe Technik der Filmherstellung kennen.

Industrie- und Filmmuseum Wolfen

In Gräfenhainichen (23 km südöstlich von Dessau), der Geburtsstadt des bedeutendsten evangelischen Kirchenliederdichters Paul Gerhardt (1607–1676), lohnen die säulengeschmückte klassizistische Paul-Gerhardt-Kapelle (1844) und das Paul-Gerhardt-Haus einen Besuch. Auffallend sind auch die sächsische Postmeilensäule (16. Jh.) und das Johann-Gottfried-Galle-Denkmal (1977), das an den Astronomen erinnert, der 1846 den Neptun entdeckte.

⋆ Deutsche Weinstraße · Pfälzer Wald

Atlasteil: S. 42/ 43 • C/D 3/4 **Bundesland:** Rheinland-Pfalz

Die Deutsche Weinstraße zieht am burgenreichen Ostabfall des Pfälzer Waldes (der Haardt) entlang durch eines der größten geschlossenen Weinbaugebiete Deutschlands. Sie beginnt bei Bockenheim, westlich von Worms, und endet am Deutschen Weintor in Schweigen nahe der deutsch-französischen Grenze.

Schon die Römer bauten Reben an, und zur Zeit Karls des Großen war die Rheinpfalz ein bedeutender Lieferant der kaiserlichen Tafel- und Krönungsweine. Das **milde Klima** lässt neben Wein selbst Pfirsiche, Aprikosen, Feigen, Edelkastanien und Zitronen reifen.

Malerische Weinbauorte

Die Deutsche Weinstraße, insgesamt 83 km lang, ist durch besondere Hinweisschilder markiert, die eine stilisierte Weintraube – im Teilgebiet Südliche Weinstraße einen Krug – zeigen. Sie führt fast ununterbrochen durch ausgedehnte Reb- und Obstfluren und durchquert dabei zahlreiche, oft sehr malerische Weinbauorte.

⋆ Fahrt auf der Deutschen Weinstraße

In Bockenheim beginnt das geschlossene Weinbaugebiet und mit ihm die eigentliche Weinstraße. Nun geht es in südlicher Richtung am Rand des Naturparks Pfälzer Wald entlang, der sich nach Westen ausdehnt. Es folgen das Weinhandelsstädtchen Grünstadt sowie die Winzerorte Kirchheim und Kallstadt.

Bockenheim

Bad Dürkheim, die drittgrößte deutsche Weinbaugemeinde, wird auch wegen ihrer **Natriumchloridquelle** besucht. Ein Kurhaus mit Spielbank, ein Kurmittelhaus und ein Kurgarten sowie das Hallen- und Freibad »Salinarium« stehen den Besuchern zur Verfügung. Alljährlich im September findet das große Weinfest »Wurstmarkt« statt. Zum Wahrzeichen geworden ist das als Weinstube eingerichtete **Dürkheimer Fass** (1,7 Mio. l). In der Schlosskirche (um 1300) kann man das Renaissancegrabmal des Grafen Emich XI. von Leiningen

Bad Dürkheim

und seiner Gemahlin besichtigen. Im Haus Catoir befindet sich das Heimatmuseum, in der ehemaligen Herzogmühle das Museum für Naturkunde. Etwa 3 km westlich lohnt die großartige Ruine der ehemaligen **Benediktinerabtei Limburg** einen Besuch. Sie wurde 1025 vom Salierkaiser Konrad II. gegründet.

Wachenheim
Das altertümliche Städtchen Wachenheim wird überragt von der Ruine Wachtenburg (12. Jh.). Südwestlich breitet sich der Kurpfalz-Park aus, eine Kombination aus Hochwildschutz- und Erlebnispark.

✳
Museum für Weinkultur
Auch Deidesheim ist ein bedeutender Winzerort. Im schönen ehemaligen Rathaus (16. Jh.) ist das Museum für Weinkultur untergebracht, auch ein sehenswertes **Keramikmuseum** gibt es im Zentrum.

Neustadt an der Weinstraße
Neustadt an der Weinstraße ist die **größte Weinbaugemeinde Deutschlands**. Und auch auf anderem Gebiet sind die Neustädter führend: Denn in ihrer zweitürmigen gotischen Stiftskirche (1368–1500) am Marktplatz schlägt eine der größten Gussstahlglocken der Welt. Gegenüber ziert den Platz das hübsche Rathaus (1728/1739). Ferner findet man in der Stadt ein Eisenbahnmuseum.

✳
Hambacher Schloss
Hinauf Patrioten, hinauf zum Schloss, so oder ähnlich tönte es 1832, als ca. 30 000 Männer und Frauen aus nah und fern singend und mit wehenden Fahnen in den Farben Schwarz-Rot-Gold hinauf zum Hambacher Schloss marschierten und ein freies Deutschland als föderative Republik forderten. Das imposante Bauwerk südwestlich von Neustadt wurde um 1000 erbaut, war seit 1688 Ruine und wird seit dem 19. Jh. ausgebaut. Die Ausstellung »**Ein Fest für die Freiheit**« verdeutlicht die Aufbruchstimmung jener Tage.

Edenkoben
Rund 3 km westlich von Edenkoben wurde in schöner Aussichtslage in den 1840er-Jahren das **Schloss Ludwigshöhe** für König Ludwig I. von Bayern errichtet. Hier sind Werke des Malers Max Slevogt ausgestellt. Auf die Ruine Rietburg, von wo man einen herrlichen Ausblick hat, gelangt man per Sesselbahn. Auch ein Abstecher in das idyllische St. Martin mit schönen Wohnhäusern und Torbögen lohnt sich.

✳
St. Martin ▶

Annweiler
✳
Trifels ▶
Fährt man von Landau über die Weinstraße westlich, gelangt man nach Annweiler am Trifels mit hübschen Fachwerkhäusern. Über dem Ort erhebt sich die alte Reichsveste Trifels (11. Jh.), wo im 12. und 13. Jh. die Reichsinsignien aufbewahrt wurden und manch Gefangener einsaß – der prominenteste war **Richard Löwenherz von England**, der auf seiner Rückkehr vom Kreuzzug hier festgesetzt wurde. Von der Burg kann man eine schöne Rundsicht genießen.

✳
Leinsweiler
Die Fortsetzung der Weinstraße berührt Leinsweiler. Oberhalb des Dorfs liegt der Slevogthof, einst Sommersitz des Malers Max Slevogt (1868–1932), der die Innenräume ausgemalt hat.

▶ DEUTSCHE WEINSTRASSE · PFÄLZER WALD ERLEBEN

AUSKUNFT

Deutsche Weinstraße e.V.
Martin-Luther-Straße 69,
67433 Neustadt an der Weinstraße
Tel. (0 63 21) 91 23 33, Fax 91 23 30
www.deutsche-weinstrasse.de

PFÄLZER WEIN

Weiß und trocken sind die meisten Weine, denn der Riesling wird hier besonders ausgebaut. Aber auch Rieslaner, Weißburgunder, Gewürztraminer, Edelsüßen und Sekt haben die Winzer im Programm. Zwei gute Adressen sind: das imposante Weingut Müller Catoir in Haardt (Mandelring 25, Tel. 0 63 21/28 15), das besonders im Frühjahr den Besuch lohnt, wenn die Mandeln blühen, und Fritz Ritter in Bad Dürkheim (Weinstraße Nord 51, Tel. 0 63 22/53 89).

ESSEN

▶ Fein & Teuer

Schwarzer Hahn
Am Marktplatz 1,
(im Hotel Deidesheimer Hof)
67146 Deidesheim
Tel. (0 63 26) 9 68 70
Ein imposanter Gewölbekeller ist der passende Rahmen für kulinarische Meisterwerke, die hier kreiert werden. Zur Wahl stehen klassische Haute Cuisine und kreative Regionalküche.

▶ Erschwinglich

Brezel
Rathausstraße 32,
67433 Neustadt an der Weinstraße
Tel. (0 63 21) 48 19 72
Kreative Frischeküche mit internationaler, saisonaler Ausrichtung in einem 1695 erbauten, malerischen Fachwerkhaus.

▶ Preiswert

Gutsausschank Spindler
Weinstraße 44,
67147 Deidesheim-Forst
Tel. (0 63 26) 58 50
Pfälzer Gastlickeit erlebt man in dem alten Weingut bei herzhafter Pfälzer Kost und Weinen aus eigenem Anbau.

ÜBERNACHTEN

Baedeker-Empfehlung

▶ Luxus

Deidesheimer Hof
Am Marktplatz 1, 67146 Deidesheim
Tel. (0 63 26) 9 68 70, Fax 76 85
www.deidesheimerhof.de
Gastfreundlichkeit, perfekter Service und äußerst komfortable Zimmer mit italienischen Stilmöbeln machen den prachtvollen Renaissancebau zu einer sehr empfehlenswerten Unterkunft.

▶ Komfortabel

Ramada-Treff Page Hotel
Exterstraße 2,
67433 Neustadt an der Weinstraße
Tel. (0 63 21) 89 80, Fax 89 81 50
www.ramada-treff.de
Zentral gelegen, moderne mit allem Komfort ausgestattete Zimmer und elegante Suiten. Restaurant, Sauna und Fitnessstudio im Haus.

Parkhotel
Mahlastraße 1,
76829 Landau in der Pfalz
Tel. (0 63 41) 14 50, Fax 14 54 44
www.parkhotel-landau.de
In der Nähe der Festhalle gelegen, moderne Ausstattung, einladendes Restaurant. Schwimmbad, Sauna.

Grandioser Ausblick: Mayschoß in der Eifel

WEINE VON WELTKLASSE

»Der Prophet gilt nichts im eigenen Land«, lautet ein Sprichwort. Und so greifen selbst Kenner lieber zu italienischen, australischen oder südafrikanischen Weinen als zu heimischen Tropfen. Schade. Denn deutsche Weine sind in vielerlei Hinsicht einsame Spitze.

Deutscher Wein wächst nicht neben Oliven und Korkeichen. Die deutschen Weinbaugebiete liegen auf dem selben Breitengrad wie Neufundland. Aber hier pflegt ihn das warme Klima des Golfstroms. Das bringt Weine von fruchtiger Säure mit einem Fächer berauschender Duftnoten – etwa beim Riesling, der im Ausland reißenden Absatz findet. Es gibt **13 Anbaugebiete** in Deutschland: Rheinhessen, Pfalz, Mosel-Saar-Ruwer, Baden, Württemberg, Franken, Nahe, Sachsen, der Rheingau, Mittelrhein, Ahr, Hessische Bergstraße und Saale-Unstrut.

Der König der Rotweine

Jung gilt er als sexy, lasziv, erotisch. Sein Parfüm aus frischen Wald-Erdbeeren, Johannis- oder auch Himbeeren, Schwarz- oder Sauerkirschen bleibt lange in der Nase. Er schimmert im dünnwandigen Kelch, der seinen Namen trägt, rubinrot wie die Abendsonne. Samtig streicht er um den Gaumen, sodass man gar nicht aufhören mag zu trinken. Auch im Alter lässt er nicht nach – im Gegenteil. Der Pinot Noir, der König der Rotweine, reift in Vollendung – natürlich an der Cote 'd Or im ostfranzösischen Burgund. Hierzulande nennt man diesen Rebensaft **»Spätburgunder«**, schwenkt ihn im Burgunderkelch und wundert sich nicht darüber, dass er aus Deutschland kommt. Denn auch im westrheinischen Ahrtal wird Rotwein von Weltklasse produziert – und das weiß kaum jemand.

Rotwein aus dem Ahrtal

Werner Näkel heißt der Mann, der deutschem Spätburgunder zu neuer Größe verhalf. Dass die gut 120 000 Flaschen, die sein **Weingut in Dernau** jährlich produziert, schon meistens

Harte Arbeit in schöner Landschaft: Weinlese am Badenberg bei Oberrotweil

vor der Abfüllung verkauft sind, ist natürlich kein Zufall. Obwohl Seiteneinsteiger ohne Önologie-Studium, dafür aber mit Mathe-Lehrer-Examen in der Tasche, übernahm Näkel vor über 20 Jahren das elterliche Weingut, probierte hier, experimentierte dort. Mit seinem 1987er-Jahrgang schaffte er, was damals niemand für möglich gehalten hatte: Rotweine aus dem Ahrtal, seinerzeit als billig, süßlich, schlampig produziert beschrieben, sie stiegen in die europäische Spitzenliga auf. Seither gehören die Tröpfchen aus Lagen wie »Walporzheimer Kräuterberg« oder »Dernauer Pfarrwingert« zum begehrtesten, was es an deutschen Weinen gibt. Als ideal erweist sich dabei, was Winzer unter dem Begriff **»Terroir«** zusammenfassen: die Beschaffenheit des Bodens einer bestimmten Lage – der rund ums Siebengebirge vor allem vulkanischen Ursprungs ist.

Trends beim Weißwein

Unter den weißen Rebsorten der Pfalz zählt er zu den beliebtesten: Der **Weißburgunder** ist an der Deutschen Weinstraße zwar bei weitem nicht so verbreitet wie der Riesling. Doch während viele andere weiße Sorten in den vergangenen Jahren dem Rotwein-Trend weichen mussten, konnte der Weißburgunder seine Position ständig ausbauen. Waren 1996 lediglich 542 Hektar mit der klassischen Sorte bepflanzt, hat sich die Fläche bis 2004 auf fast 750 Hektar vergrößert. Die **Pfalz** ist damit neben **Baden** eines der großen Burgunder-Anbaugebiete in Deutschland, Winzer wie Friedrich Becker in Schweigen-Rechtenbach, Dr. Wehrheim in Birkweiler, Ökonomierat Rebholz in Sibeldingen gehören zu den führenden Produzenten. Pfälzer Weißburgunder werden überwiegend trocken ausgebaut. Sie präsentieren sich dann meist leichter und rassiger, also auch säurebetonter, als die des verwandten Grauburgunder.

Die Besonderheit im **sächsischen Weinbau** ist der Goldriesling. Das ist eine aus dem Elsass stammende Kreuzung von Riesling und Courtellier, die seit 1913 im Elbtal angebaut wird. Der **Goldriesling** treibt im Frühjahr spät aus und reift ca. eine Woche vor dem Müller-Thurgau. Er eignet sich dadurch sehr gut für den Anbau in spätfrostgefährdeten Lagen. Wenn man ihn als jungen Wein im Sommer

trinkt, ist dies ein fast prickelnder, erfrischender Genuss. Ähnlich »spritzig« ist eigentlich nur noch der **Elbling**, der sich im **Saartal** zunehmender Beliebtheit erfreut. Die Elbling-Rebe wurde dort und an der Obermosel übrigens schon von den Römern angebaut, ist also gut 2000 Jahre alt.

Halten wir es mit Goethe?

Schon Goethe hatte Recht: Auch vinologisch muss man nicht immer in die Ferne schweifen: »Gut, wenn ich wählen soll, so will ich Rheinwein haben. Das Vaterland verleiht die allerbesten Gaben«. Wohl wahr; denkt man bei Ortsnamen wie »Bacharach« nicht gleich schon an den römischen Weingott? Jedenfalls war Bacchus bereits zu Gast am Mittelrhein, und Literaten wie Ludwig Christoph Heinrich Hölty (1748–1776) fühlten sich zu beschwingten Worten inspiriert: »Ein Leben wie im Paradies gewährt uns **Vater Rhein**. Ich geb' es zu, ein Kuss ist süß, doch süßer ist der Wein.« Vor allem zwischen Koblenz und Bingen reifen elegante, ausdrucksvolle **Riesling-, Müller-Thurgau-, Kerner-Weine und Spätburgunder**, denn die Bedingungen sind geradezu ideal: Hang-

lagen bieten der Sonne den optimalen Einstrahlungswinkel, das Schiefergestein gibt abends und nachts die gespeicherte Wärme wieder ab, zudem schützen die Berge vor kalten Winden. Auch das Mikroklima spielt eine große Rolle: Der Hang ist nicht, wie die Tallagen, den gefährlichen Nachtfrösten ausgesetzt, da Kaltluft absinkt, die über dem Fluss erwärmte Luft hingegen aufsteigt und über die Hänge streicht. **Traditionsweingüter** wie Kloster Eberbach, Schloss Johannisberg und Schloss Vollrads haben den **Rheingau** schon vor langer Zeit berühmt gemacht, nun wird die Szene bestimmt durch junge Familienbetriebe: etwa Georg Breuer in Rüdesheim, den Johannishof in Geisenheim oder Franz Künstler in Hochheim.

Dank der langen Reife bis tief in den Herbst und des fachkundigen Ausbaus im Fass bekommen Rhein-Weine ihre aromatische Fülle. Da hat sich seit der Antike viel geändert, denn die Römer, die den Weinbau ins Rheintal brachten, würzten den Rebensaft mit Honig, verdünnten ihn mit Wasser oder ließen die Maische endlos gären, um mehr Volumenprozente zu bekommen – wie sie lustig waren.

In Eichenholzfässern ausgebaut: Den Weinkeller in Schloss Johannisburg im Rheingau kann man sogar besuchen.

Im Reich der Riesling-Rebe

Nun liegt Koblenz an zwei großen Flüssen zugleich; nur wenige Kilometer sind's zu den Spitzenwein-Gebieten der Mosel, dem unangefochtenen Reich der Riesling-Rebe. Egon Müller/Scharzhof, Dr. Loosen, Fritz Haag, Albert Kallfelz oder Lagen wie »Wehlener Sonnenuhr« klingen wie Musik in den Ohren von Kennern und Genießern. Deutschlands **älteste Weinregion**, in der schon die Römer Weinbau betrieben, ist eine der mildesten Klimazonen des Landes. Nirgendwo in der Welt gibt es mehr Steillagenweinberge, nirgendwo wird mehr Riesling angebaut. Nach Rheinhessen, Rheinpfalz, Baden und Württemberg ist Mosel-Saar-Ruwer das fünftgrößte Weinbaugebiet.

Das Winzersterben

Das Winzersterben hat jedoch teils dramatische Ausmaße angenommen. Jahr für Jahr schrumpft die Anbaufläche; wo früher die Rebstöcke dicht an dicht standen, wuchern heute Hecken und Büsche. Zu Beginn des 20. Jh.s wurden beispielsweise im Mittelrheintal noch mehr als 2000 Hektar Anbaufläche bewirtschaftet – heute sind es gerade mal 580 Hektar. Die Gründe sind vielfältig. Für Unmut unter vielen Nebenerwerbswinzern sorgen immer wieder Pläne, die Steillagen-Förderung erheblich zu kürzen und so die Etat-Bilanz ein wenig nach oben zu frisieren. Denn die Anpflanzung der Reben an steilen Hängen, Schnitt oder Schädlingsbekämpfung sind kostenintensiv. Die **Preisentwicklung** hat dementsprechend nicht Schritt halten können – die zunehmende **Konkurrenz** vor allem aus Australien und Neuseeland, den USA oder Südafrika verdirbt das Geschäft. Viele Winzer wehrten sich zudem vehement gegen eine sinnvolle Flurbereinigung bzw. gegen eine nach ca. 30–40 Jahren notwendig werdende Neuanpflanzung der Reben.

Markant ragt die Burgruine Altdahn-Grafendahn-Tanstein bei Dahn über den Baumwipfeln des Pfälzerwaldes auf.

Bad Bergzabern

Das **Thermal- und Kneippheilbad** Bergzabern weist eine schöne mittelalterliche Altstadt auf. Von den historischen Gebäuden sind hervorzuheben das Schloss (1527) und das Gasthaus »Zum Engel«, ein herrlicher Renaissancebau. Zudem bietet der Ort ein modernes Thermalhallen- und -freibad.

Schweigen-Rechtenbach

In Schweigen-Rechtenbach markiert das 1936/1937 errichtete Weintor das Ende der Deutschen Weinstraße. Auf dem **Weinlehrpfad** wird man mit dem Weinbau vertraut gemacht.

Pfälzer Wald

Mittelgebirge

Der Pfälzer Wald ist ein aus Buntsandstein aufgebautes Mittelgebirge an der Westseite des Oberrheins, nördlich anschließend an die Vogesen. Mit rund 1350 km² ist er **eines der größten deutschen Waldgebiete**. Von dem westlich gelegenen Saarbecken steigt das Gebirge ganz allmählich an. Das von dichten Mischwäldern bedeckte Bergland zeigt sich stark zertalt und weist viele bizarre Felsformationen auf. Landschaftlich besonders schön ist der **Naturpark Pfälzer Wald**. Im Südosten des Pfälzer Waldes öffnet sich schließlich der Wasgau, der ins nördliche Elsass überleitet. Ein dichtes Netz von Wanderwegen durchzieht den Pfälzer Wald.

✳ Dinkelsbühl

Atlasteil: S. 53 • D 1   **Bundesland:** Bayern
Höhe: 440 m ü. d. M.   **Einwohnerzahl:** 11 000

Die alte fränkische Reichsstadt Dinkelsbühl in der Ebene der Wörnitz bietet mit ihrer vollständig erhaltenen Stadtmauer (14./15. Jh.) und ihren alten Giebelhäusern ein einheitliches mittelalterliches Gesamtbild. Ihre Ursprünge reichen bis in das 8. Jh. zurück.

Sehenswertes in Dinkelsbühl

Eine der **schönsten Hallenkirchen Deutschlands**, das 1448–1499 in spätgotischem Stil erbaute Münster St. Georg am Marktplatz, trägt entscheidend zum romantischen Stadtbild Dinkelsbühls bei. Besonders sehenswert sind eine Kreuzigungsgruppe am Hochaltar und das Sakramentshäuschen von 1480. Vom 65 m hohen Turm blickt man auf das Dächergewirr der Altstadt und bekommt beim Aufstieg einen Eindruck von der Arbeit der Steinmetze.

✳
St. Georg

Zu Füßen des Münsters liegen Marktplatz und Weinmarkt mit eindrucksvollen Bürgerhäusern und öffentlichen Gebäuden, die ihr heutiges Aussehen nahezu alle in der Renaissance erhielten. Herausragend ist am Weinmarkt die Fassade des Deutschen Hauses, **eines der**

Marktplatz und Weinmarkt

Romantisch: das Rothenburger Tor mit dem Gaulweiher

! *Baedeker* TIPP

Kinderzeche

Dinkelsbühls größtes jährliches Ereignis ist die Kinderzeche im Sommer. Dieses Stadtfest erinnert mit Umzug, Festspiel und Heerlager an die Belagerung durch die Schweden im Dreißigjährigen Krieg. Die Kinder von Dinkelsbühl zogen damals vor die Stadt und konnten den schwedischen Obristen von Sperreuth erweichen, ihre Stadt zu verschonen (Informationen: Tel. 0 98 51/9 02 40).

Deutsches Haus ▶ ✱ **schönsten Fachwerkhäuser Frankens** (16. Jh.). Rechts daneben, in der Schranne, wurde einst das Korn gespeichert; heute wird hier alljährlich das Festspiel »Die Kinderzeche« aufgeführt. Südlich vom Marktplatz steht das Deutschordenshaus (1761–1764) mit einer sehenswerten Hauskapelle. Die vom Markt nach Westen führende Segringer Straße ist in der Geschlossenheit ihrer alten Giebelfronten von besonderem Reiz.

Stadttore Vier Stadttore öffnen sich in der Ummauerung der Stadt: das Segringer Tor bergauf im Westen, das Rothenburger Tor im Norden, das Wörnitztor im Osten und schließlich das Nördlinger Tor im Süden der Stadt.

Museen Ein Spaziergang durch die Parkanlagen rings um die Stadtmauer führt zur Stadtmühle am Nördlinger Tor. Sie ist heute Heimat des **»Museums Dritte Dimension«**, einer einzigartigen Sammlung von Holografien, Licht- und Lasertechnik, 3D-Projektionen etc.
Im ehemaligen Spital an der Dr.-Martin-Luther-Straße dokumentiert das Historische Museum die Stadtgeschichte, das Handwerk und die bürgerliche Wohnkultur.

Umgebung von Dinkelsbühl

Romantische Straße Dinkelsbühl liegt an der Romantischen Straße, die von Würzburg über Augsburg nach Füssen führt. Ebenfalls an dieser Straße und im Norden Dinkelsbühls liegen ▶ Rothenburg ob der Tauber und Feuchtwangen.

Feuchtwangen Besonders der schöne Marktplatz zeugt vom Reichtum der einstigen Reichsstadt Feuchtwangen, 11 km nördlich von Dinkelsbühl. Am Kreuzgang der romanischen Kirche des ehemaligen Kollegiatsstifts sind **historische Handwerkerstuben** untergebracht; im Sommer finden hier Kreuzgangspiele statt. Das Volkskunstmuseum zeigt eine schöne Sammlung von Fayencen. Im Fahrradmuseum Zumhaus kann man manche Vehikel sogar Probe fahren.

Gut 20 km nordwestlich liegt im Jagsttal die baden-württembergische **Crailsheim** Stadt Crailsheim, wo die romanische und gotische Johanneskirche besonders beachtenswert ist. Sie besitzt einen Hochaltar aus dem 15. Jh. In der ehemaligen Spitalkapelle ist das Stadtmuseum mit **mittelalterlicher Badestube**, einer Musikinstrumentensammlung und den »Crailsheimer Fayencen« untergebracht.

►Schwäbische Alb   **Ellwangen**

 DINKELSBÜHL ERLEBEN

AUSKUNFT
Tourist Information
Marktplatz, 91550 Dinkelsbühl
Tel. (0 98 51) 9 02 40
Fax 9 02 79
www.dinkelsbuehl.de

ESSEN
► Erschwinglich
Goldener Anker
Untere Schmiedgasse 22,
91550 Dinkelsbühl
Tel. (0 98 51) 5 78 00
Holzdecken und Fachwerk sorgen für rustikales Ambiente und gemütliche Atmosphäre. Gutbürgerliche Küche, besonders lecker sind die Karpfen und Forellen aus eigener Zucht.

► Preiswert
Bräustüberl Zum Braunen Hirsch
Turmgasse 3,
91550 Dinkelsbühl
Tel. (0 98 51) 57 75 77
In dem urgemütlichen fränkischen Wirtshaus werden Sie mit deftig-herzhafter Hausmannskost bewirtet.

ÜBERNACHTEN
► Komfortabel
Deutsches Haus
Weinmarkt 3, 91550 Dinkelsbühl
Tel. (0 98 51) 60 58, Fax 79 11
www.deutsches-haus-dkb.de
Schönes Fachwerkhaus, individuell mit Antiquitäten und Stilmöbeln gestaltete Zimmer, Restaurant im altdeutschen Stil.

► Günstig
Zum Eisenkrug
Dr.-Martin-Luther-Straße 13,
91550 Dinkelsbühl
Tel. (0 98 51) 5 77 00
Fax 57 70 70
www.hotel-eisenkrug.de
Altehrwürdige Unterkunft im ehemaligen Pfarrhaus mitten in der Altstadt, leicht nostalgisch und mit viel Holz ausgestattete Zimmer, hochgelobtes Restaurant »Zum kleinen Obristen«.

Donautal

Atlasteil: S. 52/53 • A–D 3/4,
S. 54/55 • A–D 1–3, S. 56 • A–C 1–3

Bundesländer:
Baden-Württemberg und Bayern

Die Donau ist nach der Wolga Europas zweitgrößter Strom. Aber es ist nicht so sehr die wirtschaftliche Bedeutung als Wasserstraße, sondern der geschichtliche Hintergrund, der sie unter den Strömen Europas zu etwas Besonderem macht: Auf ihr zogen die Nibelungen, dem Untergang entgegen, zum Hof König Etzels. An ihren Ufern errichteten die Römer Kastelle und Siedlungen. Später entstanden hier Klöster und Fürstensitze.

Verlauf   Die ab Kehlheim schiffbare Donau ist insgesamt annähernd 2900 km lang. Anrainerländer sind Deutschland, Österreich, die Slowakei, Ungarn, Kroatien, Jugoslawien, Bulgarien, Rumänien, Moldawien und die Ukraine. Im südlichen Schwarzwald entspringen ihre beiden Quellflüsse Brigach und Breg, die sich in **Donaueschingen** vereinen, wo die Donau im engeren Sinne ihren Anfang nimmt. Beim Hafenort Sulina mündet der Hauptarm der Donau, die sich oberhalb der rumänischen Stadt Tulcea verzweigt und ein großes, von Altwässern und Kanälen durchzogenes Delta bildet, ins Schwarze Meer.

> **! *Baedeker* TIPP**
>
> **Radfans**
> wissen es längst: Der 1268 km lange Donauradweg von Donaueschingen nach Budapest ist der wichtigste Radfernweg Europas. Zumindest bis Wien kommt man per Drahtesel auf gut ausgebauten, hervorragend beschilderten Radwegen bequem vorwärts. Gerade recht für einen Wochenendtrip ist die wunderschöne Strecke von Tuttlingen nach Ehingen. Von dort bringt die Bahn Radler zurück in jede beliebige Stadt.

Von Donaueschingen nach Passau

Im Schlosspark von Donaueschingen, dem Sitz der Fürsten zu Fürstenberg, befindet sich die so genannte Donauquelle, ein von einem Gitter eingefasstes Becken mit allegorischen Figuren der Baar und der jungen Donau. Beachtenswert sind die **Fürstlich Fürstenbergischen Sammlungen**, zu deren Bestand Gemälde vor allem schwäbischer Meister sowie Exponate zu Natur- und Volkskunde gehören. Jedes Jahr im Oktober finden in Donaueschingen die »Donaueschinger Musiktage« für zeitgenössische Musik statt.

Schon nach kurzer Wegstrecke versickert bei Immendingen ein Teil des Donauwassers im durchlässigen Kalkgestein; 12 km südlich tritt es dann als »Aachtopf«, einer mächtigen Karstquelle, wieder zutage.

✱ Kloster Beuron   Landschaftlich sehr reizvoll ist die Fahrt von Tuttlingen durch das obere Donautal nach Sigmaringen. Die Straße folgt dem nördlichen Flussufer, vorbei an Kloster Beuron, Burg Wildenstein, bizarren Fels-

Vom Knopfmacherfels blickt man durchs Donautal bis Beuron.

formationen sowie den Burgruinen Falkenstein und Gutenstein. Im **Wallfahrtsort Beuron** wurde im 11. Jh. ein Kloster gegründet, das maßgeblichen Einfluss auf Liturgie und Gesang mittelalterlicher Mönchsorden hatte. Ein Kleinod ist die barocke Kirche St. Martin und Maria. Vom Knopfmacherfelsen genießt man einen herrlichen Blick auf das Kloster und die Donau.

Sigmaringen

Die Donau durchfließt den **»Naturpark Obere Donau«** und durchbricht bei Sigmaringen in zahlreichen Windungen die Schwäbische Alb. Auf einem steil über dem Strom aufragenden Felsen steht das stattliche Schloss der Fürsten von Sigmaringen-Hohenzollern (► Schwäbische Alb).

Heuneburg

Bei Hundersingen erhebt sich auf dem Steilufer der Donau die Heuneburg, einer der bedeutendsten **hallstattzeitlichen Fürstensitze** (6./ 5. Jh. v. Chr.). Das Freilicht- und Heuneburgmuseum informieren.

Zwiefalten
Obermarchtal

Zwischen Riedlingen und Ehingen stößt man auf schöne Barockkirchen: Zwiefalten (► Schwäbische Alb), eine Schöpfung Johann Michael Fischers, und Obermarchtal, von Michael Thumb erbaut, von Josef Schmuzer mit Stuckatur versehen.

Ehingen

Hauptsehenswürdigkeit von Ehingen, das auf eine alemannische Siedlung zurückgeht, ist die Herz-Jesu-Kirche (1719) des von Benediktinern aus Zwiefalten gegründeten Konvikts; neben den italienisch anmutenden Stuckaturen gibt besonders das Altarbild »Mariä Tod«

von Johann Georg Bergmüller dem Innenraum sein Gepräge. Westlich des Orts steht das imposante **Schloss Mochental**, eine Dreiflügelanlage, die einst Ruhesitz der Zwiefalter Äbte war. Im Schloss sind heute eine Kunstgalerie und ein Besenmuseum untergebracht.

Donau-Auen Wenige Kilometer östlich von ▶ Ulm beginnen die Donau-Auen mit einer Kette von Stauseen. Zu beiden Seiten der Donau hat sich Auwald erhalten, für den vielerlei Laubbäume und Büsche charakteristisch sind.

Günzburg An der Mündung der von Süden kommenden Günz in die Donau liegt Günzburg. Die Stadt war seit dem 15. Jh. Mittelpunkt der Markgrafschaft Burgau und von 1803–1805 Sitz der österreichischen Verwaltung – daher besitzt sie ein **Schloss im Renaissancestil** (16. Jh.) und eine Hofkirche. Auf einer Anhöhe steht die von Dominikus Zimmermann um 1740 erbaute Frauenkirche, deren Turm eine Zwiebelhaube bekrönt. Das lichte Innere ist ausgeschmückt mit Freskomalerei. Muschelornamente (Rocaille) herrschen im Langhaus vor. Das Gemälde am Hochaltar schuf Paul Ignaz Viola.

Legoland ▶ Ein riesiger Vergnügungspark aus Legosteinen lädt bei Günzburg Jung und Alt zum Achterbahnfahren, Burgen bauen und Miniaturstädte bewundern ein. Legoland Deutschland ist von März bis Oktober geöffnet (Informationen: www.lego.com/legoland/deutschland).

Das Donaumoos, ein ausgedehntes Flachmoor, ist weitgehend trocken gelegt worden, aber zwischen Günzburg und Gundelfingen hat sich ein kleiner Teil erhalten: Das urwüchsige **Gundelfinger Moos**, in dem noch Brachvögel nisten, ist Naturschutzgebiet.

Dillingen Am nördlichen Rand des Donaurieds, einer moorigen Niederung beiderseits der Donau, liegt Dillingen. Zahlreiche Bauten, u. a. das Jesuitenkolleg und die ehemalige Universität mit prunkvoll ausgestattetem **»Goldenen Saal«**, erinnern daran, dass Dillingen Jahrhunderte lang Sitz der Bischöfe von Augsburg war. Von der alten Stadtbefestigung ist bis auf das Mittlere Tor mit seiner barocken Bekrönung wenig erhalten.

Donauwörth Donauwörth mit seiner mittelalterlichen Stadtmauer liegt auf einem Hügelrücken über der Einmündung der Wörnitz in die Donau. Hauptstraße ist die breite Reichsstraße, mit ihren stattlichen Giebelhäusern eine der **eindrucksvollsten Straßen Bayerisch-Schwabens**. An ihrem Westende steht das Fuggerhaus, ein Renaissancebau von 1539. Etwas nördlich befindet sich in einem ehemaligen Kloster das **Käthe-Kruse-Puppen-Museum** mit über 150 Spiel- und Schaufensterpuppen von Käthe Kruse (1883–1968).

Neuburg an der Donau Das beherrschende Bauwerk in Neuburg ist das Schloss am Ostrand des Stadtbergs; sein Hof ist auf drei Seiten von Laubengängen einge-

● DONAUTAL ERLEBEN

AUSKUNFT

Tourismus-Verband
Württemberg
Esslinger Straße 8,
70182 Stuttgart
Tel. (07 11) 23 85 80, Fax 2 38 58 99
www.tourismus-baden-wuerttem-
berg.de

ESSEN

▶ Erschwinglich

Gasthaus Goldener Hirsch
Reichsstraße 44,
86609 Donaueschingen
Tel. (09 06) 31 24
Gutbürgerliche Küche mit schwäbischen Schmankerln und Spezialitäten
vom Grill.

Grauer Hase
Untere Vorstadt 12,
94469 Deggendorf
Tel. (09 91) 37 12 70
Hübsches Restaurant in einem alten,
aufwändig restaurierten Haus, zu
dem eine schöne Gartenterrasse mit
Kastanienbäumen gehört; beachtens-
werte, leicht mediterran orientierte
Küche.

▶ Preiswert

Restaurant zum Ochsen
Käferstraße 18 (im Hotel Ochsen),
78166 Donaueschingen
Tel. (07 71) 80 99 98
Zentral gelegene, traditionsreiche
Gaststube, umfangreiches Angebot an
regionalen und internationalen
Speisen.

Landgasthof Schmidbaur
Zollernweg 2, 86609 Donauwörth
Tel. (09 06) 70 62 20
Gutbürgerliche Küche mit Spezia-
litäten aus der eigenen Metzgerei
(Dienstags wird geschlachtet!).

ÜBERNACHTEN

▶ Luxus

Öschberghof
Am Golfplatz 1,
78166 Donaueschingen
Tel. (07 71) 8 40, Fax 8 46 00
www.oeschberghof.de
Herrlich ruhig und abgeschieden
gelegenes Urlaubs- und Golfresort
mit allem modernen Komfort.

▶ Komfortabel

Parkhotel
Sternschanzenstraße 1,
86609 Donauwörth
Tel. (09 06) 70 65 10, Fax 7 06 51 80
www.parkhotel-donauwoerth.de
Hoch über der Stadt und mit Blick auf
das Fränkische Jura thront dieses
traditionsreiche Haus, das gemütliche
Zimmer im Landhausstil mit zeitgemäßem Komfort bereithält, teilweise
mit Panoramablick.

Donauhof
Hafenstraße 1, 94469 Deggendorf
Tel. (09 91) 3 89 90, Fax 38 99 66
www.hotel-donauhof.de
Schickes italienisches Ambiente und
aufmerksamer Service in einem
aufwändig restaurierten Getreidestadel
aus dem 19. Jh. Großzügige, wohnliche Zimmer mit mediterranem Flair.
Sauna, Restaurant und Weinstube
runden das Angebot ab.

▶ Günstig

Zur Linde
Karlstraße 18,
78166 Donaueschingen
Tel. (07 71) 8 31 80, Fax 83 18 40
www.hotel-linde-donaueschingen.de
Schwarzwälder Gastfreundschaft in
zentraler Stadtlage, ländlich eingerichtete Zimmer, gemütliche Gaststube
mit regionaler Küche.

fasst. Sehenswert sind ferner die Schlosskapelle mit Fresken, die Hofkirche, das Rathaus und das Vorgeschichtsmuseum.

Schloss Grünau ▶ Wer südlich der Donau dem Weg von Neuburg nach Ingolstadt folgt, kommt nach Schloss Grünau, dem Jagdschloss des Pfalzgrafen Ottheinrich in der Donau-Niederung.

✳
Donaudurchbruch bei Weltenburg

Über ▶ Ingolstadt erreicht man den Donaudurchbruch bei Weltenburg, einen **landschaftlichen Höhepunkt im Donautal**. Auf einer Länge von 5 km hat sich der Fluss zwischen Weltenburg und Kelheim einen Weg durch den Kalk des Fränkischen Jura gebrochen und dadurch eine der eindrucksvollsten deutschen Flusslandschaften entstehen lassen: Gleich hinter Kloster Weltenburg ragen an beiden Ufern senkrechte, fast 100 m hohe Felswände aus dem Wasser. Auf den Klippen wachsen seltene, Wärme liebende Pflanzen. Die Klosterkirche Weltenburg wurde um 1720 von Cosmas Damian Asam, einem Meister des süddeutschen Barock, erbaut. Bei ▶ Regensburg erreicht die Donau den nördlichsten Punkt ihres Laufs.

✳
Walhalla

Die Walhalla bei Donaustauf ähnelt dem Parthenontempel der Athener Akropolis. König Ludwig I. von Bayern ließ sie 1830–1842 als **»Ruhmestempel der Deutschen«** aus Marmor erbauen. Zahlreiche Marmorbüsten und Namenstafeln ehren Künstler und Wissenschaftler. In mehreren Windungen durchzieht die Donau nun die Niederung am Südrand des Bayerischen Waldes. Nach einiger Zeit erreicht sie die niederbayerische Stadt ▶ Straubing.

✳ Dortmund

Atlasteil: S. 34 • B 1	**Bundesland:** Nordrhein-Westfalen
Höhe: 86 m ü. d. M	**Einwohnerzahl:** 600 000

Der Name der Ruhrmetropole Dortmund verströmt noch immer den Geruch von Kohle, Stahlkochen und »Maloche«, auch wenn dem Handels– und Dienstleistungsbereich mittlerweile die weit größere wirtschaftliche Bedeutung zukommt.

Hochburg des Sports

Dortmund hat auch unter Bierfreunden einen guten Ruf, denn immerhin **sechs Brauereien** erfreuen die durstigen Kehlen. Mit der Westfalenhalle, dem Westfalenstadion u. a. gilt die Stadt als Hochburg des Sports, nicht zuletzt seit den Erfolgen der Dortmunder Borussia im Fußball.

Nach Norden schiebt sich das Stadtgebiet fast bis zur Lippe vor, im Süden reicht es bis zum schönen Hengsteysee am Fuß der Hohensyburg. Durch den Dortmund-Ems-Kanal ist der Dortmunder Kanalhafen mit der Nordsee, durch Rhein-Herne-Kanal und Lippe-Seitenkanal mit dem Rhein verbunden.

Dortmund entstand aus einem karolingischen Königshof zum Schutz des Hellwegs. Um 1240 erhielt die Stadt einen starken Befestigungsring. Seit dem 19. Jh. entwickelte sich Dortmund zu einer **Stadt des Bergbaus und der Schwerindustrie** sowie zu einem Brauereizentrum. Im Zweiten Weltkrieg sind über 90% der Innenstadt zerstört worden. Das Stadtgebiet wird heute etwa zur Hälfte von Parks und Gartenanlagen bedeckt.

Geschichte

Innenstadt

Die Innenstadt ist im Verlauf des ehemaligen Befestigungsrings von Wallstraßen umgeben. Ihren Mittelpunkt, durch die der Westen- und der Ostenhellweg (Fußgängerzone) verlaufen, bildet der Alte Markt. Nordöstlich vom Markt steht die evangelische Reinoldikirche, deren 104 m hoher Turm als **Wahrzeichen** von Dortmund gilt. In der Marienkirche sollte man den Marienaltar des Meisters Konrad von Soest beachten. Eine weitere kunsthistorisch interessante Kirche ist St. Petri am Westenhellweg mit einem berühmten Antwerpener Schnitzaltar (um 1520).

Alter Markt

An der Hansastraße 3 zeigt das Museum für Kunst- und Kulturgeschichte Exponate zur Stadtgeschichte, ferner Möbel, Goldmünzen, Gemälde aus verschiedenen Jahrhunderten und Gegenstände der Volkskunst.

Museum für Kunst- und Kulturgeschichte

Blick auf die Ruhrmetropole Dortmund mit dem Stadttheater im Vordergrund

Dortmund Orientierung

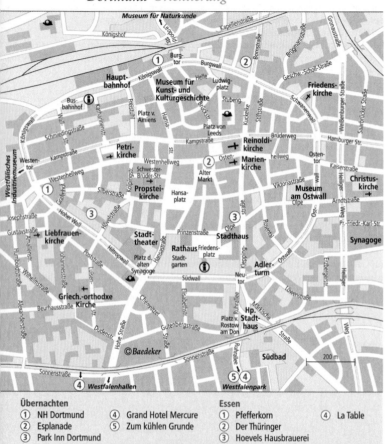

Übernachten
① NH Dortmund
② Esplanade
③ Park Inn Dortmund
④ Grand Hotel Mercure
⑤ Zum kühlen Grunde

Essen
① Pfefferkorn
② Der Thüringer
③ Hoevels Hausbrauerei
④ La Table

Museum am Ostwall

Ein Besuch im Museum am Ostwall ist besonders lohnenswert: Hier sind Kunstwerke des 20. Jh.s – Bilder, Plastiken und Grafiken – ausgestellt, darunter fast 200 Werke des deutschen Expressionismus. Besondere Bedeutung hat das Museum auf dem Gebiet der **Objektkunst** erlangt, die durch Werke von Duchamps, Yves Klein, Christo, Spoerri und Beuys vertreten ist.

Konzerthaus Dortmund

Das Konzerthaus Dortmund hat sich seit seiner ersten Spielzeit 2002/2003 zu einer festen kulturellen Größe in Nordrhein-Westfalen entwickelt und lockt immer wieder Künstler von Weltruf in die Stadt.

Hauptattraktion des Museums für Naturkunde (Münsterstraße 271) ist die **größte bekannte Saurier-Fußspur der Welt** – 1,32 m lang, die vor 145 Mio. Jahren der Gigantosauropus asturiensis in Nordspanien hinterlassen hat. Spannend anzuschauen sind auch die zwei Dinosauriernachbildungen und das Skelett des 55 Mio. Jahre alten Messeler Urpferdchens. Ferner kann man hier ein Mineralienkabinett mit Bergkristallen, tropische Süßwasseraquarien mit Amazonasfischen, ein Anschauungsbergwerk und eine Edelsteinschleiferei bewundern.

Museum für Naturkunde

Südliches und westliches Stadtgebiet

In einer Bierstadt wie Dortmund darf ein Brauereimuseum selbstverständlich nicht fehlen. Es wird derzeit mit neuer Konzeption in der alten Dampfmaschinenhalle auf dem Gelände der Actien-Brauerei an der Steigerstraße eingerichtet.

Brauereimuseum

Im Süden von Dortmund erstreckt sich ein weitläufiges Gebiet mit der als Veranstaltungsort republikweit bekannten Westfalenhalle und ihren Nebenhallen, einem Eissportzentrum, dem Westfalenstadion und dem jetzigen Leichtathletikstadion »Rote Erde«, einst berühmtes Heimstadion der Dortmunder Borussia.

Westfalenhalle Westfalenstadion

Östlich an diese Einrichtungen grenzt der Westfalenpark an, in dem die **Bundesgartenschauen** von 1959, von 1969 und von 1991 stattfanden. Hier steht der 212 m hohe Florianturm, ein Fernsehturm mit Drehrestaurant in 138 m Höhe. Im südlichen Teil des Parks gibt das originelle **Deutsche Kochbuch-Museum** einen Einblick in die Rolle der Frau in der Familie von 1850 bis 1960, indem es neben Kochbüchern viele Exponate aus Küche und Haushalt zeigt. In Dortmund lebte Henriette Davidis, deren Rezepte noch heute Grundbestandteil der deutschen Küche sind.

★
Westfalenpark

Weiter südwärts gelangt man dann zum Rombergpark, einem ursprünglich englischen Landschaftspark, zu dem ein **botanischer Garten** gehört. Eine »Pflanzenschau unter Glas« bietet Einblick in die Welt der Tropenwälder und Wüs-

> ! **Baedeker TIPP**
>
> ### Deutsche Arbeitsschutzausstellung
>
> Das klingt ja nicht gerade aufregend. Aber diese Ausstellung im westlichen Dortmunder Stadtteil Dorstfeld ist wirklich ungewöhnlich, denn man kann sich aktiv mit dem Thema Arbeitsschutz befassen. Dazu gehört u. a. auch – Kinder aufgepasst! – Gabelstabler fahren und im Flugzeug-Cockpit sitzen (Friedrich-Henkel-Weg 1–25; Öffnungszeiten: Di. bis Sa. 9.00–17.00, So. 10.00– 17.00 Uhr; weitere Informationen: Tel. 02 31/90 71-645).

ten, eine Rekonstruktion der Steinkohlewälder besteht aus Baumfarnen und Riesen-Schachtelhalmen. Im Großraum Dortmund gibt es noch andere Freizeitparks: den Revierpark Wischlingen im Westen von Dortmund sowie den Freizeitpark Fredenbaum im Norden.

▶ DORTMUND ERLEBEN

AUSKUNFT

Tourist Information
Königswall 18 a, 44137 Dortmund
Tel. (02 31) 52 56 66, Fax 16 35 93
www.dortmund.de

ESSEN

▶ Fein & Teuer

④ *La Table*
Hohensyburgerstraße 200 (im Casino)
44265 Dortmund-Syburg
Tel. (0231) 7 74 07 37
Eine stilvolle Einrichtung und viel
moderne Kunst sorgen für luxuriöses
Wohlfühlambiente. Die exquisite
französische Küche und ein erstklassiger Service stellen höchste Ansprü-
che zufrieden.

▶ Erschwinglich

① *Pfefferkorn*
Hoher Wall 38, 44137 Dortmund
Tel. (02 31) 14 36 44
Eine nostalgische Einrichtung mit
vielen Antiquitäten und wertvollen
Bildern sorgt für stimmungsvolles
Ambiente. Serviert werden Klassiker
vom Grill, Fischspezialitäten, knackige
Salate und saisonale Gerichte. Unbe-
dingt die Bratkartoffeln probieren!

▶ Preiswert

③ *Hoevels Hausbrauerei*
Hoher Wall 5, 44137 Dortmund
Tel. (02 31) 9 14 54 70
Originelles Lokal, das Sie mit herz-
haften regionalen Spezialitäten und
fantastischem Bier bewirtet.

② *Der Thüringer*
Markt 13, 44137 Dortmund
Tel. (02 31) 5 38 05 68
Deftige thüringische Spezialitäten und
rustikale Pfannengerichte kommen in
dem gemütlichen Gasthaus am Markt
auf den Tisch.

ÜBERNACHTEN

▶ Luxus

④ *Grand Hotel Mercure*
Lindemannstraße 88
44137 Dortmund
Tel. (02 31) 9 11 30, Fax 9 11 39 99
www.mercure.de
In der Nähe der Messe bietet das
moderne Haus luxuriöse Suiten und
komfortable Zimmer. Internationale
Küche im Restaurant Michelangelo.

▶ Komfortabel

③ *Park Inn Dortmund*
Olpe 2, 44135 Dortmund
Tel. (02 31) 18 999-111
Fax 18 999-333
Modernes Stadthotel, das großen Wert
auf Komfort in den Zimmern legt, die
schicken Suiten verfügen über eigene
Whirlpools, Sauna im Haus.

① *NH Dortmund*
Königswall 1, 44137 Dortmund
Tel. (02 31) 9 05 50
www.nh-hotels.com
Nettes Haus mit komfortablen Zim-
mern, die dank Schiebetür getrennte
Wohn- und Schlafbereiche haben.

② *Esplanade*
Bornstraße 4, 44135 Dortmund
Tel. (02 31) 5 85 30, Fax 5 85 32 70
www.akzent.de/dortmund
Freundlich geführtes Hotel nahe beim
Bahnhof, zweckmäßig eingerichtete
Zimmer mit zeitgemäßem Komfort.

▶ Günstig

⑤ *Zum kühlen Grunde*
Galoppstraße 57
44229 Dortmund-Lücklemberg
Tel. (02 31) 7 38 70, Fax 7 38 71 00
Ruhiges Haus mit Schwimmbad und
Sauna. Einladend der von altem
Baumbestand umgebene Biergarten.

Ein beliebtes Ausflugsziel im Süden ist auch der Dortmunder Zoo an der Mergelteicherstraße 80. In das 28 ha große Parkgelände sind die Tiergehege harmonisch integriert. Hier findet man so »exotische« Tiere wie den Tamandua Amazoniens und den brasilianischen Puma, aber auch einen Streichelzoo für Kinder.

Zoo Dortmund

Beim Westfälischen Industriemuseum im Stadtteil Bövinghausen handelt es sich im Wesentlichen um die mit Jugendstilelementen erbaute, nun stillgelegte **Zeche Zollern II/IV**. Größte Attraktion des Westfälischen Industriemuseums ist die Maschinenhalle mit allen für den damaligen Zechenbetrieb nötigen Maschinen im Originalzustand.

★
Westfälisches Industriemuseum

Ein weiteres sehenswertes Industriedenkmal ist die 1928 in Betrieb genommene Kokerei Hansa in Dortmund-Huckarde, nunmehr die **letzte existierende Zentralkokerei im Ruhrgebiet**.

Kokerei Hansa

Umgebung von Dortmund

Zwischen Dortmund und Hagen steht auf einer Anhöhe über dem Ruhrtal die Ruine der Hohensyburg. Der **Vincke-Turm**, ein Aussichtsturm, wurde 1858 zu Ehren des ersten Oberpräsidenten der Provinz Westfalen, Freiherr von Vincke, erbaut. Von dort bietet sich bei schönem Wetter ein herrlicher Blick über das Ruhrtal. Am Fuß des Bergs liegt der Hengsteysee.

Hohensyburg

Eingebettet in die Parklandschaft von Hohensyburg ist das Casino Hohensyburg, ein Treffpunkt mit ansprechender Atmosphäre. Neben den Möglichkeiten zum Glücksspiel sorgt eine breit gefächerte Gastronomie für das Wohlbefinden der Gäste.

◄ Casino Hohensyburg

Rund 18 km nördlich von Dortmund erreicht man den Ort Cappenberg mit dem gleichnamigen Schloss. Die frühere Propstei, die 1708 als Dreiflügelanlage erbaut wurde, liegt auf einem bewaldeten Höhenrücken. Nach der Säkularisation 1803 fiel das Anwesen an das Land Preußen. Der Reichsfreiherr vom und zum Stein tauschte das Gut 1816 gegen seine Besitztümer in Posen und machte Cappenberg zu seinem Alterssitz. Dem preußischen Verwaltungsreformer, der 1831 auf Schloss Cappenberg starb, ist die gründliche Restaurierung der Anlage zu verdanken. Einige Räume beherbergen heute das **Freiherr-vom-Stein-Archiv**.

★
Schloss Cappenberg

Beachtung verdient auch die ehemalige Stiftskirche, ursprünglich romanisch, dann gotisch umgestaltet. Besonders interessant sind das Cappenberger Kruzifix, das um 1225 entstand, das Chorgestühl und das gotische Stifterdenkmal der Klostergründer Gottfried und Otto von Cappenberg. Zum Kirchenschatz gehört eine bedeutende Arbeit der Goldschmiedekunst des 12. Jh.s: ein Kopfreliquiar mit dem Bildnis Kaiser Friedrichs I. Barbarossa aus vergoldeter Bronze, Geschenk des Kaisers an seinen Taufpaten Otto von Cappenberg.

★
◄ Stiftskirche

✶✶ Dresden

Atlasteil: S. 40 • B 2	**Höhe:** 120 m ü. d. M.
Einwohnerzahl: 482 000	**Bundesland:** Hauptstadt des Freistaats Sachsen

»Elbflorenz« ist der schmückende Beiname von Dresden. Die weltweite Berühmtheit der Stadt gründet sich auf die reichen Kunstsammlungen und die eindrucksvollen Baudenkmäler, allen voran freilich der Zwinger. Dresden ist auch eine Stadt international anerkannter Forschung und Wissenschaft, bedeutende Industriestadt, Zentrum des Ballungsgebietes »Oberes Elbtal« und Kulturstadt ersten Ranges.

Stadtgeschichte

1206	Erste urkundliche Erwähnung von »Drezdany«
1547	Kurfürst Moritz macht Dresden zu seiner Hauptstadt.
1694–1783	»Augusteisches Zeitalter«
1945	Bombardierung von Dresden
ab 1951	Wiederaufbau und Restaurierungen
2005	Rekonstruktion der Frauenkirche abgeschlossen

Dresden ist aus der sorbischen Siedlung »Nisani« hervorgegangen, die im Schutze der um 1200 errichteten Burg auf dem Taschenberg zum 1206 urkundlich erwähnten »Drezdany« heranwuchs. Nach der Leipziger Teilung im Jahr 1485 wurde die Stadt zur Residenz der Albertiner, doch erst 1530 begann der Ausbau zu einer repräsentativen

Auf dem Striezelmark gibt es Pfefferkuchen, Christstollen, Pflaumentoffel und erzgebirgische Holzkunst.

Highlights *Dresden*

Zwinger
Der Zwinger, einer der bedeutendsten Bauten des Spätbarock in Europa, beherbergt kostbare Sammlungen: die Gemäldegalerie Alte Meister, die Rüstkammer, die Porzellansammlung
► Seite 380

Semperoper
Das architektonische Glanzstück, im Stil der italienischen Renaissance gebaut, zeugt noch heute von der jahrhundertelangen Dresdner Operntradition.
► Seite 382

Residenzschloss
Im restaurierten Haus ist heute wieder das »Grüne Gewölbe« zu bestaunen.
► Seite 383

Frauenkirche
Als Symbol der Versöhnung wieder errichtet, prägt die Kuppel wie in alten Zeiten die Stadtsilhouette.
► Seite 387

Albertinum
Für den Besuch der Gemäldegalerie Neue Meister, der Skulpturensammlung und dem Münzkabinett dürfen Sie getrost einen ganzen Tag veranschlagen.
► Seite 386

Schloss Pillnitz
Wenn der Fürst seiner Mätresse ein Geschenk macht, dann können wir heute nur noch staunen.
► Seite 386

Hauptstadt des Kurfürstentums machte. Unter August dem Starken und dessen Sohn Friedrich August II. durchlebte die Stadt dann zwischen 1694 und 1783 das »Augusteische Zeitalter«, während dem sie zu einer der **schönsten barocken deutschen Residenzstädte** heranwuchs und eine ebenso glanzvolle wie verschwenderische Hofhaltung erlebte, die ihresgleichen in Europa suchte. Bürgerliches Geistesleben ließ Dresden dann um die Wende zum 19. Jh. zu einem Mittelpunkt der deutschen Romantik werden. Im Februar 1945 wurde die historische Altstadt in einer infernalischen Bombennacht nahezu völlig zerstört. 1951 begannen der Wiederaufbau und die bis heute andauernden Restaurierungen. 2006 feiert Dresden **800 Jahre Stadtjubiläum** mit vielen Festen, Veranstaltungen und Projekten.

Es ist im Wesentlichen die Altstadt am linken Elbufer, die Dresdens Ruf begründet hat. Hier sind nach langen Wiederaufbauarbeiten die berühmtesten Bauwerke und Sehenswürdigkeiten wie Zwinger, Schloss, Gemäldegalerie und seit kurzem auch wieder die Frauenkirche versammelt. Innerhalb des Altstadtrings sind alle sehenswerten Plätze bequem zu Fuß zu erreichen. Die Dresdner Neustadt, auf der rechten Elbseite der Altstadt gegenüber, ist aus dem 1403 gegründeten und 1549 mit Dresden vereinigten Altendresden hervorgegangen. Sie ist nach einem Großbrand im Jahr 1685 als einheitliche Barockanlage neu aufgebaut worden; die äußere Neustadt gilt als **Dresdens Szeneviertel.**

Ausführlich beschrieben im Baedeker Allianz Reiseführer »Dresden«

Dresden Orientierung

1 Schloss
2 Kathedrale
3 Ständehaus (ehem. Landtag)
4 Fürstenzug
5 Johanneum (Verkehrsmuseum)
6 Sekundogenitur
7 Akademie
8 Albertinum
9 Coselpalais
10 Taschenbergpalais
11 Neue Synagoge

Essen
① El Perro Borracho
② Schloss Eckberg
③ Wenzel-Prager Bierstuben
④ Chiaveri
⑤ Villa Marie
⑥ Italienisches Dörfchen

Übernachten
① Martha Hospiz
② art'otel Dresden
③ Kempinski Hotel Taschenbergpalais Dresden

▶ DRESDEN ERLEBEN

AUSKUNFT

Tourist-Information Dresden
Prager Straße 2a, 01069 Dresden
Tel. (03 51) 49 19 20
Fax 49 19 22 44

SHOPPING

Viel zu bieten hat die Altstadtgalerie.
Wer das Besondere sucht, findet eher
etwas in der Neustadt: Edles einkaufen kann man entlang der Königstraße, Ausgefallenes in den Straßen
jenseits des Albertplatzes.

ESSEN

▶ Fein & Teuer

④ *Chiaveri*
Bernhard-von-Lindenau-Platz 2,
(im Sächsischen Landtag)
01067 Dresden
Tel. (03 51) 4 96 03 99
Sächsisch-italienische Kost vom
Feinsten, herrliche Terrasse.

② *Schloss Eckberg*
Bautzener Straße 134,
01099 Dresden, Ortsteil Loschwitz
Tel. (03 51) 8 09 90
Genießen Sie im stilvollen Rahmen
des Elbschlosses gehobene internationale und deutsche Küche und den
herrlichen Blick auf das Elbtal.

▶ Erschwinglich

⑥ *Italienisches Dörfchen*
Theaterplatz 2, 01067 Dresden
Tel. (03 51) 49 81 60
Italienische Küche auf hohem Niveau,
grandioses Interieur.

⑤ *Villa Marie*
Fährgässchen 1, (Blasewitz am
Blauen Wunder), 01309 Dresden
Tel. (03 51) 3 11 11 86
Toskanisch inspirierte Küche in einer
schmucken Villa, schöner Garten.

▶ Preiswert

① *El Perro Borracho*
Alaunstraße 70,
01099 Dresden
Tel. (03 51) 8 03 67 23
Tapas und Wein in der Kunsthof-
passage.

③ *Wenzel-Prager Bierstuben*
Königstraße 1,
01097 Dresden
Tel. (03 51) 8 04 20 10
Böhmische Küche im gemütlichen
Ambiente.

ÜBERNACHTEN

▶ Luxus

③ *Kempinski Hotel
Taschenbergpalais Dresden*
Am Taschenberg, 01067 Dresden
Tel. (03 51) 4 91 20, Fax 4 91 28 12
www.kempinski-dresden.de
Wohnen in nobler Atmosphäre:
Suiten, Gourmetrestaurant »Inter-
mezzo«, Bar, Pool, Sauna.

▶ Komfortabel

② *art'otel Dresden*
Ostra-Allee 33, 01067 Dresden
Tel. (03 51) 4 92 20, Fax 4 92 27 77
www.artotel.de
Etwas ganz Besonderes für Kunstlieb-
haber: Das Hotel ist mit Werken von
A. R. Penck ausgestattet.

▶ Günstig

① *Martha Hospiz*
Nieritzstraße 11, 01097 Dresden
Tel. (03 51) 8 17 60
Fax 8 17 62 22
www.marthahospiz.de
Traditionsreiches, sehr freundliches
Haus mit geschmackvoll eingerich-
teten Zimmern, teils im Biedermeier-
stil, gemütliches Restaurant im
ehemaligen Kohlenkeller.

✳ ✳ Der Zwinger mit seinen Museen und Sammlungen

Weltberühmtes Bauwerk

Der Zwinger, ein in der Welt **einzigartiges Meisterwerk höfischen Barocks** und Dresdens berühmtestes Baudenkmal, ist das Werk der beiden genialen Künstler Matthäus Daniel Pöppelmann (1662–1736) als Architekt und Balthasar Permoser (1651–1732) als Bildhauer. 1710 beauftragte August der Starke Pöppelmann mit dem Bau einer Orangerie, aus der bis 1732 der heutige Zwinger erwuchs; die Seite zum Theaterplatz hin war durch eine Mauer verschlossen, bis 1847 die Gemäldegalerie begonnen wurde. Pavillons und Galerien wurden nach schweren Kriegsschäden bis 1964 wieder hergestellt.

Architektonische Formen ►

Der Zwinger war nie als Residenz oder zu sonstigen Wohnzwecken gedacht. Er diente allein den **repräsentativen Ansprüchen** August des Starken, die in der vielfältigen Formenpracht zum Ausdruck kommen. Zuerst zu nennen ist die majestätische, 36 Achsen zählende Langgalerie an der Südseite, nur unterbrochen vom Kronentor, auf dem sich eine zwiebelförmige Kuppel mit vier vergoldeten, die Königskrone tragenden polnischen Adlern erhebt. In den Scheitel der gegen Westen auswärts schwingen-

? WUSSTEN SIE SCHON ...?

■ woher der Name Zwinger stammt? Der weitläufige Zwingerhof war einst Teil der Stadtbefestigung. Zwischen ihren Mauern konnte der Feind bezwungen werden.

✳ ✳
Wallpavillon ►

den Bogengalerie setzte Pöppelmann den Wallpavillon, den wohl **gelungensten Teil des Zwingers** dank der fantastischen Skulpturenschmucks von Permoser, darunter seine Satyrhermen und den jugendlichen August als Paris mit der Königskrone statt des Apfels in der Hand. Versetzt hinter dem Wallpavillon liegt das herrlich verspielte Nymphenbad, ein in sich geschlossener, intimer Ort. Der an der Ostseite errichtete Glockenspielpavillon erhielt 1924–1936 nachträglich ein Glockenspiel aus Meissener Porzellan.

✳ ✳
Gemäldegalerie Alte Meister

Den zur Elbe zeigenden Flügel des Zwingers, 1847–1865 nach Entwürfen von Gottfried Semper errichtet, belegt die Gemäldegalerie Alte Meister. Die Sammlung ging aus der etwa 1560 von Kurfürst August gegründeten Kunstkammer hervor und wurde im 18. Jh. unter August III. erweitert. Im Zweiten Weltkrieg wurden große Teile ausgelagert; die Kunstwerke wurden in die Sowjetunion geschafft und kehrten erst 1955 nach Dresden zurück. Beim Bombenangriff vom Februar 1945 verbrannten zudem 154 Bilder. Die Gemäldegalerie Alte Meister ist eine der reichsten Sammlungen von **Meisterwerken der europäischen Malerei des 15. bis 18. Jh.s**. Glanzstück ist die

✳ ✳
Sixtinische Madonna ►

Kollektion italienischer Malerei, allen voran Raffaels »Sixtinische Madonna«; dazu gesellt sich u. a. Tizians »Zinsgroschen«. Herausragende Einzelwerke sind außerdem »Bathseba am Springbrunnen« von Rubens sowie »Ganymed in den Fängen des Adlers« und »Selbstbildnis mit Saskia« von Rembrandt. Unbedingt ansehen sollte man sich

Im Zwinger verschmilzt die Klarheit des Baukörpers mit dem verspielten Übermut barocker Bildhauerkunst.

auch die großartigen Gemälde Bernardo Bellottos, genannt Canaletto, aus der Mitte des 18. Jh.s – wohl die bedeutendsten Stadtbilder überhaupt (Öffnungszeiten: Di. bis So. 10.00–18.00 Uhr).

Das Untergeschoss des Ostflügels der Sempergalerie belegt die Rüstkammer (Historisches Museum), eine der wertvollsten **Prunkwaffensammlungen** überhaupt, zu deren schönsten Stücken der Ornat August des Starken zu seiner Königskrönung 1697 und fürstliche Turnierrüstungen zählen (Öffnungszeiten: Di. bis So. 10.00–18.00 Uhr).

✴ ✴
Rüstkammer

In der Galeriehälfte links vom Kronentor kann man die 1717 von August dem Starken gegründete Porzellansammlung bewundern, **eine der größten ihrer Art**. Gezeigt werden neben asiatischem Porzellan auch die reichhaltigste Sammlung von Böttger-Steinzeug und Böttger-Porzellan und Meissener Porzellane der Blütezeit (Öffnungszeiten: tgl. 10.00–18.00 Uhr, montags geschlossen).

✴ ✴
Porzellansammlung

Der Mathematisch-Physikalische Salon im westlichen Eckpavillon ist eine der ältesten Sammlungen **wissenschaftlich-technischer Geräte** sowie die größte Sammlung von Erd- und Himmelsgloben, die in Deutschland zu finden ist.

✴
Mathematisch-Physikalischer Salon

✴ Theaterplatz und Schlossplatz

Jenseits des Portikus der Gemäldegalerie öffnet sich der von Sempergalerie, Oper, Taschenbergpalais, Schloss und Hofkirche eingerahmte Theaterplatz mit dem 1883 von Johannes Schilling geschaffenen Reiterstandbild König Johanns von Sachsen. Zur Elbe hin liegt die 1913 eröffnete Gaststätte mit Café Italienisches Dörfchen, deren herrliche Innengestaltung schon allein die Einkehr lohnt.

Theaterplatz

◀ Italienisches Dörfchen

Semperoper ✳

Trotz der Nähe von Schloss und Hofkirche dominiert die 1878 eröffnete Semperoper den Platz. Sie ist das zweite von Semper projektierte **Hoftheater**, nachdem das erste 1869 abgebrannt war. Sowohl die äußere Form als auch die herrliche Innengestaltung stammen von ihm. Der bogenförmige Arkadenbau erhält durch die Exedra mit der bronzenen Quadriga von Johannes Schilling seine besondere Note.

Altstädter Wache

In der Südostecke des Platzes sieht man Karl Friedrich **Schinkels einzigen Bau in Dresden**, die 1830/1831 entstandene Altstädter Wache, nun Vorverkaufskasse für Sächsische Staatsoper und Staatskapelle.

Taschenberg-palais ✳

Von der Altstädter Wache sind es nur wenige Schritte zum wieder errichteten Taschenbergpalais. Das von Pöppelmann auf Geheiß Augusts des Starken für seine Mätresse, die Gräfin Cosel, errichtete Gebäude (1705–1708) sank 1945 in Schutt und Asche; erst 1995 wurde die Restaurierung als **Luxushotel** abgeschlossen.

Hofkirche (Kathedrale) ✳

Einen weiteren architektonischen Akzent am Theaterplatz setzt die ehemalige Katholische Hofkirche (1738–1755), mit 4800 m² Fläche die **größte Kirche Sachsens** und letzte große Leistung des römischen Barock in Europa. Die Baumeister schufen eine dreischiffige Sandsteinbasilika mit einem filigranen, teilweise freistehenden Turm, der der Kirche zusammen mit den 78 Heiligenstatuen von Lorenzo Mattielli ihr charakteristisches Aussehen verleiht. Die Besonderheit des Innenraums ist der doppelgeschossige Prozessionsumgang, auf dem die katholischen Prozessionen, die außerhalb des Gotteshauses verboten waren, stattfinden konnten. Prunkstücke der Innenausstattung sind das Hochaltargemälde »Die Himmelfahrt Christi« (1751) von Anton Raphael Mengs (1728–1779) und die üppig-verspielte Kanzel (1722) von Balthasar Permoser. Die Orgel ist eine der letzten von Gottfried Silbermann. Die nur mit Führung zugängliche Gruft war Grablege der katholischen Wettiner. Ihre letzte Ruhe fanden hier u. a. Kurfürst Friedrich August II. († 1763) mit seiner Gemahlin Maria Josepha von Habsburg († 1757), darüber die Kapsel mit dem Herzen Augusts des Starken, dessen Körper im Krakauer Dom beigesetzt ist.

Augustusbrücke

Vom Schlossplatz überquert die Augustusbrücke, **die älteste Brücke der Stadt**, die Elbe hinüber zur Neustadt. Sie ist Nachfolgerin einer bereits 1275 erwähnten Steinbrücke. Ebenfalls am Schlossplatz saß einst im 1906 fertiggestellten Ständehaus der Sächsische Landtag. Der Architekt des Berliner Reichstags, Paul Wallot, hatte 1901–1903 die Pläne für den sandsteinverkleideten Monumentalbau erarbeitet.

Ständehaus ▸

✳ Brühlsche Terrasse

Der Balkon Europas

Vom Schlossplatz führt die von der Skulpturengruppe »Die vier Tageszeiten« von Johannes Schilling gezierte Freitreppe auf die Brühlsche Terrasse, die sich über dem Elbufer auf den Resten der Dresdner

SCHLOSS

✳✳ Das ehemalige Residenzschloss ist das ehrwürdigste Bauwerk am Schloss-platz, einige Bauteile sind die ältesten noch erhaltenen der Stadt überhaupt. Renaissance und Neorenaissance bestimmen den Eindruck. Das restaurierte Gebäude entfaltet heute seine Wirkung als Residenz von Kunst und Wissen-schaft, die Wissbegierige und Kunstliebhaber gleichermaßen anzieht.

🕐 Öffnungszeiten:
Mi. bis Mo. 10.00–18.00 Uhr

Das zwischen dem 13. und 16. Jh. entstandene Bauwerk ist einer der bedeutendsten Renaissance-bauten Deutschlands. Nach der Zerstörung 1945 wird es nun wieder aufgebaut, bis zum Stadt-jubiläum 2006 soll die Restaurierung abgeschlossen sein.
Kurios: Was das Schloss Anfang der 1960er-Jahre vor dem Abriss bewahrte, war nicht der Einsatz von Denkmalpflegern, sondern der ökonomische Vorschlag, dass sich in den Gewölben hervorragend Champignons züchten lassen würden.

① Georgenbau
Er ist in seiner heutigen Gestalt (1899–1902) dem um 1530 entstandenen ersten Gebäude nachempfunden. Den Giebel schmückt ein 4 m hohes Reiterstandbild Herzog Georgs des Bärtigen, nach dem das Georgentor benannt ist.

② Hausmannturm
Über den Georgenbau kann man auf den 101 m hohen Hausmannsturm aufsteigen, die höchste Plattform Dresdens, von dessen Balustrade man einen herrlichen Blick über die Altstadt und das Elbtal genießt.

③ Schlossfassaden
Obwohl der Wiederaufbau den Forderungen moderner Nutzung Rechnung getragen hat, wurden die historischen Formen der Renaissance in den Höfen und die schön gestalteten Außenfassaden aus der Neorenaissance beibehalten.

④ Langer Gang und Stallhof
Der Lange Gang wurde zwischen 1586 und 1588 erbaut und verbindet den Georgenbau mit dem Johanneum. Er begrenzt den Stallhof, Schauplatz der ritterlichen Spiele und Turniere, dessen Ringstechbahn heute die einzige gut erhaltene Turnieranlage in Europa ist.

⑤ Fürstenzug
An der Außenseite des Langen Ganges wurde 1876 der 101 m lange Fürstenzug angebracht, auf dem alle Herrscher des Geschlechts Wettin auf insgesamt 24 000 Meissener Porzellankacheln dargestellt sind. Er ist ein Werk von Wilhelm Walther.

⑥ Grünes Gewölbe
Ein Publikumsmagnet ist das »Neue Grüne Gewölbe«. Hier werden kostbare Werke der Goldschmiede- und Edelsteinkunst ausgestellt. Einmalige Stücke für diese Pretiosensammlung schufen vor allem die Augsburger Gebrüder Dinglinger. Das historische Grüne Gewölbe in seiner Fassung von 1733 wird als spätbarockes Gesamtkunstwerk restauriert, danach ist die Sammlung wieder in ihren ursprünglichen Räumen zu sehen.

⑦ Kupferstich-Kabinett
Vor 450 Jahren als eine der weltweit ältesten Sammlungen gegründet, werden seine Schätze seit 2004 wieder im Schloss präsentiert.

Kleinod aus dem Grünen Gewölbe: Perlfigur »Koch, der auf dem Bratrost geigt« (vor 1725)

Das Georgentor verbindet Schloss und Stallhof.

Ein Geschichtsbuch an der Wand: 24 000 Meissener Porzellankacheln bilden den »Fürstenzug« am Langen Gang. Er stellt die 35 Herrscher des Hauses Wettin von 1123 bis 1904 dar. →

Die Sgraffiti-Fassade des Schlosshofs wurde erst in den letzten Jahren im Stil der Renaissance rekonstruiert.

© Baedeker

Adrian Ludwig Richters »Elbtal bei Aussig mit der Ruine Schrecken-stein« im Kupfer-stichkabinett

Gemeinschaftswerk von Dinglinger und Permoser: »Mohr mit Smaragdstufe« (1724)

137 emaillierte Figuren bevölkern den »Hofstaat von Delhi am Geburtstag des Großmoguls Aureng Zeb«, den Dinglinger in sieben Jahren mit unzähligen Diamanten, Rubinen, Smaragden und Perlen gestaltet hat. August der Starke musste dafür mehr als für den Bau von Schloss Moritzburg zahlen.

Festungsanlagen erstreckt. Sie verdankt ihren Namen dem sächsischen Minister Graf Heinrich von Brühl (1700–1763), der das Gelände zum Geschenk erhielt und es in einen **privaten Lustgarten** umwandelte. Nachdem dieser 1814 öffentlich gemacht wurde, avancierte er bald zur beliebten Flaniermeile und erhielt den Namen »Balkon Europas« – auch heute noch berechtigt, wenn man hier einen **Kasematten ▶** nen Kaffee genießt. Von der Terrasse führt eine Treppe hinab zu den wieder freigelegten, im 16. Jh. entstandenen Kasematten.

Sekundogenitur Rechter Hand sieht man zunächst die Sekundogenitur (1897), benannt nach der Tradition, die königliche Grafiksammlung dem zweitgeborenen Prinzen zu übertragen (Sekundogenitur = zweite Geburt). Im Zentrum der Brühlschen Terrasse stehen die Gebäude des Sächsischen Kunstvereins und der Sächsischen Kunstakademie, deren Glaskuppel die Dresdner **»die Zitronenpresse«** nennen.

Brühlscher Garten Im Osten der Brühlschen Terrasse legte Graf Brühl auf der ehemaligen Venusbastion seinen Garten an. Aus dieser Zeit stammt der Delphinbrunnen (1747–1749) von Pierre Coudray. Die beiden Sphinxgruppen von Gottfried Knöffler (1715–1779) bezeichnen den einstigen Eingang zum Belvedere, in dessen Gewölben Johann Friedrich Böttger festgehalten wurde, um für August den Starken Gold herzustellen. Eine Sandsteinstele erinnert daran.

Albertinum **★ ★** Weltruf genießt das Albertinum (1884–1887) unterhalb des Brühlschen Gartens: Die Gemäldegalerie Neue Meister im Obergeschoss **Gemäldegalerie Neue Meister ▶** besitzt Bilder der Romantik, des Biedermeier und des bürgerlichen Realismus, französische, polnische, rumänische, ungarische und belgische Malerei des 19. Jh.s, deutsche Impressionisten und Expressionisten und Gegenwartskunst.

Skulpturensammlung, Münzkabinett ▶ Die Skulpturensammlung im Untergeschoss umfasst altägyptische und vorderasiatische Kunst, griechische, römische und etruskische Skulpturen sowie eine Sammlung zeitgenössischer Plastiken. Das Münzkabinett besitzt über 200 000 Münzen. (Öffnungszeiten: tgl. außer Do. 10.00–18.00 Uhr.)

Neumarkt und Altmarkt

Vom Albertinum ist es nicht weit zum Neumarkt, der bis zum Februar 1945 der wohl malerischste Platz Dresdens war. Die Bomben haben nur noch Rudimente der Bauten rundum übrig gelassen.

Johanneum Das Johanneum an der Westseite des Neumarkts wurde unter Kurfürst Christian I. 1586–1591 als Stallgebäude innerhalb des Schlosskomplexes errichtet und als erstes Gebäude des völlig zerstörten Neumarkts wieder aufgebaut. Seit 1956 beherbergt es das **Verkehrsmuseum**. Zu dessen Glanzstücken gehört die 1861 in Chemnitz gebaute Dampflok »Muldenthal«, die drittälteste in Deutschland.

FRAUENKIRCHE

✳ ✳ Die Frauenkirche war einst Deutschlands bedeutendster protestantischer Kirchenbau. Als Symbol der Versöhnung ist sie wiedererstanden: 8390 erhaltene Sandsteinquader wurden aus den Trümmern geborgen, 3634 davon sind beim Neubau verwendet worden und an der schwarzen Färbung erkennbar. Nun prägt die berühmte Steinkuppel erneut die Stadtsilhouette.

🕐 Nur mit Führungen zugänglich:
tgl. zu jeder vollen Stunde 10.00–16.00 Uhr
Beginn am Eingang F

Die seit dem 11. Jh. nachgewiesene Kirche Unserer Lieben Frauen wurde 1726 abgebrochen, noch im gleichen Jahr begann nach Plänen George Bährs der Neubau. Der Zentralbau auf quadratischem Grundriss erreichte eine Höhe von 95 m und hatte einen Kuppeldurchmesser von 23,50 m. Nach dem Bombenangriff sank sie am 15. Februar 1945, als die Innenstadt schon in Trümmern lag, in sich zusammen. Die Ruine blieb jahrzehntelang als Mahnmal für die Opfer des Bombenkriegs stehen. Im Februar 1990 fand sich eine Bürgerinitiative für den Wiederaufbau zusammen, der am 4. Januar 1993 begann und bis 2006 abgeschlossen sein wird. Die Unterkirche ist bereits fertig gestellt und wird für Gottesdienste genutzt. Im Juni 2004 wurden die Kuppelhaube sowie das Kuppelkreuz aufgesetzt und der äußere Aufbau abgeschlossen.

① Chor
Er ist einer von zwei erhaltenen Ruinenteilen, Jahrzehnte ragte er über die Trümmertristesse. Im halbrunden, vom Kirchenschiff abgesetzten Chorraum steht der Altar als Ort der mündlichen und musikalischen Verkündigung.

② Altar
Der Altar zeigt Christus im Garten Gethsemane. Er wurde 1999 aus 2000 Splittern rekonstruiert, den herabschwebenden Engel ersetzt eine Gips-Replik.

③ Kirchenraum
Der quadratische Grundriss des barocken Zentralbaues misst 45 x 45 m. Den runden Innenraum umgeben acht Stützpfeiler sowie vierstöckige Emporen. Der steile Predigtraum erscheint als ein um die Mittelkanzel kreisendes protestantisches »Logentheater«.

④ Treppenhäuser
Neben dem Chor blieb auch ein Rest vom Treppenturm E als Ruine erhalten. Insgesamt vier diagonal ausgerichtete Treppenhäuser erschließen das Innere der Kirche. Über jedem Treppenhaus ragt eine turmartige Laterne empor.

⑤ Kuppel
Über dem Kirchenraum erhebt sich die Innenkuppel, über diese wölbt sich die »Steinerne Glocke«. Zwischen Innen- und Außenschale windet sich eine Rampe empor, auf der damals Esel die Steine zum Bau nach oben trugen. Nach der Weihe können Besucher über diesen Weg hinauf zur Laterne gelangen und die grandiose Aussicht genießen.

© Baedeker

Den runden Innenraum umgeben acht Stützpfeiler und vierstöckige Emporen.

Acht Glocken zählt das Geläut: die Friedensglocke Jesaja, die Verkündigungsglocke Johannes, die Stadtglocke Jeremia, die Trauglocke Josua, die Gebetsglocke David, die Taufglocke Philippus, die Dankglocke Hanna und die Gedächtnisglocke Maria.

Der rekonstruierte Altar zeigt Christus in Gethsemane mit dem herabschwebenden Engel.

1996 wurde die Unterkirche geweiht. Seitdem fanden in den Gewölben viele gut besuchte Gottesdienste und Benefizkonzerte statt.

Schöne Pforte ▶ An der Westseite des Johanneums ist die um 1555 für die Schlosskapelle geschaffene »Schöne Pforte« angebracht, als edelste, schönste und vollkommenste Portalgestaltung der deutschen Renaissance eingeschätzt.

Wilsdruffer Straße

Landhaus (Stadtmuseum) ▶

Vom Neumarkt sind es wiederum nur wenige Schritte am Kulturpalast von 1969 vorbei zur Wilsdruffer Straße, in ihrer heutigen Breite 1954–1957 als Ost-West-Achse angelegt. An ihrem Beginn am Pirnaischen Platz ist als eines der wenigen **Altstadthäuser** das ehemalige Landhaus (1770–1776) erhalten geblieben. Es beherbergt das Stadtmuseum Dresden.

Altmarkt

Kreuzkirche ▶

Der Altmarkt, erstmals 1370 erwähnt, ist das historische Zentrum der Stadt. Mittlerweile wird an der Wiederherstellung der Platzstruktur gearbeitet. Das einzige erhaltene **historische Gebäude** hier ist die seit dem 13. Jh. nachgewiesene Kreuzkirche, benannt nach einem 1234 hierher gebrachten Splitter vom Kreuz Christi. Die jetzige Kirche ist bereits die vierte Nachfolgerin und entstand von 1764–1792 in barocken Formen. Der Innenraum ist nach 1945 sehr vereinfacht wieder hergestellt worden.

! *Baedeker* TIPP

Kreuzchorvesper

So alt wie die Kreuzkirche ist der weltbekannte Kreuzchor, der fast jeden Samstag um 18.00 Uhr (im Sommer) bzw. um 17.00 Uhr (im Winter) zur Kreuzchorvesper zu hören ist.

Hinter der Kreuzkirche kommt man zum 1905–1910 erbauten **Rathaus**, dessen Treppenhaus in herrlichem **Jugendstil** gestaltet ist. Benachbart ist das wieder hergestellte barock-klassizistische Gewandhaus (1768–1770) mit dem Dinglingerbrunnen an der Rückseite.

Prager Straße Südlich vom Altmarkt führt die **Prager Straße**, vor ihrer Zerstörung die Haupteinkaufs- und Geschäftsstraße Dresdens, zum 1898 eröffneten Hauptbahnhof. An ihrem Beginn sind mehrere neue Kaufhäuser entstanden; links abseits sollte man den futuristischen UFA-Palast nicht übersehen; dem Bahnhof zu verbreitet die Straße noch sozialistischen Architekturgeist.

Großer Garten und Umgebung

Großer Garten Östlich der Altstadt erstreckt sich der **Große Garten** mit Zoo, Botanischem Garten, Freilichtbühne, Parktheater, Puppentheater und Parkeisenbahn. Er geht auf den ersten, 1676 von Kurfürst Johann Georg II. angelegten Garten zurück. Mittelpunkt des Großen Gartens ist das Gartenpalais mit dem Palaisteich und den Kavaliershäusern (1678–1683), der **früheste Barockbau in Sachsen**. Am bemerkenswertesten aber sind die der griechischen Sagenwelt entlehnten Skulpturen im Park. Durch den Großen Garten zuckelt die Parkeisenbahn.

Gläserne »Kathedrale des Hightech-Zeitalters«: Hier entstehen Luxuswagen in Handarbeit.

Wie ein Auto produziert wird, können Sie in der »Gläsernen Manufaktur« in der Nordecke des Großen Gartens beobachten. Das Spannende daran: Sie brauchen dazu nicht ins Innere des Gebäudes, denn die Autofabrik der Volkswagen AG hat eine völlig **transparente Außenhaut**. VW versteht die Manufaktur als »Erlebniswelt«, und so gibt es auch ein Restaurant, Fahrsimulatoren und ein Kugelkino.

◀ Gläserne Manufaktur

Ein in Deutschland einzigartiges Museum, das Deutsche Hygiene-Museum, gegenüber vom Haupteingang des Großen Gartens, beschäftigt sich mit der Biologie des Menschen, medizinischer Aufklärung und Erziehung zu gesunder Lebensweise. Zu sehen ist auch der weltbekannte, 1930 erstmals gezeigte **»Gläserne Mensch«**, ein lebensgroßes, höchst detailliertes Modell des menschlichen Körpers.

✱ Deutsches Hygiene-Museum

Friedrichstadt

Die 1670 zur Ansiedlung von Handwerkern gegründete Friedrichstadt westlich der Altstadt ist die älteste Dresdner Vorstadt. An ihrem Ostrand erhebt sich **Dresdens ungewöhnlichstes Bauwerk**, die in Gestalt einer Moschee mit Minarett (Glaskuppel mit Schornstein) in den Jahren 1907–1912 errichtete ehemalige Zigarettenfabrik Yenidze, heute Bürohaus. In der Kuppel finden Märchenlesungen statt.

✱ Tabakkontor Yenidze

Am mittleren Abschnitt der Friedrichstraße liegt der Eingang zum Marcolinipalais, heute Teil des Krankenhauses Friedrichstadt. Den Neptunbrunnen (1741–1744) von Lorenzo Mattielli an der hinteren Begrenzungsmauer, die **großartigste barocke Brunnenanlage in Dresden**, kann man nach Durchqueren der Krankenhausaufnahme besichtigen.

Marcolinipalais

Neustadt

Neustädter Markt ✳
Goldener Reiter ►

Von der Altstadt über die Augustusbrücke erreicht man den Neustädter Markt, den das Reiterstandbild August des Starken als Caesar von Jean Joseph Vinache (1696–1754) beherrscht. Die südliche Begrenzung zur Elbe bildet das **Blockhaus**, 1732–1755 als Neustädter Wache nach Plänen von Zacharias Longuelune erbaut.

Jägerhof (Museum) ►

Östlich vom Neustädter Markt liegt der Jägerhof, eines der wenigen Dresdner Gebäude aus vorbarocker Zeit (1582–1611), heute Museum für Volkskunst.

Hauptstraße

In der zum Albertplatz führenden Hauptstraße sieht man links drei klassizistische Häuser, in Nr. 13 wohnte der Maler Gerhard von Kügelgen (1772–1820). Hier trafen sich die **Köpfe der deutschen Romantik**; heute ist darin das Museum zur Dresdner Frühromantik.

Dreikönigskirche ►

Kurz darauf folgt die Dreikönigskirche, ursprünglich 1404 geweiht, 1732–1739 neu erbaut, im Februar 1945 völlig ausgebrannt und erst 1994 endgültig wieder aufgebaut. Sehenswert sind der im Krieg schwer beschädigte barocke Altar von Benjamin Thomae (1738) und der »Dresdner Totentanz« (1534–1536) von Christoph Walther I.

✳
Königstraße

Die Hauptstraße mündet in den Albertplatz (in Antonstraße 1 das **Erich-Kästner-Museum**), von wo die Königstraße wieder zur Elbe führt. Diese Straße hat sich zusammen mit der von ihr abzweigenden Rähnitzgasse zur **schönsten Barockstraße Dresdens** mit hübschen Läden, Restaurants und Cafés entwickelt.

Japanisches Palais

Die Königstraße mündet gegenüber vom Japanischen Palais auf den Palaisplatz. Das Palais entstand als Erweiterung des 1715 erbauten Holländischen Palais, um die Porzellansammlung August des Starken aufzunehmen. Zur Elbe hin erstrecken sich schöne Parkanlagen, von denen aus man den »Canaletto-Blick« genießen kann. Im Palais sind heute das **Landesmuseum für Vorgeschichte** mit wechselnden Ausstellungen zur sächsischen und europäischen Archäologie und das **Staatliche Museum für Völkerkunde** untergekommen.

Äußere Neustadt

✳
Molkerei Pfund ►

Jenseits des Albertplatzes beginnt die äußere Neustadt, **Dresdens Szeneviertel** schlechthin mit Kneipen, Cafés und Läden. Etwas abseits an der Bautzner Straße Nr. 79 liegt das Molkereigeschäft Pfund mit seiner farbenprächtigen, originalen Ladenausstattung von 1892. Ebenfalls sehenswert ist das Buchmuseum der Sächsischen Landesbibliothek im Zellerschen Weg 18, dessen größter Schatz eine der drei überhaupt noch existierenden **Maya-Handschriften** ist.

Hellerau

Am nördlichen Stadtrand liegt das ab 1910 erbaute **Hellerau**, die erste deutsche Gartenstadt. Von Heinrich Tessenow stammt das Festspielhaus, in dem Emile Jaques-Dalcroze und Mary Wigman in den 1920er-Jahren den modernen Ausdruckstanz entwickelten.

Dresdens östliche Vororte

Der linkselbisch östlich der Altstadt gelegene Stadtteil Blasewitz ist eine Oase großbürgerlicher Architektur der Jahrhundertwende. Die **berühmteste Brücke Dresdens** verbindet die Stadtteile Blasewitz und Loschwitz. Die mächtige Eisenkonstruktion mit einer Länge von 226 m wurde 1891–1893 als eine der ersten ihrer Art in Europa erbaut. Da sich der ursprünglich grüne Anstrich rasch zu Blau verfärbte, bürgerte sich bald die durchaus doppelsinnig zu verstehende Bezeichnung »Blaues Wunder« ein.

Blasewitz
✶
◄ Blaues Wunder

Über das »Blaue Wunder« geht man hinüber nach **Loschwitz**. Von der Brücke überblickt man die oberhalb des Elbknies herrlich am Loschwitzhang gelegenen so genannten Elbschlösser: Schloss Eckberg, 1859–1861 im Tudorstil erbaut und heute ein Hotel, das

✶
Elbschlösser

Blick auf die Schwebebahn, die Loschwitzer Elbhänge und das Blaue Wunder im Hintergrund.

1850–1853 erbaute und 1906 vom Odolfabrikanten Karl August Lingner erworbene Lingner-Schloss, schließlich das für Prinz Albrecht von Preußen 1851–1854 errichtete Schloss Albrechtsberg, das man als einziges besichtigen kann.

Unterhalb des »Blauen Wunders« steht in der Friedrich-Wieck-Straße das Wohnhaus (Nr. 10) des Musiklehrers Friedrich Wieck (1785– 1873), Vater der **Pianistin Clara Wieck**, die mit Robert Schumann verheiratet war. Haus Nr. 6 am Körnerweg war die Sommerwohnung der Eltern des Dichters Theodor Körner. Mozart, Goethe, Kleist, E. M. Arndt, Novalis, die Brüder Humboldt, die Brüder Schlegel u. v. a. waren hier zu Gast. Im Gartenhaus des Weinguts der Körners (Schillerstraße Nr. 19) vollendete Friedrich Schiller in den Jahren 1785–1787 den »Don Carlos«.

Mit der Standseilbahn, eine der **ältesten Bergbahnen Europas** (Baujahr 1895), erreicht man auf der Höhe den Stadtteil Weißer Hirsch, einst mondäner Kur- und Wohnort. Davon zeugen stattliche Villen; in einer von ihnen ist das Institut Manfred von Ardenne zu Hause. Die Schwebebahn, gebaut 1898– 1900 und somit die älteste in der Welt, fährt nach Oberloschwitz.

✶
Weißer Hirsch

Der letzte Dresdner Vorort vor der östlichen Stadtgrenze ist das alte Weindorf **Pillnitz**. Daran erinnert auch die Weinbergkirche am Hang des Borsbergs, 1723–1725 von Pöppelmann errichtet.

Eine durch ihre Anmut wahrhaftig bezaubernde Anlage ist Schloss Pillnitz mit Park, ein Geschenk August des Starken an die Gräfin Co-

Pillnitz

✶ ✶
◄ Schloss Pillnitz

Auf einer Insel im Schlossteich thront Schloss Moritzburg.

★ ★
Schloss
Pillnitz ▶

sel. Wasserpalais und Bergpalais entstanden 1720–1723 nach Plänen von Pöppelmann und Longuelune, 1818–1826 kam das Neue Palais hinzu. Was Pillnitz so besonders macht, ist der zu jener Zeit so beliebte **Chinesische Stil**. Berg- und Wasserpalais beherbergen das Kunstgewerbemuseum. Während im Wasserpalais überwiegend Möbel, Glas, Majolika, Leder, Gobelins und Kunstschmiedearbeiten des 17. und 18. Jh.s zu sehen sind, werden im Bergpalais die Zinnsammlung, Steinzeug, Fayencen, Kunsthandwerk und historische Musikinstrumente gezeigt (nur Mai–Okt. geöffnet).

★ ★
Schlosspark ▶

Der zwischen Berg- und Wasserpalais gelegene **Lustgarten** wurde erst im 19. Jh. als Schmuckanlage gestaltet. An ihn schließt sich westlich der zu Gräfin Cosels Zeiten entstandene barocke Gartenteil mit den labyrinthischen Heckenquartieren an. Eine der größten Attraktionen hier ist die berühmte, 8,50 m hohe und in der Krone 12 m ausladende japanische Kamelie, die nur im Sommer ins Freiland gestellt wird.

Umgebung von Dresden

★
Stolpen

Als hübsches Kleinod mit frisch renovierter Postmeilensäule zeigt sich der zur Burg hin ansteigende Marktplatz von Stolpen. Von ihm aus betritt man die 1211 angelegte Burg, auf der man die Wasserversorgung, die Folterkammer, eine Sammlung von Türschlössern, den Coselturm, in dem die Gräfin lebte, die Reste der Burgkapelle und den Burgbrunnen, mit 82 m der **tiefste Basaltbrunnen der Erde**, besichtigen kann.

Tharandter Wald

Südwestlich von Dresden liegt der Tharandter Wald, einst **Jagdrevier der Kurfürsten von Sachsen** und seit dem 19. Jh. in der Obhut der 1811 von Johann Heinrich Cotta gegründeten Sächsischen Forstlehranstalt. Im **Forstbotanischen Garten** gedeihen ca. 2000 verschiedene Arten, darunter Exoten wie nordamerikanische Tulpenbäume. Von hier bietet sich eine Wanderung durch das Tal der Roten Weißeritz an. Das ehemals kurfürstliche Jagdschloss Grillenburg genau in der Mitte des Forsts zeigt eine jagdkundliche Ausstellung.

Unmittelbar an Dresden grenzt die Stadt Radebeul, Wohn- und Sterbeort des geistigen Vaters von Winnetou und Old Shatterhand, Karl May (1842–1912), sein Grab ist auf dem Friedhof Radebeul-Ost. Seine »Villa Shatterhand« bewahrt manch seltenes Erinnerungsstück, in der »Villa Bärenfett« ist eine sehr umfangreiche und wertvolle Sammlung indianischer Kulturgegenstände zu sehen (Karl-May-Straße 5). Wer mit Karl May nichts anfangen kann, wandere durch die Radebeuler Weinberge zum **Schloss Hoflößnitz** mit seinem Weinbaumuseum und zum **Schloss Wackerbarths Ruh**, Sitz des Sächsischen Staatsweinguts.

Radebeul

◀ Karl-May-Museum

Inmitten des Landschaftsschutzgebiets der Moritzburger Teiche liegt 14 km nördlich von Dresden **Jagdschloss Moritzburg**. In seiner heutigen Form entstand es unter August dem Starken in den Jahren 1723–1736. Die Räume im ersten Obergeschoss zeigen als Barockmuseum auserlesenes Kunsthandwerk des 16.–18. Jh.s, Möbel, Öfen, Gemälde und Tapeten. Die beiden eindrucksvollsten Säle sind der Monströsensaal, der seinen Namen den 39 dort aufgehängten, missgeformten Geweihen verdankt, und der Speisesaal, in dem das angeblich **stärkste Rothirschgeweih der Welt** (Nr. 8) hängt. An die Nordseite des Schlosses schließt sich der kleine Schlosspark an. Ausgedehnter ist der Waldpark mit Wildgehege, durch den man in östlicher Richtung zum **Fasanenschlösschen** (1769–1782) gelangt. Hier soll nach der Restaurierung

** Jagdschloss Moritzburg

> **!** *Baedeker* TIPP
>
> **Der Lößnitzdackel**
>
> Viel schöner als mit dem Auto ist die Fahrt mit dem »Lößnitzdackel« nach Moritzburg. Diese von Dampfloks gezogene Schmalspurbahn schnauft regelmäßig das ganze Jahr über von Radebeul-Ost über Moritzburg nach Radeburg (Informationen: Tel. 03 51/46 14 80 01).

2006 ein Museum eröffnen, in dem Interieur aus der Zeit des Rokoko gezeigt wird. Vom Schlösschen blickt man hinab zum kleinen Hafen am See. Leuchtturm und Mole ließ, wie das Schlösschen, Friedrich August II. zum Vergnügen der Hofgesellschaft anlegen. Fast alle Moritzburger Teiche wurden künstlich angelegt, um darin Karpfen für des Fürsten Tafel zu züchten. Der alljährlich Ende Oktober stattfindende **Moritzburger Fischzug** ist ein Ereignis, das man nicht versäumen sollte, weilt man gerade in Dresden.

Im Jahr 1828 wurde in Moritzburg das Hengstdepot zur Zucht von Halb- und Kaltblütern gegründet; heute werden hauptsächlich Halbblüter für den Reitsport gezüchtet. Die im September veranstalteten **Hengstparaden** ziehen eine große Zahl von Besuchern an.

* ◀ Moritzburger Teichgebiet

◀ Hengstdepot

Duisburg

Atlasteil: S. 33 • D 1
Bundesland: Nordrhein-Westfalen

Höhe: 33 m ü. d. M.
Einwohnerzahl: 535 000

Wie mit Dortmund oder Bochum assoziiert man mit Duisburg Feuer und Eisen, Stahl- und Walzwerke. Die günstige Lage an Rhein und Ruhr ließ den Duisburger Hafen zum größten Binnenhafen der Welt heranwachsen. In Duisburg lebte der Kartograf Gerhard Mercator (1512–1594), mittlerweile dürfte ihn allerdings Kommissar Schimanski auf der Popularitätsskala überholt haben.

Geschichte In fränkischer Zeit entstand am Anfang des Hellwegs ein Stapelplatz für die Rheinschifffahrt. Die Verlagerung des Rheins im 13. Jh. beendete eine Zeit hoher wirtschaftlicher Blüte. Erst 1831 erhielt Duisburg durch den Bau des **Rheinkanals** wieder Anschluss an den Strom. Mit der Eingemeindung von Ruhrort im Jahr 1905 kam auch der Hafen zu Duisburg.

> **!** *Baedeker* TIPP
>
> **Hafenrundfahrt**
>
> Den riesigen Binnenhafen kann man auch vom Wasser aus per Hafenrundfahrt erkunden. Start ist am Schwanentor in Duisburg-Stadtmitte, man kann aber auch an der Schifferbörse Ruhrort zusteigen (Informationen: DHG Duisburg, Tel. 02 03/604-44 47). Wer einen tagesaktuellen Fahrschein vorweist, erhält im Binnenschifffahrtsmuseum ermäßigten Eintritt.

Vom alten Duisburg ist nicht viel geblieben, allenfalls um den Alten Markt, wo archäologische Grabungen Reste einer **mittelalterlichen Markthalle** zutage förderten, ist noch etwas zu erahnen. In der Salvatorkirche aus dem 15. Jh. findet man den Epitaph für Gerhard Mercator; etwas östlich steht mit dem Dreigiebelhaus von 1536 Duisburgs ältestes Wohnhaus. An der Königstraße, der Hauptstraße der Innenstadt, öffnet sich der König-Heinrich-Platz mit dem Stadttheater und der Mercator-Halle, einer **Mehrzweckhalle** für Konzerte, Bälle, Shows und Ausstellungen.

✳ Wilhelm-Lehmbruck-Museum Südwärts steht an der Düsseldorfer Straße das Wilhelm-Lehmbruck-Museum (Eingang Friedrich-Wilhelm-Straße). Die Sammlung von Skulpturen, Gemälden und Zeichnungen ist dem Duisburger Bildhauer Wilhelm Lehmbruck (1881–1919) gewidmet. Am Innenhafen zeigt in der Küppersmühle die **Sammlung Hans Grothe** deutsche Gegenwartskunst.

✳ Rhein-Ruhr-Hafen Die Schwanentorbrücke verbindet die Innenstadt mit dem durch die Stahlindustrie bekannten Stadtteil Ruhrort. Dort dehnen sich im Mündungsbereich von Ruhr und Rhein die 15 Becken des **größten Binnenhafens der Erde** aus, durch den man unbedingt eine Rundfahrt machen sollte.

In den alten Speichergebäuden des Innenhafens sind heute Kultureinrichtungen, Büros, Kneipen und Restaurants untergebracht.

Das Museum der Deutschen Binnenschifffahrt befindet sich in einem umgebauten Jugendstil-Hallenbad in dem nördlich an Ruhrort anschließenden Stadtteil Laar. Erläutert werden u. a. die Geschichte der deutschen Wasserstraßen, Schiffsbau, Umschlagtechniken, das Familienleben an Bord der Binnenschiffe und die Geschichte von Ruhrort und Duisburg als Häfen. Am Kai liegen als **Museumsschiffe** der Lastensegler »Tjalk Goede Verwachting«, der Bilgenentöler »Bibo 2«, der Eimerkettenbagger »Minden« und der Radschleppdampfer »Oscar Huber«.

✳ Museum der Deutschen Binnenschifffahrt

Zwischen Hamborn und Meiderich wurde das 1985 aufgegebene Hüttenwerk Thyssen-Meiderich zu einem riesigen **Abenteuerspielplatz für Erwachsene** umfunktioniert. Nun kann man hier das Industriemuseum und einen Bauernhof besuchen, im Gasometer tauchen oder Kunst bewundern, an riesigen Kaminen klettern und Theater und Konzerte verfolgen. An Wochenenden taucht ein Laserspektakel die Industrielandschaft in ein fantastisches Farbenmeer (Informationen: Tel. 02 03/4 29 19 42).

✳ Landschaftspark Duisburg-Nord

Höhepunkt im Zoo in Duisburg-Kaiserberg ist **Deutschlands größtes Delfinarium**, in dem auch südamerikanische Flussdelphine zu Hause sind. Ganz selten ist der Belugawal.

✳ Zoo Duisburg

Umgebung von Duisburg

Das **erste Zisterzienserkloster in Deutschland** wurde 1123 von französischen Mönchen in Kamp-Lintfort gegründet. Das Ordensmuseum von Kloster Kamp dokumentiert die Geschichte der Zisterzienser und der Abtei und bewahrt als kostbarstes Stück das »Kamper Antependium«, ein in Deutschland einzigartiges Altartuch aus dem 14. Jh.

Kamp-Lintfort

Die gewerbereiche Stadt Krefeld südwestlich von Duisburg ist **Hauptsitz der deutschen Samt- und Seidenindustrie**, die hier seit dem 17. Jh. betrieben wird. Zahlreiche Parks und ehemalige Schlösser der »Seidenbarone«, z. B. das klassizistische Rathaus oder das Seidenwe-

Krefeld

▶ **DUISBURG ERLEBEN**

AUSKUNFT

Tourist Information
Königstraße 86,
47051 Duisburg
Tel. (02 03) 28 54 40, Fax 2 85 44 44
www.duisburg-information.de

ESSEN

▶ **Erschwinglich**

Hafenforum
Philosophenweg 19,
47051 Duisburg
Tel. (02 03) 2 35 74
Gehobene mediterran orientierte
Küche im neuen Innenhafen, den
imposanten Rheinblick gibt's gratis.

Napalai
Venusgasse 5,
47051 Duisburg
Tel. (02 03) 2 89 58 50
Paradiesisch thailändisch speisen in
stilechter fernöstlicher Atmosphäre.

▶ **Preiswert**

Webster
Am Dellplatz 14,
47051 Duisburg
Tel. (02 03) 2 30 78
Spanferkel, Grillhaxe und herzhaftes
Bierfleisch – im Webster geht's deftig-
bodenständig zu, erlesene Bierspezia-
litäten aus eigener Hausbrauerei.

berhaus am Theaterplatz, weisen darauf hin. Das Zentrum der Stadt
ist von vier Wällen umschlossen, die boulevardähnlich angelegt wurden. Fünf Windmühlen weisen auf die Nähe der Niederlande hin.

✳ Ganz in der Nähe von Burg Linn, einer Wasserburg aus dem Jahr
Deutsches 1200, im gleichnamigen Krefelder Stadtteil zeigt das Deutsche Textil-
Textilmuseum ▶ museum (Andreasmarkt) über 20 000 Textilien aus 2000 Jahren.

✳ Düsseldorf

Atlasteil: S. 33 • D 2
Bundesland: Hauptstadt des Bundeslandes Nordrhein-Westfalen

Höhe: 38 m ü. d. M.
Einwohnerzahl: 572 000

**Breite Straßen mit eleganten Geschäften sowie ein nahezu den ge-
samten Stadtkern umziehender Gürtel von Parks und Grünanlagen
geben der Stadt Düsseldorf ihr Gepräge. Die Altstadt mit ihren
Bierkneipen gilt als »längste Theke der Welt«, an der, wie auch
beim Düsseldorfer Karneval, rheinische Lebensfreude pur zum Ausdruck kommt.**

Rheinmetropole Düsseldorf liegt am hier rund 310 m breiten Niederrhein. Die Stadt
ist Sitz einer Universität, ferner Kunst-, Mode-, Kongress- und
Messestadt. Dank enger Wirtschaftsbeziehungen nach Japan leben einige tausend Japaner in der Stadt, daher gibt es hier auch ein japani-

sches Handelszentrum. Berühmtester Düsseldorfer ist Heinrich Heine (1797–1856), dessen Name – nach jahrelangen Querelen – der Universität verliehen wurde.

1288 verlieh Graf Adolf von Berg der Siedlung das Stadtrecht. Nach dem Aussterben der Herzöge von Berg (1609) wurde Düsseldorf Residenz des Kurfürsten Johann Wilhelm, genannt Jan Wellem (1679–1716), der die Neustadt anlegte, Künstler an seinen Hof zog und eine Gemäldegalerie gründete. Durch die Kunstakademie, die 1777 entstand, gewann die Stadt Bedeutung für das Kunstleben. **Geschichte**

Düsseldorf *Orientierung*

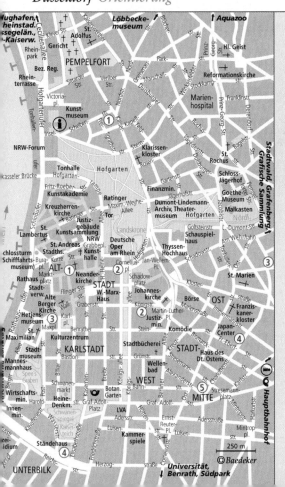

Essen
① Tante Anna
② Victorian
③ Brauerei zum Schiffchen
④ Günnewig Rheinturm

Übernachten
① Am Hofgarten
② Steigenberger Parkhotel
③ Windsor
④ Nikko

© Baedeker

250 m

Innenstadt

Königsallee

Düsseldorfs mondäne Flanier- und Einkaufsstraße ist die Königsallee (»Kö«) – mit exklusiven Geschäften, Galerien, Gaststätten und Straßencafés. Sie führt beiderseits des alten Stadtgrabens vom Graf-Adolf-Platz nordwärts zum Hofgarten. 1985 wurden die repräsentativen Passagen »Kö-Galerie« und »Kö-Karree« eröffnet. Das Nordende der Kö ziert die **Tritonengruppe**, ein Wahrzeichen der Stadt.

Uferpromenade

Die Verlegung der B 1, Hauptverkehrsader der Stadt, auf einer Länge von 2 km unter die Erde macht es seit 1993 wieder möglich, wie schon vor 100 Jahren über die breite Uferpromenade bei der Altstadt am Rhein entlangzuspazieren.

Altstadt

Zwischen Rhein und Heinrich-Heine-Allee bietet die Altstadt in erster Linie Kneipen zuhauf. Andere Sehenswürdigkeiten sind das Rathaus am Marktplatz (1570–1573) mit dem 1711 von Gabriel Grupello gegossenen Reiterstandbild Jan Wellems davor, das Geburtshaus von Heinrich Heine in der Bolkerstraße und der Alte Schlossturm, Rest der Burg der Grafen von Berg, in dem das **Schifffahrtmuseum** 2000 Jahre Rheinschifffahrt anhand von Modellen und Bildern dokumentiert. Dahinter erhebt sich die Kirche St. Lambertus (13./14. Jh.) mit dem manieristischen Grabmal des Herzogs Wilhelm V. und einem um 1160 gefertigten Kopfreliquiar des heiligen Vitalis.

Die kühne Konstruktion des Neuen Zollhofes

Am Ostrand der Altstadt am Grabbeplatz 5 stellt die Kunstsammlung Nordrhein-Westfalen **»K 20« Malerei des 20. Jh.s** aus, darunter eine beachtliche Paul-Klee-Sammlung. In der Nähe befindet sich die Städtische Kunsthalle (Wechselausstellungen); am Treppenaufgang steht eine mehrteilige Bronzeplastik, der »Habakuk« von Max Ernst. Mit **»K 21«** tituliert wurde die neue Dependance im Ständehaus, dem einstigen Sitz des Landtags.

Kunstsammlung Nordrhein-Westfalen

Hetjens-Museum

Südlich vom Markt lohnt das Hetjens-Museum (Deutsches Keramikmuseum) im Palais Nesselrode einen Besuch: Man kann dort Keramik aus 8000 Jahren bewundern, u. a. aus Thailand, China und Japan. Nicht weit davon findet man im **Heinrich-Heine-Institut** in der Bilker Straße eine Ausstellung über Leben und Werk des Dichters.

⏵ DÜSSELDORF ERLEBEN

AUSKUNFT

Verkehrsverein
Konrad-Adenauer-Platz,
40210 Düsseldorf
Tel. (02 11) 17 20 20, Fax 16 10 71
www.duesseldorf.de

SHOPPING

Bekannteste Shoppingmeile ist natürlich die Königsallee. In der anschließenden Schadowstraße sind viele Kaufhäuser zu Hause. In der Altstadt findet man viele kleine Lädenund Boutiquen mit Ausgefallenem und Individuellem. Für Designliebhaber: das stilwerk (Grünstraße).

ESSEN

▶ Fein & Teuer

② *Victorian*
Königstraße 3 a (1. Etage),
40212 Düsseldorf
Tel. (02 11) 8 65 50 22
So fein wie das Interieur ist auch die kreative klassische Küche und die außergewöhnliche Weinkarte.

▶ Erschwinglich

① *Weinhaus Tante Anna*
Andreasstraße 2, 41213 Düsseldorf
Tel. (02 11) 13 11 63
Speisen im klösterlichen Ambiente in der ehemaligen Hauskapelle des Jesuitenordens aus dem Jahre 1593. Erstaunliche Weinkarte.

③ *Brauerei zum Schiffchen*
Hafenstraße 5, 40213 Düsseldorf
Tel. (02 11) 13 24 21
Im Herzen der Altstadt bietet das älteste Restaurant Düsseldorfs (schon Napoleon war hier zu Gast) Düsseldorfer und rheinische Gerichte, Hausmannskost und Edles für Feinschmecker. Stets frisches Altbier aus der eigenen Brauerei!

④ *Günnewig Rheinturm Restaurant*
Stromstraße 20, 40221 Düsseldorf
Tel. (02 11) 8 48 58
Das Drehrestaurant in 172,5 m Höhe bietet gehobene internationale Küche und einen atemberaubenden Blick.

ÜBERNACHTEN

▶ Luxus

② *Steigenberger Parkhotel*
Corneliusplatz 1,
40213 Düsseldorf
Tel. (02 11) 1 38 10, Fax 1 38 15 92
www.duesseldorf.steigenberger.de
Am Rand des fürstlichen Hofgartens. Nobel eingerichtete Suiten beeindrucken schon durch die Raumhöhe, stilvolles Gourmetrestaurant.

④ *Nikko*
Immermannstraße 41,
40210 Düsseldorf
Tel. (02 11) 83 40, Fax 16 12 16
www.nikko-hotel.de
Mit fernöstlichem Flair präsentiert sich das schicke japanische Hotel. Hervorragendes Restaurant.

▶ Komfortabel

③ *Windsor*
Grafenberger Allee 36,
40237 Düsseldorf
Tel. (02 11) 91 46 80,
Fax 9 14 68 40
www.windsorhotel.de
Kleines, individuelles Haus mit stilvoll eingerichteten Zimmern, teilweise im Biedermeier- oder Imperialstil.

▶ Günstig

① *Hotel Am Hofgarten*
Arnoldstraße 5,
40479 Düsseldorf
Tel. (02 11) 49 19 90, Fax 4 91 99 49
Klein und freundlich in ruhiger Lage, nur 10 min. Fußweg zur Altstadt.

✻
Rheinpark Bilk

Am Rheinufer südlich davon erstreckt sich der sehr großzügig angelegte Rheinpark Bilk. Hier steht der 234 m hohe Rheinturm mit einer Restaurant-Plattform in 172 m Höhe. In einem futuristisch anmutenden Gebäudekomplex am Mannesmann-Ufer tagt der **Landtag von Nordrhein-Westfalen**.

✻
Hofgarten

Die nördliche Innenstadt wird vom 1770 geschaffenen Hofgarten begrenzt. In seinem südlichen Bereich liegen die Kunstakademie, die Oper (Deutsche Oper am Rhein) und das Schauspielhaus; daneben das »Dreischeibenhaus« genannte Thyssen-Hochhaus.

An der Jägerhofstraße befinden sich östlich das Dumont-Lindemann-Archiv, das Theatermuseum der Landeshauptstadt sowie in

Goethe-Museum ►

Schloss Jägerhof das Goethe-Museum, das Dokumente zu Leben und Werk des Dichters zeigt.

Ehrenhof

Nordwestlich – zum Rhein hin – grenzt der Ehrenhof an den Hofgarten, ein Ensemble von Veranstaltungs- und Ausstellungsbauten. Es wurde gründlich renoviert und als **NRW Forum** neu eröffnet. Zu diesem gehören das Deutsche Kunststoff Museum, das museum kunst palast und das Kunstmuseum Düsseldorf, das **europäische Kunst vom Mittelalter bis zur Gegenwart** zeigt. Herausragend sind die niederländische Malerei und Werke der Düsseldorfer romantischen Schule sowie eine exquisite Glassammlung. Nahe der Oberkasseler Brücke befindet sich der expressionistische Rundbau der Tonhalle.

✻
Kunstmuseum ►

Außenbezirke

✻
Löbbecke-Museum

Im Norden der Stadt wurde 1937 der Nordpark angelegt. An dessen Nordeingang lohnt das Löbbecke-Museum mit **naturkundlichen Ausstellungen und Aqua-Zoo** einen Besuch. Der Japanische Garten im Park ist ein Geschenk der in Düsseldorf lebenden Japaner – die japanische »Gemeinde« Düsseldorfs ist die größte in Deutschland.

Noch mehr aus und über Japan präsentiert das **EKO Haus** der japanischen Kultur im Stadtteil Niederkassel auf dem linken Rheinufer (Brüggener Weg 6)

Der Düsseldorfer **Rheinhafen** entlang des südlichen Rheinufers ist in den vergangenen Jahren durch zahlreiche Neubauten aufgewertet

Südpark ►

und zur **Schaumeile moderner Architektur** geworden, darunter der dekonstruktivistische »Zollhafen« von Frank O. Gehry. Der Südpark wurde für die Bundesgartenschau 1987 erheblich erweitert. Durch

---

! *Baedeker* TIPP

Düsseldorfer Alt

Kein Besuch in Düsseldorf, ohne die obergärige, spritzige Bierspezialität probiert zu haben! Eine der traditionsreichsten Altbier-Brauereien ist Schumacher, in deren Brauereiwirtshaus es gediegen bürgerlich zugeht (Oststraße 123). Laut und lebendig wird es oft im Füchschen (Ratinger Straße 28). In der Brauerei Uerige (Bergerstraße 1) gibt's das Bier bei Jazz oder Kabarett.

Immerhin 300 m Piste bietet die Skihalle Winterworld bei Neuss.

die Teichlandschaft schlängelt sich der kleiner Fluss, der der Stadt am Rhein den Namen gab: **die Düssel.** Eine Brücke verbindet den Südpark mit dem Universitätsgelände, zu dem ein Botanischer Garten gehört. ◀ Universität

Umgebung von Düsseldorf

Rund 10 km südlich vom Zentrum steht im Stadtteil Benrath, der erst 1929 eingemeindet wurde, Schloss Benrath. Das ab 1756 im französischen Rokokostil erbaute, von einem Park umgebene Gebäude war einst **Lustschloss** des Kurfürsten Theodor von der Pfalz. Das Schloss, das heute das Stadtmuseum Schloss Benrath und ein Naturkundemuseum beherbergt, besticht durch seine prachtvolle Innenausstattung.

✱ Schloss Benrath

Etwa 10 km östlich von Düsseldorf liegt das Neandertal, berühmt als Fundstätte des **ersten Neandertalerschädels**. Unweit der ehemaligen Fundstätte ist 1996 in Mettmann (Talstraße 300) das Neanderthal-Museum eröffnet worden. Die hervorragende Ausstellung widmet sich nicht nur dem Neandertaler selbst, sondern erzählt mittels verschiedener audiovisueller Medien anschaulich und spannend auch die Geschichte der menschlichen Evolution. Dazu kommt noch ein Wildgehege mit »tierischen« Zeitgenossen des Steinzeitmenschen wie Auerochsen und Wisente.

✱ Neanderthal-Museum

Über die Rheinbrücke Düsseldorf–Neuss (Südbrücke) gelangt man nach Neuss, das aus einem römischen Militärlager hervorgegangen ist. Beherrschendes Bauwerk der Innenstadt ist das Münster St. Quirinus (Quirinusdom). Bereits im 11. Jh. stand hier ein Kloster, das 1050 die Reliquien des hl. Quirinus erhielt. Die Kirche, in heutiger Gestalt aus dem 13. Jh., ist **eine der großartigsten Schöpfungen der**

Neuss

Spätromanik am Niederrhein. Die mächtige Kuppel wurde 1747 nach einem Brand erneuert. Hinter dem Hauptaltar befindet sich der prunkvolle Quirinusschrein (1900). In der Krypta darunter sind Reste eines rot-weißen Fußbodenbelags aus karolingischer Zeit zu sehen. Vom lang gestreckten Markt führt die Oberstraße, die Hauptachse der Innenstadt, zum Obertor, neben dem das Clemens-Sels-Museum liegt. Sehenswert sind insbesondere Funde aus römischer Zeit.

Römerlager ► Während sich im Kern des heutigen Neuss die römische Zivilsiedlung befand, lag die Garnison im jetzigen Stadtteil Gnadental, außerhalb des Zentrums. Am Gepa-Platz wurde 1956 die »Fossa sanguinis«, eine **Kultstätte der Kybele,** freigelegt und durch einen Schutzbau gesichert. Es handelt sich um ein ausgemauertes Becken, in dem Tieropfer dargebracht wurden.

✳
Museum »Insel Hombroich« ► Im Neusser Stadtteil Holzheim liegt in einer Auenlandschaft der Erft das Museum »Insel Hombroich«. In zehn Pavillons wird dort eine vielseitige Kunstsammlung präsentiert. Neben Exponaten aus orientalischen, afrikanischen und ozeanischen Kulturen umfasst sie Werke bekannter **europäischer Künstler,** u. a. von Cézanne, Klimt und Arp. 2004 wurde auf der Hombroich benachbarten ehemaligen Nato-Basis das Museum der Langen Foundation eröffnet. In einem vom Architekten Tadao Ando eindrucksvoll entworfenen Gebäude zeigt es die europaweit einzigartige Sammlung japanischer Kunstwerke aus dem 12.–19. Jh.

Winterworld ► Skifahrer im Raum Düsseldorf müssen sich keine Sorgen mehr machen: 2001 wurde die Skihalle Winterworld mit 300 m Piste eröffnet.

Eichsfeld

Atlasteil: S. 37 • C/D 1/2   **Bundesländer:** Thüringen und Niedersachsen

Sanfte Hügel, einzelne, bis zu 520 m hohe Berge, enge Täler, waldreiche Hänge, kleine Seen und grüne Wiesen prägen das Bild des Eichsfelds. Wegen seiner zentralen Lage, den vielen Orten mit mittelalterlichem Ortsbild, Burgen, Schlössern, Kirchen und Klöstern, der vielerorts noch unberührten Natur und einem breiten Freizeitangebot ist das Eichsfeld eine lohnenswerte Urlaubsregion.

Kulturlandschaft im Herzen Deutschlands Das Eichsfeld wird vor allem landwirtschaftlich genutzt. Die von der Helme durchflossene Senke wird wegen ihrer Fruchtbarkeit sogar **Goldene Aue** genannt. Hier entspringen Unstrut, Wipper und Leine. Die Täler der beiden Letztgenannten trennen das Eichsfeld in das Obere und das Untere Eichsfeld. Hauptort des im Süden gelegenen Oberen Eichsfeld ist das thüringische Heiligenstadt; im Norden schließt sich das Untere Eichsfeld an mit dem bereits zu Niedersachsen gehörenden Duderstadt als Hauptort.

Über Jahrhunderte gehörte das seit der Jungsteinzeit besiedelte Eichsfeld zum Erzbistum Mainz mit Heiligenstadt als Sitz des kurmainzischen Statthalters. Im Jahr 1803 kam es zu Preußen, 1807 zum Harz, einem Departement des französischen Königreichs Westfalen. Nach dem Wiener Kongress (1815) wurde das Obere Eichsfeld preußisch, das Untere Eichsfeld hannoveranisch. Von 1945 bis zur Wiedervereinigung verlief hier die **Grenze zwischen beiden deutschen Staaten**. Wie das aussah, kann man im Hessisch-Thüringischen Grenzmuseum Schifflersgrund bei Bad Sooden-Allendorf nacherleben.

Geschichte

◄ Hessisch-Thüringisches Grenzmuseum

Duderstadt und Umgebung

Das über 1000-jährige Duderstadt hat sich seinen mittelalterlichen Stadtkern mit rund 550 Fachwerkhäusern, reich ausgestatteten Kirchen und großen Teilen seiner einstigen Stadtbefestigung erhalten. Mittelpunkt der Stadt ist der Obermarkt mit dem von drei Türmchen gekrönten Rathaus (13.–18. Jh.). Der stattliche Fachwerkbau gehört zu den **schönsten Renaissance-Rathäusern Deutschlands**. Etwas östlich vom Rathaus steht die Probsteikirche St. Cyriakus (Baubeginn 1394). Wegen ihrer kostbaren Ausstattung wird sie auch

✶ ✶
Duderstadt

✶
◄ Rathaus
✶
◄ St. Cyriakus

 EICHSFELD ERLEBEN

AUSKUNFT

Tourist Information
Bahnhofstraße 22, 37327 Leinefelde
Tel. (0 36 05) 50 36 60, Fax 50 36 61
www.eichsfeld.de

ESSEN

► **Erschwinglich**
Restaurant Zum Löwen
Marktstraße 30, 37115 Duderstadt
Tel. (0 55 27) 84 12 00
Gediegenes Restaurant mit schöner Gartenterrasse, internationale Spezialitäten und regionale Küche.

► **Preiswert**
Norddeutscher Bund
Göttinger Straße 25,
37308 Heilbad Heiligenstadt
Tel. (0 36 06) 5 53 00
Thüringische Spezialitäten werden im Gewölbekeller oder im Biergarten im Innenhof serviert. Eigene Metzgerei!

ÜBERNACHTEN

► **Komfortabel**
Hotel Zum Löwen
Marktstraße 30,
37115 Duderstadt
Tel. (0 55 27) 84 12 00
Fax 7 26 30
www.hotelzumloewen.de
Schönes Altstadtgebäude mit eleganter Innenausstattung, gemütliche und komfortabel eingerichtete Zimmer. Restaurant, Schwimmbad und Sauna.

► **Günstig**
Stadthotel
Dingelstädter Straße 43,
37308 Heilbad Heiligenstadt
Tel. (0 36 06) 66 60, Fax 66 62 22
www.heiligenstadt.de/stadthotel
Moderne Zimmer im schmucken Jugendstilhaus. Bodenständige Kost in Restaurant und Biergarten.

Eichsfelder Dom genannt. Beachtenswert sind u. a. die Altäre aus dem 15. und 16. Jh., die barocken Pfeilerfiguren sowie die Gilde-leuchter (17./18. Jh.). Das Heimatmuseum, in einem Barockbau von 1767, hinter St. Cyriakus, vermittelt einen Überblick über die Ent-wicklung des Eichsfelds. Am Westende der Marktstraße erhebt sich die Kirche St. Servatius (14.–16. Jh.), die nach einem Brand 1915 im Jugendstil ausgestattet wurde. Von hier fällt der Blick auf den Wester-torturm (1424) mit seiner wegen eines Konstruktionsfehlers gedreh-ten Haube, das einzige erhalten gebliebene Stadttor von Duderstadt. Außerhalb der Stadtmauer verläuft der im 16. Jh. angelegte und **be-gehbare Ringwall**.

Ausflugsziele Nordwestlich von Duderstadt liegt der **Seeburger See**, auch »Auge des Eichsfelds« genannt, ein beliebtes Ausflugsgebiet.
Rund 15 km nordöstlich befindet sich unweit von Rhumspringe der Rhumesprung, das ca. 25 m breite **Quellbecken der Rhume**.

Heilbad Heiligenstadt

Das ebenfalls über 1000-jährige Heiligenstadt liegt am Nordwestrand des Thüringer Beckens, zu Füßen von Iberg und Dün im Leinetal. Im Jahr 1460 wurde hier der Holzschnitzer **Tilman Riemenschneider** geboren; 1525 predigte Thomas Müntzer in der Stadt und 1825 ließ sich Heinrich Heine hier taufen. Von 1856–1864 war Theodor Storm am hiesigen Gericht als Kreisrichter tätig. Aus dieser Zeit stammen einige Novellen, Märchen und zahlreiche Gedichte. Seit 1950 führt die Stadt die Bezeichnung Heilbad.

! *Baedeker* TIPP

Stöcke aus Lindewerra

Das 230-Seelen-Dorf Lindewerra westlich von Heiligenstadt war zu DDR-Zeiten nur über eine einzige Straße zu erreichen, denn es lag im Grenzsperrgebiet unmittelbar gegenüber vom hessischen Oberrieden an der Werra. Hier hält sich in fünf Betrieben – noch – das seltene Stock-macherhandwerk. Wandervögel können traditio-nell hergestellte Spazierstöcke erstehen. Ein Museum gibt es auch.

Ältestes Bauwerk ist die ehemalige Stiftskirche St. Martin (1304–1487) im Westen des Stadtzentrums. Nebenan steht das Kurmainzer Schloss, ein Barockbau (1736–1738; C. Heinemann). Auf dem Weg in die Altstadt kommt man am **Literaturmuseum** im kurmain-zischen Lehnshaus von 1436 vorbei, das an Storms Heiligenstädter Zeit erinnert.

Mitten in der Altstadt erhebt sich St. Marien – auch Altstädter- oder Liebfrauenkirche genannt –, die zwischen 1300 und 1700 entstand. Im Innern sind eine schöne Madonna (1414) sowie an den Lang-hauswänden Fresken (1507) zu sehen. Gegenüber steht die **Fried-hofskapelle St. Annen**, ein frühgotischer Zentralbau (um 1300). Im nahe gelegenen ehemaligen Jesuitenkolleg (1739/1740) ist das Eichs-felder Heimatmuseum untergebracht.

✳ Eifel

Atlasteil: S. 33 • C/D 3/4 und
S. 42 • A/B 1/2

Bundesländer: Rheinland-Pfalz,
Nordrhein-Westfalen

Das Landschaftsbild der Eifel bestimmen noch heute die Lavakuppen erloschener Vulkane, besonders am Laacher See, um den Nürburgring sowie bei Daun und Manderscheid. Den besonderen Reiz des Mittelgebirges machen die stimmungsvollen Maare, Krater vulkanischen Ursprungs, die meist mit Wasser angefüllt sind, aus.

Die Eifel ist ein Teil des Rheinischen Schiefergebirges. Sie steigt über dem linken Ufer des Rheins an und wird im Süden von der Mosel, im Westen von Rur und Sauer begrenzt. Im Norden geht sie allmählich in die Kölner Tieflandsbucht über. Das wellige, waldreiche Mittelgebirge erreicht in der Hohen Acht (746 m ü. d. M.) seinen höchsten Punkt. Einzelne Bergrücken wie die Schneifel oder Schnee-Eifel im Westen durchziehen die Region. Ihre südlichen und östlichen Randlandschaften werden durch die der Mosel bzw. dem Rhein zustrebenden Flusstäler charakterisiert: Kyll, Lieser und Elz zur Mosel, Ahr, Brohlbach und Nette zum Rhein.

✳ **Landschaftsbild**

Dauner Maare aus der Vogelperspektive

Vulkanischen Ursprungs sind auch die für die Eifel charakteristischen **Maare**, meist mit kleinen Seen angefüllte Vulkankrater. Ein **Musterbeispiel** hierfür ist der Laacher See, der von mehr als 40 Lavadurchbruchsstellen umgeben ist. Ebenso schön sind die Dauner Maare, vor allem das Gemündener Maar und das Totenmaar.

Im nordwestlichen Teil der Eifel wurden mehrere Talsperren angelegt, die zusammen mit der umgebenden Landschaft ein eindrucksvolles Bild bieten, vor allem die Urfttalsperre und der Rurstausee. Im Westen hat die Eifel Anteil am Deutsch-Belgischen Naturpark (Naturpark Nordeifel) und am Deutsch-Luxemburgischen Naturpark (Naturpark Südeifel). Flüsse und Seen sind schöne Urlaubsziele für Angler und Wassersportler; gebirgige Landschaften wie Hocheifel und Schnee-Eifel laden zum Wintersport ein.

Noch heute versammeln sich in der großartigen romanischen Klosteranlage Maria Laach Mönche des Benediktinerordens.

Fahrt durch die südöstliche und nördliche Eifel

★★
Maria Laach

Fährt man von Andernach im ▶Rheintal in westlicher Richtung über Nickenich, erreicht man Maria Laach mit der gleichnamigen Abtei. Am Rande des **größten Vulkansees der Eifel,** des Laacher Sees, gründete 1093 Pfalzgraf Heinrich von der Pfalz eine Abtei. Die zugehörige Kirche, 1156 geweiht, gilt als eines der herausragenden romanischen Bauwerke in Deutschland. Zum Schönsten der Abteikirche gehört das Bogenportal, an dem ein kleiner Teufel kauert. Einen Höhepunkt spätromanischer Steinmetzarbeit bildet die Vorhalle der Kirche mit dem berühmten »Laacher Paradies«, das als symbolische Darstellung des »Garten Eden« zu verstehen ist. Innen sind besonders der Baldachin-Hochaltar und das Stiftergrab für Pfalzgraf Heinrich im westlichen Chor beachtenswert. Der reizvolle, von Wald umrahmte Laacher See wird im Norden vom Veitskopf, im Westen vom Laacher Kopf, im Süden vom Thelenberg und im Osten vom Krufter Ofen umgeben, allesamt alte Vulkane.

Mayen

Weiter führt die Strecke in südlicher Richtung über Mendig nach Mayen im Nettetal, das bereits während der Römerzeit eine Station an der Straße von Trier zum Mittelrhein bildete. Mayen ist zum einen die **größte Stadt der Eifel** und zum anderen das Zentrum für die Gewinnung und Verarbeitung vulkanischer Gesteine wie Basalt. Über der Altstadt mit ihren Toren, Türmen und Resten der Stadtmauer erhebt sich die Genovevaburg, die angeblich von Pfalzgraf Siegfried und seiner Gemahlin Genoveva von Brabant im 8. Jh. angelegt worden ist. Genoveva, so erzählt die Sage, habe sich – des Ehebruchs bezichtigt – mit ihrem Sohn sechs Jahre im Wald verborgen, bis Siegfried die Schuldlose fand. Heute befindet sich in der Burg das Eifeler Landschaftsmuseum.

Von Mayen gelangt man in westlicher Richtung weiter zum berühmten Nürburgring, der in den 1920er-Jahren angelegt wurde. 1984 hat man einen neuen Grand-Prix-Kurs gebaut, mit dem die **klassische Nordschleife** rund um die Nürburg verbunden werden kann. Die große Zeit des Nürburgrings lebt in der Halle 1 der »Erlebniswelt Nürburgring«, wo berühmte Rennwagen ausgestellt sind und im Breitwandkino die Geschichte des Rings abläuft. In weiteren Hallen kann man z. B. am Fahrsimulator seine Lenkradkünste erproben.

＊ Nürburgring

Nahe der Nordschleife liegt die kleine Stadt Adenau, einer der meistbesuchten Fremdenverkehrsorte der Eifel. Beachtenswert sind die hübschen Fachwerkhäuser am Buttermarkt und die Pfarrkirche St. Johannes (11. Jh.). Das **Eifeler Bauernhausmuseum** und das Heimat- und Zunftmuseum lohnen einen Besuch.

＊ Adenau

Nordwestlich von Adenau erreicht man Blankenheim im grenzübergreifenden Deutsch-Belgischen Naturpark. Über dem Ort steht die Burg der Grafen von Manderscheid-Blankenheim (12. Jh.). In der Nähe der Pfarrkirche kann man die **Ahrquelle** plätschern hören: In einer von außen einsehbaren Brunnenstube im Keller eines Fachwerkhauses entspringt dort der Fluss. Die Umgebung der Ahrquelle ist die malerischste Ecke des Städtchens.

◀ Blankenheim

Im engen, von Schieferfelsen geprägten Rurtal nahe der deutsch-belgischen Grenze liegt Monschau, der wichtigste Fremdenverkehrsort der Nordeifel. Das verdankt es nicht zuletzt dem Stadtbild mit **bilderbuchreifen Fachwerkhäusern und engen Gassen**. An die einstige Wolltuchfabrikation erinnert das Rote Haus, ein barockes Gebäude, das aus zwei zusammengebauten Häusern besteht. Eine kulinarische Spezialität des Orts, der bis 1919 Montjoie hieß, sind die »Montjoier Dütchen«, Biskuithörnchen, die man in Bäckereien und Konditoreien kaufen kann. Der Ort wird überragt von der Burg Monschau, von der sich eine herrliche Aussicht bietet.

＊ Monschau

Zum viel besuchten **Naherholungsgebiet** hat sich der 1934–1938 angelegte Rurstausee Schwammenauel entwickelt. Südlich davon liegt in einem Sperrgebiet der Urftstausee.

Rurstausee Schwammenauel

Von Mechernich führt die Route weiter nach Bad Münstereifel durch eines der vier mittelalterlichen Tore, denn die historische Altstadt ist noch von einer Mauer mit Türmen und Toren umgeben. Die **zahlreichen denkmalgeschützten Häuser**, darunter das gotische Rathaus, locken alljährlich 2 Mio. Besucher an. .

＊＊ Bad Münstereifel

Im mittleren Ahrtal liegt Altenahr mit einer romanischen Pfarrkirche und der Ruine von Burg Are, von der aus sich ein prächtiger Blick ins ▶Ahrtal bietet. Im unteren ▶Ahrtal folgt Bad Neuenahr-Ahrweiler. Von dort erreicht man bei Sinzig wieder das Rheintal und kehrt dann in südöstlicher Richtung nach Andernach zurück.

Altenahr

Fahrt durch die südwestliche Eifel

Bitburg

Nördlich von ▶ Trier erreicht man die für ihr **Bier** bekannte Stadt Bitburg. Daran, dass Bitburg eine wichtige Station an der Heerstraße von Trier nach Köln war, erinnert die römische Stadtmauer, die beim Rathaus auf einer Länge von etwa 40 m erhalten oder rekonstruiert ist. Im Haus Beda sind rund 80 Gemälde von Fritz von Wille (1860–1951), dem bedeutendsten Eifelmaler der Düsseldorfer Schule, ausgestellt. Das **Kreismuseum** zeigt eine Sammlung frühgeschichtlicher Funde, sakrale und weltliche Kunst, ferner gusseiserne Ofen- und Kaminplatten aus den Gießhütten der Umgebung.

> ! *Baedeker* **TIPP**
>
> **Brauereiführung**
>
> Bitburg ist den meisten wahrscheinlich eher als Biermarke denn als Stadt bekannt. In der berühmten Brauerei kann man an einer Führung mit Bierprobe teilnehmen oder sich selber im Kommunikationszentrum über Herstellung und Biertradition informieren (www.bitburger.de).

Otrang

Etwa 6 km nördlich von Bitburg wurde eine römische Anlage mit einer ummauerten Fläche von 379 m Länge und 132 m Breite in Otrang ausgegraben. Besonders sehenswert ist das **Fußbodenmosaik**. Zum Gutsbezirk, der wahrscheinlich die ganze Talmulde bis hin zur Kyll und zur Römerstraße umfasste, gehörten auch ein Tempelbezirk und ein Gräberfeld.

Kyllburg

Folgt man der Straße von Bitburg in nordöstlicher Richtung, kommt man zu dem kleinen Kneipp- und Luftkurort Kyllburg. 1239 ließ der Trierer Erzbischof Theodorich von Wied eine große Burg als Schutz gegen die Herren von Malberg erbauen. Von ihr ist nur noch der als Aussichtsturm ausgebaute Bergfried erhalten. Die um 1350 erbaute Stiftskirche ist mit Kreuzgang und Kapitelhaus eines der **kostbarsten Bauwerke der Gotik** in dieser Region. Besonders hervorzuheben sind die Glasfenster, die um 1530 entstanden sind.

✳ Prüm

Macht und Reichtum der ehemaligen Benediktinerabtei Prüm sind noch immer spürbar, wenn man vor dem im Barock errichteten ehemaligen Kloster und der Kirche St. Salvator, heute Pfarrkirche, steht. Der Klosterkomplex wurde nach Plänen von Balthasar Neumann errichtet. In der Kirche sind das Chorgestühl (18. Jh.) und das Grabmal Kaiser Lothars I. vor dem Hochaltar beachtenswert.

✳ Vulkaneifel

Nun geht die Fahrt in östlicher Richtung weiter nach Gerolstein in der Vulkaneifel, bekannt für seine Mineralquellen. In einem Gebäude aus dem 16. Jh. ist das Kreisheimatmuseum untergebracht, das Hausrat und Möbel aus der Eifel zeigt. Im alten Rathaus kann man eine Sammlung von Mineralien und Fossilien ansehen, an denen das Gerolsteiner Land reich ist. Auf dem Schlossberg erhebt sich die Ruine der im 13. Jh. erbauten und um 1690 größtenteils zerstörten Löwenburg. Das Stadtgebiet wird vom Felsmassiv Munterley überragt. In einer vierstündigen Wanderung vom Rathaus über die Munterley zur Kasselburg und zurück werden im **»Geopark«** anhand von Informationstafeln insgesamt 17 geologisch interessante Fundstellen vorgestellt.

Wegen der vielen erloschenen Vulkane wird die Gegend von Gerolstein, Daun und Ulmen als »Vulkaneifel« bezeichnet. Im zentralen ◄ Daun
Bereich der Vulkaneifel liegt die Kreisstadt Daun. Neben vielen Möglichkeiten zu Spaziergängen bietet der **Kurpark** einen offenen Brunnen, aus dem das Heilwasser der Dunarisquelle getrunken werden kann. Ein besonderer Anziehungspunkt im Kurpark ist ein mit Reliefs verzierter Basaltfelsen. Das Vulkanmuseum beleuchtet die be-

wegte erdgeschichtliche Vergangenheit der Vulkaneifel. Südöstlich der Stadt liegen das Gemündener Maar und das Totenmaar. Von Daun lohnt ein Abstecher nach Ulmen (15 km östlich) mit der Ruine der gleichnamigen Burg, die Ritter Heinrich von Ulmen gehörte.

Auf Daun folgt der Fremdenverkehrsort Manderscheid, 90 m über **Manderscheid** dem Tal der Lieser gelegen. Auf schroffen Schieferfelsen stehen die Oberburg mit dem romanischen Bergfried und die Niederburg; beide gehören heute zu den bekanntesten **Wahrzeichen der Eifel**. Westlich von Manderscheid liegt in einem weiten Kraterkessel das Meer-

Mosaik in der Römervilla von Otrang

► EIFEL ERLEBEN

AUSKUNFT

Eifel Tourismus GmbH
Kalvarienbergstraße 1, 54595 Prüm
Tel. (0 65 51) 9 65 60, Fax 96 56 96
www.eifel.info

ESSEN

► Erschwinglich

Restaurant Via Laach
Laacher-See-Straße 1,
56653 Maria Laach-Wassenach
Tel. (0 26 36) 8 09 60
www.amlaachersee.de
Gemütliches Restaurant direkt am
See, breit gefächertes Speiseangebot,
regionale und internationale Küche.

Zum Wilden Schwein
Hauptstraße 117, 53518 Adenau
Tel. (0 26 91) 91 09 20
Traditionsreiches rustikal gehaltenes
Hotelrestaurant, das für seine vielen
Wildspezialitäten bekannt ist.

Hammes-Mühle
Bürresheimer Straße 119,
56727 Mayen-Nettetal
Tel. (0 26 52) 7 64 64
Romantisches Gasthaus, bereits im
17. Jh. in der Schlosschronik erwähnt,
bietet rustikale Spezialitäten aus der
Eifel und internationale Klassiker.

► Preiswert

Zum Simonbräu
Am Markt 7, 54634 Bitburg
Tel. (0 65 61) 33 33
Leckere ländliche Küche genießt man
hier in der gemütlichen Braustube
oder im gediegenen Restaurant.

Zum Alten Fritz
Koblenzer Straße 56, 56727 Mayen
Tel. (0 26 51) 9 60 10
Gemütliche Gaststube mit bodenstän-
diger Küche zu angenehmen Preisen.

ÜBERNACHTEN

► Komfortabel

Seehotel Maria Laach
Am Laacher See, 56653 Maria Laach
Tel. (0 26 52) 58 40, Fax 58 45 22
www.maria-laach.de/seehotel/
Traditionsreiches Haus, Zimmer teil-
weise mit Blick auf den See und die
Benediktinerabtei.

Blaue Ecke
Am Marktbrunnen, 53518 Adenau
Tel. (0 26 91) 20 05, Fax 38 05
www.blaueecke.de
Die rechte Unterkunft für Nürburg-
ringbesucher, denn das kleine, rund
400 Jahre alte Eifelhaus ist voller
Rennsouvenirs.

Landhaus Müllenborn
Auf dem Sand 45,
54568 Gerolstein-Müllenborn
Tel. (0 65 91) 9 58 80, Fax 95 88 77
www.landhaus-muellenborn.de
Perfekte Adresse für Ruhesuchende.
Gediegen-ländliches Ambiente lädt
zum Entspannen ein.

► Günstig

Wasserspiel
Im Weiherhölzchen 7,
56727 Mayen-Kürrenberg
Tel. (0 26 52) 30 81, Fax 52 33
www.hotel-wasserspiel.de
Kleines Hotel mit familiärer Atmosphäre. Vom gutbürgerlichen Restaurant hat man einen schönen Blick auf
das Eifelgebirge.

Leander
Am Markt 2, 54634 Bitburg
Tel. (0 65 61) 34 22, Fax 94 01 18
www.hotel-leander.de
Charmantes Haus in der Innenstadt.
Im Bistro werden internationale
Leckereien serviert.

felder Maar, das ursprünglich den ganzen Krater ausfüllte. Das Maar ist heute Mittelpunkt einer Freizeitanlage mit breit gefächertem Wassersportangebot. Ganz neu ist das Maarmuseum von Manderscheid, das sich mit der Entstehung dieser Vulkanseen beschäftigt; dazu gehört auch das spektakuläre, weil begehbare Großmodell eines Maares.

◄ Maarmuseum

! Baedeker TIPP

Säubrennerkirmes

In Wittlich findet alljährlich im August die Säubrennerkirmes, das größte Volksfest der Eifel, statt. Dabei werden ganze Schweine auf dem Marktplatz am Spieß gebraten, und in kleinen Lauben wird Wein ausgeschenkt.

In der Umgebung von Manderscheid wurden mehrfach Grabungen durchgeführt. Der wohl spektakulärste Fund war 1991 ein versteinertes, vollkommen erhaltenes **Urpferd**, das vor vielleicht 50 Mio. Jahren hier lebte und als Vorbild für die erste originalgetreue Nachbildung eines solchen Tieres diente. In Richtung Wittlich liegt die 1134 gegründete Abtei Himmerod.

✳ Eisenach

Atlasteil: S. 37 • C 3	**Höhe:** 215 m ü. d. M.
Bundesland: Thüringen	**Einwohnerzahl:** 43 000

Die Stadt Eisenach, einst Residenz der thüringischen Landgrafen, gewann besonders durch den Aufenthalt Martin Luthers auf der Wartburg kulturgeschichtliche Bedeutung. Aber nicht nur der Name des berühmten Reformators ist mit Stadt und Burg verbunden, sondern auch so glanzvolle Namen wie der Minnesänger Walther von der Vogelweide, der Dichter Fritz Reuter und nicht zuletzt Johann Sebastian Bach, der in Eisenach geboren wurde.

Vermutlich im Zusammenhang mit dem Bau der Wartburg angelegt, wird Eisenach 1150 als »Isinacha« erstmals erwähnt. Im Schutz der Burg entwickelte sich der Ort bald zum **politischen und geistigen Zentrum von Thüringen**; die Hofhaltung des Landgrafen war eine der prächtigsten des Mittelalters. Als sich 1525 ein großer Teil der Bürger am Bauernkrieg beteiligte, besetzten Truppen die Stadt. 1741 kam Eisenach zu Sachsen-Weimar. Die nahe Wartburg war 1817 Schauplatz des berühmten Burschenschaftlertreffens, das als wichtige Vorstufe zur deutschen Einheit gilt. Vom 7.–9. August 1869 fand im Gasthaus »Goldener Löwe« (heute Gedenkstätte) der so genannte Eisenacher Kongress statt, der Gründungsparteitag der Sozialdemokratischen Arbeiterpartei Deutschlands. Die Versammelten beschlossen das von August Bebel und Wilhelm Liebknecht ausgearbeitete Eisenacher Programm.

Geschichte

! *Baedeker* TIPP

Geteiltes Spil

Unter diesem Motto lebt auf der Wartburg der Sängerstreit alljährlich im September wieder auf. Drei Tage lang messen sich Sänger in der Tradition Walthers von der Vogelweide. Zur Einstimmung empfiehlt sich die Lektüre des Einakters »Der Sängerkrieg auf der Wartburg« von Gernhardt/Bernstein/Waechter in »Die Wahrheit über Arnold Hau« (Fischer Taschenbuch Verlag).

Das Herzstück der Altstadt ist der **Markt** mit vielen beachtenswerten Bauten, darunter das spätgotische Rathaus und das barocke Stadtschloss (um 1750). Am Markt steht ferner die Pfarrkirche St. Georg, eine Hallenkirche, in der Martin Luther am 2. Mai 1521 predigte, obwohl er bereits unter der Reichsacht stand. Hinter der Kirche sieht man die Gestalten Henner und Frieder, zwei Eisenacher Originale, die beim Volksfest »Sommergewinn« eine große Rolle spielen. Vor dem Westportal der Kirche trägt ein alter Marktbrunnen St. Georg, den **Schutzpatron von Eisenach**.

✳ Lutherhaus
Am heutigen Lutherplatz wohnte der Reformator von 1498 bis 1501 als Schüler der Lateinschule in Eisenach. Im Lutherhaus sind heute eine **Gedenkstätte** zum Thema »Der junge Luther« und das Evangelische Pfarrhausarchiv eingerichtet.

Thüringer Museum ►
In der Predigerkirche zeigt das Thüringer Museum u. a. Thüringer Fayencen, Porzellan des 18. und 19. Jh.s und Thüringer Glas.

Hellgrafenhof ►
Ecke Georgenstraße und Schiffsplatz liegt der Hellgrafenhof, das wahrscheinlich älteste Gebäude der Stadt.

✳ Bachhaus
Am Frauenplan Nr. 21 soll der Komponist Johann Sebastian Bach (1685–1750) geboren sein. Gezeigt wird hier eine Sammlung über Leben und Wirken der Familie Bach ferner eine Ausstellung historischer Musikinstrumente.

✳ Automobilbaumuseum
In Eisenach wurden schon seit Ende des 19. Jh.s Autos gebaut; hier entstand zu DDR-Zeiten der »Wartburg«. Neben Oldtimern zeigt das Museum in der Wartburgstraße auch dessen **letztes Modell**.

Automobiles Erbe im Museum

Im heutigen Reuter-Wagner-Museum wohnte und starb der niederdeutsche Dichter Fritz Reuter (1810–1874). Außer ihm gewidmeten Räumen gibt es dort eine umfangreiche Richard-Wagner-Bibliothek.

Reuter-Wagner-Museum

Auf der Göpelskuppe steht das Burschenschaftsdenkmal, errichtet zur Erinnerung an das **Wartburgfest** von 1817, bei dem sich ca. 500 Abgesandte deutscher Universitäten versammelten. Die Burschenschaftler, geeint in ihrer Ablehnung von Restauration und Kleinstaaterei nach dem Ende der napoleonischen Ära, proklamierten ein Manifest für die zukünftige Einheit Deutschlands, das zunächst jedoch ungehört verhallte.

Burschenschaftsdenkmal

✶ ✶   Wartburg

Eine der historisch interessantesten deutschen Burganlagen ist die auf dem Wartberg gelegene Wartburg, die der Sage nach 1067 von Ludwig dem Springer gegründet wurde. Der Bedeutung der Landgrafschaft entsprechend, spielte die Burg bald nicht nur als Wehrbau eine Rolle, sondern ihre Räume dienten auch **Regierungs- und Repräsentationszwecken**. Auf der Wartburg soll Anfang des 13. Jh.s ein – historisch nicht nachweisbarer – Wettstreit zwischen Minnesängern ausgetragen worden sein, unter ihnen Wolfram von Eschenbach, Heinrich von Ofterdingen, Heinrich von Veldecke und Walther von der Vogelweide. Ihr »Sängerkrieg« ist Thema von Richard Wagners Oper »Tannhäuser«.

🕐
Führungen:
März bis Okt.
tgl. 8.30–17.00 Uhr,
Nov. bis Feb.
tgl. 9.00–15.00 Uhr

Im Jahre 1235 wurde die Landgräfin Elisabeth, eine ungarische Königstochter, die auf der Wartburg gelebt und sich der Armen angenommen hatte, heilig gesprochen. **Martin Luther** lebte im Winter 1521/1522 als »Junker Jörg« unter kurfürstlichem Schutz auf der Burg, wo er das Neue Testament aus dem Urtext übersetzte und damit den entscheidenden Beitrag zur Herausbildung der neuhochdeutschen Schriftsprache leistete.

Man betritt die Wartburg über den einzigen Zugang, die im Norden gelegene Zugbrücke. Im ersten Burghof sieht man Fachwerkbauten, darunter das Ritterhaus. Eine imposante Gebäudegruppe grenzt den ersten Hof vom zweiten ab. Der einst dicht bebaute zweite Burghof mit dem Südturm und dem Palas ist der älteste Teil der

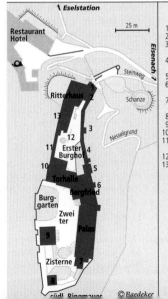

Wartburg *Orientierung*

↖ Eselstation

Restaurant
Hotel

Steinweg

Ritterhaus

Schanze

Nesselgrund

13

12

Erster
Burghof

11

10

Torhalle

Burggarten

Zweiter

Zisterne

Palas

Bergfried

25 m

Eisenach ↗

1 Zugbrücke
2 Torhaus
3 Nürnberger Erker
4 Elisabethengang
5 Luthererker
6 Neue Kemenate
7 sog. Ritterbad
8 Südturm
9 Gadem
10 Dirnitz
11 Margarethengang
12 Brunnen
13 Vogtei mit Lutherstube

© Baedeker

Hier in der Lutherstube auf der Wartburg hat der berühmte Reformator sich vor dem Kirchenbann und der Reichsacht verborgen.

Anlage. Wer den **Südturm** besteigt, wird mit einer weiten Sicht auf Eisenach und den Thüringer Wald belohnt. Im Palas befinden sich der romanische Rittersaal und der Speisesaal. In der Elisabeth-Kemenate sieht man ein Mosaik, das Szenen aus dem Leben der hl. Elisabeth zeigt. In den Museumsräumen der Neuen Kemenate und der Dirnitz sind Kunstwerke aus den Sammlungen der Wartburg zu besichtigen: gotische Wandteppiche, Gemälde von Lucas Cranach d. Ä., Skulpturen aus der Werkstatt Tilman Riemenschneiders und ein Schrank nach Entwürfen Albrecht Dürers. Über den westlichen Wehrgang gelangt man zur Lutherstube, deren Einrichtung fast unverändert geblieben ist. An der Wand hängen Gemälde von Lucas Cranach d. Ä., auf denen Luther als **»Junker Jörg«** zu sehen ist. Kurfürst Friedrich der Weise ließ Luther, um ihn vor Kirchenbann und Reichsacht zu schützen, am 4. Mai 1521 auf die Wartburg bringen, wo er als »Junker Jörg« verkleidet lebte. In der Stube soll Luther ein Tintenfass nach dem Teufel, der ihn versuchen wollte, geworfen haben; statt des dabei angeblich entstandenen Tintenflecks sieht man heute ein Loch neben dem Ofen.

✱
Lutherstube ▶

Umgebung von Eisenach

Hörselberge   Östlich der Stadt liegen die weißen Kalksteinfelsen der Hörselberge. Der Große Hörselberg (484 m ü. d. M.) ist einer der **sagenumwobenen Berge Deutschlands**: In ihm haben der Legende nach Wotan und Tannhäuser, Frau Holle und Frau Venus (als Doppelgestalt) ihr Domizil, und in sturmerfüllten Herbstnächten soll hier der getreue Eckart Wanderer vor dem »Wilden Heer« oder der »Wilden Jagd« warnen. Von der Höhe bietet sich eine schöne Aussicht. In der Nähe befinden sich auch die Venushöhle und die Tannhäuserhöhle sowie das Jesusbrünnlein.

Bad Salzungen, südlich von Eisenach zwischen Thüringer Wald und Rhön im weiten Tal der Werra gelegen, hat sich zum **Solbad** entwickelt, in dem Atemwegserkrankungen behandelt werden. Wenige **Bad Salzungen**

 ## EISENACH ERLEBEN

AUSKUNFT

Tourist Information
Markt 2, 99817 Eisenach
Tel. (0 36 91) 7 92 30, Fax 79 23 20
www.eisenach.de

ESSEN

► Erschwinglich
Landgrafenstube
Auf der Wartburg, 99817 Eisenach
Tel. (0 36 91) 79 70
Gediegen speisen im einmaligen historischen Ambiente unterhalb der Wartburg. Jägerzimmer und Wappensaal bieten mit ihren Wandmalereien einen geschmackvollen Rahmen für die urtümliche Thüringer Küche.

Thüringer Tenne
Adam-Opel-Straße 5, 99817 Eisenach
Tel. (0 36 91) 4 46 60
Zentral gelegen, gutbürgerlich-rustikales Ambiente, herzhafte regionale Speisen. Saisonabhängige Spezialitäten wie Pilz- und Wildgerichte.

► Preiswert
Zwinger
Wartburgallee 2, 99817 Eisenach
Tel. (03 6 91) 20 33 43
Traditionsreiche Gaststätte im Souterrain des altehrwürdigen Hotels Kaiserhof. Deftige Thüringer und bayerische Spezialitäten.

ÜBERNACHTEN

► Luxus
Hotel auf der Wartburg
99817 Eisenach
Tel. (0 36 91) 79 70, Fax 79 71 00
Einen Steinwurf von der Wartburg entfernt steht das stilvoll renovierte Gebäude mit spätgotischem Fachwerk und romanischen Arkaden. Das geschichtsträchtige Ambiente und die einzigartige Aussicht machen den Aufenthalt zum reinen Genuss.

► Komfortabel
Steigenberger Hotel Thüringer Hof
Karlsplatz 11, 99817 Eisenach
Tel. (0 36 91) 2 80, Fax 2 81 90
www.eisenach.steigenberger.de
Traditionsreiches Haus aus dem 19. Jh., das mit Liebe zum Detail restauriert wurde. Sehr komfortable, modern eingerichtete Zimmer garantieren einen angenehmen Aufenthalt.

► Günstig
Villa Anna
Fritz-Koch-Straße 12, 99817 Eisenach
Tel. (0 36 91) 2 39 50, Fax 23 95 30
www.hotel-villa-anna.de
Kleines, sehr ruhiges Hotel mit persönlicher Note in einer altehrwürdigen Gründerzeitvilla. Gelungene Mischung aus historischem Ambiente und moderner Eleganz.

Schritte sind es vom Marktplatz mit dem barocken Rathaus und zahlreichen Geschäften zum Burgsee, um den ein Promenadenweg führt. Das Gradierwerk hinter den Bahngleisen dient der Freiluftinhalation zur Behandlung von Atmungserkrankungen. Man atmet salzhaltige Luft ein, die dadurch entsteht, dass salzhaltige Sole über ein Schwarzdorn-Reisiggeflecht rieselt und zerstäubt.

Bad Liebenstein Das **älteste Bad Thüringens** ist Bad Liebenstein. Bereits im 17. Jh. seiner Heilquellen wegen aufgesucht, stieg es zu einem Modebad auf. Sehenswert ist das Kurzentrum mit Kurhaus, Klubhaus, Kurtheater und Brunnentempel. Sehr schön ist der Elisabethpark mit Rosengarten. Von der Burgruine Liebenstein, im 13. Jh. errichtet, sieht man bis in das Werratal und zu den Bergen der Vorderrhön.

Luthergrund In der Nähe von Steinbach erinnert im so genannten Luthergrund ein Denkmal an den fingierten Überfall kurfürstlich-sächsischer Soldaten auf Luther bei seiner Rückkehr vom Reichstag zu Worms. Von hier aus wurde der Reformator auf die Wartburg gebracht.

Emsland

Atlasteil: S. 14 • A/B 3/4　　　　**Bundesland:** Niedersachsen

Das weithin flache und von Mooren durchsetzte Emsland verströmt zuweilen geisterhafte Atmosphäre. Wegen der mageren Moor- und Heideböden wie auch wegen seiner Randlage gehörte die Region lange Zeit zu den am wenigsten entwickelten Gebieten Deutschlands. Nach dem Zweiten Weltkrieg nutzte man verstärkt die Erdöl- und Erdgaslager, die seit 1942 hier erbohrt wurden.

Moor und Heide Das Emsland erstreckt sich zu beiden Seiten der mittleren Ems, die hier im Wesentlichen parallel zur deutsch-niederländischen Grenze verläuft. Der Fluss entspringt in der Senne, fließt durch das Münsterland und anschließend durch das Norddeutsche Tiefland. Dollart und Außenems bilden den Mündungsbereich. Die Ems als Teilstück des **Dortmund-Ems-Kanals** ist ab Meppen schiffbar.

> **!** *Baedeker* TIPP
>
> **Haselünner Wacholderhain**
> Eine sehr schöne Wanderung kann man durch den Haselünner Wacholderhain machen. Die stellenweise über 6 m hohen Wacholdersträucher in dem Naturschutzgebiet überraschen durch ihre Vielfalt, die von der Säulenform bis hin zu flachwüchsigen Sträuchern reicht. Den Wacholderhain bevölkern viele Wildkaninchen.

Meppen und Umgebung

Die Kreisstadt **Meppen** liegt an der Mündung der Hase in die Ems und am Dortmund-Ems-Kanal. Beachtung verdienen das Rathaus mit offener Vorhalle und Treppengiebel sowie die Propsteikirche, zu deren Ausstattung ein **überlebensgroßer Schmerzensmann** aus Bamberger Sandstein gehört.

In Groß Hesepe, 15 km südwestlich von Meppen, lädt das Moor-Museum zu einem Besuch ein. Es informiert über das Moor, seine Geschichte, seine Entstehung und Zusammensetzung und seine Kultivierung. Anschaulich vermitteln Geräte und Maschinen Wissenswertes über den Torfabbau bis hin zur industriellen Nutzung. Auf einem **Lehrpfad** kann man auch die Pflanzen des Hochmoors kennen lernen.

Groß Hesepe

Nordwestlich von Meppen erstreckt sich das Bourtanger Moor, ein 2000 km² großes, überwiegend zu den Niederlanden gehörendes **Hochmoor**. Vielerorts sieht man hier die Anfang der Fünfzigerjahre entstandenen Höfe, die damals auch für Flüchtlinge aus den ehemaligen deutschen Ostgebieten zur Heimat wurden.

Bourtanger Moor

Rund 15 km südöstlich von Haselünne steht das ehemalige Zisterzienserkloster Börstel.
Im näheren Umkreis erstrecken sich das Hahlener Moor und das Hahnenmoor, in denen sich die verschiedenen Stufen der **Hochmoor-Regeneration** deutlich erkennen lassen. In das Hahlener Moor führt zudem ein Moorlehrpfad, der die Landschaft näher erläutert.

Kloster Börstel

◄ Hahlener Moor

In der Meyerwerft in Papenburg ist 1993 das weltgrößte Kreuzfahrtschiff gebaut worden.

Papenburg und Umgebung

Papenburg Im nördlichen Emsland liegt Papenburg, Mitte des 17. Jh.s als **ältes-te deutsche Moorkolonie** gegründet, heute eine Stadt mit vielseitiger Industrie und Erholungsort. Wichtigster Arbeitgeber der Stadt ist die Meyerwerft, bekannt für den Bau von Kreuzfahrt- und Fährschiffen. Beachtenswert sind das barocke Rathaus und die Pfarrkirche St. Amandus im Stadtteil Aschendorf, ein dreischiffiger Ziegelbau mit Westturm. Die Kirche besitzt eine **ungewöhnlich reiche Ausstattung**, darunter ein kelchförmiges Taufbecken, Relieftafeln des Marienlebens, das Relief eines großen Passionsaltars und eine Figur der Anna-Selbdritt. Das Heimatmuseum ist den Themen Moorkultivierung und Schifffahrt gewidmet, ferner gibt es ein **Freilichtmuseum der Binnenschifffahrt**.

Schloss Clemenswerth Rund 33 km südlich von Papenburg befindet sich in Sögel das **Jagd-schloss** Clemenswerth, das Kurfürst Clemens August im 18. Jh. erbauen ließ. Inmitten eines großzügigen Parks gruppieren sich sieben

 EMSLAND ERLEBEN

AUSKUNFT

Emsland Touristik GmbH
Ordeniederung 1, 49716 Meppen
Tel. (0 59 31) 4 43 35, Fax 4 43 44
www.emsland.de

ESSEN

► Erschwinglich
Höltingmühle
Am Nachtigallwäldchen,
49716 Meppen
Tel. (0 59 31) 33 65
Gediegen speisen im historischen Ambiente einer alten Mühle.

► Preiswert
Landhaus Eppe
Teglinger Hauptstraße 11,
49716 Meppen
Tel. (0 59 31) 26 07
Herzhafte, deftige Spezialitäten wie Backschinken und Jägerbraten. Legendär ist das Spanferkel, das hier – bereits seit dreißig Jahren – meisterhaft zubereitet wird.

ÜBERNACHTEN

Baedeker-Empfehlung

► Komfortabel
Alte Werft
Ölmühlenweg 1, 26871 Papenburg
Tel. (0 49 61) 92 00, Fax 92 01 00
www.hotel-alte-werft.de
Schönes Hotel in einer ehemaligen Werfthalle aus dem 19. Jh. Gelungene Mischung aus alter Industrie-Architektur und modern-eleganter Inneneinrichtung. Sauna, Fitnessraum und ein schöner Biergarten runden das Angebot ab.

► Günstig
Altstadt Hotel
Nicolaus-Augustin-Straße 3,
49716 Meppen
Tel. (0 59 31) 9 32 00, Fax 93 20 41
www.altstadt-hotel-meppen.de
Kleines Hotel in der Nähe der Fußgängerzone. Gepflegte Zimmer.

Pavillons und eine Kapelle sternförmig um das zweistöckige Schloss, das der aus Westfalen gekommene Baumeister Johann Conrad Schlaun nach dem Vorbild der Pagodenburg im Park von Schloss Nymphenburg in ► München schuf. Die Gebäude sind einheitlich als Ziegelbauten mit Mansardendächern ausgeführt. Der runde Schlossplatz war ursprünglich gepflastert; die Herzöge von Arenberg-Meppen, denen das Schloss ab 1803 gehörte, ließen den Platz

> ! **Baedeker** TIPP
>
> ### Schiffsbau live
>
> Die Tourist-Information Papenburg bietet von April bis Oktober tgl. 14.30 und 17.00 Uhr Familienführungen durch die Meyerwerft an, ggf. werden weitere Führungen um 15.00 und 17.30 Uhr durchgeführt (Kartenbestellung: Tel. 0 49 61/83 96 71). Dabei erfährt man auch Interessantes über die 1993 hier vom Stapel gelaufene »Silja Europa«, das weltgrößte Kreuzfahrtschiff.

aber größtenteils mit Rasen überziehen und verstärkten so den märchenhaften Eindruck, der durch den hohen Buchenwald unterstützt wird. Heute beherbergt Schloss Clemenswerth das sehenswerte Emslandmuseum, das anhand von Möbeln, Meissener Porzellan, Straßburger Fayencen u. a. über das höfische Leben im Barock informiert. ◄ Emslandmuseum

✳ Erfurt

Atlasteil: S. 38 • A 3
Bundesland: Hauptstadt des Freistaats Thüringen

Höhe: 200 m ü. d. M.
Einwohnerzahl: 210 000

Mit seinem verwinkelten mittelalterlichen Stadtkern bietet Erfurt, die Landeshauptstadt von Thüringen, immer wieder neue und überraschende Einblicke. Überragt wird die malerische Altstadt vom Domberg und dem gegenüberliegenden Petersberg. Wirtschaftlich hat Erfurt heute vor allem als Dienstleistungsstandort Bedeutung.

Der Ort wurde 742 von Bonifatius als Bistum gegründet. Die Furt an **Geschichte** der Gera und die Lage am bedeutenden Handelsweg »via regia« (Königsstraße), der vom Rhein nach Russland führte, begünstigten im Mittelalter die Entwicklung des alten »Erphesfurt« zu einer deutschen Handelsmetropole. Im 14. und 15. Jh. hatte Erfurt seine Blütezeit. Damals ließ der Handel, vor allem mit dem **pflanzlichen Färbemittel Waid** (Blau), den Ort zu einer mächtigen Stadt werden. Ausdruck des Wohlstands war die Eröffnung einer Universität 1392, die jedoch 1816 den Betrieb aufgeben musste. An dieser Universität studierte Martin Luther von 1501 bis 1505, bevor er ins Augustinerkloster eintrat. Die Verlagerung des Welthandels und der Import des billigen Indigo unterminierten Erfurts Rolle als Handelsplatz. Im 18. Jh. führte der Feld- und Gartenbau erneut zu wirtschaftlichem Aufschwung. Nach der Wende wurde Erfurt Hauptstadt von Thüringen.

Ein Hauch Italien – am Erfurter Fischmarkt

Innenstadt

✴ **Domplatz** Beherrschendes **Wahrzeichen** der Altstadt ist das Ensemble von Mariendom und Severikirche auf dem Domberg. Der Dom wurde 1154 als romanische Basilika errichtet, an die man im 14. Jh. den hochgotischen Chor anfügte. Ab 1455 erfolgte ein Neubau des Langhauses Richtung Westen. Im mittleren der drei Türme, die einst hohe Helme hatten, läutet die »Maria Gloriosa«, eine der **größten und klangvollsten Glocken der Welt**, die 1497 durch Meister Gerhard Wou aus Kampen gegossen wurde. Überwältigend ist der Eindruck der farbigen Glasfenster im Chor, ein eindrucksvolles Zeugnis mittelalterlicher Glasmalerei. Im Dom gibt es eine Fülle von Kunstschätzen, u. a. den barocken Hochaltar, das Chorgestühl (14. Jh.), die Stuckmadonna und die Leuchterfigur des »Wolfram« (um 1160), die als älteste freistehende Bronzeplastik in Deutschland gilt.

✴ Severikirche ► Die Severikirche (1278–1340 erbaut), eine fünfschiffige **gotische Hallenkirche**, besitzt drei mit spitz zulaufenden Helmen versehene Türme. Von der Ausstattung sind besonders der große Barockaltar von 1670, der Sarkophag des hl. Severus (um 1360) und der 15 m hohe, filigrane Taufstein von 1467 hervorzuheben, der als Meisterwerk spätgotischer Steinmetzarbeit gilt.

Petersberg Gegenüber vom Domberg erhebt sich der Petersberg. Ursprünglich stand dort das **Peterskloster**, das 1813 bei der Beschießung der Zitadelle ausbrannte. Erhalten sind Überreste der ehemaligen Klosterkirche St. Peter und Paul, einer dreischiffigen romanischen Pfeilerbasilika, und Teile der barocken Zitadelle, von der aus sich eine schöne Aussicht auf Erfurt bietet.

Das Naturkundemuseum (Große Arche 14) ist in einem alten Waidspeicher untergebracht. Es informiert über die Thüringer Landschaft, ihre geologische Beschaffenheit, die heimischen Pflanzen und Tiere, Mineralien und Fossilien. Attraktion ist eine **14 m hohe Eiche**, um die herum der Besucher zu den einzelnen Etagen aufsteigt.

Naturkundemuseum

Auf dem Fischmarkt steht der im Volksmund **»Roland«** genannte hl. Martin im Gewand eines römischen Kriegers; sehenswert sind an der Westseite das Haus »Zum roten Ochsen« (1562), ein reich geschmückter Renaissancebau, und an der Nordseite das Haus »Zum breiten Herd« (1584). Der eindrucksvollste Bau am Fischmarkt ist das neugotische Rathaus: Den Festsaal schmücken Historienbilder zur Erfurter Stadtgeschichte, das Treppenhaus Darstellungen zur Thüringer Sagenwelt.

✶ **Fischmarkt**

◄ Rathaus

Südlich vom Fischmarkt liegt am Ufer des Breitstroms die letzte noch funktionstüchtige **Wassermühle Erfurts**. Sie gehört zu den zahlreichen Mühlen, die einst den Wasserlauf der Gera säumten; seit 1992 ist sie als Museum zugänglich.

◄ Museum Neue Mühle

Vom Rathaus gelangt man zur berühmten Krämerbrücke, die 1325 an der Gerafurt als Bogenbrücke in Stein errichtet wurde. Beiderseits mit Häusern bebaut (heute sind es 33), ist sie die **längste bebaute Brückenstraße Europas** und einer der interessantesten Punkte der Stadt, gesäumt von Geschäften für Kunsthandwerk und Antiquitäten. In der Nähe der Brücke verläuft die Michaelisstraße. Auf dem Grund-

✶ **Krämerbrücke**

◄ Michaelisstraße

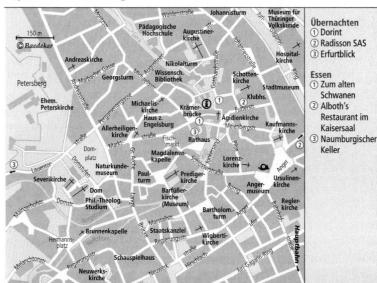

Erfurt *Orientierung*

150 m
© Baedeker

Waldenstraße · Johannisturm · Museum für Thüringer Volkskunde

Pädagogische Hochschule · Augustinerkirche

Andreaskirche · Nikolaiturm · Hospitalkirche

Petersberg · Georgsturm · Wissensch. Bibliothek · Schottenkirche · Stadtmuseum

Ehem. Peterskirche · Michaeliskirche · Krämerbrücke · Klubhs.

Haus z. Engelsburg · Ägidienkirche · Kaufmannskirche

Allerheiligenkirche · Fischmarkt · Rathaus · Meienbergstr.

Domplatz · Markt · Magdalenenkapelle · Lorenzkirche

Severikirche · Naturkundemuseum · Paulturm · Predigerkirche · Angermuseum · Ursulinenkirche

Dom · Phil.-Theolog. Studium · Barfüßerkirche (Museum) · Bartholom.-turm · Reglerkirche

Brunnenkapelle · Staatskanzlei · Wigbertikirche

Hermannsplatz · Schauspielhaus

Neuwerkskirche

Übernachten
① Dorint
② Radisson SAS
③ Erfurtblick

Essen
① Zum alten Schwanen
② Alboth's Restaurant im Kaisersaal
③ Naumburgischer Keller

stück Nr. 39 befand sich die alte Erfurter Universität. Heute ist hier die Wissenschaftliche Bibliothek mit der **weltberühmten »Amploniana«**, einer Sammlung mittelalterlicher Handschriften, untergebracht.

Augustiner-kloster | Von der Bibliothek kommt man zur Augustinerstraße mit dem Augustinerkloster und der Augustinerkirche (1290–1350). Hier verbrachte der junge Martin Luther entscheidende Jahre seines Lebens. Das 1945 zerstörte, heute wieder aufgebaute Kloster ist Tagungszentrum und Luthergedenkstätte.

Bürgerhäuser ► | Die Augustinerstraße mündet in die Johannesstraße, in der noch zahlreiche alte Bürgerhäuser erhalten sind: u. a. das reich verzierte Haus »Zum Stockfisch«, das 1607 im Stil der Spätrenaissance erbaut wurde und heute das **Stadtmuseum** beherbergt, das Fachwerkhaus »Zum Mohrenkopf« und das Giebelhaus »Zum grünen Sittich und gekrönten Hecht«. Folgt man der Johannesstraße weiter südwärts, kommt man zur Kaufmannskirche, in der die Eltern von Johann Sebastian Bach getraut wurden.

Museum für Thüringer Volkskunde | Einen Besuch lohnt das Museum für Thüringer Volkskunde, das etwas abseits der Johannesstraße am Juri-Gagarin-Ring liegt. Besonders interessant sind die detailgetreu aufgebauten Werkstätten traditioneller Thüringer Gewerbe.

✴ Anger | Die Johannesstraße mündet in die Anger genannte Straße, eine der ältesten der Stadt mit zahlreichen prachtvollen alten Gebäuden; heute ist sie ein Boulevard mit Geschäften und Restaurants. An der Ecke zur Trommsdorfstraße steht das **Ursulinenkloster**. Das Haus »Zum Schwarzen Löwen« (Nr. 11) war während des Dreißigjährigen Krieges Residenz des schwedischen Statthalters. Ecke Anger und Bahnhofstraße steht der einstige kurmainzische Packhof, ein reich verzierter Barockbau von 1706. Hier zeigt das Angermuseum Kunst und Kunsthandwerk vom Mittelalter bis zur Gegenwart, so z. B. kostbare Altaraufsätze des 14. und 15. Jh.s, Landschaftsmalerei des 18. und 19. Jh.s, Porzellane und Fayencen aus Thüringer Werkstätten. Am Anger weiter kommt man zum Bartholomäusturm, einem Überrest

Angermuseum ►

der Familienkirche der **Thüringer Grafen von Gleichen**, die hier ihre Stadtwohnung hatten. Im Turm hängt ein großes Glockenspiel mit 60 Glocken aus der Gießerei in Apolda. Gegenüber vom Bartholomäusturm steht das Haus »Zum großen Schwantreiber und Paradies» (Nr. 28/29). Etwas weiter kommt man zum Haus Dacheröden (Nr. 37/38), dem Gebäude mit dem schönsten Renaissanceportal der Stadt. Hier trafen sich u. a. Goethe, Schiller und Wilhelm von Humboldt, Verlobter von Carolina von Dacheröden.

◄ Bartholomäusturm

Auf der Weilergasse Richtung Breitstrom geht man zur Barfüßerkirche, die mit den ältesten Glasmalereien Erfurts und Meisterwerken der Grabplastik ausgestattet ist. In ihrem Chor ist heute das **Museum für mittelalterliche Sakralkunst** untergebracht.

Barfüßerkirche (Museum)

 ## ERFURT ERLEBEN

AUSKUNFT

Tourist-Information
Am Benediktplatz 1, 99084 Erfurt
Tel. (03 61) 6 64 00, Fax 6 64 02 90
www.erfurt.de

ESSEN

► Erschwinglich
① *Zum alten Schwanen*
Gotthardtstraße 27 (im Hotel Sorat), 99084 Erfurt, Tel. (03 61) 6 74 00
Traditionsreiches Restaurant mit erstklassiger regionaler und internationaler Küche. Gemütliche Terrasse.

② *Alboth's Restaurant im Kaisersaal*
Futterstraße 15, 99084 Erfurt
Tel. (03 61) 5 68 82 07
Elegantes Restaurant im historischen Stadthaus. Gehobene internationale Küche von besonderer Qualität.

► Preiswert
③ *Naumburgischer Keller*
Michaelisstraße 49, 99084 Erfurt
Tel. (03 61) 5 40 24 50
Im Herzen der Altstadt lädt das Restaurant mit historischem Flair zu Thüringer Speisen ein. Empfehlung: Naumburgische Kellerpfanne im gusseisernen Tiegel.

ÜBERNACHTEN

► Komfortabel
② *Radisson SAS*
Juri-Gagarin-Ring 127, 99084 Erfurt
Tel. (03 61) 5 51 00, Fax 5 51 02 10
www.tagungen-erfurt.de
Modernes Hochhaus mit großzügig ausgestatteten Zimmern und Suiten, einige im Bauhausstil eingerichtet, teils mit schöner Aussicht. Sauna und Fitnessraum.

① *Dorint*
Meienbergstraße 26, 99084 Erfurt
Tel. (03 61) 5 94 90, Fax 5 94 91 00
www.dorint.de/erfurt
Stilvolles, im Herzen der Altstadt gelegenes Haus, das Tradition und Moderne zu verbinden weiß. Bequeme, gut ausgestattete Zimmer, Restaurant, Gartenterrasse, Sauna.

► Günstig
③ *Erfurtblick*
Nibelungenweg 20, 99092 Erfurt
Tel. (03 61) 22 06 60, Fax 2 20 66 22
www.hotel-erfurtblick.de
Freundliche, gepflegte und vor allem sehr ruhige Zimmer in einem engagiert geführten Hotel. Herrlicher Blick auf die Stadt.

Thüringer Staatskanzlei
Am Brunnen von 1889/1890 und der Wigbertikirche vorbei führt der Weg zur damaligen Statthalterei, dem monumentalsten profanen Gebäude der Altstadt. Es entstand in den Jahren 1711–1720 aus zwei älteren Patrizierhäusern und hat eine schöne Barockfassade. Heute hat hier die Thüringer Staatskanzlei ihren Sitz.

Außerhalb der Innenstadt

✳ **Cyriaksburg Erfurt**
Die Cyriaksburg im Süden Erfurts war früher Stadtschloss und Festung. Erhalten sind nur noch die beiden Türme, jetzt **Sternwarte und Aussichtsturm**, ferner eine Verteidigungsanlage von 1825, die das Gartenbaumuseum beherbergt. Seit 1961 wurden auf dem Gelände Internationale Gartenbauausstellungen (iga) der sozialistischen Länder veranstaltet. 1990 wurde die »iga Erfurt« durch das Land Thüringen übernommen, 1991 die Erfurter Garten- und Ausstellungs GmbH (ega) gegründet, die das Gelände zu einer sehr schönen Parkanlage gestaltet hat.

✳ **Schloss Molsdorf**
Schloss Molsdorf (um 1740), ein lohnendes Ausflugsziel südwestlich von Erfurt, zählt zu den **schönsten Thüringer Rokokoanlagen.**

✳ ✳ Erzgebirge

Atlasteil: S. 40/41 • A–C 3/3   **Bundesland:** Sachsen

Im Erzgebirge, einem der schönsten deutschen Mittelgebirge, wechseln sich romantische Ritterburgen mit lieblichen Tälern und tiefen Wäldern ab. Im Winter heißt es hier »Ski und Rodel gut«.

Waldsterben
Vom Auersberg nahe dem Vogtland bis zum Geisingberg erstreckt sich 130 km lang und 40 km breit das Erzgebirge (tschech. Krušné hory) von Südwesten nach Nordosten. Es steigt aus dem Mittelsächsischen Hügelland mit 350–450 m nach Südosten langsam auf 800–900 m an und fällt jenseits der auf seinem Kamm verlaufenden Staatsgrenze zu Tschechien steil zum Graben der Eger ab. Der **höchste Berg des Erzgebirges**, der Klínovec (Keilberg; 1244 m ü.d.M.), liegt bereits auf tschechischem Gebiet; der ihm benachbarte Fichtelberg ist mit seinen 1214 m Höhe der höchste Gipfel im deutschen Teil, immerhin 1019 m erreicht der Auersberg bei Johanngeorgenstadt. In den Kammlagen des Erzgebirges

! **Baedeker TIPP**

Bergbau
Überall trifft man im Erzgebirge auf Schaubergwerke und Bergbaumuseen (z. B. in Schneeberg, Aue, Waschleithe, Pöhla, Johanngeorgenstadt, Annaberg, Pobershau und Altenberg). Welches Museum oder Bergwerk worüber informiert, kann man am besten auf der Internetseite www.bergbautradition-sachsen.de nachlesen.

! Baedeker TIPP

Im Weihnachtsland

Wenn es weihnachtet, werden im Erzgebirge die Räuchermännchen und Pyramiden ausgepackt. Dann zeigt es sich von seiner märchenhaftesten Seite, denn nirgends in Deutschland wird das Fest auf eine so anheimelnde Art begangen. Auf den Marktplätzen drehen sich große Weihnachtspyramiden – besonders prächtige in Schwarzenberg und Schneeberg, das als Weihnachtsstadt des Erzgebirges gilt.

treten wie an keinem anderen Ort in Europa die katastrophalen Ausmaße des Waldsterbens zutage, deren Hauptauslöser die ungefiltert herüberwehenden Abgase der tschechischen Schwerindustrie sind.

Das Erzgebirge verdankt seinen Namen den zahlreichen Edel- und Buntmetallerzen. Seit im Jahr 1168 beim heutigen Freiberg die ersten Silbervorkommen entdeckt wurden, erklang über Jahrhunderte immer wieder das »Bergkgeschrey« und kündete von neu entdeckten Erzgängen. Dieser **Erzreichtum** bildete die Grundlage für die wirtschaftliche Erschließung und Entwicklung. Bergleute wanderten ein, und es entstanden die meist planmäßig angelegten Bergstädte wie ▶ Freiberg, Schneeberg oder Annaberg. Die Erschöpfung vieler Erzlagerstätten brachte Ersatzerwerbe wie das Klöppeln und später das Holzschnitzen hervor. Im 19. Jh. entwickelten sich bedeutende Industriestädte wie ▶Chemnitz und ▶Zwickau, beide vor dem Zweiten Weltkrieg wichtige Automobilproduktionsstätten in Deutschland (DKW, Horch, Auto Union, Wanderer); eine Tradition, die in der DDR mit den Trabantwerken fortgesetzt wurde.

Vom Bergbau zur Industrie

Westliches Erzgebirge

Entlang der Sächsischen Silberstraße lässt sich das westliche Erzgebirge am besten und schönsten erkunden. Auf den **Spuren der Bergleute** lernt man die mit dem Silber reich gewordenen Städte sowie die einzelnen Bergwerke kennen. Die ausgeschilderte Strecke führt von ▶Zwickau über ▶Freiberg nach ▶Dresden.

Sächsische Silberstraße

Schneeberg ist heute vor allem bekannt als **Zentrum der erzgebirgischen Volkskunst** und des Brauchtums. Alljährlich im Juli findet der Bergstreittag statt, und beim weihnachtlichen Lichtelfest lässt man alte Traditionen aufleben. Die Stadt entstand nach reichen Silberfunden um 1470/1471, doch waren die Vorkommen bereits um 1500

Schneeberg und Umgebung

Beim »Bergstreittag«, dem größten Fest des Erzgebirges mit Bergmannstradition, säumen tausende Menschen den lang gestreckten Marktplatz in Schneeberg.

weitgehend abgebaut. Ersatz bot der Bergbau auf Kobalt, mit dessen Farbstoff man die Meissener Porzellanmanufaktur versorgte. Nach dem Stadtbrand 1719 wurden die Häuser der heutigen Altstadt größtenteils im Barock- und Rokokostil wieder errichtet.

Markt ► Der imposant lang gestreckte, zum Kirchberg ansteigende **Markt** wird beherrscht vom neugotischen Rathaus (1851/1852), über dessen Haupteingang ein Sandsteinrelief die »Sage von der Fündigwerdung Schneebergs« darstellt. Am Platz ragt besonders der prächtige **»Goldene Hirsch«** heraus. Der Marktplatz geht über in den Frauenmarkt, wo das Erzgebirgische Volkskunsthaus zum Einkauf und dessen Café zur Pause unter gotischen Gewölben einladen. Weiter bergan erreicht

Lucas-Cranach-Altar ► man die dreischiffige spätgotische **St.-Wolfgang-Kirche** (1515–1540), eine der größten Hallenkirchen Sachsens. Sie besitzt einen 1539 von Lucas Cranach d. Ä. geschaffenen Flügelaltar, eines seiner reifsten Werke.

Carlsfeld ► Carlsfeld, 11 km südlich von Eibenstock, besitzt mit der Dreifaltigkeitskirche (1684–1688) von Johann Georg Roth den ältesten barocken Zentralbau in Sachsen. Seine Besonderheit sind die dreigeschossigen Emporen und der reiche Kanzelaltar von 1688. In der Nähe liegen die **Naturschutzgebiete Hochmoor Weitersglashütte und Großer Kranichsee** (292,8 ha).

Aue Der älteste Ort im Erzgebirge, Aue, war lange bekannt für die Förderung von Kaolin, Wismut und Uran. Über die Gleise am Bahnhof spannt sich die Bahnhofsbrücke, die **erste Spannbetonbrücke der Welt**.

Schwarzenberg, die **»Perle des Erzgebirges«**, liegt malerisch am Zusammenfluss von Schwarzwasser und Mittweida. Die Gründung der 1282 erstmals erwähnten Stadt geht auf Heinrich, Vogt von Gera, zurück. 1380 wurde hier der erste Eisenhammer des Erzgebirges in Betrieb genommen. Vom Markt mit dem Rathaus spaziert man, vorbei an einem Glockenspiel aus Meissener Porzellan, bergan zur Pfarrkirche St. Georg (1690–1699), einem einschiffigen Barockbau mit einem herrlichen, emporenumlaufenen Innenraum. Kurz darauf folgt das spätgotische Schloss, das von 1433 an entstand; 1555–1558 wurde es von Kurfürst August zum Jagdschloss umgebaut. Darüber und über die Geschichte der Stadt informiert das **Schlossmuseum**, dessen Attraktion eine Nagelschmiede aus dem 19. Jh. ist. Auf dem ehemaligen Bahnbetriebsgelände zeigt das Schwarzenberger Eisenbahnmuseum Dampf- und Diesellokomotiven. Wenige Kilometer südlich von Pöhla sollten Eisenbahnfans das Schmalspurbahnmuseum in Rittersgrün nicht auslassen.

Schwarzenberg und Umgebung

✱ ◄Schloss

◄Pöhla Rittersgrün

Die nächste Station an der Silberstraße ist Annaberg-Buchholz, das wirtschaftliche und kulturelle Zentrum des Oberen Erzgebirges. Hier feiert man die Kät, das **größte Volksfest im Erzgebirge**. Annaberg ist ein Kind des »Berggeschreys«: 1492 wurden reiche Silbervorkommen gefunden, bereits 1497 erhielt der Ort Stadtrechte und wurde Sitz der Bergbehörde (bis 1856), die 1509 die in ganz Deutschland gültige **»Annaberger Bergordnung«** herausgab. In seiner Glanzzeit war Annaberg größer und reicher als Leipzig und Heimat des »Rechenmeisters« des deutschen Volkes« Adam Ries (1492–1559). Nachdem die Silbererzförderung ihren Höhepunkt überschritten hatte, gewannen Bortenwirkerei und Spitzenklöppelei regionale Bedeutung, noch heute ein wichtiger Wirtschaftsfaktor für die Stadt. Zentrum ist der Markt, an dem besonders das 1751 erneuerte Rathaus und die kleine Bergkirche (1502) in der Westecke auffallen. Von der Buchholzer Straße (wenig südlich vom Markt) zweigt rechts die Johannisgasse ab, in der das Haus des Rechenmeisters Ries (Nr. 23) steht.

Annaberg-Buchholz

◄Markt

Die bedeutendste Sehenswürdigkeit Annabergs ist die spätgotische St.-Annen-Kirche gegenüber, die **größte Hallenkirche Sachsens**, 1499–1525 erbaut. Von außen eher abweisend, offenbart ihr Inneres eine der schönsten Raumgestaltungen der deutschen Spätgotik. Dazu trägt vor allem das herrliche Schlingrippen- und Schleifensterngewölbe von Jakob Heilmann von Schweinfurt bei, hinzu kommen die 100 Reliefs mit biblischen Szenen und Lebensalterallegorien von Franz Maidburg (1520–1522), die Schöne Tür (1512) und der Taufstein (1515) von Hans Witten, der Bergaltar mit Darstellungen der Bergleute von Hans Hesse (1521) und der Altar der Münzknappschaft (1522) von Christoph Walter I.

✱ ✱ ◄St. Annen

Frohnau, unmittelbar nördlich von Buchholz, besitzt mit dem »Frohnauer Hammer« ein einzigartiges technisches Denkmal. Dieser Eisenhammer ist seit dem 14. Jh. nachgewiesen und existiert in seiner heutigen Form seit 1657.

✱ ◄Frohnauer Hammer

Über das 8 km nördlich gelegene Ehrenfriedersdorf, dessen Nikolai-kirche einen Altar von Hans Witten besitzt, erreicht man die als **Kletterrevier** bekannte Gruppe der Greifensteine. Diese Restfelsen eines ehemals mächtigen Granitmassivs ragen bis zu einer Höhe von 731 m auf. Im Naturtheater Greifenstein werden vor allem Stücke nach Karl May und über Karl Stülpner, den »Robin Hood des Erzgebirges«, aufgeführt.

! *Baedeker* TIPP

Mit Volldampf nach Oberwiesenthal
Den Ausflug nach Oberwiesenthal kann man zwar auch mit dem Auto unternehmen, viel vergnüglicher aber ist die Anreise mit der Fichtelbergbahn ab Cranzahl. Die 1897 eröffnete Bahn ist mehr als nostalgische Kurzweil, denn nach wie vor verkehrt sie nach geregeltem Fahrplan (Information: BVO Bahn GmbH, Tel. 03 73 48/151-0).

In **Oberwiesenthal**, 24 km südlich von Annaberg-Buchholz und Wintersportzentrum des Erzgebirges am Fuß des 1214 m hohen Fichtelbergs, kann man die farbenfrohe Postmeilensäule am Marktplatz bewundern und die Große Fichtelbergschanze besichtigen; vor allem aber sollte man mit der Schwebebahn auf den Fichtelberg hinauffahren und den Blick weit über das Erzgebirge und ins nahe Böhmen hinein genießen.

Wolkenstein

Nach Annaberg-Buchholz teilt sich die Silberstraße. Die interessantere Route führt auf der B 101 nach Wolkenstein, dem **ältesten Heilbad Sachsens**, überragt von einer stattlichen Burg. Von hier aus bietet sich ein kurzer Abstecher durch das wildromantische Zschopautal nach Scharfenstein an, dem Geburtsort des »Robin Hoods des Erzgebirges«, Karl Stülpner. In der Burg ist das **erzgebirgische Spielzeug- und Weihnachtsmuseum** untergebracht. Die Silberstraße setzt sich in Wolkenstein auf der B 171 fort.

Zschopautal ▶

Marienberg

✳

Markt ▶

Das auf einer Hochfläche nahe der Grenze zu Tschechien liegende Marienberg wurde 1521 von Herzog Heinrich dem Frommen als weitere Silberbergbaustadt gegründet. Die Besonderheit Marienbergs ist seine von Ulrich Rülein von Calw erstellte planmäßige Anlage. Sie kommt besonders im 100 x 100 m messenden Markt zum Ausdruck, den ein Standbild des Stadtgründers ziert. Die Stadtkirche St. Marien ist die **letzte der großen sächsischen Hallenkirchen der Gotik**, 1564 vollendet. Von der originalen Ausstattung allerdings ist kaum mehr etwas erhalten geblieben.

Das Städtchen Lengefeld, 10 km nördlich, bietet mit seinem Kalkwerk aus dem 19. Jh. ein seltenes technisches Denkmal und mit Schloss Rauenstein eine Raubritterburg wie aus dem Märchen.

Olbernhau

Nach Marienberg bleibt man auf der B 171 und fährt weiter nach Olbernhau im Tal der Flöha. Die dortige Saigerhütte ist seit 1537 belegt; die heute 22 Gebäude, darunter drei mächtige wasserbetriebene Hämmer, sind ein einzigartiges Denkmal der Technikgeschichte.

Dass Olbernhau auch als **»Tor zum Spielzeugland«** bekannt ist, belegt auf anschauliche Weise das Museum »Haus der Heimat« mit seiner Ausstellung über die erzgebirgische Holzkunst- und Spielzeugindustrie.

Östliches Erzgebirge

Die hier vorgeschlagene Route verlässt nun die Silberstraße, die sich in Olbernhau nach Norden Richtung ► Freiberg wendet, und führt hinein in das östliche Erzgebirge.

Von Olbernhau sind es 10 km bis Seiffen. Das **»Spielzeugdorf«** liegt im »Seiffener Winkel« südlich des Schwartenberges (788 m ü. d. M.) und ist das Herz der sächsischen Spielwarenindustrie. Neben dem Spielzeug sind die gedrechselten Leuchterfiguren sowie die in Reifen (Ringen) gedrehten und davon abgespalteten Tierfiguren weltberühmt. Authentischer kann man erzgebirgisches Spielzeug nicht erwerben. Der Name des 1324 erstmals erwähnten Ortes wird abgeleitet vom früheren Auswaschen (»Seifen«) der Zinnkörner aus dem Verwitterungsschutt der Täler. Zur Entstehung der Spielzeugindustrie im Erzgebirge informiert u. a. das **Spielzeugmuseum**. Ein anmutiges Bild, besonders im Winter, bietet die kleine barocke Dorfkirche (1779), ein achteckiger Zentralbau mit umlaufenden Emporen, beliebtes Motiv auch der Seiffener Spielzeugmacher. Unterhalb davon tut sich die 35 m tiefe Binge auf, Zeugnis des Bergbaus.

Am östlichen Ortsausgang zeigt das Erzgebirgische Freilichtmuseum in historischen Gebäuden die Arbeits- und Lebensbedingungen der Spielzeugmacher und anderer für das Erzgebirge typischer Berufsgruppen.

Seiffen und Umgebung

✱
◄ Dorfkirche

✱
◄ Erzgebirgisches Freilichtmuseum

Geschnitztes und gedrehtes Spielzeug aus Holz, wie hier in Seiffen angeboten, diente früher als Ausgleich für die Arbeit in den dunklen Bergstollen.

Neuhausen Im kleinen Neuhausen, 3 km nördlich von Seiffen, sind gleich zwei Museen zu Hause: das **einzige Nussknackermuseum Europas** und das Glashüttenmuseum. Danach passiert man die Talsperre Rauschenbach und erreicht wieder die B 171, auf der man nach Frauenstein fährt. Im Renaissanceschloss von **Frauenstein** ist das Museum für den genialen **Orgelbaumeister Gottfried Silbermann** einen Besuch wert. In Frauenstein wendet man sich dann nach Südosten und fährt weiter nach Altenberg.

Die Bergbaustadt **Altenberg** liegt am Geisingberg im Osterzgebirge, nur 5 km von der Grenze zu Tschechien. Die Umgebung ist als **schneesicheres Wintersportgebiet** bekannt, besonders Zinnwald-Georgenfeld direkt an der Grenze zu Tschechien, wo man sich auch theoretisch, und zwar im dortigen Skimuseum, übers Skifahren informieren kann. Besonders turbulent geht es auch auf der Bob- und Rodelbahn im nahen Kohlgrund zu.

Pinge ▶ Seit etwa 1400 wurde in der Gegend von Altenberg Zinn im Seifenbetrieb gewonnen. Ein **spektakuläres bergbauhistorisches Schaustück** ist die Pinge, ein Trichter, der 1620 durch das vorangegangenen kleineren Brüchen durch den gleichzeitigen Einsturz vieler einzelner Gruben entstand. Das ursprünglich nur 1,25 ha große Bruchgebiet umfasst heute 22 ha; der Erzbergbau ist heute eingestellt.

Geisingberg ▶ Die Basaltkuppe des Geisingbergs (823 m ü. d. M.) ist neben der Pinge das zweite **Wahrzeichen** der Stadt. Hier gedeihen noch seltene Blumen wie Himmelsschlüssel und der Fingerhut.

Schellerhau ▶ Ebenfalls ein Paradies für Botaniker ist das Georgenfelder Hochmoor. Naturfreunde halten hier Ausschau nach Sonnentau, Trunkelsbeere, Moosbeere oder Pfeifengras. Auch an den 2000 Gebirgspflanzen im **Botanischen Garten** von Schellerhau, 4 km nordwestlich von Altenberg, kann man sich erfreuen.

Kurort Kipsdorf Der Kurort Kipsdorf, 7 km nordwestlich im Tal der Roten Weißeritz, ist Endpunkt der 1882 eröffneten, von Freital-Hainsberg regelmäßig verkehrenden **Dampfschmalspurbahn** namens »Rabenauer Bügeleisen«. Im 5 km weiter liegenden Schmiedeberg befindet sich **eine der schönsten sächsischen Kirchen**, ein Zentralbau von George Bähr (1666–1738), dem Baumeister der Dresdener Frauenkirche.

Schmiedeberg ▶

Dippoldiswalde In der Kreisstadt Dippoldiswalde, weitere 5 km entfernt, dem wirtschaftlichen Zentrum des Osterzgebirges, sind die Renaissancegebäude am Markt, das Rathaus, das Schloss, die Stadtkirche und vor allem die **Lohgerberei** aus dem Jahr 1750 einen Aufenthalt wert.

Nur wenige Kilometer nordöstlich von Altenberg tritt man in Lauenstein in das Müglitztal ein, vom sächsischen König Johann als »**Sachsens schönstes Tal**« bezeichnet. In der Burg Lauenstein befindet sich heute das Heimatmuseum. Die Stadtkirche enthält mit dem Hauptaltar und dem Grabmal derer von Bünau bedeutende Werke des Manierismus von Michael Schwenke (1563–1610).

✳ **Müglitztal**

◄ Lauenstein

▶ ERZGEBIRGE ERLEBEN

AUSKUNFT
Fremdenverkehrsverband Erzgebirge
Johannisgasse 23 (im Adam-Ries-Haus)
09456 Annaberg-Buchholz
Tel. (0 37 33) 18 80 00, Fax 1 88 00 20
www.sachsen-tour.de

ESSEN
► Erschwinglich
Büttner
Markt 3, 08289 Schneeberg
Tel. (0 37 72) 35 30
Lassen Sie sich im 400 Jahre alten Gewölbekeller von einem der besten Köcher Sachsens verwöhnen.

► Preiswert
Goldene Sonne
Fürstenplatz 5, 08289 Schneeberg
Tel. (0 37 72) 2 27 07
Behagliches Gasthaus im schönen, alten Barockgebäude. Gutbürgerliche Küche und regionale Spezialitäten.

Alt Schwarzenberg
Hammerweg 15,
08340 Schwarzenberg
Tel. (0 37 74) 2 79 24
Gutbürgerliche Küche
in gemütlicher Atmosphäre.

ÜBERNACHTEN
► Luxus
Relaxhotel Sachsenbaude
Fichtelbergstraße 4,
09484 Oberwiesenthal
Tel. (03 73 48) 13 90, Fax 13 91 40
www.sachsenbaude.de

Auf dem Fichtelberg gelegenes Natursteinhaus, Zimmer mit modernen Stilmöbeln, komfortable Suiten. Im behaglichen Restaurant Loipenklause geht's lässig-leger zu.

► Komfortabel
Neustädter Hof
Grünhainer Straße 24,
08340 Schwarzenberg
Tel. (0 37 74) 2 25 40, Fax 2 25 40
www.neustaedterhof.de
Gründlich renoviertes Haus aus dem Jahr 1910. Gemütliche Zimmer mit zeitgemäßem Komfort. Restaurant, Biergarten und Sauna runden das Angebot ab.

Parkhotel Waldschlösschen
Waldschlösschenpark 1,
09456 Annaberg-Buchholz
Tel. (0 37 33) 6 77 40, Fax 67 74 44
www.parkhotel-waldschloesschen.de
Die richtige Adresse für Erholungssuchende. Ruhig im Park gelegen, bequeme Zimmer, gemütliche Restauranträume mit Wintergarten.

► Günstig
Steiger
Am Mühlberg 2,
08289 Schneeberg
Tel. (0 37 72) 3 94 90, Fax 39 49 69
www.berghotel-steiger.de
Familienfreundliches Haus mit zweckmäßig eingerichteten Zimmern, schöner Wellnessbereich mit Sauna, Dampfbad und Whirlpool.

Glashütte Durch Bärenstein hindurch kommt man nach Glashütte, wo F. A. Lange 1845 die **erste deutsche Uhrenfabrik** gründete. Die Firma Lange & Söhne steht auch heute wieder für hochwertige Chronometer; wie sie gemacht werden, erfährt man im Firmenmuseum.

✳
Schloss
Weesenstein ► Letzte Station im Müglitztal ist Schloss Weesenstein (13.–16. Jh.), Lieblingsaufenthalt von König Johann von Sachsen (reg. 1854–1873). Die Schlosskapelle schuf George Bähr, die Besonderheit aber sind die **vielfältigen Tapeten**, darunter eine Pariser Ledertapete von 1750 im Festsaal und eine chinesische Bambustapete von 1725.

Schloss
Kuckuckstein Romantische Seelen sollten unbedingt einen Abstecher nach Liebstadt machen, der ehemals kleinsten Stadt Sachsens (hinter Glashütte östlich ab), denn über ihr thront das zauberhafte Schloss Kuckuckstein, in dem man u. a. den Versammlungsraum einer Freimaurerloge besichtigen kann. Besonders romantisch ist eine nächtliche Führung (Informationen: Tel. 03 50 25/5 02 83, Öffnungszeiten: Di. bis So. 9.30–11.30 Uhr und 13.00–16.00 Uhr).

Weitere Ziele ►Chemnitz, ►Freiberg, ►Zwickau

Essen

Atlasteil: S. 34 • A 1   **Höhe:** Höhe: 116 m ü. d. M.
Bundesland: Nordrhein-Westfalen   **Einwohnerzahl :** 617 000

Vom bedeutenden Industriezentrum hat sich die Ruhrmetropole mittlerweile zum Dienstleistungs- und Verwaltungsstandort gewandelt. Elf der hundert umsatzstärksten Konzerne Deutschlands werden von Essen aus geleitet, darunter z. B. Thyssen-Krupp. Vor den Toren des Grugaparks fungiert die Messe als internationale Wirtschaftsdrehscheibe. Die Stadt ist zudem Sitz des Ruhrbischofs.

Geschichte Keimzelle Essens ist das 845 vom hl. Altfrid gegründete Damenstift St. Maria, Cosmas und Damian. Die um 1000 in Verbindung mit dem Stift entstandene Kaufmannssiedlung erhielt 1041 das Marktprivileg und wurde um 1240 mit einer Mauer umgeben. Im 19. Jh. entwickelte sich Essen dann zu einem der bedeutendsten Industriestandorte Deutschlands, der dann im Zweiten Weltkrieg heftig bombardiert wurde, sodass von der Essener Altstadt so gut wie nichts mehr geblieben ist.

Sehenswertes in Essen

✳
Münster Hauptgeschäftsstraßen der Stadt (Fußgängerzone) sind die Kettwiger Straße und die Limbecker Straße. Am Burgplatz steht das um 850 gegründete Münster, Kathedrale des 1958 gegründeten Ruhrbistums.

Essen Orientierung

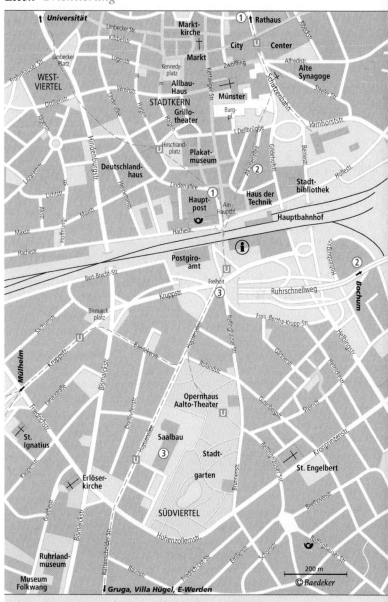

Essen
① L'Opera ③ La Grappa
② Hannappel

Übernachten
① Ruhr Residenz ③ Sheraton
② Essener Hof

© Baedeker

Einer der wertvollsten Schätze im Münster ist die um 980 entstandene Goldene Madonna, die vermutlich **älteste vollplastische Marienfigur des Abendlandes**. Unbedingt einen Besuch wert ist anschließend die Schatzkammer, denn sie birgt einzigartige sakrale Kostbarkeiten, u. a. einen siebenarmigen Bronzeleuchter (um 1000), allein vier von nur noch sechs ähnlichen überhaupt existierenden Vortragekreuzen sowie Evangeliare und andere Goldschmiedearbeiten.

Schatz-kammer ►

Rathaus
Alte Synagoge
Nördlich vom Münster überragt der Rathausturm das Einkaufszentrum City Center. In der Nähe befindet sich die 1913 geweihte Alte Synagoge, heute Gedenkstätte mit zwei Dauerausstellungen.

▶ ESSEN ERLEBEN

AUSKUNFT

Touristikzentrale
Am Hauptbahnhof 2, 45127 Essen
Tel. (02 01) 8 87 20 48, Fax 8 87 20 44
www.essen.de

ESSEN

► Fein & Teuer
③ *La Grappa*
Rellinghauser Straße 4, 45128 Essen
Tel. (02 01) 23 17 66
Originelle Inneneinrichtung, feine italienische Küche und ein sensationelles Grappa-Angebot.

► Erschwinglich
① *L'Opera*
Theaterpassage, 45127 Essen
Tel. (02 01) 2 39 91 24
Freunde der mediterranen Küche werden begeistert sein. Hausgemachte Pasta!

② *Hannappel*
Dahlhauser Straße 173,
45279 Essen-Horst
Tel. (02 01) 53 53 6
Schlichtes, aber sehr gemütliches Ambiente, freundlicher Service, beachtenswerte Küche mit kreativen regionalen und internationalen Gerichten. Erstaunlich gutes Preis-Leistungs-Verhältnis.

ÜBERNACHTEN

► Luxus
③ *Sheraton*
Huysenallee 55, 45128 Essen
Tel. (02 01) 1 00 70, Fax 1 00 77 77
www.sheraton.com/Essen
Elegantes Hotel, sehr komfortable Zimmer, teilweise mit Blick zum Park, luxuriöse Suiten und Appartements. Massage, Schwimmbad, Sauna und Fitnessbereich. Gediegenes Restaurant mit Wintergarten.

► Komfortabel
① *Ruhr Residenz*
Schützenbahn 58, 45127 Essen
Tel. (02 01) 1 77 90, Fax 17 79 91 99
www.welcome-to-essen.de
Junges, modernes Hotel in zentraler Lage. Schöne, zeitgemäß ausgestattete Zimmer, teilweise allergikergerecht eingerichtet. Hübsches Restaurant mit Terrasse.

② *Essener Hof*
Teichstraße 2, 45127 Essen
Tel. (02 01) 2 42 50, Fax 1 70 81 73
www.essener-hof.com
Traditionsreicher Familienbetrieb (seit 1883), moderne Zimmer mit individueller Note. Nordfriesisches Ambiente im Restaurant, viele Fischspezialitäten, originelle Bar.

! Baedeker TIPP

Projekte
Die an die Zeche Zollverein angebaute Kokerei ist zu
einem Ort der Gegenwartskunst geworden. Den
Auftakt dafür kann man im ehemaligen Salzlager
besichtigen und begehen: Ilya Kabakovs schnecken-
förmige Großinstallation »The Palace of Projects«.

Südlich vom Hauptbahnhof führt die Huyssenallee zum **Stadtgarten**
mit dem Städtischen Saalbau und dem 1988 eröffneten Opernhaus,
das der finnische Architekt Alvar Aalto (1898–1976) entworfen hat.

Aalto-Theater

Südwestlich vom Stadtgarten liegt an der Bismarckstraße das **Museumszentrum Essen**, zu dem das Ruhrlandmuseum und das Museum Folkwang gehören. Das Museum Folkwang birgt die bedeutendste Kunstsammlung im Ruhrgebiet. Es zeigt vor allem Malerei
seit 1800. Herausragendes aus der Kunstgewerbesammlung wird in
der ständigen Ausstellung präsentiert. Hinzu kommen das grafische
Kabinett und die fotografische Sammlung.
Das Ruhrlandmuseum umfasst Sammlungen zur Natur- und Kulturgeschichte des Ruhrgebiets, zu Geologie und Mineralogie, zu Vor-
und Frühgeschichte sowie zur Sozialgeschichte, wo u. a. die früheren
Lebensumstände von Arbeiterfamilien geschildert werden.

★
**Museum
Folkwang
Ruhrlandmuseum**

Ein beliebtes Ausflugsziel ist der Grugapark im Südwesten von Essen,
der 1929 für die Große Ruhrländische Gartenbauausstellung angelegt
und nach 1950 erweitert wurde. Seine jetzige Form und Größe
(70 ha) erhielt er anlässlich der **Bundesgartenschau 1965**. Auf dem
Gelände gibt es u. a. die Grugahalle, einen Aussichtsturm, einen Botanischen Garten und einen Vogelpark, allesamt mit der Grugabahn
anzufahren.
Westlich vom Grugapark liegt im Nachtigallental der Halbach-Hammer, ein technisches Kulturdenkmal aus dem 16. Jh.

★
Grugapark

◄ Halbach-Hammer

1996 eröffnete in einer früheren Kurbelwellen- und Turbinenpro-
duktionshalle mit Jugendstilarchitektur an der Altendorfer Straße das
»Colosseum« als Musicaltheater. Zurzeit wird das Stück »Aida« von
Elton John aufgeführt.

Colosseum

Als **letztes Essener Bergwerk** wurde 1986 die Zeche Zollverein an
der Gelsenkirchener Straße im Essener Norden geschlossen und unter Denkmalschutz gestellt. 2001 ist sie zum Weltkulturerbe erklärt
worden. Im Kesselhaus, das ursprünglich im Bauhausstil errichtet
und vom britischen Architekten Sir Norman Foster umgebaut wurde, hat seit 1997 das Design Zentrum Nordrhein-Westfalen seinen

★
**Zeche Zollverein
Design Zentrum**

Sitz. Die ständige Internationale Designausstellung (IDA), die weltweit größte ihrer Art, präsentiert dort Produkte in zeitgenössischem Design. Bis 2006 zieht das **Deutsche Plakatmuseum** in die Räume der ehemaligen Zeche ein.

Meteorit Meteorit heißt ein André-Heller-Projekt, das der Wiener Allround-Traumfabrikant in Essen hinterlassen hat. Im Erlebnispark unter dem RWE-Park taucht man ein in einen so genannten **Lichtkokon** oder lässt sich vom riesigen Kaleidoskop verzaubern.

Baldeneysee Südlich vom Essener Stadtwald erstreckt sich der Baldeneysee, ein Stausee der Ruhr. Die Grünzonen rundum sind ein beliebtes **Naherholungsgebiet**. Am Nordufer steht Schloss Baldeney (17. und 19. Jh.). Am nördlichen Ufer des Baldeneysees liegt in einem Park

✳
Villa Hügel ▶ die Villa Hügel, die der Essener Industrielle Alfred Krupp um 1870 nach seinen eigenen Plänen errichten ließ. Das Haus war bis 1945 Wohnsitz der Familie Krupp. Seit 1953 ist die Villa Hügel mit ihren **zahlreichen Kunstschätzen** für die Öffentlichkeit zugänglich.

✳
Abteikirche Werden Im Stadtteil Werden lockt vor allem die Abtei- bzw. Propsteikirche St. Ludgerus, der **letzte einheitlich romanische Großbau des Rheinlands**, Besucher an. Unter dem Chor findet man in der Krypta den Schrein mit den Gebeinen des hl. Liudger († 809). In der Werdener Abtei hat jetzt die Folkwang-Hochschule für Musik, Tanz und Theater ihr Zuhause.

✳ Esslingen am Neckar

Atlasteil: S. 52 • B 2 **Bundesland:** Baden-Württemberg
Höhe: 240–498 m ü. d. M. **Einwohnerzahl:** 92 000

Esslingen am Neckar hat sich mit seinem noch sehr gut erhaltenen mittelalterlichen Stadtkern das Flair einer einflussreichen Freien Reichsstadt bewahrt. Doch der Ort hat auch ein modernes Gesicht mit seinen neuen Vorstädten und Industrieanlagen.

Geschichte Der an der Handelsstraße vom Rhein nach Italien gelegene Ort, 12 km südöstlich von ▶ Stuttgart, wird urkundlich erstmals 777 genannt. Um 1219 erhielt Esslingen die Stadtrechte verliehen und wurde staufischer Verwaltungsmittelpunkt. 1246 begann die **jahrhundertelange Erbfeindschaft** der mittlerweile Freien Reichsstadt mit den Grafen von Wirtemberg, die mit Esslingens Niederlage im Jahr 1454 endete. Der Dreißigjährige Krieg, Einfälle französischer Truppen im späten 17. Jh. und ein großer Brand (1701) setzten der Stadt sehr zu. Nach dem Ende der reichsstädtischen Zeit (1803) wurde aus Esslingen die erste und größte Industriestadt im Königreich Württemberg.

⏵ ESSLINGEN AM NECKAR ERLEBEN

AUSKUNFT

**Esslinger Marketing
und Tourismus GmbH**
Marktplatz 2, 73728 Esslingen a. N.
Tel. (07 11) 39 96 39 69
Fax 39 69 39 39
www.esslingen.de

ESSEN

▶ Erschwinglich

Dicker Turm
Auf der Burg, 73728 Esslingen
Tel. (07 11) 35 50 35
Feine gutbürgerliche Küche im hoch
gelegenen Rundturm der historischen
Stadtbefestigung.

▶ Preiswert

Palmscher Bau
Innere Brücke 2, 73728 Esslingen
Tel. (07 11) 35 02 45
Bodenständig speisen in einem
hübschen Barockgebäude aus dem
Jahr 1701. Gemütliche Gaststuben
und ein Biergarten stehen zu Auswahl.

ÜBERNACHTEN

▶ Komfortabel

Rosenau
Plochingerstraße 65, 73730 Esslingen
Tel. (07 11) 3 15 45 60, Fax 3 16 13 44
www.hotel-rosenau.de

Freundliches Hotel mit zweckmäßig
eingerichteten Zimmern. Restaurant
für Hausgäste, Schwimmbad, Sauna.

Am Schelztor
Schelztorstraße 5, 73728 Esslingen
Tel. (07 11) 3 96 96 40, Fax 35 98 87
www.hotel-am-schelztor.de
Hinter einer prächtigen Gründerzeit-
fassade im historischen Stadtkern
steckt das familiär geführte Hotel.

Marktplatz mit Frauenkirche

Sehenswertes in Esslingen

Um den weiten **Marktplatz** gruppieren sich etliche der bedeutends-   ✶
ten Bauwerke der Stadt. Die zweitürmige Stadtkirche St. Dionys, im   ◀ Marktplatz
13./14. Jh. auf Grundmauern aus dem 8. Jh. errichtet, besitzt einen
hochgotischen Chor. Bei Ausgrabungen wurden Reste früherer Kirchen, einer Krypta sowie einer Hütte der Urnenfeldkultur
(13.–11. Jh. v. Chr.) freigelegt. Der ehemalige Speyrer Pfleghof direkt
hinter der Stadtkirche ist heute Sitz der 1826 gegründeten Sektkelle-
rei Kessler, der ältesten Schaumweinkellerei Deutschlands.

Frauenkirche

✳ Das frühgotische Münster St. Paul (1233–1268) gilt als die **älteste erhaltene Bettelordenskirche auf deutschem Boden**. Nördlich von St. Paul ragt jenseits des Altstadtrings die hochgotische Frauenkirche (1321–1516) mit ihrem nach Plänen des Ulmer Münsterbaumeisters Ulrich von Ensingen errichteten Turm empor. Durch sein prachtvolles Fachwerk sticht am Markt das **Kielmeyerhaus**, die ehemalige Kelter des bis ins 19. Jh. wirkenden Katharinenspitals, ins Auge.

Neues Rathaus
Altes Rathaus

Hafenmarkt ►

✳ Am Rathausplatz steht das barocke Neue Rathaus (ehem. Palmsches Palais, 1748–1751). Das gegenüberliegende Alte Rathaus, ein Fachwerkbau (um 1420), erhielt durch Heinrich Schickhardt 1586 bis 1589 eine Renaissancefassade. Ein Kleinod ist die **astronomische Uhr** mit ihrem Glockenspiel. Von der rückwärtigen Fassade aus führt eine restaurierte Fachwerkhäuserzeile auf den Hafenmarkt. Dort fällt vor allem das Gelbe Haus auf. Das hier untergebrachte Stadtmuseum gibt ein Bild von der Entwicklung der Stadt.

Innere Brücke

In westlicher Richtung gelangt man auf die Innere Brücke mit kleinen Brückenhäuschen und einer Kapelle. Diese überspannt den malerischen Wehrneckar, die als Park angelegte kleine **Insel Maille** und den Rossneckar.

Burgberg

Über der Altstadt erhebt sich der Burgberg, auf den ein überdachter Treppenaufgang und die Burgsteige führen. Die **Burg** stammt ursprünglich aus der Stauferzeit; vom **Dicken Turm** und dem Wehrgang bietet sich eine schöne Aussicht auf die Stadt und den Neckar.

Fehmarn

Atlasteil: S. 8 • B 2   **Bundesland:** Schleswig-Holstein

Die Insel Fehmarn liegt an der Schnittstelle zwischen Mitteleuropa und Skandinavien. Seit dem Bau der Fehmarnbrücke (1963), die über den Fehmarnsund führt, hat die Insel vor allem für den Verkehr nach Skandinavien Bedeutung gewonnen. Kleine, hübsche Ostseebäder tummeln sich auf der drittgrößten Insel Deutschlands.

Wasservogel-
reservat

An der Westküste der Insel befindet sich das »Wasservogelreservat Wallnau«, in dem ca. 80 verschiedene Arten von Brutvögeln leben, darunter Graugänse, Säbelschnäbler und Teichrohrsänger. Da Fehmarn an der Schwelle zwischen Skandinavien und Mitteleuropa liegt, gesellen sich im Frühling und Herbst ganze Zugvögelschwärme hinzu. Durch das Reservat führt ein informativer **Naturlehrpfad**.

Burg

Die Hauptstadt Fehmarns ist Burg, ein recht ansprechender Ort im Osten der Insel. Die mit Kopfstein gepflasterten Straßen säumen typisch norddeutsche Backsteinhäuser und Fachwerkbauten. Einblick in die Geschichte der Insel und des Orts vermitteln die St.-Nikolai-Kirche und das Heimatmuseum. Am Südstrand liegt das **Kur- und Ferienzentrum**.

Meereszentrum Fehmarn

Kurz vor Burg wartet das Meereszentrum Fehmarn neben 45 Schauaquarien mit dem nach eigenem Bekunden **größten Haiaquarium Deutschlands** auf. Man kann es im Tunnel durchwandern und dabei 13 Haiarten zu unterscheiden versuchen.

Puttgarden

Den wichtigsten Punkt an der Nordküste der Insel bildet der Fährhafen Puttgarden, ursprünglich ein Dorf und heute Ortsteil der Gemeinde Bannesdorf, auch **»Tor zum Norden«** genannt. Während der Hochsaison fahren große Fährschiffe von Puttgarden aus im Einstundentakt ins dänische Rødby.

Heiligenhafen

Zwischen der Hohwachter Bucht und der Auffahrt zur Fehmarnsundbrücke liegt das Ostseebad Heiligenhafen mit den vorgelagerten Landzungen Steinwarder und Graswarder. Heiligenhafen bietet einen Ferienpark mit Appartements und ein Meerwasser-Hallenbad.

 FEHMARN ERLEBEN

AUSKUNFT
Tourismus Service Fehmarn
Burgtiefe 1, Südstrandpromenade
23769 Fehmarn
Tel. (04 31) 50 63 00, Fax 50 63 90
www.fehmarn-info.de

ESSEN
▶ **Erschwinglich**
Zur Traube
Ohrtstraße 9, 23769 Burg
Tel. (0 43 71) 18 11
Internationale Gerichte bestimmen die Speisekarte des feinen Restaurants, das in einem kleinen Stadthaus untergebracht ist.

▶ **Preiswert**
Südermühle
Mühlenweg 2, 23769 Petersdorf
Tel. (0 43 72) 6 36
Bodenständige Kost im einmaligen historischen Ambiente einer alten Mühle. Tolles Interieur.

Aalkate
Königstraße 22, 23769 Lemkenhafen
Tel. (0 43 72) 5 32
Uriges Gasthaus mit massiven Eichentischen und -bänken. Reiche Auswahl an Räucherfisch!

ÜBERNACHTEN
▶ **Komfortabel**
Intersol
Südstrandpromenade,
23763 Burg-Südstrand
Tel. (0 43 71) 86 53, Fax 37 65
www.hotel-intersol.de
Tolle Lage am Strand, zweckmäßige Zimmer, teilweise mit Kochgelegenheit. Restaurant mit Gartenterrasse.

▶ **Günstig**
Schützenhof
Menzelweg 2, 23769 Fehmarn
Tel. (0 43 71) 5 00 80, Fax 50 08 14
Gemütliches, sehr gastfreundliches Haus mit gepflegten Zimmern.

Naturschutzgebiet Graswarder ▶

Auch wer kein Ornithologe ist, wird begeistert sein von den unzähligen Sturmmöwen, die im Naturschutzgebiet Graswarder anzutreffen sind. Der Deutsche Naturschutzbund bietet im Sommer Führungen an (Infozentrum Graswarder, Tel. 0 43 62/85 36 oder 69 47).

Fichtelgebirge

Atlasteil: S. 47 • C/D 2   **Bundesland:** Bayern

Den Reiz des Fichtelgebirges machen die schönen Wälder sowie die auf den Bergrücken durch Verwitterung entstandenen Felslabyrinthe und Felsenmeere aus. Dazu kommen tief eingeschnittene Täler, vor allem die des Weißen Mains, der Ölschnitz, der Steinach und der Eger. Auch einige heilkräftige Mineralquellen gibt es hier.

✳ Landschaftsbild

Das größtenteils von Fichten und Kiefern bedeckte Fichtelgebirge erhebt sich in der Nordostecke Bayerns zwischen ▶ Erzgebirge und Frankenwald sowie Oberpfälzer Wald bzw. Böhmerwald. Neben der Landwirtschaft spielen die **Holz-, Textil- und Porzellanindustrie** eine bedeutende Rolle. Im Fichtelgebirge liegen auch die Quellgebiete von Main, Saale, Eger und Naab.

Es setzt sich aus drei Gebirgszügen zusammen: dem Waldsteingebirge (878 m ü. d. M.) im Nordwesten, den höchsten Erhebungen Ochsenkopf (1024 m ü. d. M.) und Schneeberg (1053 m ü. d. M.) im Südwesten sowie dem Höhenzug der Kösseine (940 m ü. d. M.) und des Steinwalds (946 m ü. d. M.) im Südosten.

! *Baedeker* TIPP

Arbeitswelten

In drei Museen kann man sich auf die historischen Spuren von Landwirtschaft und Porzellanherstellung begeben: im volkskundlichen Gerätemuseum Bergnersreuth bei Arzberg und im Europäischen Industriemuseum für Porzellan in Selb-Plößberg (Öffnungszeiten für beide: Sommer Di. bis So. 10.00–17.00 Uhr) sowie im Deutschen Porzellanmuseum in Hohenberg (Öffnungszeiten: Di. bis So. 10.00–17.00 Uhr).

An der Fichtelgebirgsstraße

Bad Berneck

Die Fichtelgebirgsstraße nach Marktredwitz, die bekannteste und auch touristisch wichtigste West-Ost-Verbindung der Region, beginnt in dem freundlichen Städtchen Bad Berneck. Das **Kneippheilbad** liegt im engen Tal der Ölschnitz. Oberhalb des hübschen Marktplatzes findet sich die Kolonnade, von der man zur Burg Wallenrode und zur Ruine Hohenberneck (14. Jh.) aufsteigt.

Bischofsgrün

Bischofsgrün (12 km östlich) im Zentrum des Fichtelgebirges ist ein **günstiger Tourenstützpunkt** und wird auch zum Wintersport besucht. Im 15.–18. Jh. war der Ort bedeutender Mittelpunkt für die

Angesichts der überschwänglichen Ausschmückung der Bibliothek im Kloster Waldsassen geraten die Bücher fast ins Hintertreffen.

Glasmalerei. Südlich über Bischofsgrün erhebt sich der 1024 m hohe Ochsenkopf, auf den zwei Seilbahnen führen. Eine **Panoramastraße** umzieht seine West- und Südseite und mündet in die Glasstraße.

◀ Ochsenkopf

Fichtelberg verdankt seine Entstehung dem Abbau von Eisenglimmer (bis 1862). Nicht versäumen sollte man den Besuch des nahe gelegenen 500 Jahre alten **Silbereisenbergwerks** Gleißinger Fels. Nördlich liegt der waldumgebene Fichtelsee.

Fichtelberg

In Wunsiedel, dem Hauptort des Fichtelgebirges, wurde der Dichter Jean Paul (1763–1825) geboren. Sehenswert außer seinem Geburtshaus ist das **Fichtelgebirgsmuseum** im Spitalhof, eines der bedeutendsten Heimatmuseen Bayerns, das eine Mineralien- und Steinsammlung und eine kleine Dokumentation zu dem Dichter zeigt. Besichtigen sollte man auch das einstige Silbereisenbergwerk.

Wunsiedel

3 km südlich liegt die Luisenburg, ein großartiges Felslabyrinth, das nach der preußischen Königin Luise benannt ist. Auf der **ältesten Naturbühne Deutschlands** finden alljährlich im Sommer die Luisenburg-Festspiele statt.

✶
◀ Luisenburg

Über Bad Alexandersbad (Mineral- und Moorheilbad), das malerisch am Ostabhang der Luisenburg liegt, erreicht man schließlich Marktredwitz. Die dortige Theresienkirche wurde 1776 von Kaiserin Maria Theresia für egerländische Soldaten gestiftet.

Marktredwitz

Von Marktredwitz führt ein Abstecher ins 22 km östlich liegende Waldsassen nahe der Grenze zu Tschechien. Die prunkvolle **Stiftsbasilika** (1682–1704) des 1131 hier gegründeten Zisterzienserinnenklosters erhielt im 17. Jh. eine reich verzierte Barockausstattung und

✶
Waldsassen

ist mit einem mächtigen Marmorhochaltar (1696) von Giovanni Battista Carlone ausgestattet. Die Klosterbibliothek wurde 1726 im Übergangsstil vom Hochbarock zum Rokoko vollendet. Kostbare Schnitzarbeiten und farbenprächtige Deckengemälde machen diese

 # FICHTELGEBIRGE ERLEBEN

AUSKUNFT

Tourist-Information Fichtelgebirge
Gablonzer Straße 11,
95686 Fichtelberg
Tel. (0 92 72) 96 90 30, Fax 9 69 03 66
www.fichtelgebirge.de

ESSEN

▶ Erschwinglich
Schöpfs Jägerstüberl
Luisenberg 5, 95632 Wunsiedel
Tel. (0 92 32) 44 34
Elegant modern eingerichtetes Restaurant in ruhiger Lage. Raffinierte multikulturelle Küche!

Prinzregent Luitpold
Prinzregent-Luitpold-Straße 4,
95652 Waldsassen
Tel. (0 96 32) 28 86
In einem ehemaligen Bauernhof mitten in der Stadt genießen Sie bodenständige Küche.

▶ Preiswert
Schwarzes Roß
Goldmühler Straße 10,
95460 Bad Berneck-Goldmühl
Tel. (0 92 73) 3 64
Ländliche Gaststube, bodenständige Kost, viele Spezialitäten aus eigener Hausmetzgerei.

Bairischer Hof
(im gleichnamigen Hotel)
Markt 40, 95615 Marktredwitz
Tel. (0 92 31) 6 20 11
Im ländlichen Ambiente und unter schönem Kreuzgewölbe kommen regionale Spezialitäten auf den Tisch.

ÜBERNACHTEN

▶ Komfortabel
Lindenmühle
Kolonnadenweg 1,
95460 Bad Berneck
Tel. (0 92 73) 50 06 50, Fax 5 00 65 15
www.lindenmuehle.de
Charmantes Hotel in einer ehemaligen Mühle am Ortsrand. Helle Zimmer, wohnlich eingerichtet. Bistro und Restaurant (schöne Gartenterrasse) verbreiten mediterranes Flair.

Meister Bär
Am Bahnhof, 95615 Marktredwitz
Tel. (0 92 31) 50 11 28, Fax 95 68 88
www.mb-hotel.de
Direkt am Bahnhof gelegen, gemütliche Zimmer. Restaurant mit internationalem Speiseangebot. Besonders schön ist die Saunalandschaft nach orientalischem Vorbild.

▶ Günstig
Wunsiedler Hof
Jean-Paul-Straße 1, 95632 Wunsiedel
Tel. (0 92 32) 9 98 80, Fax 24 62
www.wunsiedler-hof.de
Zentral gelegenes Tagungshotel mit funktioneller Ausstattung und zweckmäßigen Zimmern.

Königlich-Bayerisches Forsthaus
Basilikaplatz 5, 95652 Waldsassen
Tel. (0 96 32) 9 20 40, Fax 92 04 44
www.koenigliches-forsthaus.de
Gepflegte Zimmer mit persönlicher Note in einem Haus aus dem 18. Jh. In der Gaststube speisen Sie unter einer herrlichen Gewölbedecke.

zu einem Kleinod. Die Dreifaltigkeitskirche »Kappel«, einer der bedeutendsten Rundbauten des Barock, wurde 1682–1689 von Georg Dientzenhofer errichtet.

Nordwestlich des Fichtelgebirges schließt sich der wegen seiner **relativen Unberührtheit** geschätzte Frankenwald an. Eindrucksvoll sind insbesondere die tief eingeschnittenen Flusstäler, die man durchwandern kann. Eine Fahrt durch den Naturpark Frankenwald beginnt man am besten in Hof an der Saale am Ostrand des Gebiets. Die Stadt, heute bekannt durch die **Hofer Filmtage**, ist nach einem Großbrand im Jahr 1823 in einheitlichem Biedermeierstil wieder aufgebaut worden. Im bayerischen Staatsbad Steben versprechen die schon 1444 erwähnten radiumhaltigen Quellen und heilkräftiges Moor Genesung. Wandern sollte man im wildromantischen, von bis zu 130 m hohen Felsen umstandenen Höllental. In der großartigen Steinachklamm, die der Sage nach Thor mit seinem Hammer geschaffen haben soll, wächst noch manch seltene Pflanze.

Frankenwald

◄ **Hof**

◄ **Bad Steben**

★

◄ **Höllental
Steinachklamm**

✳ Fischland – Darß – Zingst

Atlasteil: S. 9 • D 2/3 und
S. 10 • A 1/2   **Bundesland:** Mecklenburg-Vorpommern

Endlose Sandstrände, malerische kleine Fischerdörfer und ein abwechslungsreiches Landschaftsbild – die Halbinselkette zieht besonders Natur- und Badefreunde in ihren Bann.

Fischland, Darß und Zingst waren ursprünglich drei Inseln, die im Lauf der Jahrhunderte allmählich zusammenwuchsen und schließlich im 19. Jh. durch Deiche verbunden wurden. Seit Jahrhunderten trägt das Meer die Landzunge von Fischland ab. Der halbe Meter Land, den das Steilufer zwischen Wustrow und Ahrenshoop jährlich verliert, wird im Norden des Darß oder als Dünenlandschaft an der Landspitze von Darßer Ort wieder angelandet.

Entstehung

Reiseziele auf Fischland, Darß und Zingst

Darß und Zingst gehören zum Nationalpark Vorpommersche Boddenlandschaft, der 1990 eingerichtet wurde. Charakteristisch für den Darß sind sein urwüchsiges, ca. 6000 ha großes Waldgebiet (**»Darßer Urwald«**; Wanderwege) und der kilometerlange Darßer Weststrand. Der für Natur- und Badefreunde gleichermaßen interessante Küstenabschnitt ist besonders stark den Naturgewalten ausgesetzt, wie an den vom Wind gebeugten Bäumen zu erkennen ist. Für die Erkundung der Boddenlandschaft empfiehlt sich eine Dampferrundfahrt ab Prerow oder Zingst.

★
**Nationalpark
Vorpommersche
Boddenland-
schaft**

► FISCHLAND, DARSS UND ZINGST ERLEBEN

AUSKUNFT

Tourismusverband
Fischland-Darß-Zingst
Barther Straße 31, 18314 Löbnitz
Tel. (03 83 24) 64 00, Fax 6 40 34
www.fischland-darss-zingst.de

AUSFLUG IN DEN BODDEN

Schon mal mit einem Zeesboot
gefahren? In Wieck werden zwischen
Ostern und Oktober Boddenrund-
fahrten in historischen Booten angeboten (Anmeldung bei der Darßer
Zeesboot Kommun e. V.,
Tel. 03 82 33/6 94 50 oder 2 90).

ESSEN

► Erschwinglich

Elisabeth von Eicken
Dorfstraße 39, 18347 Ahrenshoop
Tel. (03 82 20) 69 90
Neben dem edlen Restaurant befindet
sich in der Villa (mit Skulpturen-
garten) auch eine Galerie.

► Preiswert

Buhne 12
Grenzweg 12, 18347 Ahrenshoop
Tel. (03 82 20) 2 32
Einmalige Lage am Wasser, grandioser
Seeblick, viele Fischspezialitäten.

ÜBERNACHTEN

► Luxus

Dorint
Strandstraße 46, 18347 Wustrow
Tel. (03 82 20) 6 50, Fax 6 51 00
www.dorint.com/wustrow
Helles kinderfreundliches Hotel in
Strandnähe. Traumhafte Badeland-
schaft mit allen Annehmlichkeiten.
Viel maritimes Flair im Restaurant.

► Komfortabel

Der Fischländer
Dorfstraße 47 e, 18347 Ahrenshoop
Tel. (03 82 20) 69 50, Fax 6 95 55
www.hotelfischländer.de
Schönes reetgedecktes Haus, gemüt-
liche Zimmer im Landhausstil, teil-
weise mit Terrasse oder Balkon.
Restaurant mit Blick aufs Meer.

► Günstig

Störtebeker
Mühlenstraße 2, 18375 Prerow
Tel. (03 82 33) 70 20, Fax 7 02 15
www.pension-stoertebeker.m-vp.de
Reizende, ruhige Pension, wohnliche
Zimmer. Im Restaurant kommt
Gutbürgerliches auf den Tisch.

Wustrow

Das auf die slawische Besiedlung zurückgehende Seebad **Wustrow**,
der **älteste Ort auf Fischland**, war bis in die jüngste Vergangenheit
von der Seefahrt geprägt (ab 1846 Navigationsschule, später Hochschule für Seefahrt; 1992 geschlossen). Vom Kirchturm bietet sich
ein herrlicher Blick über die Halbinsel. Im Hafen liegen noch die so
genannten Zeesen, Segelboote, mit denen im Bodden gefischt wurde;
heute veranstaltet man mit ihnen im Sommer Regatten.

✳
Ahrenshoop

Ahrenshoop verdankt seine Entwicklung zum Badeort einer Malerkolonie aus der Zeit der Jahrhundertwende, die im so genannten
Kunstkaten (Strandweg 1) ihre Werke ausstellte. Auch heute ist viel-

Hinter dem Darßer Weststrand dehnt sich ein dichter, weitgehend naturbelassener Wald (auch »Darßer Urwald« genannt) aus.

seitiges kulturelles Leben für den **charmanten Badeort** kennzeichnend. Im Naturschutzgebiet Ahrenshooper Holz gedeihen Stechpalmen bis zu einer Höhe von 4 m.

Der Hauptort auf dem Darß ist das hübsche, am Prerowstrom gelegene Ostseebad Prerow. Sehenswert sind hier das Darß-Museum (Waldstraße 48), die alte Seemannskirche (1726) mit ihren Schiffsmodellen und zahlreiche Seemannshäuser mit geschnitzten und bemalten Türen. Von Prerow aus fährt eine Darßbahn zum Darßer Ort, der nördlichen Landspitze des Darß, an der sich die Neulandbildung besonders gut beobachten lässt. Südlich von Prerow, am Bodstedter Bodden, schmiegt sich das Seefahrerdorf Wieck in die Boddenlandschaft. Es besitzt noch viele reetgedeckte Fachwerkhäuser.

✱ **Prerow**

Flensburg

Atlasteil: S. 7 • C 1
Höhe: 20 m ü. d. M.

Bundesland: Schleswig-Holstein
Einwohnerzahl: 87 000

Viele kennen Flensburg in erster Linie als Sitz des berüchtigten Verkehrszentralregisters. Diese eher negative Assoziation hat die nördlichste Hafenstadt Deutschlands nicht verdient. Ihr Stadtbild mit restaurierten Patrizierhäusern und Handelshöfen ist durchaus sehenswert und die Lage zwischen bewaldeten Hügelketten im innersten Winkel der Flensburger Förde überaus reizvoll.

1284 erhielt Flensburg das Stadtrecht. 1460 wählten die Schleswig-Holsteinischen Räte den König von Dänemark zum Herzog von Schleswig, nachdem sie im Krieg um das Herzogtum unterlegen wa-

Geschichte

ren. Unter der dänischen Krone erlebte Flensburg in der zweiten Hälfte des 16. Jh.s eine erste Blüte als aufstrebender Handelsplatz. Mit 5000 Einwohnern und 200 Schiffen war es die **größte Handelsstadt** innerhalb des dänischen Herrschaftsbereichs und sogar größer als Kopenhagen und Hamburg.

Sehenswertes in Flensburg

Hauptstraßen
✳
Südermarkt ▶

Hauptgeschäftsstraße der Altstadt ist der Straßenzug Holm–Große Straße–Norderstraße, an dem gut restaurierte Patrizierhäuser und Handelshöfe des 18. und 19. Jh.s stehen. An seinem südlichen Ende liegt der schöne, von Giebelhäusern gesäumte Südermarkt mit der großen Stadtkirche St. Nikolai (14. und 16. Jh.). Das größte Kunstwerk der Kirche ist die berühmte Renaissance-Orgel, beachtenswert ist auch der Rokoko-Hochaltar. In der **Roten Straße** am südwestli-

▶ FLENSBURG ERLEBEN

AUSKUNFT

Tourist-Information
Speicherlinie 40, 24937 Flensburg
Tel. (04 61) 9 09 09 20, Fax 9 09 09 36
www.flensburg-tourist.de

ESSEN

▶ Erschwinglich

Piet Henningsen
Schiffbrücke 20, 24939 Flensburg
Tel. (04 61) 2 45 76
Nettes Fischrestaurant direkt am Hafen, maritim dekorierter Gastraum, schöne Terrasse.

Mäders Restauration
Ballastkai 9, 24937 Flensburg
Tel. (04 61) 1 50 79 00
Schickes Bistro mit tollem Blick auf die Flensburger Förde. Leckere Fischspezialitäten.

▶ Preiswert

Marienhölzung
Marienhölzungsweg 150,
24939 Flensburg, Tel. (04 61) 58 22 94
Modernes Restaurant in einem 175 Jahre alten, am Waldrand gelegenen Jagdhaus. Biergarten vorm Haus.

ÜBERNACHTEN

▶ Komfortabel

Mercure
Norderhofenden 6, 24937 Flensburg
Tel. (04 61) 8 41 10, Fax 8 41 12 99
www.mercure.de
Schön an der Förde gelegenes, modernes Haus garni mit allem Komfort in den Zimmern und Suiten.

Romantik Hotel Historischer Krug
Grazer Platz 1,
24988 Oeversee (bei Flensburg)
Tel. (0 46 30) 94 00, Fax 7 80
www.romantikhotels.com
Wunderschönes reetgedecktes Haus aus dem Jahre 1519 mit gemütlichen Gästehäusern und herrlichem Garten. Hallenbad, Freibad, Sauna und zwei Restaurants.

▶ Günstig

Flensburger Hof
Süderhofenden 38, 24937 Flensburg
Tel. (04 61) 14 19 90, Fax 1 41 99 99
www.hotel-flensburger-hof.com
Zentral gelegenes Hotel garni, freundlicher Service, zweckmäßige Zimmer. Tolles Frühstücksbüfett.

chen Ende des Südermarkts werden in liebevoll hergerichteten Höfen Handwerkserzeugnisse, Kunst und Kulinarisches angeboten.

Östlich der Nikolaikirche, am Süderhofenden (Nr. 40–42), gibt das **Naturwissenschaftliche Heimatmuseum** Einblicke in die Pflanzen- und Tierwelt sowie in die Erdgeschichte Schleswig-Holsteins. Noch weiter östlich, nahe der Angelburger Straße, steht St. Johannis, **die älteste Kirche der Stadt** (12. Jh.) mit schönen Wandmalereien.

Stadtansicht von Flensburg

Das Städtische Museum (Lutherstraße 1) präsentiert seine reiche Sammlung zur Kunst- und Kulturgeschichte Schleswigs (Emil-Nolde-Sammlung, Möbel, Bauernstuben des 17. und 18. Jh.s, Kunsthandwerk u. a.).

✱
◄ Städtisches Museum

An der Großen Straße, der Verlängerung des Holms, liegt rechts der Westindienspeicher (1789) und schräg gegenüber die kleine gotische Heiliggeistkirche von 1386; seit 1588 dient sie als **dänisches Gotteshaus**.

Große Straße

Am Übergang der Großen Straße in die Norderstraße öffnet sich der Nordermarkt, der alte Marktplatz. Hier trifft man auf den Neptunbrunnen (1758) und die Schrangen (1595), einen Arkadengang, in dem einst die Bäcker und Schlachter ihre Verkaufsstände hatten.

Nordermarkt

Nördlich vom Nordermarkt erhebt sich die kleine Backsteinkirche St. Marien (13./15. Jh.), nordöstlich des Platzes steht am Hafen das **Kompagnietor** (1602). In der Norderstraße sind vor allem das Haus Nr. 8, das Alt-Flensburger Haus von 1780, in dem der **Luftschiffführer Hugo Eckener** (1868–1954) seine Jugend verbrachte, und das Flensborg Hus, ein ehemaliges Waisenhaus von 1723, sehenswert. Etwa in der Mitte der Norderstraße führt die Marientreppe hinauf zur **Aussichtsplattform Duburg** auf dem Wall des im 18. Jh. abgerissenen Schlosses.

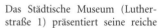

! *Baedeker* TIPP

»Alexandra«

1908 lief sie in Hamburg vom Stapel, heute ist sie nicht nur ein Flensburger Wahrzeichen – sie lichtet regelmäßig Anker und ist damit das letzte seegehende Passagierdampfschiff Deutschlands: die »Alexandra«, dereinst getauft von Prinzessin Alexandra zu Schleswig-Holstein-Glücksburg. An Wochenenden von Mai bis September können 120 Passagiere an Rund- und Streckenfahrten teilnehmen; Paare können sich sogar an Bord trauen lassen (Auskunft: Tel. 04 61/2 12 32 oder www.dampfer-alexandra.de).

Schifffahrts-museum

An der Schiffbrücke liegen im Museumshafen regelmäßig bis zu 30 Traditionssegler am Bohlwerk. Hier befindet sich auch das Schifffahrtsmuseum, das Schiffsbilder und -modelle, nautisches Gerät und Ausrüstung ausstellt. Im ehemaligen Zolllager des Gebäudes ist **Deutschlands einziges Rum-Museum** untergebracht.

✳ Nordertor

Am Ende der Norderstraße begrenzt das wuchtige Nordertor (1595) die Altstadt. Kurz vor dem Tor liegt linker Hand die **»Phänomenata«**, ein Erlebnis-Ausstellungshaus, das physikalische und andere Phänomene spielerisch erfahrbar und erklärbar machen will.

✳ Schloss Glücksburg

In Glücksburg, 9 km nordöstlich von Flensburg, steht das 1582–1587 erbaute gleichnamige **Wasserschloss**. Im Schlossmuseum sind Möbel, Gemälde, Ledertapeten und Gobelins ausgestellt, besonders schön ist der so genannte Rote Saal im ersten Stock der äußerlich schlichten Anlage im Stil der nordischen Renaissance.

✳ ✳ Frankfurt am Main

Atlasteil: S. 44 • A 2　　　　　**Höhe:** 100 m ü. d. M.
Bundesland: Hessen　　　　　**Einwohnerzahl:** 660 000

Die Mainmetropole und Bankenstadt Frankfurt, etwa in der Mitte zwischen Spessart und Taunus gelegen, ist eines der bedeutendsten Handels- und Wirtschaftszentren in Deutschland. Hier wurde Goethe geboren, und 1848 fand hier die Tagung der ersten Deutschen Nationalversammlung statt. Ihre Spitznamen »Mainhattan« und »Chicago am Main« verdankt die Messestadt den zahlreichen modernen Hochhäusern.

Ausführlich beschrieben im Baedeker Allianz Reiseführer »Frankfurt«

Die ersten Bürohochhäuser (AEG-Hochhaus, Bienenkorbhaus usw.) wurden bereits in den 60-er Jahren errichtet. Das Gebäude der Commerzbank, 1993 von Sir Norman Foster entworfen, ist mit 259 m **eines der höchsten Bürogebäude in Europa**. Die Europäische Zentralbank, die Bundesbank, die wichtigste deutsche Börse sowie viele Großbanken haben in Frankfurt ihren Sitz. Viele hier abgehaltene internationale Messen, wie die Buchmesse, haben Weltgeltung. Für das kulturelle Leben stehen Universität, Theater und viele Museen.

Doch Frankfurt hat auch noch ganz andere Seiten: den liebevoll restaurierten Altstadtkern mit Fachwerkhäusern, gemütlichen Cafés und dem geschichtsträchtigen alten Rathaus »Römer« und auf der anderen Mainseite das Museumsufer mit einem halben Dutzend renommierter Museen und dem Stadtteil Alt-Sachsenhausen, wo der Ebblwoi in Bembeln ausgeschenkt und »Handkäs' mit Musik« serviert wird.

794	Erste urkundliche Nennung als königliche Pfalz
876	Frankfurt wird Hauptstadt des ostfränkischen Reichs.
1150	Erste Erwähnung der Frankfurter Messe
1356	In der »Goldenen Bulle« bestätigt Kaiser Karl IV. Frankfurt als Stätte der deutschen Königswahl.
1848/1949	Die Deutsche Nationalversammlung tagt in der Paulskirche.
1926	Der Frankfurter Flughafen wird in Betrieb genommen.
1998	Frankfurt wird Sitz der Europäischen Zentralbank.

Seit den von Karl IV. in der Goldenen Bulle (1356) verankerten Be-   **Geschichte**
stimmungen wurden in Frankfurt als Hauptstadt des ostfränkischen
Reiches die deutschen Könige gewählt, zwischen 1562 und 1806
krönte man hier auch die Kaiser. Durch die aufblühenden Messen
seit dem 13. Jh. entwickelte sich die Stadt zu einem der **Hauptmärkte
Mitteleuropas**. 1848–1849 tagte in der Frankfurter Paulskirche die
Deutsche Nationalversammlung. Nach den Bombenangriffen im
Zweiten Weltkrieg hat die Innenstadt von Frankfurt ein verändertes
Aussehen erhalten: Die Stadtsilhouette wird heute von einer Vielzahl
von Hochhäusern beherrscht.

In der Mainmetropole und Bankenstadt geht's auch manchmal recht beschaulich zu.

Römerberg und Umgebung

Römerberg

Das Zentrum der Altstadt bildet der Römerberg, ein **kopfsteinge-pflasterter Platz**, um den sich ein Viertel mit Gassen, Plätzen und zahlreichen sehenswerten Gebäuden und Museen gruppiert. In der Mitte steht der Gerechtigkeitsbrunnen.

** **

Römer

Der Römer, das schöne alte **Rathaus** an der Westseite des Platzes, ist ein Komplex aus elf ehemals getrennt stehenden Häusern (15.–18. Jh.), darunter das so genannte Haus Römer, dessen zu besichtigender Kaisersaal einst Schauplatz glanzvoller Krönungsbankette war.

Nikolaikirche
Historisches
Museum

An der Südseite des Römerbergs erhebt sich die Alte Nikolaikirche; südlich anstoßend erstreckt sich bis zum Mainkai das Historische Museum der Stadt. Das Museumsgebäude, der Saalhof (12. Jh.), diente ursprünglich als **königlicher Wohnsitz** (Königspfalz). Westlich davon liegt am Main die gotische Kirche St. Leonhard aus dem 14. Jh.

*

Ostzeile

Besonders sehenswert ist die Ostzeile gegenüber dem Rathaus Römer mit sechs zu Beginn der 1980er-Jahre nach historischen Vorlagen errichteten Bauten. Geht man links an ihr vorbei auf den Markt, trifft man linker Hand auf das 1957–1960 wieder hergestellte »Steinerne Haus«, das mit seinen Zinnen und dem Wehrgang eher an eine Burg erinnert. Das ehemalige Kaufmannshaus ist heute der Sitz des Kunstvereins. Dahinter schließt das Technische Rathaus an, schräg gegenüber dehnt sich der lang gestreckte Neubau der Schirn Kunsthalle

** **

Schirn
Kunsthalle ▶

aus. Sie gilt als eines der **wichtigsten Ausstellungshäuser Deutschlands**, in dem Wechselausstellungen zur Kunst der Renaissance, des

Highlights Frankfurt am Main

Römer
Im Kaisersaal des Römers traf sich einst zu glanzvollen Kaiserbanketten die Crème de la Crème des europäischen Adels.
▶ Seite 452

Schirn Kunsthalle
Die ganz großen Künstler von der Renaissance bis zur klassischen Moderne geben sich in Wechselausstellungen in der Schirn die Klinke in die Hand.
▶ Seite 452

Paulskirche
Das Symbol für Freiheit und Demokratie in Deutschland wird heute als Ort für Feierlichkeiten und Ausstellungen genutzt.
▶ Seite 453

Museumsufer
Mehrere Museen von Weltruhm laden im Stadtteil Sachsenhausen zum Besuch ein.
▶ Seite 457

Zoo
Einer der bedeutendsten zoologischen Gärten Deutschlands.
▶ Seite 459

Verschnaufpause vor der Alten Oper

Barock, des 19. Jh.s und der klassischen Moderne gezeigt werden (Öffnungszeiten: Di. und So. 11.00–19.00, Mi. bis Sa. 11.00–22.00 Uhr). Dazu gehört in der Osthalle auch das Struwwelpeter-Museum. Als »Schirn« bezeichnete man ursprünglich Läden mit zur Straße geöffneten Warenauslagen. Das Gelände zwischen Technischem Rathaus und Schirn nimmt der **Archäologische Garten** ein, in dem Reste aus römischer und karolingischer Zeit freigelegt wurden.

Der gotische Dom, von dessen 95 m hohem Turm man einen schönen Blick über die Stadt hat, wurde im 13.–15. Jh. aus rotem Sandstein erbaut. In ihm fanden seit 1562 die **Kaiserkrönungen** statt; die Wahlkapelle schließt an die Südseite des Chors an. In der Turmhalle ist eine hervorragende Kreuzigungsgruppe (1509) von Hans Backoffen zu sehen, in der Marienkapelle der Maria-Schlaf-Altar (1434), ferner mehrere Schnitzaltäre aus dem 15.–16. Jh. Im ehemaligen Kreuzgang zeigt das Dommuseum Kirchenschätze.

✳ Dom

Nordöstlich des Doms liegt das Museum für Moderne Kunst (Domstraße 10), das wegen seiner dreieckigen Form den Spitznamen »Tortenstück« erhielt. Sammlungsschwerpunkte sind die Kunst der 1960er-Jahre und der Gegenwart, wobei weniger die Malerei als Fotografie, Objektkunst und Rauminstallationen vorherrschen.

✳ Museum für Moderne Kunst

Nördlich des Römers, am Paulsplatz, liegt die 1790–1833 erbaute und 1948 wieder hergestellte Paulskirche. In dem schlichten klassizistischen Zentralbau tagte 1848–1849 die Deutsche Nationalversammlung. Hier werden u. a. der **Goethepreis** der Stadt Frankfurt und der **Friedenspreis des Deutschen Buchhandels** verliehen.

✳✳ Paulskirche

Museum für Vor- und Frühgeschichte

Südwestlich des Römerbergs ist in der gotischen Kirche des Karmeliterklosters und einem angeschlossenen Neubau das Museum für Vor- und Frühgeschichte (Karmelitergasse 1) untergebracht, das neben regionalen Funden auch eine vorderasiatische und eine antike Abteilung besitzt. 200 m westlich liegen die **Städtischen Bühnen** am Willy-Brandt-Platz, nördlich gegenüber steht der Eurotower, in dem die Europäische Zentralbank untergebracht ist.

✳
Jüdisches Museum ▸

Südlich des Theaterkomplexes der Städtischen Bühnen gibt das Jüdische Museum (Untermainkai 14–15) Aufschluss über die Geschichte der Juden in Deutschland zwischen 1100 und 1950.

Übrige Innenstadt

1 Architekturmuseum
2 Filmmuseum
3 Goethe-Haus
4 Goethe-Museum
5 Schirn-Kunsthalle
6 Archäologisches Museum
7 Alte Nikolaikirche

Hauptwache

Die barocke Hauptwache ziert den gleichnamigen Platz nördlich der Paulskirche. In den Platz münden die Hauptgeschäftsstraßen: die nach Osten führende Zeil sowie die Kaiserstraße, die südwestlich über Rossmarkt und Kaiserplatz zu dem 1883–1888 erbauten Hauptbahnhof, einem der **größten Bahnhöfe Europas**, zieht. An der Südseite des Platzes An der Hauptwache steht die um 1950 wieder aufgebaute Katharinenkirche (14. Jh.). Am Beginn der Zeil lohnt ein Blick in die Galerie »Les Facettes«, eine aufwändig gestaltete Einkaufspassage.

Börse ▸

Wer den Duft des Geldes schnuppern möchte, kann von der Galerie der Börse vormittags dem Spektakel zusehen.

Eschenheimer Turm

Der Eschenheimer Turm (1400–1428) nördlich der Börse ist der schönste Rest der alten Befestigungen, an deren Stelle sich heute **Grünanlagen** befinden.

Westlich der Hauptwache steht am ehemaligen Bockenheimer Tor die Alte Oper. Auf dem Weg kommt man auch durch die »Fressgass« (eigentlich Große Bockenheimer Straße), eine traditionsreiche Einkaufsstraße. Die spätklassizistische Alte Oper (ursprüngl. 1880), ein Repräsentationsbau der Gründerzeit, wurde nach Kriegsende als Kongress- und Konzerthaus wieder aufgebaut und 1981 eingeweiht.

✱ Alte Oper

Südwestlich der Hauptwache, am Großen Hirschgraben 23, steht das nach alten Plänen in der Zeit von 1946 bis 1951 wieder erbaute

✱ Goethehaus

Frankfurt Orientierung

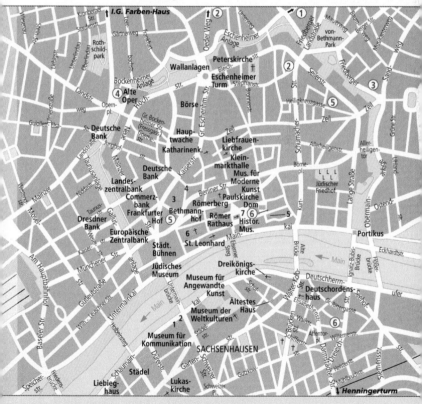

Essen	Übernachten
① Villa Merton	① Villa Orange
② Estragon	② NH Frankfurt City
③ Toan	③ Hessischer Hof
④ Opera	④ Astoria
⑤ Tigerpalast	⑤ Steigenberger Frankfurter Hof
⑥ Klaane Sachsenhäuser	⑥ Am Dom

► FRANKFURT AM MAIN ERLEBEN

AUSKUNFT

Touristinformation im Römer
60311 Frankfurt/Main
Tel. (0 69) 21 23 08 08, Fax 21 23 78 80
www.frankfurt.de

SHOPPING

In der Zeil reiht sich Kaufhaus an
Kaufhaus. Edelboutiquen warten in
der Goethe- und der Schillerstraße,
auch die Geschäfte in der Großen
Bockenheimer Straße und in der
Sandhofstraße stehen für gehobenen
Geschmack.

ESSEN

► Fein & Teuer

⑤ *Tigerpalast*
Heiligkreuzgasse 20, 60313 Frankfurt
Tel. (0 69) 92 00 22 25
Eine kreative Gourmetküche und
erstklassiger Service erwarten Sie im
schicken Kellerrestaurant unter dem
Varieté. Reservierung ratsam.

① *Villa Merton*
Am Leonhardsbrunn 12
60487 Frankfurt
Tel. (0 69) 70 30 33
Klassisch-elegantes Feinschmecker-
Restaurant im Diplomatenviertel, das
höchsten Ansprüchen gerecht wird.
Reservierung ratsam.

► Erschwinglich

④ *Opera*
Opernplatz 1 (in der Alten Oper)
60313 Frankfurt
Tel. (0 69) 1 34 02 15
Feine französische Küche in prachtvollem Ambiente. Im aufwändig restaurierten ehemaligen Foyer der Alten
Oper speisen Sie umgeben von edlen
Stuckdecken, kostbaren Wandver-
zierungen und echten Jugendstil-
leuchtern.

② *Estragon*
Jahnstraße 49, 60318 Frankfurt
Tel. (0 69) 5 97 90 38
Charmantes, nostalgisch angehauchtes Lokal im Bistro-Stil, besonders beachtenswerte Küche, die
sich am frischen Marktangebot orientiert. Freundlicher Service!

► Preiswert

⑥ *Klaane Sachsehäuser*
Neuer Wall 11, 60594 Frankfurt
Tel. (0 69) 61 59 83
Typisches Frankfurter Ebblwoi-Lokal.
In der traditionsreichen Wirtschaft
wird seit 1876 das berühmte
»Stöffche« aus der eigenen Kelterei
ausgeschenkt. Dazu kommt gutbür-
gerliche Kost auf den Tisch.

③ *Toan*
Friedberger Anlage 14
60316 Frankfurt
Tel. (0 69) 44 98 44
Köstliche vietnamesische Küche wird
im Restaurant am Rande der Innenstadt zubereitet.

*Eine Sünde, hier ein Bier zu bestellen:
»Ebblwoi«-Gaststätte in Sachsenhausen.*

ÜBERNACHTEN

▶ Luxus

⑤ Steigenberger Frankfurter Hof
Am Kaiserplatz 17, 60311 Frankfurt
Tel. (0 69) 2 15 02, Fax 21 59 00
Prachtvolles Grandhotel alter Schule.
Komfortable Zimmer und luxuriöse
Suiten lassen keinerlei Wünsche offen.

③ Hessischer Hof
Friedrich-Ebert-Anlage 40
60325 Frankfurt
Tel. (0 69) 7 54 00, Fax 75 40 29 24
Direkt gegenüber dem Haupteingang
der Messe wohnt man im ehemaligen
Stadtpalais des Prinzen von Hessen.
Edle Stilmöbel und wertvolle Anti-
quitäten geben dem Haus eine ganz
persönliche, vornehme Note.

▶ Komfortabel

① Villa Orange
Hebelstraße 1, 60318 Frankfurt
Tel. (0 69) 40 58 40, Fax 40 58 41 00
www.villa-orange.de
Charmante, originelle Unterkunft, die
mit einer geschmackvollen Mischung
aus moderner Eleganz und Nostalgie
zu überzeugen weiß.

② NH Frankfurt City
Vilbelerstraße 2, 60313 Frankfurt
Tel. (0 69) 9 28 85 90, Fax 9 28 85 91 00
www.nh-hotels.com
Nahe bei der Fußgängerzone gelegen,
freundliche Führung, zeitgemäßer
Komfort in den Zimmern und Suiten,
Restaurant und Sauna.

▶ Günstig

⑥ Am Dom
Kannengießergasse 3, 60311 Frankfurt
Tel. (0 69) 1 38 10 30, Fax 28 32 37
www.hotelamdom.de
Direkt am Dom im historischen
Zentrum der Stadt gelegenes Haus mit
gemütlichen Zimmern und einigen
Appartements.

④ Astoria
Rheinstraße 25, 60325 Frankfurt
Tel. (0 69) 97 56 00, Fax 97 56 01 40
www.block.de/astoria
Schöne, helle Zimmer mit zeitge-
rechtem Komfort in zentraler, aber
ruhiger Westendlage nahe Messe und
Bankenviertel. Reichhaltiges Frühstücksbüfett. Sauna und Solarium.

Goethehaus, in dem der Dichter am 28. August 1749 geboren wurde
und seine Jugendjahre bis 1765 verlebte. Die als Museum gestalteten
Räume sind dem früheren Zustand entsprechend wieder hergestellt.
Daneben liegt das **Goethe-Museum**, das Gemälde und Dokumente
aus der von Goethe bestimmten literarischen Epoche zeigt.

◀ ✳ Museumsufer und Sachsenhausen

Entlang des Schaumainkai im Stadtteil Sachsenhausen, am linken
Mainufer, reihen sich einige **Museen von Weltgeltung** aneinander.
Ihr Zentrum bildet das Städelsche Kunstinstitut mit der Städtischen
Galerie (Schaumainkai 63), eine exzellente Sammlung der Malerei
vom 14. Jh. bis zur Gegenwart, darunter Tischbeins berühmte Goe-
thedarstellung, Rembrandt, Cranach, Dürer, Goya und weitere italienische, niederländische und flämische Meister (Öffnungszeiten: Di.
bis So. 10.00–17.00, Mi. bis 20.00 Uhr).

✳✳
Städelsches Kunstinstitut

🕐

✱ Museum für Angewandte Kunst
Das in der klassizistischen Villa Metzler und einem Neubau untergebrachte Museum für Angewandte Kunst (Schaumainkai 15–17) umfasst ca. 30 000 Exponate des **europäischen und asiatischen Kunsthandwerks**, Möbel, Gobelins, Keramik, Buch-, Schriftkunst u. a.

Museum der Weltkulturen
Das Museum der Weltkulturen am Schaumainkai 29 versteht sich als Forum interkultureller Vermittlung.

Museum für Kommunikation
Von der guten alten Postkutsche bis hin zur Nachrichtenübermittlung per Lasertechnik und Satelliten wird im Museum für Kommunikation (Schaumainkai 53) der Bogen gespannt.

✱ Liebieghaus
Im Liebieghaus präsentiert das **Museum alter Plastik** Werke asiatischer und ägyptischer Herkunft, der griechischen und römischen Antike sowie des Mittelalters, der Renaissance und des Barock.

✱ Architekturmuseum
Das Deutsche Architekturmuseum will die Verflechtung der sozialen und ökologischen Aufgaben mit den Möglichkeiten der Bautechnik und den gestalterischen Absichten der Baukunst sichtbar machen.

✱ Filmmuseum
Die Cineasten unter uns sind im Filmmuseum gut aufgehoben. Hier erfährt man Wissenswertes zur Vorgeschichte des Kinos von der Camera obscura bis zu den Gebrüdern Lumière und zur Filmgeschichte von der Entwicklung der Ton- und Bildtechnik bis hin zu Filmtricks und nachgebildeten Kulissen.

! *Baedeker* TIPP

Kino privat

Kontrastprogramm zum Multiplexkino: Gerade 20 Zuschauer finden im nostalgischen Kleinkino des Chaplin-Archivs Platz. Vor dem Film schaut man sich die 6000 Stücke umfassende Ausstellung der Privatsammlung an (Klarastraße 5, Programminformation: Tel. 0 69/95 29 44 77).

Alt-Sachsenhausen, das so genannte **»Ebblwoi-Viertel«** südlich des Mains zwischen Eisernem Steg und Obermainbrücke, zieht mit schiefergedeckten Fachwerkhäusern und mehr als **120 Kneipen** Touristen und Nachtschwärmer gleichermaßen an. Fixpunkte der Ebblwoi-Seligkeit sind Große und Kleine Rittergasse, Rauscher-, Textor- und Klappergasse.

Henninger-Turm
Etwa 1 km südöstlich erhebt sich der 120 m hohe Henninger Turm, ein ehemaliges Gerstesilo der gleichnamigen Brauerei. Vom Drehrestaurant und dem kleinen **Brauerei-Museum** darüber hat man einen wunderbaren Stadtrundblick.

Außerhalb der Wallanlagen

Wallanlagen
Die Innenstadt Frankfurts ist von einer 3,5 km langen **Parkanlage** umgeben, die an Stelle der abgetragenen Stadtmauern angelegt wur-

de. Die schönsten Parkabschnitte sind die Bockenheimer Anlage um einen Fischweiher im Nordwesten sowie der Bethmann-Park mit dem anschließenden Chinesischen Garten im Nordosten des Wallrings.

Nahe des Hauptbahnhofs erstreckt sich das Messegelände mit der 1907–1909 erbauten Festhalle. Auf dem 400 000 m² großen Areal mit 10 Hallen und dem modernen Torhaus (1985) finden u. a. die Internationale Buchmesse, die Internationale Frankfurter Messe, die Internationale Automobilausstellung, die Frankfurter Kunstmesse und die Musikmesse statt. Über allem ragt der von Helmut Jahn entworfene 256 m hohe **Messeturm** aus dem Jahr 1990 auf.

Messegelände

An der Senckenberg-Anlage, die am Messegelände beginnt, wird vor allem gelernt, denn hier liegt der umfangreiche Gebäudekomplex der 1914 eröffneten **Johann Wolfgang Goethe Universität**. Naturmuseum Senckenberg, eines der renommiertesten naturkundlichen und -historischen Museen Europas, zeigt in eindrucksvollen Ausstellungen Fossilien, Mineralien, Dinosaurier, die Entwicklung des Menschen, ausgestopfte Säugetiere u.v. m.

✱
Senckenberg-Museum

Die Bockenheimer Landstraße führt von der Innenstadt zum nordwestlich gelegenen Palmengarten mit seinen Rosenschauen, Gewächshäusern, einem Palmenhaus, Weihern und Liegewiesen.
Nordöstlich vom Palmengarten schließt sich der Grüneburgpark mit dem klassizistischen Schönhof-Pavillon aus. Östlich des Parks steht das ehemalige Verwaltungsgebäude der IG Farbenindustrie AG von H. Poelzig, beispielhaft für die Architektur des Funktionalismus. Im Bundesbankgebäude nördlich jenseits des Autobahnkreuzes wartet das Geld- und Notenbankmuseum.

✱
Palmengarten

◀ Grüneburgpark

◀ Geld- und Notenbankmuseum

Am nordwestlichen Stadtrand liegt beim Stadtteil Hausen der Volkspark Niddatal, ein beliebter **Naherholungsraum**.

Volkspark Niddatal

Und wenn Sie mal keine Lust mehr auf Kunst und Kultur in Frankfurt verspüren, sollten Sie unbedingt den Zoo der Stadt besuchen, einer der **bedeutendsten Tierparks Europas**. Neben den Freigehegen kann man im Exotarium die Reptilien- und Krokodilhalle, den Klimalandschaftensaal, die Aquarien und das Insektarium besichtigen; außerdem sind das Nachttierhaus und die Vogelhalle sehenswert (Öffnungszeiten: Sommer tgl. 9.00–19.00, Winter bis 17.00; an Wochenenden ab 8.00 Uhr).

✱ ✱
Zoo

☉

Umgebung von Frankfurt am Main

Ein bisschen Fernweh gefällig? Auf dem Rhein-Main-Flughafen, dem **größten Flughafen Deutschlands**, bekommen Sie eine ordentliche Portion davon. Gemessen an der Passagierzahl wird er in Europa nur

Rhein-Main-Flughafen

! *Baedeker* TIPP

Hinter den Kulissen

Wie wird ein Frachtflugzeug beladen? Wie kommt das Essen in die Bordküche? Was passiert mit meinem Gepäck? All das und noch viel mehr erfährt man auf einer der Touren durch den Rhein-Main-Flughafen. Die gewöhnliche 45-Minuten-Bus-Tour startet tgl. 10.30 und 16.30 Uhr von der Kasse der Besucherterrasse im Terminal 1. Wer z. B. eine 2,5-stündige Jumbo-Tour u. a. mit Besuch der Flughafenfeuerwehr machen will, muss vorab buchen unter Tel. 0 69/69 07 02 91 bis 94.

von London-Heathrow übertroffen (2004 wurden 51 Mio. Fluggäste befördert). Im Südteil steht an der Autobahn ein Pendant des Luftbrückendenkmals (»Hungerharke«) von Berlin.

Höchst

Ein Ausflug zum 10 km westlich der Innenstadt am Main gelegenen Stadtteil Höchst lohnt, um durch die hübsche Altstadt mit ihren verwinkelten Gassen zu schlendern und das Höchster Schloss mit kleinem Museum zu besuchen sowie den gotischen Zollturm, die um 830 begonnene Justinuskirche und den monumentalen Bolongaro-Palast zu besichtigen.

Opel Live in Rüsselsheim

Mit der S 8 oder über die A 60 erreicht man Rüsselsheim, die Heimat von Opel. Im Schatten des Werks ist im Frühjahr 1999 »Opel Live« eröffnet worden, ein interaktiver **Hightech-Erlebnispark** rund ums Auto. Er bietet u. a. eine »Tour der Sinne« und Führungen durch das Werk Rüsselsheim an.

Offenbach am Main

Offenbach, die am linken Ufer des Mains südöstlich von Frankfurt gelegene Industriestadt, ist bekannt als **Zentrum der deutschen Lederwarenherstellung**. Am Main erhebt sich das 1564–1578 im Stil der Frührenaissance erbaute Isenburgische Schloss. Durch die Kirchgasse kommt man zum Büsing-Park mit dem gleichnamigen Barockpalais. In einem um 1900 angefügten Seitenflügel wurde 1953 das Klingspor-Museum eingerichtet, eine sehr instruktive **Sammlung zur internationalen Buch- und Schriftkunst** seit 1890. An der vom Zentrum nach Westen führenden Frankfurter Straße (Nr. 86) zeigt das Deutsche Ledermuseum und das ihm angegliederte Deutsche Schuhmuseum als **einziges Spezialmuseum seiner Art auf der Welt** die Entwicklung der Herstellung und modischen Gestaltung sowie die diversen Verwendungsmöglichkeiten von Leder seit der Vorgeschichte bis heute in aller Welt. Im Schuhmuseum ist die Kulturgeschichte des Schuhs von den alten Ägyptern bis heute dokumentiert.

✳
Klingspor-Museum ▸

✳
Deutsches Ledermuseum ▸

Weit im Westen der City befindet sich das Stadtmuseum, das Abteilungen zur Stadtgeschichte, über Porzellan und Fayencen, eine Puppenstubensammlung sowie eine Spezialabteilung für Alois Senefelder, den Erfinder des Steindrucks, bieten kann.

Seligenstadt

Ungefähr 8 km südöstlich von Offenbach liegt Seligenstadt, benannt nach der 825 von Einhard, dem Biografen Karls des Großen, gestifteten **ehemaligen Benediktinerabtei**, deren frühromanische Kirche (»Einhards-Basilika«) im 13. Jh. umgebaut wurde. In einem Barocksarkophag sind die Gebeine Einhards und seiner Gemahlin bestattet. Zu sehen sind außerdem Reste einer staufischen Kaiserpfalz und der Stadtmauer.

Hanau am Main

Die Stadt Hanau liegt knapp 20 km östlich Frankfurts in einer fruchtbaren Ebene an der Mündung der Kinzig in den Main. Am Marktplatz steht das Neustädter Rathaus, das 1725–1733 erbaut und 1962–1965 wieder errichtet wurde. Davor setzte man Jacob und Wilhelm Grimm, den in Hanau geborenen Märchensammlern und Begründern der deutschen Sprachwissenschaft, ein Denkmal. Nördlich vom Marktplatz befindet sich das 1958 wieder aufgebaute Altstädter Rathaus, heute das Deutsche Goldschmiedehaus, in dem neben Wechselausstellungen auch eine historische **Goldschmiedewerkstatt** untergebracht ist.

◀ Schloss Philippsruhe

Südlich von Wilhelmsbad bzw. westlich der Altstadt steht am Main Schloss Philippsruhe mit dem Historischen Museum Hanau. Darin sind u. a. Keramik, Silberschmiedearbeiten, Gemälde, eine Gebrüder-Grimm-Sammlung zu sehen. Ein Teil des Schlossgartens wurde zu einem Skulpturengarten gestaltet. Hier finden im Sommer die Brüder-Grimm-Märchenfestspiele statt.

Südwestlich, am linken Mainufer, liegt der altertümliche Stadtteil **Steinheim** mit einem Schloss (13. und 16. Jh.), das von einem mächtigen Wehrturm überragt wird. In ihm ist ein Museum zur regionalen Vor- und Frühgeschichte und der Ortsgeschichte zu finden.

Die 1123 erstmals erwähnte Siedlung **Gelnhausen**, etwa 20 km nordöstlich von Hanau, wurde von Kaiser Barbarossa 1170 zur freien Reichsstadt ernannt. Heute steht hier noch eine der **staufischen Pfalzen**, doch zeichnet einzigartige Bauornamentik diese 1180 vollendete Burg auf einer Insel in der Kinzig aus, die von einer großen Ringmauer umgeben ist. Von kunsthistori-

Im Offenbacher Ledermuseum erfährt man alles zur Geschichte des Naturprodukts.

scher Bedeutung ist auch die im 12./13. Jh. entstandene Marienkirche. In der hübschen Altstadt, die von einer noch fast vollständig erhaltenen Mauer umschlossen ist, fällt vor allem das Fachwerkhaus in der Kuhgasse auf, das als eines der ältesten Deutschlands gilt.

Büdingen Rund 30 km nordöstlich von Hanau liegt am Südrand des Vogelsbergs das Städtchen Büdingen. Im Norden und Westen sind noch weite Teile der mit Rundtürmen bewehrten Stadtmauer aus dem 15. und 16. Jh. erhalten. Am Marktplatz steht das spätgotische Alte Rathaus, in dem das Heuson-Museum Exponate zur Geschichte und Volkskunde der Region ausstellt. In der Nähe sind zahlreiche alte Fachwerkbauten zu finden. Unweit südöstlich erhebt sich die Marienkirche (15. Jh.). Das wehrhafte **Schloss** der Fürsten zu Ysenburg und Büdingen, ursprünglich aus dem 13. Jh., wurde im 15.–17. Jh. mehrmals verändert. Im Inneren sind die Schauräume und das Fürstliche Schlossmuseum zu besichtigen. An der gotischen Schlosskapelle ist ein romanischer Portalgiebel sehenswert.

> ## ! *Baedeker* TIPP
>
> ### Brüder-Grimm-Märchenfestspiele
> Wollen Sie Märchenhaftes erleben? Bei den Freilicht-Festspielen auf Schloss Philippsruhe bei Hanau wird z. B. Dornröschen wachgeküsst, Rapunzel lässt ihr Haar herunter oder Frau Holle schüttelt ihre Kissen aus. Das Programm ist ab Frühjahr unter Tel. 0 61 81/2 01 44 zu erfragen.

Großendorf ▶ Im nahen Großendorf steht die Remigiuskirche, die in Teilen auf ottonische und salische Zeit zurückgeht und damit zu den ältesten deutschen Kirchenbauten zählt.

Bad Nauheim Das in der Wetterau am Ostabhang des ▶ Taunus gelegene, von der Usa durchflossene hessische Staatsbad Nauheim mit seinen regelmäßigen Straßenzügen, gut erhaltenen Jugendstilbauten und hübschen Parkanlagen wird wegen seiner kohlensäurereichen Thermalsolequellen geschätzt. Auf dem Großen Teich kann man Kahnfahrten unternehmen; an seinem Westufer ist im **Teichhaus-Schlösschen** das Salzmuseum untergebracht. Weiter südlich stößt man auf die Trinkkuranlage mit zahlreichen Trinkquellen. Am südöstlichen Stadtrand befinden sich im Neuen Kurpark ausgedehnte Gradierwerke, Rieselwerke zur Salzgewinnung. Westlich erhebt sich der Johannisberg (269 m) mit einer Volkssternwarte; von oben hat man einen guten Blick auf das Steinfurter Rosenzuchtgebiet. Dieser edlen Blume ist auch ein kleines, aber feines Museum in Bad Nauheim-Steinfurth gewidmet: das **Rosenmuseum** in der Alten Schulstraße 1.

Bad Homburg vor der Höhe Die über 1200 Jahre alte Residenzstadt der Landgrafen von Hessen-Homburg, Bad Homburg vor der Höhe, ist heute einer der **bekanntesten deutschen Kurorte**. Von der einstigen Herrlichkeit zeugt das Landgräfliche Schloss, im prächtigen Kurpark entspringen eisenhaltige Kochsalzquellen. Die Hauptgeschäftsstraße der Stadt ist die Louisenstraße, eine Fußgängerzone, mit dem Kurhaus (Festsaal). Das nordwestliche Ende der Straße öffnet sich zum Marktplatz. Unweit südwestlich liegen die im neuromanisch-byzantinischen Stil errichtete Erlöserkirche und das vom Weißen Turm (13. Jh.) überragte Landgräfliche Schloss (17.–19. Jh.), dessen Festsaal und Spiegelkabinett zu besichtigen sind. Durch den oberen und unteren Torbogen gelangt man an der Schlosskirche vorbei in den Schlosspark.

Nördlich der Kaiser-Friedrich-Promenade erstreckt sich der 1854 von P. J. Lenné im englischen Stil angelegte Kurpark. In diesem mit 44 ha **größten Kurpark Deutschlands** befinden sich u. a. das traditionsreiche Kaiser-Wilhelm-Bad, das Spielcasino, mehrere kohlensäurehaltige Mineralbrunnen und der Siamesische Tempel. An Stelle des 1983 abgebrannten Thermalbads wurde mit stilistischen Anklängen an den Fernen Osten das Gesundheits- und Erholungsbad **Taunus-Therme** im Südosten des Parks errichtet.

✶
◀ Kurpark

Frankfurt (Oder)

Atlasteil: S. 31 • D 2	**Bundesland:** Brandenburg
Höhe: 22 m ü. d. M.	**Einwohnerzahl:** 87 000

Die alte Messe- und Universitätsstadt Frankfurt (Oder), der wichtigste Grenzübergang nach Polen, ist die viertgrößte Stadt in Brandenburg. Schon 1506 öffnete hier die erste brandenburgische Universität ihre Pforten; bedeutende Lehrer und Studenten waren u. a. Ulrich von Hutten, Thomas Müntzer und Heinrich von Kleist. Letzterer ist der bedeutendste Sohn der Stadt.

Frankfurt an der Oder entstand um 1226 an der Kreuzung wichtiger Fernhandelsstraßen. 1253 erhielt »Vrankenforde« das Stadtrecht. Von 1430–1515 war Frankfurt Mitglied der Hanse. Seit 1502 wurden hier Bücher gedruckt, wobei der Druck in Hebräisch besondere Bedeutung gewann (1697–1699 **erster Talmud in Deutschland**). Der Dreißigjährige Krieg brachte die Stadt dem Untergang nahe. Nach Verlegung der Universität nach Breslau erhielt Frankfurt 1815 die Regierung der Neumark. Bis Ende des 20. Jh.s verfiel das Messegeschäft. Zur 750-Jahr-Feier 2003 entstand sowohl auf dem deutschen als auch auf dem polnischen Oderufer der Europa-Garten.

Geschichte

Sehenswertes in Frankfurt (Oder)

Das Rathaus am Marktplatz im Stil der norddeutschen Backsteingotik mit seinem imposanten Prunkgiebel (14. Jh.) zählt zu den **ältesten und größten erhaltenen mittelalterlichen Rathäusern Deutschlands**. In der unteren Rathaushalle präsentiert das Museum Junge Kunst Malerei, Grafik und Plastik.

✶
Rathaus

Museum Viadrina
Das Museum Viadrina im ehemaligen Junkerhaus nordöstlich vom Rathaus (Carl-Philipp-Emanuel-Bach-Straße) zeigt Stadtgeschichtliches und schrieb selbst Stadtgeschichte: Hier logierten die Söhne des Kurfürsten von Brandenburg während ihres Studiums in Frankfurt.

✳ **Kleist-Museum**
Im Kleist-Museum südöstlich (Faberstraße) in der ehemaligen Garnison-Schule gibt eine Ausstellung einen Überblick über Leben, Werk und Rezeption von Heinrich von Kleist.

✳ **St. Marienkirche**
Die St. Marienkirche (1253–1524) ist die **größte Hallenkirche der norddeutschen Backsteingotik**. Bedeutend sind die Kaiserpforte (um 1375) zu Ehren Karls IV. aus der Schule Peter Parlers, die Deckenmalerei von 1522 in der Sakristei und das erst im Mai 2005 zurückgekehrte, 12 m hohe **Christusfenster**.

✳ **Konzerthalle**
Mit ihrer **hervorragenden Akustik** ist die Konzerthalle »Carl Philipp Emanuel Bach«, die ehemalige Franziskanerklosterkirche, eine beliebte Musikstätte. Der Innenraum der frühgotischen Hallenkirche hat Netz- und Sterngewölbe. Zur Ausstattung gehört auch die älteste spielbare Orgel der Frankfurter Firma Sauer. Zudem wird eine Ausstellung über Leben und Werk von C. P. E. Bach, der 1734–1738 Stu-

▶ **FRANKFURT (ODER) ERLEBEN**

AUSKUNFT

Tourist-Information
Karl-Marx-Straße 1
15230 Frankfurt/Oder
Tel. (03 35) 32 52 16, Fax 2 25 65
www.frankfurt-oder.de

ESSEN

► **Erschwinglich**
Turm 24
Logenstraße 8 (24. Etage im Oderturm), 15230 Frankfurt/Oder
Tel. (0 33 35) 53 11 33
Über den Dächern genießen Sie nicht nur fantastische Ausblicke, sondern auch feine internationale Küche.

► **Preiswert**
Der Oberspeicher
Hanewald 9, 15230 Frankfurt/Oder
Tel. (03 35) 4 01 39 63
Originelles Haus mit einfacher Küche und reichhaltigem Kulturprogramm.

ÜBERNACHTEN

► **Komfortabel**
City Park Hotel
Lindenstraße 12
15230 Frankfurt/Oder
Tel. (03 35) 5 53 20
Fax 5 53 26 05
www.citypark-hotel.de
Modernes Hotel nahe dem Zentrum. Funktionelle, einheitliche Zimmer. Restaurant im Haus.

► **Günstig**
Am Schloss
Berliner Straße 48
15234 Frankfurt/Oder-Boossen
Tel. (03 35) 6 80 18 41
Fax 6 54 27
Wohnliche, mit Kirschholzmöbeln eingerichtete Zimmer in einem kleinen, familiengeführten Haus.

dent in Frankfurt war, gezeigt. Im sich anschließenden spätbarocken **Collegienhaus** befindet sich das Stadtarchiv mit der ältesten vorhandenen Urkunde von 1287.

An Stelle einer älteren Kirche wurde 1876–1878 **St. Gertraud** (südlich des Rathauses) errichtet. Hier sind wertvolle Ausstattungsstücke aus der Marienkirche zu sehen. Auf dem ehemaligen Friedhof der Gertraudenkirche ist u. a. der Schriftsteller Ewald von Kleist († 1759) begraben, Großonkel Heinrich von Kleists.

Umgebung von Frankfurt (Oder)

Eisenhüttenstadt liegt rund 20 km südlich von Frankfurt (Oder) an der Einmündung des Oder-Spree-Kanals in die Oder. Es entstand als **»Stalinstadt«** für die Arbeiter des

Barocke Pracht aus der Hand böhmischer und italienischer Meister: Klosterkirche von Neuzelle

1951 in Betrieb genommenen Eisenhüttenkombinats (mittlerweile EKO Stahl GmbH), entsprechend zeigt sich das Stadtbild als das einer im sozialistischen Geist geplanten Siedlung. Auf dem hohen Oderufer steht im Stadtteil Fürstenberg eine gotische Hallenkirche (um 1400), deren Äußeres nach Kriegszerstörungen wiederhergestellt worden ist. In ihrer Nähe gibt das Städtische Museum (Löwenstraße 4) einen Überblick über die Geschichte der Stadt. In der Heinrich-Pritzsche-Straße 26 westlich befindet sich das Feuerwehrmuseum mit historischen Feuerwehrfahrzeugen und -geräten.

Wie war das noch in der DDR? Für alle, die es schon vergessen haben, mehr noch aber für diejenigen, die nie etwas mit der DDR zu tun hatten, empfiehlt sich ein Besuch im Dokumentationszentrum Alltagskultur der DDR, wo die Sammlung und Wechselausstellungen erzählen, wie es im sozialistischen Teil Deutschlands war (Erich-Weinert-Allee 3, Öffnungszeiten: Di. bis Fr. 13.00–18.00 Uhr, Sa. und So. 10.00–18.00 Uhr). ◄ DOK

In Neuzelle, 9 km südlich von Eisenhüttenstadt, stehen die barocke Klosterkirche des ehemaligen Zisterzienserklosters mit reicher Ausstattung und zahlreiche Klostergebäude, darunter die Klosterbrauerei. Es handelt sich dabei um die **einzige vollständig erhaltene Zisterzienserklosteranlage in Brandenburg**.

✱ **Kloster Neuzelle**

✳ Fränkische Schweiz · Veldensteiner Forst

Atlasteil: S. 46 • B 2/3   **Bundesland:** Bayern

Die Fränkische Schweiz, nördlichster Teil des Karstgebirges der Fränkischen Alb, gehört zu den schönsten Landschaften Deutschlands. Wer hierher kommt, den erwarten wiesengrüne, tief eingeschnittene Talsohlen, weite, kornbestandene Hochflächen, auf Felsen sitzende Burgen, eindrucksvolle Dolomitfelsen, an denen eifrig geklettert wird, märchenhafte Tropfsteinhöhlen und viele freundliche Ortschaften mit noch freundlicheren Wirtshäusern.

Lage   Das Gebiet der Fränkischen Schweiz erstreckt sich zwischen ►Bayreuth, ►Bamberg und ►Nürnberg. Die wichtigen Verbindungsstraßen folgen dem Lauf von Wiesent, Leinleiter, Püttlach und Trubach. Hier reihen sich die größeren Orte aneinander.

Fränkische Schweiz

Wiesenttal   Die Wiesent, beliebt als Paddelrevier, ist der größte der kleinen Flüsse und durchzieht die Fränkische Schweiz in Ost-West-Richtung. Bei **Forchheim** mündet sie in die Regnitz. Diese Stadt war einst **karolingische Kaiserpfalz**, später die wichtigste Festung des Bistums Bamberg und besitzt in ihrer Altstadt noch schmucke Fachwerkbauten wie das Alte Rathaus (14.–16. Jh.) und die gotische Pfarrkirche St. Martin (14./15. Jh.). In der Kaiserpfalz, 1353–1383 als fürstbischöfliche Residenz errichtet, werden vor- und frühgeschichtliche Funde des Pfalz-Heimatmuseums ausgestellt.

> ## ❗ *Baedeker* TIPP
>
> ### Kathi-Bräu
>
> Hausgebrautes fränkisches Bier genießt man auf dem Heckenhof östlich von Aufseß. An Wochenenden ist es hier zwar etwas trubelig, aber der Hof ist wegen der Brauerei Kathi-Bräu eine Institution für fränkische und andere Biertrinker.

Von Forchheim fährt man auf der B 470 Richtung Ebermannstadt und sieht dabei rechts das 523 m hohe **Walberla**, die höchste Erhebung der Fränkischen Schweiz, **Wahrzeichen Frankens** und Wallfahrtsort. In Ebermannstadt mündet die Leinleiter in die Wiesent.

Schloss Greifenstein ►   An der Leinleiter entlang kann man einen Abstecher nach **Heiligenstadt** unternehmen, um die Waffen- und Jagdsammlung auf Schloss Greifenstein zu bewundern.

Gößweinstein ►   Auf der B 470 fährt man weiter über Streitberg mit der Binghöhle ins **Herz der Fränkischen Schweiz**. Das Tal wird nun enger und die Felswände höher, und bald erreicht man die Abzweigung zum hoch gele-

Die Wiesent: zum Kajakfahren ideal

genen Gößweinstein, das sich dank seiner stattlichen, prächtig ausgestatteten Wallfahrtskirche (1730–1739) von Balthasar Neumann und der malerischen Burg zum Hauptfremdenverkehrsort der Fränkischen Schweiz entwickelt hat.

✷
◀ Wallfahrtskirche

Das enge Ailsbachtal mit der weitläufigen **Sophienhöhle** und das anschließende weite Ahorntal gehören noch zu den ursprünglichsten, weil vom Tourismus am wenigsten berührten Teilen der Fränkischen Schweiz.

✷
**Ailsbachtal,
Ahorntal**

Folgt man von Behringersmühle weiter der Wiesent, kommt man an der mächtigen **Einsturzhöhle Riesenburg** vorbei und erreicht bei Doos die Einmündung des Aufseßtals. Wer dessen Stille und Unberührtheit kennen lernen will, muss die Wanderstiefel auspacken, denn eine Straße gibt es nicht. Eine längere Wanderung führt bis Aufseß mit seinem romantischen Schloss Unteraufseß.

✷
Aufseßtal

Bleibt man in Behringersmühle auf der B 470 und folgt der Püttlach, erreicht man bald das Felsendorf Tüchersfeld, einzigartig in die steil aufragenden Felsen hineingebaut. Alles über seinen Urlaubsort erfährt man hier im **Museum der Fränkischen Schweiz**.

Püttlachtal
✷
◀ Tüchersfeld

In der Burg des wenige Kilometer weiter gelegenen Pottenstein lebte 1227 die hl. Elisabeth von Thüringen. Die Hauptattraktion des Orts aber ist die Teufelshöhle östlich außerhalb, mit 1250 m Länge die größte und **schönste Tropfsteinhöhle der Fränkischen Schweiz**.

✷
◀ Teufelshöhle
Pottenstein

▶ FRÄNKISCHE SCHWEIZ ERLEBEN

AUSKUNFT

Tourist-Information
Fränkische Schweiz
Oberes Tor 1, 91320 Ebermannstadt
Tel. (0 91 94) 79 77 79, Fax 79 77 76
www.fraenkische-schweiz.com

ESSEN

▶ Erschwinglich

Brauereigasthof Rothenbach
Im Tal 70, 91437 Aufsess
Tel. (0 91 98) 9 29 20, Fax 9 29 22 90
Fränkische Küche und Bier aus der
eigenen Brauerei. Schöner Biergarten.

Zöllner's Weinstube
Sigritzau 1
91301 Forchheim-Sigritzau
Tel. (0 91 91) 1 38 86
In einem schmucken Bauernhaus aus
dem Jahre 1780 können Sie sich mit
gehobener kreativer Küche oder einfacher gutbürgerlicher Kost verwöhnen lassen.

▶ Preiswert

Schönblick
August-Sieghard-Straße 8
91327 Gößweinstein
Tel. (0 92 42) 3 77
Am Ortsrand gelegen, überzeugt das
kleine, rustikale Restaurant mit
schmackhafter regionaler Kost.

ÜBERNACHTEN

▶ Komfortabel

Plaza
Nürnberger Straße 13
91301 Forchheim
Tel. (0 91 91) 97 77 90
Fax 9 77 79 99
www.plaza-forchheim.de
Modernes Haus mit hellen Zimmern,
Restaurant im Bistro-Stil mit Garten-
terrasse.

▶ Günstig

Zur Post
Balthasar-Neumann-Straße 10
91327 Gößweinstein
Tel. und Fax (0 92 42) 2 78
www.zur-post-goessweinstein.de
Freundlich geführte Unterkunft im
Zentrum des Ortes, große Zimmer,
gutbürgerliches Restaurant.

Goldener Stern
Marktplatz 6
91346 Wiesenttal-Muggendorf
Tel. (0 91 96) 9 29 80
Fax 14 02
www.goldener-stern.de
Zweckmäßige wohnliche Zimmer
im familiengeführten Haus. Rustikal-
ländlich geht's in der Gaststube zu.

Trubachtal

✳

Kletterrevier ▶

Auf halber Strecke zwischen Forchheim und Ebermannstadt mündet
die Trubach in die Wiesent. Ihr Tal, bekannt für die vielen Mühlen,
ist im Vergleich zum Wiesenttal nicht nur weiter, sondern auch sehr
viel ruhiger, auch wenn seine Felsformationen ein sehr beliebtes
Kletterrevier sind.

Egloffstein ▶

Der bedeutendste Ort im Tal ist Egloffstein, der überragt wird von
der 1181 erstmals erwähnten, im Bauernkrieg zerstörten und dann
wieder aufgebauten Burg derer von Egloffstein. Besonders von Südosten hat man einen herrlichen Blick auf Burg und Ort.

Veldensteiner Forst

Östlich jenseits der Autobahn A 9 beginnt der Staatswald Veldensteiner Forst. Zahlreiche Wanderwege durchziehen ihn; nahe Plech sollte man die Maximiliansgrotte mit einem der **größten Tropfsteine Deutschlands** besuchen.

Maximiliansgrotte

Cowboy und Indianer spielen, ein Mammut ausgraben oder auf einem Riesentrampolin springen – das und noch einiges mehr bietet der Vergnügungspark »Fränkisches Wunderland« bei Plech (geöffnet von März bis Oktober, Tel. 0 92 44/98 90, www.wunderland.de).

◄ »Fränkisches Wunderland«

Südlich des Veldensteiner Forsts beginnt die Hersbrucker Schweiz, das weniger bekannte Pendant zur Fränkischen Schweiz. Auch hier bieten sich vielfache Wandermöglichkeiten an; außerdem sollte man sich in Hersbruck, 19 km nordöstlich von Nürnberg, das Deutsche Hirtenmuseum nicht entgehen lassen. Das altertümliche Städtchen besitzt zudem ein Schloss aus dem 16./17. Jh.

✱
Hersbrucker Schweiz

✱ Freiberg

Atlasteil: S. 40 • B 3
Höhe: 416 m ü. d. M.

Bundesland: Sachsen
Einwohnerzahl: 50 000

Die einst bevölkerungsreichste Stadt der Markgrafschaft Meißen, Freiberg, war durch den Silberbergbau Quelle des Reichtums der sächsischen Herrscher. Auch die Stadt hat davon profitiert, und viele Spuren des erarbeiteten Wohlstands sind im Stadtbild wiederzufinden, z. B. am Obermarkt oder am Dom St. Marien.

Freiberg, die erste freie Bergstadt Deutschlands, liegt rund 30 km östlich von ►Chemnitz am Fuß des Osterzgebirges. Der Bergbau wurde zwar 1969 eingestellt, doch Freiberg ist als Standort der **ältesten bergbautechnischen Hochschule der Welt** noch heute ein Zentrum montanwissenschaftlicher Lehre und Forschung.

Freie Bergstadt

Nach Silberfunden beim Waldhufendorf Christiansdorf im Jahr 1168 begann der Aufstieg des Erzgebirges zum Bergbaugebiet. Harzer Bergleute wurden geholt und Christiansdorf in »Sächsstadt« umbenannt. Die Zusammenlegung mit drei weiteren Siedlungen führte zur Gründung der Stadt Freiberg. Der Ort entwickelte sich zum **wirtschaftlichen Mittelpunkt**, zur bedeutenden Münzstätte und zu einem wichtigen Fernhandelsplatz und war von 1542 an Sitz der obersten Bergbehörde. Die 1765 gegründete Bergakademie zählte u. a. Alexander von Humboldt, Novalis und Theodor Körner zu ihren Schülern. Nachdem die Silberproduktion im 19. Jh. einen letzten Höhepunkt erlebt hatte, wurde der Silberbergbau 1913 aufgegeben.

Geschichte

Sehenswertes in Freiberg

Obermarkt

Das alte kaufmännische Zentrum von Freiberg liegt am weitläufigen Obermarkt. Vom 1897 aufgestellten Brunnen überblickt hier der **Stadtgründer Markgraf Otto** das Geschehen. Am auffälligsten ist das weiß leuchtende spätgotische Rathaus (1420–1474) mit der als Betstube für die Ratsherren bestimmten Lorentzkapelle im Turm. Zu den schönsten Gebäuden rundum zählen das Schönlebehaus (Obermarkt 1), ein großes, dreigeschossiges Patrizierhaus vom Anfang des 16. Jh.s, der Renaissancebau des ehemaligen Kaufhauses (Obermarkt 16; 1545/1546) und Haus Obermarkt 17 von 1530, das das künstlerisch bedeutendste Portal der Frührenaissance in Freiberg besitzt.

St. Petri ▶

Nördlich vom Obermarkt ragen die Türme der Petrikirche (1404–1440), einer dreischiffigen spätgotischen Hallenkirche, auf.

Schloss Freudenstein

Baukünstlerisch interessant zeigt sich das nördlich vom Obermarkt nahe dem Kreuzteich gelegene Schloss Freudenstein, ein Renaissancebau aus dem 16. Jh.

✷✷
Dom St. Marien

Freibergs bedeutendste Sehenswürdigkeit ist der Dom St. Marien, 1484–1501 als **spätgotische Hallenkirche** erbaut. Seine Ausstattung wurde von den besten Künstlern Sachsens gefertigt. Zuallererst zu nennen ist die fantastische Tulpenkanzel (1508–1510) von Hans Witten (um 1475–1522), ein Höhepunkt spätgotischer Bildhauerarbeit, neben der die Bergmannskanzel (1638) etwas verblasst. Weiterhin besitzt der Dom die älteste und größte noch erhaltene sächsische Silbermannorgel (1711–1714), eine um 1230 geschaffene romanische Kreuzigungsgruppe und mit der Grablege der sächsischen Kurfürsten von Giovanni Maria Nosseni (1544–1620) das bedeutendste Denkmal des italienischen Manierismus nördlich der Alpen, das mit dem Moritzmonument auch das **erste Freigrab der deutschen Renaissance** enthält. Die um 1230 für den Vorgängerbau entstandene Goldene Pforte gilt mit ihrem reichen Skulpturenschmuck als ältestes und schönstes Figurenportal in Deutschland.

Hans Wittens Tulpenkanzel

Hinter dem Dom öffnet sich der Untermarkt mit dem Domherrenhof (1484), einem Patrizierhaus der Spätgotik, einst Türmerwohnung, jetzt **Stadt- und Bergbaumuseum**. In der Brennhausgasse zeigt in Haus Nr. 14 die Bergakademie ihre Mineraliensammlung.

In die Wiege des sächsischen Bergbaus führt ein Besuch des Städtischen Lehr- und Besucherbergwerks »Himmelfahrt-Fundgrube«, bestehend aus den Schächten »Reiche Zeche« (Bergbautechnik vom 14. Jh. bis heute) sowie »Alte Elisabeth« (u. a. Dampfförderanlage aus dem Jahr 1848).

✶ Besucher-bergwerk

Umgebung von Freiberg

Unmittelbar südlich von Freiberg beginnt das Zuger Bergbaugebiet, wo man die Schächte »Alte Mordgrube«, »Beschert Glück hinter den drei Kreuzen« oder den »Dreibrüderschacht« mit seinem 1913 gebauten Kavernenkraftwerk besuchen kann. In Brand-Erbisdorf (7 km südlich) ist das Huthaus zum Reußen (1837) sehenswert.

Zuger Bergbaugebiet

Im Stadtpark von Oederan, 14 km südwestlich, sind 100 der schönsten Gebäude des Erzgebirges im Maßstab 1 : 25 aufgebaut.

◄ Oederan

 # FREIBERG ERLEBEN

AUSKUNFT
Tourist-Information
Burgstraße 1, 09599 Freiberg
Tel. (0 37 31) 27 32 66, Fax 27 32 60
www.freiberg.de

WELLNESS
Wie wäre es mit Entspannung total 150 m unter Tage? Unter Anleitung einer Yogalehrerin lernt man im Schacht Reiche Zeche, der ältesten Silbermine Sachsens, Entspannungs- und Atemtechniken, was bei der absolut sauberen, radonhaltigen Luft dort unten besonders gut tut (Informationen: Fremdenverkehrsamt Freiberg, Tel. 0 37 31/27 32 65).

ESSEN
► Erschwinglich
Le Bambou
Obergasse 1, 09599 Freiberg
Tel. (0 37 31) 35 39 70
Originelles Restaurant in einer alten Villa mit viel afrikanischem Dekor und Kunsthandwerk eingerichtet. Beachtenswerte internationale Küche, eine erstaunliche Weinkarte und erstklassiger Service.

► Preiswert
Weinstube Blasius
Burgstraße 26, 09599 Freiberg
Tel. (0 37 31) 20 27 35
Nostalgische Weinstube im Gründerzeitstil in einem herrlichen Renaissance-Gebäude aus dem Jahr 1537. Gutbürgerliche Küche.

ÜBERNACHTEN
► Komfortabel
Silberhof
Silberhofstraße 1, 09599 Freiberg
Tel. (0 37 31) 2 68 80, Fax 26 88 78
www.silberhof.de
Imposantes Jugendstilhaus. Elegante Zimmer und Suiten mit wunderschönen Stilmöbeln. Gediegenes Restaurant. Moderate Preise!

► Günstig
Am Obermarkt
Waisenhausstraße 2, 09599 Freiberg
Tel. (0 37 31) 2 63 70, Fax 2 63 73 30
www.hotel-am-obermarkt.de
Schlichte, praktisch eingerichtete Zimmer in einem freundlichen Haus mitten in der Stadt. Schönes Restaurant mit Gewölbekeller.

✶✶ Freiburg im Breisgau

Atlasteil: S. 52 • C 4   **Bundesland:** Baden-Württemberg
Höhe: 278 m ü. d. M.   **Einwohnerzahl:** 197 000

Keine Frage – Freiburg ist eine der schönsten Städte Deutschlands. Dazu tragen nicht nur die prächtigen, bunt leuchtenden Häuser der Altstadt und das großartige Münster bei, sondern auch einige noble Passagen und schicke Einkaufsviertel. Und dann sind da noch die Freiburger »Bächle« überall in der Altstadt. Im Mittelalter dienten sie der Brandbekämpfung und als Viehtränke.

Tor zum Schwarzwald

Freiburg im Breisgau, zwischen Kaiserstuhl und Schwarzwald gelegen, ist das **kulturelle Zentrum des Breisgaus** und das Tor zum südlichen Schwarzwald. Zum allgemeinen Ruhm der Stadt trägt sicherlich bei, dass sie in einem klimatisch außerordentlich begünstigten Gebiet liegt. Zweiter Vorteil Freiburgs: Das besondere Flair, denn die Freiburger scheinen einen speziellen Lebensstil zwischen Beschaulichkeit und Genuss entwickelt zu haben. Das Leben in Freiburg wird stark durch die Universität mit ihren derzeit 24 000 Studenten bestimmt. Der Gehwegbelag in der größtenteils autofreien Altstadt besteht vielerorts aus halbierten Rheinkieselsteinen, die zu geometrischen Mustern, Zunftemblemen o. a. zusammengelegt wurden.

Blick vom Münster auf das Farbenmeer des Samstagsmarktes.

Freiburg Orientierung

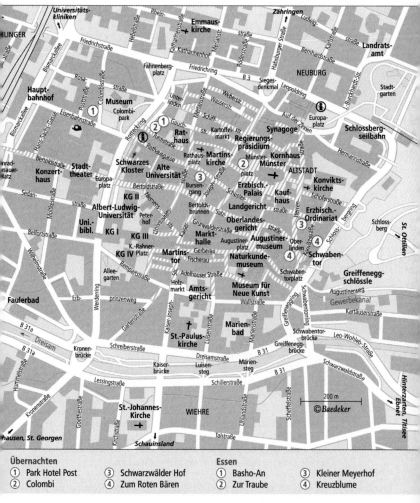

Übernachten
1. Park Hotel Post
2. Colombi
3. Schwarzwälder Hof
4. Zum Roten Bären

Essen
1. Basho-An
2. Zur Traube
3. Kleiner Meyerhof
4. Kreuzblume

Ende des 11. Jh.s gründeten die Herzöge von Zähringen Freiburg, **Geschichte** 1218 übernahmen die Grafen von Urach die Herrschaft. Von ihnen konnte der Ort sich 1368 loskaufen, um sich dann freiwillig den Habsburgern zu unterstellen. Im Dreißigjährigen Krieg wurde Freiburg als Hauptfestung des vorderösterreichischen Gebiets voll in den Machtkampf mit Frankreich einbezogen. Auf Betreiben Napoleons kam der Breisgau 1805 an das neu geschaffene Großherzogtum Baden. Im Zweiten Weltkriegs wurde fast die ganze Innenstadt zerstört.

Sehenswertes in Freiburg

✳ **Münsterplatz**

Ein Rundgang durch Freiburg kann am Münsterplatz, dem Herzen der Stadt, seinen Ausgang nehmen. Er dient seit ca. 1800 als Marktplatz und liefert in den Vormittagsstunden mit seinen Obst-, Gemüse- und Blumenständen ein farbenfrohes Bild. Den Platz säumen mehrere schöne alte Gebäude, allen voran an der Südseite das 1532 vollendete rote Kaufhaus mit Laubengang und Staffelgiebeln, flankiert von Erkern mit spitzen Helmen, und das Wenzingerhaus (Nr. 30; 1761) mit dem **Museum für Stadtgeschichte**; an der Nordseite steht das 1969–1971 wieder aufgebaute Kornhaus (15. Jh.).

✳✳ **Münster**

Blickfang ist aber natürlich das aus rotem Sandstein erbaute Münster. Es ist eines der **größten Meisterwerke der gotischen Baukunst in Deutschland**. Um 1200 begann man an Stelle eines Vorgängerbaus mit der Errichtung des Münsters, 1513 war der Bau im Wesentlichen vollendet. Im schönen Inneren sind zahlreiche Kunstwerke beachtenswert: in den Chorkapellen Glasgemälde aus dem 16. Jh.; im Chor das berühmte Hochaltarbild (1512–1516) von Hans Baldung Grien, sein bedeutendstes Werk; in der Universitätskapelle ein Altarbild (um 1521) von Hans Holbein dem Jüngeren. Vom 116 m hohen Turm (um 1320/1330 vollendet) hat man eine großartige Aussicht.

> **❗ Baedeker TIPP**
>
> **Freiburg von oben**
>
> Von der Café-Bar »Kagan« im 17. Stock des Bahnhofturms bietet sich ein sensationeller Ausblick über ganz Freiburg. Wer noch höher hinaus will – im 18. Stock befindet sich die Kagan Club Lounge, auch hier wird getanzt, getrunken und gegessen (Bismarckallee 9, Tel. 07 61/7 67 27 67, tgl. ab 10.00 Uhr geöffnet).

In den 1278 gegründeten, im 14. und 18. Jh. erneuerten und 1784 aufgegebenen Klosterkomplex der Augustiner an der Salzstraße zog 1923 das **Augustinermuseum** ein. Es gibt in reizvoller Raumanordnung einen guten Einblick in die **Kunst des oberrheinisch-alemannischen Kulturgebietes** (u. a. Werke von Matthias Grünewald und Hans Baldung Grien). Am Ende der Salzstraße steht das **Schwabentor** (13. Jh.) mit der Zinnfigurenklause, die Dioramen zu historischen Ereignissen zeigt.

Naturkundemuseum, Völkerkundemuseum

Im ehemaligen Adelshauser Kloster westlich vom Schwabentor sind zwei Museen untergebracht: das Museum für Naturkunde mit den Abteilungen Mineralien, Botanik und Zoologie sowie das Museum für Völkerkunde (Ostasien, Ägypten, Schwarzafrika, Indianerkulturen, Australien, Südsee).

Museum für Neue Kunst

Gleich südlich, in der Marienstraße 10 a, wurde in einem ehemaligen Schulgebäude das Museum für Neue Kunst eingerichtet. Hier sind **Werke des 20. Jh.s** ausgestellt, u. a. Gemälde von Otto Dix, August Macke und Julius Bissier.

► FREIBURG IM BREISGAU ERLEBEN

AUSKUNFT

Freiburg Information

Rotteckring 14, 79098 Freiburg i. Br.
Tel. (07 61) 3 88 18 80, Fax 3 70 03
www.freiburg.de

ESSEN

► Fein & Teuer

② *Zur Traube*
Schusterstraße 17, 79098 Freiburg
Tel. (07 61) 3 21 90
Vielgerühmtes Gourmetrestaurant.
Die Küche begeistert mit französischen und regionalen Gerichten.

► Erschwinglich

① *Basho-An*
Am Predigertor 1, 79098 Freiburg
Tel. (07 61) 2 85 34 05
Elegantes Design bestimmt die Atmosphäre in dem angesagten japanischen Restaurant.

④ *Kreuzblume*
Konvikt 31, 79098 Freiburg
Tel. (07 61) 3 11 94
Leckere internationale Gerichte sorgen dafür, dass die rustikale Weinstube stets gut besucht ist.

► Preiswert

③ *Kleiner Meyerhof*
Rathausgasse 27, 79098 Freiburg
Tel. (07 61) 2 69 41
Urgemütlicher Gasthof mit vielen badischen Spezialitäten.

ÜBERNACHTEN

► Luxus

② *Colombi*
Rotteckring 16, 79098 Freiburg
Tel. (07 61) 2 10 60, Fax 3 14 10
www.colombi.de
Das Spitzenhotel Freiburgs verwöhnt seine Gäste mit einer exquisiten Ausstattung und allem Komfort. Im Gourmetrestaurant Zirbelstube wird allerbeste Kochkunst aufgetischt, die urgemütliche Hans-Thoma-Stube begeistert mit einmaligem Ambiente.

► Komfortabel

④ *Zum Roten Bären*
Oberlinden 12, 79098 Freiburg
Tel. (07 61) 38 78 70, Fax 3 87 87 17
www.roter-baeren.de
Das älteste Gasthaus Deutschlands –
seit 1311 sind alle Wirtsleute nachgewiesen – überzeugt mit modernem Komfort und wohnlichen Zimmern.

① *Park Hotel Post*
Eisenbahnstraße 47, 79098 Freiburg
Tel. (07 61) 38 54 80, Fax 3 26 80
www.park-hotel-post.de
Sehr gemütliche Zimmer und eine freundliche Leitung sprechen für das kleine Haus.

► Günstig

③ *Schwarzwälder Hof*
Herrenstraße 43, 79098 Freiburg
Tel. (07 61) 3 80 30, Fax 3 80 31 35
www.hotel-schwarzwaelderhof.de
Einfache, gepflegte Zimmer in einem familiär geführten Haus. Gemütliche Gaststube.

Baedeker-Empfehlung

Zum Kaiserstuhl

Niederrotweil 5, 79235 Vogtsburg/
Niederrotweil, Tel. (0 76 62) 237
Dass Lothar Koch nur die besten Weine vom Kaiserstuhl im gleichnamigen Restaurant kredenzt, versteht sich fast von selbst. Dazu zaubert der Kräuterfan mit heimischen Gewürzen francobadische Gaumenfreuden auf den Tisch, die ihresgleichen suchen.

Martinstor	Durch das malerische Viertel rund um Fischerau und Gerberau gelangt man zum Martinstor auf der Kaiser-Joseph-Straße, der Hauptgeschäftsstraße der Stadt. Die unteren Bauteile des 63 m hohen Martinstores stammen noch aus dem 13. Jh. Westlich hiervon liegen die Gebäude der **Universität**. Die so genannte Alte Universität an der Bertoldstraße ist zusammen mit der anschließenden Kirche zwischen 1683 und 1720 als Kollegium für den Jesuitenorden erbaut worden.
Rathausplatz	Die Universitätsstraße führt zum Rathausplatz mit dem Standbild des Franziskaners Bertold Schwarz, der 1359 das Schießpulver erfunden haben soll. An der Westseite des Platzes stehen das um 1900 erbaute Neue Rathaus (12.03 Uhr Glockenspiel) und das spätgotische Alte Rathaus (16. Jh.). An der Nordseite sieht man die gotische St.-Martins-Kirche mit erneuertem Kirchenraum und Kreuzgangflügel.
Haus zum Walfisch ▶	Eines der schönsten Häuser der Altstadt ist das nur wenige Schritte entfernte, 1516 erbaute Haus zum Walfisch.
Colombi-Schloss ▶	Westlich vom Rathausplatz liegt in einem Park das Colombi-Schlösschen (1859) mit dem **Museum für Ur- und Frühgeschichte**.
✳ Schlossberg	Einen wunderschönen Blick auf Freiburg hat man vom Schlossberg (452 m ü. d. M.), den man vom Zentrum aus zu Fuß in etwa 15 Min. erreicht, auf den aber auch eine **Seilbahn** hinaufführt. Diese Waldkuppe trug im frühen Mittelalter das Schloss der Herren von Freiburg, von dem jedoch fast nichts mehr erhalten ist.

Umgebung von Freiburg

Schauinsland	Freiburgs »Hausberg«, der 1284 m hohe Schauinsland, erhebt sich 21 km südlich. Die Gipfelregion ist von der Talstation Horben mit einer Großkabinenbahn zu erreichen. Dort bietet sich ein hervorragender Blick über die Rheinebene bis zu den Vogesen.
✳ Kaiserstuhl	Nordwestlich von Freiburg erhebt sich unvermittelt aus der Rheinebene der Kaiserstuhl, ein kleines Gebirge vulkanischen Ursprungs (bis 557 m ü. d. M.). Er ist **eine der wärmsten Gegenden Deutschlands**. Ein Besuch lohnt wegen der Eigenart der Landschaft, der reichen Pflanzen- und Tierwelt sowie nicht zuletzt wegen der berühmten Weine (Achkarren, Bickensohl, Ihringen, Oberrotweil).
Breisach am Rhein	Südwestlich vom Kaiserstuhl liegt auf steilem Felsen das Städtchen Breisach. Das Münster St. Stephan (Baubeginn um 1200) besitzt einen gewaltigen Hochaltar (1523–1526) sowie ein großartiges Wandgemälde des 1491 in Breisach gestorbenen Martin Schongauer.
Bad Krozingen	Bad Krozingen südlich von Freiburg wird wegen seiner kohlensäurereichen, knapp 40° warmen Thermalquellen geschätzt. Das Kurgebiet mit Park, Kurhaus und dem attraktiven Mineral-Thermalbad »Vita Classica« erstreckt sich nördlich des Ortskerns.

✳ Fulda

Atlasteil: S. 36 • B 4   **Bundesland:** Hessen
Höhe: 332 m ü. d. M.   **Einwohnerzahl:** 60 000

Die alte Bischofsstadt ist reizvoll in ein Talbecken des gleichnamigen Flusses zwischen den Vorbergen von Rhön und Vogelsberg eingebettet. Fürstbischöfe gaben ihr im 18. Jh. ein barockes Gepräge, was sich besonders am Stadtschloss und am Dom manifestiert.

Im Jahr 744 gründete Sturmius, ein Schüler von Bonifatius, die Benediktinerabtei, deren Abt 1220 zum Fürstabt avancierte. 1019 erhielt Fulda Markt- und Münzrecht, um 1114 Stadtrecht, und bis ins 14. Jh. war Fulda Schauplatz zahlreicher Hof- und Fürstentage. 1734 wurde die Universität (heute Theologisch-Philosophische Hochschule) gegründet. Nach der Beseitigung der Herrschaft der Fürstäbte kam Fulda 1802 an Oranien-Nassau, 1816 an Kurhessen und 1866 an Preußen.

Geschichte

Sehenswertes in Fulda

Das Stadtschloss, die ehemalige Residenz der Reichs- und Fürstäbte, wurde nach Plänen Johann Dientzenhofers 1721 vollendet und ist heute **Sitz der Stadtverwaltung**. Die historischen Räume – Fürstensaal, Kaisersaal, Spiegelsäle – mit ihrer prachtvollen Stuckatur können besichtigt werden. In den

Orangerie des Stadtschlosses

Spiegelsälen ist auch die Sammlung der Fuldaer **Porzellanmanufaktur** untergebracht. Die Orangerie, eine nach Entwurf des Baumeisters Maximilian von Welsch errichtete Barockanlage an der Nordseite des Schlossgartens (mit Irrgarten, Theater, Hallenbad und Sporteinrichtungen) fungiert heute als Tagungszentrum. Vor der Orangerie steht die große »Floravase«, eine barocke Gartenplastik von 1728.

✳ Stadtschloss

Am Domplatz, westlich vom Schloss, erhebt sich der 1704–1712 von Johann Dientzenhofer erbaute barocke Dom mit dem Grab des hl. Bonifatius († 754) unter dem Hochaltar. Im angeschlossenen **Dommuseum** werden Reliquiare des Heiligen, sakrale Gewänder und liturgisches Gerät gezeigt.

✳ Dommuseum

Nördlich vom Dom steht die Michaelskirche, eine der **ältesten Kirchen Deutschlands**, deren Rotunde und Krypta von 822 stammen. Auffällig ist ihr mächtiger viereckiger Turm. Dahinter befindet sich das Bischofspalais.

✳ Michaelskirche

⊙ FULDA ERLEBEN

AUSKUNFT

**Tourismus- und Kongress-
management Fulda**
Schlossstraße 1, 36037 Fulda
Tel. (06 61) 1 02 18 13, Fax 1 02 28 11
www.fulda.de

ESSEN

▶ Erschwinglich

Dachsbau
Pfandhausstraße 8, 36037 Fulda
Tel. (06 61) 7 41 12
Mitten in der Altstadt liegt die älteste
Weinstube Fuldas, die mit beach-
tenswerter Küche und zünftigem
Ambiente zu überzeugen weiß.

Alte Pfandhausstube
Pfandhausstraße 8
36037 Fulda
Tel. (06 61) 2 29 01
Gemütliches, rustikal gehaltenes Restaurant. Auf den blanken Tischen
wird gutbürgerliche Kost serviert.

▶ Preiswert

Zum Stiftskämmerer
Kämmerzeller Straße 10
36041 Fulda-Kämmerzell
Tel. (06 61) 5 23 69
Ländliche, regionaltypische Speisen
genießen Sie hier in einem schönen
Fachwerkhaus.

Frauenberg Vom nördlich des Schlossgartens gelegenen Kloster Frauenberg, das
um 800 gegründet wurde und dessen heutiger Bau von 1780 stammt,
bietet sich ein schöner Blick auf die Stadt und die Rhön. Jeden zweiten Samstag im Monat von Mai bis September öffnet der neu
angelegte **klösterliche Weingarten**
am Südhang seine Tore.

❗ *Baedeker* TIPP

Kinder-Akademie Fulda

Ein Erlebnismuseum der besonderen Art speziell
für Kinder ab 3 Jahren ist die Kinder-Akademie
südöstlich des Stadtzentrums. Anfassen und Ausprobieren ist hier ausdrücklich erlaubt. So
können die Kleinen z. B. als rotes Blutkörperchen
durch ein 5 m hohes Herz laufen (nur mit
Führung). Informationen: Tel. 06 61/90 27 30,
www.kaf.de.

In der **Landesbibliothek**, zwischen
Schloss und Bahnhof (Heinrich-
von-Bibra-Platz), werden Codices
und Evangeliare der alten Fuldaer
Klosterschule sowie eine 42-zeilige
Gutenberg-Bibel verwahrt.

In der Altstadt, südlich vom
Schloss, trifft man auf das im Kern
frühgotische **Alte Rathaus** aus dem
12. Jh., das später mehrmals restauriert wurde. Das **Vonderau Mu-
seum** nahebei am Jesuitenplatz verfügt über drei Abteilungen: Stadtgeschichte, Naturkunde sowie Malerei und Skulptur. Zum Museum
gehört auch ein **Kleinplanetarium**.

**Deutsches Feuer-
wehrmuseum** In der Fulda-Aue, im Stadtteil Neuenberg (St.-Laurentius-Straße),
befindet sich das Deutsche Feuerwehrmuseum mit Feuerwehrgeräten
von 1624 bis heute und einer Dokumentensammlung.

Im Stadtteil Petersberg steht erhöht die Propsteikirche **St. Peter**, die **Petersberg** Grabeskirche der hl. Lioba († um 780). In der Oberkirche sind Reliefs aus dem 12. Jh. und in der Krypta die vermutlich **ältesten Wandmalereien Deutschlands** (836– 847) zu sehen.

Das 1730–1756 erbaute Barockschloss Fasanerie in Eichenzell (6 km **Fasanerie** südlich), einst Sommerresidenz der Fuldaer Reichs- und Fürstäbte, ist heute Schlossmuseum (Gobelins, Möbel, Porzellan, Glas, antike Skulpturen).

✳ Füssen

Atlasteil: S. 62 • A 2   **Bundesland:** Bayern
Höhe: Höhe: 803 m ü. d. M.   **Einwohnerzahl:** 16 000

Füssen ist nicht nur ein beliebter Luftkurort und Wintersportplatz, sondern auch Endpunkt der Romantischen Straße und idealer Ausgangspunkt für den Besuch der berühmten bayerischen Königsschlösser. Der Ortsteil Bad Faulenbach macht Füssen zudem zum Heilbad (Schwefelquellen, Heilbäder).

Die alte Stadt Füssen liegt zwischen Ammergauer und Allgäuer Alpen **Geschichte** am Lech, der hier spektakulär aus dem Hochgebirge ins Alpenvorland austritt. Die Stadt geht auf eine Klostergründung des hl. Magnus (volkstümlich St. Mang) zurück, der im frühen Mittelalter das Allgäu missionierte. Gegen Ende des 12. Jh.s erhielt die Siedlung das Stadtrecht, unterstand seit 1313 dem Bischof von Augsburg und kam nach 1802 an Bayern.

Ein bisschen gruselig: Jakob Hiebelers »Totentanz« in Füssens Annakapelle

Sehenswertes in Füssen

Reichenstraße

✳ Einen Rundgang durch die **malerische Altstadt** von Füssen beginnt man am besten in der von hübschen Giebelhäusern flankierten Reichenstraße.

Hohes Schloss

Auf steilem Fels thront das Hohe Schloss, die 1291 erbaute einstige Sommerresidenz der Augsburger Fürstbischöfe, die heute ein **Museum** mit süddeutscher Malerei des 15.–18. Jh.s beherbergt.

Kloster und Pfarrkirche St. Mang

✳ Am Fuß des Schlossfelsens steht die ehem. Benediktinerabtei St. Mang. Die im 18. Jh. umgebauten Klostergebäude sind heute Sitz der Stadtverwaltung und des Füssener Heimatmuseums. Über der Grabstätte des hl. Magnus erhebt sich die ehem. Stiftskirche St. Mang. Das barocke Gotteshaus entstand 1701–1717 nach Plänen des einheimischen Baumeisters Johann Jakob Herkomer. Älteste Bauteile sind der Turm und die Krypta (10./11. Jh.). Die St.-Anna-Kapelle östlich des Chors bewahrt einen interessanten »Totentanz« von Jakob Hiebeler (1602).

Weitere Sehenswürdigkeiten

Ein schönes Beispiel für **sakrale Wandmalerei** bietet die Fassade der Mitte des 18. Jh.s erbauten Spitalkirche bei der Lechbrücke. Weiter östlich erreicht man die prachtvoll ausgestattete Saalkirche der Franziskaner (1767). Die Sebastianskirche beim alten Friedhof birgt Fresken und Stuckarbeiten von Johann Schmuzer und Johann Jakob Herkomer. An der Sebastianstraße liegt der hübsche Füssener Kurpark mit Kurhaus.

Lechfall ►

✳ Weiter südlich tosen die blaugrünen Wassermassen des Lech durch eine enge Klamm, die vom Maxsteg überspannt wird.

Umgebung von Füssen

Forggensee

Musicaltheater ►

✳ Der Forggensee, ein riesiger, 12 km langer Stausee nördlich der Stadt, ist ein beliebtes Ausflugsziel – **ideal zum Baden, Segeln und Surfen**. Ideal ist er neuerdings auch für Nostalgiker: Im Musicaltheater erwacht der »Kini« Ludwig II. allabendlich zu einem äußerst verklärten Leben.

Schwangau Tegelberg

✳ Knapp 5 km nordöstlich von Füssen liegt der Ferienort Schwangau. Am Ortsrand lädt die Wallfahrtskirche St. Koloman (1685; Stuckaturen von Johann Schmuzer) zu einer Besichtigung ein. Südöstlich des Orts erhebt sich der 1720 m hohe Tegelberg, dessen Gipfelplateau man mit der **Seilbahn** erreichen kann. Von oben bietet sich ein wahrlich überwältigender Ausblick.

Schloss Hohenschwangau

✳ Südlich oberhalb von Schwangau erhebt sich über den Grundmauern einer ehemaligen Stauferburg Schloss Hohenschwangau, 1832–1836 im **neogotischen Stil** für den bayerischen Kronprinzen und späteren

SCHLOSS NEUSCHWANSTEIN

✳ ✳ Vor der überwältigenden Szenerie der bayrischen Berge ließ Ludwig II. seine stimmungsvollste Schöpfung errichten. Auf den Fundamenten der Burg Vorderschwangau entstand eine mächtige Anlage im Stile des 12. Jh.s, gekrönt von Giebeln, Türmchen und Zinnen. Heute weltweit bekannt, zählt Neuschwanstein zu den meistbesuchten Sehenswürdigkeiten hierzulande.

🕐 Führungen:
April bis Sept. tgl. 8.30–17.30,
Okt. bis März tgl. 10.00–16.00 Uhr

Der Bau entstand 1869–1886 nach Entwürfen des Theatermalers Christian Jank unter der Bauleitung von Georg Dollmann und Julius Hoffmann. Vorbildcharakter hatten für den exzentrischen Bauherrn die Bühnenbilder der Wagner-Opern »Lohengrin« und »Tannhäuser«. Als direkte Vorlagen für die Ausgestaltung dienten jedoch nicht die Bühnenwerke, sondern die Sagen des Mittelalters, auf die auch der Komponist zurückgegriffen hatte. Am 12. Juni 1886 trat Ludwig II. von Neuschwanstein aus seine letzte Fahrt zum Starnberger See an, wo er tags darauf den Tod fand.

① Torbau
1873 wurde als erstes der Torbau fertig gestellt, in dem Ludwig II. jahrelang wohnte. Erst 1880 war Richtfest für den Palas, der 1884 bezogen werden konnte.

② Schlafzimmer
Nur das Schlafzimmer ist gotisch, alle anderen Wohnräume Ludwigs II. sind romanisch gehalten. Blickfang in dem überaus reich verzierten Raum ist das Bett, das mit seinen Türmchen und Maßwerkfenstern eher an eine Kirche erinnert. Die Wandgemälde zeigen Szenen aus dem Epos »Tristan und Isolde«.

③ Wohnzimmer
Auch im Wohnzimmer mit seinem durch Säulen abgetrennten »Schwaneneck« umgab den König Sagenhaftes. Die Wände schmücken Szenen aus der Lohengrin-Sage.

④ Grotte
Schließt man die Türen der so genannten Grotte, hat man tatsächlich den Eindruck, in einer Tropfsteinhöhle zu sein. Ein kleiner Wasserfall und farbige Beleuchtung sorgten für romantische Stimmung. Der Raum ist als Anspielung auf die so genannte Venusgrotte im Hörselberg bei Eisenach zu verstehen: Dort soll Tannhäuser den Reizen der Venus erlegen sein.

⑤ Wintergarten
Die großflächigen Glasscheiben des Wintergartens eröffnen einen weiten Blick auf das Alpenvorland. Erstaunlich »modern«: die sprossenlosen Fensterflächen und die aus einer einzigen Glasscheibe bestehende Schiebetür.

⑥ Speisesaal
Ludwig II. speiste bevorzugt alleine, deshalb reichte ihm ein kleines Speisezimmer. Mit einem Handaufzug wurden die Speisen von der drei Stockwerke tiefer liegenden Küche herauf transportiert.

⑦ Sängersaal
Vorbild für den Sängersaal war der Festsaal auf der Wartburg bei Eisenach, der legendäre Schauplatz des »Sängerkrieges«. Den Saal bestimmt die Geschichte vom Gralskönig Parzival.

⑧ Vorplatz zum Thronsaal
Im Vorraum des dritten Stockwerks sind an den Wänden Malereien aus der Sigurd-Sage, das nordische Pendant zur Siegfried-Sage aus dem Nibelungenlied, zu sehen.

⑨ Thronsaal
Durch ein Marmorportal betritt man den Thronsaal, das einzige ausgeführte byzantinische Projekt des Königs. Er wurde erst im Todesjahr Ludwigs vollendet und erhielt nie seinen Thron.

Ludwig II. als Georgsritter. Gemälde von Gabriel Schachinger, 1887.

⑤

Der Thronsaal in Form einer byzantinischen Kirche scheint mit kostbarsten Steinen und Mosaiken ausgestattet zu sein. Die Säulen sind jedoch aus gefärbtem Stuck, die Darstellungen nur gemalt.

⑨

⑧

⑦

⑥ ② ③ ④

Unterhalb von Schloss Neuschwanstein liegt ein beeindruckendes Naturwunder – die Pöllatschlucht.

© Baedeker

Der heilige Georg tötet den Drachen (1884,
Wandmalerei auf der Rückseite des Thron-
saals). Durch die Helmzier ist St. Georg als
Schwanenritter, durch die im Hintergrund
aufragende Burg Neuschwanstein als
König Ludwig selbst angedeutet.

Der geräumige
Burghof bietet
Platz für Veran-
staltungen aller
Art.

Märchenschloss
in märchenhafter
Umgebung

König Maximilian II. erbaut. Das Innere schmücken Fresken nach Entwürfen von Moritz von Schwind und Wilhelm Lindenschmitt, die Motive germanischer Sagen zum Thema haben.

✶ ✶
Schloss Neuschwanstein
Rund 5 km südlich von Füssen thront auf einem bewaldeten Bergrücken das weltberühmte Schloss König Ludwigs II., eines **der meistbesuchten Bauwerke in Deutschland** überhaupt.

Aussicht ▶ Vom Aussichtspunkt »Jugend« bietet sich ein schöner Blick auf den nahen Alpsee, Schloss Hohenschwangau und die Hochgebirgswelt des Tannheimer Tales.

 FÜSSEN ERLEBEN

AUSKUNFT

Kurverwaltung
Kaiser-Maximilian-Platz 1
87629 Füssen
Tel. (0 83 62) 9 38 50, Fax 93 85 20
www.fuessen.de

ESSEN

▶ **Erschwinglich**
Alpenschlössle
Alatseestraße 28
87629 Füssen-Bad Faulenbach
Tel. (08362) 40 17
Abwechslungsreiche Karte je nach Marktangebot – nur frische Produkte aus heimischer Quelle im charmanten Hotel-Restaurants verarbeitet. Auch die Zimmer in dem reizenden Anwesen sind zu empfehlen.

▶ **Preiswert**
Zum Schwanen
Brotmarkt 4, 87629 Füssen
Tel. (0 83 62) 9 13 00
Allgäuer Spezialitäten aus der eigenen Metzgerei bietet das rustikale Haus.

Fischerhütte
Uferstraße 16
87629 Füssen-Hopfen am See
Tel. (0 83 62) 70 74
Urige Atmosphäre und ein toller Blick auf den See und die Allgäuer Alpen, herzhafte bodenständige Küche.

ÜBERNACHTEN

▶ **Luxus**
Luitpoldpark
Luitpoldstraße, 87629 Füssen
Tel. (0 83 62) 90 40, Fax 90 46 78
www.luitpoldpark-hotel.de
Angenehmes, freundlich geführtes Ferien- und Kongresshotel, schön am Kurpark gelegen. Helle, stilvoll eingerichtete Zimmer und elegante Suiten mit schicken Marmorbädern. Bar, Sauna, Solarium und Fitnessraum.

▶ **Komfortabel**
Hotel Hirsch
Kaiser-Maximilian-Platz 7
87629 Füssen
Tel. (0 83 62) 9 39 80, Fax 93 98 77
www.hotelhirsch.de
Geschmackvoll ausgestattete Zimmer mit nostalgischem Touch in einem historischen Gebäude an der Füssener Fußgängerzone. Sehr gemütlich und einladend sind die holzvertäfelten Gaststuben und der Biergarten.

Kurcafé
Prinzegentenplatz 4, 87629 Füssen
Tel. (0 83 62) 93 01 80, Fax 9 30 18 50
www.kurcafe.com
In zentraler Lage finden Sie hier hübsche Zimmer im Landhausstil in einem charmanten Haus. Schönes Restaurant mit Wintergarten.

Atemberaubend: Deckenfresko der Wieskirche

Den schönsten Blick auf das Schloss genießt man von der Marienbrücke, die in 90 m Höhe die Pöllatschlucht überspannt.

✷ ✷
Marienbrücke

Zwei beliebte Ausflugsziele nordwestlich bzw. westlich von Füssen
sind der Hopfensee und der Weißensee (Strandbäder).

**Hopfensee,
Weißensee**

Rund 20 km nordöstlich von Füssen, in Steingaden, steht vor der Kulisse der Ammergauer Berge die »**Wallfahrtskirche in der Wies**«, das
1746–1754 erbaute Hauptwerk des Barockbaumeisters Dominikus
Zimmermann. Durch eine Vorhalle betritt man den ovalen, flach gewölbten Hauptraum. Aus dem Zusammenspiel von Architektur,
Stuck und Freskomalerei – die beiden Letzteren von Johann Baptist
Zimmermann, dem Bruder des Baumeisters – ergibt sich die einzigartige, von spielerischer Leichtigkeit und Eleganz geprägte Raumwirkung dieser Kirche.

✷ ✷
Wieskirche

Als Pfaffenwinkel wurde ursprünglich die historische Landschaft im
Alpenvorland zwischen Lech und Ammer bezeichnet; heute versteht
man darunter ein Gebiet, das im Norden etwa bis Starnberg, im Sü-
den bis Füssen, im Westen bis Schongau und im Osten bis Kloster
Benediktbeuern reicht. Neben der Wieskirche gibt es in dieser
Region **herrliche Wallfahrtskirchen und Klöster**, so z. B. in Rotten-
buch und Wessobrunn. Der Pfaffenwinkel ist auch die Heimat vieler
Stuckateure der Wessobrunner Schule, als deren Begründer Johann
Schmuzer (1642–1701) gilt.

Pfaffenwinkel

Mit seinem Schloss Herren-chiemsee auf der gleich-namigen Insel wollte König Ludwig II. ein Abbild des Schlosses von Versailles schaffen.

EIN EWIG RÄTSEL

Ein schlichtes schwarzes Holzkreuz, ca. 15 m vom Ufer entfernt, markiert im Starnberger See die Stelle, an der am 13. Juni 1886 das Leben von König Ludwig II. zu Ende ging. Unter welchen Umständen er und sein Arzt Dr. von Gudden umkamen, ist bis heute nicht eindeutig geklärt, doch die Anziehungskraft des »Kini« hält weit über Bayern hinaus ungebrochen an.

Wer war er nun, der Märchenkönig? Einer, der wunderschöne Schlösser bauen ließ, die wohl niemals für das Volk bestimmt waren, Bayern heute aber Millionen einbringen. Einer, der so schön war wie der Märchenprinz, dafür schon mit knapp vierzig dick und aufgeschwemmt, der einsam in seinen Schlössern saß und nächtens mit dem elektrisch beleuchteten Schlitten durch die Wälder jagte.

Hoffnungsfroher Beginn

Begonnen hatte alles durchaus verheißungsvoll. Just am Geburtstag des Großvaters König Ludwig I., am **25. August 1825**, kam der lang ersehnte Thronerbe an. Schon früh entwickelte der kleine Ludwig eine ausgesprochen lebhafte Fantasie. Besonders angetan hatten es ihm die Sagengemälde auf **Schloss Hohenschwangau**, wo er und sein Bruder Otto – der später wahnsinnig wurde – den größten Teil ihrer Kindheit verbrachten. Damals begann wohl schon sein innerer Rückzug in die Welt der Märchen und Sagen.

Ein junger König

Mit 18 Jahren musste Ludwig die Nachfolge seines Vaters antreten. Hingerissen jubelte ihm das bayerische Volk zu, voll Eifer stürzte er sich in die Regierungsarbeit. Doch bald schon langweilte ihn alles, widerten ihn die Staatsgeschäfte an. Eine der wichtigsten Ursachen für diesen **Rückzug** mag der Krieg von 1866 gewesen sein, zu dem man ihn zwingen musste. Das Ergebnis war ein Bündnis mit Preußen, wonach im Kriegsfall der preußische König Oberbefehlshaber der bayerischen Truppen wurde. Im neuen, von Bismarck erschaffenen Deutschen Reich war Bayern nur ein Teil von vielen.

König der Künste

Aus der Welt, in der er nicht mehr echter König sein durfte, zog er sich nun zurück in eine andere: Er begann mit einem geradezu hektischen **Schlösserbau**, sodass innerhalb weniger Jahre wahre Architekturwunder entstanden: Neu-Hohenschwangau als Gralsburg aus Wagners »Lohengrin«

Ein Kreuz im Starnberger See bezeichnet die Stelle, an der Ludwig II. mit seinem Begleiter Dr. von Gudden den Tod fand.

(das heutige Neuschwanstein), Herrenchiemsee und, als einziger Bau zu Lebzeiten vollendet, Linderhof mit der berühmten Grotte und dem See mit Wellenmaschine, auf dem er sich nachts in einem Muschelkahn herumrudern ließ.

Ein anderer bleibender Verdienst des Königs ist das zwanzig Jahre dauernde **Mäzenatentum** für Richard Wagners Kunst. Ludwig überschüttete den »erhabenen, göttlichen Freund« mit reichlich Gunst und Geld, doch brach eine Welt zusammen, als er feststellen musste, dass Wagners angebliche Arbeitsbeziehung zu Cosima von Bülow eindeutig erotischer Art war. Schmerzlich enttäuscht zog er sich von Wagners Person zurück, hielt aber seiner Musik die Treue und half ihm stets finanziell.

Ludwig und Sisi

Die Schwärmerei für **Wagners Musik** war es auch, die Ludwig mit Herzogin Sophie in Bayern zusammenführte. Doch die 1867 geschlossene Verlobung währte nicht lange, denn bald wurde Ludwig klar, dass es mit seiner Braut keine tieferen Gemeinsamkeiten gab. Es gab nur eine Frau, der er tief verbunden war: Sophies ältere Schwester Kaiserin Elisabeth von Österreich, die berühmte **Sisi**, mit der er sich oft traf. Beider Verhältnis war beileibe kein erotisches – Ludwigs

Homosexualität war ein Tabuthema – sondern gründete in ihrer Wesensähnlichkeit. Beide kamen mit den Konventionen nicht zurecht und schufen sich ihr Refugium.

Entmündigt und unter Arrest

In den letzten Jahren seiner Regierung wurde Ludwig immer mehr zum Einsiedler, stürzte sich in Affären mit Schauspielern und Reitknechten, schaute im gespenstisch leeren Münchner Residenztheater eigens für ihn gespielte Aufführungen an.

In Absprache mit Ludwigs Onkel, Prinz Luitpold, ließ Ministerpräsident Lutz den König entmündigen und in **Schloss Berg** arrestieren. Der weitere Fortgang ist bekannt: Bald wurde Ludwigs Drohung »Und wenn ich nicht mehr bauen kann, will ich nicht mehr leben« bittere Wahrheit.

Ein rätselhafter Tod

Vermutungen und Theorien über den **13. Juni 1886** reißen nicht ab. War es Selbstmord? Hat Dr. von Gudden ihn davor zu bewahren versucht oder gar einen Fluchtversuch vereiteln wollen? War es vielleicht ein politisch motivierter Mord? Mehr als hundert Jahre nach seinem Tod bleiben viele Fragen immer noch offen, und so hat Ludwig II., eines mit Sicherheit erreicht: **»Ein ewig Rätsel will ich bleiben, mir und den anderen.«**

★ Garmisch-Partenkirchen

Atlasteil: S. 62 • B 2
Höhe: 720 m ü. d. M.

Bundesland: Bayern
Einwohnerzahl: 27 000

Garmisch-Partenkirchen im Tal der Loisach ist ein bekannter heil-klimatischer Kur- und führender deutscher Wintersportort. Den weiten Talgrund der Loisach umschließen mächtige Gebirgsstöcke: im Norden Kramer und Wank, im Süden die alles beherrschende Wettersteingruppe mit dem Kreuzeck, der scharfgratigen Alpspitze und der Dreitorspitze sowie der Zugspitze, dem höchsten Berg Deutschlands.

Geschichte
Die 1361 zum Markt erhobene Siedlung Partenkirchen, das römische »Parthanum«, war **wichtiger Rastort an der Handelsstraße** von Augsburg über Mittenwald nach Italien, wovon auch Garmisch profitierte. Beide Orte kamen 1803 an Bayern. Zu Beginn des 20. Jh.s wurde der Doppelort zum Mittelpunkt des Fremdenverkehrs. 1936 fanden hier die Olympischen Winterspiele und 1978 die alpinen Ski-weltmeisterschaften statt.

Viel Betrieb beim Kirchlein auf dem Zugspitzplatt

Sehenswertes in Garmisch-Partenkirchen

Garmisch

Der Ortsteil Garmisch mit seinen malerischen alten Bauernhäusern liegt westlich der Bahnlinie an der Loisach. Am Richard-Strauss-Platz steht das Kongresshaus, daneben erstreckt sich der Kurpark. Die um 1730 erbaute Neue Pfarrkirche St. Martin, ein Rokokobau, ist mit Wessobrunner Stuckarbeiten und Deckenfresken ausgestattet. In der Alten Pfarrkirche Sankt Martin finden sich Reste gotischer Wandmalereien. Beim Zugspitzbahnhof liegt das Olympia-Eissportzentrum mit dem Alpspitz-Wellenbad.

> **? WUSSTEN SIE SCHON …?**
>
> ■ dass der berühmte Komponist Richard Strauss vor seinem Tod 1949 in Garmisch wohnte? Seine ehemalige Villa befindet sich in der Zöppritzstraße 42.

Partenkirchen

Im Ortsteil Partenkirchen, zwischen der Partnach und dem Wank, befinden sich das Rathaus und – im Wackerle-Haus – das Werdenfelser Heimatmuseum (Ludwigstraße 47) mit interessanten Masken. Vom Floriansplatz bietet sich ein reizvoller Blick auf das Zugspitzmassiv im Süden. Am Fuß des Gudibergs im Olympia-Skistadion findet alljährlich das **Neujahrsspringen** statt.

Umgebung von Garmisch-Partenkirchen

★★ Zugspitze

An der Zugspitze, dem höchsten Berg Deutschlands (2964 m ü. d. M.), kommen vor allem die Skifahrer auf ihre Kosten, ist das Zugspitzplatt doch das höchstgelegene und schneesicherste Skigebiet Deutschlands. Der Zugspitzkamm auf Tiroler Seite ist ebenfalls ein beliebtes Ausflugsziel und **ideales Wintersportgebiet**. Auf dem Ostgipfel steht ein vergoldetes Kreuz.

◄ Bergbahnen

Auf die Zugspitze führen mehrere Bergbahnen: Von Garmisch-Partenkirchen aus verkehrt die Bayerische Zugspitzbahn, eine elektrische Zahnradbahn, zum Zugspitzplatt unterhalb des Gipfels. Von dort kommt man mit einer Kabinenbahn zum Ostgipfel. Auf dem nahen Westgipfel stehen das 1897 erbaute Münchner Haus und eine Wetterwarte. Alternativ kann man auch die Seilbahn benutzen, die vom Eibsee direkt zum Gipfel führt. Die Tiroler Zugspitzbahn verbindet das österreichische Ehrwald-Obermoos mit dem Zugspitzgipfel.

◄ Grainau Eibsee

Vom »Zugspitzdorf« Grainau am Fuß der gewaltig aufragenden Waxensteine geht es bergauf zum malerischen Eibsee. Ein schöner Blick auf die umgebenden Berge belohnt den Aufstieg.

★ Höllentalklamm

Im Süden von Garmisch-Partenkirchen zieht sich die wildromantische Höllentalklamm in Richtung Zugspitze. Eine Wanderung beginnt man am besten im Grainauer Ortsteil Hammersbach hinauf zur Höllentalklammhütte (1045 m). Von dort kann man durch Tunnel, über Galerien und Brücken zum Klammende bei der Höllentalangerhütte weiter wandern.

▶ GARMISCH-PARTENKIRCHEN ERLEBEN

AUSKUNFT

Tourist-Information
Richard-Strauss-Platz 1 a,
82467 Garmisch-Partenkirchen
Tel. (0 88 21) 18 07 00
Fax 18 07 55
www.garmisch-partenkirchen.de

ESSEN

▶ Erschwinglich

Reindl's Partenkirchner Hof
Bahnhofstraße 15,
82467 Garmisch-Partenkirchen
Tel. (0 88 21) 94 38 70
In dem noblen, traditionsreichen
Hotel, befindet sich ein hervorragendes Restaurant, wo Sie sich im
gediegen-rustikalen Ambiente mit
klassisch-internationaler Küche
verwöhnen lassen können.

Spago
Partnachstraße 50,
82467 Garmisch-Partenkirchen
Tel. (0 88 21) 96 65 55
Fax 966556
www.spago-gap.de
Lockere Mischung aus Bar, Bistro und
Restaurant. Mediterran orientiert ist
nicht nur die hübsche Einrichtung,
sondern auch die Küche. Beliebter
Treffpunkt.

▶ Preiswert

Zum Wildschütz
Bankgasse 9,
82467 Garmisch-Partenkirchen
Tel. (0 88 21) 32 90
Köstlich zubereitete bayerische Spe-
zialitäten. Schöner Biergarten.

ÜBERNACHTEN

▶ Luxus

Grand Hotel Sonnenbichl
Burgstraße 97,
82467 Garmisch-Partenkirchen
Tel. (0 88 21) 70 20, Fax 70 21 31
www.sonnenbichl.de
Elegant und vornehm eingerichtetes
Grand-Hotel, individuell möblierte
Zimmer, teilweise mit grandioser
Aussicht. Im »Blauen Salon« können
Sie edel speisen, in der Zirbelstube
geht's etwas legerer zu. Hallenbad,
Sauna und Tennisplatz.

▶ Komfortabel

Alpina
Alpspitzstraße 12,
82467 Garmisch-Partenkirchen
Tel. (0 88 21) 78 30, Fax 7 13 74
www.alpina-gap.de
Sehr gemütliche, im alpenländischen
Stil eingerichtete Zimmer, teils mit
Blick auf die Berge. International
ausgerichtetes Speisenangebot. Hal-
lenbad, Sauna und Fitnessraum.

▶ Günstig

Gasthof Fraundorfer
Ludwigstraße 24,
82467 Garmisch-Partenkirchen
Tel. (0 88 21) 92 70, Fax 9 27 99
Ein echtes Stück Bayern verbirgt sich
in dem sympathischen Gasthof mit
der schönen Lüftlmalerei an der
Fassade. Der Familienbetrieb überzeugt mit origineller Zimmerausstat-
tung und deftiger Küche.

Bizarre Felsschluchten mit Tunneln und Galerien lassen den Wanderer in der Partnachklamm staunen. Dieser Weg nimmt ab Skistadion Partenkirchen ca. 1,5 Std. in Anspruch.

✳ **Partnach-klamm**

Ettal, 15 km nördlich von Garmisch-Partenkirchen Richtung Oberammergau, wird wegen seiner 1330 gegründeten Benediktinerabtei viel besucht. Die **Klosterkirche**, ein ursprünglich gotischer Zentralbau, wurde um 1720 durch Enrico Zuccali zum barocken Kuppelbau umgestaltet und später nach einem Brand wieder hergestellt. Herausragend sind das Kuppelfresko von Johann Jakob Zeiller (1746) und das berühmte Ettaler Gnadenbild aus Carrara-Marmor (14. Jh.).

✳ **Ettal**

In grandioser Berglandschaft steht 10 km westlich von Ettal Schloss Linderhof, das Georg Dollmann 1874–1878 im Rokokostil für König Ludwig II. erbaute. Attraktionen sind das Speisezimmer mit versenkbarem Tisch und der Park mit seinen Wasserspielen, dem Maurischen Kiosk und der Venusgrotte nach Motiven aus Wagners Opern.

✳ **Schloss Linderhof**

Oberammergau, von den Vorbergen der Ammergauer Alpen umgeben, ist beliebter Luftkur- und Wintersportort sowie bekanntes Zentrum der Holzschnitzerei. In aller Welt bekannt aber ist Oberammergau wegen seiner Passionsspiele. Das malerische Straßenbild des Orts prägen die Darstellungen an den Häuserfassaden, die »Lüftlmalerei«.

Oberammergau

✳ ◄ Lüftlmalerei

Der gebürtige Oberammergauer, Franz Seraph Zwinck (1748–1792), war der **berühmteste Lüftlmaler**. Sein Meisterwerk ist das Pilatushaus in der Ludwig-Thoma-Straße. Vom Wessobrunner Meister Joseph Schmuzer wurde die Pfarrkirche St. Peter und Paul um 1740 erbaut. Besonders bemerkenswert sind die Gewölbe- und Kuppelfresken von M. Günther. Im Heimatmuseum in der Dorfstraße 8 fasziniert den

! *Baedeker* TIPP

Pilatushaus

Wer zusehen möchte, wie ein Lüftlmaler arbeitet, ist in der »lebenden Werkstatt« im Pilatushaus in Oberammergau an der richtigen Adresse (Ludwig-Thoma-Straße 10, Öffnungszeiten: Mai bis Okt. Mo. bis Fr. 13.00–20.00 Uhr).

Besucher besonders die Krippe aus der Oberammergauer Pfarrkirche mit ca. 120 Figuren (18. Jh.). Etwas weiter wurde 1867 der Schriftsteller Ludwig Thoma geboren. Eine Attraktion besonders für Familien ist das große Alpenbad »WellenBerg« am östlichen Ortsrand.

Wenn Oberammergau im Passionsfieber ist, sind fast alle Einwohner der kleinen Gemeinde beteiligt. Alle 10 Jahre, das nächste Mal 2010, stehen über 2000 Laiendarsteller von Mai bis September auf der Bühne. Eine Vorstellung dauert sechs Stunden, der ursprüngliche Text der Passionsgeschichte wurde mehrfach umgeschrieben. Zum ersten Mal fanden die berühmten Oberammergauer Passionsspiele 1634 statt: Anlass war ein im Pestjahr 1633 gegebenes Gelöbnis, dass die Spiele alle zehn Jahre aufgeführt werden sollen.

✳✳ **Passionsspiele**

Das Geigenbaumuseum spiegelt Mittenwalder Tradition.

Der Luftkurort und Wintersportplatz Mittenwald, unmittelbar unter der schroffen Karwendelkette, ist vor allem durch seine Geigenbauer bekannt geworden. Im 17. Jh. hatte Matthias Klotz diese Kunst hier eingeführt. Heute wird die Geschichte des Geigenbaus im Heimatmuseum dokumentiert.

✳ Mittenwald

Das Ortsbild, eines der reizvollsten in den Bayerischen Alpen, wird von alten Häusern mit schöner Lüftlmalerei bestimmt, vor allem am Unter- und Obermarkt. Im Westen und Südwesten findet man die Kuranlagen, am Burgberg den Kurpark.

✳ Westliche Karwendelspitze

Vom östlichen Ortsrand Mittenwalds führt eine Kabinenbahn zur Hohen Karwendelgrube unterhalb der 2385 m hohen Westlichen Karwendelspitze, wo herrliche Wandermöglichkeiten bestehen.

Hoher Kranzberg ►

Der westlich aufragende Hohe Kranzberg (1391 m ü. d. M.) gilt als »Hausberg« von Mittenwald. 22 km lang ist der wunderbare Rundweg von Klais über Elmau zum waldumschlossenen Lautersee nach Mittenwald und zurück nach Klais über den Bockweg.

Leutaschklamm ►

Westlich von Mittenwald liegt die 250 m weite Leutaschklamm, in die man bis zu einem hohen Wasserfall hineingehen kann.

Gera

Atlasteil: S. 39 • C 3
Höhe: 204 m ü. d. M.

Bundesland: Thüringen
Einwohnerzahl: 123 000

Gera, Geburtsstadt des Malers und Grafikers Otto Dix (1891–1969), weist einen der schönsten Marktplätze Thüringens auf. Gerberei, Bierbrauerei und besonders die Tuchmacherei waren traditionelle Wirtschaftszweige, deren Blüte im 18. Jh. die heute noch erhaltenen Bürgerhäuser jener Zeit bezeugen; sie entstanden überwiegend nach dem großen Stadtbrand von 1780.

✳ Marktplatz

Auf dem schönen Marktplatz von Gera ragt besonders das **Rathaus** aus dem 15. Jh. heraus. Es zeichnet sich vor allem durch sein reich verziertes Hauptportal am achtgeschossigen Turm und die drei Nebenportale aus. Weiterhin beachtenswert ist am Markt die Stadtapotheke (16. Jh.) mit einem runden, reich geschmückten Renaissanceerker und der Simsonbrunnen (1685/1686) von Caspar Junghans. Vom Rathaus sind es nur wenige Schritte zum ehemaligen Regierungsgebäude (1720–1722).

Unweit nordwestlich vom Markt steht das ehemalige Zucht- und Waisenhaus (Heinrichstraße 2), ein dreigeschossiger Barockbau von 1732–1738, in dem heute das Stadtmuseum zu finden ist. ◄ Zucht- und Waisenhaus

Das Innere der barocken, dreischiffigen Salvatorkirche (1717–1720), nahe dem Rathaus, am Nicolaiberg, wurde, abgesehen von der im 18. Jh. bemalten Flachdecke, im **Jugendstil** ausgestattet. **Salvatorkirche**

Neben der Kirche, im ehemaligen Schreiberschen Haus (1687/88), befindet sich heute das Museum für Naturkunde mit Sammlungen über Leben und Werk der fünf ostthüringischen **Ornithologen** Brehm (Vater und Sohn), Liebe, Hennicke und Engelmann. Angeschlossen ist ein Botanischer Garten. ◄ Schreibersches Haus

Zu den schönsten Bürgerhäusern der Stadt gehört das **Ferbersche Haus** in der Greizer Straße 37/39 südlich der Salvatorkirche. Darin ist das Museum für Angewandte Kunst untergebracht, in dem Keramik, Porzellan, Glas und Zinn aus Thüringen zu sehen sind.

Nordwestlich vom Zentrum kommt man zur Orangerie, einer halbkreisförmigen barocken Anlage (1729–1732). Sie beherbergt heute die **Kunstsammlung Gera** mit Malerei und Plastik vom 16. Jh. bis zur Gegenwart und dem Gemäldekabinett der Reußischen Kunstsammlungen.
Das Theater (1902), östlich der Orangerie gelegen, wurde im Jugendstil errichtet.

Hauptportal des Rathauses

Überquert man weiter westlich die Weiße Elster, sieht man die Pfarrkirche St. Marien, einen einschiffigen spätgotischen Bau (um 1400). Unmittelbar daneben werden im Geburtshaus von Otto Dix (1891–1969) eine Dokumentation zu seinem Leben und Wirken sowie die Geraer Dix-Sammlung gezeigt. ✱ **Otto-Dix-Haus**

Umgebung von Gera

Die alte Bischofsstadt Zeitz liegt 23 km nördlich von Gera an der Stelle, wo die Weiße Elster in die Leipziger Tieflandsbucht eintritt. **Schloss Moritzburg,** eine barocke Anlage, die auf den Ruinen des Bischofsschlosses entstand, dient heute als Museum. Gezeigt werden Werke der bildenden Kunst, altes Glas, Zinn und schönes Porzellan. In der Schlosskirche bewahrt die Krypta (10. Jh.) die Särge der Herzöge von Sachsen-Zeitz und die Grabstätte des Naturforschers Georgius Agricola (1494–1555). Von den eindrucksvollen Bürgerhäusern **Zeitz**

▶ GERA ERLEBEN

AUSKUNFT

Gera-Information
Heinrichstraße 35,
07545 Gera
Tel. (03 65) 8 30 44 80
Fax 8 30 44 81
www.gera-tourismus.de

ESSEN

▶ Erschwinglich
Spezialitäten Restaurant Royal
Sorge Nr. 19,
07545 Gera
Tel. (03 65) 5 13 74
In einem altem Bürgerhaus aus
dem 18. Jahrhundert können Sie im
eleganten Ambiente schlemmen wie
Gott in Frankreich oder sich traditionelle thüringische Gerichte schmecken lassen. Im Übrigen beherbergt
das Haus den umfangreichsten Weinkeller Thüringens mit über 500 Weinen und Sekten!

▶ Preiswert
Grünspecht
Pfortener Straße,
07545 Gera
Tel. (03 65) 11 88 67
In dem urigen Lokal mit seinem
ungezwungenen Ambiente kommen
Steaks, Salate und deftige Haus-
mannskost auf den Tisch.

ÜBERNACHTEN

▶ Komfortabel
Dorint Novotel
Berliner Straße 38, 07545 Gera
Tel. (03 65) 4 34 40
Fax 4 34 41 00
www.dorint.com/gera
Modernes Hotel mit geschmackvoll
und zweckmäßig eingerichteten Zim-
mern. Elegantes Restaurant, Sauna
und Schwimmbad.

▶ Günstig
Gewürzmühle
Clara-Viebig-Straße 4, 07545 Gera
Tel. (03 65) 82 43 30
Fax 8 37 26 16
www.hotel-gewuerzmuehle-gera.de
Freundliches Hotel in einer ehema-
ligen Gewürzmühle, funktionell aus-
gestattete Zimmer.

Baedeker-Empfehlung

An der Elster
Südstraße 12, 07548 Gera
Tel. (03 65) 7 10 61 61
Fax 7 10 61 71
www.hotel-an-der-elster.de
Nette, einfache Zimmer bietet die
gepflegte Jugendstilvilla aus dem
Jahr 1890 an.

sei vor allem auf das **Seckendorffsche Palais** (Am Brühl 11) hingewiesen. Von der ehemaligen Stadtbefestigung sind noch sechs Wehrtürme und Teile der Stadtmauer erhalten. Unter der Stadt kann man
ein mittelalterliches Gängesystem begehen.

Eisenberg In der Kreisstadt Eisenberg bildet der alte Stadtkern mit dem Rat-
haus (1579/1593), einem dreigeschossigen Renaissancebau mit zwei
Türmen und zwei reich verzierten Rundbogenportalen, ein reizvolles
Ensemble. Um den Marktplatz gruppieren sich die einschiffige spät-

gotische Stadtkirche St. Peter (1494), die Superintendentur (1580), ein dreigeschossiger Renaissancebau, und der Mohrenbrunnen (1727).

Schloss Christianenburg, heute Landratsamt, ist eine dreigeschossige barocke Anlage (1678–1692) mit Schlosskirche (1680–1692). Diese besitzt reiche Stuckdekorationen sowie Wand- und Deckengemälde italienischer Künstler und wird als Konzertsaal genutzt. Sehenswert ist auch der Schlossgarten (1683) mit Rosengarten. Wanderwege führen von Eisenberg im Tal der Rauda aufwärts, das wegen seiner früher zahlreichen Sägemühlen den Namen Mühltal erhielt.

In **Weida**, 13 km südlich von Gera, lohnt das im Kern romanische Schloss Osterburg mit seinem mächtigen Bergfried, dem Heimatmuseum und der Schlosswache einen Besuch.

Baedeker TIPP

Hinab in die Höhler

Geras Brauer lagerten ihr Bier in einem 9 km langen System von Gängen und Kellern, das sich bis 11 m tief und teilweise nur 80 cm breit unter der Altstadt und dem Nicolaiberg hinzog. Einige dieser »Höhler« kann man besichtigen. Ausgangspunkt ist der Höhler Nr. 188 mit einer Ausstellung über die ostthüringische Mineralienwelt (Nicolaiberg 3, hinter dem Naturkundemuseum; Öffnungszeiten tgl. 10.00–17.00 Uhr).

Gießen · Wetzlar

Atlasteil: S. 35 • C/D 4
Höhe: 157 m ü. d. M.

Bundesland: Hessen
Einwohnerzahl: 79 000 (Gießen), 54 000 (Wetzlar)

Die alte Universitätsstadt Gießen an der Lahn ist die größte Stadt Mittelhessens und Sitz bedeutender Industriebetriebe. Ihre Nachbargemeinde Wetzlar ist zwar nicht ganz so groß, aber durch ihre malerische Lage an der Lahn und durch die schöne Altstadt weiß der Ort durchaus zu bestechen.

Gießen

Im Jahr 1197 wurde eine von den Grafen von Gleiberg angelegte **Geschichte** Burg urkundlich erwähnt, 1248 war Gießen bereits Stadt. 1265 fiel es durch Kauf an die Landgrafen von Hessen, die es zu einer starken Festung ausbauten. In das Jahr 1607 fiel die Gründung der Universität. Hier lehrte und wirkte 1824–1852 der große **Chemiker Justus von Liebig** (1803–1873), der Erfinder der Stickstoffdüngung. 1944 wurde die Stadt zu mehr als drei Vierteln zerstört.

Am Brandplatz erhebt sich das auf das 14. Jh. zurückgehende und **Altes Schloss** 1980 neu errichtete Alte Schloss. Es beherbergt die Abteilungen Gemäldegalerie und Kunsthandwerk des Oberhessischen Museums.

An das Alte Schloss grenzt der Botanische Garten (1609), **einer der ältesten seiner Art in Deutschland**.

Nordöstlich von Altem Schloss und Botanischem Garten stehen das **Neue Schloss** (16. Jh.), ein schöner Fachwerkbau, und daneben das 1590 erbaute Zeughaus.

Burgmannenhaus
Wallenfels'sches
Haus

Am westlichen Rand der Innenstadt (Georg-Schlosser-Straße) sind zwei weitere Teile des Oberhessischen Museums zu finden: im Burgmannenhaus (Leib'sches Haus, 1350) die Abteilung Stadtgeschichte und Volkskunde sowie im benachbarten Wallenfels'schen Haus die Abteilung Vor- und Frühgeschichte und Völkerkunde.

Universität

Im Süden der Stadt liegt die 1880 erbaute Neue Universität (Justus-Liebig-Universität). Hier sind am **Gießener Kunstweg** Skulpturen namhafter zeitgenössischer Künstler aufgereiht.

Liebig-Museum

Weiter südlich (Liebigstraße 12) wandelt man ein Stück auf den Spuren des berühmten Chemikers Justus von Liebig. Seine originalen Laboratorien sowie eine Briefsammlung des großen Chemikers sind im Liebig-Museum zu besichtigen.

✶
Mathematicum

Interessant ist das Mathematicum (Liebigstraße 8): Hier wird die Welt der Zahlen experimentell und spielerisch vorgestellt.

Der Botanische Garten wurde schon vor vier Jahrhunderten angelegt.

Wetzlar

Die alte Freie Reichsstadt Wetzlar wird überragt von der Burgruine **Geschichte** Kalsmunt (12. Jh.). Die als »Wiflaria« erstmals erwähnte Stadt erlangte durch Eisenverarbeitung und -handel **große wirtschaftliche Blüte**. 1693–1806 war sie Sitz des Reichskammergerichts, der höchsten juristischen Instanz des Reiches.

Die am linken Ufer der Lahn ansteigende Altstadt mit engen Gassen **Dom** und alten Bürgerhäusern wird beherrscht von dem hoch aufragenden Dom, der ehemaligen Stiftskirche St. Marien, einem reich gegliederten Bau aus dem 12.–16. Jh.

 GIESSEN · WETZLAR ERLEBEN

AUSKUNFT

Tourist-Information
Berliner Platz 2, 35390 Gießen
Tel. (06 41) 1 94 33
www.giessen.de

Tourist-Information
Domplatz 8, 35573 Wetzlar
Tel. (0 64 41) 1 94 33
www.wetzlar.de

ESSEN
► Fein & Teuer
Tandreas
Licher Straße 55, 35390 Gießen
Tel. (06 41) 9 40 70
Lammrücken auf Blattspinat mit Kirschtomatensauce und andere raffinierte Spezialitäten können Sie in dem ausgezeichneten Restaurant genießen.

► Preiswert
Die Hauptwache
Brasserie & Restaurant
Domplatz 3, 35578 Wetzlar
Tel. (0 64 41) 4 85 04
Moderne Küche, südländisch angehaucht, in der Hauptwache am Markt. Wunderschöner Terrassenbereich.

ÜBERNACHTEN
► Komfortabel
Best Western Steinsgarten
Hein-Heckroth-Straße 20,
35390 Gießen
Tel. (06 41) 3 89 90, Fax 3 89 92 00
www.hotel-steinsgarten.de
Modernes Hotel mit zeitgemäßem Komfort, Schwimmbad und Sauna. Komfortable, zweckmäßige Zimmer und besonders großzügige »Deluxe-Zimmer« stehen zur Verfügung.

Landhotel Naunheimer Mühle
Mühle 2, 35584 Wetzlar-Naunheim
Tel. (0 64 41) 9 35 30, Fax 93 53 93
www.naunheimer-muehle.de
Idyllisch an der Lahn gelegen, überzeugt das nette Hotel in der ehemaligen Mühle mit hübschen Zimmern im Landhausstil, moderner Ausstattung und einem sehr behaglichen Restaurant.

► Günstig
Parkhotel Sletz
Wolfstraße 26, 35394 Gießen
Tel. (06 41) 40 10 40, Fax 40 10 41 40
www.parkhotel-sletz.de
Nahe der Fußgängerzone gelegen, sehr persönlich geführtes Haus mit angenehmer Atmosphäre, liebevoll eingerichtete Zimmer.

Der echte Werther

Mit »Die Leiden des jungen Werther« gelang Goethe 1774 der literarische Durchbruch. Zum Vorbild diente ihm der Legationssekretär am Reichskammergericht in Wetzlar, Karl Wilhelm Jerusalem, der 1772 Selbstmord beging. Er bewohnte zwei Zimmer im Haus Schillerplatz 5, die heute Gedenkstätte sind. Eines der bewegendsten Dokumente ist ein handschriftliches Billet vom 29. Oktober 1772, in dem er einen Bekannten um dessen Pistolen bittet (Öffnungszeiten: Di. bis So. 14.00–17.00 Uhr).

Am Fischmarkt, südwestlich vom Domplatz, bezeichnet ein Doppeladler das erste Gebäude des Reichskammergerichts; hier arbeitete **Johann Wolfgang Goethe** 1772 als Rechtspraktikant. Im Avemannschen Haus (Hofstatt 19) ist das Reichskammergerichtsmuseum untergebracht, in dem Originalzeugnisse aus drei Jahrhunderten deutscher Rechtsgeschichte ausgestellt sind.

Östlich vom Domplatz findet man das Lottehaus (Lottestraße 8), den ehemaligen Deutschordenshof, wo Goethes Angebetete Charlotte Buff einst wohnte. Das Gebäude beherbergt eine Sammlung über Goethe und Charlotte und das Stadt- und Industriemuseum.

Solms   In dem westlich von Wetzlar gelegenen Solms, im Ortsteil Oberbiel, kann man den als **Besucherbergwerk** eingerichteten Stollen »Fortuna« besichtigen, in dem noch bis 1983 Eisenerz abgebaut wurde.

✶ ✶ Görlitz

Atlasteil: S. 41 • D 2		**Bundesland:** Sachsen
Höhe: 221 m ü. d. M.		**Einwohnerzahl:** 67 700

Wenn sich manch Oberlausitzer Städtchen die »Perle der Oberlausitz« nennt, dann ist Görlitz das Kronjuwel, denn es hat den Zweiten Weltkrieg beinahe unbeschadet überstanden. Die Bauten aus Mittelalter und Renaissance verleihen der Stadt ein einmaliges architektonisches Gepräge, das man gesehen haben muss, wenn man sich in dieser östlichsten Ecke Deutschlands aufhält.

Geschichte   Das niederschlesische Görlitz (sorbisch Zhorjelc) ist die **östlichste Stadt Deutschlands**. Am Kreuzungspunkt wichtiger Handelsstraßen gelegen, entwickelte sich das 1071 erstmals urkundlich genannte »Gorelic« rasch zu einer bedeutenden Siedlung. Nach starker Befestigung und der Verleihung zahlreicher Rechte spielte die Stadt ab 1346 eine führende Rolle im Oberlausitzer Sechsstädtebund. Trotz wechselnder Herrschaften verdankte Görlitz seinen Reichtum der langen Zugehörigkeit der Lausitz zum Königreich Böhmen. Zu wirtschaftlicher Macht gelangt, war es eine Pflegestätte des Humanismus. Jacob Böhme (1575–1624, Schuhmacher, Naturphilosoph und Mystiker) gilt als einer der frühen geistigen Wegbereiter der klassischen deutschen Philosophie. Von historischer Bedeutung war die Unterzeichnung des Staatsvertrags zwischen der DDR und Polen über die Anerkennung der **Oder-Neiße-Grenze**, des Görlitzer Abkommens vom 6. Juli 1950, in der polnischen Nachbarstadt Zgorzelec, dem ehemaligen Ostteil der Stadt.

Sehenswertes in Görlitz

Die Straßenzüge und Bauten um den Postplatz im heutigen Stadt- und Geschäftszentrum stammen vor allem aus dem späten 19. Jh. Lediglich die Frauenkirche am Marienplatz ist eine Schöpfung der Spätgotik (1459–1486). Von hier blickt man zum Dicken Turm (vor 1305) mit dem 1477 in Sandstein gehauenen Stadtwappen. Links von ihm kommt man zum Görlitzer Naturkundemuseum und dahinter zur von einem spätgotischen Statuenzyklus gezierten Annenkapelle (1508–1512).

Postplatz

Vom Marienplatz geht man zum Demianiplatz, den das massige Rondell des 1490 in die Stadtbefestigung eingefügten Kaisertrutzes fast erschlägt. Er beherbergt die Galerie der **Städtischen Kunstsammlungen**. Zum Obermarkt hin erhebt sich der vor 1376 errichtete Reichenbacher Turm, der 1485 seinen Oberbau und 1782 die Barockhaube erhielt. Er trägt die Wappen des Lausitzer Sechsstädtebundes sowie der Görlitz besitzenden Herrschaften. Im Turm wird eine Waffensammlung gezeigt.

✴ Kaisertrutz

Einkaufen mit Flair kann man im einzigen Jugendstilkaufhaus Deutschlands am Marienplatz.

▶ GÖRLITZ ERLEBEN

AUSKUNFT

Görlitz-Information
Obermarkt 29,
02826 Görlitz
Tel. (0 35 81) 47 57-0, Fax 47 57 27
www.goerlitz.de

ESSEN

▶ Erschwinglich

① *Schneider Stube*
Peterstraße 8 (im Hotel Tuchmacher),
02826 Görlitz
Tel. (0 35 81) 4 73 10
Gediegen speisen im Kreuzgewölbe
eines restaurierten Renaissance-
Bürgerhauses von 1528.

▶ Preiswert

② *Dreibeiniger Hund*
Büttnerstraße 13,
02826 Görlitz
Tel. (0 35 81) 42 39 80
Beeindruckende Gewölbe, barocke
Holzbalkendecken, ein offener Kamin
und Wandmalereien des 19. Jahrhunderts sorgen für rustikales Flair. Auf
den Tisch kommen traditionelle Gerichte aus der Lausitz, nach alten
Rezepten zubereitet.

ÜBERNACHTEN

▶ Komfortabel

① *Sorat*
Struvestraße 1,
02826 Görlitz
Tel. (0 35 81) 40 65 77, Fax 40 65 79
www.sorat-hotels.com
Charmantes Hotel garni in einem
wunderschönen Jugendstilhaus im
Zentrum, wenige Minuten zum Ober-
und Untermarkt.

② *Mercure Parkhotel Görlitz*
Uferstraße 17, 02826 Görlitz
Tel. (0 35 81) 66 26 66, Fax 66 26 62
www.mercure.com
Großzügiges, sehr gepflegtes Haus mit
wohnlich eingerichteten Zimmern,
Restaurant, Schwimmbad, Sauna und
Fitnessabteilung.

▶ Günstig

③ *Europa*
Berliner Straße 2, 02826 Görlitz
Tel. (0 35 81) 4 23 50, Fax 42 35 30
www.hotel-europa-goerlitz.de
Mitten in der Fußgängerzone bietet
das kleine Hotel schnörkellose, praktische Zimmer.

★ Obermarkt

Hinter dem Reichenbacher Turm öffnet sich der vom Barock geprägte große Obermarkt. Das bemerkenswerteste der Bürgerhäuser ist
Nr. 29 (1718) an der Nordseite dank seiner üppigen figürlich-plasti-
schen Stuckverzierung. Es wird »Napoleonhaus« genannt, denn von
seinem Balkon nahm Franzosenkaiser Napoleon, auf dem Rückzug
aus Russland, im Jahr 1813 eine Parade seiner geschlagenen (und
verbliebenen) Truppen ab. Gegenüber steht die gotische **Dreifaltigkeitskirche** aus dem 14./15. Jh. mit einem Mönchsgestühl (1484),
der Grablegungsgruppe (1492), dem »Christus in der Rast« (um
1500), dem Wandaltar der »Goldenen Maria« (um 1511) und dem
hochbarocken Altaraufsatz (1713). Den östlichen Ausgang des Ober-
markts, die Brüderstraße, flankieren in eindrucksvoller Geschlossenheit Renaissance- und Barockbauten.

Rechter Hand ragt der Schönhof (Nr. 8) etwas in die Straße hinein. Mit seiner reichen Pilastergliederung am Eckerker gilt er als eines der schönsten und ist auf jeden Fall das **älteste erhaltene deutsche Renaissance-Bürgerhaus**, erbaut von Wendel Roskopf d. Ä. im Jahr 1526.

★
◄ Schönhof

Spätgotische, Renaissance- und Barockhäuser geben auch dem Untermarkt, den man nun betritt, seine Atmosphäre. Hier schlug das Herz des mittelalterlichen Görlitz. Mit etwas Fantasie kann man es noch hören, betrachtet man beispielsweise das in mehreren Bauetappen gewachsene Rathaus. Kunsthistorisch am bedeutendsten ist der vor 1378 errichtete älteste Baukörper. Die berühmte Rathaustreppe mit ihrer Justitiasäule von Hans Walther III. (1591) wurde 1537 von Wendel Roskopf erbaut. Den Rathausturm zieren zwei 1584 angebrachte Kunstuhren. Mehrere der Anwesen auf dem Untermarkt er-

★ ★
Untermarkt

★
◄ Rathaus

Görlitz *Orientierung*

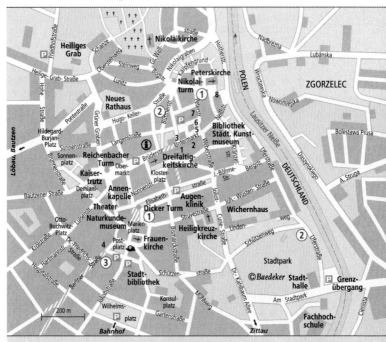

1	Schönhof	3	Altes Rathaus	5	Waage	7	Ratsapotheke
2	Lange Läuben	4	Amtsgericht	6	Alte Börse	8	Waidhaus

Übernachten				**Essen**	
①	Sorat	③	Europa	①	Schneider Stube
②	Mercure			②	Dreibeiniger Hund

innern mit ihrer originalen Innen-
architektur von Kaufmannshäusern
an die **wirtschaftliche Blütezeit**
der Stadt zwischen 1480 und 1547,
vor allem die einstigen Tuchhallen,
die sog. Langen Läuben (Nr. 2–5).
Die »Zeile« genannten Häuser in
der Platzmitte teilen diesen in zwei
Hälften. Bemerkenswert sind die um 1600 errichtete Waage und die
dahinter anschließende barocke Alte Börse. Gegenüber erhebt sich
die Ratsapotheke von 1550 mit zwei Sonnenuhren; das Nachbarhaus
Nr. 22 wird des akustischen Effekts seines spätgotischen Portals wegen auch »**Flüsterbogen**« genannt.

Ratsapotheke ▶

Von der Südostecke des Untermarkts – hier steht der Gasthof Brau-
ner Hirsch, im 17. Jh. geistiger Mittelpunkt der Stadt – geht die
Neißstraße hinab zur Neiße. Bemerkenswerte Bauten sind die Nr. 30
mit prächtigem Barockportal (1726–1729), Standort des Museums
der Oberlausitz, sowie das »**Biblische Haus**« (Nr. 29) von 1570 mit
Reliefszenen aus der Bibel, eines der bedeutendsten Gebäude der
deutschen Renaissance

Neißstraße

Auf der Peterstraße geht man vom Untermarkt zur Pfarrkirche Sankt
Peter und Paul (1423–1497), der spätgotischen Nachfahrin einer um
1230 geweihten spätromanischen Basilika. Die Renaissance fügte
dieser **gewaltigsten mittelalterli-
chen Bauleistung** in Görlitz u. a.
die seitlichen Portalvorhallen hinzu, die Neugotik 1889–1891 die
beiden Türme. Die Hallenkrypta
St. Georg gilt als schönster spätgotischer Raum der Oberlausitz.
Rechts der Kirche steht über dem
Steilabfall zur Neiße das wehrhafte
Waidhaus oder Renthaus, der älteste Profanbau der Stadt.

**St. Peter und
Paul**

Farbenfroher Barock im Kloster Marienthal

Von St. Peter und Paul geht es vorbei am Nikolaiturm (vor 1348) zur
Nikolaivorstadt auf ältestem städtischen Siedlungsterrain. Hier erhebt
sich die Nikolaikirche (jetziger Bau
1452–1520), deren Friedhof zahlreiche barocke Grabdenkmäler besitzt, darunter das Grab des Philosophen Jacob Böhme. Im Westen
der Nikolaivorstadt liegt das kunsthistorisch bedeutende **Heilige Grab**

(1481–1504). Die Architektur, Plastik und gestaltete Landschaft vereinende Anlage ist eine Kopie des Heiligen Grabes von Jerusalem und symbolisiert die Stätten der Passion Christi. Sie gilt als **erster Versuch von Landschaftsgestaltung in Europa**.

Umgebung von Görlitz

Beliebtes Ausflugsziel im Südwesten der Stadt ist die Landeskrone mit Aussichtsturm, Berggaststätte und Theodor-Körner-Denkmal. Als weiteres Ausflugsziel bieten sich die **Königshainer Berge** westlich von Görlitz an. Hier wandert man zum Teufelsstein und zum Hohenstein. In Markersdorf, 6 km westlich an der B 6, lohnt der Besuch des Schlesisch-Oberlausitzer Dorfmuseums.

Kloster Marienthal liegt 14 km südlich von Görlitz äußerst idyllisch im Tal der Neiße. Mit der natürlichen Schönheit des grünen Flusstals konkurriert der farben-

! *Baedeker* TIPP

Kaffeepause im Kloster

Nach einer Klosterführung kommt eine Rast in der gemütlichen Klosterschänke der Marienthaler Nonnen gerade richtig, die hier köstliches Backwerk aus der eigenen Backstube – und Deftigeres – auftragen.

prächtige Barock der weitläufigen Anlage, die 1234 als erstes der beiden einzigen **Zisterzienserinnenkloster** im heutigen Sachsen gegründet und im 17. und 18. Jh. ihr heutiges Aussehen erhielt (das zweite ist St. Marienstern in Panschwitz-Kuckau ► S. 682). Kapelle, Klosterkirche und Bibliothek von Marienthal können im Rahmen einer Führung besichtigt werden.

✳ Goslar

Atlasteil: S. 27 • D 3
Höhe: 280–320 m ü. d. M.
Bundesland: Niedersachsen
Einwohnerzahl: 46 000

Nicht umsonst wird die einstige Kaiser-, Reichs- und Hansestadt Goslar auch das »nordische Rom« oder die »Schatzkammer der Deutschen Kaiser« genannt. Verfügt sie doch über eine historische Altstadt, eine fast intakte mittelalterliche Stadtbefestigung, zahlreiche Kirchen und Spitäler sowie die Kaiserpfalz.

Goslar verdankt seine Entstehung im 10. Jh. der Entdeckung einer ungewöhnlich reichen Silberader am Rammelsberg, die bereits zur Römerzeit ausgebeutet wurde. Aufgrund der wachsenden Bedeutung des Bergbaus verlegte Heinrich II. Anfang des 11. Jh.s seine Pfalz von Werla hierher, und Goslar wurde eine der wichtigsten Städte des Reiches und im 13. Jh. Mitglied der Hanse. Die Blütezeit und den Höhe-

Geschichte

punkt der Macht erreichte die Stadt im 16. Jh., was sich auch in einer regen Bautätigkeit niederschlug. Als Goslar jedoch 1552 die Nutzungsrechte am Rammelsberg an Braunschweig verlor, setzte ein lang andauernder Niedergang ein, dem erst durch die Entwicklung von Industrie und Fremdenverkehr ab dem 19. Jh. ein erneuter Aufschwung folgte. Seit 1992 stehen die Altstadt und das nahe, erst 1988 stillgelegte Silberbergwerk Rammelsberg (heute Bergbaumuseum) auf der **UNESCO-Liste des Weltkulturerbes**.

Der vergoldete Reichsadler auf dem Marktbrunnen kündet von Goslars Reichsstadtzeiten.

Sehenswertes in Goslar

Mittelpunkt der Altstadt ist der schöne Marktplatz mit Marktbrunnen (13. Jh.), dessen vergoldeter Reichsadler die Freie Reichsstadt symbolisiert. Das Rathaus, ein einfacher gotischer Steinbau, der ab 1450 in mehreren Phasen entstand, öffnet sich zur Marktseite in fünf Arkaden. Eine Freitreppe führt ins Obergeschoss, wo sich der mit farbenprächtigen Malereien (Anfang 16. Jh.) ausgestattete ehem. Sitzungssaal, auch Huldigungssaal genannt, befindet. Im Giebel des ehem. Kämmereigebäudes gegenüber befindet sich ein Glocken- und Figurenspiel. Die Kaiserworth (1494) an der Südseite des Marktplatzes war Gildehaus der Gewandschneider (heute Hotel). Hölzerne Kaiserfiguren schmücken die Front; auf einer Giebelkante illustriert das Dukatenmännchen den Reichtum der Gilde. Hinter dem Rathaus erhebt sich die Marktkirche (1170; 13. und 16. Jh. erweitert). Gegenüber ihrem Westportal steht im spitzen Winkel das mit fantasievollen Schnitzereien verzierte Brusttuch (1521–1526; heute Hotel), eines der **schönsten Patrizierhäuser der Stadt.**

✳ **Mönchehaus-Museum für moderne Kunst**

Goslars Engagement für zeitgenössische Kunst – seit 1974 verleiht die Stadt alljährlich den Kaiserring und überall in der Stadt trifft man auf moderne Skulpturen – spiegelt sich in der Sammlung des in einem alten Fachwerkhaus (1528) untergebrachten Mönchehaus-Museum wider.

✳ **Jakobikirche**

Die ältesten Teile der Jakobikirche, unweit nordöstlich, stammen aus dem 11. Jh.; sie bewahrt eine sehenswerte hölzerne Pietà (1515).

✳ **Neuwerkkirche**

Die ehem. Klosterkirche Neuwerk (12./13. Jh.) steht nördlich der Jakobikirche. Im Innern befinden sich beeindruckende **spätromanische Wandmalereien**. Dargestellt sind u. a. die thronende Gottesmutter mit Petrus, dem knienden Erzengel Gabriel, Paulus und Stephanus sowie Szenen aus dem Alten Testament.

Das im Süden der Stadt gelegene Goslarer Museum stellt die Stadtgeschichte dar; zu den Schätzen gehört der **Krodoaltar**, ein bronzener Reliquienaltar aus dem 11. Jh.

Goslarer Museum

Am rechten Ufer der Gose liegt außerdem das Große Heilige Kreuz, ein ehemaliges Spital, im Jahr 1254 vom kaiserlichen Vogt gestiftet. Heute sind hier verschiedene Kunsthandwerker mit ihren Werkstätten und Verkaufsräumen untergebracht.

✴ **Großes Heiliges Kreuz**

Am Ende des Hohen Wegs steht man vor der Domvorhalle, dem **einzigen Überbleibsel** des 1050 geweihten, 1819–1822 abgerissenen Doms. Im Giebelfeld sieht man Heinrich III., die Kirchenpatrone sowie Maria zwischen zwei Leuchtern und Engeln als farbige Relieffiguren. Innen sind einige Ausstattungsstücke aus dem Dom aufbewahrt, darunter der romanische Kaiserstuhl.

Domvorhalle

 ## GOSLAR ERLEBEN

AUSKUNFT

Tourist-Information
Markt 7, 38640 Goslar
Tel. (0 53 21) 7 80 60, Fax 78 06 44
www.goslar.de

ESSEN

► Erschwinglich

Aubergine
Marktstraße 4, 38640 Goslar
Tel. (0 53 21) 4 21 36
www.aubergine-goslar.de
Elegantes, mediterran gehaltenes Restaurant, in dem Spezialitäten aus der türkischen, französischen und italienischen Küche serviert werden.

► Preiswert

Worthmühle
Worthstraße 4, 38640 Goslar
Tel. (0 53 21) 4 34 02
In einem der urigsten Gasthäusern der Stadt werden Sie mit feinen deutschen und regionalen Speisen verwöhnt. Viele Wildspezialitäten!

ÜBERNACHTEN

► Luxus

Der Achtermann
Rosentorstraße 20, 38640 Goslar
Tel. (0 53 21) 7 00 00, Fax 7 00 09 99
www.der-achtermann.de
Komfortables Haus in zentraler Lage. Im historischen Restaurant »Altdeutsche Stuben« mit bemalter Holzdecke können Sie internationale und Harzer Küche genießen.

► Komfortabel

Niedersächsischer Hof
Klubgartenstraße 1, 38640 Goslar
Tel. (0 53 21) 31 60, Fax 31 64 44
www.alemannia-hotels.de
Altehrwürdiges Haus mit einer gelungenen Mischung aus Tradition und Moderne.

Kaiserworth
Markt 3, 38640 Goslar
Tel. (0 53 21) 70 90, Fax 70 93 45
www.kaiserworth.de
In dem ehemaligen Gewandhaus aus dem 15. Jh. erwarten Sie hinter der schmucken Fassade individuell gestaltete und sehr wohnliche Zimmer.

Kaiserpfalz

Die mächtige Kaiserpfalz entstand vermutlich 1005–1015 unter Kaiser Heinrich II. Der heutige Bau ist jedoch eine Rekonstruktion aus dem 19. Jh.; die Historienbilder im Kaisersaal schildern bedeutende Ereignisse aus der deutschen Geschichte; der kleine Zyklus enthält Darstellungen aus dem Dornröschen-Märchen. Beide Zyklen schuf H. Wislicenus 1879–1897. In der St.-Ulrichs-Kapelle (11./12. Jh.) befindet sich das Grabmal mit dem Herz Heinrichs III.; der Kaiser selber ist im Dom zu ▶Speyer begraben. In den Gewölben der Kaiserpfalz zeigt eine im Jahr 2000 eröffnete Ausstellung die Geschichte der Pfalz und des mittelalterlichen Reisekönigtums.

Wasser war jahrhundertelang Energiequelle im Bergbau.

Umgebung von Goslar

Bergbaumuseum Rammelsberg

Im 636 m hohen Rammelsberg wurde seit dem 3. Jh. n. Chr. Erz abgebaut. Das Bergwerk zählt zu den **ältesten der Erde**. Seit seiner Stilllegung 1988 werden in diesem Bergwerk zehn Jahrhunderte Bergbaugeschichte dokumentiert (tägliche Führungen im Besucherbergwerk und Bergbaumuseum).

Kloster Riechenberg

3 km nordwestlich von Goslar liegen die Reste des 1117 gegründeten und 1803 aufgehobenen Augustinerklosters Riechenberg mit seiner sehenswerten Krypta.

Die Klosterkirche des Augustiner-Chorherrenstiftes (1711–1717; Francesco Mitta), 4 km nördlich von Goslar im Stadtteil Jürgenohl, ist eine der **prächtigsten Barockkirchen Norddeutschlands**.

Hahnenklee-Bockswiese

Der 15 km südwestlich im Oberharz gelegene Goslarer Stadtteil Hahnenklee-Bockswiese ist ein heilklimatischer Kur- und Wintersportort. Hier steht **Deutschlands einzige Stabkirche** (1908); auf dem Waldfriedhof befindet sich das Grab des Operettenkomponisten Paul Lincke (1866–1946).

Okertal

In südöstlicher Richtung (6 km) erreicht man das Okertal, ein wildromantisches Flusstal mit prachtvollen Felsszenerien, dessen schönster Teil zwischen dem Romkerhaller Wasserfall und der Stadt Oker liegt. Reger Segel-, Surf- und Bootsverkehr herrscht im Sommer auf der Okertalsperre, für deren Fertigstellung 1956 das Örtchen Schulenberg überflutet wurde.

Gotha

Atlasteil: S. 37 • D 3
Höhe: 311 m ü. d. M.

Bundesland: Thüringen
Einwohnerzahl: 53 000

Die einstige Residenzstadt des Herzogtums Sachsen-Gotha ist eine der ältesten Siedlungen Thüringens und im Mittelalter durch den Handel mit der Farbpflanze Waid und mit Getreide zu Wohlstand gelangt. Berühmt wurde der Ort durch die »Geografische Anstalt« von Justus Perthes (1749–1816).

Sehenswertes in Gotha

Das Stadtbild beherrscht das imposante Schloss Friedenstein (1643–1654), eine Dreiflügelanlage mit Barock-, Rokoko- und klassizistischer Ausstattung. Es entstand an Stelle der im 16. Jh. geschleiften Festung Grimmenstein und wurde richtungsweisend für spätere Schlossbauten. Zur Anlage gehören die **Gruft**, in der Prunksärge Gothaer Herrscher aufgestellt sind, und das 1681–1687 erbaute Schlosstheater (Ekhof-Theater), eines der ältesten deutschen Barocktheater.

★
Schloss Friedenstein

Das **Schlossmuseum** besitzt eine umfangreiche Gemäldesammlung, darunter das weltbekannte »Gothaer Liebespaar« (um 1480), außerdem Gemälde aus Mittelalter und Renaissance, niederländische Meister des 16. und 17. Jh.s, ein Kupferstichkabinett, ein Münzkabinett sowie völkerkundliche, ägyptische und ostasiatische Sammlungen

Vom Schlossberg blickt man über die Wasserkunst hinweg auf die Altstadt mit dem freistehenden Rathaus.

und Kunsthandwerk. Im Ostflügel befindet sich seit 1687 die For-
schungs- und Landesbibliothek Gotha. Ferner beherbergt Schloss
Friedenstein im Westturm das Museum für Regionalgeschichte und
Volkskunst, das u. a. die Stadt- und Theatergeschichte dokumentiert.

✳
Museum
der Natur

Südlich des Schlosses liegt das Museum der Natur. Es ist das **größte
naturwissenschaftliche Museum in Thüringen** und zeigt umfangreiche geologisch-mineralogische, paläontologische und zoologische
Sammlungen.

Wasserkunst

1895 wurde am Schlossberg beim oberen Hauptmarkt (nördlich des
Schlosses) von Hugo Mairich die Wasserkunst gebaut, die von den
Kaskaden der Kasseler Wilhelmsburg inspiriert ist und vom Wasser
des Leinakanals (14. Jh.) gespeist wird.

✳
Hauptmarkt
Rathaus

Vom Nordportal des Schlosses bietet sich ein schöner Blick auf die
historische Altstadt. Deren Herzstück ist das freistehende, 1574 erbaute Renaissance-Rathaus, ursprünglich ein Kaufhaus, danach Residenz, seit 1665 ist es aber Sitz des Stadtrats. Geschäfts- und Bürgerhäuser aus dem 16. und 17. Jh. säumen den Marktplatz und die ihn
ringsum berührenden Gassen. Ein
Pumpwerk von 1895 in den Kellerräumen des Cranach-Hauses
(Hauptmarkt Nr. 17) pumpt das
Wasser vom Leinakanal 9 m hinauf
zur Wasserkunst. Neben dem Cra-
nach-Haus steht das Geburtshaus
Ernst Wilhelm Arnoldis, der 1818
in Gotha die erste deutsche Feuer-
und Lebensversicherung gründete.

! **Baedeker** TIPP

Festival des 18. Jh.s
Die originale Bühnentechnik des Gothaer
Schlosstheaters bildet die technische Voraussetzung für das Festival des 18. Jh.s. Es findet
alljährlich von Juni bis September statt und
bringt weitgehend unbekannte Stücke des
18. Jh.s in historisch genauen Inszenierungen auf
die Bühne (Programm- und Kartenbestellungen
bei Gotha-Information, Tel. 0 36 212/22 21 38).

Die **Margarethenkirche**, eine dreischiffige, spätgotische Hallenkirche
am Neumarkt, ist die älteste Pfarrkirche Gothas. Im 17. und 18. Jh.
wurde sie barock umgebaut. Nahebei wurde das Löfflerhaus, ursprünglich eine im Jahr 1800 eingerichtete Freischule für arme Kinder, in einen Handwerkerhof mit Schauwerkstätten umgestaltet
(Margarethenstraße 2–4).

Hospital Maria
Magdalenae

Am nahen Brühl steht das Hospital Maria Magdalenae, das im 18. Jh.
an Stelle eines früheren, wohl von der hl. Elisabeth von Thüringen
errichteten Hospitals erbaut wurde.

Augustinerkirche

Am Klosterplatz liegt die Augustinerkirche, eine im 13. Jh. errichtete
ehemalige Klosterkirche, die im 14. und 17. Jh. verändert wurde und
einen malerischen Kreuzgang aus dem 14. Jh. besitzt. **Martin Luther**
predigte hier von 1521 bis 1529.

Umgebung von Gotha

Vom Großen Inselsberg (916 m ü. d. M.) im ► Thüringer Wald genießt man herrliche Ausblicke.

Großer Inselsberg

Wer sich für Puppen interessiert, ist in der alten thüringischen Puppenstadt Waltershausen, 14 km südwestlich Gothas, goldrichtig. Auf Schloss Tenneberg (16. Jh.) zeigt das Heimatmuseum u. a. Exponate zur Geschichte der Puppenherstellung.

Waltershausen

Unweit Friedrichrodas, 17 km südwestlich von Gotha, liegt die Marienglashöhle, **eine der schönsten und größten Höhlen in Europa**. Bei Führungen lernt man das Schaubergwerk, die Kristallgrotte und den Höhlensee kennen. In Friedrichroda selbst ist das neugotische Schloss Reinhardsbrunn zum Hotel umgewandelt worden.

Marienglashöhle

Auch Ohrdruf, 15 km südlich Gothas, wo 723 der »Apostel der Deutschen« Bonifatius seine Mission in Thüringen begann, besitzt ein Schloss, Ehrenstein genannt (1550–1590), ein Renaissancebau mit

Ohrdruf

 GOTHA ERLEBEN

AUSKUNFT

Tourist-Information
Hauptmarkt 2, 99867 Gotha
Tel. (0 36 21) 22 21 32, Fax 22 21 34
www.gotha.de

ESSEN

► **Erschwinglich**
Il Giardino
Schöne Aussicht 5, 99867 Gotha
Tel. (0 36 21) 77 20
Elegantes italienisches Restaurant im Hotel Lindenhof mit schöner Gartenterrasse.

► **Preiswert**
König Sahl
Brühl 5, 99867 Gotha
Tel. (0 36 21) 85 25 06
Mitten im Zentrum werden Sie in dem zünftigen Gasthaus mit Bier aus der eigenen Brauerei und deftiger Thüringer Hausmannskost bewirtet.

ÜBERNACHTEN

► **Komfortabel**
Am Schlosspark
Lindenaualle 20, 99867 Gotha
Tel. (0 36 21) 22 21 32, Fax 22 21 34
www.hotel-am-schlosspark.de
Ruhige Lage, geschmackvoll und zeitlos schön eingerichtet. Freundliches Restaurant mit Wintergarten.

► **Günstig**
Waldbahn Hotel
Banhofstraße 16, 99867 Gotha
Tel. (0 36 21) 23 40, Fax 23 41 30
www.waldbahn-hotel.de
Gut geführtes Haus in der Nähe vom Bahnhof, zweckmäßige Einrichtung.

Landhaus Hotel Romantik
Salzgitterstraße 76, 99867 Gotha
Tel. (0 36 21) 3 64 90, Fax 36 49 49
www.landhaus-hotel-romantik.de
Charmanter Familienbetrieb mit wohnlichen Zimmern im Landhausstil und einem schönen Garten.

Tobiashammer ▶

reich geschmücktem Portal, mächtigem Turm und Rokokosaal. Eine Attraktion ist das technische Denkmal Tobiashammer, eine Hammerschmiede mit **einer der größten Dampfmaschinen Europas**. Hier sind u. a. mehrere funktionstüchtige Fallhämmer, ein Walzwerk, ein Schleifwerk und Glühöfen zu besichtigen.

✳ Göttingen

Atlasteil: S. 37 • C 1   **Bundesland:** Niedersachsen
Höhe: 150 m ü. d. M.   **Einwohnerzahl:** 134 000

Das als »Gutingi« 953 erstmals erwähnte Göttingen im Tal der Leine gehört zu den traditionsreichsten deutschen Universitätsstädten. Mehr als 40 Nobelpreisträger studierten oder lehrten hier. Und auch heute bestimmt die Universität mit über 500 Professoren, 13 000 Mitarbeitern und rund 25 000 Studenten weitgehend das Leben der Stadt mit ihrer lebendigen Fußgängerzone und ihrer an Fachwerkbauten reichen Altstadt.

Geschichte

Göttingen erhielt um 1200 die Stadtrechte. Von 1351 bis 1572 erlebte man als Mitglied der Hanse eine Blütezeit, vom Dreißigjährigen Krieg abrupt beendet. Einen erneuten Aufschwung erfuhr Göttingen, nachdem Kurfürst Georg August von Hannover, in Personalunion Georg II. von England, 1734 die nach ihm benannte **Universität Georgia Augusta** gründete. Sie entwickelte sich zu einer Reformuniversität, die das Ideal von freier Forschung und Lehre anstrebte. So gelten die »Göttinger Sieben« als Begründer des deutschen Liberalismus. Die sieben Professoren, unter ihnen die Brüder Grimm, hatten wegen ihrer liberalen Ansichten 1837 »Berufsverbot« und Landesverweise erhalten.

? WUSSTEN SIE SCHON …?

■ dass in Göttingen vermutlich das »meistgeküsste Mädchen in Deutschland« zu finden ist? Denn jeder frisch gebackene Doktor muss die Brunnenfigur auf dem Gänselieselbrunnen vor dem Alten Rathaus küssen.

Sehenswertes in Göttingen

Altes Rathaus

Mittelpunkt der Altstadt ist das Alte Rathaus (1369–1443) am Markt, heute Sitz von Fremdenverkehrsamt und Kulturzentrum; die Halle ist mit Gemälden von H. Schaper ausgeschmückt (1853–1911).

St. Johannis

Westlich vom Alten Rathaus erhebt sich die Johanniskirche (1300–1344) mit romanischem Nordportal. Ihre Doppeltürme tragen unterschiedliche Helme. In der Türmerwohnung leben heute Studenten. Von hier hat man einen schönen Blick über die Altstadt.

Im Mittelpunkt des Göttinger Marktplatzes steht der Brunnen mit der berühmten Gänseliesel, die jeder frisch gebackene Doktor küssen muss.

Alte Universitätsbibliothek

Kern der Alten Staats- und Universitätsbibliothek mit dem Denkmal des Physikers, Philosophen und Aphoristikers Georg Christoph Lichtenberg ist die Paulinerkirche des 1294 gegründeten Dominikanerklosters. Die 1992 eingeweihte Staats- und Universitätsbibliothek am Platz der Göttinger Sieben (im Norden) gehört mit 3,9 Mio. Medieneinheiten zu den **modernsten Bibliotheken der Welt**.

St. Marien

Südwestlich der Alten Bibliothek steht die Marienkirche (1290–1440), die ehemalige Kirche des Deutschritterordens. Den Altar von 1524 schuf Bartold Kastrop.

Im Ostteil der Altstadt finden sich **sehenswerte Fachwerkhäuser**, u. a. in der Barfüßerstraße die alte Ratsapotheke, ein schöner Fachwerkbau von 1480, an der Ecke Barfüßer-/Jüdenstraße die 1541 als gotisches Fachwerkhaus errichtete, im Renaissancestil umgebaute Junkernschänke (Nr. 5) mit ihren reichhaltigen Schnitzereien und das Bornemannsche Haus von 1536 (Nr. 12) im Stil der Frührenaissance mit gotischen Elementen.

Barfüßerstraße

? WUSSTEN SIE SCHON ...?

■ dass der erste Reichskanzler des deutschen Kaiserreiches, Otto von Bismarck, insgesamt 18 Tage im Karzer der Universität verbrachte? Er musste einsitzen, weil er sich verbotener Weise duelliert hatte.

▶ GÖTTINGEN ERLEBEN

AUSKUNFT

Tourist-Information
Markt 9, 37073 Göttingen
Tel. (05 51) 49 98 80, Fax 4 99 80 10
www.goettingen.de

ESSEN

▶ Erschwinglich

① *Gauß am Theater*
Obere Karspüle 22, 37073 Göttingen
Tel. (05 51) 5 66 16
www.restaurant-gauss.de
Einladendes Kellerrestaurant mit
schöner Gewölbedecke, mediterrane
und klassisch-französische Küche.

② *Gaudi*
Rote Straße 16, 37073 Göttingen
Tel. (05 51) 5 31 30 01
Trendgastronomie in idyllischer Alt-
stadtlage mit schöner Hofterrasse und
mediterraner Ausstattung. Das hervorragende Speiseangebot reicht von
Tapas über Pasta bis zu Gourmetgerichten.

▶ Preiswert

③ *Schwarzer Bär*
Kurze Straße 12, 37073 Göttingen
Tel. (05 51) 5 82 84
Berühmte Gaststätte mit Tradition,
schon Bismarck war hier als Student
Stammgast. Bodenständige regionale
Küche und dunkles Bärenpils.

ÜBERNACHTEN

▶ Luxus

① *Romantik Hotel Gebhards*
Goethe-Allee 22, 37073 Göttingen
Tel. (05 51) 4 96 80, Fax 4 96 81 10
www.romantikhotels.com
Traditionsreiches Haus aus dem Jahr
1854 in bester Innenstadtlage. Die
unterschiedlich großen Zimmer sind
sehr schön eingerichtet und bestens
ausgestattet. Gediegen speisen Sie im
Jugendstil-Ambiente der Georgia-Au-
gusta-Stuben.

▶ Komfortabel

③ *Stadt Hannover*
Goethe-Allee 2, 37073 Göttingen
Tel. (05 51) 54 79 60, Fax 4 54 70
www.hotelstadthannover.de
In vierter Generation im Familienbesitz, überzeugt das Hotel garni in
der Altstadt (eine frühere Professo-
ren-Villa) mit wohnlichen, zweckmäßig eingerichteten Zimmern.

▶ Günstig

② *Leine-Hotel*
Groner Landstraße 55,
37073 Göttingen
Tel. (05 51) 5 05 10, Fax 5 05 11 70
www.leinehotel-goe.de
Schlichte, praktische Zimmer in der
Nähe des Bahnhofs hält dieses nette
Hotel für Sie bereit.

1835–1876 wurde die Universität um die klassizistische Aula erweitert. Die Skulpturen in ihrem Giebelfeld sind von Ernst von Bandel
(1800–1876), von dem auch das Hermannsdenkmal stammt (▶Teu-
toburger Wald). Innen kann der 1933 geschlossene **Karzer** besichtigt
werden. Wände und Decken sind mit »Kunstwerken« von Studenten
überzogen, die hier ihre Vergehen absitzen mussten, die von verbote-
nem Glücksspiel, Beleidigungen, öffentlicher Trunkenheit, ständiger
Faulheit bis zum schnellen Reiten in der Stadt reichten.

Unweit östlich steht die Albanikirche (1467); von dem ehem. Hochaltar Hans von Geismars (1499) sind die bemalten Flügel zu sehen.

St. Albani

In dem nach der Partnerstadt Cheltenham benannten Park wurde das erste öffentliche Badehaus rekonstruiert, das nach seiner Eröffnung 1820 zunächst allerdings nur für Männer zugänglich war.

Rohns-Badehaus

An der das Zentrum von Nord nach Süd durchziehenden Weender Straße, der Hauptgeschäftsstraße, erhebt sich die Jacobikirche (1361–1459) mit ihrem 72 m hohen Turm und einem prächtigen Doppelflügel-Altar von einem unbekannten Meister.

St. Jacobi

Göttingen *Orientierung*

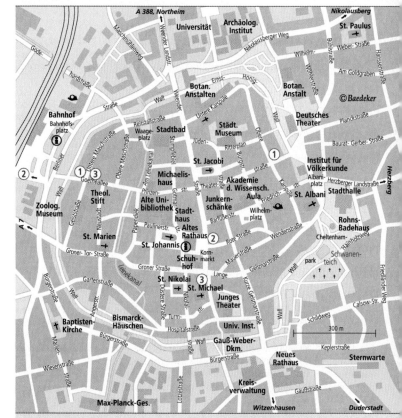

Übernachten			Essen		
① Romantik Hotel Gebhards	② Leine-Hotel		① Gauß am Theater	③ Schwarzer Bär	
	③ Stadt Hannover		② Gaudi		

Die klassizistische Aula in der Universität

Hardenberger Hof Der , einziges Renaissance-Adelspalais der Stadt (1592), und die Alte Post (1740–1780) beherbergen das Städtische Museum. Neben einer Sammlung kirchlicher Kunst lohnen auch die stadt- und regionalgeschichtlichen Ausstellungen.

Theaterplatz Etwas östlich von hier erstreckt sich der Theaterplatz, hier liegen das Deutsche Theater (1890) und die sehenswerte Völkerkundliche Sammlung der Universität.

Auditorium Maximum Am Nordrand der Innenstadt steht das Auditorium Maximum (1862–1865) mit der Kunstsammlung der Universität, die überwiegend niederländische Kunst des 17. Jh.s zeigt.

Wallanlagen Im Süden der Innenstadt ist an der Turmstraße noch ein Stück der Stadtmauer aus dem 13. Jh. erhalten. **Im Bismarck-Häuschen**, dem letzten erhaltenen Turm des äußeren Rings, wohnte Otto von Bismarck 1832–1833 als Student.

! *Baedeker* TIPP

Max und Moritz = Wilhelm und Erich

Mit neun Jahren kam Wilhelm Busch (1832–1908) zu seinem Onkel, dem Müller von Ebergötzen, und verbrachte einige Jahre hier. Mit Erich, dem Sohn des Müllers, heckte er die Streiche aus, die zu »Max und Moritz« wurden. Heute kann man den Spuren der Lausbuben in der Wilhelm-Busch-Mühle folgen (Mühlengasse 8; Öffnungszeiten: Mo. bis Fr. 9.00–13.00 und 14.00–7.00 Uhr, Sa. und So. ab 10.00 Uhr).

Umgebung von Göttingen

Ca. 17 km östlich liegt **Ebergötzen**. Hier zeigt das Europäische Brotmuseum die Geschichte des Brotes von der Pharaonenzeit bis in die Gegenwart.

Friedland, 15 km südlich von Göttingen, ist als Durchgangslager für Kriegsgefangene, Vertriebene und Aussiedler bekannt.

✳ Greifswald

Atlasteil: S. 10 • B 2
Höhe: 6 m ü. d. M.

Bundesland: Mecklenburg-Vorpommern
Einwohnerzahl: 64 000

Erst prägte der Seehandel – Greifswald war Mitglied der Hanse –, dann vor allem die Universität (nach Rostock die zweitälteste Norddeutschlands) das Leben der Stadt. Den Zweiten Weltkrieg überstand Greifswald so gut wie unbeschadet; die heute immer noch anzutreffenden Lücken im überwiegend historischen Stadtbild sind das Erbe der DDR.

Greifswald, nur ca. 5 km von der Ostseeküste entfernt, entstand im 13. Jh. als Handwerker- und Kaufmannssiedlung des benachbarten Klosters Eldena. Der 1248 als »oppidum gripheswald« urkundlich erwähnte Ort kam 1249 in den Besitz der Herzöge von Pommern, die ihm 1250 das Lübische Stadtrecht verliehen. Seit 1278 war Greifswald Mitglied der Hanse; knapp 200 Jahre später, 1456, gründete Bürgermeister Heinrich Rubenow die **Universität**, die mit berühmten Namen wie Ernst Moritz Arndt und Ulrich von Hutten, Theodor Billroth oder Ferdinand Sauerbruch glänzt.

Geschichte

Sehenswertes in Greifswald

Mittelpunkt der ehemaligen Hansestadt ist der denkmalgeschützte Markt mit dem Rathaus an der Westseite des Platzes. Der gotische Backsteinbau (14. Jh.) wurde 1738–1750 wieder aufgebaut und später mehrmals verändert. Den Platz zieren schöne Bürgerhäuser aus verschiedenen Jahrhunderten. Bedeutende Beispiele für die Profanarchitektur der **norddeutschen Backsteingotik** sind die Bürgerhäuser Nr. 11 und Nr. 13 an der östlichen Platzseite, die an ihren prächtigen Giebelfassaden mit Blendarchitektur aus glasierten Ziegeln zu erkennen sind.

Kaffee trinken vor prächtiger norddeutscher Backsteingotik ist auf dem Marktplatz von Greifswald angesagt.

► GREIFSWALD ERLEBEN

AUSKUNFT

Fremdenverkehrsverein
Rathaus am Markt,
17489 Greifswald
Tel. (0 38 34) 52 12 808, Fax 52 13 82
www.greifswald.de

ESSEN

► Erschwinglich

Fischerhütte
An der Mühle 8,
17493 Greifswald-Wieck
Tel. (0 38 34) 83 96 54
Zünftig Fisch essen direkt am Bodden.

► Preiswert

Domburg
Domstraße 21,
17489 Greifswald
Tel. (0 38 34) 77 63 51
Uriges, traditionsreiches Gasthaus,
das für seine bodenständige regio-
naltypische Küche bekannt ist.
Probieren Sie die Bratkartoffeln!

ÜBERNACHTEN

► Komfortabel

Kronprinz
Lange Straße 22,
17489 Greifswald
Tel. (0 38 34) 79 00, Fax 19 01 11
www.hotelkronprinz.de
Funktionelle Zimmer im Zentrum
der Stadt, schickes Restaurant im Stil
einer Brasserie.

Baedeker-Empfehlung

► Günstig

Maria
Dorfstraße 45 a,
17493 Greifswald-Wieck
Tel. (0 38 34) 55 40, Fax 84 01 36
www.hotel-maria.de
Idyllisch am Greifswälder Bodden
gelegen, übezeugt das kleine Hotel
mit netten, rustikal eingerichteten
Zimmern.

Pommersches Landesmuseum

In den Gebäuden auf dem Gelände des alten Franziskanerklosters, von dem noch das Guardianshaus erhalten ist, wurde 2004 das Pommersche Landesmuseum eröffnet.

✷ Marienkirche

Folgt man der Brüggstraße über die Fußgängerzone Schuhhagen hinaus in nördliche Richtung, kommt man zur Marienkirche aus dem 14. Jh., dem ältesten der drei mittelalterlichen Gotteshäuser in Greifswald. Beeindruckend an der dreischiffigen, kreuzrippengewölbten Hallenkirche sind die **gewaltige Raumwirkung** und die prächtige, intarsienverzierte Renaissancekanzel (1587). Unter den zahlreichen Grabsteinen aus dem 14.–18. Jh. befindet sich auch der des 1462 ermordeten Bürgermeisters Heinrich Rubenow.

»Rekonstruktionsviertel«

Das Viertel nördlich der Marienkirche ist ein interessantes Beispiel für die Altstadtsanierung der Fünfziger- und Sechzigerjahre in der damaligen DDR.

✷ Dom St. Nikolai

Östlich von Rathaus und Marktplatz erhebt sich der imposante Dom St. Nikolai (13. Jh.; im 15. Jh. nach Osten erweitert und zur Basilika umgebaut), eine der interessantesten gotischen Backsteinkirchen Mecklenburgs, der mit seiner geschweiften Barockhaube die Silhouette der Stadt beherrscht. Das Innere wurde 1824–1833 im neogotischen Stil umgestaltet. Erhalten blieben spätgotische Gemälde und Wandmalereien (1420–1450) sowie Grabmäler.

An der Kreuzung von Dom- und Rubenowstraße liegt das 1747–1750 errichtete Gebäude der Ernst-Moritz-Arndt-Universität. Auf dem kleinen Platz davor wurde dem Gründer Heinrich Rubenow 1856 zur 400-Jahr-Feier der Universität ein Denkmal gesetzt. **Universität**

Im östlichen Stadtteil Eldena, an der Ausfallstraße nach Wolgast, steht die imposante Ruine der 1199 gegründeten Zisterzienserabtei. Die säkularisierte Klosteranlage wurde 1637 von schwedischen Truppen geplündert und verfiel in der Folgezeit. Erst im Zuge der Romantik erwachte das Interesse an den Ruinen und 1827 wurden erste Sicherungsmaßnahmen unternommen. Berühmtheit erlangte die malerische Ruine schließlich durch die Gemälde **Caspar David Friedrichs**. **✷ Klosterruine Greifswald-Eldena**

Das ehemalige Fischerdorf an der Nordseite der Ryckmündung in das Dänische Wiek ist mit seinen reetgedeckten Fischerkaten und Kapitänshäusern ein beliebtes Ausflugsziel. Holländisches Flair erhält der Ort durch die **hölzerne Klappbrücke** (1887). Von Wieck starten Boote zu Rundfahrten durch den Greifswalder Bodden. **Wieck**

Für Boote und Schiffe öffnet sich die hölzerne Klappbrücke beim Fischerdorf Wieck.

Auch der Musik wachsen manchmal Flügel: im Lilienthal-Museum in Anklam.

Umgebung von Greifswald

Lubmin Knapp 20 km nordöstlich der Stadt, am Greifswalder Bodden, liegt das Ostseebad Lubmin mit einem ca. 5 km langen Sandstrand. Hier und in den Dörfern der Umgebung werden Teppiche geknüpft.

Anklam In der alten Hafen- und Hansestadt Anklam wurde der Ingenieur und **Luftfahrtpionier Otto Lilienthal** (1848–1896) geboren. In der Ellbogenstraße (Nähe Bahnhof) zeigt das Otto-Lilienthal-Museum u. a. Nachbauten und Modelle der Gleiter, die der Flugpionier entwickelte und erprobte.

Nur wenige Gebäude überstanden die schweren Zerstörungen des Zweiten Weltkriegs, darunter die Marienkirche (13. Jh.) mit schönen gotischen Wandmalereien. Von der mittelalterlichen Stadtbefestigung blieben nur das Steintor in der Schulstraße (14. Jh.) und der Pulverturm (südlich vom Markt) erhalten.

Peenetal Große Abschnitte des Peenetals im Nordwesten und Nordosten Anklams gehören zum Naturschutzgebiet Peenetalmoor, das mit rund 1480 ha zu den größten in Mecklenburg-Vorpommern gehört. Das Gebiet ist Lebensraum vieler vom Aussterben bedrohter Arten, darunter der Biber.

Spantekow In Spantekow, etwa 15 km südwestlich von Anklam, baute sich **Ulrich von Schwerin** 1558–1567 seinen Stammsitz. Das Herrenhaus blieb erhalten, ist aber durch spätere Umbauten ziemlich entstellt. Sehenswert ist das Renaissancerelief über dem Eingangstor mit den ganzfigurigen Porträts des Schlossherrn und seiner Frau.

In Stolpe, einem Ort an der Peene, knapp 10 km westlich von Anklam, gibt es noch ein Fährhaus und eine Schmiede aus der Zeit um 1800 sowie den Turmunterbau des 1153 gegründeten **ersten Benediktinerklosters in Vorpommern**. 10 km hinter Stolpe, in Neetzow, liegt inmitten eines Landschaftsparks das große, 1850 im Neorenaissancestil erbaute Schloss.

Stolpe, Neetzow

> **! *Baedeker* TIPP**
>
> **Ab in die Botanik!**
> Der botanische Garten der Universität aus dem 18. Jh., etwas abseits hinter den Institutsgebäuden gelegen, entpuppt sich für Pflanzenfreunde und Gartenliebhaber als Genuss. Schauen Sie unbedingt in das 12 m hohe Palmenhaus!

Auf der Fahrt nach Grimmen kommt man durch das kleine **Griebenow** (10 km westlich von Greifswald). Graf Keffenbrinck-Rehnschild ließ sich dort 1709 ein Schloss (keine Besichtigung) mit Landschaftspark anlegen. Die zum Schloss gehörende ungewöhnliche Kirche, ein Fachwerkbau mit Zeltdach, stammt aus dem Jahr 1616.

Knapp 30 km westlich von Greifswald liegt Grimmen. Das **gitterförmige Straßennetz** ist typisch für eine Stadt, die im Zuge der frühen Ostkolonisation gegründet wurde. Sehenswerte Baudenkmäler sind das um 1400 erbaute Rathaus und die gotische Stadtkirche St. Marien (um 1280) mit einem Rats- und Zunftgestühl aus dem späten 16. Jh. und einer geschnitzten Kanzel von 1707. Drei Stadttore sind die Reste der Stadtbefestigung aus dem 15. Jh.

Grimmen

Eine besonders schöne Dorfkirche besitzt Kirch Baggendorf, 10 km südwestlich von Grimmen. Der Feldsteinbau (1250) ist vor allem wegen seiner gotischen Ausmalung (um 1400) sehenswert.

✳ Kirch Baggendorf

✳ Güstrow

Atlasteil: S. 9 • D 4	**Bundesland:** Mecklenburg-Vorpommern
Höhe: 8 m ü. d. M.	**Einwohnerzahl:** 32 000

Mit Dom, Schloss und Ernst-Barlach-Gedenkstätte sowie zahlreichen Baudenkmälern bietet Güstrow Sehenswürdigkeiten von hohem Rang. Die planvoll angelegte Siedlung kam im 14./15. Jh. durch Tuchproduktion, Wollhandel und Brauereien zu Wohlstand. Ab 1556 war Güstrow Sitz der Herzöge von Mecklenburg-Güstrow, und 1628–1630 residierte hier Albrecht von Wallenstein.

Sehenswertes in Güstrow

Das Schloss von Güstrow ist das **größte Renaissancebauwerk** in Mecklenburg-Vorpommern. Der imposante, mit Türmen, Giebeln

✳✳ Schloss

und Erkern abwechslungsreich gestaltete Dreiflügelbau ist heute u. a. Sitz eines Museums (Waffen, Kunst des 16. und 17. Jh.s, Möbel aus der Erbauungszeit, antike Keramik). Unbedingt besichtigen sollte man den Festsaal mit Stuck und Deckenmalereien aus dem 16./17. Jh.

Theater Stadtmuseum
Das klassizistische Ernst-Barlach-Theater am Franz-Parr-Platz ist das **älteste Theater Mecklenburgs** (1828/1829). Im Haus Nr. 7, einem Barockbau aus dem 17. Jh., ist das Stadtmuseum untergebracht.

✱ Dom
Westlich des Franz-Parr-Platzes erhebt sich der gotische Dom St. Maria, St. Johannes Evangelista und St. Cäcilia (1226–1335). Die Ausstattung glänzt mit Stücken wie den Apostelfiguren des Lübecker Bildschnitzers Claus Berg (um 1530), dem spätgotischen Flügelaltar im Chor (um 1500) sowie dem monumentalen Marmorgrab für Herzog Ulrich III. und seine beiden Gemahlinnen (1585–1599) von Philipp Brandin. In der Nordhalle hängt Barlachs Bronzeskulptur

▶ GÜSTROW ERLEBEN

AUSKUNFT

Güstrow-Information
Domstraße 9,
18237 Güstrow
Tel. (0 38 43) 68 10 23, Fax 68 20 79
www.guestrow.de

ESSEN

▶ Erschwinglich
Wallensteins Hofgericht
Schlossberg 1 (im Schlosshotel),
18273 Güstrow
Tel. (0 38 43) 76 70
Raffinierte Fischspezialitäten und internationale Kost im einmaligen Ambiente – speisen Sie fürstlich an der großen Rittertafel oder gemütlich in den großen Ohrensesseln am Kamin.

▶ Preiswert
Barlachstuben
Plauer Straße 7, 18273 Güstrow
Tel. (0 38 43) 6 93 80
Am Rande der Altstadt liegt das freundliche Restaurant, in dem regionale Spezialitäten und internationale Klassiker serviert werden.

ÜBERNACHTEN

▶ Komfortabel
Kurhaus am Inselsee
Heidberg 1, 18237 Güstrow
Tel. (03843) 85 00, Fax 85 01 00
www.kurhaus-guestrow.de
Malerisch am Inselsee gelegen, ist das Haus ideal für einen ruhigen, erholsamen Aufenthalt. Gemütliche, stilvoll eingerichtete Zimmer, Restaurants, Sauna und eigenes Strandbad.

▶ Günstig
Rubis
Schweriner Straße 89, 18237 Güstrow
Tel. (03843) 6 93 80, Fax 69 38 50
Gepflegte Unterkunft im Westen der Stadt, zweckmäßige Zimmer, einladendes Restaurant.

Für die Kriegsopfer: Barlachs »Schwebender« im Dom

»Der Schwebende« (1926/1927; 1944 eingeschmolzen; Neuguss 1952). Am Domplatz stehen einige beachtliche Renaissance-Wohnhäuser (Nr. 14, 15/16, 18) aus dem 16./17. Jh.

Markt

Die Domstraße führt zum Markt, der mit dem klassizistischen Umbau des Rathauses (1797/1798) einen markanten Mittelpunkt erhielt. Rücken an Rücken mit dem Rathaus steht die vierschiffige Hallenkirche St. Marien (1503–1522). Beachtenswert sind ihr spätgotischer Flügelaltar (1522) und die monumentale Triumphkreuzgruppe (1516).

✱
Ernst-Barlach-Gedenkstätten und -Museum

An zwei Orten in Güstrow kann man dem Werk von Ernst Barlach, dem bedeutenden Bildhauer, Grafiker und Dichter, nachspüren: In der spätgotischen **Gertrudenkapelle** (um 1430) nordwestlich der Altstadt werden bedeutende Werke des Bildhauers gezeigt; südwestlich außerhalb liegt am malerischen Inselsee Barlachs 1931 bezogenes **Atelierhaus** (Heidberg 15) mit dem größten Teil seines künstlerischen Nachlasses. Auf demselben Grundstück wurde das neue Ausstellungsforum eröffnet.

Umgebung von Güstrow

Bützow

In Bützow, rund 20 km nordwestlich von Güstrow, sind die frühgotische Backsteinkirche mit spätgotischem Flügelaltar und Renaissancekanzel von 1617 sowie das neugotische Rathaus (1846–1848) sehenswert. In vielen kleinen Ortschaften in der Umgebung sieht man noch gut erhaltene Dorfkirchen und typische alte Bauernhäuser (u. a. in Neukirchen, Rühn und Schwaan).

Sternberg

Die Kleinstadt Sternberg liegt 27 km südwestlich von Güstrow am Südwestufer des gleichnamigen Sees. Zeitweilig diente sie den mecklenburgischen Fürsten als Residenz. Vor allem um den Marktplatz besitzt die Stadt noch viele Fachwerkhäuser aus dem 18. und 19. Jh. Besichtigungen lohnen auch die Stadtkirche (13./14. Jh.) und das Heimatmuseum (Mühlenstraße 6).

✳
Freilichtmuseum Groß Raden ▶

Eine Attraktion für die ganze Familie ist das 4 km nordöstlich von Sternberg gelegene Archäologische Freilichtmuseum Groß Raden. Nachgebaut wurden Wohnhäuser, Tempel, Werkstätten und Wehranlagen einer slawischen Siedlung aus dem 9. und 10. Jh.

✳
Durchbruchstal der Warnow

Wer Ruhe genießt und gern wandert, für den empfiehlt sich das **größte Durchbruchstal Mecklenburgs** bei Groß Görnow (6 km nördlich von Sternberg), wo Mildenitz und Warnow zusammenfließen. Das wildromantische, bis zu 30 m tief einschneidende Tal ist ein Natur- und Vogelparadies.

✳ Halle an der Saale

Atlasteil: S. 39 • C 1
Höhe: 76–136 m ü. d. M.

Bundesland: Sachsen-Anhalt
Einwohnerzahl: 280 000

Die Geburtsstadt des Komponisten Georg Friedrich Händel liegt am Westrand der braunkohlereichen Leipziger Tieflandsbucht. Halle war zu DDR-Zeiten ein bedeutender Industriestandort, heute ist die größte Stadt Sachsen-Anhalts wichtiges Dienstleistungszentrum, Universitätssitz und kultureller Mittelpunkt im Süden des Bundeslandes. Viel besucht sind die Händel-Festspiele, die jedes Jahr stattfinden.

Geschichte

Die erstmals 806 genannte Siedlung wurde zur Erschließung der Salzquellen und an wichtigen Handelswegen an einem Saaleübergang errichtet; durch den Salzhandel gelangte sie bald zu Reichtum. Erst 1541 gelang es der Bürgerschaft der seit 968 zum Erzbistum Magdeburg gehörenden Stadt, die Macht der Erzbischöfe abzuschütteln. Die 1694 gegründete Universität wurde im 17./18. Jh. zu einem Zentrum der Aufklärung und des Pietismus. In der zweiten Hälfte des 19. Jh.s entwickelte sich Halle zur Industriestadt; 1990 wurden Halle und Halle-Neustadt zusammengelegt.

Sehenswertes in Halle

Marktplatz
✳
Roter Turm ▶

Im Zentrum der Altstadt liegt der geräumige Marktplatz mit dem Händeldenkmal. Den freistehenden, 84 m hohen Roten Turm hatte 1418–1506 die Bürgerschaft von Halle errichtet. Er beherbergt das mit 84 Glocken **größte Glockenspiel Deutschlands**. Am Turm sieht man die steinerne Kopie (1719) eines hölzernen Rolands von 1250. An der Ostseite des Markts steht das Rathaus (1928–1930), an der Südseite erhebt sich das 1891–1894 erbaute Stadthaus. Zurückversetzt liegt an der Westseite der Spätrenaissancebau des Marktschlösschens. Die viertürmige Marktkirche St. Marien, eine dreischiffige spätgotische Hallenkirche ohne Chor, wurde ab 1529 an Stelle zweier romanischer Vorgängerkirchen errichtet. Hier predigte Martin Luther (Totenmaske), auf der Orgel spielte Georg Friedrich Händel. Gegenüber der Marktkirche ist geistliches Wissen in der Marienbibliothek, der **ältesten und größten Kirchenbibliothek** Deutschlands geballt.

Die ehemalige Ulrichskirche (1319–1341) südöstlich vom Markt ist seit 1976 Konzerthalle. Am Eingangsportal sieht man eine bemerkenswerte Darstellung des Marientodes (14. Jh.).

Ulrichskirche

Südlich vom Markt (Große Märkerstraße 10), im 1558 von Nickel Hofmann erbauten Wohnhaus des Philosophen Christian Wolff, ist das Stadtmuseum von Halle eingerichtet worden.

Stadtmuseum

Noch weiter im Süden erreicht man den Gebäudekomplex der Franckeschen Stiftungen (heute auch Sitz der Bundeskulturstiftung), die der Pädagoge und Pietist August Hermann Francke zunächst als Waisenhaus mit Armenschule ins Leben rief. Sein Denkmal von Daniel Christian Rauch (1829) schmückt heute den zentralen Lindenhof der zwischen 1698 und 1745 entstandenen Anlage. Im Hauptgebäude be-

★
Franckesche Stiftungen

Halle (Saale)   *Orientierung*

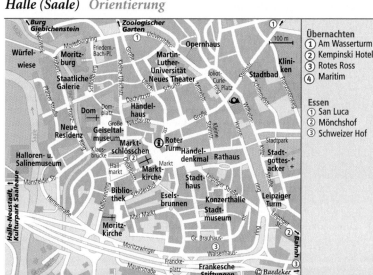

Übernachten
① Am Wasserturm
② Kempinski Hotel
③ Rotes Ross
④ Maritim

Essen
① San Luca
② Mönchshof
③ Schweizer Hof

In der Bibliothek der Franckeschen Stiftungen reihen sich die Kostbarkeiten.

finden sich das Cansteinsche Bibelkabinett, das Francke-Kabinett und die Kunst- und Naturalienkammer, einer der **ältesten deutschen Museumsräume**. In einem hinteren Gebäude befindet sich die 1728 erbaute barocke Kulissenbibliothek.

Alter Markt
✳
Moritzkirche ▶

Der wichtigste Handelsplatz war in den Anfängen Halles der Alte Markt, auf dem nun der Eselsbrunnen (1906) steht. Von hier sind es nur wenige Schritte zur Moritzkirche (1388–1511), einer spätgotischen Hallenkirche. Berühmt sind ihre »Chorfassade« nach Prager Vorbild und die Skulpturen des Konrad von Einbeck.

Hallmarkt

Auf dem Weg von der Moritzkirche zum Dom kommt man am Hallmarkt westlich des Marktplatzes vorbei. Der Platz wurde 1866 bis 1890 an der Stelle ehemaliger Salzgewinnungsstätten angelegt. Von hier lohnt sich ein Abstecher zum Halloren- und Salinenmuseum auf der Salinenhalbinsel. Gezeigt werden die **Salzgewinnung** in einer Siedepfanne und das Brauchtum der »Halloren« genannten Salinenarbeiter. An einem Sonntag in jedem Monat findet ein Schausieden statt, wobei auch ein Silberschatz gezeigt wird.

Geiseltalmuseum

Dom ▶

Händelhaus ▶

Im Nordflügel der ehemaligen Residenz (1531–1537) ist heute das Geiseltalmuseum beheimatet (Fossilien aus der Braunkohle des Geiseltals). Der benachbarte Dom, ursprünglich eine frühgotische Hallenkirche (1280–1330), wurde mehrmals baulich verändert.

Das wenige Schritte entfernteGeburtshaus des Komponisten Georg Friedrich Händel (1685–1759) in der Großen Nikolaistraße 5 ist als Museum zugänglich.

Die Moritzburg wurde 1484–1503 als Zwingburg der Erzbischöfe von Magdeburg gegen die Hallenser Bürgerschaft errichtet und an den drei Landseiten von Gräben umgeben. Während des Dreißigjährigen Krieges (1637) brannte sie aus. Anfang des 20. Jh.s wurde die Burg als Museum in Anlehnung an das ehemalige Talamtsgebäude der Halloren am Hallmarkt neu errichtet. Heute hat hier die Staatliche Galerie Moritzburg ihren Sitz, die besonders für ihre Sammlung deutscher Malerei des 19. und 20. Jh.s. bekannt ist.

✴ Staatliche Galerie Moritzburg

Unweit nordwestlich der Moritzburg erstreckt sich der als **Arzneigarten der Universität** 1694 gegründete Botanische Garten.

◄ Botanischer Garten

 # HALLE AN DER SAALE ERLEBEN

AUSKUNFT

Tourist-Information
Marktplatz 1, 06108 Halle
Tel. (03 45) 47 23 30, Fax 4 72 33 33
www.halle-tourist.de

ESSEN

► Erschwinglich

① San Luca
Universitätsring 8, 06108 Halle
Tel. (03 45) 2 00 35 87
Elegantes italienisches Restaurant mit Marmorfußboden und Kreuzgewölbe, bekannt für seine hausgemachte Pasta.

③ Schweizer Hof
Waisenhausring 15, 06108 Halle
Tel. (03 45) 2 02 63 92
Gehobene deutsche Küche und ein sehr gutes vegetarisches Speisenangebot bietet das gediegene Hotelrestaurant an.

► Preiswert

② Mönchshof
Talamtstraße 6, 06108 Halle
Tel. (03 45) 2 02 17 26
Behagliches Restaurant am Dom, schöne Holzvertäfelung, bekannt für seine regional beeinflusste gutbürgerliche Küche.

ÜBERNACHTEN

► Luxus

② Kempinski Hotel Rotes Ross
Leipziger Straße 76, 06108 Halle
Tel. (03 45) 23 34 30,
Fax 23 34 36 99
www.kempinski-halle.de
Elegantes Stadthotel mit 300-jähriger Tradition, stillvoll eingerichtete Zimmer und vornehme Suiten, im Restaurant wird gehobene mediterrane Küche zubereitet.

► Komfortabel

③ Maritim
Riebeckplatz, 06110 Halle
Tel. (03 45) 5 10 10, Fax 51 01 17 77
www.maritim.com
Renommiertes Haus mit eleganter Ausstrahlung. Schickes Design bestimmt die Atmosphäre in den Zimmern und Suiten. Viele Annehmlichkeiten: Restaurant, Schwimmbad, Sauna, Kosmetikstudio und Frisörsalon.

► Günstig

① Am Wasserturm
Lessingstraße 8, 06114 Halle
Tel. (03 45) 2 98 20, Fax 5 12 65 43
www.cityhotel-halle.de
Sorgfältig restauriertes Gründerzeithaus mit familiärer Atmosphäre und zweckmäßigen Zimmern.

✳
Stadtgottesacker

Östlich der Altstadt, in der Nähe des Leipziger Turms, liegt der vom Ratsbaumeister Nickel Hofmann angelegte Stadtgottesacker (1557–1594), Grabstätte bedeutender Hallenser Persönlichkeiten. In der Art italienischer Camposanti gestaltet, ist dieser Renaissancefriedhof einmalig in Mitteleuropa.

✳
Burg Giebichenstein

Weiter saaleabwärts, im eingemeindeten Vorort Giebichenstein, erhebt sich die gleichnamige Burg, seit 968 Residenz der Erzbischöfe von Magdeburg. Teile der Oberburg, die im Dreißigjährigen Krieg zerstört wurde, sind als Ruine erhalten geblieben. Die Unterburg aus dem 15. Jh. ist Sitz der »Hochschule für Kunst und Design Burg Giebichenstein«. Unterhalb der Burg legen die **Personenfahrgastschiffe** auf der Saale an und ab. Nördlich der Burg liegt der Zoologische Garten (Eingang Reilstraße). Südöstlich der Burg lohnt das Landesmuseum für Vorgeschichte (Richard-Wagner-Straße) einen Besuch.

Umgebung von Halle

Dölauer Heide

Nordwestlich vom Stadtgebiet liegt die auch als »Stadtforst Halle« bezeichnete Dölauer Heide, ein 765 ha großes Landschaftsschutzgebiet mit zwei Naturschutzgebieten, das mit seinen Landschaftsformen zum östlichen Harzvorland überleitet. Zu sehen sind **jungsteinzeitliche Hügelgräber** und Reste einer **befestigten Steinzeitsiedlung**. Auf dem Kolkberg steht ein Aussichtsturm. Die Kirche von Dölau besitzt einen spätgotischen Flügelaltar (um 1500).

Petersberg

Markantes Kennzeichen des 12 km nördlich gelegenen Ortes ist die Stiftskirche auf dem 250 m hohen Petersberg. Das ab 1130 errichtete Gotteshaus gehörte zu einem Augustinerkloster, das bis 1538 bestand. Die dreischiffige Basilika brannte 1565 ab und wurde 1853 nahezu originalgetreu wieder aufgebaut.

Wettin

In Wettin, 16 km nordwestlich von Halle, steht die 961 erstmals genannte **Stammburg der Wettiner**. Der Burgkomplex ist wegen seiner Lage und Größe (500 m lang) noch heute beeindruckend, wenngleich kaum mehr etwas von der alten Bausubstanz erhalten blieb (nicht zugänglich).

Landsberg

In Landsberg, 20 km nordöstlich, erhebt sich auf einer Porphyrkuppe eine vollständig erhaltene Doppelkapelle (um 1170) als Rest der ehemaligen Burg der Markgrafen von Landsberg. Das dritte Geschoss der Doppelkapelle wurde im 15. Jh. als Wohnung ergänzt.

Bad Lauchstädt

Bad Lauchstädt liegt 15 km südwestlich von Halle an der Laucha. Die bereits im Hersfelder Zehntverzeichnis (9. Jh.) erwähnte Stadt erlebte ihre Glanzzeit im 18. Jh., als sie wegen ihrer Heilquellen zum Modebad des sächsischen Adels avancierte. An der Wende vom 18. zum 19. Jh. war der Ort Treffpunkt der Literaten und Theaterfreunde.

Das interessanteste Gebäude der Stadt ist das klassizistische Theater ★
mit einer voll funktionsfähigen hölzernen Bühnenmaschinerie. Aus ◄ Goethe-Theater
dem späten 18. Jh. stammen die Kuranlagen mit dem Quellpavillon
und dem Bade- oder Duschpavillon (1776) im Zentrum. Ehemaliger
Mühlteich, Herzogspavillon (1735), Kursaal (Ausmalung nach Entwürfen Karl Friedrich Schinkels; 1823) und Kolonnaden (Wandelgang mit Architekturmalerei und
eingebauten Krämerbuden; 1775–
1787) gehören ebenfalls zu dem
spätbarocken Ensemble. In der
Nachbarschaft des ehemaligen
Schlosses befinden sich die Stadtkirche (17. Jh.) und das ehemalige
Amtshaus (17. Jh.). Das kleine Rathaus am Markt, ein schlichter Barockbau von 1678, zeigt über dem
Portal das Stadtwappen.

Wahrzeichen und Hauptattraktion
von **Querfurt**, 30 km südwestlich
von Halle, ist die gleichnamige
Burg, eine der größten und ältesten
in Deutschland. Die Anlage ist fast
siebenmal so groß wie die berühmte Wartburg (►Eisenach) und von
zwei Ringmauern umgeben (innere
um 1200, äußere um 1350). Vor
der Außenmauer liegen die in den
Felsen gehauenen Burggräben, in
die drei mächtige Bastionen
(1461–1479) hineingreifen. Ursprünglich waren den alten Toranlagen im Westen (Mauerstärke bis

*Burg Querfurt ist mit ihren Ringmauern und Bastionen
beispielhaft für den mittelalterlichen Festungsbau.*

zu 10 m) und im Nordosten (Zugang von der Stadt) Zugbrücken ★
vorgelagert. Im Zentrum des Burghofs liegt die Burgkirche (12. Jh.). **Burg Querfurt**
Im 14. Jh. wurde an sie die Grabkapelle mit der von der Parler-Kunst
beeinflussten Grabtumba Gebhards XIV. von Querfurt († 1383) angebaut. Von den drei romanischen Bergfrieden ist der Pariser Turm
begehbar. Unter dem runden Bergfried namens »Dicker Heinrich«
wurden Reste eines Wohngebäudes (Burgus) aus der Karolingerzeit
entdeckt. Es handelt sich dabei um den **ältesten weltlichen Steinbau
im Saale-Elbe-Gebiet**. Im Korn- und Rüsthaus befindet sich das
Burg- und Kreismuseum.

Das überwiegend barocke Stadtbild ist auf die Bautätigkeit nach den ◄ Altstadt
großen Bränden des 17. Jh.s zurückzuführen. Am Markt steht das von Querfurt
Rathaus (1699). Auch Teile der ehemaligen Stadtbefestigung (innere
und äußere Mauer) blieben erhalten. Die Pfarrkirche St. Lamperti
wurde mehrfach umgestaltet.

✷✷ Hamburg

Atlasteil: S. 17 • C 1/2	**Höhe:** 6 m ü. d. M.
Bundesland:	**Einwohnerzahl:** 1,7 Mio.
Hauptstadt des Bundeslandes Hamburg	

Die Freie und Hansestadt Hamburg, nach Berlin die größte Stadt Deutschlands, schmückt sich gerne mit dem Titel »Tor zur Welt«. Grund dafür: Die günstige Lage tief im Mündungstrichter der Elbe macht die Stadt, die übrigens ein eigenes Bundesland bildet, zu einem der ersten Hafen- und Handelsplätze Europas.

Ausführlich beschrieben im Baedeker Allianz Reiseführer »Hamburg«

Seit 1919 ist Hamburg Sitz einer Universität, seit 1979 auch einer Technischen Universität. Wichtige Einrichtungen sind auch die Hochschulen für Musik, für bildende Künste und für Wirtschaft und Politik. Der Norddeutsche Rundfunk hat in der Elbmetropole seinen Verwaltungssitz und seine Studios. Hamburgische Staatsoper, Deutsches Schauspielhaus und Musikhalle, Jazz-, Folk-, Rock- und Popmusikszene sowie Musicals prägen das **kulturelle Zentrum Norddeutschlands**. Auch als Verlagsstandort und Kongressstadt ist Hamburg von Bedeutung. Schließlich ist Hamburg eines der wichtigsten deutschen Industriezentren. Die weltoffene und betriebsame Stadt bietet dem Besucher ein großes kulturelles Angebot mit Museen und vielfältiger Musikszene. Das Stadtbild prägen die Gewässer der Binnen- und Außenalster mit einigen reizvollen Parkanlagen und das in aller Welt bekannte Amüsierviertel St. Pauli.

Geschichte

9. Jh.	Die Stadt wird als »Hammaburg« gegründet.
12. Jh.	Der Hafen wird angelegt.
Mittelalter	Hamburg entwickelt sich zur Handelsmetropole.
18. Jh.	Hamburg wird geistiges Zentrum Norddeutschlands.
1842	Ein Brand zerstört große Teile der Stadt.
1943–45	Bombenangriffe zerstören weite Teile.
1962	Bei einer schweren Flutkatastrophe sterben 315 Menschen.
1989	Hamburg feiert den 800. Geburtstag seines Hafens.

Altstadt und Neustadt

Alster

✷

Binnenalster ▶

Das Stadtbild Hamburgs prägt ganz entscheidend die Alster, ein Nebenfluss der Elbe. Schmuckstück der Innenstadt ist das im 17. Jh. angelegte Becken der Binnenalster, an deren Südwestseite **Hamburgs beliebteste Flaniermeile**, der Jungfernstieg, verläuft. Vom »Alsterpavillon«, seit 1799 eine Hamburger Institution, genießt man den besten Blick auf das Wasser und die Spaziergänger. Kleine Alster und anschließend das von sechs Brücken überspannte Alsterfleet streben von der Südspitze der Binnenalster dem Binnenhafen zu. Die Kleine Alster wird gesäumt von den 1842/1843 entstandenen Alsterarkaden. Der einstige Stadtwall sowie Lombards- und Kennedy-Brücke trennen die Binnenalster von der nördlich gelegenen, als **Segelrevier** geschätzten Außenalster, die man mit dem Alsterschiff vom Jungfernstieg erreicht und an deren Westufer sich einige reizvolle Parkanlagen hinziehen. Von den Straßen Bellevue und Schöne Aussicht am Nordost- bzw. Ostufer hat man die besten Ausblicke auf die Innenstadt.

Westlich und südwestlich der Binnenalster, zwischen den Colonnaden und dem Rathausmarkt, bietet ein im 19. Jh. begonnenes Netz von Fußgängerzonen und überdachten Ladenpassagen vom Edelimbiss bis zur Nobelboutique alles, was der gut gefüllte Geldbeutel sich leisten mag. Hier findet man auch das in ganz Deutschland beliebte Ohnsorg-Theater (Große Bleichen 25).   **Passagen**

In der Verlängerung des Jungfernstiegs kommt man zum Gänsemarkt, Mittelpunkt der Neustadt, geziert von einem Denkmal für Gotthold Ephraim Lessing (1881). Etwas nördlich an der Dammtorstraße steht die ursprünglich 1827 von Karl Friedrich Schinkel entworfene Hamburgische Staatsoper. 1678 war am Gänsemarkt die **erste ständige Opernbühne Europas** eröffnet worden.   **Gänsemarkt**

◀ Staatsoper

Highlights Hamburg

Jungfernstieg
Bummeln Sie auf Hamburgs beliebtester Flaniermeile mit Blick auf die Binnenalster
▶ Seite 528

Rathaus
Besonders im großen Festsaal zeigt sich das Selbstbewusstsein der Bürgerschaft.
▶ Seite 530

Museum für Kunst und Gewerbe
Das Museum gehört zu den führenden Häusern dieser Art in Europa.
▶ Seite 530

St. Michaelis
Der hohe Turm der Kirche, »Michel« genannt, ist das Wahrzeichen der Stadt und trägt Deutschlands größte Uhr.
▶ Seite 531

Hafen
Hier steht Ihnen das »Tor zur Welt« offen!
▶ Seite 535

Planten un Blomen
Besondere Attraktion dieser prachtvollen Parkanlage ist der japanische Garten.
▶ Seite 535

Fischmarkt
Um 6.00 Uhr morgens sollten Sie spätestens da sein, wenn Ihnen im Hamburger Slang Bananen und Pflanzen im Sixpack angeboten werden.
▶ Seite 539

Speicherstadt
Hier lagert, was von fernen Landen per Schiff zu uns gekommen ist, z. B. Tabak, Kaffee, Rum oder Gewürze.
▶ Seite 539

Övelgönne
Schmucke Lotsenhäuser und sogar Sandstrand an der Elbe – und das mitten in Hamburg.
▶ Seite 541

Rathaus

Mittelpunkt der Altstadt ist der Rathausmarkt mit dem 1886–1897 in prunkvollen Renaissanceformen errichteten Rathaus. Es ist das insgesamt sechste in der Geschichte der Stadt, nachdem das vierte beim großen Stadtbrand von 1842 gesprengt wurde und das fünfte nur ein Provisorium war. Die Innenräume (Führungen) spiegeln den Stolz und das **Selbstbewusstsein der Hamburger Bürgerschaft** wider, die besonders im Großen Festsaal zum Ausdruck kommen. An der Rathausrückseite steht die 1558 gegründete Börse.

Mönckeberg-straße, St. Petri

Vom Rathausmarkt zieht die breite, von großen Warenhäusern und zahlreichen Ladengeschäften gesäumte Mönckebergstraße nach Osten. An dieser Hauptgeschäftsstraße Hamburgs erhebt sich der 133 m hohe Turm der 1220 erstmals genannten und 1844–1849 neugotisch wieder errichteten Hauptkirche St. Petri. Ältestes Ausstattungsstück ist die gotische Kanzelbekrönung von 1396.

Südlich jenseits der Straße Speersort wurden an der Domstraße Reste der **Hammaburg** ausgegraben, der im 9. Jh. gegründeten Keimzelle der Stadt. Nicht weit entfernt fand man die Fundamente der Bischofsburg.

St. Jacobi

Weiter westlich kommt man zur 1255 erstmals erwähnten Hauptkirche St. Jacobi, die 1944 weitgehend zerstört wurde. Die Innenausstattung allerdings konnte größtenteils gerettet werden, vor allem die Arp-Schnitger-Orgel (1689–1693), die **größte Barockorgel im nordeuropäischen Raum**.

Museum für Kunst und Gewerbe

Auf der Mönckebergstraße erreicht man den Hauptbahnhof. Das Museum für Kunst und Gewerbe südöstlich gegenüber davon gehört zu den führenden Museen dieser Art in Europa. Die umfangreiche Sammlung umfasst deutsches, europäisches und asiatisches Kunstgewerbe, darunter v. a. Keramik, Möbel, Skulpturen sowie komplette historische Innenräume und eine Abteilung zur Geschichte der Fotografie.

Deutsches Schauspielhaus

Das im Jahr 1900 nordöstlich gegenüber vom Hauptbahnhof eröffnete Deutsche Schauspielhaus ist vor allem durch die Intendanz von **Gustaf Gründgens** (1955–1963) bekannt geworden.

Kunsthalle

Nördlich vom Hauptbahnhof, am Glockengießerwall, befindet sich die Kunsthalle mit Werken vom 14.–20. Jh., darunter von Philipp Otto Runge und Caspar David Friedrich. 1997 wurde die Neue Kunsthalle des Architekten Oswald Mathias Ungers mit zeitgenössischer Kunst eröffnet.

Deichtorhallen

Südlich vom Hauptbahnhof trifft man auf die 1911/1912 erbauten Deichtorhallen. Nachdem sie als Markthallen ausgedient hatten, sind sie 1989 zum **Ausstellungszentrum für zeitgenössische Kunst** umgewandelt worden.

MICHAELISKIRCHE · »MICHEL«

✳ ✳ **Schon immer sahen die auf der Elbe heimkehrenden Seeleute von ihrer Stadt den »Michel« als Erstes. Heute besuchen jährlich mehr als eine Million Touristen das Wahrzeichen Hamburgs.**

🕐 Öffnungszeiten Kirche und Turm:
Mai bis Okt.: Mo. bis Sa. 9.00–18.00,
So. 11.30–17.30. Nov. bis April: Mo. bis Sa.
10.00–17.00, So. 11.30–16.30
Führungen nach Vereinbarung: Tel. 3 76 78 132

Baumeister Ernst Georg Sonnin errichtete zwischen 1750 und 1762 die Kirche und von 1776 bis 1786 den Turm. In Kreuzform erbaut und von nur vier mächtigen Pfeilern getragen, sodass von jedem Platz der Blick zur Kanzel frei ist, wurde die Barockkirche beispielhaft für den Typus evangelischer Predigtkirchen. Der jetzige Bau ist getreu dem Sonninschen Original errichtet worden.

① Altar
Der beeindruckende Altar von 1910 bindet sofort die Blicke des Betrachters.

② Kanzel
Als geschwungener Kelch aus Marmor steht die Kanzel frei im Raum. Otto Lessing schuf sie 1910 in Anlehnung an die Form des Vorgängers.

③ Taufbecken
Das marmorne Taufbecken stifteten in Italien lebende Hamburger Kaufleute.

④ Große Orgel
Die größte der drei Orgeln besteht aus 6665 Pfeifen, 85 klingenden Registern und fünf Manualen.

⑤ Aussichtsplattform
Auf 82,54 m Höhe gelangt man über mehr als 400 Stufen oder mit dem Fahrstuhl (Achtung: auch dann sind noch 53 Stufen zu bewältigen). Belohnt wird man mit einem überwältigenden Rundblick über ganz Hamburg.

⑥ Turmuhr
Die größte Turmuhr Deutschlands: Die Zifferblätter haben einen Durchmesser von 8 m, die großen Zeiger sind je 4,91 m, die kleinen 3,65 m lang. Die Ziffern haben die beachtliche Höhe von 1,35 m.

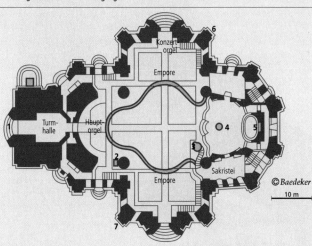

© Baedeker

1 Hauptportal (oben St. Michael)
2 »Gotteskasten« (ehem. Opferstock, 1763)
3 Kanzel (italien. Marmor, 1912)
4 Taufstein (aus Livorno, 1763)
5 Hochaltar (italien. Marmor, 1912)
5 Bronzebüste des Bürgermeisters
  Johann Heinrich Burchard (1852–1912)
6 Relief des Kirchenbauers
  Ernst Georg Sonnin (1712–1794)
7 Bronzestandbild Martin Luthers

Beim Wiederaufbau nach 1906 wurde ein neues Hauptportal mit mächtigen toskanischen Säulen geschaffen. Darüber wacht der Erzengel Michael, Namenspatron der Kirche.

Täglich blasen die Türmer um 10.00 und 21.00 Uhr einen Choral in alle Himmelsrichtungen, an Festtagen musiziert ein Bläserchor.

Die große Orgel schuf G. F. Steinmeyer 1961–1962. Sie erklingt zusammen mit den beiden anderen Orgeln der Kirche täglich bei der Andacht zwischen 12.00 und 12.15 Uhr, von Pfingsten bis September finden samstags auch Orgelkonzerte statt.

Im Gruftgewölbe unter der Kirche ist die Dauerausstellung »Michaelitica« eingerichtet, die Dokumente zur Bau- und Kirchengeschichte zeigt.

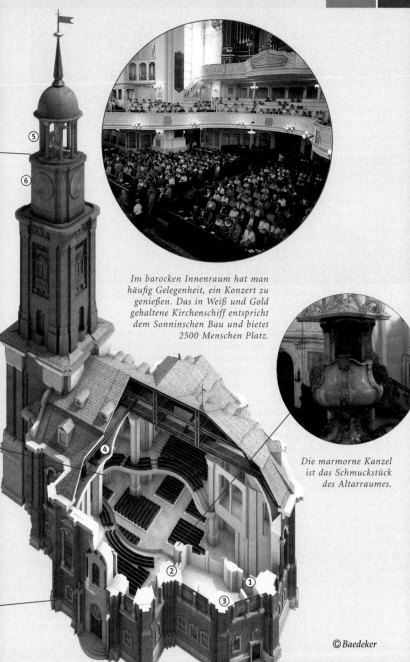

Im barocken Innenraum hat man häufig Gelegenheit, ein Konzert zu genießen. Das in Weiß und Gold gehaltene Kirchenschiff entspricht dem Sonninschen Bau und bietet 2500 Menschen Platz.

Die marmorne Kanzel ist das Schmuckstück des Altarraumes.

©Baedeker

Container sind aus einem modernen Hafen nicht mehr wegzudenken.

Ost-West-Straße

✳

Chilehaus ▶

Nikolaikirchturm ▶

Deichstraße ▶

Vom Deichtorplatz geht es auf der Ost-West-Straße wieder zurück nach Westen. Am Burchardplatz erhebt sich das 1922–1924 von Fritz Höger in kühnen Formen erbaute zehnstöckige Chilehaus, das wohl bekannteste Gebäude im Kontorhausviertel.

Weiter östlich ragt der Nikolaikirchturm auf, Rest der im Zweiten Weltkrieg völlig zerstörten Nikolaikirche. Der 147 m hohe und damit **dritthöchste Kirchturm Deutschlands** ist heute Mahnmal für die Opfer des Krieges. Die unweit davon am Nikolaifleet entlangführende historische Deichstraße vermittelt noch einen romantischen Eindruck vom alten Hamburg.

✳ ✳

St. Michaelis

Über die Fleetinsel hinweg erreicht man auf der Ost-West-Straße in der Neustadt die barocke St.-Michaelis-Kirche, Hamburgs vom Hafen her weithin sichtbares und **berühmtes Wahrzeichen**. Die ursprünglich 1750–1762 von Ernst Georg Sonnin erbaute Kirche wurde nach einem Brand im Jahr 1906 wieder errichtet. Am 132 m hohen, »Michel« genannten Turm prangt Deutschlands größte Kirchturmuhr; von der Plattform darüber bietet sich ein prächtiger Rundblick auf das Treiben im Hafen und die Stadt. Innen beeindruckt vor allem die große Empore.

✳

Krameramtswohnungen

Östlich gegenüber der Kirche befinden sich die idyllisch-verwinkelten Krameramtswohnungen aus dem 17. Jh., einst Wohnungen für die Witwen verstorbener Mitglieder des Krameramts; im Haus C kann eine solche Wohnung besichtigt werden.

Südwestlich der St.-Michaelis-Kirche beginnt bei den St.-Pauli-Landungsbrücken der Park Planten un Blomen (»Pflanzen und Blumen«), der sich auf den alten Wallanlagen am Südwestrand der Neustadt dahinzieht. Zu ihm gehören von Süden nach Norden die Großen und die Kleinen Wallanlagen, der Alte Botanische Garten sowie die eigentliche Grünanlage Planten un Blomen, deren Attraktion ein kunstvoll angelegter **japanischer Garten** ist.

✳ Planten un Blomen

Ganz im Süden der Großen Wallanlagen findet man das Museum für Hamburgische Geschichte. Die Sammlungen dokumentieren die Stadtgeschichte vom Mittelalter bis ins 20. Jh., wobei der Schwerpunkt auf Hafen und Schifffahrt liegt. Attraktion schlechthin aber ist eine große **Modelleisenbahnanlage** der Strecke zwischen dem Hauptbahnhof und dem Bahnhof Hamburg-Harburg. Nahebei südlich, jenseits des Millerntordamms, erstreckt sich der Alte Elbpark mit dem monumentalen Bismarck-Denkmal von 1906.

◄ Museum für Hamburgische Geschichte

Ein Stück Alt-Hamburg ist noch in der renovierten Peterstraße geblieben, wo in Haus Nr. 39 an den in diesem Stadtteil geborenen Komponisten Johannes Brahms erinnert wird.

Brahmshaus

✳ ✳ Hafen

Der seit dem 12. Jh. bestehende Hafen, das »Tor zur Welt«, zählt zur Spitzengruppe der europäischen Umschlagplätze für Seegüter. Er erstreckt sich – 104 km landeinwärts der Elbmündung in die Nordsee – zwischen Norder- und Süderelbe von den Elbbrücken bis zur ehemaligen Fischerinsel Finkenwerder über eine Fläche von rund 100 km². Durchschnittlich **12 000 Seeschiffe** aus aller Welt machen in diesem bei Ebbe und Flut zugänglichen Tidehafen pro Jahr fest. Der Hafen ist aber nicht nur ein Wirtschaftsfaktor erster Ordnung, er ist auch Hamburgs größte Touristenattraktion.

»Tor zur Welt«

Weit im Osten der Stadt beginnt am Messberg die Hafenmeile genannte **Hafenrandpromenade**, ein bis Övelgönne ausgebauter Fußweg, auf dem man den Hafen auch als Landratte erkunden kann. Im Hafenkernbereich westlich der Speicherstadt passiert man auf diesem Weg u. a. das 1952 erbaute

> **!** *Baedeker* TIPP
>
> **Kaffeeklapp**
> Jeden Sonntag um 11.00 Uhr startet von der Kornhausbrücke die Führung »Die Speicherstadt als Baudenkmal und Arbeitsort«. Dabei kann man einen Blick hinter die Kulissen werfen und lernt das Museum der Speicherstadt kennen (geöffnet tgl. außer Mo. 10.00–17.00 Uhr. Zum Abschied bekommt man einen Kaffee oder Tee in der museumseigenen »Kaffeeklappe« (Infos: Tel. 0 40/32 11 91).

Feuerschiff »LV 13« und das architektonisch auffällige Pressehaus Gruner + Jahr. An der Überseebrücke ist das **Museumsschiff »Cap San Diego«** vertäut. Man erreicht dann die St.-Pauli-Landungsbrücken, von denen der gesamte Hafen- und Unterelbverkehr abgeht.

◄ St.-Pauli-Landungsbrücken

Hamburg Orientierung

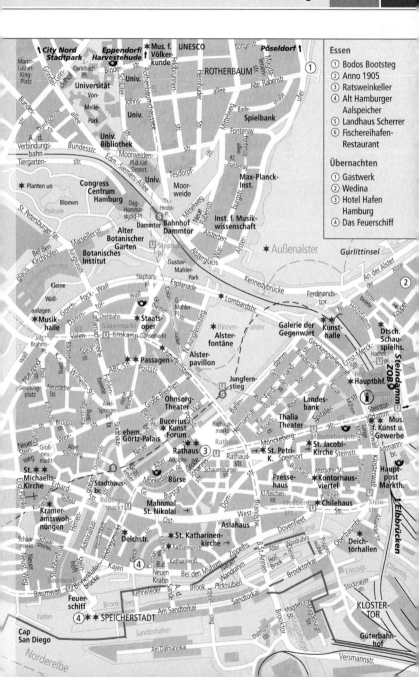

Essen
1. Bodos Bootssteg
2. Anno 1905
3. Ratsweinkeller
4. Alt Hamburger Aalspeicher
5. Landhaus Scherrer
6. Fischereihafen-Restaurant

Übernachten
1. Gastwerk
2. Wedina
3. Hotel Hafen Hamburg
4. Das Feuerschiff

► HAMBURG ERLEBEN

AUSKUNFT

Tourismuszentrale

Postfach 10 22 49, 20015 Hamburg
Tel. (0 40) 30 05 13 00, Fax 30 05 13 33
www.hamburg-tourismus.de

Touristzentrale Hauptbahnhof

Hauptbahnhof Hamburg
(Ausgang Kirchenallee)
20099 Hamburg
Tel. (0 40) 30 05 13 00

HAFENRUNDFAHRT

Eine Hafenrundfahrt in Hamburg ist
ein Muss! Die Frage ist nur, womit.
Baedeker empfiehlt, eine der kleinen
Barkassen an den St.-Pauli-Lan-
dungsbrücken zu nehmen, denn nur
diese fahren auch in die schwerer
zugänglichen Teile der Speicherstadt.

SHOPPING

Im Bereich Mönckebergstraße und
Spitalerstraße finden sich vor allem
Kaufhäuser und Geschäfte der gängi-
gen Art. Hübschere Geschäfte tum-
meln sich eher am Jungfernstieg, am
Neuen Wall und am Große Bleichen.

MUSICALS

Hamburg hat nach New York und
London die weltweit meisten Musicaltheater! Programminfo:
www.stageholding.de, www.delphi-
showpalast.de, www.schmidts.de

ESSEN

► Fein & Teuer

⑤ Landhaus Scherrer

Elbchaussee 130,
22763 Hamburg-Ottensen
Tel. (0 40) 8 80 13 25
www.landhausscherrer.de
Armin Scherrer, der Pionier der
norddeutschen Gourmet-Küche,
zaubert edle Haute-Cuisine mit ver-
feinerten regionalen Spezialitäten,
dazu gibt es erlesene Weine.

► Erschwinglich

③ Ratsweinkeller

Große Johannisstraße 2
20457 Hamburg-Innenstadt
Tel. (0 40) 36 41 53
Traditionelles Restaurant mit hansea-
tischem Ambiente in den Rathaus-
gewölben. Hamburger Spezialitäten
und leckere Wildgerichte.

④ Alt Hamburger Aalspeicher

Deichstraße 43
20459 Hamburg-Altstadt
Tel. (0 40) 36 29 90
Restaurant in einem ehemaligen
Speicher aus dem 17. Jahrhundert.
Viele Fischspezialitäten, vor allem Aal
in allen Variationen.

⑥ Fischereihafen-Restaurant

Große Elbstraße 143
22767 Hamburg-Altona
Tel. (0 40) 38 18 16
Norddeutschlands Nr.1 unter den
Fischrestaurants. Man speist gute
Fischgerichte mit Blick auf den Hafen.
Mit etwas Glück kann man die eine
oder andere VIP zu Gesicht bekom-
men. Tischbestellung ratsam.

Sonntagvormittag in der
Fischauktionshalle

► Preiswert

① *Bodos Bootssteg*

Harvestehuder Weg 1b
20148 Hamburg-Harvestehude
Tel. (0 40) 4 10 35 25
Schlichte Speisen an einem unschlagbar entspannenden Ort auf dem Steg.

② *Anno 1905*

Holstenplatz 17
22765 Hamburg-Altona
Tel. (0 40) 4 39 25 35 65
Ein echtes Restaurant aus der Zeit um 1900 verführt die Augen und den Gaumen mit Bockwurst, Fischgerichten oder Vegetarischem.

ÜBERNACHTEN
► Komfortabel

③ *Hotel Hafen Hamburg*

Seewartenstraße 9,
20459 Hamburg-Neustadt
Tel. (0 40) 31 11 30, Fax 31 11 37 55
www.hotel-hafen-hamburg.de
Im Alten Haus haben die Zimmer nach vorn hinaus Hafenblick, das »Residenz« ist die moderne Variante, allerdings ohne berühmte Aussicht.

① *Gastwerk Hotel*

Beim Alten Gaswerk 3
22761 Hamburg-Bahrenfeld
Tel. (0 40) 89 06 20, Fax 8 90 62 20
www.gastwerk-hotel.de
Eingerichtet in einem früheren Gaswerk ist dieses sehenswerte Designhotel sowohl von der Architektur, als auch von der Inneneinrichtung eine Hamburger Besonderheit.

② *Wedina*

Gurlittstraße 23
20099 Hamburg-St. Georg
Tel. (0 40) 2 80 89 00, Fax 2 80 38 94
www.wedina.de
Ansprechend gestaltetes Hotel, zentrale Lage, schöner Garten.

► Günstig

④ *Das Feuerschiff*

City-Sporthafen,
20459 Hamburg-Neustadt
Tel. (0 40) 36 25 53, Fax 36 25 55
www.das-feuerschiff.de
Wer gerne einmal mitten im Hafen übernachten möchte, buche rechtzeitig eine der »Kojen« im Feuerschiff.

Das 200 m lange Empfangsgebäude wurde 1909 vollendet; der Turm trägt eine Uhr und einen Wasserstandsanzeiger. An den Landungsbrücken liegt die 1896 in Bremerhaven gebaute Dreimaststahlbark »Rickmer Rickmers«. Nahebei findet man den Zugang zum 448 m langen Alten Elbtunnel, der auf die Werftinsel Steinwerder führt. Von den Landungsbrücken sollte man auf jeden Fall noch bis zum Fischmarkt weitergehen. Auf ihm wird jeden Sonntag bis (!) 9.30 Uhr der Fischmarkt abgehalten und in der alten Fischauktionshalle ausgelassen gefeiert – also früh aufstehen oder nach einem St.-Pauli-Bummel zum Katerfrühstück gleich hierher gehen.

★
◄ Fischmarkt

Im Osten des Hafens liegt die Speicherstadt, am besten zugänglich von der Ost-West-Straße. Gegen Ende des 19. Jh.s wurde hier auf der Brookinsel südlich des Zollkanals ein **Freihafengebiet** errichtet. An den Fleeten reihen sich noch heute die bis zu siebenstöckigen Ziegelbauten, die eine eindrucksvolle geschlossene Front bilden. Hier la-

★
Speicherstadt

gern vor allem wertvolle Handelsgüter wie Tabak, Kaffee, Rum, Trockenfrüchte und Gewürze, aber auch optische und elektronische Geräte sowie Orientteppiche. Auch Museen gibt es: das **Gewürzmuseum** am Sandtorkai 32 und das Deutsche Zollmuseum an der Kornhausbrücke im ehemaligen Zollamt, das lebendige Zollgeschichte vom Altertum bis zur Gegenwart präsentiert.

✳
Deutsches
Zollmuseum ►

✳
**Köhlbrand-
brücke**

Der am südlichen Elbufer gelegene Hafenbereich wird von der 3,9 km langen und bis 54 m hohen Köhlbrandbrücke überspannt, die 1974 eröffnet wurde und zu einem neuen Wahrzeichen der Stadt geworden ist.

St. Pauli

Amüsierviertel

Das zum Bezirk Altona gehörende St. Pauli entwickelte sich seit dem 19. Jh. zum **Seemannsviertel** mit Kneipen, Herbergen und Freudenhäusern. St. Pauli bietet eine große Bandbreite wie auch immer gearteter Unterhaltung: vom Volkstheater, Musical, Varieté und Kabarett über Diskotheken, Rock-, Tanz- und Stimmungslokale, Sex-Shows, Kinos und Kneipen bis hin zu Pornografie und Prostitution.

Reeperbahn

Die Achse von St. Pauli ist die weltbekannte Vergnügungsstraße Reeperbahn, an der einst die Seilmacher (Reeper) ihrem Handwerk nachgingen. Ecke Davidstraße hat die **legendäre »Davidwache«** ihr Domizil, am nahen Spielbudenplatz wird in »Schmidt's Tivoli« höherer Blödsinn zelebriert, daneben gleich das St.-Pauli-Theater, zweite Heimat von Freddy Quinn. Am Westende der Reeperbahn reihen sich an der Großen Freiheit die Sex-Show-Lokale, hier findet sich aber auch das Hans-Albers-Museum. Dieser »Ur-Hamburger-Jung«, der die Reeperbahn meist nachts um halb eins unsicher machte, ist allerdings kein St.-Paulianer, sondern wurde im Stadtteil St. Georg geboren. Ein originelles Denkmal für ihn steht auf dem Hans-Albers-Platz.

? WUSSTEN SIE SCHON ...?

■ dass die »sündige« Amüsiermeile St. Pauli ausgerechnet dem Sittenapostel St. Paulus seinen Namen verdankt? Ihm zu Ehren wurde hier 1682 eine Kirche geweiht.

Heiligengeistfeld

Jenseits der Großen Wallanlagen und der Glacischaussee breitet sich das Heiligengeistfeld aus, auf dem im März/April, Juli/August und November/Dezember das **Volksfest »Dom«** stattfindet.

Altona

Einst
eigenständig

Der Stadtbezirk Altona erstreckt sich ca. 4 km westlich vom Hamburger Zentrum über dem Elbufer. Er gehörte 1640–1867 zu Dänemark und war danach bis zur Eingemeindung 1937 selbständige preußische Gemeinde.

Auf dem Kiez wird viel Haut gezeigt, nicht nur im »Dollhouse«.

Altonas Prachtstraße ist die im 17. Jh. angelegte Palmaille, die der **Palmaille**
dänische Architekt Chr. F. Hansen und sein Neffe, M. Hansen, zwischen 1786 und 1825 mit zahlreichen klassizistischen Villen bebauten. Am westlichen Ende der Palmaille liegt das **Altonaer Rathaus**;
davor bietet sich von der Grünanlage Altonaer Balkon ein sehr schöner Blick auf Strom und Hafen.

Wenig westlich vom Rathaus steht die 1735–1738 erbaute Christianskirche, auf deren Kirchhof Friedrich Gottlieb Klopstock begraben ist. **Christianskirche**

An der rechtwinklig von der Palmaille nach Norden abgehenden ✱
Museumsstraße hat das Altonaer Museum/Norddeutsches Landesmuseum seinen Sitz, in dem Kulturgeschichte und Landeskunde des **Altonaer**
norddeutschen Küstengebiets dargestellt wird. **Museum**

Im idyllischen Övelgönne, wo am Elbuferweg noch schmucke Lot- ✱
senhäuser stehen, kann man im **Museumshafen** schöne historische **Övelgönne**
und vor allem noch fahrtüchtige Wassernutzfahrzeuge kleinerer Bauart besichtigen.

Weiter westlich, im Stadtteil Klein Flottbek, steigt nördlich der Elb- **Jenischpark**
chaussee der Jenischpark an. Er umgibt das klassizistische Jenisch-Haus mit Schauräumen großbürgerlicher Wohnkultur von Louis
XVI bis zum Jugendstil sowie das **Ernst-Barlach-Haus**, in dem Plastiken, Zeichnungen und Druckgrafik des Künstlers ausgestellt sind.

Nördlich von Övelgönne, im Stadtteil Bahrenfeld, wurde der Alto- **Volkspark**
naer Volkspark (160 ha; Spiel- und Sportflächen, Kleingärten, Sommerbad) angelegt. Hier liegt auch das 1951–1953 mit Trümmerschutt ausgebaute Volksparkstadion, nach dem Umbau 1998–2001
umbenannt in »AOL Arena«, das **Heimstadion des HSV**.

In vergangene Zeiten zurückversetzt fühlt man sich im Vierländer Freilichtmuseum Rieck-Haus mit seiner Windmühle.

Hagenbecks Tierpark

Im nordwestlichen Vorort Stellingen sollte man Hagenbecks Tierpark besuchen, der mit seinen großzügigen Freigehegen Vorbild moderner Tiergärten ist und einen reichhaltigen, nach Erdteilen gegliederten Tierbestand besitzt. Das Tropularium umfasst zahlreiche Aquarien und Terrarien.

Elbchaussee

Einen Eindruck von **großbürgerlicher Hamburger Wohnkultur** erhält man bei einer Fahrt auf der von stattlichen Villen gesäumten Elbchaussee. Die Freude wird jedoch getrübt durch den heftigen Verkehr; ruhigere Alternativen – allerdings zu Fuß – sind der Elbuferweg zwischen Chaussee und Elbufer oder der prächtige Aussichten bietende Elbhöhenweg.

Blankenese

Die Elbchaussee endet in Blankenese, 14 km westlich vom Zentrum, einem **einstigen Fischerdorf** mit schönen Villenvierteln am 86 m hohen Süllberg, von dem man einen reizvollen Ausblick hat.

Sehenswertes in den übrigen Stadtteilen

Völkerkundemuseum

Nördlich von Planten und Blomen beginnt der Stadtteil Rotherbaum mit den weitläufigen Anlagen der Universität. Hier an der Rothenbaumchaussee findet man das Museum für Völkerkunde (Afrika, Amerika, Australien, Asien, Südsee), das auch über ein **Hexenarchiv** verfügt.

Pöseldorf

Nordwestlich, im Stadtteil Harvestehude, lockt das schicke und teure Pöseldorf mit zahlreichen Galerien, Boutiquen und Lokalen dem Besucher die Scheine aus der Tasche.

Wegen seiner **parkartigen Gestaltung** und seiner Größe (402 ha) ist
der Hamburger Hauptfriedhof Ohlsdorf in Hamburg-Nord weithin
bekannt. Hier sind zahlreiche Berühmtheiten bestattet, darunter
Hans Albers, Wolfgang Borchert, Gustav Gründgens, Carl Hagen-
beck, Heinrich Hertz, Alfred Kerr und Felix Graf Luckner.

✳ Hauptfriedhof Ohlsdorf

Im nordöstlichen Stadtteil Volksdorf in Hamburg-Wandsbek bietet
das Museumsdorf einen Einblick in die bäuerliche Wohnkultur des
hamburgischen und holsteinischen **Geestlandes** anhand verschiedener Häuser und Scheunen aus dem 17./18. Jh.

Museumsdorf Volksdorf

1997 wurde im südlichen Stadtteil Barmbek in einer ehemaligen Fab-
rik das außergewöhnliche Museum für Arbeit eröffnet. Es dokumentiert die Arbeit im Industriezeitalter.

Museum für Arbeit

Die von zwei Elbe-Altwässern durchzogenen Vierlande und Marschlande südöstlich vom Stadtgebiet im Bezirk Bergedorf sind eine
fruchtbare Niederung zwischen Elbe und Geest. Am nordwestlichen
Rand der Marschlande breiten sich das Naturschutzgebiet Boberger
Dünen und das Vogelschutzgebiet Achtermoor aus.

✳ Vierlande, Marschlande

Bergedorf wartet mit einem im 13. Jh. erbauten und im frühen
19. Jh. umgestalteten Schloss auf, in dem das Museum für Bergedorf
und die Vierlande untergebracht ist. Im Südosten findet man die
Hamburger Sternwarte.

◄ Bergedorf

Südöstlich von Bergedorf, in Curslack, lohnt das Vierländer Freilichtmuseum Rieck-Haus (Bauernhausmuseum) einen Besuch.

◄ Vierländer Freilichtmuseum

Abseits vom Deich wandelten die Nazis 1938 das Gefängnis von Neu-
engamme in ein **Konzentrationslager** um. Von den über 135 000
Häftlingen, die hier und in Außenlagern gefangen waren, ist etwa die
Hälfte umgekommen. Das Lager ist als Mahnmal erhalten.

◄ Neuengamme

Die bis 1937 selbständige Stadt Harburg, erstmals um 1140 urkundlich erwähnt, liegt am Südufer der Süderelbe, an die hier die bewaldeten Harburger (Schwarzen) Berge dicht herantreten. Dieser Hamburger Bezirk ist von Industrieanlagen, v. a. von Ölraffinerien, ge-

Harburg

❗ *Baedeker* TIPP

Schiff ahoi!
Eingefleischte Landratten können sich am Ausflugslokal Schulauer Fährhaus bei Wedel etwas vom Duft
der großen weiten Welt um die Nase wehen lassen:
Hier werden größere Schiffe beim Ein- und Auslaufen
von der Schiffsbegrüßungsanlage Willkommhöft mit
ihrer Nationalhymne und -flagge gegrüßt (20 km
elbabwärts von Hamburg in Wedel).

Der dänische König Christian IV. ließ Glückstadt auf dem Reißbrett entwerfen, deshalb die Symmetrie im Stadtbild.

prägt und verfügt über einen bedeutenden Industriehafen. Seit 1528 findet hier alljährlich im Juni das bekannte **Volksfest Harburger Vogelschießen** statt. Nördlich vom Marktplatz »Sand« sind an der Lämmertwiete mehrere Fachwerkhäuser aus dem 17. und 18. Jh. wieder hergestellt worden. Unweit vom Rathausplatz befindet sich am Museumsplatz das Helms-Museum bzw. Hamburger Museum für Archäologie und Geschichte Harburgs. Etwa 1 km südlich dehnt sich am idyllischen Außenmühlenteich der Stadtpark mit einem botanischen Schulgarten aus.

Sinstorf Im ländlichen Sinstorf, dem südlichsten Vorort der Hansestadt, steht eine ursprünglich im 12. Jh. erbaute Feldsteinkirche mit einem freistehenden Glockenturm, vermutlich der **älteste Sakralbau auf Hamburger Stadtgebiet**.

Umgebung von Hamburg

Uetersen Uetersen, gute 30 km nordwestlich von Hamburg, ist weit bekannt als **»Rosenstadt«**, denn sie ist das Zentrum des größten Rosenzuchtgebiets der Welt. Das Rosarium ist immerhin noch das größte in Norddeutschland. Sehenswert ist außerdem die 1749 vollendete barocke Klosterkirche.

Glückstadt Glückstadt, via Elmshorn 33 km nach Uetersen, wurde 1617 vom dänischen König Christian IV. gegründet und nach dem Vorbild einer **italienischen Renaissancestadt** erbaut. Am Marktplatz sind sehenswert die barocke Stadtkirche von 1621 und das Rathaus, das 1642 im Stil der niederländischen Renaissance entstand und 1872 stilähnlich neu errichtet wurde. Im Brockdorf-Palais (Am Fleth) von 1632 ist das Detlefsen-Museum untergebracht, das der Stadtgeschichte und der Kulturgeschichte der Elbmarschen gewidmet ist.

In Itzehoe, 44 km nordwestlich von Hamburg, wurde im Kunsthaus in der Reichenstraße 21 das **Wenzel-Hablik-Museum** eingerichtet, das die Hinterlassenschaft des böhmischen Malers, Zeichners und Kunsthandwerkers (1881–1934) dokumentiert. Sehenswert ist in Itzehoe auch das schöne Theater, das der Kölner Architekt Gottfried Böhm entwarf.

> **!** *Baedeker* TIPP
>
> **Matjesessen**
>
> Die Glückstädter haben sich auf Matjes, den jungen, in einer Salzlake »gereiften« Hering, spezialisiert. Während der Matjeswochen von Juni bis September gibts Matjes in allen Variationen und mit den unterschiedlichsten Beilagen. Aber auch außerhalb dieser Zeit bekommt man z. B. im »Ratskeller« oder im »Kleinen Heinrich« (beide am Marktplatz) verschiedene Matjesgerichte.

Itzehoe

Rund 25 km nordöstlich von Hamburg liegt der schleswig-holsteinische Ort Ahrensburg mit dem gleichnamigen Schloss, seit 1938 **Museum der Wohnkultur des holsteinischen Landadels**.

★ Ahrensburg

Im Sachsenwald, 30 km östlich von Hamburg, steht das Jagdschloss Friedrichsruh, das seit 1871 im Besitz des Reichskanzlers Otto von Bismarck war. Hier kann man das Bismarck-Museum und -Mausoleum besichtigen. Eine besondere Attraktion ist der **»Garten der Schmetterlinge«** (einheimische und tropische Falter) in einem Glashaus der Schlossgärtnerei.

Friedrichsruh

Bei Ehestorf, unweit südwestlich von Hamburg-Harburg, lohnt das Freilichtmuseum Kiekeberg mit Bauernhäusern des 17. bis 19. Jh.s aus der Lüneburger Heide einen Besuch.

Freilichtmuseum Kiekeberg

Das Alte Land an der Unterelbe, zwischen der Süderelbe im Stadtgebiet von Hamburg und Stade, 2–7 km breit und 32 km lang sowie 157 km² groß, ist die reichste und schönste aller Elbmarschen. Es ist **das größte geschlossene Obstanbaugebiet Deutschlands** und von besonderem Zauber, wenn die Kirschblüte die Landschaft in ein Blütenmeer verwandelt. Dann empfiehlt sich eine Wanderung auf den hohen Deichen der dunklen Moorflüsse oder der Elbe mit Blick auf die tiefer liegenden Obstbaumplantagen. Beeindruckend sind auch die stattlichen, farbenprächtigen Altenländer Bauernhäuser mit hohem Reetdach und mit Ziegelmustern zwischen dem weißen Fachwerk. Durch die von Kanälen durchschnittene Ebene führt der schöne Obstmarschenweg parallel zum südlichen Elbufer. Zentrum des Alten Landes ist Jork nahe der Mündung der Este in die Elbe. Der

★ Altes Land

◀ Jork

Ort, Mittelpunkt des Obstanbaugebiets, besitzt schöne alte Bauernhäuser – in einem davon ist das **Museum Altes Land** untergebracht – sowie eine Kirche von 1709.

Buxtehude Buxtehude, wo »die Hunde mit dem Schwanz bellen«, hat seinen festen Platz im deutschen Märchenschatz, denn hier lieferten sich Hase und Igel ihren berühmten Wettlauf. Die ehemalige Hansestadt, 30 km südwestlich vom Hamburger Zentrum am Rand des Alten Lands gelegen, bietet in den engen Straßen rund um die St.-Petri-Kirche (13. Jh.) noch einige an holländische Kolonisten erinnernde Giebel, Höfe und Dielen, insbesondere auch am Westfleet. Das Heimatmuseum beschäftigt sich mit der in Buxtehude traditionellen Herstellung von **Bauernschmuck in Silberfiligrantechnik**.

✶ Hameln

Atlasteil: S. 26 • B 3   **Bundesland:** Niedersachsen
Höhe: 68 m ü. d. M.   **Einwohnerzahl:** 60 000

Hameln, reizvoll im Weserbergland beiderseits der Weser gelegen, ist als Rattenfängerstadt weit bekannt. Im Jahr 1284 soll der Sage nach der Rattenfänger 130 Kinder durch das Ostertor aus der Stadt entführt haben. Das Bild der historischen Altstadt bestimmen Fachwerkhäuser und prachtvolle Bauten der Weserrenaissance, die sich durch reiche Giebelverzierungen, Schmuckleisten mit Wappen und Inschriften und viele Erker auszeichnen.

Markt Der lebendige Mittelpunkt der Stadt ist der Marktplatz, auf den die wichtigsten Einkaufsstraßen der Altstadt zulaufen und der von sehenswerten Gebäuden umgeben ist. Die 1957–1958 wieder errichtete, frühgotische **Marktkirche St. Nicolai** war einst das Gotteshaus der Schiffer, worauf das goldene Schiff auf der Turmspitze hinweist. Gegenüber wurde das Dempterhaus 1607 im Stil der Weserrenaissance errichtet.

! *Baedeker* TIPP

Doppel-Rattenfänger
Auf zweierlei Art kann man in Hameln von Mitte Mai bis Mitte September vor dem Hochzeitshaus die Geschichte vom Rattenfänger erleben: sonntags um 12.00 Uhr als traditionelles Freilichtspiel oder mittwochs um 16.30 Uhr als Musical »Rats« – jeweils kostenlos.

Das repräsentative **Hochzeitshaus** (Osterstraße 2) im Stil der Weserrenaissance war ursprünglich Festhaus der Bürgerschaft. Täglich um 13.05, 15.35 und 17.35 Uhr wird die Geschichte um den Rattenfänger von Hameln in einem Glockenspiel wieder lebendig. Im Inneren ist 2003 das Zentrum der **»Erlebniswelt Renaissance«** eingerichtet worden. An sechs weiteren Renaissance-Stationen im ▶ Weserbergland wird der Besucher mit Multimedia-Inszenierungen in die Zeit der Renaissance entführt. Die Stationen sind Bevern, Rinteln und Höxter (alle drei ▶Weserbergland), Hämelschenburg (Umgebung Hameln) sowie Bückeburg und Stadthagen.

Und auch im Städtischen Museum, das im Stiftsherrenhaus (Osterstraße 8/9) von 1558 und im Leisthaus von 1589 untergebracht ist, wird u. a. die Rattenfängersage zum Thema gemacht. Am Ende der **Osterstraße** stößt man auf die ehemalige Garnisonkirche (1712) und

In der Osterstraße mit ihren Prachtfassaden steht auch das Rattenfängerhaus.

das **Stift zum Heiligen Geist** von 1713. Gegenüber erinnert eine Inschrift am Rattenfängerhaus (1603), einem prachtvollen Weserrenaissancebau (heute Restaurant) einmal mehr an die Sage.

✳
◀ Rattenfängerhaus

In der südlich vom Markt wegführenden Bäckerstraße sind die Löwenapotheke (Nr. 12) mit einem gotischen Giebel von 1300 und der Rattenkrug (Nr. 16), der 1250 erbaut und 1568 mit einem schönen Volutengiebel umgestaltet wurde, besonders sehenswert. Wenige Schritte östlich liegt die Kurie Jerusalem, ein um 1500 errichteter ehemaliger Speicher.

Bäckerstraße

Das wuchtige Münster St. Bonifatius (11.–14. Jh.) trägt eine Barockhaube und weist unter dem Hochchor eine sehenswerte Krypta auf; das Sakramentshaus stammt aus dem 13. Jh.

St. Bonifatius

Am nördlichen Abschnitt der Wallstraße, die dem Befestigungsring folgt, zeugen nur noch **Pulverturm und Haspelmathsturm** von der einst stattlichen Befestigungsanlage.

Wallstraße

Und noch einmal geht es um die Sage vom Flöte spielenden Rattenfänger: nämlich mit dem **Rattenfängerbrunnen** (1975) am Rathausplatz.

Weithin sichtbar südlich von Hameln: die Windmühle von Tündern (1883), die zum Hof Zeddies mit seiner ständigen Ausstellung »Bäuerliche Arbeitswelt« gehört. Im Dorfmuseum werden Exponate zur Vorgeschichte, zum Handwerk und zur Landwirtschaft gezeigt.

Tündern

Umgebung von Hameln

✳ Stiftskirche Fischbeck

Zu den kostbarsten Schätzen der **Stiftskirche** (12. Jh.) in Fischbeck, die zu einem seit 955 bezeugten Augustiner-Kanonissenstift gehört, zählen das Triumphkreuz von 1250 und vor allem der Bildteppich (16. Jh.) mit der Gründungslegende des Stifts. Sehenswert ist auch die romanische Krypta.

✳ Hämelschenburg

Ein Höhepunkt der Weserrenaissance ist das von Wassergräben umgebene Schloss Hämelschenburg, ein im Jahr 1588 begonnener Dreiflügelbau. Das Brückentor aus dem Jahre 1608 zeigt den hl. Georg.

Bodenwerder

Gut 20 km weseraufwärts ist Bodenwerder als **»Münchhausenstadt«** bekannt, denn das heutige Rathaus der Stadt war einst Herren- und Geburtshaus des durch seine fantastischen Erzählungen bekannten »Lügenbarons« Freiherr Karl Friedrich Hieronymus von Münchhausen (1720–1797). Von Mai bis Oktober wird im Kurpark das Münchhausen-Spiel aufgeführt. Sehenswert sind außerdem die Reste der alten Ummauerung und die schönen Fachwerkhäuser.

▶ HAMELN ERLEBEN

AUSKUNFT

Hameln Marketing und Tourismus GmbH
Deisterallee 1, 31785 Hameln
Tel. (0 51 51) 95 78 23, Fax 95 78 40
www.hameln.de

ESSEN

▶ Erschwinglich

Rattenfängerhaus
Osterstraße 28, 31785 Hameln
Tel. (0 51 51) 38 88
Rustikales Flair verbreitet die Gaststube in dem historischen Fachwerkhaus von 1602. Berühmt für seine wirklich delikaten Wildspezialitäten.

Klütturm
Auf dem Klüt, 31787 Hameln
Tel. (0 51 51) 6 16 44
Ein reizvolles Ausflugsziel sind die Reste der alten Klütfestung. Genießen Sie im edlen Ambiente eine hervorragende Küche und die grandiose Aussicht auf Weser und Hameln.

ÜBERNACHTEN

▶ Komfortabel

Stadt Hameln
Münsterwall 2, 31787 Hameln
Tel. (0 51 51) 90 10, Fax 90 13 33
www.hotel-stadthameln.de
Eine ehemalige Gefängnisanlage an der Weser wurde in einen schlossartigen Hotelkomplex umgewandelt, der mit großzügigem Komfort und flottem Design zu überzeugen weiß. Ein elegantes Restaurant mit Aussichtsterrasse und ein gemütlicher Biergarten sorgen für kulinarische Abwechslung.

▶ Günstig

Zur Börse
Osterstraße 41a, 31785 Hameln
Tel. (0 51 51) 70 80, Fax 2 54 85
www.hotel-zur-boerse.de
Modern ausgestattetes Haus in der Innenstadt, zweckmäßige Zimmer, Restaurant und Bistro.

Hämelschenburg, klassischerweise ein Wasserschloss

Das niedersächsische Staatsbad Pyrmont ist vor allem für seine Eisen- und Kochsalzquellen bekannt. Mittelpunkt des Badelebens ist der Brunnenplatz mit der Wandelhalle und der Hauptquelle; westlich befindet sich die Helenenquelle. Vom Brunnenplatz erstreckt sich nach Süden die im 17. Jh. angelegte Hauptallee; daran grenzt einer der **größten Kurparks in Europa** an. Zu ihm gehört der Palmengarten mit seinen 330 bis zu 11 m hohen Palmen und mehr als 400 tropischen und subtropischen Gewächsen. Im Süden des Kurparks fällt das zu Beginn des 18. Jh.s neu erbaute Schloss der Fürsten von Waldeck ins Auge, in dem ein historisches Museum untergebracht wurde. Am Helvetius-Hügel in einem ehemaligen Steinbruch liegt die **Dunsthöhle** – so genannt, da unterhalb der Höhle als vulkanische Nachwirkung Kohlendioxid ausströmt. Dieses Gas hatte Anfang des 18. Jh.s zunächst unerklärliche Ohnmachtsanfälle unter den Steinbrucharbeitern verursacht. CO_2-Quellgasbäder werden seit 1993 im »Königin-Luise-Bad« verabreicht.

? WUSSTEN SIE SCHON ...?

- dass der Baron Freiherr von Münchhausen auf einem halben Pferd geritten ist? Glauben Sie nicht? Aber auf dem Brunnen vor dem Rathaus ist der Ritt ja illustriert.

✱ Hannover

Atlasteil: S. 26/27 • B/C 2
Bundesland: Hauptstadt des
Bundeslandes Niedersachsen

Höhe: 55 m ü. d. M.
Einwohnerzahl: 526 000

Hannover an der Leine, Hauptstadt des Bundeslandes Niedersachsen, ist ein bedeutender Industrie- und Handelsplatz. Als Messestadt hat Hannover internationale Bedeutung. Die weltgrößten Messen »CeBIT« und »Hannover Messe Industrie« finden hier alljährlich im Frühjahr statt. In der Altstadt findet man noch schöne alte Bausubstanz, obwohl die Innenstadt im Krieg zu 85% zerstört war.

Geschichte

Ursprung Hannovers war eine alte Marktsiedlung, die erstmals 1150 als »vicus Honovere« erwähnt wurde. Der welfische Teilungsvertrag von 1495 brachte die Stadt unter die Herrschaft der Calenberger, die es 1636 zu ihrer Residenz machten. Unter Kurfürst Ernst August erlebte die Stadt um 1700 eine große kulturelle Blüte. 1714 bestieg Kurfürst Georg Ludwig von Hannover als König Georg I. den englischen Thron. Das Kurfürstentum, seit 1814 Königreich Hannover, blieb bis 1837 mit England in Personalunion verbunden. Nach dem Einmarsch der Preußen 1866 war es mit dem hannoverschen Königtum vorbei, Hannover wurde zur preußischen Provinzhauptstadt degradiert. Seit 1946 ist Hannover Landeshauptstadt Niedersachsens.

Großstadt im Grünen

Hannover ist Sitz einer Universität sowie von Hochschulen für Medizin, Tiermedizin, Musik und Theater. Treffpunkt für Völker und Kulturen aus aller Welt war Hannover im Jahr 2000 anlässlich der ersten Weltausstellung in Deutschland, der **»EXPO 2000«.**

Highlights Hannover

Opernhaus
Der klassizistische Bau wurde im 19. Jh. als Königliches Hoftheater gebaut.
► Seite 551

Galerie Luise
Bummeln Sie durch die glasüberdachte Passage. Gucken kostet ja nichts!
► Seite 552

Kestner-Museum
Kunstgegenstände aus fünf Jahrtausenden menschlicher Kulturgeschichte faszinieren den Besucher.
► Seite 555

Herrenhäuser Gärten
Hier errichtete das hannoversche Herrschergeschlecht seine Residenz.
► Seite 556

Steinhuder Meer
Auf dem größten Binnensee Nordwestdeutschlands kann man Segelboot fahren und anderen Wassersport treiben. Auch den Steinhuder Rauchaal sollten Sie unbedingt probieren.
► Seite 557

Als Königliches Hoftheater wurde Hannovers Opernhaus im 19. Jh. errichtet.

Weiträumige Grünflächen wie der Stadtwald Eilenriede, der Maschpark mit dem Maschsee, der Lönspark, **der Zoo**, der im Jahr 1679 als höfisches Jagdareal angelegte Tiergarten sowie die berühmten **Herrenhäuser Gärten** kennzeichnen die »Großstadt im Grünen«. Im zur Fußgängerzone erklärten Geschäftsviertel, rund um den Platz Kröpcke, dominieren heute moderne Zweckbauten.

Innenstadt

Der »Rote Faden« ist eine auf das Straßenpflaster gemalte, gut 4 km lange rote Leitlinie, die zu 36 sehenswerten Punkten der Innenstadt führt. Ausgangs- und Endpunkt ist die Touristeninformation neben dem Hauptbahnhof. Hier beginnt der nachfolgend beschriebene Stadtrundgang, der sich weitgehend an der roten Leitlinie orientiert. »Roter Faden«

Vor dem 1876–1879 erbauten Hauptbahnhof thront König Ernst August (reg. 1837–1851) als Reiterstandbild. Für Hannoveraner ein beliebter Treffpunkt. Man trifft sich »unterm Schwanz«. Hauptbahnhof

Der »Rote Faden« führt durch die Luisenstraße zum Opernhaus. Der klassizistische Bau entstand zwischen 1845 und 1852 nach Plänen von Georg Friedrich Laves. ✷ Opernhaus

Man schlendert durch die Georgstraße, **Hannovers Prachtboulevard**, nach Süden zum Georgsplatz. Unweit westlich erhebt sich die Ruine der Aegidienkirche (14. Jh.). Als Mahnmal soll sie an die Opfer beider Weltkriege erinnern (Turm mit Glockenspiel). Aegidienkirche

⏵ HANNOVER ERLEBEN

AUSKUNFT

Tourismus-Service
Ernst-August-Platz 2,
30159 Hannover
Tel. (05 11) 12 34 51 11, Fax 12 34 51 12
www.hannover-tourism.de

SHOPPING

Die meisten Geschäfte findet man
rund ums Kröpcke, in der Georgstraße und in der Karmarschstraße.
Top-Adressen sind die *Galerie Luise*
und die *Kröpcke-Passage*. Die Tradi-
tionshäuser »Mäntelhaus Kaiser«
(Damenoberbekleidung) und Parfü-
merie »Liebe« sind nur wenige
Schritte vom Kröpcke entfernt.

ESSEN

► Fein & Teuer

⑥ *Wichmann*
Hildesheimer Straße 230,
30159 Hannover, Tel. (05 11) 83 16 71
Gleich neun verschiedene Stuben –
rustikal bis elegant – bietet das Restaurant in einem alten Fachwerkhaus
an. Genießen Sie klassische Küche auf
hohem Niveau. Reservierung ratsam.

② *Clichy*
Weißekreuzstraße 31,
30161 Hannover, Tel. (05 11) 31 24 47
»Luxus ja, Firlefanz nein!« ist das
Credo von Ekkehard Reimann, der in
dem edlen Jugendstil-Bistro seit beinahe einem Vierteljahrhundert
französische Kochkunst zelebriert.

► Erschwinglich

① *Gattopardo*
Hainhölzer Straße 1, 30159 Hannover
Tel. (05 11) 1 43 75
Dieses bemerkenswerte Restaurant
besticht mit seinem lässig-mediterra-
nem Ambiente und hervorragender
italienischer Küche.

⑤ *Le Monde*
Marienstraße 116, 30171 Hannover
Tel. (05 11) 8 56 51 71
In dem charmanten Bistro werden
die Gäste mit raffiniert zubereiteter
französischer Küche verwöhnt.

► Preiswert

④ *Biesler*
Sophienstraße 6, 30159 Hannover
Tel. (05 11) 30 12 33
In Hannovers ältester Weinstube
genießen Sie im gemütlichen Gewöl-
bekeller klassische deutsche Küche.

③ *Brauhaus Ernst August*
Schmiedestraße 13, 30159 Hannover
Tel. (05 11) 36 59 50
Nur einen Steinwurf vom historischen
Marktplatz entfernt liegt das urige
Brauhaus, wo die Gäste mit inter-
nationalen Klassikern, deftiger
Hausmannskost und naturtrübem
Hannöversch bewirtet werden.

ÜBERNACHTEN

► Luxus

④ *Kastens Hotel Luisenhof*
Luisenstraße 1, 30159 Hannover
Tel. (05 11) 3 04 40, Fax 3 04 48 07
www.kastens-luisenhof.de
Traditionsreiches Luxushotel, seit
1856 in Familienbesitz. Wunder-
schöne Zimmer mit individueller
Einrichtung versprechen höchsten
Wohnkomfort, Turmsuite mit Blick
auf die Stadt, mehrere Restaurants.

⑥ *Landhaus Ammann*
Relais & Château
Hildesheimer Straße 185
30173 Hannover
Tel. (05 11) 83 08 18, Fax 8 43 77 49
www.landhaus-ammann.de
Mit geschmackvoller Einrichtung,
stilvoll möblierten Zimmern und

vorbildlichem Service weiß das Landhaus mitten in der Stadt zu überzeugen. Ein weiterer Trumpf ist das elegante Gourmet-Restaurant, in dem Helmut Ammann feine französische Küche zubereitet.

► Komfortabel

② *Savoy*
Schlosswender Straße 10
30159 Hannover
Tel. (05 11) 1 67 48 70, Fax 16 74 87 10
www.hotel-savoy.de
Englisches Flair versprüht das kleine Hotel im Zentrum, das mit hervorragend ausgestatteten Zimmern und sehr freundlichem Personal überzeugt.

① *Arabella Sheraton Pelikan*
Pelikanplatz 1, 30177 Hannover-List
Tel. (05 11) 9 09 30, Fax 9 09 35 55
www.arabellasheraton.com/Pelikan
Einst wurden hier die Füller Marke »Pelikan« hergestellt, heute beherbergt das vorbildlich umgestaltete Fabrikgebäude ein durchgestyltes Hotel, das mit bequemen Zimmern, dem Restaurant 5th Avenue, Sauna und Fitnessstudio ausgestattet ist.

► Günstig

⑤ *Atlanta*
Hinüberstraße 1
30175 Hannover
Tel. (05 11) 3 38 60, Fax 34 59 28
www.hotel-atlanta-hannover.de
Freundlich geführtes Haus mit solide ausgestatteten Zimmern.

③ *City Hotel*
Limburgstraße 3
30159 Hannover
Tel. (05 11) 3 60 70, Fax 3 60 71 77
www.cityhotelhannover.de
Freundliche Unterkunft mitten in der Fußgängerzone, gemütliche und zweckmäßige Zimmer.

»Hannover Messe Industrie« und »CeBIT«, die weltgrößten ihrer Art, finden jährlich hier statt.

Rathaus In Hannovers Wahrzeichen, dem 1901–1913 im wilhelminischen Stil auf einem Fundament von 6026 Buchenpfählen erbauten Rathaus veranschaulichen Modelle in der Eingangshalle die Stadtentwicklung. Mit einem Schrägaufzug (!) kann man zur fast 100 m hohen Kuppel hinauffahren und den Rundblick genießen – auch auf den **spektakulären Neubau der Nord-LB** (Architekten Behnisch & Partner).

Maschsee Ist noch Zeit vorhanden, sollte man hier den »Roten Faden« verlassen und durch den Maschpark zum Maschsee laufen. Der 2,4 km lange und bis zu 530 m breite See wurde 1934–1936 künstlich angelegt. Er ist Hannovers großes **Sport- und Erholungsgebiet** (Motorboot-Linienverkehr, Strandbad, Segelschule, Uferwege). Am Nordostufer des Sees hat das Sprengel-Museum seinen Sitz. Es zeigt Kunst des 20. Jh.s mit Werken von Beckmann, Klee, Léger, Nolde, Picasso, Schwitters u. a.; das Stabile vor dem Museum stammt von Alexander Calder.

Sprengel-Museum ►

✳
Landesmuseum Das Niedersächsische Landesmuseum (östlich gegenüber dem Maschpark) umfasst vier Abteilungen: vorgeschichtliche, natur- und völkerkundliche Sammlungen sowie die Niedersächsische Landesgalerie (europäische Kunst von der Romanik bis zur Gegenwart).

Hannover *Orientierung*

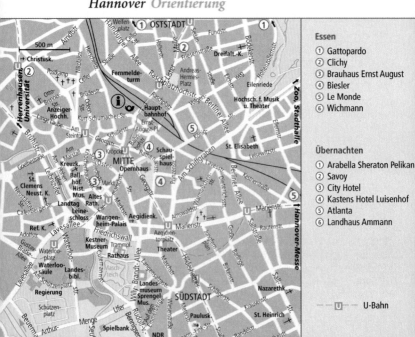

Essen
① Gattopardo
② Clichy
③ Brauhaus Ernst August
④ Biesler
⑤ Le Monde
⑥ Wichmann

Übernachten
① Arabella Sheraton Pelikan
② Savoy
③ City Hotel
④ Kastens Hotel Luisenhof
⑤ Atlanta
⑥ Landhaus Ammann

--- Ⓤ --- U-Bahn

© Baedeker

Einen weiten Blick über die Stadt hat man von der Kuppel des Neuen Rathauses am Maschsee.

Nächste Station des »Roten Fadens« ist das Kestner-Museum am Nordrand des Maschparks. Es beherbergt Kunstgegenstände aus fünf Jahrtausenden menschlicher Kulturgeschichte (u. a. beachtenswerte ägyptische Sammlung, Kunstgewerbe). **Kestner-Museum**

Gegenüber errichtete der Hofbaumeister Georg Ludwig Laves 1822 für sich selbst das Laves-Haus als Wohnhaus. Das Wangenheim-Palais daneben war zehn Jahre lang die Residenz König Georgs V., dann diente es als Rathaus und ist heute **Ministerium**. **Laves-Haus Wangenheim-Palais**

Nächster beachtenswerter Bau ist das Leineschloss, im 17. Jh. als Residenz Herzog Georgs von Calenberg erbaut, 1817–1842 von Laves klassizistisch umgebaut und 1958–1962 als Sitz des Niedersächsischen Landtags wieder errichtet. **Leineschloss**

Der »Rote Faden« führt nun am Hohen Ufer der Leine entlang, dem die Stadt ihren Namen verdankt (»hon overe« = »hohes Ostufer«). Blickfang sind die »Nanas«, **pralle Skulpturen** von Niki de St. Phalle, deren Aufstellung in den Siebzigerjahren für viel Aufregung sorgte. Lebhaftes Treiben herrscht am Hohen Ufer immer samstags, dann findet hier ein großer Flohmarkt statt. **Hohes Ufer**
Der Beginenturm (14. Jh.) am Hohen Ufer ist ein Rest der alten Stadtbefestigung. Der moderne Bau dahinter beherbergt das Historische Museum (stadt- und landesgeschichtliche sowie volkskundliche Sammlungen). ◄ **Historisches Museum**

Als schönstes Fachwerkhaus der Stadt gilt der Ballhof. Er wurde 1649–1665 für Federballspiel und Konzerte erbaut; jetzt dient das Gebäude als **Schauspielhaus des Niedersächsischen Staatstheaters**. **Ballhof**

Leibnizhaus Das Haus des herzoglichen Bibliothekars und Philosophen Gottfried Wilhelm Leibniz stammt ursprünglich von 1652. Die Renaissancefassade wurde in den Achtzigerjahren des 20. Jh.s originalgetreu wieder hergestellt.

✳ **Marktkirche** Durch die malerische Kramerstraße gelangt man zum Marktplatz, den die Marktkirche beherrscht (14. Jh.; Schnitzaltar und Bronzetaufbecken aus dem 15. Jh.; 97 m hoher Turm).

✳ **Altes Rathaus** Ebenso wie die Marktkirche ist das Alte Rathaus, an dem fast das ganze 15. Jh. über gebaut wurde, ein schönes Beispiel für die **norddeutsche Backsteingotik**.

Kröpcke Durch die Grupenstraße gelangt man zum Kröpcke, dem zentralen Platz in Hannovers Innenstadt mit der Rekonstruktion der alten Kröpcke-Uhr (1885). Von hier führen die Bahnhofstraße bzw. die unterirdisch verlaufende Ladenstraße »Passerelle« zurück zum Hauptbahnhof.

Herrenhausen

Herrenhäuser Gärten In Herrenhausen, heute ein westlicher Stadtteil von Hannover, befand sich die Sommerresidenz des hannoverschen Herrscherhauses. Die Herzöge von Calenberg errichteten sich hier ab 1665 ein repräsentatives Schloss. Es wurde im Zweiten Weltkrieg fast vollständig zerstört. Erhalten sind bis heute die zugehörigen Parkanlagen, die so genannten Herrenhäuser Gärten. Sie gliedern sich in **drei verschiedene Parks:** den Georgengarten mit dem Wilhelm-Busch-Museum, den Großen Garten mit Theater und Irrgarten und den Berggarten mit Schauhäusern für Orchideen und Kakteen.

Unmittelbar westlich vom Großen Garten ist im 1721 errichteten Fürstenhaus das **Herrenhausen-Museum** mit Einrichtungsgegenständen aus dem zerstörten Herrenhäuser Schloss untergebracht.

Im Dinosaurier-Freilichtmuseum Münchehagen können Sie Dinospuren folgen.

Umgebung von Hannover

Schloss **Marienburg** bei Nordstemmen wurde 1857–1866 im neugotischen Stil für Georg V., den letzten König von Hannover, erbaut. Im Schlossmuseum kann man sich über die Geschichte Niedersachsens informieren (mit Gemäldegalerie).

»Hausberg« der Hannoveraner ist der Deister. Der Höhenzug, gut **Deister**
20 km südwestlich der niedersächsischen Landeshauptstadt, ist ein
beliebtes Wandergebiet. Idealer Ausgangspunkt für Touren ist der
große Parkplatz am Nienstedter Pass (227 m ü. d. M.); von hier erreicht man nach kurzer Wanderzeit den Nordmannsturm (379 m
ü. d. M.) oder den Annaturm (405 m ü. d. M.).

Das Steinhuder Meer, rund 30 km nordwestlich von Hannover gele- **Steinhuder Meer**
gen, ist mit 30 km² der größte Binnensee Nordwestdeutschlands. Es
gilt als norddeutsches **Segelrevier Nr. 1**, bietet aber auch Möglichkeiten für andere Wassersportarten. Unbedingt probieren sollten Sie die
kulinarische Spezialität der Region, den Steinhuder Rauchaal.
Westlich des Steinhuder Meeres befindet sich bei Münchehagen das
Dinosaurier-Freilichtmuseum. Hier sind Dinosaurierfährten erhalten,
die die Riesenechsen vor ca. 130 Mio. Jahren im damals sandigen
Schlick hinterließen. Bei Arbeiten in einem Steinbruch kamen die gi-
gantischen Fußabdrücke 1980 zufällig zum Vorschein. Bei dem Na-
turdenkmal entstand ein Freizeitpark mit originalgroßen Saurier-
Rekonstruktionen.

Früher lebten Mönche in Kloster Loccum, heute wird in dem Gebäu- **Kloster Loccum**
de des ehemaligen Zisterzienserklosters studiert. Das Kloster wurde
1163 als Filiale des burgundischen Mutterklosters Morimond gegründet und gilt neben Maulbronn (►S. 1001) als das **am besten erhaltene Zisterzienserkloster** in Deutschland. In der romanischen
Pfarrkirche St. Georg sind insbesondere der hölzerne Altaraufsatz
und ein doppelseitig bemaltes Triumphkreuz zu beachten.

✶ ✶ Harz

Atlasteil: S. 27 • C/D 3/4   **Bundesländer:** Niedersachsen,
und S. 28 • A 3/4   Sachsen-Anhalt und Thüringen

**Ein besonderer Reiz des Harzes liegt in seiner abwechslungsreichen
Landschaft mit einer Fülle an Naturschönheiten. Spuren des über
tausendjährigen Bergbaus, zahlreiche mittelalterliche Fachwerk-
städte mit einer Vielzahl kunsthistorischer Sehenswürdigkeiten,
stolze Burgen und Schlösser sowie grandiose Sakralbauten machen
einen Urlaub hier zu einer spannenden Reise durch die Geschichte.**

Der waldreiche Harz (von mittelhochdeutsch hart = Höhe, hart) **Ausführlich**
liegt in der Mitte Deutschlands, er ist das **nördlichste deutsche Mit- beschrieben im**
telgebirge**. Höchste Erhebung ist der sagenumwobene Brocken **Baedeker Allianz**
(1142 m ü. d. M.). Bis 1990 war das Gebirge von der deutsch-deut- **Reiseführer**
schen Grenze durchschnitten, die ungefähr der topografischen Tren- **»Harz«**
nungslinie zwischen dem Oberharz und dem Unterharz folgte.

Überall stößt man hier auf Sagen, Mythen, Märchen sowie auf Harzer Brauchtum. Darüber hinaus locken eine Fahrt mit einer der historischen Schmalspurbahnen, die schnaufend den Harz durchfahren, tausende Kilometer gut ausgebauter Wander-, Radfahr- und Reiterwege, ferner Kneipp- und Moorheilbäder, Bergseen zum Schwimmen, Bootfahren oder Segeln sowie vieles mehr.

Landschaftsbild Der Harz ist ein ovaler, etwa 95 km langer und 35 km breiter, **sehr alter Gebirgsstock**. Der Oberharz erhebt sich im Norden und Westen steil aus dem hügeligen Vorland und gipfelt in der kahlen Granitkuppe des berühmten Brockens. Vor allem Fichtenwälder, in höheren Lagen durchsetzt von Hochmooren, bestimmen sein Landschaftsbild. Ein dichtes Netz kleinerer Flüsse, Seen und Teiche gliedert ihn in eine Abfolge von romantischen Tälern mit sanften bis schroff aufragenden Bergrücken. Enge, felsige Täler wie das Okertal und das Bodetal greifen besonders vom Nordrand her tief in das Gebirge ein. Der Unterharz fällt nach Südosten allmählich von 500 auf 350 m ab.

Zahlreiche Bäche schlängeln sich durch Wiesentäler, die in eine sanfte Hügellandschaft eingebettet sind. Laub- und Mischwälder prägen sein Bild. Das östliche Harzvorland, vor allem die Magdeburger Börde, ist mit seiner Lössdecke sehr fruchtbar.

Nationalpark Hochharz ► Das 59 km² große Gebiet um den Brocken, zwischen Eckertalsperre und Großem Sandtal im Norden und Großem Winterberg, Schierke und Drei Annen Hohne im Süden, wurde 1990 zum Nationalpark Hochharz erklärt. Hier erhielt sich eine fast unberührte Pflanzen- und Tierwelt mit völlig intakten Hoch- und Übergangsmooren. Der Nationalpark Hochharz grenzt im Westen an den niedersächsischen Nationalpark Harz.

Nationalpark Harz ► Auf der niedersächsischen Seite des Hochharzes wurde 1994 der fast 158 km² große Nationalpark Harz ausgewiesen. Er erstreckt sich von Bad Harzburg im Norden über die Hochlagen bis nach Herzberg und zum Oderstausee im Süden. Dichte Bergfichtenwälder, durch Hochmoore aufgelockert, bilden die natürliche Vegetation dieses Nationalparks. Nach dem **geplanten Zusammenwachsen** beider Parks im Harz werden alle typischen Landschaftsteile dieses Mittelgebirges unter Naturschutz stehen.

Geschichte Anfang des 10. Jh.s setzte die Besiedlung des Harzes ein, der bis dahin königliches Jagdgebiet war. 968 wurde im Rammelsberg bei ► Goslar eine **reiche Silberader** entdeckt, der Beginn des Harzer Bergbaus nach Silber-, Kupfer-, Blei-, Zink- und Eisenerz. Bis zum 16. Jh. entstanden mehr als 30 Orte im Oberharz, darunter die sieben freien Bergstädte Grund, Wildemann, Lautenthal, Clausthal, Zellerfeld,

! | *Baedeker* TIPP

Harzer Schmalspurbahnen

Die Fahrt mit einer der drei Ende des 19. Jh.s eingeweihten Harzer Schmalspurbahnen (HSB) gehört sicher zu den schönsten Erlebnissen eines Harzaufenthaltes. Mit einer Gesamtlänge von 141,5 km bilden die Harzquer-, die Brocken- und die Selketalbahn Europas größtes zusammenhängendes Schmalspurnetz.

St. Andreasberg und Altenau. Der Dreißigjährige Krieg brachte einen Rückschlag, doch zu Beginn des 18. Jh.s erlebte der Bergbau einen neuen Aufschwung. 1775 wurde in Clausthal eine Bergakademie gegründet, die als Fakultät der Technischen Universität Clausthal noch heute besteht. Im 19. Jh. ging der Bergbau zurück. An seine Stelle trat der Fremdenverkehr – der Harz wurde ein im Sommer und im Winter beliebtes Ferienziel.

Hörst du Stimmen in der Höhe? / In der Ferne? in der Nähe? / Ja, den ganzen Berg entlang / strömt ein wütender Zaubergesang. (Goethe) In der ersten Nacht des Maien / lässt's den Hexen keine Ruh / sich gesellig zu erfreuen / eilen sie dem Brocken zu. (Busch) Sowohl Goethes Mephisto als auch Wilhelm Busch machten sich ihren Reim auf die **Hexen- und Teufelsorgien**. Heute zieht es alljährlich Tausende in der Nacht vom 30. April zum 1. Mai an mittlerweile 23 Veranstaltungsorte im Harz, um am Hexentanz-Spektakel der Walpurgisnacht teilzunehmen.

2 x Walpurgisnacht

Von West nach Ost durch den Oberharz

►dort

Goslar

Das **größte Heilbad des Harzes** liegt am Ausgang des Radautals. In den Genuss der heilsamen Kräfte der Bad Harzburger Quellen kommt man außer bei medizinischen Kuren auch in der Sole-Therme und im attraktiven Silberborn-Familienbad. Sehenswert sind die Kirche St. Andreas und der Große Burgberg mit den Resten der Harzburg, auf den eine Seilbahn hinauffährt. Mit Kindern geht man in den Märchenwald und ins Wildgehege.

Bad Harzburg

Der viel besuchte Kur- und Wintersportort Clausthal-Zellerfeld, Sitz einer Technischen Universität mit traditionsreicher Bergbau-Fakultät, ist umgeben von rund 70 Seen und Teichen. Im Stadtteil Clausthal steht die Marktkirche zum Hl. Geist (1639–1642), die **größte Holzkirche Deutschlands**. In den Gebäuden der 1775 gegründeten ehem.

Clausthal-Zellerfeld

Im Clausthal-Zellerfelder Dietzelhaus wird nach alter Tradition geklöppelt.

Bergakademie (heute Universität) ist eine der größten Mineraliensammlungen Europas untergebracht. Robert Koch, Begründer der modernen Bakteriologie (1843– 1910), wurde in der Osteröder Straße 13 geboren. Im Oberharzer Bergwerksmuseum und im daran angeschlossenen Besucherstollen wird die Harzer Bergbaugeschichte lebendig.

Von Bad Grund aus, das seit über 100 Jahren Moorheilbad ist, fährt man zur **Iberger Tropfsteinhöhle**, die vor 450 Jahren entdeckt wurde.

Der Ferienort Herzberg wird vom Schlossberg mit der 1510 erbauten **ehem. Residenz der Welfenherzöge** überragt. Hier kam 1629 Ernst August zur Welt, der erste Kurfürst von Hannover und Begründer des englisch-hannoverschen Königshauses. Heute beherbergt das Schloss ein Zinnfigurenmuseum und die Ausstellung »Der Harz – Land und Leute einst und jetzt«.

Bad Lauterberg   Bad Lauterberg war bis zur Mitte des 19. Jh.s Bergbaustadt; seither hat sie sich zu einem **Kneippheilbad und Schrothkurort** entwickelt. Sehenswert: die 1736 erbaute Andreaskirche, das Kinderland- und Spielzeugmuseum und das Südharzer Eisenhüttenmuseum.

Bad Sachsa
✳
**Kloster
Walkenried ►**

Der Kur- und Wintersportort Bad Sachsa liegt geschützt am Fuße des 660 m hohen Ravensberges. Die Ruine des 1127 erbauten ehem. Zisterzienserklosters Walkenried (6 km östlich) gehört zu den **bedeutendsten gotischen Klosteranlagen** Deutschlands. Im gut erhaltenen Kreuzgang finden von Mai bis November die Walkenrieder Lichthof- und Kreuzgangkonzerte statt.

St. Andreasberg
✳
Grube Samson ►

Mit 630–900 m ü. d. M. ist der Kur- und Wintersportort St. Andreasberg die höchstgelegene der Oberharzer Bergstädte. Im Silberbergwerk, das von 1521 bis 1910 in Betrieb war, ist die **einzige noch funktionierende europäische Fahrkunst** zu besichtigen. Diese 1833 in Clausthal entwickelte Einrichtung erleichterte die Ein- und Ausfahrt: Zwei nebeneinander liegende Drahtseilpaare, an denen Trittbretter befestigt waren, wurden gegeneinander versetzt im Schacht aufgehängt und dauernd auf- und abgezogen. Der Bergmann stellte sich auf das erste Trittbrett, fuhr 1,60 m tief und wechselte auf das Trittbrett des zweiten Seils, um wiederum 1,60 m tiefer auf das nächste Trittbrett des ersten Seils zu treffen, etc.

● HARZ ERLEBEN

AUSKUNFT

Harzer Verkehrsverband
Marktstraße 45, 38640 Goslar
Tel. (0 53 21) 3 40 40, Fax 34 04 66
www.harzinfo.de

ESSEN

► Erschwinglich

Restaurant im Welfenschloß
Schloss 2, 37412 Herzberg am Harz
Tel. (0 55 21) 98 69
Gediegene Gastlichkeit in einem der
bedeutendsten Baudenkmäler der
Harzregion. Probieren Sie ein zünftiges Rittermahl oder ein romantisches Candle Light Dinner im
einmaligen Ambiente.

Brauhaus Heine Bräu
Kehrstraße 1, 38830 Halberstadt
Tel. (0 39 41) 3 14 00
Große kupferne Braukessel schmü-
cken den gediegen-nostalgischen
Gastraum, wo Sie mit regionalen
Spezialitäten verwöhnt werden.

► Preiswert

Grüne Tanne
Festenburg,
38707 Clausthal-Zellerfeld
Tel. (0 53 23) 8 35 87
Beliebtes Ausflugslokal in idyllischer Waldlage, gutbürgliche
deutsche Küche, frische Forellen
und eine große Auswahl an Wildgerichten

Tilman Riemenschneider Haus
Fuchshaller Weg 79,
37520 Osterode am Harz
Tel. (0 55 22) 7 46 76
Uriges Gasthaus in ruhiger Lage
am Waldrand, toller Blick über
die roten Dächer von Osterode,
klassische deutsche Küche.

ÜBERNACHTEN

► Luxus

Romantischer Winkel
Bismarckstraße 23,
37441 Bad Sachsa
Tel. (0 55 23) 30 40
Fax 30 41 22
Großzügige Hotel-
anlage mit fünf
verschiedenen Häusern,
die jeglichen Komfort
bieten. Sensationelle Wellness-
Therme mit umfangreichen
Angeboten. Viele Freizeitangebote,
Golf und Tennis in der Nähe des
Hauses.

► Komfortabel

Viktoria Luise
Hasselfelder Straße,
38889 Blankenburg
Tel. (0 39 44) 9 11 70
Fax 91 17 17
www.viktoria-luise.de
Liebevoll restaurierte Jugendstilvilla
aus dem Jahr 1893, die einen herrlichen Blick auf Schloss und Barockgarten bietet. Das sehr freundlich
und persönlich geführte Hotel bietet
seinen Gästen behagliche, stilvoll eingerichtete Zimmer, gediegene Restauranträume und einen gemütlichen
Weinkeller.

► Günstig

Zum Prinzen
Goslarsche Straße 20,
38678 Clausthal-Zellerfeld
Tel. (0 53 23) 9 66 10, Fax 96 61 10
www.zum-prinzen.de
Kleines Hotel in einem alten, holz-
verkleideten Harzer Haus. Der
freundliche Familienbetrieb bietet
wohnliche, individuell eingerichtete
Zimmer.

Braunlage   Der beliebte Kur- und Wintersportort Braunlage liegt im Mittelpunkt des Harzes. Er wird vom 971 m hohen Wurmberg überragt
(Kabinenseilbahn). An seinem Osthang sind Reste einer **frühgeschichtlichen Kultstätte** erhalten. Hohegeiß, ebenfalls ein beliebter
Kur- und Wintersportort, liegt 6 km südlich in 642 m Höhe.

Von West nach Ost im Unterharz

✳
Brocken   Die Besteigung des **höchsten Berges des Harzes** (1142 m ü. d. M.) ist
auf verschieden langen Wanderwegen möglich. Ausgangspunkte sind
u. a. Torfhaus (östlich von Altenau:
Goetheweg), Schierke (drei verschiedene Routen), Bad Harzburg
oder Ilsenburg. Auf dem kahlen
Brockengipfel informiert das **Bro-
ckenmuseum** über die Geschichte
des Bergs und des Nationalparks.
Die Chance, die viel gerühmte
Fernsicht (bis 125 km im Umkreis)
zu genießen, ist sehr gering, denn
über 300 Tage im Jahr ist der Berg
umwölkt bzw. umnebelt.

> ❗ *Baedeker* TIPP
>
> **Brockenherberge**
> Auf dem Brocken steht der 1935/36 erbaute und
> damit wohl älteste Fernsehturm der Welt.
> Ursprünglich war er 52 m hoch. Nach dem
> Umbau und der Verbannung der Sendetechnik
> sind hier nun u. a. eine Herberge und ein Café zu
> Hause (Zimmerreservierung: Tel. 03 94 55/120).

✳
**Tropfsteinhöhlen
Rübeland**   Rübeland liegt im bis zu 80 m tief eingeschnittenen Tal der Bode.
Baumannshöhle und Hermannshöhle, 1536 bzw. 1866 entdeckt, ge-
hören zu den **schönsten Tropfsteinhöhlen in Mitteleuropa**.

Die Burg Regenstein (3 km nördlich von Blankenburg) entstand im
12.–14. Jh. und ist die **älteste deutsche Felsenburg**. Nach 1671 wurde sie zu einer preußischen Festung ausgebaut und 1758 geschleift.
Erhalten sind Teile eines runden Bergfrieds, verschiedene in den Felsen gehauene Räume sowie Reste von Kasematten. Alljährlich finden
hier am ersten Augustwochenende Ritterturniere statt.

**Kloster
Michaelstein**   4 km nordwestlich von Blankenburg liegt hinter dem Ortsteil Oesig
das im 12. Jh. erbaute ehem. Zisterzienserkloster Michaelstein. Während des Bauernkriegs wurde die Klosterkirche zerstört, die Anlage
wenig später in eine Klosterschule umgewandelt. Im 18. Jh. bauten
die Blankenburger Herzöge den Westflügel zu einem Jagdschloss um.
Seit 1968 haben hier das Telemann-Kammerorchester und das Institut für Aufführungspraxis der Musik des 18. Jh.s ihren Sitz; in den
Räumen ist zudem ein **Musikinstrumenten-Museum** untergebracht.
Das Refektorium wird heute als Konzertsaal genutzt. Besuchenswert
ist auch der nach alten Vorbildern angelegte Klostergarten mit über
200 Zauber- und Heilkräutern.

✳
Teufelsmauer   Auf der Südostseite von Blankenburg beginnt die von mancher Sage
umwobene Teufelsmauer. Dieser schroff gezackte Sandsteinrücken,

erstreckt sich bis Timmenrode und taucht nach einer 3 km langen Unterbrechung bei Thale und Neinstedt sowie zwischen Gernrode und Ballenstedt wieder auf. Hier endet er unter der Bezeichnung »Gegensteine«.

Die einstige Eisenhüttenstadt Thale kauert sich in das enge Bodetal am nordöstlichen Harzrand, zwischen den steilen, sagenumwobenen Felsen namens Hexentanzplatz und Rosstrappe. Alljährlich wird in der Nacht vom 30. April zum 1. Mai auf dem Hexentanzplatz die Walpurgisnacht gefeiert.

Thale

In der Unterstadt von Thale steht hinter der Andreaskirche (16. Jh.) ein 22 m hoher Wohnturm aus dem 9. Jh., der Wendhusenturm. Im Hüttenmuseum (Walther-Rathenau-Straße 1) wird die Geschichte der Eisen- und Hüttenwerke gezeigt. Der Hexentanzplatz (451 m ü. d. M.; Personenschwebebahn) und die Rosstrappe (403 m ü. d. M.; Sessellift) waren vorgeschichtliche Kultplätze. Heute lädt das Bergtheater auf den Hexentanzplatz ein, das zu den **schönsten Naturbühnen Deutschlands** gehört.

✱
◄ **Hexentanzplatz**
✱
◄ **Rosstrappe**

Kalte und Warme Bode entspringen in den Hochmooren des Oberharzes am Südwesthang des Brockens. In Königshütte vereinen sie sich zur Bode, die auch Wasser in die Rappbodetalsperre abgibt. Anschließend fließt sie über Altenbrak und Treseburg, um bei Thale den Harz zu verlassen. Nach 169 km mündet sie bei Nienburg in die Saale und über die Elbe ins Meer. Ein landschaftlich **besonders schöner Flussabschnitt** liegt zwischen Thale und Treseburg (Wanderweg ca. 10 km); unterwegs kann man zur Rosstrappe und zum Hexentanzplatz aufsteigen.

✱
Bodetal

Hier lässt sich rasten: Von Altenaue geht ein einmaliger Blick hinüber zum Brockengipfel.

Gernrode

Die kleine, am Fuß des Stubenberges gelegene Kurstadt ist Ausgangspunkt der Selketalbahn. Hauptanziehungspunkt ist die ehem. Stiftskirche St. Cyriakus, die zu den **besterhaltenen romanischen Sakralbauten** der ottonischen Zeit in Deutschland gehört. Im Innern sind reich geschmückte Kapitele, eine Nachbildung des hl. Grabes (1050–1075) und der Gernroder Stützenwechsel (Pfeiler-Säule-Pfeiler) zu besichtigen.

✳
St. Cyriakus ►

✳
Selketal

Die Selke entspringt an der Westseite des 582 m hohen Rambergs in der Nähe von Stiege. Bei Meisdorf verlässt sie den Harz, um nach rund 70 km bei Hadersleben in die Bode zu münden. Vor allem im Abschnitt zwischen Alexisbad und Meisdorf gehört ihr Tal zu den reizvollsten des Harzes. Im Vergleich zum Bodetal ist es relativ breit und von schönen Wiesen ausgefüllt. Felsig gibt sich der Abschnitt zwischen Alexisbad, Mägdesprung und Scheerenstieg. Die 1887 eröffnete Selketalbahn folgt zwischen Güntersberge und Mägdesprung dem Flusslauf.

Selketalbahn ►

✳
Burg
Falkenstein ►

Wenige Kilometer südwestlich von Meisdorf, wo die Selke aus dem Harz austritt, überragt die zwischen dem 12. und 16. Jh. erbaute, niemals eroberte Burg Falkenstein das Selketal. Hier lebte zeitweise Eike von Repgow (1180–1233), der in seinem »Sachsenspiegel« das mündlich überlieferte **sächsische Gewohnheitsrecht** aufzeichnete. In der Burg befindet sich ein Museum für Kultur- und Jagdgeschichte. Etwas weiter flussaufwärts erhebt sich ebenfalls über dem rechten Selkeufer die Burgruine Anhalt (11.–15. Jh.).

Burg Falkenstein: Wo kann man schon mal einen Uhu streicheln?

Wegen ihres geschlossenen mittelalterlichen Stadtbildes wird die kleine ★
einstige Bergbau- und Residenzstadt Stolberg auch Perle des Südhar- **Stolberg**
zes genannt. Hier wurde der **Bauernkriegsführer Thomas Müntzer**
(1489–1525) geboren. Auf einem Bergsporn thront das Stolberger
Renaissanceschloss, einst eine mittelalterliche Burg, die im 16. und
17. Jh. ausgebaut wurde. Unterhalb davon erstreckt sich der schöne
Marktplatz mit dem Rathaus (1452). Ursprünglich besaß es 52 Fenster
mit 365 Scheiben; kurioserweise gibt es innen keine Treppe, man gelangt über die Treppe zur Martinikirche ins Obergeschoss. Im April
1525 predigte hier Luther gegen die Bauernerhebungen und Thomas
Müntzer. Die ehemalige Münze, ein prächtig geschmücktes Fachwerkhaus von 1535 (Thomas-Müntzer-Gasse 19), beherbergt das Heimatmuseum; zu sehen sind die alte Münzwerkstatt und eine Thomas-
Müntzer-Ausstellung. Dem Heimatmuseum ist das Alte Bürgerhaus
(um 1450; Rittergasse 14) mit sechs im Stil der Zeit eingerichteten
Räumen angeschlossen. Von der Lutherbuche genießt man einen
schönen Blick über Stadt, Schloss und die umgebende Landschaft.

Lohnend ist ein Ausflug auf den 579 m hohen Auerberg (5 km östlich
von Stolberg; vom beschilderten Parkplatz 20 Min. zu Fuß). Dort ★
steht das 38 m hohe, eiserne Josephskreuz, 1896 nach einem Entwurf ◄ Josephskreuz
von Friedrich Schinkel gefertigt. Von der Aussichtsplattform reicht auf dem Auerberg
der Blick bei guter Sicht vom Kyffhäuser im Süden bis zum Brocken
im Nordwesten.

Die 1357 erstmals erwähnte Heimkehle im Thyratal (10 km südlich ★
von Stolberg, zwischen Rotleberode und Uftrungen) ist Deutschlands **Heimkehle**
größte Gipssteinhöhle. 1944 wurde hier ein Rüstungsbetrieb eingebaut, in dem Häftlinge Flugzeugteile herstellen mussten.

Reiseziele im Harzvorland

►dort **Quedlinburg**

Das im nördlichen Harzvorland gelegene Halberstadt war bereits im **Halberstadt**
8. Jh. Bischofssitz und später Mitglied der Hanse. Bei Luftangriffen im
April 1945 wurde die alte Fachwerkstadt zu 80% zerstört. Ihr Wahrzeichen und ein Meisterwerk der norddeutschen Gotik ist der **Dom
St. Stephanus** (1240–1491). Beachtenswert sind u. a. das Taufbecken
am Haupteingang (1195), die Skulpturen auf den Pfeilerkonsolen
(15. Jh.), der spätgotische Lettner und die Triumphkreuzgruppe von
1205. Der Kreuzgang aus dem 13. Jh. beherbergt den berühmten
Domschatz, eine reiche Sammlung altchristlicher, byzantinischer und
mittelalterlicher Kunstschätze, darunter drei romanische Bildteppi-
che (Führungen).

Die Westseite des Domplatzes ziert die viertürmige **Liebfrauenkirche**
(12. Jh.), deren Chorschranken mit spätromanischen Stuckreliefs geschmückt sind. Das Städtische Museum in der ehemaligen Spiegel-
schen Kurie (1782) an der Nordseite des Platzes besitzt Sammlungen

zur Ur- und Frühgeschichte und zur Stadtgeschichte. In einem Seitenflügel befindet sich das Museum Heineanum mit einer umfangreichen Vogelsammlung.

✳ Gleimhaus

Im benachbarten Gleimhaus lebte der Dichter und Domsekretär Johann Wilhelm Ludwig Gleim (1719–1803) von 1747 bis zu seinem Tod. Heute ist hier eine von ihm angelegte Sammlung mit rund 135 Bildnissen berühmter Zeitgenossen zu sehen. Seine einstige Bibliothek sowie sein Schriftwechsel befinden sich im Neubau nebenan. Südöstlich vom Dom steht die **Marktkirche St. Martini** (13./14. Jh.) mit ihren unterschiedlich hohen Türmen. Vor dem neu erbauten Rathaus symbolisiert der über 500 Jahre alte steinerne Roland die städtischen Freiheiten von 1433.

Die byzantinische Konradschale gehört zum berühmten Domschatz in Halberstadt.

Am südlichen Stadtrand liegen die Spiegelsberge mit einem kleinen **Jagdschlösschen** (1753–1785; heute Gaststätte). Im Park befinden sich das Mausoleum des Bauherrn und ein kleiner Tierpark.

8 km nordwestlich von Halberstadt beginnt der Huy (= Höhe), ein 18 km langer **bewaldeter Bergrücken**.

✳ Huy

An Stelle der Huysburg wurde um 1084 ein Benediktinerkloster errichtet, dessen 1121 geweihte einstige Klosterkirche im 18. Jh. neu ausgestattet wurde.

Westerburg

In Westerburg zieht die gleichnamige Wasserburg die Besucher in ihren Bann, die **älteste erhaltene Wasserburg Deutschlands** (11. Jh.).

Hamersleben

Die Stiftskirche St. Pankratius (1. Hälfte 12. Jh.) in Hamersleben (22 km nördlich von Halberstadt) ist vor allem wegen ihrer Bauskulptur von herausragender Bedeutung. Dazu zählen u. a. Würfelkapitelle mit reichem figürlichem Schmuck, Chorschranken mit Stuckfiguren und eines der **ältesten romanischen Ziborien auf deutschem Boden**.

Lutherstadt Eisleben

In der ehemaligen Bergbaustadt Eisleben ist der berühmte **Reformator Martin Luther** (1483–1546) geboren und gestorben, woran u. a. das Lutherdenkmal am Marktplatz erinnert. Die Luther-Gedenkstätten gehören seit 1997 zum UNESCO-Weltkulturerbe. Hinter dem gotischen Rathaus steht die St. Andreaskirche (13. und 15. Jh.); von der so genannten Lutherkanzel predigte der Reformator noch kurz vor seinem Tod. Zu besichtigen sind sein Sterbehaus (Andreaskirchplatz 7) sowie sein Geburtshaus (Lutherstraße 16), in dem sich heute ein Luthermuseum befindet. In der etwas südlich gelegenen St.-Peter-und Paul-Kirche wurde er 1483 getauft. Die erste evangelische Kirche des Mansfelder Landes war die Bergmannskirche St. Annen, die die »Eisleber Steinbilderbibel« (29 Sandstein-Relieftafeln von 1585) bewahrt.

In Oberwiederstedt (15 km nördlich) wurde Freiherr G. Ph. Friedrich von Hardenberg (1772–1801) geboren, besser bekannt als Novalis. Das Geburtshaus des frühen Romantikers ist heute Kulturzentrum und Novalis-Museum.   **Oberwiederstedt**

Das Schloss in Mansfeld (15 km nordwestlich) war Stammsitz der Mansfelder Grafen. Die Schlosskirche (15. Jh.) besitzt einen schönen Flügelaltar aus der Cranach-Werkstatt (1520). Im Humboldtschlösschen in Hettstedt, 7 km nördlich von Mansfeld, erzählt eine Ausstellung die Geschichte des Mansfelder Kupferschieferbergbaus vom 12. Jh. bis zu seiner Stilllegung 1990.   **Mansfeld**

Über 6500 Rosenarten verbreiten ihren Duft im Rosarium in der alten Berg- und Rosenstadt Sangerhausen, zwischen dem südlichen Harzvorland und dem Kyffhäuser. Um den Marktplatz zeugen etliche schöne Patrizierhäuser (16.–18. Jh.), die gotische Pfarrkirche St. Jakobi (14./15. Jh.) mit ihrer sehenswerten Ausstattung, das im Kern spätgotische Rathaus (1431–1437) und das stattliche Neue Schloss (16. Jh.; heute Amtsgericht) von einstigem Bürgerstolz. Das Alte Schloss (im Südosten der Stadt) wurde im 13. Jh. zusammen mit der Stadtbefestigung erbaut; heute wird es von der Musikschule genutzt. Freunde der Romanik zieht es in die Stadtmitte, in die 1116–1223 erbaute einstige Klosterkirche St. Ulrich. Einen Besuch lohnt auch das Spengler-Museum (Bahnhofstraße 33), wo außer Exponaten zur Stadtgeschichte u. a. das Skelett eines Mammuts zu sehen ist.   **Sangerhausen**

> ! *Baedeker* TIPP
>
> ### Ein Höhepunkt unter Tage
>
> Für Leute mit Platzangst nicht zu empfehlen: eine Fahrt im Förderkorb in rund 300 m Tiefe. Ehemalige Kumpels des stillgelegten Röhrigschachts Wettelrode (bei Sangerhausen) erklären den Abbau des Kupferschiefers. Über die tausendjährige Bergbautradition informiert das Bergbaumuseum (Öffnungszeiten: Mi. bis So. 9.30–17.00 Uhr, Seilfahrten um 10.00, 11.15, 12.30, 13.45 und 15.00 Uhr).

In der Kapelle des Renaissanceschlosses von **Allstedt** (12 km südlich von Sangerhausen) hielt Thomas Müntzer am 13. Juli 1524 seine **berühmte »Fürstenpredigt«**. Heute beherbergt das Schloss ein Burg- und Schlossmuseum, u. a. mit der Kunstgusssammlung Carl Horn. In der romanischen Pfarrkirche St. Wigperti war Müntzer 1523/1524 Prediger.

Kyffhäuser ▶

Das kleine Kyffhäusergebirge erhebt sich südlich des Harzes zwischen den fruchtbaren Tälern von Helme und Unstrut. Höchster Punkt ist der 477 m hohe Kulpenberg, auf dem ein 94 m hoher Fernsehturm mit Aussichtsplattform zum Rundblick einlädt.

Reichsburg Kyffhausen

Nur Reste sind von der romanischen Burg Kyffhausen erhalten. Sie war unter Heinrich IV. (1056–1106) zum Schutz der nahe gelegenen Kaiserpfalz Tilleda erbaut und später mehrfach erweitert worden. Mit insgesamt drei auf Terrassen übereinander gelagerten Burgen gehörte sie zu den **größten Höhenburgen Europas**. Ein kleines Museum informiert über ihre Geschichte. Das schon von weitem sichtbare Sandstein-Denkmal entstand 1896 im Auftrag der deutschen Kriegsvereine, sein 81 m hoher Turm ist zugänglich. Das Reiterstandbild erinnert an Wilhelm I., die Steinfigur im Felsenhof an Barbarossa (1152–1190).

Kaiserpfalz Tilleda

In Tilleda liegen auf dem Pfingstberg die Überreste des um 972 erstmals erwähnten kaiserlichen Hofes von Tilleda. Bis 1189 hielten hier fast alle deutschen Könige und Kaiser Hof.

Barbarossahöhle

Am Südwestrand des Kyffhäuser, zwischen Steinthaleben und Rottleben, wurde 1865 die Barbarossahöhle mit ihrer bizarren Karstlandschaft entdeckt.

Bad Frankenhausen

Bekannt ist die alte Salzstadt Bad Frankenhausen, heute Solbad, vor allem durch die **Entscheidungsschlacht im Bauernkrieg** 1525, die auf dem Schlachtberg (nördlich der Stadt) tobte. An den Kampf, bei

Das Kyffhäuserdenkmal mit dem thronenden Kaiser Barbarossa.

dem das zahlenmäßig überlegene Bauernheer unter Führung von Thomas Müntzer fast vollkommen niedergemacht wurde, wird im **Bauernkriegspanorama** erinnert, das in einem auffälligen Rundbau, im Volksmund auch Elefantenklo genannt, untergebracht ist.

Außerdem lohnt in Bad Frankenhausen ein Besuch des 1533 erbauten Renaissanceschlosses und einiger Bürgerhäuser aus der Blütezeit des Salzhandels.

Bedeutendstes Baudenkmal in Nordhausen ist der **gotische Dom zum hl. Kreuz** (12.–16. Jh.); am Marktplatz steht ferner das stattliche Rathaus (1610) mit dem 1717 aufgestellten Roland. In der Nordhäuser Traditionsbrennerei (Grimmelallee 11) erfährt man einiges über die Kunst des Kornbrennens. **Nordhausen**

Nördlich des Ortsteils Salza befand sich das Konzentrationslager Mittelbau Dora. Unter dem 304 m hohen Kohrnstein mussten in rund 50 unterirdischen Fabrikhallen von 1943 bis 1945 Häftlinge unter unmenschlichen Bedingungen V-1- und V-2-Waffen bauen. ◄ **Gedenkstätte Mittelbau Dora**

14 km nördlich von Nordhausen, in der Nähe von Neustadt, lohnt der Besuch der Burgruine Hohnstein (12. Jh.), **einst eine der größten Anlagen im Harz.** 1413 erwarben die Grafen von Stolberg die Burg und ließen sie zu einem Renaissanceschloss umbauen, das im Dreißigjährigen Krieg ausbrannte. 1908 entstand im äußeren Burghof ein romantisches Jagdschloss. Von hier oben genießt man einen weiten Rundblick. ✱ **Burgruine Hohnstein**

◄✱ Heidelberg

Atlasteil: S. 44 • A 4	**Bundesland:** Baden-Württemberg
Höhe: 110 m ü. d. M.	**Einwohnerzahl:** 139 000

Heidelberg ist viel besungene Universitätsstadt und alte Hauptstadt der Kurpfalz. Die Altstadt, die sich zwischen Fluss und Berge schmiegt, wird von der berühmten Schlossruine überragt. Die Stadt gilt als eine der Wiegen der deutschen Romantik, in der bedeutende Schriftsteller wie Arnim, Brentano, Eichendorff, Keller u. a. Anfang des 19. Jh.s zeitweise lebten und wirkten.

Im Jahr 1196 wurde der sich am Fuß einer Burg entwickelnde Ort erstmals urkundlich erwähnt. Die **Pfalzgrafen** machten ihn zu ihrer Residenz; 1386 gründete Pfalzgraf Ruprecht I. die Universität. Mit ihm begann auch die eigentliche Baugeschichte des Schlosses. 1689 und 1693 wurden im Pfälzischen Erbfolgekrieg Schloss und Stadt zerstört. Erst im 18. Jh. vollzog sich der Wiederaufbau der Stadt im Stil des Barock. Heidelberg ist Geburtsort des ersten deutschen Reichspräsidenten Friedrich Ebert (1871–1925). **Geschichte**

Sehenswertes in Heidelberg

⁎⁎
Schloss
Hoch über dem Dächergewirr der Altstadt erhebt sich majestätisch die Ruine des Heidelberger Schlosses, in dem fünf Jahrhunderte lang die Kurfürsten von der Pfalz (Wittelsbacher) regierten. Man gelangt vom Kornmarkt aus mit der Bergbahn oder über den Burgweg (Gehzeit 10–15 Min.) bzw. die kurvige Neue Schlossstraße zum terrassenartig angelegten, aus rotem Neckarsandstein erbauten Schloss, einem der edelsten Beispiele deutscher **Renaissance-Architektur**. Die einst glanzvolle Residenz blieb seit der Zerstörung durch die Franzosen (1689 und 1693) eine Ruine – nach Umfang, Lage und Schönheit die großartigste in Deutschland. Von der Großen Terrasse hat man einen besonders lohnenden Blick (Öffnungszeiten: tgl. 8.00–17.00 Uhr).

Ottheinrichsbau ►
An der Ostseite des Schlosshofs, in dem im Sommer Festspiele stattfinden, steht der Ottheinrichsbau (1557–1566), die bedeutendste Leistung der deutschen Frührenaissance; im Untergeschoss zeigt das **Deutsche Apothekenmuseum** Apothekeneinrichtungen, ein Labor und Arzneimittel des 18. und 19. Jh.s. An der Nordseite des Hofs sieht man den Gläsernen Saalbau (1544–1549), so genannt nach einem einstigen Spiegelsaal im ersten Stock, und den Friedrichsbau, eines der hervorragendsten Baudenkmäler der reifen deutschen Renaissance (1601–1607). An der Westseite steht der Frauenzimmerbau (um 1540) mit dem Königssaal. Etwas zurückliegend erkennt man den Bibliotheksbau (um 1520), und den gotischen Ruprechtsbau (um 1400). Ein Gang führt unter dem Friedrichsbau hindurch auf den Altan, der eine prächtige Aussicht auf die Stadt bietet.

! *Baedeker* TIPP

Romantische Blicke
Den schönsten Blick auf Alt-Heidelberg und das Schloss hat man vom Philosophengärtchen am Philosophenweg über dem Neckar. Hier betört nicht nur die Aussicht, sondern auch der Duft von Jasmin und Zitronen. Man erreicht ihn am besten vom nördlichen Ende der Theodor-Heuss-Brücke über den Albert-Ueberle-Weg.

Großes Fass ►
Links vom Friedrichsbau abwärts gelangt man in den Keller mit dem **berühmten Symbol der kurfürstlichen Weinseligkeit**: Das 1751 aufgestellte Fass mit einem Fassungsvermögen von 221 726 Litern war über eine Leitung mit dem Königssaal verbunden. Gegenüber erinnert ein Holzbild (um 1728) an den überaus trinkfesten Hofnarren Perkeo. Im Kellervorraum beeindruckt schon das mächtige so genannte Kleine Fass.

Hauptstraße
Spaziert man über die Hauptstraße, die vom Bismarckplatz bis zum Karlstor größtenteils als Fußgängerzone mit Geschäften, Cafés und Restaurants quer durch die Altstadt zieht, passiert man die meisten Sehenswürdigkeiten innerhalb der Altstadt.

Marktplatz
Am zentral gelegenen Marktplatz erhebt sich die Heiliggeistkirche (1400–1441), die einst als Begräbnisstätte der pfälzischen Kurfürsten

Eine der schönsten Perspektiven auf Heidelberg: das Schloss über der Altstadt und die alte Brücke über den Neckar

diente. Gegenüber der Südseite der Kirche steht das Haus Ritter, ein Renaissancebau von 1592. Am östlichen Ende des Marktplatzes entstand 1701–1703 das Rathaus. Vom südöstlich anschließenden Kornmarkt hat man einen schönen Blick auf das Schloss. Südlich des Kornmarkts zeigt das Dokumentationszentrum deutscher Sinti und Roma in der Bremeneckgasse 2 eine Ausstellung zum nationalsozialistischen Völkermord an dieser Bevölkerungsgruppe.

Hier in der Pfaffengasse 18 ist der erste deutsche Reichspräsident **Friedrich Ebert** (1871–1925) geboren. In der Gedenkstätte sind sein Leben und Wirken und die Ereignisse von der Jahrhundertwende bis zum Beginn der Weimarer Republik dokumentiert.

Friedrich-Ebert-Gedenkstätte

Am Karlsplatz ist im barocken Großherzoglichen Palais die **Akademie der Wissenschaften** untergebracht, deren Repräsentationsräume der Beletage wegen der erhaltenen historischen Möblierung zu den schönsten Innenräumen der Stadt gehören. Im weiteren Verlauf der Hauptstraße kommt man zum Völkerkundemuseum im ehemaligen Palais Weimar. Am östlichen Ende der Hauptstraße liegt das frühklassizistische Karlstor (1775), dessen Kellerbauten einst Gefängnis waren.

Östlich des Marktplatzes

Die auch als »Alte Brücke« bekannte Karl-Theodor-Brücke (1786–1788) mit ihrem zweitürmigen Brückentor nördlich des Markts bietet eine schöne Aussicht auf Altstadt und Schloss.

Karl-Theodor-Brücke

▶ HEIDELBERG ERLEBEN

AUSKUNFT

Tourist-Information am Hauptbahnhof
69115 Heidelberg
Tel. (0 62 21) 1 94 33, Fax 16 73 18
www.heidelberg.de

ESSEN

► Fein & Teuer

④ *Schwarz Das Restaurant*
Kurfürsten-Anlage 60,
69115 Heidelberg
Tel. (0 62 21) 75 70 30
Schick durchgestyltes Restaurant im 12. Stock der Print Media Academy, grandioser Blick auf Heidelberg, klassische französische Küche vom Feinsten, erstklassiger Service. Reservierung ratsam.

► Erschwinglich

② *Goldene Sonne*
Hauptstraße 170,
69117 Heidelberg
Tel. (0 62 21) 8 93 57 64
Mitten in der Fußgängerzone liegt das elegant-moderne, in warmen Erdtönen gehaltene Restaurant, in dem deutsche Küche mit internationalem Flair serviert wird.

③ *Piccolo Mondo*
Klingenteichstraße 6,
69117 Heidelberg
Tel. (0 62 21) 60 29 99
Charmantes Ristorante mit mediterranem Ambiente, feine Küche.

► Preiswert

① *Alt-Heidelberger Brauhaus*
Steingasse 9,
69117 Heidelberg
Tel. (0 62 21) 16 58 50
Deftige Hausmannskost wie Pfälzer Saumagen, dazu würziges Bier und urige Atmosphäre.

ÜBERNACHTEN

► Luxus

③ *Der europäische Hof – Hotel Europa*
Friedrich-Ebert-Anlage 1,
69117 Heidelberg
Tel. (0 62 21) 51 50, Fax 51 55 06
www.europaeischerhof.com
Gediegener Luxus, wohin das Auge blickt! Imposantes Grand-Hotel mit herrlichen, individuell gestalteten Zimmern und Suiten. Eine schöne Gartenanlage, Restaurant, Schwimmbad, Sauna und Wellnessbereich runden das edle Angebot ab.

① *Die Hirschgasse*
Hirschgasse 3, 69120 Heidelberg
Tel. (0 62 21) 45 40, Fax 45 41 11
www.hirschgasse.de
Mit elegante Zimmern und Suiten im Laura-Ashley-Stil wartet das Gasthaus aus dem Jahre 1472 auf. Im Restaurant Le Gourmet speisen Sie vornehm zwischen Antiquitäten und Bildern.

► Komfortabel

② *Holländer Hof*
Neckarstaden 66, 69117 Heidelberg
Tel. (0 62 21) 6 05 00, Fax 60 50 60
www.hollaender-hof.de
Angenehmes Hotel garni in einem eindrucksvollen Biedermeierhaus, schöner Blick auf Neckar und Philosophenweg, großzügige und geschmackvoll möblierte Zimmer.

④ *Alt Heidelberg*
Rohrbacher Straße 29,
69115 Heidelberg
Tel. (0 62 21) 91 50, Fax 16 42 72
www.altheidelberg.bestwestern.de
Wohnliche Zimmer hinter einer schönen Jugendstilfassade. Die günstige Lage zur romantischen Altstadt lässt dieses Haus überzeugen.

Besonders amüsant auf dem Gelände der 1711 gegründeten Universität ist der Blick in den 1778–1914 benutzten Studentenkarzer, das Gefängnis für die Studenten. Hinter dem neuen Teil der Universität (1928–1931 erbaut) fällt im Hof der Hexenturm auf,

ein Teil der Stadtbefestigung aus dem 13. Jh. Gegenüber, an der Grabengasse, können in der Buchausstellung der Universitätsbibliothek u. a. die berühmte bebilderte **Manessische Liederhandschrift** aus dem 14. Jh. und der **Sachsenspiegel** (15. Jh.) betrachtet werden. Die kleine Peterskirche stammt aus dem 15. Jh. Das Prinzhorn-Museum (Eingang: Voßstraße 2) zeigt künstlerische Arbeiten von Geisteskranken, die der Arzt Hans Prinzhorn gesammelt hat.

◄ Prinzhorn-Museum

An der Hauptstraße westlich des Universitätsplatzes wurde im barocken ehemaligen Palais Morass das Kurpfälzische Museum mit kultur- und kunstgeschichtlichen Sammlungen eingerichtet. Hier sind u. a. der Windsheimer Zwölf-Boten-Altar von Tilman Riemenschneider, eine Emil-Nolde-Sammlung und der Abguss vom Unterkiefer des **»Homo Heidelbergensis«**, der vor ca. 600 000 Jahren lebte, ausgestellt. Im Erweiterungsbau im Garten des Museums hat der Heidelberger Kunstverein mit wechselnden Ausstellungen und Veranstaltungen zur Gegenwartskunst seinen Sitz.

✱ Kurpfälzisches Museum

Heidelberg Orientierung

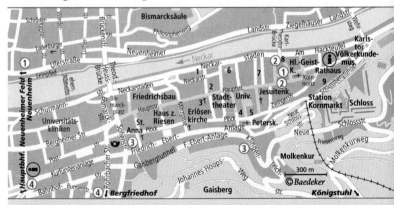

1 Kongresshaus/Stadthalle	7 Friedrich-Ebert-
2 Kurpfälzisches Museum	Gedenkstätte
3 Providenzkirche	8 Brückentor
4 Universitätsbibliothek	9 Großherzogliches
5 Hexenturm	Palais
6 Marstall/Antikenmuseum	├──┼──┼──┤ Bergbahn

Essen
① Alt-Heidelberger Brauhaus
② Goldene Sonne
③ Piccolo Mondo
④ Schwarz

Übernachten
① Die Hirschgasse
② Holländer Hof
③ Europäischer Hof Hotel Europa
④ Alt Heidelberg

Architektur- und Musikgenuss: Konzert im Rokokotheater von Schwetzingen

Neckarstaden

Antikenmuseum ▶

Zwischen Hauptstraße und Neckar erstrecken sich die engen Altstadtgassen. An den Neckarstaden am linken Flussufer liegt das als Marstall (16. Jh.) bekannte Zeughaus. Die Neuen Kollegiengebäude am Marstallhof belegt das Antikenmuseum, dessen Hauptattraktion die **Abgusssammlung berühmter Kunstwerke** vieler bedeutender Museen der Welt ist. Weiter flussabwärts am Ende der Bienenstraße liegt das Kongresshaus Stadthalle Heidelberg (1901) unmittelbar bei der Anlegestelle der Neckar-Personenschiffe.

Philosophenweg

Über dem rechten Neckarufer zieht sich am 443 m hohen Heiligenberg der Philosophenweg entlang. An der Flanke des Berges befindet sich eine 1934 angelegte Thingstätte; oben erhebt sich die Ruine der aus dem 9. Jh. stammenden **Michaelsbasilika**. Auf der nördlichen Neckarseite liegen weiter westlich auch der Tiergarten (Tiergartenstraße), der Botanische Garten (Hofmeisterweg) und die Universitätskliniken.

Umgebung von Heidelberg

✳ Königstuhl

Östlich von Heidelberg bietet der 568 m hohe Königstuhl eine weite Aussicht auf Rheinebene, Neckartal und Odenwald.

Mauer

Südöstlich von Heidelberg wurde bei Mauer (Zufahrt über Neckargemünd) der **Heidelberger Urmensch** gefunden. Dies dokumentiert das Urgeschichtliche Museum.

✳ Schwetzingen

Etwa 12 km westlich von Heidelberg liegt in der Rheinebene die durch ihren **Spargelanbau** bekannte Stadt Schwetzingen. Sie war im 18. Jh. Sommerresidenz der pfälzischen Kurfürsten und besitzt ein berühmtes Schloss aus jener Zeit; etwa 40 Zimmer sind zu besichtigen. Im 73 ha großen Schlossgarten, einem einmaligen, im 18. Jh. geschaffenen Park in englischem und französischem Stil, stehen zahlreiche sehenswerte Bauten, darunter ein Rokokotheater (1746–1752) von Nicolas de Pigage, in dem im Mai und Juni Festspiele stattfinden, sowie eine Moschee (1778–1795), außerdem kleine Tempel, ein Badehaus, ein römisches Wasserkastell u. a.

Hockenheim

Auf der ganzen Welt kennt man das Städtchen Hockenheim, aber kaum durch seine zahlreichen Sehenswürdigkeiten, sondern durch die **Grand-Prix-Rennstrecke** (Motodrom); im Motor-Sport-Museum sind eine große Anzahl Motorräder, Rennwagen, eine Multi-Media-Schau und eine Dokumentensammlung zu sehen. Im Ortszentrum (Obere Hauptstraße 8) befindet sich außerdem ein Tabakmuseum.

✶ Unteres Neckartal

Der Neckar fließt bei Heidelberg in die Rheinebene. Mittelalterliche Städtchen, die sich an die Flussufer schmiegen und von Burgen und Burgruinen überragt werden (z. B. Dilsberg, Hirschhorn oder Neckarsteinach), Buntsandstein und Wälder prägen den rund 100 km langen Abschnitt des Neckartals zwischen Heidelberg und ►Heilbronn.

Heilbronn

Atlasteil: S. 52 • B 1 **Bundesland:** Baden-Württemberg
Höhe: 159 m ü. d. M. **Einwohnerzahl:** 119 000

Die 741 erstmals urkundlich erwähnte ehemalige Freie Reichsstadt Heilbronn ist Zentrum eines bedeutenden Weinbaugebiets und wichtiger Industrie- und Handelsplatz mit dem siebtgrößten Binnenhafen der Bundesrepublik. Die Altstadt auf dem rechten Flussufer wurde im Zweiten Weltkrieg fast völlig zerstört; es blieben nur wenige historische Bauten erhalten.

Sehenswertes in Heilbronn

Rathaus

Am Marktplatz steht das nach Renaissancevorbildern wieder hergestellte Rathaus mit einer prachtvollen **astronomischen Kunstuhr** von 1580. Das Robert-Mayer-Denkmal erinnert an den 1814 in Heilbronn geborenen Arzt und Physiker, der das Gesetz von der Erhaltung der Energie entdeckt hat.

✶ Kilianskirche

Die nahe Kilianskirche stammt aus dem 13. und 15. Jh.; der 62 m hohe Turm wurde 1513–1529 errichtet. Im Inneren ist der geschnitzte Hochaltar (1498) von Hans Seyfer besonders beachtenswert. An der südlichen Außenseite der Kirche steht der Siebenröhrenbrunnen, der als alemannisches Quellheiligtum der Stadt ihren Namen gegeben hat.

▶ HEILBRONN ERLEBEN

AUSKUNFT

Tourist-Information
Kaiserstraße 17, 74072 Heilbronn
Tel. (0 71 31) 56 22 70, Fax 56 31 49
www.heilbronn.de

ESSEN

▶ Erschwinglich

Alter Dorfkrug
Mühlbachstraße 2, 74078 Heilbronn
Tel. (0 71 31) 89 93 70
Reizendes Gasthaus mit bodenständiger schwäbischer Küche, die aus marktfrischen Produkten hergestellt wird. Schöne Terrasse!

Les Trois Sardines
Mönchseestraße 57, 74072 Heilbronn
Tel. (0 71 31) 99 37 99
Speisen wie in der Provence – das kleine Restaurant weiß mit köstlicher südfranzösischer Küche und geschmackvollem mediterranem Ambiente zu begeistern.

▶ Preiswert

Rauers Weinstube
Fischergasse 1, 74072 Heilbronn
Tel. (0 71 31) 96 29 20
Zu Württemberger Weinen wird hier leckere schwäbische Hausmannskost serviert.

ÜBERNACHTEN

▶ Komfortabel

Insel-Hotel
Friedrich-Ebert-Brücke
74072 Heilbronn
Tel. (0 71 31) 63 00, Fax 62 60 60
www.insel-hotel.de
Auf einer kleinen Neckarinsel – dennoch zentrumsnah gelegen –, bietet das moderne Hotel viele Annehmlichkeiten wie Restaurant, Schwimmbad, Fitnessbereich und eine schöne Gartenanlage.

Park-Villa
Gutenbergstraße 30, 74072 Heilbronn
Tel. (0 71 31) 9 57 00, Fax 95 70 20
www.hotel-parkvilla.de
Ruhig in einem Park gelegenes Hotel garni in einer prachtvollen Jugendstilvilla mit persönlicher Note, ganz unterschiedlich eingerichtete Zimmer, viele Antiquitäten.

▶ Günstig

Ibis im Neckarturm
Bahnhofstraße 5, 74072 Heilbronn
Tel. (0 71 31) 5 94 40, Fax 5 94 43 33
www.city-hotel.de
Moderne, praktische Zimmer in einem zweckmäßig ausgestatteten Hotel.

Die Nordseite des Marktplatzes wird vom Rathaus dominiert, dessen Giebel eine astronomische Uhr schmückt.

Südwestlich vom Markt kommt man zum Deutschordensmünster St. Peter und Paul (ursprüngl. 13. und 18. Jh.) und dem im Jahr 1950 wieder errichteten Deutschhof, Heimstatt der Städtischen Museen, der Städtischen Galerie und des Stadtarchivs.

Das ursprünglich 1598 errichtete Fleisch- und Gerichtshaus nahebei beherbergt das Naturhistorische Museum. Auf dem kleinen Platz davor steht das **Käthchendenkmal**.

Naturhistorisches Museum

Hier im Götzenturm lässt Goethe wider die historische Wahrheit seinen Götz von Berlichingen sterben – tatsächlich starb der Ritter 1562 auf der Burg Hornberg am Neckar.

Götzenturm

Nordöstlich des Stadtgebiets erhebt sich der Wartberg (308 m ü. d. M.), der mit Aussichtsturm und Café-Restaurant zu einem beliebten Ausflugsziel geworden ist. Eingebettet in die Reblandschaft verläuft hier der **Wein-Panorama-Weg** mit Weinbauausstellung und historischer Baumkelter.

Wartberg

Umgebung von Heilbronn

Am rechten Neckarufer liegt Neckarsulm (gesprochen Neckar-Sulm), bestens bekannt als Audi-Standort. Im ehemaligen Deutschordensschloss ist das Deutsche Zweiradmuseum untergebracht.

Neckarsulm

11 km neckarabwärts erreicht man Bad Friedrichshall, wo seit 1815 Salz gefördert wird. Interessante Einblicke in den Salzabbau vermittelt das Besucherbergwerk in Friedrichshall-Kochendorf.

Bad Friedrichshall

Die **größte Weinbaugemeinde Württembergs** ist Brackenheim, 14 km südwestlich von Heilbronn. Außer für seinen Wein ist der Ort aber auch bekannt als Geburtsstadt des ersten Bundespräsidenten Theodor Heuss (1884–1963), dem das im Sommer 2000 eröffnete Museum im Obertorhaus gewidmet ist.

Brackenheim

Rund 15 km nördlich von Heilbronn kommt man zu dem alten Städtchen Bad Wimpfen. Der Stadtteil Wimpfen im Tal ist von einer niedrigen Mauer umschlossen. Beachtung verdient die prächtige **Ritterstiftskirche St. Peter** aus dem 13.–15. Jh. mit einem schönen Kreuzgang und einer Westfassade aus dem 10. Jh., eine frühe Schöpfung der deutschen Gotik. Über dem steilen Talrand liegt der Stadtteil Wimpfen am Berg mit vielen

★
Bad Wimpfen

> **!** *Baedeker* TIPP
>
> **Kenner trinken Württemberger**
>
> ... heißt es in der Werbung. Damit alle in den Genuss der Weine kommen, stellt die Weininfothek in Brackenheim Erzeugnisse der Umgebung vor und gibt Gelegenheit zum Verkosten.
> Wer einen exklusiven Veranstaltungsort in Heilbronn sucht, sollte sich die Wein Villa in der Cäcilienstraße vormerken. (Tel. 0 71 31/67 67 12, www.wein-villa.de).

Als Götz von Berlichingen hier seine Memoiren verfasste, war es einsamer: Blick von Burg Hornberg.

alten Fachwerkbauten. Er zeigt mit Toren und Türmen noch heute ein eindrucksvolles altertümliches Bild. Die Silhouette wird von dem massigen viereckigen Roten Turm (13. Jh.) und dem 55 m hohen Blauen Turm geprägt. Am Markt liegt die Stadtkirche, deren Chor um 1300 und deren Langhaus 1468–1516 gebaut wurde. Die Kreuzigungsgruppe schuf Hans Backoffen im frühen 16. Jh. Nahe beim Rathaus birgt der Wormser Hof ein Puppenmuseum (Puppen ab 1860). Im Kronengässchen (Haus Nr. 2) präsentiert das **originelle Glücksschwein-Museum** ca. 8000 Exponate.

Burgen am Neckar

Nördlich von Wimpfen folgen am Neckar eine Reihe von z. T. gut erhaltenen Burgen, so die Stauferruine Ehrenberg, das oberhalb von Gundelsheim thronende Deutschordensschloss Horneck (Heimatmuseum), die besonders schöne, oberhalb von Neckarzimmern gelegene Burg Hornberg, in der Götz von Berlichingen seine Memoiren verfasst hatte, sowie das aus dem 15. Jh. stammende Schloss Zwingenberg bei der gleichnamigen Ortschaft. Nahezu vollständig erhalten und deshalb auch besonders interessant ist **Burg Guttenberg** (12.–18. Jh.), etwas abseits bei Neckarmühlbach. Eine weitere Attraktion dort ist die **Deutsche Greifenwarte** mit über 100 Greifvögeln, von denen einige täglich vorgeführt werden. Weiter neckarabwärts folgt Burg Hirschhorn (▸Heidelberg, Umgebung).

Deutsche Greifenwarte ▸

Sinsheim

In Sinsheim, 36 km nordwestlich von Heilbronn, ist das **Auto- und Technikmuseum** die Attraktion schlechthin. Es zeigt Europas größte permanente Formel-1-Ausstellung und darüber hinaus zivile und militärische Gefährte, über 300 Oldtimer und 60 Flugzeuge, darunter eine Concorde der Air France und eine russische Tupolev TU-144, die beiden großen Konkurrenten um die erste Überschallgeschwindigkeit eines zivilen Flugzeugs aus den 1960er-Jahren.

✳ Helgoland

Atlasteil: S. 6 • A 3
Inselfläche: 2,1 km²

Bundesland: Schleswig-Holstein
Bewohnerzahl: 1800

»Grün ist das Land, rot ist die Kant, weiß ist der Sand, das sind die Farben von Helgoland« heißt es, und damit wird verwiesen auf die kräftige Tönung der Felsen aus rotem Buntsandstein, die Grünflächen der Insel und den weißen Sand der »Düne«. Helgoland ist ein beliebtes Ausflugsziel, die reine Seeluft und moderne Kureinrichtungen machen es auch zu einem geschätzten Seeheilbad.

Die Insel Helgoland liegt in der Nordsee bzw. der Deutschen Bucht, **Lage** etwa 70 km von der Elbmündung entfernt und ca. 50 km westlich der Halbinsel Eiderstedt.

Schiffsverbindungen das ganze Jahr über bestehen von Cuxhaven aus, während der Saison (April bis Okt.) u. a. auch von Wilhelmshaven, Bremen-Vegesack und Bremerhaven sowie von zahlreichen Nordseebädern. Die Anreise von Cuxhaven dauert gut drei Stunden; bei Tagesausflügen beträgt der Inselaufenthalt im Allgemeinen sechs Stunden. Von Hamburg via Wedel und Cuxhaven fahren auch schnelle Katamarane.

Die kleinen Börteboote bringen Besucher von den Seebäderschiffen auf die Insel.

▶ HELGOLAND ERLEBEN

AUSKUNFT

Helgoland Touristik
Lung Wai 28
27498 Helgoland
Tel. (0 47 25) 81 37 11
Fax 81 37 25
www.helgoland.de

ESSEN

▶ Erschwinglich

Galerie
Am Südstrand 2 (im Hotel Insulaner)
27498 Helgoland
Tel. (0 47 25) 8 14 10
Feine Helgoländer Spezialitäten und
internationale Klassiker werden hier
zwischen vielen Gemälden und zahlreichen Skulpturen serviert.

▶ Preiswert

Bunte Kuh
Hafenstraße 1018
27498 Helgoland
Tel. (0 47 25) 81 13 43
Rustikales Ambiente und leckerer
Fisch!

Störtebeker
Steanaker 365
27498 Helgoland
Tel. (0 47 25) 6 22
In der gemütlichen Gaststube ser-
viert die Chefin leckeren Fisch und
Steaks.

ÜBERNACHTEN

▶ Luxus

Atoll Helgoland
Lung Wai 27
27498 Helgoland-Unterland
Tel. (0 47 25) 80 00, Fax 80 4 44
www.atoll.de
Nahe am Meer gelegenes, super-
modernes Design-Hotel mit allem,
was einen Urlaub angenehm macht.
Schwimmbad, Sauna und Fitnessclub.
Im Restaurant »Atoll Seafood« wer-
den Sie mit köstlich zubereiteten
Fischspezialitäten verwöhnt.

▶ Komfortabel

Insulaner
Am Südstrand 2
27498 Helgoland-Unterland
Tel. (0 47 25) 8 14 10, Fax 81 41 81
www.insulaner.com
Ruhige, gepflegte Unterkunft an der
Uferpromenade (tolle Aussicht), zeit-
gemäße Zimmer, Sauna und Massage.

Haus Hanseat
Am Südstrand 21
27498 Helgoland-Unterland
Tel. (0 47 25) 6 63, Fax 74 04
www.helgoland.de/hotel/hanseat
Nahe der Landungsbrücke bietet das
erholsame Haus garni gepflegte und
solide möblierte Zimmer, schöne
Terrasse zur Promenade hin.

Helgoland gehört erst seit 1890 zu Deutschland – vorher war es im
Besitz Englands, das es mit Deutschland gegen die ostafrikanische Insel Sansibar tauschte. Die Insel wurde zu einem **Marinestützpunkt**
ausgebaut und diente im Zweiten Weltkrieg militärischen Zwecken.
1945 wurde sie bei einem Luftangriff schwer getroffen. Nach der
Sprengung des U-Boot-Bunkers war Helgoland Übungsziel der britischen Luftwaffe. Am 1. März 1952 wurde die Insel an Deutschland
zurückgegeben.

Helgolands Wahrzeichen ist der Felsen »Lange Anna«.

Sehenswertes auf Helgoland

Die Hauptinsel besteht aus dem Unter-, dem Mittel- und dem Ober- **Hauptinsel**
land; östlich liegt die kleine »Düne«. Im Unterland auf der Südostseite pulsiert das Helgoländer Leben mit Kurhaus, Rathaus, den bunten
Hummerbuden, Hotels und Pensionen. Weiter nördlich kann man
im Seewasseraquarium des Instituts für Meeresbiologie Fische gucken. Das Oberland, mit dem Unterland durch einen Aufzug und eine Treppe verbunden, ist ein aus dem Meer aufragendes, 1500 m langes und bis 500 m breites Felsdreieck, größtenteils flach und grün be-
wachsen. An seiner Ostseite liegt die Ortschaft Helgoland mit der
St.-Nikolai-Kirche und der Vogelwarte. Der ehemalige Flakturm im
Westen des Orts ist nun Leucht-
turm. An der Nordspitze (Nordhorn) ragt frei und 48 m hoch die
»Lange Anna« auf, das felsige
Wahrzeichen Helgolands. Der Lum-
menfelsen wird von Lummen,
Basstölpeln und anderen Seevögeln
bewohnt. Etwa 1,5 km östlich vom
Unterland liegt, von diesem durch
einen Meeresarm (Fährverbindung)
getrennt, die Insel »Düne«. Hier
kann man am Südstrand und am
Nordstrand baden. Im östlichen
Teil liegt ein Flugplatz.

> ## ❗ *Baedeker* TIPP
>
> ### Lummensprung
>
> Ganz schön mutig sind die kleinen Lummen
> auf Helgolands Lummenfelsen, denn im Mai und
> Juni stürzen sich die Vögel, dem Nest kaum
> entkrochen, kopfüber hinab ins Meer. Wer das
> beobachten will, schließe sich am besten einer
> Führung des Vereins Jordsand an. Fernglas
> mitnehmen! (Näheres am Informationszentrum
> Hummerbude Nr. 35, tgl. 13.00–16.00 Uhr).

Hessisches Bergland

Atlasteil: S. 36 • A/B 2/3   **Bundesland:** Hessen

Das Hessische Bergland ist ein sehr waldreiches, von breiten Tälern durchzogenes Berg- und Hügelland, durch das u. a. Fulda, Werra, Eder, Schwalm und Nidda fließen. Das Bergland zieht sich im Süden bis Frankfurt am Main und im Norden noch über Kassel bis Hofgeismar hinaus, im Westen wird es vom Rheinischen Schiefergebirge begrenzt, im Osten vom Thüringer Becken und der Rhön.

Reiseziele im Hessischen Bergland

Witzenhausen

Ein **Blütenmeer von fast 150 000 Kirschbäumen** malt im Frühjahr das Tal von Witzenhausen aus. Die im Mittelalter gegründete Stadt, 30 km östlich von ▶ Kassel, besticht durch ihre vielen alten Fachwerkhäuser. Zwei Türme sind von der alten Stadtmauer (15. Jh.) erhalten, sehenswert sind zudem das Renaissance-Rathaus und die Liebfrauenkirche mit Wandmalereien aus dem 16. Jh.

✴
Melsungen

Knapp 30 km südlich von Kassel kann man einen Besuch der malerischen Altstadt von Melsungen mit einer Besichtigung von Burg und Stadt Spangenberg verbinden. Über eine wuchtige mittelalterli-

Vor allem die schönen Landschaften schätzen Urlauber am Hessischen Bergland.

▶ HESSISCHES BERGLAND ERLEBEN

AUSKUNFT

Hessen Touristik Service e.V
Abraham-Lincoln-Straße 38,
65189 Wiesbaden
Tel. (06 11) 77 88 00, Fax 7 78 80 40
www.hessen-tourismus.de

ESSEN

► Erschwinglich

Léger
Friedrich-Wilhelm-Straße 2,
37269 Eschwege
Tel. (0 56 51) 7 44 40
Elegantes Restaurant mit gehobener
regionaler Küche.

Zum Stern
Linggplatz 11 (im Romantik Hotel),
36251 Bad Hersfeld
Tel. (0 66 21) 18 90
Schon die Gebrüder Grimm wussten
dieses Hauses zu schätzen. Saisonal
orientierte, regionale Küche.

► Preiswert

Zum Schäferhof
Ziegenhainer Straße 30,
36304 Alsfeld-Eudorf
Tel. (0 66 31) 9 66 00
In schöner Fachwerkhausatmo-
sphäre wird in einer gemütlichen
Gaststube leckere gutbürgerliche
Küche aufgetischt.

ÜBERNACHTEN

► Luxus

Steigenberger
Horststraße 1, 63619 Bad Orb
Tel. (0 60 52) 8 80, Fax 8 81 35
www.bad-orb.steigenberger.de
Erholung pur verspricht dieses Hotel
am Kurpark mit direktem Zugang
zum benachbarten Thermalsole-Be-
wegungsbad. Sportangebot von Reiten
bis Tennis, hochwertig ausgestattete
Zimmer, ausgezeichnetes Restaurant.

► Komfortabel

Am Kurpark
Am Kurpark 19, 36251 Bad Hersfeld
Tel. (0 66 21) 16 40, Fax 16 47 10
www.kurparkhotel-badhersfeld.de
Reizendes Haus, geschmackvoll eingerichtete Zimmer, tolle Ausstattung.
Schwimmbad, Sauna und das hauseigene Solebad Römertherme sorgen
für einen entspannten Aufenthalt.

► Günstig

Klingelhöffer
Hersfelder Straße 47, 36304 Alsfeld
Tel. (0 66 31) 9 11 02 43, Fax 9 11 84 13
www.klingelhoeffer.alsfeld.de
Ein Haus mit Vergangenheit. In der
ehemaligen Poststation des Städtchens
ist dieses freundliche, zeitgemäße
Hotel untergebracht.

che Bogenbrücke nähert man sich der Melsunger Altstadt, die besonders um das Rathaus und den Marktplatz ein geschlossenes Bild restaurierter Fachwerkhäuser bietet. Schloss und Schlosspark von Melsungen entstanden im 16. Jh. Über dem 8 km östlich gelegenen ◄ Spangenberg
Spangenberg thront eine Burg aus dem 13./16. Jh., heute **Jagdmuseum**, Hotel und Restaurant.

Der Ort an der Fulda ist besonders für seine Festspiele, die seit 1951 **Bad Hersfeld**
veranstaltet werden, bekannt. In der mittelalterlich anmutenden Fachwerkstadt wirkte Konrad Duden (1821–1911), der Begründer der ein-

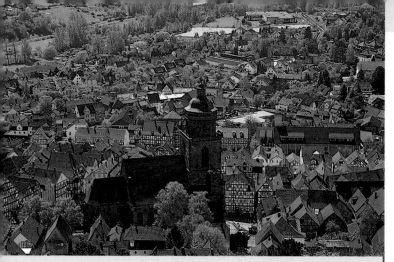

Fachwerkhäuser prägen das Bild von Homberg an der Efze.

✳ **Stiftsruine** ▶ heitlichen deutschen Rechtschreibung. Die imposante Ruine der 1761 von den Franzosen zerstörten Stiftskirche (11./12. Jh.) mit einem frei stehenden Glockenturm dient heute als Festspielstätte. In dem südlich angrenzenden ehemaligen Dormitorium ist das **Städtische Museum** untergebracht. Im Süden der Stadt dehnt sich der Kurbezirk aus.

✳✳ **Alsfeld** Alsfeld wurde dank der gut erhaltenen Fachwerkarchitektur Europäische Modellstadt für Denkmalschutz. Mittelpunkt der Altstadt ist der historische Marktplatz, dessen Ostseite das frei stehende **spätgotische Rathaus** (1512–1516) mit seinen von Helmen bekrönten Erkern schmückt, das zu den bedeutendsten Fachwerkbauten Deutschlands zählt. An der Nordseite des Platzes stehen rechts das 1538 erbaute Weinhaus, ein Steinbau mit Staffelgiebel, und links das Bückingsche Haus (Ende 16. Jh.). Westlich, gegenüber dem Rathaus, fällt das Stumpfhaus aus dem Jahr 1609 durch seine reiche Schnitzerei und Bemalung auf; der stattliche Renaissancebau in der Südecke des Marktes ist das Hochzeitshaus, an dem von 1564–1571 gebaut wurde. In der Rittergasse ist in zwei Häusern aus dem 17. Jh. das Regionalmuseum untergebracht. Hinter dem Rathaus beginnt die ebenfalls an Fachwerkhäusern reiche Fuldergasse, in der die Walpurgiskirche (13. bis 15. Jh.) ihre spätgotischen Wandmalereien präsentiert. Auf einem Hügel über der Schwalm, 2 km südlich des Stadtkerns, erhebt sich **Schloss Altenburg** (18. Jh.).

Am Nordrand des Vogelsbergs, im Städtchen **Lauterbach**, prunkt auf dem Marktplatz eine der schönsten

Rokokokirchen Hessens. Beachtenswert in der 1763–1767 entstandenen Kirche sind vor allem die Kanzelwand und die Orgelempore. Das **Schloss Hohhaus** beherbergt das Heimatmuseum.

Zum Hessischen Bergland gehört der Vogelberg im Süden, ein flacher Vulkankegel. Die strahlenförmige Anordnung der Lavaströme zeigt sich noch deutlich im Verlauf der Täler. Den Gipfel bedeckt der »Oberwald«, in dem Buchen und Eichen vorherrschen, mit dem 772 m hohen Taufstein als höchster Erhebung.

✶
Vogelsberg

Bad Orb im hessischen Spessart ist als Solbad bekannte. Hübsche Fachwerkhäuser bestimmen das Ortsbild. Das Stadtmuseum im Burgpalast zeigt u. a. eine Salinenausstellung.

Bad Orb

►Gießen, ►Kassel, ►Marburg, ►Waldecker Land

Weitere Ziele

✶ ✶ Hildesheim · Leinebergland

Atlasteil: S. 27 • C 3/4
Höhe: 91 m ü. d. M.

Bundesland: Niedersachsen
Einwohnerzahl: 110 000

Die Kirchenbauten des Bischofs Bernward (993–1022) und seiner Nachfolger haben Hildesheim zu einem Hauptort frühromanischer Kunst in Deutschland gemacht. Als einzigartige Zeugen dieser Epoche wurden Dom und Michaeliskirche zum UNESCO-Weltkulturerbe erklärt. Hildesheim ist Sitz einer Universität, mehrerer Fachhochschulen und verschiedener Landesbehörden. Der Hafen ist über einen 13 km langen Stichkanal mit dem Mittellandkanal verbunden.

Hildesheim erwuchs aus einer Kaufmannssiedlung des 8. Jh.s, bei der Kaiser Ludwig der Fromme um 815 den Dom errichten ließ. Im 11. Jh. unter den Bischöfen Bernward, Godehard und Hezilo erlebte der Ort, der nun Marktrecht erhielt, eine kulturelle Blüte. Neben den Meisterwerken kirchlicher Baukunst gaben viele Fachwerkhäuser dem Stadtbild **ein fast einzigartiges Gepräge**. Um 1220 entstand die Neustadt. Nach einer ersten Union von 1583 wurden Altstadt und Neustadt 1803 endgültig vereinigt. Ein Bombenangriff am 22. März 1945 legte die Altstadt in Schutt und Asche. So zeigt Hildesheim heute ein vorwiegend modernes Bild. Mit erheblichem finanziellen Aufwand wurden jedoch einzelne historische Straßenzüge rekonstruiert.

Geschichte

Sehenswertes in Hildesheim

Zwischen 1983 und 1990 wurde der Marktplatz in seiner historischen Form wieder hergestellt. Die Westseite beherrscht das ursprünglich 1529 erbaute Knochenhaueramtshaus, das angeblich **schönste »Holz-**

✶ ✶
Marktplatz

haus der Welt« (in den oberen Geschossen hat das Stadtmuseum seinen Sitz). Das Bäckeramtshaus daneben präsentiert sich heute wieder so wie um 1800. Gegenüber prunkt das spätgotische Rathaus. Einen wunderschönen Renaissanceerker besitzt das Tempelhaus (14./15. Jh.; Erker von 1591) an der Südseite.

Godehardikirche
Lappenberg

Vorbei an der Godehardikirche, eine der besterhaltenen romanischen Kirchen, gelangt man zum Mahnmal am Lappenberg, das an die **Judenverfolgungen** im Dritten Reich erinnert. Der nahe Kehrwiederturm (1465) ist der einzige erhaltene alte Befestigungsturm der Stadt.

Dom

Auf dem Kehrwieder- und Langelinienwall (die mit Lindenbäumen bepflanzten Wallanlagen umgeben weite Teile des Stadtkerns) geht es zum Dom. Der auf den Resten einer Basilika aus dem 9. Jh. zwischen 1054 und 1079 errichtete Bau wurde nach großen Kriegsschäden 1960 neu geweiht. Zu den **kostbarsten Kunstschätzen** gehören die Bronzetüren Bischof Bernwards von 1015, eine Christussäule von 1020 und der große Radleuchter über dem Altar (11. Jh.). An der Außenwand des Ostchors rankt der sagenumwobene »Tausendjährige Rosenstock«. Das benachbarte Diözesanmuseum bewahrt den Domschatz.

✳
Roemer-
Pelizaeus-
Museum

Glanzstück des Roemer-Pelizaeus-Museums ist die ägyptologische Sammlung. Daneben zeigt das Museum in seinem Neubau westlich vom Dom (Am Steine 1–2) eine in Europa hervorragende Alt-Peru-Sammlung sowie chinesisches Porzellan.

Die Michaeliskirche Hildesheim wurde zum UNESCO-Weltkulturerbe erklärt.

▶ HILDESHEIM · LEINEBERGLAND ERLEBEN

AUSKUNFT

Tourist-Information
Rathausstraße 20, 31134 Hildesheim
Tel. (0 51 21) 1 79 80, Fax 17 98 88
www.hildesheim.com

ESSEN

▶ Erschwinglich

Schlegel
Am Steine 4, 31134 Hildesheim
Tel. (0 51 21) 3 31 33
Urgemütliche Weinstube in einem
schmucken Fachwerkhaus von 1540.
Gehobene gutbürgerliche Küche,
täglich wechselnde Speisekarte.

▶ Preiswert

Knochenhauer Amtshaus
Markt 7, 31134 Hildesheim
Tel. (0 51 21) 2 88 99 09
Im schönsten Fachwerkhaus der Welt
genießen Sie bodenständige deutsche
Küche (Spezialität: Rindsrouladen)
und viel historisches Flair.

ÜBERNACHTEN

▶ Luxus

Le Méridien
Markt 4, 31134 Hildesheim
Tel. (0 51 21) 30 06 00
Fax 13 42 98
www.meridien-hildesheim.com
Die einmalige Lage am historischen
Markt verleiht dem altehrwürdigem
Hotel seinen Charme. Geschmack-
volle Einrichtung, moderne Ausstat-
tung, komfortable Zimmer, rustikales
Restaurant »Alte Gilde« und ein
herrlicher Spa-Bereich.

▶ Komfortabel

Dorint
Bahnhofsallee 38, 31134 Hildesheim
Tel. (0 51 21) 1 71 70
Fax 13 42 98
www.dorint.de
Elegantes Hotel, das die historische
Bausubstanz des Gebäudes mit mo-
dernen Elementen kombiniert.

Wie der Dom wurde die romanische Michaeliskirche unweit nördlich auf einer Anhöhe von der UNESCO 1985 zum **Weltkulturerbe**
der Menschheit erklärt. Im ursprünglich zwischen 1010 und 1033 errichteten Bau sind die bemalte Holzdecke des Mittelschiffs (Stamm-
baum Christi, 12. Jh.) und der Engels-Chor sowie in der Krypta der
Steinsarg des hl. Bernward besonders beachtenswert.

✶✶
Michaelis-
kirche

Leinebergland

Die Höhenzüge südwestlich von Hildesheim, darunter der Hildesheimer Wald (281 m ü. d. M.) und die Sieben Berge (398 m ü. d. M.) gehören zum Leinebergland, das sich
zwischen Weserbergland und Harz
erstreckt.

Mittelpunkt des Leineberglandes ist
Alfeld. Die teilweise noch mittelalterlich wirkende Altstadt wird be-

❓ WUSSTEN SIE SCHON ...?

■ dass die Sieben Berge bei Hildesheim Schauplatz des Märchens »Schneewittchen und die
sieben Zwerge« sein sollen?

herrscht von den Zwillingstürmen der **Pfarrkirche St. Nicolai**, einer im 15. Jh. erbauten dreischiffigen gotischen Hallenkirche (beachtenswert: Triumphkreuz, Taufstein und Sakramentshäuschen). Am Kirchhof steht die Alte Lateinschule (1610) mit reichem Figurenschmuck; heute ist hier das Stadtmuseum untergebracht. Exotische Tierpräparate können Sie nebenan im Tiermuseum bestaunen.

In **Einbeck** fühlen sich besonders Bierliebhaber zu Haus, denn der köstliche Gerstensaft wird in der ansässigen Brauerei schon seit 1378 gebraut. Vom Einbecker Bier (»ainpöckisch«) leitet sich übrigens die Bezeichnung »Bockbier« ab. Reste der alten Stadtbefestigung und viele Fachwerkhäuser aus dem 16. Jh. zieren die einstige Hansestadt. Am Markt steht das Rathaus (1550–1556) mit drei schiefergedeckten Türmen. Gegenüber ragen die Markt- oder Jakobikirche (13. Jh.) und etwas weiter nördlich die Münsterkirche (14./15. Jh.) auf. Das um 1600 erbaute Eickesche Haus (Ecke Marktstraße/Knochenhauerstraße) ist einer der schönsten Fachwerkbauten der Stadt.

✳ Bad Gandersheim Bad Gandersheim ist ein bekanntes **Solheilbad** etwa 15 km nordöstlich von Einbeck. Das Stadtbild wird von der romanischen Stiftskirche (Dom; 11. Jh.) beherrscht, an die sich nach Osten das um 1600 errichtete Abteigebäude mit schönem Renaissancegiebel und Kaisersaal von 1736 anschließt. An dem von Fachwerkhäusern gesäumten nahen Markt steht das Rathaus, ein reizvoller Renaissancebau, der die Moritzkirche einbezieht. Es beherbergt das Heimatmuseum. Der »Bracken« am Markt ist das älteste Bürgerhaus der Stadt (1473).

Hochrhein

Atlasteil: S. 59 • C/D 2   **Bundesland:** Baden-Württemberg

Als Hochrhein bezeichnet man den Abschnitt des Rheins vom Ausfluss aus dem ►Bodensee bis nach Basel. Er bildet auf weiten Strecken die Grenze zwischen Deutschland und der Schweiz.

Fahrt entlang des Hochrheins

Lörrach Schatzkästlein nicht des rheinischen Hausfreundes, sondern des Hochrheins ist die Große Kreisstadt Lörrach, Wirkungsstätte des Dichters Johann Peter Hebel (1760–1826). Die südlich des Alten Marktplatzes gelegene klassizistische Stadtkirche wurde 1815–1817 nach Plänen von Wilhelm Frommel errichtet (Kirchturm von 1514).

Das Museum am Burghof gegenüber im ehemaligen Pädagogium beherbergt neben naturhistorischen sowie vor- und frühgeschichtlichen Funden eine hervorragende Sammlung von Skulpturen und Malerei des 14.–19. Jh.s, ferner Erinnerungen an Johann Peter Hebel. Die Fridolinskirche im Stadtteil Stetten, eines der herausragenden Beispiele **klassizistischer Kirchenbaukunst** im deutschen Südwesten, entstand 1821–1823 nach den Plänen von Christoph Arnold.

Etwa 4 km nördlich von Lörrach thront auf einer bewaldeten Höhe die imposante Burgruine Rötteln (422 m ü. d. M.). Von der im Jahr 1259 erstmals erwähnten, **größten Burg im Oberbadischen** bietet sich ein ausgezeichneter Rundblick. Im Sommer finden hier Festspiele statt.

✷
◄ Burgruine Rötteln

Wer sich für moderne Architektur und Design interessiert, sollte das **Vitra Design Museum** und den dazugehörigen Architekturpark in Weil am Rhein (5 km südwestlich) besuchen. Das Museum ist in einem bemerkenswerten, von Frank Gehry konzipierten, weiß leuchtenden Zweckbau untergebracht und zeigt eine Fülle von interessanten Stühlen und Sesseln aus mehreren Jahrzehnten.

Weil am Rhein

Über Rheinfelden erreicht man 17 km flussaufwärts die Deutschordenskommende Beuggen, die im 13. Jh. gegründet und bis ins 18. Jh. weiter ausgebaut worden ist. Unweit nördlich liegt die **Tschamberhöhle**, wo es eine Quellgrotte und einen unterirdischen Wasserfall zu sehen gibt.

Beuggen

Moderne Formen im Vitra Design Museum bei Weil am Rhein

▶ HOCHRHEIN ERLEBEN

AUSKUNFT

Schwarzwald Tourismusverband e.V.
Ludwigstraße 23, 79104 Freiburg
Tel. (07 61) 2 96 22 60, Fax 2 92 15 81
www.schwarzwald-tourist-info.de

ESSEN

▶ Fein & Teuer
Adler
Hauptstraße 139,
79576 Weil am Rhein
Tel. (0 76 21) 9 82 30
In seinem elegant-gediegenen Restaurant bereitet Hansjörg Wöhrle meisterhaft klassische französische Küche zu. Auch die Weinkarte sorgt dafür, dass Gourmets hier glücklich werden. Reservierung ratsam.

▶ Erschwinglich
Gasthaus zur Krone
Rheinstraße 17,
79576 Weil-Märkt
Tel. (0 76 21) 6 23 04
In dem einladenden Gasthaus kommen in der gemütlichen Stube überwiegend regionale Fischspezialitäten auf den Tisch.

▶ Preiswert
Brauerei Walter
Hauptstraße 23,
79761 Waldshut-Tiengen
Tel. (0 77 41) 8 30 20

Bodenständige Küche in einem rustikalen Gasthaus, das seit 1909 seine Pforten geöffnet hat.

ÜBERNACHTEN

▶ Komfortabel
Parkhotel David
Turmstraße 24, 79539 Lörrach
Tel. (0 76 21) 3 04 10, Fax 8 88 27
www.parkhotel-david.de
Praktisches Etagenhotel (garni) in der Innenstadt, moderne, funktionelle Ausstattung.

Landgasthof Rebstock
Große Gass 30, 79576 Weil-Haltingen
Tel. (0 76 21) 96 49 60, Fax 9 64 96 96
www.rebstock-haltingen.de
In ruhiger Lage am Ortsrand schlafen Sie in hübschen Zimmern, teilweise mit Balkon. Ländlich-gediegenes Restaurant mit Gartenterrasse.

▶ Günstig
Villa Elben
Hünerbergweg 26,
79539 Lörrach
Tel. (0 76 21) 20 66, Fax 4 32 80
www.villa-elben.de
Charmantes Hotel garni in einer schmucken Villa mit eigener Parkanlage. Wohnliche, stilvoll möblierte Zimmer und die ruhige Lage garantieren für erholsamen Schlaf.

Bad Säckingen Weithin sichtbarer Blickpunkt im Stadtbild von Bad Säckingen ist das doppeltürmige **Fridolinsmünster**, im 13./14. Jh. errichtet und im 17./18. Jh. in üppigstem Barock ausgestattet. Hervorzuheben sind die wunderschönen Deckengemälde von Franz Joseph Spiegler und der wertvolle Kirchenschatz. An das Münster schließt das 1825 erbaute Palais Landenberg an, heute Rathaus. Die mit rund 200 m

Gedeckte Holzbrücke ▶ **längste gedeckte Holzbrücke Europas** (1571) überspannt südlich des Münsters den Rhein hinüber ans Schweizer Ufer. Von hier stadteinwärts kommt man am Deutschordensritterhaus, dem Rokokohaus und dem Haus »Zum Falken« vorbei. Im Schlosspark weiter südlich steht das im 16.–18. Jh. erbaute Schloss Schönau. Es beherbergt eine Erinnerungsstätte an Joseph Victor von Scheffel, ferner die **umfangreichste Trompetensammlung** Europas und eine Schwarzwälder Uhrensammlung. Das ebenfalls hier untergebrachte Hochrhein-Museum zeigt Funde aus vor- und frühgeschichtlicher Zeit. Nördlich des Zentrums erstreckt sich das Kurgebiet von Bad Säckingen.

? WUSSTEN SIE SCHON ...?

■ dass Bad Säckingen durch das Versepos »Der Trompeter von Säckingen« von Joseph Victor von Scheffel (1826–1886) berühmt geworden ist?

Laufenburg

Das mittelalterliche Städtchen (Klein-)Laufenburg, 9 km östlich von Bad Säckingen, bietet mit seinen engen Gässchen, Brunnen, Türmen, Toren und seinen traufständigen Bürgerhäusern ein malerisches Ortsbild. Es ist durch eine im Jahr 1207 erstmals erwähnte Rheinbrücke mit dem schweizerischen (Groß-)Laufenburg verbunden.

✳ Waldshut-Tiengen

Die malerische Altstadt von Waldshut gilt als der **Prototyp der von den Habsburgern konzipierten »Waldstadt«**. Sie wird von zwei mittelalterlichen Stadttoren geschützt. Die Straßen säumen schmucke Bürgerhäuser aus dem 16.–18. Jh, die teils wunderschöne Fassadenmalereien aufweisen, besonders entlang der Kaiserstraße zwischen dem Oberen und Unteren Stadttor.

Die längste gedeckte Holzbrücke Europas überspannt in Bad Säckingen den Rhein.

In Laufenburg fühlt man sich fast schon wie in der Schweiz.

Tiengen
Die zweite Hälfte der Doppelstadt, Tiengen, besitzt noch einen recht gut erhaltenen mittelalterlichen Stadtkern mit Schloss, einer schönen Barockkirche und etlichen schmucken, bemalten Bürgerhäusern.

✳
Eisenbahn-brücke ▶
Knapp 2 km südöstlich von Waldshut überspannt ein technisches Meisterwerk den Rhein, die 132 m lange, von Robert Gerwig konstruierte Eisenbahnbrücke nach Koblenz in der Schweiz.

Küssaburg
Etwa 8 km südöstlich von Tiengen thront auf dem waldigen, 629 m hohen Küssaberg die mächtige Ruine der 1634 zerstörten Küssaburg, von der sich ein **überwältigender Rundblick** bietet.

Hohenlohe ·Taubertal

Atlasteil: S. 45 • C/D 3/4   **Bundesland:** Baden-Württemberg

Das Hohenloher Land erstreckt sich zwischen Würzburg und Heilbronn bzw. Schwäbisch Hall. Es bietet einen reizvollen Wechsel zwischen fruchtbarer Hochebene mit großen Waldungen und den tief eingekerbten, an Burgen, Schlössern und altertümlichen Städtchen reichen Tälern von Kocher, Jagst und Tauber.

Kochertal · Jagsttal

Künzelsau
Museum Würth ▶
Was die meisten Besucher von nah und fern nach Künzelsau lockt, ist das Museum Würth (Reinhold-Würth-Straße 15), eine der großen deutschen Sammlungen für **zeitgenössische Kunst** mit Zeichnungen, Druckgrafiken und Skulpturen. Technikinteressierte finden

im Museum auch die Sammlung »Schrauben und Gewinde« sowie eine Übersicht über die Entwicklung dieser Technologie.
Eine Dependance des Museums befindet sich im nahen ►Schwäbisch Hall. Die Kunsthalle Würth zeigt Wechselausstellungen moderner Kunst in einem vom dänischen Architekten Henning Larsen entworfenen spektakulären Bau.

Das südlich des Kochertals gelegene Städtchen **Öhringen** überragt die ev. Stadtkirche, ehemals Stiftskirche St. Peter und Paul (1454–1501), die sehenswerte Grabdenkmäler des Hauses Hohenlohe enthält. Das **Renaissance-Schloss** gegenüber wurde 1610–1616 erbaut

> **!** *Baedeker* TIPP
>
> ### An Kocher und Jagst
>
> Das malerische Hohenlohe lernt man auf dem Kocher-Jagst-Radweg am besten kennen, etwa von Bad Friedrichshall an der Jagst entlang bis Kirchberg und zurück der Kocher folgend von Schwäbisch Hall wieder nach Bad Friedrichshall.

und bis 1782 mehrfach umgestaltet. Das kleine Motor-Museum zeigt eine Sammlung hochklassiger Sport- und Tourenwagen sowie Motorräder aus der Zeit zwischen 1945 und 1965.

Auch Neuenstein (4 km östlich) wartet mit einem Renaissance-Schloss auf, das aus einer Wasserburg des 12. Jh.s entstand. Das Hohenlohe-Museum im Schloss gibt einen Überblick über Kunst und Geschichte der Region Hohenlohe-Franken; besonders beeindruckend ist die mittelalterliche Küche. **Neuenstein**

Jagsthausen ging aus einem römischen Kastell am Limes hervor. Daran erinnert das Freilichtmuseum Römerbad in der Ortsmitte. Bekannt ist man aber als Heimat des Götz von Berlichingen. Sein Stammsitz ist die Götzenburg, wo man im Schlossmuseum das Original der **berühmten eisernen Hand** sehen kann. Das berühmte Zitat erklingt alljährlich im Schlosshof bei den Burgfestspielen. Im Jagsttal einige Kilometer flussaufwärts liegt das Kloster Schöntal (12. Jh.). **Jagsthausen**

◄ Götzenburg

Auf einem schmalen Bergrücken über der Jagst drängt sich das ummauerte Städtchen Langenburg. Das hiesige Schloss geht auf das 13. Jh. zurück und wurde 1575–1627 zur Residenz derer von Hohenlohe-Langenburg ausgebaut; besonders hervorzuheben ist der herrliche Renaissance-Innenhof (1610–1616). Im Marstall ist das **Deutsche Auto-Museum** untergebracht, das u. a. Personenwagen ab 1873 und Renn- sowie Sportfahrzeuge aus verschiedenen Ländern zeigt. **Langenburg**

Taubertal

Drei Bitterwasserquellen sowie eine Solequelle garantieren heute in Bad Mergentheim an der Romantischen Straße **regen Kurbetrieb**. Ein Schäfer entdeckte die Heilquellen 1826, und bald darauf begann man, den Ort zum Kurort auszubauen. Lange davor, nämlich schon   ★ **Bad Mergentheim**

1229, wurde Mergentheim Niederlassung des Deutschen Ordens, und 1525–1809 war es Residenz des Ordenshochmeisters. Heute ist in seiner einstigen Residenz, dem Deutschordensschloss (16. Jh.), ein Museum eingerichtet. Hinzu kommen eine Altertums-Sammlung und eine Sammlung historischer Puppenstuben. Durch den Schlosspark gelangt man in das am anderen Tauberufer gelegene Kurviertel. Der Erholungs- und Freizeitpark Solymar östlich davon bietet Wellen-, Mineral- und Sportbad sowie Sauna und **Kinderparadies**.

✳ **Deutschordens-schloss ►**

Solymar ►

● HOHENLOHE TAUBERTAL ERLEBEN

AUSKUNFT

Hohenlohe-Tourismus
Stauffenbergstraße 35
74523 Schwäbisch Hall
Tel. (07 91) 58 01 20, Fax 58 01 13
www.hohenlohe-tourismus.de

ESSEN

► Fein & Teuer
Zirbelstube
Poststraße 2, 97980 Bad Mergentheim
Tel. (07 9 31) 59 30
Holzvertäfelung, Gemälde und aufwändig gedeckte Tische bieten den Rahmen für die ausgezeichneten Gerichte der regional-deutschen Küche. Ausgezeichnete Weinkarte!

► Erschwinglich
Gourmetstüberl
Karlsvorstadt 4
(im Hotel Württemberger Hof),
74613 Öhringen
Tel. (07 9 41) 9 20 00
An der Fußgängerzone gelegen, können Sie in diesem eleganten Hotelrestaurant bei Kerzenschein gediegen speisen. Legerer geht's nebenan in der Kutscherstube zu.

► Preiswert
Zur Krone
Brückenstraße 1, 74249 Jagsthausen
Tel. (07 9 43) 9 10 90
Gemütliche Gaststube, gutbürgerliche Küche.

ÜBERNACHTEN

► Komfortabel
Bundschuh
Cronbergstraße 15,
97980 Bad Mergentheim
Tel. (07 9 31) 93 30, Fax 93 36 33
www.hotel-bundschuh.de
Eine ruhigen Aufenthalt in zeitgemäß ausgestatteten Zimmern bietet das familiengeführte Hotel garni. Dazu ein beachtenswertes Restaurant mit lecker zubereiteten regionalen Gerichten, viel mediterranem Flair und einer wunderschönen Gartenterrasse.

► Günstig
Sporthotel Öhringen
An der Lehmgrube 17,
74613 Öhringen
Tel. (07 9 41) 94 33 10, Fax 94 33 99
Zweckmäßige Zimmer zu günstigen Preisen. Restaurant, Sauna, Fitnessraum und Kegelbahn im Haus.

Badischer Hof
Am Sonnenplatz,
97941 Tauberbischofsheim
Tel. (09 3 41) 98 80, Fax 98 82 00
www.hotelbadischerhof.de
Das traditionsreiche Hotel aus dem Jahr 1733 bietet hinter der originalgetreuen Fassade wohnliche Zimmer mit moderner Ausstattung.

Nicht nur der hübsche Marktplatz zieht viele Besucher nach Bad Mergentheim, sondern vor allem die heilkräftigen Quellen und das Kurangebot.

Die Kirche des 6 km südlich gelegenen Stadtteils Stuppach beherbergt die berühmte Stuppacher Madonna, ein zwischen 1517 und 1519 geschaffenes Tafelgemälde von Matthias Grünewald. Im Stadtteil Hachtel, unweit südöstlich von Stuppach wurde Ottmar Mergenthaler (1854–1899) geboren, der nach Amerika auswanderte und 1884 die Linotype, die **erste brauchbare Setzmaschine**, erfand. Im Rathaus ist eine kleine Gedenkstätte eingerichtet.

★
◀ Stuppacher Madonna

Das malerische Weikersheim ist **Musterbild einer kleinfürstlichen Residenz** des 16. bis 18. Jh.s, Am barocken, durch seine Geschlossenheit beeindruckenden Markt findet man die spätgotische Stadtkirche und das Tauberländer Dorfmuseum, die größte Sammlung fränkischer Dorfkultur des Tauberlandes. Das Renaissanceschloss ist aus einer mittelalterlichen Wasserburg hervorgegangen und gibt mit seinen prachtvollen Möbeln, Gemälden und dem Porzellan ein lückenloses Bild fürstlicher Wohnkultur. Besonders sehenswert ist der herrliche Rittersaal. Hinter dem Schloss breitet sich der barocke Schlossgarten (1708–1710) mit Figurenschmuck und Orangerie aus.

Weikersheim

Ungefähr 16 km nördlich von Bad Mergentheim liegt im rebenreichen mittleren Taubertal das verträumte Städtchen Tauberbischofsheim, eine **Hochburg des Fechtsports**. Im Zentrum stehen hübsche Fachwerkhäuser aus dem 18. Jh. Das Tauberfränkische Landschaftsmuseum im ehemaligen kurmainzischen Schloss präsentiert sakrale Kunst, Möbel und eine Pfeifensammlung.

Tauberbischofsheim

►Rothenburg ob der Tauber, Umgebung
►Maintal

Creglingen
Wertheim

✳ Holsteinische Schweiz

Atlasteil: S. 8 • A/B 3/4   **Bundesland:** Schleswig-Holstein

Die Holsteinische Schweiz ist ein mit schönen Buchenwäldern bestandenes Gebiet, das mit seinen sanften Hügeln und verträumten Seen zu den lieblichsten Landstrichen Deutschlands gehört. Im Osten der Region steigt der Bungsberg auf, mit immerhin 164 m die höchste Erhebung in Schleswig-Holstein.

Historische Landschaft Wagrien

Als Holsteinische Schweiz bezeichnet man das Gebiet des ostholsteinischen Hügellandes zwischen der Kieler Bucht im Norden und der Lübecker Bucht im Süden. Die Holsteinische Schweiz bildet das Zentrum der historischen Landschaft Wagrien, der Heimat der slawischen Wagrier, die erst im 12. Jh. endgültig christianisiert und dem Deutschen Reich einverleibt wurden. Der Name kam im 19. Jh. auf, als man hier bereits Urlaub machte, aber auch Schweiz-Reisen groß in Mode waren, woran die Landschaft etwas erinnert.

Reiseziele in der Holsteinischen Schweiz

Preetz

Der nordwestliche Außenposten der Holsteinischen Schweiz ist die alte Schuhmacherstadt Preetz mit ihrer gotischen turmlosen Backstein-Kirche (1340) des ehemaligen Benediktinerinnenklosters. Das private **Circus-Museum** in der Mühlenstraße Nr. 14 erzählt u. a. von weltberühmten Zirkusdynastien wie Krone, Sarrasani und Busch.

Über den Trammer See fällt der Blick auf die liebliche Landschaft der Holsteinischen Schweiz.

▶ HOLSTEINISCHE SCHWEIZ ERLEBEN

AUSKUNFT

Ostsee-Holstein-Tourismus e.V.
Strandallee 75 a,
23669 Timmendorfer Strand
Tel. (0 45 03) 8 88 50, Fax 88 85 15
www.holsteinischeschweiz.de

ESSEN

▶ Fein & Teuer
L'Etoile
Lübecker Landstraße 36, 23701 Eutin
Tel. (0 45 21) 70 28 60
Edles Gourmetrestaurant mit ausgefallener Küche, die französische, mediterrane und asiatische Komponenten auf raffinierte Art verschmelzen lässt. Sensationelle Weinkarte!

▶ Erschwinglich
Stolz
Markt 24, 24306 Plön
Tel. (0 45 22) 5 03 20
Schlichte Einrichtung und schöne Gartenterrasse zeichnen das Restaurant neben der Nikolaikirche aus.

▶ Preiswert
Zum Frohsinn
Bischof-Vicelin-Damm 16,
23715 Bosau
Tel. (0 45 27) 2 69
Traditionsreiches Gasthaus mitten im Ort, gutbürgerliche Küche, viele Fischspezialitäten.

ÜBERNACHTEN

▶ Komfortabel
Strauers Hotel am See
Gerold Damm 2, 23715 Bosau
Tel. (0 45 27) 99 40, Fax 99 41 11
www.strauer.de
Eine freundliche, ruhige Urlaubsadresse direkt am See. Gemütliche, sehr geschmackvoll eingerichtete Zimmer und Suiten, viele Annehmlichkeiten: Restaurant mit Seeterrasse, Schwimmbad, Sauna, Wellness.

Voss Haus
Vossplatz 6, 23701 Eutin
Tel. (0 45 21) 4 01 60, Fax 40 16 20
www.vosshauseutin.de
Schönes historisches Hotel direkt am Großen Eutiner See gelegen. Moderne, funktionell eingerichtete Zimmer, italienisches Restaurant.

▶ Günstig
Landhaus Hohe Buchen
Lütjenburgerstraße 34,
24306 Plön
Tel. (0 45 22) 78 94 10, Fax 78 94 28
www.landhaus-hohebuchen.de
Persönlich geführtes Haus am Ortsrand (20 Minuten zur Ostsee), freundliche, im italienischen Landhausstil eingerichtete Zimmer, schöner Garten mit alten Bäumen.

Plön

Plön (13 km südöstlich) mit seinem im Stil der Spätrenaissance erbauten Schloss (1633–1636) ist dank der umliegenden ausgedehnten Seenplatte ein **Zentrum des Wassersports**. Von der Schlossterrasse aus blickt man weit auf die Seen. Der 30 km² umfassende Große Plöner See ist der eindrucksvollste und größte der Umgebung.

✱
Bosau

Die alte Feldsteinkirche St. Petri aus dem 12. Jh. ist das Kleinod des idyllischen Bosau (rund 10 km südlich). Es erinnert an das Missionswerk des »Slawenapostels« Vicelin.

✷
Eutin
Eutin machten Dichter und Maler zu einem »**Weimar des Nordens**«; der Komponist Carl Maria von Weber (1786–1826) wurde hier geboren. Sehenswert sind die Altstadt, deren Backsteinhäuser zum großen Teil noch aus dem 17. Jh. stammen, und das von Wassergräben umgebene, wuchtige Schloss (17./18. Jh.) mit prächtiger Ausstattung. Im englischen Schlosspark finden die Eutiner Sommerspiele mit Opernaufführungen statt. Der ehemalige Marstall beherbergt das Ostholstein-Museum, in dem u. a. Werke des Malers Johann Heinrich Wilhelm Tischbein und Originalpartituren von Weber zu sehen sind.

Hunsrück · Nahetal

Atlasteil: 42/43 • B/C 1–3   **Bundesland:** Rheinland-Pfalz

Das durchschnittlich 400–500 m hohe Bergland des Hunsrücks, teilweise von schluchtartigen Tälern durchzogen, gipfelt im 816 m hohen Erbeskopf, dem höchsten Berg des linksrheinischen Schiefergebirges. Während die flachwellige Hochfläche landwirtschaftlich genutzt und reich an kleinen Ortschaften ist, bildet der Höhenrücken eines der größten deutschen Waldgebiete.

Dünn besiedelt Der Hunsrück, der südlichste Teil des Rheinischen Schiefergebirges links des Rheins, erstreckt sich zwischen Rhein, Mosel, unterer Saar und Nahe und hat die niedrigste Bevölkerungsdichte Deutschlands; im 18. und 19. Jh. wanderten Hunderttausende aus wirtschaftlicher Not aus. Geologisch interessant sind die Edelstein- und Schiefervorkommen in den Ausläufern des Idarwaldes. Die 116 km lange Nahe entspringt bei Selbach im südlichen Hunsrück: Wiesen und Wälder, Rebhänge, aber auch steile Felswände säumen den windungsreichen Fluss, an dem sich malerische Orte aneinander reihen.

Hunsrück

Simmern Hauptort des gesamten Hunsrücks ist das südlich der Hunsrück-Höhenstraße gelegene Simmern. Dessen Wahrzeichen ist der **Schinderhannesturm**, der ehem. Pulverturm der Stadtbefestigung, in dem der Räuberhauptmann Johannes Bückler (»Schinderhannes«, 1783–1803) 1799 gefangen gehalten wurde. Im Neuen Schloss ist das Hunsrückmuseum mit einer Bauernstube untergebracht. Sehenswert sind auch die Renaissance-Fürstengräber in der Stephanskirche (1486–1509).

Hermeskeil Hermeskeil, der touristische Hauptort des Hochwaldes, besitzt **mehrere bemerkenswerte Museen**: am Neuen Markt das Hochwaldmuseum mit Bauernstube, Nagelschmiede und Webkammer, ein Dampflokmuseum am alten Bahnhof und die Flugausstellung mit einer beachtlich großen Flugzeugsammlung.

Für Kinder ein toller Platz zum Spielen: die Burgruine von Kastellaun

Nahetal

In Idar-Oberstein dreht sich alles um **Edelsteine**, sind doch hier Schmuckwarenindustrie und bekannte Edelstein- und Achatschleifereien ansässig. Der Ruf von Idar-Oberstein gründete sich auf die einst reichen Achatvorkommen. Nachdem in der Mitte des 19. Jh.s reichere Vorkommen in überseeischen Ländern (vor allem in Brasilien) erschlossen wurden, werden heute nur noch importierte Rohsteine verarbeitet.

Idar-Oberstein

Im Stadtteil Oberstein befindet sich am alten Marktplatz das Museum Idar-Oberstein mit einer bedeutenden Mineralien- und einer stadthistorischen Sammlung. Über 230 Treppenstufen ist die in eine Grotte eingefügte Felsenkirche (1482–1484) zu erreichen. Hoch auf dem steilen Felsen erheben sich die Burgruinen Oberstein (erbaut 1320) und Bosselstein (erbaut 1196), von denen sich ein prächtiger Ausblick bis weit in den Hunsrück bietet.

◄ Oberstein

Im Idartal aufwärts erstreckt sich der Ortsteil Idar. Hauptsehenswürdigkeit ist das in einer Gründerzeitvilla untergebrachte Deutsche Edelsteinmuseum, in dem Tausende von Exponaten die Welt der Edelsteine in ihrer ganzen Pracht repräsentieren. Am Rand von Idar (Tiefensteiner Straße) kann man die Weiherschleife, eine wasserradgetriebene Edelsteinschleiferei von 1634, besichtigen.

✻ ✻
◄ Deutsches Edelsteinmuseum

Wenn Sie dem stilisierten Brillanten entlang der deutschen Edelsteinstraße folgen, kommen Sie von einem Edelsteinbetrieb zum nächsten. Auf der 58 km langen Rundstrecke kann man viele dieser

Deutsche Edelsteinstraße

► HUNSRÜCK UND NAHETAL ERLEBEN

AUSKUNFT

NahelandTouristik
Bahnhofstraße 37, 55606 Kirn
Tel. (0 67 52) 13 76 10, Fax 13 76 20
www.naheland.net

Hunsrück Touristik GmbH
Hunsrückhaus, 54411 Deuselbach
Tel. (0 65 04) 95 04 60, Fax 95 04 31
www.hunsrueck.de

ESSEN

► Fein & Teuer
Le temple du gourmet
Saarstraße 2,
54422 Neuhütten (bei Hermeskeil)
Tel. (0 65 03) 76 69
Ein elegantes Restaurant, das seinem
Namen alle Ehre macht. Kreative
klassische Küche auf französischer
Basis in ländlichem Ambiente.

► Erschwinglich
Schwarzer Adler
Koblenzer Straße 3, 55469 Simmern
Tel. (0 67 61) 90 18 17
Gemütliches kleines Kellerrestau-
rant, internationale Küche mit italie-
nischem Einschlag.

► Preiswert
Die Kauzenburg
Auf dem Kauzenberg,
55545 Bad Kreuznach
Tel. (06 71) 3 80 00
Schön gelegenes Restaurant in einem
Neubau neben der Burgruine, von der
Terrasse bietet sich ein grandioser
Blick auf Bad Kreuznach.

ÜBERNACHTEN

► Komfortabel
Bergschlößchen
Nannhauser Straße, 55469 Simmern
Tel. (0 67 61) 90 00, Fax 90 01 00
www.hotel-bergschloesschen.de
Klassischer Landgasthof außerhalb
des Ortes, bequeme und geräumige
Zimmer, bürgerliche Küche in der
rustikalen Stube.

Parkhotel
Hauptstraße 185,
55743 Idar-Oberstein
Tel. (0 67 81) 5 90 00, Fax 5 09 05 00
www.parkhotel-idaroberstein.de
Kleines elegantes Haus von 1906 im
Stil eines Grand-Hotels. Gediegene
Zimmer mit vielen Stilmöbeln. Vor-
nehmes Restaurant, legeres Bistro.

► Günstig
Beyer
Saarstraße 95, 54411 Hermeskeil
Tel. (0 65 03) 72 27, Fax 80 09 70
Kleiner, freundlicher Familienbetrieb
in Ortsrandlage. Individuell einge-
richtete Zimmer mit Balkon oder
Terrasse. Gutbürgerliche Küche in der
Gaststube.

Michel Mort
Eiermarkt 9, 55545 Bad Kreuznach
Tel. (06 71) 83 93 30, Fax 8 39 33 30
www.michelmort.de
Kleines traditionsreiches Haus im
Herzen der Stadt, schöne behagliche
Zimmer, nettes Restaurant mit feiner
pfälzischer Küche.

Unternehmen besichtigen. Außerdem führt die Straße durch zahlreiche sehenswerte Orte wie z. B. Fischbach mit seinem historischen
Kupferbergwerk oder die »Kirschweiler Festung«, ursprünglich ein
keltischer Ringwall.

23 km nordöstlich von Idar-Oberstein erreicht man **Kirn** an der Nahe mit seiner Ruine Kyrburg. Unterhalb des Orts beginnt der **»Weingarten Gottes«**, in dem v. a. Weißweine angebaut werden.

Folgt man der Nahe von Idar-Oberstein über Kirn weiter nach Nordosten, kommt man nach **Bad Sobernheim**. Südlich des Orts liegt ein Freilichtmuseum. In der **Klosterruine Disibodenberg** wirkte die Mystikerin Hildegard von Bingen (1098–1179).

> ## ! *Baedeker* TIPP
>
> ### Schatzsucher
>
> Das einzige Edelsteinbergwerk Europas, das man besichtigen kann, findet man im Steinkaulenberg in Idar-Oberstein. Hier glitzern Bergkristalle, Amethyste, Achate und Rauchquarze, und es gibt einen Schürfstollen, in dem man sein Glück versuchen kann – aber nur für über 16-Jährige nach Voranmeldung (Öffnungszeiten: Mitte März bis Mitte Nov. tgl. 9.00–17.00 Uhr, Mitte Nov. bis Mitte Dez. Mo. bis Do. 9.00–16.00 Uhr, Fr. bis 12.00 Uhr; Anmeldung Tel. 0 67 81/4 74 00).

Auf dem linken Naheufer bei Bad Münster am Stein-Ebernburg erhebt sich die schroffe Porphyrwand des Rotenfels (327 m), die **steilste Kletterwand nördlich der Alpen**.

✷ Rotenfels

An der Stelle des Römerkastells Cruciniacum und einer späteren karolingischen Pfalz liegt zu beiden Seiten der Nahe das Radon-Solbad Kreuznach (40 000 Einwohner). Die Altstadt ist durch die malerische, mit zwei Brückenhäusern versehene Alte Nahebrücke mit der Neustadt verbunden. In der Römerhalle sind großartige **Mosaiken** (um 300) ausgestellt. Auf der Insel Badewörth lädt der hübsche Kurpark mit dem Kur- und dem Bäderhaus zum Verweilen ein. Die um 1200 erbaute, 1689 zerstörte und 1972 neu gestaltete Kauzenburg ist wegen ihrer Burggaststätte ein beliebtes Ausflugsziel.

✷ Bad Kreuznach

◄ Badewörth

◄ Kauzenburg

✷ Husum

Atlasteil: S. 7 • C 2	**Bundesland:** Schleswig-Holstein
Höhe: 7 m ü. d. M.	**Einwohnerzahl:** 21 000

Die an der Westküste von Schleswig-Holstein gelegene Stadt ist kultureller und wirtschaftlicher Mittelpunkt Nordfrieslands. Sie hat einen hübschen Stadtkern mit bunten Giebelhäusern und engen Gassen. Der Binnenhafen reicht bis ins Zentrum. Die hier dümpelnden Fisch- und Krabbenkutter tragen zum Flair der Kleinstadt bei.

Erst die Sturmflut des Jahres 1362 verschaffte Husum durch Landveränderungen den direkten Zugang zum Meer. Dadurch konnten sich Handel und Schiffsbau schnell entwickeln. Als Geburtsort des Dichters Theodor Storm (1817–1888) wurde die **»graue Stadt am Meer«** zum Schauplatz vieler seiner Erzählungen.

Sturm und Storm

Marktplatz Den Marktplatz säumen Häuser aus dem 16. und 17. Jh., u. a. das Rathaus, ursprünglich 1601 errichtet, später jedoch mehrmals umgestaltet. An der Ostseite erhebt sich die klassizistische Marienkirche (1829–1833; Bronzetaufbecken von 1643). Das Gebäude Nr. 9 ist das

Storm-Haus ▶ Geburtshaus von Theodor Storm. Sein späteres Wohnhaus in der Wasserreihe Nr. 31 ist heute als Museum zugänglich. Storm lebte hier von 1866 bis 1880.

Ostenfelder Haus Das Ostenfelder Haus gilt als **ältestes Freilichtmuseum Deutschlands**. Das vor 1600 erbaute Bauernhaus aus Ostenfeld wurde bereits 1899 an seinen heutigen Standort versetzt.

Schloss Am nördlichen Rand des historischen Zentrums liegt das 1577–1582 errichtete, später barockisierte Schloss, umgeben von einem weitläufigen Park mit altem Baumbestand. Es wird heute für Ausstellungen und kulturelle Veranstaltungen genutzt.

Nissenhaus Südlich vom Markt beherbergt das 1937–1939 aus Klinker erbaute Nissenhaus das **Nordfriesische Museum** (Natur- und Kulturgeschichte, Volkskunde). Besondere Attraktion ist ein Funktionsmodell des Eidersperrwerks.

Umgebung von Husum

Ein besonders schönes Stück Natur birgt der Nationalpark Schleswig-Holsteinisches Wattenmeer, im Jahr 1985 gegründet. Zwischen

Auf einem ehemaligen Werfgelände, mitten im Binnenhafen, steht heute das Rathaus von Husum.

der dänisch-deutschen Grenze im Norden und der Elbe im Süden – vor den Küsten von Dithmarschen und Nordfriesland – kann man durchs Watt, durch Dünen, Salzwiesen, Halligen und über Sandbänke strolchen und dabei zahlreiche Wasservögel und auch Robben beobachten.

✱ Nationalpark Schleswig-Holsteinisches Wattenmeer

Der Nordseeküste bei Husum sind Halligen vorgelagert, kleine Inseln zwischen Föhr, Amrum und der Halbinsel Eiderstedt. Einige sind durch Dämme mit dem Festland verbunden, die Hamburger Hallig bereits seit mehr als hundert Jahren. Bei Sturmflut werden sie mit Ausnahme der auf erhöhten »Warften« errichteten Wohn- und Wirtschaftsgebäude überflutet; die salzhaltigen Böden lassen keinen Ackerbau zu, dienen aber als **Viehweiden**.

Halligen

? WUSSTEN SIE SCHON …?

■ dass die Halligen Reste alter Festlandmarschen sind? Die Küstenlinie verlief in vorgeschichtlicher Zeit viel weiter westlich.

Größte der Halligen sind die durch Deiche geschützte Insel Langeneß (Verbindungsdamm zum Festland bei Dagebüll) und Hooge, das vom Hafen in Schlüttsiel (bei Dagebüll) regelmäßig angesteuert wird und ein beliebtes Ziel für Tagesausflügler ist. Auf neun Warften leben hier mehr als 100 Menschen. Besichtigen sollte man auf der großen Hanswarft das Hansensche Haus von 1766 mit dem **»Königspesel«**, dem schönsten Beispiel altfriesischer Wohnkultur.

◄ Langeneß Hooge

Die Husum nächstgelegene »Insel« Nordstrand, die seit 1990 den Status eines Nordseeheilbades hat, ist mit dem Festland durch einen 2,5 km langen Straßendamm verbunden. Im Kurbezirk hat eines der mehr als 20 Informationszentren des Nationalparks Schleswig-Holsteinisches Wattenmeer (mit Multivisionsshow und Aquarium) seinen Sitz. Von dem kleinen Nordstrander Hafen Strucklahnungshörn bestehen regelmäßige Fährverbindungen zur Insel Pellworm, einer eingedeichten fruchtbaren, noch recht abgeschiedenen Marschinsel.

◄ Nordstrand Pellworm

In Seebüll nahe der dänischen Grenze (ca. 20 km nördlich von Niebüll) ließ sich der Maler Emil Nolde (1867–1956), einer der bedeutendsten Vertreter des **Expressionismus**, zwischen 1927 und 1937 nach eigenen Entwürfen sein Wohnhaus und Atelier errichten. Mehr als 200 seiner Werke können hier besichtigt werden.

✱ Nolde-Museum Seebüll

In Friedrichstadt, 13 km südlich von Husum, meint man sich nach Holland versetzt, und das ist kein Zufall: Das Städtchen wurde 1621 von Herzog Friedrich III. von Schleswig-Gottorf für Glaubensflüchtlinge aus den Niederlanden gegründet. Der von Grachten durchzogene Ort (Rundfahrten) bietet mit seinen vielen Giebelhäusern aus dem 17. Jh. ein pittoreskes Bild.

✱ Friedrichstadt

Südwestlich von Husum reicht die Halbinsel Eiderstedt weit in das Wattenmeer hinein. Gelegentlich sieht man hier noch so genannte

Eiderstedter Halbinsel

▶ HUSUM ERLEBEN

AUSKUNFT

Tourist-Information
Großstraße 27, 25813 Husum
Tel. (0 48 41) 8 98 70, Fax 89 87 90
www.husum.de

ESSEN

► Erschwinglich
La Mer
Im Außenhafen, 25813 Husum
Tel. (0 48 41) 29 38
Genießen Sie in typischer Hafen-
atmosphäre erlesene Fischspezialitä-
ten und den Blick auf das Wasser.

► Preiswert
Fischhaus Loof
Kleikuhle 7, 25813 Husum
Tel. (0 48 41) 20 34
Krabben, Räucheraal und Lachs
werden hier besonders schmackhaft
zubereitet.

ÜBERNACHTEN

► Luxus
Romantik Hotel Altes Gymnasium
Süderstraße 2, 25813 Husum
Tel. (0 48 41) 83 30, Fax 8 33 12
www.altes-gymnasium.de
Sie müssen nicht die Schulbank
drücken, wenn Sie im Alten Gym-
nasium Quartier beziehen: Das ehe-
malige Schulgebäude beherbergt ein
äußerst komfortables Hotel. Stilvolle
Zimmer mit italienischen Möbeln,
edle Badelandschaft in der früheren
Turnhalle und ein ausgezeichnetes
Gourmetrestaurant.

► Günstig
Zur grauen Stadt am Meer
Schiffbrücke 9, 25813 Husum
Tel. (0 48 41) 8 93 20, Fax 89 32 99
www.husum.net/grauestadt/
Behagliches Stadthotel am histori-
schen Husumer Innenhafen, freund-
liche Zimmer. Im typisch friesischen
Restaurant gibt's frischen Fisch und
Spezialitäten vom Deichlamm.

Haubarge, stattliche, breit hingelagerte Bauernhöfe. Besonders schön
ist der Rote Haubarg, 10 km südwestlich von Husum, bei Witzwort
(Restaurant und Ausstellung des Eiderstedter Heimatmuseums).

St. Peter-Ording　Das größte Nordseebad an der schleswig-holsteinischen Festlands-
küste, ganz im Westen der Eiderstedter Halbinsel, ist St. Peter-Ording
mit etwa 12 000 Gästebetten. Viel dazu beigetragen haben der etwa
12 km lange herrliche Sandstrand (Strandsegler!), die weitläufige Dünenlandschaft und der Kiefernwald. Im alten Ortskern St. Peter-Dorf
lohnt das Eiderstedter Heimatmuseum einen Besuch; 2001 wurde
hier das **Bernsteinmuseum** eröffnet.

Eidersperrwerk　Südöstlich von St. Peter-Ording wurde 1973 das Eidersperrwerk fertig gestellt. Fünf Schleusentore in dem 4,8 km langen und 8,5 m hohen Damm regulieren den Wasserfluss und verhindern, dass von den
Sturmfluten der Nordsee das Hinterland betroffen wird.

Nach der Überquerung des Sperr-werks erreicht man nach 20 km Büsum, ebenfalls ein sehr beliebtes Nordseeheilbad und wegen seines **malerischen Fischerhafens** – Spezialität: Büsumer Krabben – zudem ein attraktives Ausflugsziel.

! Baedeker TIPP

Badespaß

... ist in der Dünen-Therme von St. Peter-Ording zu jeder Jahreszeit garantiert. Das Freizeit- und Erlebnisbad bietet riesige Wasserlandschaften sowie einen direkt in die Dünen hineingebauten Saunakomplex (Öffnungszeiten: April bis Okt. Mo. bis Sa. 9.30–22.00 Uhr, So. 10.00–19.00 Uhr; Nov. bis März Mo. bis Sa. 14.00–22.00 Uhr, So. 10.00–19.00 Uhr).

Heide, 40 km südlich von Husum, nennt einen der **größten Marktplätze Deutschlands** sein Eigen. An seiner Südwestseite steht die spätgotische Saalkirche St. Jürgen (16. Jh.). Im Museum für Dithmarscher Vorgeschichte kann man sich das Modell eines eisenzeitlichen **Heide** Bauernhauses anschauen und selbst einmal versuchen, mit dem Feuerbohrer Glut zu erzeugen. Das Brahmshaus zeigt wechselnde Ausstellungen zu Leben und Werk des Komponisten.

Das 14 km südlich von Heide gelegene Meldorf war einst Hauptort **Meldorf** der Bauernrepublik Dithmarschen. Von der bedeutsamen Vergangenheit kündet der so genannte Dom (St.-Johannis-Kirche) aus dem 13. Jh. Im Dithmarscher Landesmuseum ist vor allem der aufwändig ausgestattete **Swinsche Pesel**, ein Prunkraum von 1568, die besondere Attraktion. Interessant sind ferner ein Besuch im Landwirtschaftsmuseum sowie im nebenstehenden Dithmarscher Bauernhaus aus dem 17./18. Jh.

Ingolstadt

Atlasteil: S. 54 • B 2
Höhe: 363 m ü. d. M.

Bundesland: Bayern
Einwohnerzahl: 115 000

Die einstige bayerische Herzogsresidenz und Landesfestung Ingolstadt liegt am Südrand der Fränkischen Alb in einer weiten Ebene an der Donau. Die Altstadt mit zahlreichen historischen Bauten ist großenteils noch von einer mittelalterlichen Befestigungsmauer umgeben. Dank des Kraftfahrzeugbaus hat der Ort auch als Industriestadt Bedeutung.

Ingolstadt wurde 806 erstmals erwähnt. Um 1260 ließ Herzog Lud- **Geschichte** wig der Strenge hier eine Burg erbauen. 1472 gründete Herzog Ludwig der Reiche eine Universität, die Johann Eck, der Gegner Luthers, zu einem **Zentrum der Gegenreformation** machte. Die bayerische Landesuniversität in Ingolstadt bestand bis 1800, danach wurde sie nach Landshut und anschließend nach München verlegt.

Eine der schönsten deutschen Toranlagen des Mittelalters: das Kreuztor mit sieben Türmen

Den **Mittelpunkt der Altstadt** bilden das malerische Alte Rathaus (1882), das Neue Rathaus (1959) und die Spitalkirche aus dem 15. Jh. Das Alte Rathaus war Bestandteil des Pfarrhofs der Kirche St. Moritz, bis 1407 die einzige Pfarrkirche der Stadt. Ihre Entstehung reicht bis in die karolingische Zeit zurück.

Von den zahlreichen Bürgerhäusern verdient besonders das **Ickstatthaus** (Ludwigstraße 5) mit seiner schönen Rokokofassade, das nach Johann Adam Ickstatt (1702–1776) benannt ist, Erwähnung. Auch in der Theresienstraße, die die Ludwigstraße nach Westen hin fortsetzt, findet man schöne Zeugnisse **altbayerischen Städtebaus**.

Über die Ludwigstraße erreicht man ostwärts das wuchtige **Neue Schloss** der bayerischen Herzöge (15. Jh.), dessen Innenräume zu den **schönsten Profanräumen der Gotik** in Deutschland gehören. Seit 1972 ist dort das Bayerische Armeemuseum untergebracht, das Helme, Waffen und Uniformen aus Bayerns Militärgeschichte zeigt.

Spielzeugmuseum

Im Alten Schloss, auch Herzogskasten genannt, wurde ein Spielzeugmuseum mit Schwerpunkt **frühes Blechspielzeug** eingerichtet.

✳ Museum für Konkrete Kunst

Annähernd alle wichtigen Maler und Bildhauer der Konkreten Kunst – aus der Zeit von 1950 bis zur Gegenwart – sind im gleichnamigen Museum in der Tränktorstraße vertreten. Dazu zählen Josef Albers, Rupprecht Geiger, Richard Paul Lohse und Marcello Morandini.

Liebfrauenmünster

Von der Stadtmitte aus führt die Theresienstraße westwärts zum Liebfrauenmünster, der **größten spätgotischen Hallenkirche Bayerns**. Sie wurde an der Wende vom 15. zum 16. Jh. fertig gestellt. Sehr eindrucksvoll wirken die beiden über Eck gebauten Fassadentürme. Im Inneren sind der von Herzog Albrecht V. gestiftete Hochaltar und die Grabplatte von Johann Eck beachtenswert; hinter dem Hochaltar fällt ein schönes Glasgemälde aus der Renaissance (1527) auf.

✳ St. Maria Victoria

Nördlich vom Münster steht ein **Hauptwerk des bayerischen Rokoko**, die Kirche St. Maria Victoria mit einer prunkvollen Fassade. Sie wurde ursprünglich Anfang des 18. Jh.s als Betsaal der Marianischen Studentenkongregation gegründet. Den rechteckigen Saal stuckierte kunstvoll Egid Quirin Asam, die Fresken schuf sein Bruder Cosmas

Damian. Beachtung verdient in der Sakristei die in Schiffsform gestaltete silberne Monstranz, eine Arbeit des Augsburger Goldschmieds Johann Zeckl von 1708.

Westlich vom Liebfrauenmünster begrenzt das massige, siebentürmige Kreuztor aus dem Jahr 1385, eine der **schönsten deutschen Toran-** ★ **Kreuztor**

 # INGOLSTADT ERLEBEN

AUSKUNFT

Städtisches Verkehrsamt
Rathausplatz 2, 85049 Ingolstadt
Tel. (08 41) 3 05 30 30, Fax 3 05 30 39
www.ingolstadt.de

FRANKENSTEINS SPUREN

Der Ruf der Alten Anatomie bewog die englische Schriftstellerin Mary Shelley, ihre Romanfigur Viktor Frankenstein in Ingolstadt studieren und dort seine Kreatur schaffen zu lassen. Auf beider Spuren wandelt man bei der Murder & Mystery Tour durch die nächtliche Universitätsstadt (Tel. 08 41/95 19 83 06).

ESSEN

► Erschwinglich

Shinsu
Theodor-Heuss-Straße 25,
85055 Ingolstadt
Tel. (08 41) 4 61 76
Im puristisch gestylten japanischen Restaurant werden asiatische Gerichte nach alter Tradition zubereitet.

► Preiswert

Wilder Wein
Münchner Straße 10 (Donau Hotel),
85051 Ingolstadt
Tel. (08 41) 96 51 50
Excellente regionale und internationale Küche, gediegenes Ambiente.

Schreberhäusel
Stauffenbergstraße 10,
85051 Ingolstadt
Tel. (08 41) 3 70 44 50

Am Rande des Klenzeparks, dem ehemaligen Gartenschaugelände, liegt das zünftige Gasthaus, wo die Gäste mit bayerischen Spezialitäten bedient werden.

ÜBERNACHTEN

► Komfortabel

Parkhotel Heidehof
Ingolstädterstraße 121,
85080 Gaimersheim
Tel. (08 41) 6 40, Fax 6 42 30
www.heidehof-ingolstadt.de
Mit modernem Komfort werden Sie in dem 4 km westlich von Ingolstadt gelegenen Haus verwöhnt. Bequeme Zimmer, ein gediegenes Restaurant und eine eindrucksvolle Badelandschaft sorgen für einen erholsamen Aufenthalt.

Altstadthotel
Gymnasiumstraße 9,
85051 Ingolstadt
Tel. (08 41) 8 86 90, Fax 8 86 92 00
www.altstadthotel-ing.de
Günstige Lage in der Altstadt, dennoch ruhig, moderne Ausstattung, Restaurant nur für Hausgäste.

► Günstig

Bayerischer Hof
Münzberg 12,
85051 Ingolstadt
Tel. (08 41) 93 40 60, Fax 93 40 61 00
www.bayerischer-hof-ingolstadt.de
Im verkehrsberuhigten Altstadtkern finden Sie diesen gepflegten Gasthof, der solide möblierte Zimmer bietet.

lagen des Mittelalters, die Altstadt. Es ist eines der vier Haupttore der alten Stadtbefestigung. Auch die »Cavalier« genannten Bauten gehörten dazu.

Medizinhistori-sches Museum

✳ Die Alte Anatomie südlich vom Kreuztor beherbergt das Deutsche Medizinhistorische Museum, das **einzige Fachmuseum dieser Art in Deutschland**. Die Schausammlungen zeigen Gegenstände aus der Heilkunde und der Geschichte der Medizin, darunter Glasbehälter, anatomische Präparate, Mikroskope und chirurgische Instrumente.

Stadtmuseum

Nordwestlich außerhalb der Innenstadt sind im restaurierten Gebäude **»Cavalier Hepp«**, das aus der Zeit um 1840 stammt, das Stadtarchiv, die Bibliothek und das Stadtmuseum Ingolstadt untergebracht. Die stadtgeschichtliche Abteilung zeigt u. a. Stadtpläne und Dokumente zur Geschichte der Universität, ferner Trachten, Keramik, Steinmetz- und Schmiedearbeiten.

Alf-Lechner-Museum

Die **ehemalige Auto-Union-Werkhalle 4 a** an der Esplanade im Gewerbegebiet dient seit April 2000 als Museum, das den Werken des Stahlbildhauers Alf Lechner gewidmet ist. Auf 2000 m² Ausstellungsfläche wird das Lebenswerk des modernen Künstlers aus rund vier Jahrzehnten gezeigt.

Reduit Tilly

Am südlichen Donau-Ufer stehen **klassizistische Festungsanlagen**, an deren Errichtung der Architekt Leo von Klenze mitgewirkt hat. In der Reduit Tilly (franz. reduit = Raum) fanden die Mitglieder des bayerischen Königshauses in einer bedrohlichen Situation Zuflucht.

museum mobile

Etwa 60 Autos und 20 Motorräder aus den Werkstätten von Auto-Union, Horch, DW und Wanderer präsentiert das museum mobile der Audi AG

Inntal

Atlasteil: S. 55 • D 4, S. 56 • A 3/4   **Bundesland:** Bayern
und S. 63 • D 1/2

Rund 2000 Jahre lang war der Inn ein oft gefährlicher Transportweg für Personen und Handelsgüter, bevor im 19. Jh. Schiene und Straße für die Beförderung wichtiger wurden als der Fluss. Heute verkehren hauptsächlich Ausflugsboote auf dem bedeutendsten aus den Alpen kommenden Nebenfluss der oberen Donau.

Verlauf des Inn

Nachdem der Inn schweizerisches und österreichisches Gebiet durchflossen hat, gelangt er, bei Kufstein die Nördlichen Kalkalpen durchbrechend, auf deutsches Territorium. Der Unterlauf des Inn quert dann das **bayerische Alpenvorland**, und zwar zunächst das Rosenheimer Becken, danach zwischen Wasserburg am Inn und Gars ein hügeliges Gebiet. Bei ►Passau mündet der Inn schließlich in die Donau. In seinem unteren Abschnitt, nach der Mündung der Salzach bildet er die Grenze zwischen Bayern und Oberösterreich.

Reiseziele am Inn

Rosenheim, an der Mündung der Mangfall in den Inn gelegen, war seit jeher ein **bedeutender Handelsplatz** an der Straße von Italien nach Norden. Die Altstadt zeigt den charakteristischen Baustil der Inn- und Salzachstädte mit Arkadengängen.

Rosenheim

Mittelpunkt der Altstadt ist der Max-Josefs-Platz (Fußgängerzone). Unter den Bürgerhäusern ringsum sind das Fortnerhaus mit seiner Rokokofassade und das Haus »Bergmeister« mit dreigeschossigem Erker hervorzuheben. Im **Ellmaierhaus** lohnt das Holztechnische Museum einen Besuch. Nach Osten wird der Max-Josefs-Platz durch das Mittertor abgeschlossen, dem einzig erhaltenen Stadttor Rosenheims. Heute beherbergt es das Stadtmuseum. Neben den genannten Museen und einigen beachtenswerten Kirchen sollte man vor allem das **Innmuseum** (Innstraße 74) an der Innstraßenbrücke besuchen. Dort werden u. a. die Archäologischen Staatssammlungen präsentiert sowie über das Leben auf dem Inn, Flößerei, Schifffahrt und Brückenbau informiert. Ausstellungen von Künstlern der Region und überregional bedeutende Sonderausstellungen zeigt die Städtische

✱

◄ Max-Josefs-Platz

> **!** *Baedeker* TIPP
>
> ### Auf dem Drahtesel
>
> Eine Radtour mit herrlichen Ausblicken auf den Inn führt auf einer ausgeschilderten Route von Wasserburg nach Penzig (10 km), am Schlösschen Weikertsharn und am Penziger See (Bademöglichkeit) vorbei. Die Tour kann fortgesetzt werden nach Wang (12,5 km). Unterwegs sind in Obermüht Strauße und Kleintiere zu sehen. Die große Rundfahrt für Geübte geht über gut 110 km (Informationen: Verkehrsamt, Tel. 0 80 75/105 22).

Galerie (Max-Bram-Platz 2). Auf dem Gelände der einstigen Saline, in der die Reichenhaller Sole verarbeitet wurde, befindet sich heute das Rosenheimer Kultur- und Kongresszentrum.

Bad Aibling ist **eines der ältesten bayerischen Moorheilbäder**. Mittelpunkt des Ortes, durch den die Glonn fließt, ist der Marienplatz mit der Sebastianskirche. Neben der Kirche steht das ehemalige Wohnhaus des Malers Wilhelm Leibl (1844–1900). In der hoch gelegenen **Stadtpfarrkirche**, die 1755 von Johann Michael Fischer barockisiert wurde, findet man eine beachtenswerte Kreuzigungsgruppe. Entlang der Glonn erstreckt sich der Kurpark mit einem Heimatmuseum.

Bad Aibling

Die Klosterkirche Rott am Inn ist ein **architektonisches Hauptwerk des bayerischen Rokoko**. Ihre kühne Raumgestaltung und reiche

Rott am Inn

Wasserburgs Kernhaus prunkt mit einer Rokokofassade von Johann Baptist Zimmermann.

✳ ✳
Klosterkirche ▶ Ausstattung wurden möglich durch die Zusammenarbeit des Freskanten Matthäus Günther, des Stuckateurs Franz Xaver Feichtmayr und der Bildhauer Ignaz Günther und Josef Götsch.

✳
Wasserburg
am Inn Wasserburg liegt überaus malerisch auf einer vom Inn fast abgeschnürten Halbinsel. Auch diesem Ort verleihen die Häuser im für die Inn-Salzach-Städte **charakteristischen Baustil** ein reizvolles Bild. In der durch Handel einst reichen Stadt hat sich eine Reihe bedeutender Baudenkmäler erhalten: die Pfarrkirche St. Jakob, das Rathaus, die Frauenkirche, die Doppelkirche St. Michael sowie das in spätgotischer Zeit entstandene Schloss.

Den Eingang in die Altstadt auf der Halbinsel bildet das massige Brucktor, durch das früher die Salzstraße führte. In der Nähe des Tors befindet sich in einem alten Gebäude das **»Erste imaginäre Museum«**, in dem Reproduktionen berühmter Gemälde und Zeichnungen gezeigt werden. Im Heimathaus in der Herrengasse ist das sehenswerte Stadtmuseum untergebracht. Ausgestellt sind kunst- und kulturgeschichtliche Sammlungen der Stadt Wasserburg. Auch den Sportbegeisterten hat Wasserburg etwas zu bieten: Jenseits des Inn liegt das Freizeitzentrum »Badria« mit Frei- und Hallenbad sowie einer Wasserrutsche.

Amerang In Schloss Amerang, einem malerischen Bau südlich der Ortschaft auf einer Anhöhe, sind die spätgotische Schlosskapelle St. Georg und der Rittersaal sehenswert. Im Bauernhausmuseum Amerang, einem **Freilichtmuseum**, findet man Höfe, die aus dem ostoberbayerischen Raum zwischen Inn und Salzach stammen; das EFA-Automuseum zeigt über 220 Oldtimer.

▶ INNTAL ERLEBEN

AUSKUNFT

**Tourismusverband
München-Oberbayern Inntal**
Bodenseestraße 113, 81243 München
Tel. (0 89) 8 29 21 80, Fax 82 92 18 28
www.oberbayern.de

ESSEN

▶ Erschwinglich

**Weinhaus zur historischen
Weinlände**
Weinstraße 2, 83022 Rosenheim
Tel. (0 80 31) 1 27 75
Gemütliche Gaststube, bodenständige
Küche, viele regionale Spezialitäten.

▶ Preiswert

Bihler
Katharinenstraße 8, 83043 Bad Aibling
Tel. (0 80 61) 9 07 50
Gemütliches Restaurant in einer restaurierten Künstlervilla. Die Küche
überzeugt mit bodenständigen bayerischen Spezialitäten und internationalen Klassikern. Am besten schmeckt
es auf der schönen Gartenterrasse.

Gasthof Hutter
Hauptstraße 17,
84576 Teising (bei Altötting)
Tel. (0 86 33) 2 07
In der zünftigen Stube mit Kachelofen
und Holzvertäfelung wird bayerische
Hausmannskost aufgetischt.

ÜBERNACHTEN

▶ Komfortabel

Parkhotel Crombach
Kufsteiner Straße 2, 83022 Rosenheim
Tel. (0 80 31) 35 80, Fax 3 37 27
www.parkhotel-crombach.de
Im Zentrum der Stadt bietet das
geschmackvolle Haus ruhige und
wohnliche Zimmer an. Restaurant
mit schöner Gartenterrasse.

▶ Günstig

Plankl
Schlotthamer Straße 4,
84503 Altötting
Tel. (0 86 71) 92 84 80, Fax 1 24 95
www.hotel-altoetting.de
Originell eingerichtetes Haus nahe
beim Kapellplatz, individuell gestaltete Themenzimmer und Suiten. Im
bayerischen Restaurant genießen Sie
lokale Schmankerl.

Fletzinger
Fletzingergasse 1, 83512 Wasserburg
Tel. (0 80 71) 9 08 90, Fax 9 08 91 77
www.hotel-fletzinger.de
Zentral in der malerischen Altstadt
gelegenes Haus, gepflegte, zweckmäßige Zimmer.

Das Bild der Altstadt von Mühldorf bestimmt der **prächtige Stadt-**   **Mühldorf**
platz. Im Sitzungssaal des Rathauses, das im Erdgeschoss schöne   **am Inn**
Laubengänge hat, sieht man Bildtafeln des hl. Georg und des hl. Flo-
rian von 1515. In der Stadtpfarrkirche wurden mittelalterliche Fresken freigelegt. Sehenswert ist auch der mehrgeschossige Nagel-
schmiedturm, dessen Untergeschoss aus romanischer Zeit stammt.
Das Kreismuseum im Lodron-Haus (Tuchmacherstraße 7) zeigt u. a.
ein Modell der einstigen Mühldorfer Innbrücke.

Altötting

✶ Seit 1489 ist Altötting Wallfahrtsort, der **älteste und berühmteste Bayerns**. Mehr als eine Million Pilger kommen Jahr für Jahr hierher, hauptsächlich am Dienstag nach Christi Himmelfahrt und am Pfingstsamstag. Während der Sommermonate finden hier fast jeden Abend Lichterprozessionen statt.

Gnaden-kapelle ▶

✶ ✶ Den Mittelpunkt der Stadt bildet der Kapellplatz mit Gnadenkapelle (um 750) und Stiftspfarrkirche. In der östlichen Muschelnische der Kapelle steht in einem silbernen Tabernakel (1645) das **Gnadenbild »Unserer lieben Frau von Altötting«**, eine schwarze Madonna aus der Zeit um 1330, die in prunkvolle Gewänder gehüllt ist. Das aus Lindenholz geschnitzte Heiligenbild wurde im Laufe der Zeit vom Ruß der vielen Kerzen geschwärzt. Ringsum werden in silbernen Urnen die Herzen von 21 bayerischen Fürsten (Wittelsbachern) sowie das des kaiserlichen Feldherrn Tilly

? WUSSTEN SIE SCHON ...?

■ dass in der kleinen Gemeinde Marktl am Inn in der Nähe von Altötting jetzt Kardinals-Kaffee und Papst-Plätzchen serviert werden? Der neue Papst Benedikt XVI. wurde hier geboren und getauft, heute ist er Ehrenbürger und dem Ort immer noch sehr gewogen.

Stiftskirche ▶

✶ aufbewahrt. Neben der Gnadenkapelle diente auch die Stiftskirche als Wallfahrtskirche. An ihrer Nordseite befindet sich in der ehemaligen Sakristei die **Schatzkammer**. Ihr Hauptausstellungsstück ist das »Goldene Rössl« (1404), ein Meisterwerk spätgotischer französischer Goldschmiedekunst und Geschenk Isabellas von Bayern an ihren Gemahl König Karl VI. Das 62 cm hohe Kunstwerk stellt die Anbetung Marias durch einen der Heiligen Drei Könige dar. Das Wallfahrts- und Heimatmuseum am Kapellplatz zeigt u. a. Gemälde, Votivgaben, ein Modell der Stadt sowie Exponate aus römischer Zeit. Im Neuen Haus des Marienwerks, ebenfalls am Kapellplatz gelegen, ist die »Altöttinger Schau« zu sehen. In 22 Dioramen mit Tausenden von plastischen Figuren wird die Geschichte des Wallfahrtsortes und die Bedeutung der Altötting-Wallfahrt anschaulich geschildert. Geschaffen wurde dieses Werk in den Jahren 1957–1959 von dem Bildhauer Reinhold Zellner. Das Kreuzigung-Christi-Panorama in einem Kuppelbau östlich vom Zentrum ist ein monumentales Rundgemälde der Kreuzigungsszene von Gebhard Fugel aus dem Jahr 1903.

Burghausen

Südöstlich von Altötting liegt im Tal der Salzach die Altstadt von Burghausen, zeitweise Regierungssitz der Wittelsbacher. In der Altstadt lohnt ein Blick auf das im 14. Jh. erbaute Rathaus und das zur selben Zeit entstandene Mautnerschloss.

Burg ▶

✶ ✶ Ein steiler Aufstieg führt in wenigen Minuten zur Burg. Mit einer Längsausdehnung von ca. 1,1 km ist sie eine der **größten ihrer Art in Deutschland**. Ihre Bauten und Befestigungswerke bedecken einen auf drei Seiten steil abfallenden Bergrücken, die Gebäude gruppieren sich um den inneren Burghof und fünf Vorhöfe (Führungen). Hervorzuheben ist die Hauptburg, auch Inneres Schloss genannt, die in ihrem Kern aus dem 13. Jh. stammt. Ein Graben trennt sie vom ersten Vorhof. Der Palas, die Innere Burgkapelle (um 1255) und der Dürnitzstock (mit einer zweischiffigen Vorratshalle) sind die repräsentativsten Gebäude der Hauptburg. In den Räumen des zweiten und dritten Obergeschosses zeigt eine Zweigstelle der Bayerischen Staatsgemäldesammlung vor allem Tafelbilder aus der Zeit der Spätgotik. Noch zwei weitere Museen gibt es: ein Fotomuseum am Eingang zur Burg und ein Heimatmuseum im inneren Burghof.

Das Landschaftsschutzgebiet Wöhrsee unterhalb der Burg ist ein stadtnahes **Erholungsgebiet**, wo ruhige Spaziergänge möglich sind. Ein schöner Weg führt rund um den Wöhrsee zur Salzach.   **Wöhrsee**

Jena

Atlasteil: S. 38 • D 3   **Bundesland:** Thüringen
Höhe: 160 m ü. d. M.   **Einwohnerzahl:** 101 000

Friedrich Schiller und Johann Gottlieb Fichte studierten einst hier in Jena an einer der bedeutendsten Universitäten im deutschsprachigen Raum. Im 19. und 20. Jh. wurde die Stadt dann durch ihre feinmechanisch-optische Industrie und das feuerfeste »Jenaer Glas« weltbekannt.

Als Siedlung »Jani« wird Jena um 830–850 erstmals urkundlich erwähnt und 1230 zur Stadt erhoben. Im 18. und 19. Jh. entwickelte die Stadt sich zu einem **geistigen Zentrum Deutschlands**: Goethe, Schiller – der 1789 an die Universität berufen wurde, um Geschichte und Philosophie zu lehren –, Feuerbach, die Gebrüder Schlegel, Tieck, Fichte, Schelling, Hegel und andere Persönlichkeiten von Rang trugen zu dieser Entwicklung bei. Unter dem Eindruck der Freiheitskriege gründeten Studenten der Universität Jena am 12. Juni 1815 die **»Jenaische Burschenschaft«**, deren Mitglieder 1817 auf der Wartburg bei ► Eisenach die staatliche Einigung Deutschlands sowie Rede- und Pressefreiheit forderten.   **Geschichte**

 Baedeker TIPP

Spurensuche

Wollen Sie auf den Spuren berühmter Persönlichkeiten wandeln? Bei der Tourist-Information gibts dazu Spezialführungen. So kann man die Jenenser Stationen Schillers und Goethes nacherleben, deren Freundschaft in dieser Stadt begann, oder man spürt den Philosophen Fichte, Schelling und Hegel oder dem Romantikerkreis nach (Information: Tel. 0 36 41/80 64 00).

1880 nahm die erste Jenaer Zeiss-Fabrik die Produktion auf. Nach dem Zweiten Weltkrieg wurde Oberkochen in Baden-Württemberg Sitz des Optikunternehmens Carl Zeiss, doch auch in Jena wurden weiterhin optische Geräte produziert. Aus diesem Werk sind die heutige Jenoptik AG und die Carl Zeiss Jena GmbH hervorgegangen.

Aus den ehemaligen Produktionsstätten von Zeiss wurde ein Einkaufszentrum.

Sehenswertes in Jena

Marktplatz
Zu Recht steht der Marktplatz als letztes nahezu erhalten gebliebenes städtebauliches Ensemble der Altstadt, die im Zweiten Weltkrieg größtenteils zerstört wurde, heute unter **Denkmalschutz**. Den Markt dominiert das spätgotische Rathaus, ein Gebäude mit zwei Walmdächern, zwischen denen ein Turm mit einer Kunstuhr emporragt. Auf dem Platz steht weithin sichtbar das Denkmal »Hanfried«; diese Bezeichnung leitet sich von den Vornamen des Kurfürsten Johann Friedrich der Großmütige (1503–1553) her, der die Jenaer Hochschule gründete, den Vorgänger der bekannten Universität.

Stadtmuseum
Am Marktplatz steht ferner die **»Alte Göhre«**, ein Gebäude mit auffälliger Giebelstellung an der Nordseite. Im hier untergebrachten Stadtmuseum sind u. a. eine historische Münzwerkstatt sowie zahlreiche Dokumente zur Universitätsgründung und zum studentischen Leben zu sehen.

St. Michael
Die Stadtkirche St. Michael, eine **spätgotische Hallenkirche**, wurde 1506 mit Stilelementen aus Böhmen, Oberschlesien und Süddeutschland fertig gestellt (nach dem Zweiten Weltkrieg rekonstruiert). Bemerkenswert unter den Ausstattungsstücken sind das Standbild des hl. Michael, eines der ältesten Holzbildwerke Thüringens, und die

Bronzeplatte, die ursprünglich für das Grab Martin Luthers in Wittenberg bestimmt war und sich seit 1571 hier befindet.

Vom Markt führt die Kollegiengasse zum ehemaligen Dominikanerkloster und späteren Collegium Jenense, das rund drei Jahrhunderte lang die **»Erste Universität«** der Stadt war. Interessant ist die alte Karzerzelle mit Inschriften von Studenten, die hier ihre Strafe verbüßen mussten. Am Collegium Jenense wirkten bedeutende Gelehrte wie Hegel, Fichte und Schelling.

Collegium Jenense

▶ JENA ERLEBEN

AUSKUNFT

Tourist-Information
Johannisstraße 23, 07743 Jena
Tel. (0 36 41) 80 64 00, Fax 80 64 09
www.jena.de

ESSEN

► Erschwinglich
Scala
Leutgraben 1 (Intershop Tower),
07743 Jena
Tel. (0 36 41) 35 66 66
Modernes Restaurant in der 29. Etage des Intershop Towers. Dank der raumhohen Fenster genießt man beim Essen auch einen atemberaubenden Blick über die Stadt.

► Preiswert
Zur Noll
Oberlauengasse 19, 07743 Jena
Tel. (0 36 41) 44 33 34
Traditionsreiches Haus mit einer urigen Gaststube. Neben thüringischen Spezialitäten kommen hier typisch deutsche Gerichte und italienische Vorspeisen auf den Tisch.

Papiermühle Jena
Erfurter Straße 102, 07743 Jena
Tel. (0 36 41) 4 59 80
In dem Braugasthof von 1737 genießen Sie thüringische Hausmannskost und selbst gebraute Bierspezialitäten.

ÜBERNACHTEN

► Luxus
Steigenberger Esplanade
Carl-Zeiss-Jena Platz 4, 07743 Jena
Tel. (0 36 41) 80 00, Fax 80 01 50
www.jena-steigenberger.de
Großzügig geschnittenes Haus mit sachlich-elegant eingerichteten Zimmern und Suiten. Das Restaurant besitzt südamerikanisches Flair, legeres Bistro.

► Komfortabel
Schwarzer Bär
Lutherplatz 2, 07743 Jena
Tel. (0 36 41) 40 60, Fax 40 61 13
www.schwarzer-baer-jena.de
Altehrwürdiges, zentral gelegenes Haus, das auf eine über 500-jährige Geschichte zurückblickt – unter dem Pseudonym »Junker Jörg« ließ sich 1522 bereits Martin Luther hier bewirten. Heute strahlt im ganzen Haus gediegener Komfort, die geschmackvollen Zimmer sind mit schönen Stilmöbeln eingerichtet.

► Günstig
Zur Schweiz
Quergasse 15, 07743 Jena
Tel. (0 36 41) 5 20 50, Fax 5 20 51 11
www.zur-schweiz.de
Zweckmäßige, gemütliche Zimmer in einem gepflegten zentral gelegenen Haus.

Wahrzeichen von Jena ist das ehemalige Universitätshochhaus.

Intershop-Tower Weithin sichtbar ragt das runde, 149 m hohe ehemalige **Universitäts-hochhaus** (1972) über die Stadt. Auf der 28. und 29. Etage befindet sich ein Panorama-Restaurant mit Aussichtsplattformen, der Sockel des nun vollverglasten Turms birgt ein Einkaufszentrum.

Bürgerhäuser In Jena gibt es auch eine Reihe alter Bürgerhäuser, darunter das Haus »Zur Rosen« von 1683 (Johannisstraße 13) mit einem Ornament und einer Inschrift an der Fassade sowie die Häuser in der Saalstraße (Nr. 5: Trebitzsches Haus).

Universität Das Hauptgebäude (1905–1908) der Friedrich-Schiller-Universität befindet sich am Fürstengraben 1, an der Stelle des ehemaligen her-zoglichen Schlosses. In der Großen Aula der Universität ist ein Ge-mälde von Ferdinand Hodler zu sehen (»Auszug der Jenaer Studen-ten zum Freiheitskampf von 1813«). Vor dem Gebäude steht das Burschenschafts-denkmal des Bildhauers Adolf von Donn-dorf. Entlang der **»Via triumphalis«** (Fürstengraben) reihen sich außerdem zahlreiche Denkmäler berühmter Persön-lichkeiten.

? WUSSTEN SIE SCHON ...?

■ dass das Zeiss-Planetarium das älteste freistehende Projektionsplanetarium der Welt ist?

Frommannsches Haus Hier am Fürstengraben Nr. 18 im Frommannschen Haus (18. Jh.) trafen sich zu Goethes Zeiten viele bedeutende Persönlichkeiten. Im Verlagshaus des Buchhändlers und Verlegers Frommann disputierten die Berühmtheiten. Ein weiteres markantes Gebäude (Nr. 23) ist auch der Barockbau der **»Zweiten Universität«**, bis 1908 Hauptge-bäude der Universität.

Auf dem Gelände des früheren fürstlichen Lustgartens liegt der Botanische Garten. Dort findet man Pflanzen aus allen Erdteilen, ferner ein Alpinum und ein Arboretum. Die im ehemaligen Inspektorhaus des Botanischen Gartens (Fürstengraben 26) eingerichtete **Gedenkstätte** erinnert an das langjährige Wirken Johann Wolfgang von Goethes als Dichter, Staatsmann und Naturforscher in Jena. Im Haus schräg gegenüber wohnte der Romantiker Novalis während seiner Jenenser Studienzeit 1790/1791 – eine Gedenktafel erinnert an ihn.

Botanischer Garten

Von der Goethe-Gedenkstätte sind es nur wenige Schritte zum Zeiss-Planetarium, einem Kuppelbau von 1926. Es bietet populärwissenschaftliche Vorführungen, Kinderprogramme sowie Laser- und Multivisionsshows.

★ Zeiss-Planetarium

Am Carl-Zeiss-Platz im Südwesten der Innenstadt präsentiert das naturwissenschaftlich-technische Optische Museum kulturgeschichtliche und technische Entwicklungslinien optischer Instrumente aus fünf Jahrhunderten. Außerdem besitzt es eine der **größten Brillensammlungen Europas**. Am Carl-Zeiss-Platz erinnert ein achteckiger Jugendstilbau von Henry van de Velde (1911) an den Physiker Ernst Abbe, dem bahnbrechende Erfindungen auf dem Gebiet der Optik gelangen und der zu den Mitbegründern der Jenaer Glaswerke gehörte; die Abbe-Büste im Inneren schuf Max Klinger.

★ Optisches Museum

An der Straße »Unterm Markt« 12 a ist das einstige Wohnhaus des Philosophen Johann Gottlieb Fichte heute Gedenkstätte der **deutschen Frühromantik**. Zum Jenaer Romantikerkreis gehörten u. a. der junge Schelling, die Gebrüder Schlegel, Tieck und Novalis. Die oberen Etagen des Gebäudes beherbergen die Kunstsammlungen der Städtischen Museen.

★ Gedenkstätte der deutschen Frühromantik

Im Optischen Museum Jena erfährt man, wie das Mikroskop erfunden wurde.

Schillers Sommerhaus Das ehemalige Sommerhaus Schillers »vor der Stadt an der Leutra« (Schillergässchen 2) ist die **einzige erhalten gebliebene Schiller-Gedenkstätte Jenas**. Hier arbeitete der Dichter an den Dramen »Wallensteins Lager«, »Maria Stuart« und »Die Jungfrau von Orléans«.

Ernst-Haeckel-Haus Das frühere Wohnhaus des Zoologen Ernst Haeckel in der Berggasse Nr. 7 ist heute Sitz des Instituts für Geschichte der Medizin, Naturwissenschaften und Technik der Friedrich-Schiller-Universität. Das Ernst-Haeckel-Museum gibt Auskunft über Leben und Wirken des Naturwissenschaftlers.

Schillerkirche An der Schlippenstraße in Jena-Ost liegt die Schillerkirche, einst Dorfkirche von Wenigenjena. Am 22. Februar 1790 ließen sich dort Friedrich Schiller und Charlotte von Lengefeld trauen.

Umgebung von Jena

✳ Kahla Leuchtenburg In Kahla, 16 km südlich von Jena, sind noch größere Abschnitte der Stadtmauer des 14. und 15. Jh.s erhalten. Oberhalb von Kahla steht weithin sichtbar die Leuchtenburg, die einst zu den **mächtigsten Burgen in Thüringen** zählte. Im Inneren ist ein Museum untergebracht; zur Einkehr lädt die Burgschänke.

Die Gedenkstätte in Cospeda, 4 km nordwestlich von Jena, erinnert an die **Schlacht von Jena und Auerstedt**, in der 1806 Napoleon I. und seine Verbündeten die preußischen Truppen besiegten. Zu sehen sind ein Diorama der Schlacht, Waffen und Uniformen.

Dornburg, 12 km nordöstlich von Jena am Steilufer der Saale gelegen, ist mit seinen Schlössern und gepflegten Parkanlagen ein beliebtes Ausflugsziel. Das Alte Schloss, das Renaissanceschloss und das Rokokoschloss wurden vor allem durch Goethes Aufenthalte bekannt.

Bedeutung erlangte die Stadt Apolda durch seine **Glockengießerei** (1988 eingestellt) und die Herstellung von Strick- und Wirkwaren. Nach dem Zweiten Weltkrieg wurden hier die Glocken für die Gedenkstätte Buchenwald auf dem Ettersberg bei ► Weimar gegossen. Das Glockenmuseum (Bahnhofstraße 41)

Rokokoschloss Dornburg inmitten von Weinbergen

zeigt die Geschichte der Glocken seit etwa dreitausend Jahren. Im Haus gegenüber (Bahnhofstraße 42) wurde das Kunsthaus Apolda Avantgarde eingerichtet.Gleich dahinter gibt die Museumsbaracke »Olle DDR« anschauliche Einblicke in den damaligen Alltag, die zum Schmunzeln, aber auch zum Nachdenken anregen.

Kapellendorf

Südwestlich von Apolda sollte man die stattliche Wasserburg in Kapellendorf ansehen. Die fünfeckige Anlage ist ein besonders schönes Beispiel für eine **gotische Niederungsburg mit Wassergraben**. Im Oktober 1806 war die Burg Hauptquartier der preußischen Armee unter dem Fürsten von Hohenlohe.

Weitere Ziele

►Saaletal

Kaiserslautern

Atlasteil: S. 43 • C 4
Höhe: 233 m ü. d. M.
Bundesland: Rheinland-Pfalz
Einwohnerzahl: 102 000

Die alte »Barbarossastadt« Kaiserslautern, so benannt nach der Pfalz, die Friedrich I. Barbarossa hier 1152 errichten ließ, ist das kulturelle und wirtschaftliche Zentrum des Pfälzer Waldes. Seit 1970 ist Kaiserslautern auch Sitz einer Universität.

Stiftsplatz

Im Mittelpunkt der Stadt erhebt sich am Stiftsplatz die dreitürmige Stiftskirche (13.–14. Jh.), die bedeutendste **spätgotische Hallenkirche** Südwestdeutschlands. Der so genannte Schöne Brunnen vor der Kirche stammt aus dem Jahr 1571.

St. Martinsplatz

Unweit nordöstlich wurde im 14. Jh. am St. Martinsplatz die gleichnamige gotische Kirche im typischen Stil der mittelalterlichen **Bettelordenskirchen** errichtet. In nordwestliche Richtung führt von hier die Steinstraße – mit vielen Kneipen und Bistros – zum Theodor-Zink-Museum, das seine volkskundlichen und stadtgeschichtlichen Sammlungen zeigt, und zum Kaiserbrunnen (1987) am Mainzer Tor.

Fruchthalle

Westlich des St. Martinsplatzes ist die 1843–1846 nach dem Vorbild des Palazzo Medici in Florenz im Renaissancestil erbaute Fruchthalle sehenswert, die zunächst als Markthalle genutzt wurde, bevor dort 1849 die Pfälzische Revolutionsregierung tagte.

Willy-Brandt-Platz

Um den Willy-Brandt-Platz gruppieren sich das Theater, das 84 m hohe Rathaus und der Casimirbau, der in den Rathaus-Komplex eingegliedert ist. Die Ruinen dieses 1571 errichteten **Renaissanceschlosses** wurden ausgebaut und überdacht. Gegenüber unterrichten Schautafeln über die Baugeschichte der Kaiserpfalz, die Barbarossa

1152 hier errichten ließ. An den einst prächtigen Bau erinnern nur noch Mauerreste. Benachbart ist das Neue Pfalztheater.

Pfalzgalerie Am Museumsplatz zeigt die Pfalzgalerie in der Pfälzischen Landesgewerbeanstalt (Museumsplatz 1) mit Kunst des 19. und 20. Jh.s die **bedeutendste Gemäldesammlung der Pfalz**.

Japanischer Garten Der Japanische Garten an der Lauterstraße bringt einen kräftigen Hauch Fernost in die Pfalz.

Umgebung von Kaiserslautern

✳ Pfälzer Bergland Schöne Ausflugsziele und Wandermöglichkeiten findet man südlich von Kaiserslautern im Pfälzer Wald (►Deutsche Weinstraße · Pfälzer Wald) und im Norden im Pfälzer Bergland. Im nördlich von Kaiserslautern gelegenen Dannenfels beginnen z. B. schöne Wanderwege

▶ KAISERSLAUTERN ERLEBEN

AUSKUNFT

Tourist-Information
Willy-Brandt-Platz 1
67653 Kaiserslautern
Tel. (06 31) 3 65 23 17
Fax 3 65 27 23
www.kaiserslautern.de

ESSEN

► Erschwinglich

Landhaus Woll
Dansenberger Straße 64
67661 Kaiserslautern-Dansenberg
Tel. (06 31) 5 16 02
Ländliches Restaurant im Schwarzwaldstil mit schönem Biergarten. Regionales Speiseangebot. Spezialitäten: Flammkuchen und Spanferkel.

► Preiswert

Bistro 1A
Pirmasenser Straße 1a
67655 Kaiserslautern
Tel. (06 31) 6 30 59
Schmuckes Bistro, vielfältige Speisekarte mit italienischem Einschlag, tolles Vorspeisenbüfett.

ÜBERNACHTEN

► Luxus

Dorint
St-Quentin-Ring 1,
67663 Kaiserslautern
Tel. (06 31) 2 01 50, Fax 2 76 40
www.dorint.com
Sehr gut ausgestattetes Haus mit eleganten, wohnlichen Zimmern, großzügige Badelandschaft.

► Komfortabel

Zollamt
Buchenlochstraße 1,
67663 Kaiserslautern
Tel. (06 31) 3 16 66 00, Fax 3 16 66 66
www.zollamt-hotel-garni.de
Charmantes Stadthaus.

► Günstig

Lautertalerhof
Mühlstraße 31,
67659 Kaiserslautern
Tel. (06 31) 3 72 60, Fax 7 30 33
www.lautertalerhof.de
Einfache, aber zweckmäßig eingerichtete Zimmer in einem sehr gepflegten und freundlichen Haus.

zum 687 m hohen Donnersberg. Auch der weiter westlich bei Wolfstein gelegene Königsberg (567 m) mit einem zur Besichtigung geöffneten **Kalkbergwerk** ist ein beliebtes Ziel.

Bei Kusel, Mittelpunkt des so genannten Musikantenlandes, hat man die mit einer Länge von 425 m größte pfälzische Burganlage, die **Burg Lichtenberg**, nach ihrer Zerstörung im 18./19. Jh. teilweise restauriert und wieder aufgebaut. Im Heimatmuseum gibt es auch ein dem aus Kusel stammenden Kammersänger Fritz Wunderlich (1930–1966) gewidmetes Zimmer. Größter Publikumsmagnet aber ist der Bade- und Freizeitpark.

Eines der ältesten Fachwerkhäuser Kaiserslautern: das Gasthaus »Zum Spinnrädl« (1740)

✳ Karlsruhe

Atlasteil: S. 51 • D 1
Höhe: 116 m ü. d. M.
Bundesland: Baden-Württemberg
Einwohnerzahl: 269 000

Wer durch Karlsruhe läuft, wird quasi immer zum Schloss hingeführt. Die fächerförmige Anlage der Innenstadt ist charakteristisch für die ehemalige großherzoglich badische Residenzstadt, in der die Formensprache des Klassizismus vorherrscht. Hinzu kommen die ausgedehnten Grünanlagen und das milde Klima.

Karlsruhe liegt an den nordwestlichen Ausläufern des ► Schwarzwalds. Es ist u. a. Sitz des Bundesgerichtshofs und des Bundesverfassungsgerichts, einer Universität, einer Kunstakademie und einer Musikhochschule sowie des Forschungszentrums Karlsruhe. Der **Rheinhafen** förderte die Ansiedlung einer vielseitigen Industrie, u. a. große, an die Pipeline Marseille–Karlsruhe–Ingolstadt angeschlossene Ölraffinerien. **Stadt des Rechts**

Karlsruhe verdankt seine Entstehung dem Markgrafen Karl Wilhelm von Baden-Durlach, der hier 1715 seine **neue Residenz** inmitten seines bevorzugten Jagdreviers, des Hardtwaldes, gründete, nachdem seine Durlacher Residenz 1689 verwüstet worden war. Er legte fest, dass alle Straßen fächerförmig auf sein Schloss zulaufen sollten. Das klassizistische Gepräge erhielt die Stadt zu Beginn des 19. Jh.s durch **Geschichte** die schlicht-eleganten Staats- und Privatbauten des Karlsruher Architekten Friedrich Weinbrenner. Er schuf u. a. die Bebauung am Markt-

Karlsruhe Orientierung

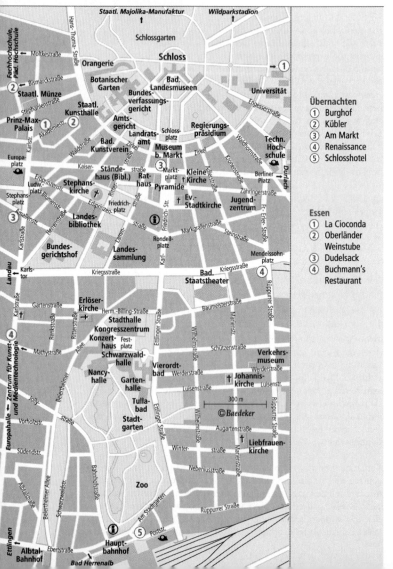

Übernachten
1. Burghof
2. Kübler
3. Am Markt
4. Renaissance
5. Schlosshotel

Essen
1. La Cioconda
2. Oberländer Weinstube
3. Dudelsack
4. Buchmann's Restaurant

©Baedeker

platz und legte die Kaiserstraße an, die in Ost-West-Richtung parallel zum Schloss verläuft.

Sehenswertes in Karlsruhe

Das Herzstück der Stadt ist der weite Schlossplatz mit dem in seiner heutigen Form 1752–1775 unter dem Markgrafen Karl Friedrich, dem Enkel des Stadt-gründers, erbauten dreiflügeligen

✱ Schloss

Schloss; vom ursprünglichen Schloss ist nur noch der hohe Mittelturm erhalten. Im Inneren des Schlosses befindet sich das **Badische Landesmuseum**, das Sammlungen der Vor- und Frühgeschichte des Landes, von antiken Kulturen des Mittelmeerraums sowie Kunst-, Kultur- und Landesgeschichte vom Mittelalter bis zur Gegenwart ausstellt.

◄ Schlossgarten

Hinter dem Schloss erstreckt sich der ausgedehnte Schlossgarten, ein im **englischen Stil** angelegter Landschaftsgarten mit einem Teich, schönem Baumbestand, Liege- und Spielwiesen.

◄ Majolika-Manufaktur

Nördlich hinter dem Schlossgarten befindet sich die 1901 gegründete Staatliche Majolika-Manufaktur mit dem Majolika-Museum.

Botanischer Garten

Mit schönen Blumenanlagen und prächtigem alten Baumbestand wartet der Botanische Garten westlich des Schlosses auf. Im Südosten schließt der Bau des **Bundesverfassungsgerichts** (1968) an.

✱ Staatliche Kunsthalle und Orangerie

Am Botanischen Garten liegen zudem die Orangerie und südlich die Staatliche Kunsthalle (Hans-Thoma-Straße 2–6). Ihre bedeutende Gemäldesammlung umfasst sowohl altdeutsche Meister wie Grüne-wald, Dürer, Hans Baldung Grien, Cranach, Holbein als auch nieder-ländische und französische Malerei (u. a. Rubens, Rembrandt, Lor-rain, Chardin) und Malerei des 19. Jh.s (Delacroix, Courbet, Degas, Monet). In der Orangerie, Teil der Staatlichen Kunsthalle, sind Wer-ke von Cézanne und Gauguin über Kandinsky, Klee, Delaunay, Ma-tisse, Kirchner bis zur zeitgenössischen Kunst sowie das **erste deut-sche Kindermuseum** zu sehen.

Museum beim Markt

Eine Außenstelle des Badischen Landesmuseums ist das Museum beim Markt (Karl-Friedrich-Straße 6). Es zeigt Sammlungen vom **Jugend-stil bis zur angewandten Kunst der Gegenwart**, darunter Werke des Bauhauses, Design nach 1945 sowie Glas und Goldschmiedekunst.

Marktplatz

Südlich vom Schloss liegt der Marktplatz, dessen geschlossene klassi-zistische Platzanlage von Weinbrenner geplant wurde. Auffällig er-hebt sich hier die 6,50 m hohe, aus rotem Sandstein erbaute Pyrami-de, das **Wahrzeichen von Karlsruhe**. Sie birgt die Gruft des Stadt-gründers. Die Westseite des Platzes begrenzt das Rathaus mit seiner

► KARLSRUHE ERLEBEN

AUSKUNFT

Tourist-Information
Karl-Friedrich-Straße 9,
76137 Karlsruhe
Tel. (07 21) 37 20 53 76,
Fax 37 20 53 89
www.karlsruhe.de

ESSEN
► Fein & Teuer
② *Oberländer Weinstube*
Akademiestraße 7, 76133 Karlsruhe
Tel. (07 21) 2 50 66
Seit Generationen werden in dieser
behaglichen Weinstube mit gemütli-
chem Kachelofen köstliche badische
Küche und erlesene Weine serviert.

► Erschwinglich
① *La Cioconda*
Akademiestraße 26, 76133 Karlsruhe
Tel. (07 21) 2 55 40
Kleiner charmanter Edelitaliener
mit wechselnder Speisekarte. Viele
saisonale Spezialitäten.

③ *Dudelsack*
Waldstraße 79, 76133 Karlsruhe
Tel. (07 21) 20 50 00
Gutbürgerliche Küche und badische
Spezialitäten in einer originell einge-
richteten Gaststube.

④ *Buchmann's Restaurant*
Mathystraße 22, 76133 Karlsruhe
Tel. (07 21) 8 20 37 30
Schick eingerichtetes und mit viel
moderner Kunst geschmücktes Res-
taurant. Internationale Küche.

ÜBERNACHTEN
► Luxus
⑤ *Schlosshotel*
Bahnhofsplatz 2, 76137 Karlsruhe
Tel. (07 21) 3 83 20, Fax 3 83 23 33
www.schlosshotel-karlsruhe.de

Ruhige, stilvolle Zimmer finden Sie
in diesem traditionsreichen Haus.
In der rustikalen Schwarzwaldstube
wird zwischen Kachelofen und Jagd-
trophäen badische und mediterrane
Küche serviert.

► Komfortabel
② *Kübler*
Bismarckstraße 39, 76133 Karlsruhe
Tel. (07 21) 14 40, Fax 2 26 39
www.hotel-kuebler.de
Ausgefallenes Hotel im Zentrum. Auf
mehrere Häuser verteilt, bietet es
individuell gestaltete Zimmer, zum
Teil im Hundertwasser-Stil. Die The-
menzimmer (etwa Kerker, Iglu-
Märchen oder Bella Italia) entführen
Sie in eine komfortable Traumwelt.

④ *Renaissance*
Mendelssohnplatz, 76131 Karlsruhe
Tel. (07 21) 3 71 70, Fax 37 71 56
www.renaissancehotels.com
Sehr komfortables Stadthotel mit
attraktiven und erstklassig ausgestatteten Zimmern.

► Günstig
① *Burghof*
Haid- und Neu-Straße 18,
76131 Karlsruhe
Tel. (07 21) 6 18 34 00, Fax 6 18 34 03
www.hoepfner-burghof.com
Im Hotel der Brauerei Hoepfner
warten bequeme und großzügig
geschnittene Zimmer auf Sie. Rustikales Ambiente im Restaurant.

③ *Am Markt*
Kaiserstraße 76, 76133 Karlsruhe
Tel. (07 21) 91 99 80, Fax 9 19 98 99
www.hotelammarkt.de
Zweckmäßige Übernachtungsadresse
in der Innenstadt, moderne Zimmer,
einladender Frühstücksraum.

dreiteiligen Fassade, gegenüber steht die ebenfalls von Weinbrenner entworfene Evangelische Stadtkirche, die an einen griechischen Tempel erinnert.

Die 2 km lange, größtenteils zur **Fußgängerzone** erklärte Kaiserstraße ist die Ost-West-Achse der Fächerstadt und ihre Hauptgeschäftsstraße. In dem vom Marktplatz zum Durlacher Tor führenden östlichen Teil der Kaiserstraße befindet sich die schon 1825 gegründete Technische Universität, an der Heinrich Hertz 1885–1889 die elektromagnetischen Wellen erforschte. Westwärts zieht die Kaiserstraße an der »Euro-Galerie« am Europaplatz, einem eleganten Einkaufszentrum mit Restaurants, vorbei zum Mühlburger Tor.

Kaiserstraße

Die gesamte Südseite des Friedrichsplatzes wird von einem 1865–1875 im Stil der Neorenaissance errichteten Monumentalbau eingenommen. Er beherbergt die Landessammlungen für Naturkunde mit Abteilungen für Geologie, Mineralogie, Botanik und Zoologie, Letztere mit einem Vivarium. In Sichtweite liegen die Badische Landesbibliothek und die 1814 von Weinbrenner erbaute katholische Stephanskirche, die an das römische Pantheon erinnert. Im ehemaligen Großherzoglichen Palais (1893–1897) tagt heute der **Bundesgerichtshof**.

Friedrichsplatz mit Naturkundemuseum und Stephanskirche

Alle Wege führen zum Karlsruher Schloss.

In der Pyramide am Marktplatz ist der Stadtgründer beigesetzt.

Im **Prinz-Max-Palais** (Karlstraße 10), einem Gründerzeitbau, wird im **Stadtgeschichtlichen Museum** die Geschichte Karlsruhes dargelegt. Hier zeigt auch das **Museum für Literatur am Oberrhein** Handschriften, Erstdrucke, Briefe u. a., die einen Überblick über Leben und Werk von mehr als 150 oberrheinischen Dichtern geben.

Vom Markt südwärts gelangt man durch die Karl-Friedrich-Straße über den **Rondellplatz** mit der Verfassungssäule und dem 1963 wiederhergestellten ehemaligen Markgräflichen Palais, einem der schönsten Bauten Weinbrenners, zur Straßenkreuzung am Ettlinger Tor. Überquert man dort die breite Kriegsstraße, sieht man schon das südöstlich liegende Badische Staatstheater (1970–1975), vor dem der originelle **»Musengaul«** steht.

Festplatz Die Ettlinger Straße führt weiter südlich zum Festplatz, dem Mittelpunkt des Kongress- und Ausstellungszentrums, mit der 1985 modernisierten Stadthalle, die zum 200-jährigen Stadtjubiläum 1915 erbaut wurde, mit dem Konzerthaus, der Nancy-Halle sowie der Schwarzwald- und Gartenhalle. Östlich vom Vierordtbad (Werderstraße 63) liegt das **Verkehrsmuseum** mit Auto- und Motorradoldtimern sowie Eisenbahnmodellen.

Stadtgarten Das grüne Erscheinungsbild Karlsruhes wird u. a. durch den schönen Stadtgarten (Japan- und Rosengarten, Zoo) südlich des Festplatzes erzielt.

✳ **Zentrum für Kunst und Medientechnologie** Traditionelle Kunst wie Malerei und Musik wird mit digitalen Techniken verknüpft, darum geht es im Zentrum für Kunst und Medientechnologie (ZKM) in der denkmalgeschützten ehemaligen Munitionsfabrik in der Lorenzstraße. **Hauptanziehungspunkte** des ZKM sind das Medienmuseum, das erste vollständig interaktiv konzipierte Museum, das die Wirkungsweise der neuen Medien darstellt, und das Museum für Neue Kunst, das Medienkunst, Malerei, Skulptur und Fotografie vereint. Auch die Städtische Galerie Karlsruhe (Lichthof 10 im Hallenbau A), die bisher im Prinz-Max-Palais untergebracht war, hat hier vor einigen Jahren ihre Pforten geöffnet.

Europahalle Südwestlich der Innenstadt, nahe dem Flüsschen Alb, liegt die Europahalle (Großsporthalle) am Rande der **Günther-Klotz-Anlage**. In dem Park mit seinen Wiesen und Seen tummeln sich vor allem im

Drei Tage im Sommer steht Karlsruhe Kopf, wenn in der Günther-Klotz-Anlage »Das Fest« stattfindet.

Sommer die Karlsruher mit Kind und Kegel auf den Grünflächen, Spielplätzen und dem kleinen Ruderbootsee. Hier findet jedes Jahr »Das Fest« statt, Deutschlands zweitgrößtes Open-Air-Festival. Drei Tage lang wird Musik von Pop über Jazz bis Klassik, Theater, Disko, Comedy, Kulinarisches sowie ein großer Kinderspielbereich geboten, und das alles bei freiem Eintritt. Jährlich zieht die Veranstaltung etwa 200 000 Begeisterte an (Informationen: Stadtjugendausschuss, Tel. 07 21/13 36 51, www.dasFest-Karlsruhe.de).

◄ Das Fest

Ein Besuch der einstigen Zähringer-Residenz Durlach, heute ein östlicher Stadtteil von Karlsruhe, lohnt vor allem wegen seines **hübschen Stadtkerns**. Im sog. Prinzessinnenbau des Schlosses, einstige Residenz der Markgrafen von Baden-Durlach, sind das Pfinzgau-Museum und das Karpatendeutsche Heimatmuseum untergebracht.
Auf den 225 m hohen Turmberg führt die älteste in Betrieb befindliche Standseilbahn Deutschlands hinauf. Von seinem zum Aussichtsturm umgebauten Bergfried (Durlacher Warte) hat man einen weiten Blick auf die Stadt und über die Oberrheinebene.

Karlsruhe-Durlach

Umgebung von Karlsruhe

Etwa 8 km südlich liegt die hübsche Stadt Ettlingen mit einem ehemaligen **markgräflichen Schloss** (1728–1733), in dem im Sommer Festspiele stattfinden. Die als Fußgängerzone gestaltete Altstadt mit ihren zahlreichen schmucken Bauten wird von dem Flüsschen

Ettlingen

Das Deckenfresko in der Ettlinger Schlosskapelle stellt die Legende und das Leben des heiligen Nepomuk dar.

Alb in eine Nord- und eine Südhälfte geteilt. Sehenswert sind hier auch das Rathaus am Marktplatz und die östlich gelegene Martinskirche, ein barocker Saalbau aus dem Jahr 1733.

Bruchsal ist Deutschlands und Europas **Spargelstadt Nr. 1**. Bedeutendste Sehenswürdigkeit ist das im 18. Jh. als Residenz der Fürstbischöfe von Speyer errichtete barocke Schloss. Der vielgliedrige Komplex (insgesamt rund 50 Einzelgebäude) und der schöne Park wurden nach den Zerstörungen des Zweiten Weltkrieges wieder hergestellt. Das Innere ist eine Glanzleistung des deutschen Rokoko; besonders beachtenswert ist das von Balthasar Neumann gestaltete Treppenhaus mit einem großen Kuppelfresko. In den Museen des Schlosses ist neben einer der größten Sammlungen von Gobelins und kunsthandwerklichen Arbeiten aus der frühen Ausstattung des Schlosses das Deutsche Musikautomatenmuseum mit Orgeln, Klavieren und Spieldosen besonders sehenswert. Von den Kirchen Bruchsals überstand als einzige die 1742–1749 von Balthasar Neumann erbaute Barockkirche St. Peter im Südosten der Stadt den Zweiten Weltkrieg.

✳ Kassel

Atlasteil: S. 36 • B 2
Höhe: 163 m ü. d. M.

Bundesland: Hessen
Einwohnerzahl: 202 000

Den Namen Kassel bringt man vor allem mit der »documenta« in Verbindung, die alle 5 Jahre (nächste Termine 2007 und 2012) an Moderner Kunst Interessierte aus aller Welt anzieht. Großes »Plus« der Stadt sind ihre reizvollen Grünanlagen, und ihre Schokoladenseite ist die Wilhelmshöhe mit ihren repräsentativen Bauten, den Kunstsammlungen und dem Bergpark.

Geschichte Den Ursprung Kassels bildete ein fränkischer Königshof am Fuldaübergang. Stadt- und Befestigungsrecht hatte der Ort bereits im 12. Jh.; 1277 machte Landgraf Heinrich I. Kassel zu seiner Residenz. Von 1803 bis 1866 war Kassel, abgesehen von einem kurzen französischen Intermezzo, Hauptstadt des Kurfürstentums Hessen, dann wurde es preußisch.

Kassel *Orientierung*

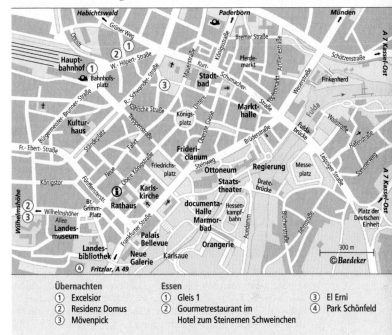

Übernachten
1. Excelsior
2. Residenz Domus
3. Mövenpick

Essen
1. Gleis 1
2. Gourmetrestaurant im Hotel zum Steinernen Schweinchen
3. El Erni
4. Park Schönfeld

Innenstadt

Hauptgeschäftsstraßen Kassels sind die zu Fußgängerzonen erklärte Obere Königsstraße, die sie kreuzende Wilhelmsstraße sowie die Treppenstraße, die 1953 als **erste Fußgängerzone** in der Bundesrepublik Deutschland eingeweiht wurde. Ein Stadtrundgang könnte am südlichen Anfang der Königsstraße beim 1905–1909 erbauten Rathaus beginnen.

Königsstraße

Die Obere Königsstraße führt am weitläufigen Friedrichsplatz vorbei, der im späten 18. Jh. nach englischen und französischen Vorbildern angelegt wurde. Das Museum Fridericianum beherrscht seine Nordostseite. Der von Anfang an als Museum konzipierte Bau entstand 1769–1779 nach Plänen von Simon Louis du Ry im klassizistischen Stil. Seit 1955 ist er **Zentrum der documenta** und anderer internationaler Ausstellungen.

Museum Fridericianum

Gegenüber befindet sich im ehemaligen Ottoneum, das 1607 als erster fester Theaterbau Deutschlands errichtet wurde, das **Naturkundemuseum** mit Exponaten zur Geologie, Botanik und Zoologie.

Ottoneum

Zur documenta 9 (1992) wurde die **documenta-Halle** am Rande der Karlsaue fertig gestellt, die auch für Kunstausstellungen und Kongresse genutzt wird.

Karls- und Fuldaaue

Zu ausgedehnten Spaziergängen laden die Karls- und Fuldaaue ein. Die Karlsaue, 1670–1730 unter Landgraf Karl angelegt, ist mit 125 ha eine der **größten barocken Parkanlagen Deutschlands**. Die angrenzende Fuldaaue entstand im Rahmen der Bundesgartenschau 1981. Ein beachtenswertes Gebäude in der Karlsaue ist die Orangerie, ein Barockbau von 1710. Das einstige Lustschloss der hessischen Landgrafen beherbergt heute das Museum für Astronomie und Technikgeschichte. Das Marmorbad daneben (1720) gilt als eines der schönsten Beispiele des italienisch inspirierten Barock. Im Südwesten der Karlsaue fasziniert die Blumeninsel Siebenbergen im Sommer durch ihre Blütenpracht.

Neue Galerie

Die Neue Galerie (1871–1877 erbaut) am Nordwestrand der Karlsaue zeigt Gemälde und Skulpturen von der Mitte des 18. Jh.s bis zur Gegenwart, darunter auch Werke berühmter documenta-Künstler (Beuys, Merz, Polke, Richter u. a.).

Brüder-Grimm-Museum

Jeder kennt sie, die Gebrüder Grimm, aber die wenigsten wissen, dass sie nicht nur Märchen gesammelt, sondern auch ein **»Deutsches Wörterbuch«** herausgegeben haben. Im Brüder-Grimm-Museum im Palais Bellevue kann man sich auch über die Sprachwissenschaftler Jacob und Wilhelm Grimm informieren.

Schaurig faszinierend: die Schlacht bei Austerlitz im Tapetenmuseum Kassel

Und wer dann noch nicht genug von den »Märchenonkels« hat, der findet vor der **Torwache**, in der die Brüder Grimm in den Jahren 1814 bis 1822 lebten, ein Denkmal für sie. Die Torwache gehört heute zum Hessischen Landesmuseum, das **angewandte Kunst und Design von 1840 bis heute** präsentiert.

In dem Bau an der Südseite des Brüder-Grimm-Platzes sind zwei Museen untergebracht: zum einen das **Landesmuseum**, das seine Sammlungen zur Vor- und Frühgeschichte, Kunsthandwerk sowie Plastiken vom Mittelalter bis zur Gegenwart zeigt, und zum anderen das originelle **Deutsche Tapetenmuseum**, das die Entwicklung der Tapeten vom 18.–20. Jh. dokumentiert.

! *Baedeker* TIPP

Hohe Kunst ...

... in der ehemaligen Kleiderkammer der Deutschen Bahn AG? Das ist ja zum Lachen, denn in der hier untergebrachten Caricatura, Galerie für komische Kunst, kann man die besten Cartoons und Karikaturen Deutschlands unmöglich in stiller Kontemplation betrachten (Bahnhofsplatz 1, Tel. 05 61/77 64 99, www.caricatura.de, Do und Fr 14.00–16.00, Sa und So 12.00–20.00 Uhr).

Wilhelmshöhe

Vom Brüder-Grimm-Platz führt die 5 km lange, schnurgerade verlaufende Wilhelmshöher Allee zum Bergpark im Stadtteil Wilhelmshöhe, der nicht nur wegen seiner prächtigen Bauten und hübschen Parkanlagen, sondern auch als staatlich anerkanntes **Kneipp-Heilbad** Bedeutung hat.

Die größte Attraktion in dem **englischen Landschaftspark** sind seine grandiosen Wasserspiele (Himmelfahrt bis Anfang Okt. Mi., So. und Fei. 14.30–15.45 Uhr, nachts jeden 1. Sa. von Juni bis Sept.).

✳ Bergpark

Das klassizistische Schloss Wilhelmshöhe wurde 1786–1803 für Landgraf Wilhelm IX. (später Kurfürst Wilhelm I.) von Simon Louis du Ry und Heinrich Christoph Jussow erbaut.
Das glänzend eingerichtete Innere enthält die **Staatlichen Kunstsammlungen** mit der exzellenten Gemäldegalerie Alter Meister, die auf eine von Landgraf Wilhelm VIII. angelegte Sammlung zurückgeht. Sie wird in frisch renovierten und umgebauten Räumen präsentiert und sucht ihresgleichen – allein 17 Werke von Rembrandt, elf von van Dyck, die größte Sammlung von Jacob Jordaens außerhalb Belgiens und zahlreiche Arbeiten von Rubens und Hals können bewundert werden; einzigartig ist auch die im Untergeschoss ausgestellte Sammlung von **Korkmodellen antiker Bauten**, die im 18. Jh. angefertigt wurden. Das Schlossmuseum im Weißensteinflügel zeigt Mobiliar, Glas und Keramik. Im 1830 fertig gestellten Ballhaus neben dem Schloss finden von Mai bis Oktober Wechselausstellungen statt (Öffnungszeiten Kunstsammlungen: Di. bis So. 10.00–17.00, Schlossmuseum im Winter nur bis 16.00 Uhr).

✳✳ Schloss Wilhelmshöhe

▶ KASSEL ERLEBEN

AUSKUNFT

Tourist-Information
Obere Königsstraße 8, 34117 Kassel
Tel. (05 61) 70 77 07, Fax 7 07 72 00
www.kassel.de

ESSEN

▶ Fein & Teuer

② *Gourmetrestaurant im Hotel zum Steinernen Schweinchen*
Konrad-Adenauer-Straße 117,
34132 Kassel
Tel. (05 61) 94 04 80
Mit leichter mediterraner Küche auf hohem Niveau, zudem einem schönen Blick auf die Kasseler Berge, weiß das elegante Restaurant zu begeistern.

▶ Erschwinglich

④ *Park Schönfeld*
Bosestraße 13, 34121 Kassel
Tel. (05 61) 2 20 50
Schickes Restaurant in einem kleinen Schlösschen aus dem 18. Jh., von einem herrlichen Park umgeben. Hier genießt man klassische, regionale und mediterrane Gerichte.

▶ Preiswert

① *Gleis 1*
Bahnhofsplatz, 34117 Kassel
Tel. (05 61) 78 01 60
Seit der alte Hauptbahnhof ausgedient hat, ist er Kulturbetrieb. Die gastronomische Rolle spielt hierbei das Restaurant Gleis 1 mit seiner einfachen italienischen Küche.

③ *El Erni*
Parkstraße 42, 34119 Kassel
Tel. (05 61) 71 00 18
www.el-erni.de
Sehr romantisches, gemütliches Restaurant mit vorzüglicher spanischer Küche.

ÜBERNACHTEN

▶ Komfortabel

③ *Mövenpick*
Spohrstraße 4, 34117 Kassel
Tel. (05 61) 7 28 50, Fax 7 28 51 18
www.moevenpick-kassel.com
Großzügig geschnittenes Haus, sehr komfortable Zimmer, luxuriöse Suiten, schönes modernes Restaurant.

② *Residenz Domus*
Erzbergerstraße 1, 34117 Kassel
Tel. (05 61) 70 33 30, Fax 70 33 34 98
www.hotel-domus-kassel.de
In den Hallen einer ehemaligen Textilfabrik aus dem 19. Jh. finden Sie dieses freundliche Hotel, das auch einfachere Zimmer zu entsprechend günstigen Preisen anbietet.

▶ Günstig

① *Excelsior*
Erzbergerstraße 2, 34117 Kassel
Tel. (05 61) 7 66 46 40, Fax 1 51 10
www.excelsior-kassel.de
Zweckmäßige Übernachtungsadresse in einem neuzeitlichen Haus, funktionelle Zimmer und Appartements mit Miniküche.

✳ **Herkules** Vom Schloss kann man in Serpentinen oder auf dem direkten Weg parallel zur Kaskadentreppe zum Herkules, dem **Wahrzeichen von Kassel**, aufsteigen. Den 71 m hohen, 1701–1717 errichteten Basalttuffsteinbau krönt die Figur des Herkules. Der Weg hinauf steht von Mitte März bis Mitte November offen.

Südwestlich oberhalb des Schlosses liegt die **Löwenburg**. Nach dem Vorbild einer **schottischen Ritterburg** wurde sie um 1800 errichtet. In dem kleinen Museum sind u. a. Ritterrüstungen ausgestellt.

Die **Kurhessen-Therme** am östlichen Parkrand umfängt den Badegast mit **fernöstlicher Atmosphäre**. Eine Solequelle speist Außen- und Innenbecken des Gesundheitszentrums und Erlebnisbades.

> ## ! *Baedeker* TIPP
>
> ### Dampfschifffahrt auf der Fulda
>
> Eine nostalgische Oldtimer-Raddampferfahrt sollten Sie sich auf der Fulda gönnen. Sonnendeck und Dampfschiffbar sorgen für Kurzweil. Auf der moderneren »Deutschland« können Sie sogar kegeln (Tel. 05 61/1 85 05). Und wer gerne mit Tanz und Buffet unterwegs ist, der sollte sich abends um 19.30 Uhr auf dem Riverboat-Shuffle einfinden (05 61/77 46 70). Abfahrt ist bei der Fuldabrücke, Saison ist von April bis Oktober.

Umgebung von Kassel

Gut 10 km nordwestlich erreicht man das Schloss Wilhelmsthal bei Calden. Die 1753–1767 erbaute einstige kurfürstliche Sommerresidenz ist eines der **reizvollsten Rokokoschlösser Deutschlands**. Die prachtvolle Innenausstattung umfasst u. a. eine Schönheitsgalerie mit Gemälden von Johann H. Tischbein.

Schloss Wilhelmsthal

Östlich von Hofgeismar, einem kleinen Städtchen mit hübschen Fachwerkbauten und gut erhaltener Stadtmauer sowie dem Schlösschen Schönburg, erstreckt sich der Reinhardswald. In dem Märchenwald ist der **Tierpark Sababurg** ein beliebtes Ausflugsziel. Die auf einem Basaltkegel im späten 15. Jh. erbaute Sababurg wird gerne als Dornröschenschloss gesehen und ist entsprechend ausstaffiert.

Reinhardswald

Gut 25 km südwestlich von Kassel liegt am linken Ufer der Eder die Stadt **Fritzlar**, deren von einer noch fast vollständig erhaltenen Stadtmauer umgebener Kern mit rund 450 Fachwerkhäusern noch weitgehend **mittelalterliches Gepräge** zeigt. Eindrucksvoll ist der schöne Marktplatz mit dem Alten Kaufhaus aus dem 15. Jh. und dem Marktbrunnen. Auf dem höchsten Platz der Stadt ragt der zweitürmige St.-Petri-Dom (12.–14. Jh.) auf. Beachtenswert sind das gotische Sakramentshaus, das spätgotische Hochgrab des heiligen Wigbert in der Krypta, der Kreuzgang aus dem 14. Jh. sowie der reiche Domschatz im Dommuseum.

Der Rolandsbrunnen auf dem Marktplatz in Fritzlar regt zum Planschen an.

Kempten

Atlasteil: S. 61 • D 2
Höhe: 650–920 m ü. d. M

Bundesland: Bayern
Einwohnerzahl: 62 000

Kempten ist wirtschaftliches und kulturelles Zentrum der Urlaubs-region ► Allgäu. Aber nicht nur die ideale Lage für Ausflüge ins Voralpenland lockt Besucher an, auch ihre römische Vergangenheit, ihre zahlreichen Sehenswürdigkeiten aus der Zeit als Freie Reichs-stadt und ihre guten Einkaufsmöglichkeiten begeistern die Gäste der Allgäumetropole.

Geschichte Kempten kann auf eine mehr als **2000-jährige** Geschichte zurückbli-cken – bereits der griechische Geograf Strabon erwähnte die keltische Siedlung Kambodounon. Das am rechten Hochufer der Iller gegrün-dete römische Cambodunum gehörte bis zu seiner Zerstörung im 3. Jh. zusammen mit Augusta Vindelicorum (►Augsburg) und Cast-ra Regina (►Regensburg) zu den bedeutendsten Städten der Provinz Raetien. Die im Mittelalter entstandene Bürgerstadt war seit 1289 Freie Reichsstadt. Das feindliche Verhältnis der Bürgerstadt zur Stiftsstadt wurde erst durch die Zusammenlegung beider Siedlungen unter bayerischer Herrschaft (1802/1803) beendet.

Sehenswertes in Kempten

✳
Stiftsstadt

Am Nordwestrand des Stadtzentrums liegt die ehemalige Residenz der Fürstäbte, 1651–1674 nach Plänen der Barockbaumeister Beer und Serro erbaut. Die **Rokoko-Prunkräume** können im Rahmen von Führungen besichtigt werden. An den Westflügel schließt die reich ausgestattete barocke **St.-Lorenz-Basilika** (ehem. Stiftskirche) mit ihrer eindrucksvollen Doppelturm-fassade an. Sie wurde 1666 als erste große süddeutsche Kirche nach dem Dreißigjährigen Krieg fertig gestellt. Im ehemaligen Marstall sind das **Alpinmuseum** (»Der Mensch und das Gebirge von der Geschichte bis zur Gegenwart«) und die Alpenländische Galerie mit Sakralkunst der Spätgotik unterge-bracht. Die 1780 erbaute **Orange-rie** (heute Stadtbibliothek) schließt den schönen Hofgarten der fürst-äbtlichen Residenz nach Norden ab.

Die St.-Lorenz-Basilika war einst Mittelpunkt der Stiftsstadt in Kempten.

Westlich der Basilika steht das um 1700 errichtete Kornhaus mit seinem imposanten Volutengiebel. Im 1732 am Hildegardplatz südlich der St.-Lorenz-Basilika erbauten Landhaus kamen früher die Vertretungen der Untertanen des Stifts zusammen. Südwestlich dahinter liegt das klassizistische Zumsteinhaus (1802), das heute das **Römische Museum und das Allgäuer Naturkundemuseum** beherbergt. Dort werden auch Funde aus dem Archäologischen Park Cambodunum (s. u.) gezeigt. ◄ Kornhaus Zumsteinhaus

Von der fürstäbtlichen Residenz gelangt man durch die Klostersteige hinunter in die Altstadt. Von der Freitreppe beim Schlössle (1593) mit seiner hübschen Fassade hat man einen schönen Blick auf den Rathausplatz. Belebte Einkaufsmeilen sind Fischerstraße und -stiege. Der alte Straßenmarkt wird von stattlichen Patrizierbauten umrahmt. Das Rathaus mit wappengeschmückter Fassade wurde im 14. Jh. als Fachwerkbau, 1474 dann als Steinbau errichtet. Der Londoner Hof aus dem Jahr 1764 (Nr. 2) besitzt eine besonders schöne Rokoko-Fassade. An den sog. König'schen Häusern in der benachbarten Kronenstraße (Nr. 29 und Nr. 31) blieb die **einzige barocke Fassadenbemalung** der Stadt erhalten. Südöstlich vom Rathaus erhebt sich das dem Schutzpatron des Allgäus, dem hl. Magnus (volkstümlich St. Mang), geweihte Gotteshaus. Der spätgotische Bau ist in-

Altstadt

◄ Rathausplatz

◄ St.-Mang-Kirche

▶ KEMPTEN ERLEBEN

AUSKUNFT

Tourist Information
Rathausplatz 24, 87435 Kempten
Tel. (08 31) 2 52 52 37, Fax 2 52 54 27
www.kempten.de

ESSEN

▶ **Erschwinglich**
M & M
Mozartstraße 8, 87435 Kempten
Tel. (08 31) 2 63 69
Klein, aber fein! Hier genießen Sie hervorragende Küche, die mit wohltuender Leichtigkeit zubereitet wird.

Tableau
Fischersteige 6, 87435 Kempten
Tel. (08 31) 2 86 59
Idyllisch gelegener Innenhofgarten mitten in der Fußgängerzone. Phantasievolle Küche mit mediterran-französischen Einflüssen.

ÜBERNACHTEN

▶ **Komfortabel**
Bayerischer Hof
Füssener Straße 96, 87435 Kempten
Tel. (08 31) 5 71 80, Fax 5 71 81 00
www.bayerischerhof-kempten.de
Traditionsreiches Hotel mit schönen, stilvollen Zimmern, Sauna im Haus.

▶ **Günstig**
Waldhorn
Steufzger Straße 80, 87435 Kempten
Tel. (08 31) 58 05 80, Fax 5 80 58 99
www.waldhorn-kempten.de
Seit 1911 befindet sich das Haus im Familienbesitz, modern eingerichtete Zimmer, Restaurant, Sauna.

Burghalde ▶ nen barockisiert. Südlich oberhalb des St.-Mang-Platzes erstreckt sich die Burghalde mit einer Freilichtbühne. Das aussichtsreiche Areal – bei gutem Wetter bietet sich von hier ein weiter Blick auf die Allgäuer Alpen – ist der **älteste Siedlungskern** der Stadt. Die Römer unterhielten hier ein Kastell, die mittelalterliche Burg wurde 1705 abgetragen.

✳
Archäologischer Park

Am rechten Illerufer (nördlich oberhalb der St.-Mang-Brücke) erstreckt sich das Grabungsgelände der Römersiedlung Cambodunum, das zu einem archäologischen Park gestaltet wurde. Zu sehen sind der teilweise rekonstruierte gallorömische Tempelbezirk, die kleine Therme des Praetoriums und Teile des Forums.

Niedersont-hofener See

Ca. 8 km südlich von Kempten – nahe an der B 19 – liegt sehr idyllisch der Niedersonthofener See, bei Wassersportlern sehr beliebt.

✱ Kiel

Atlasteil: S. 7 • D 3 und S. 8 • A 3   **Höhe:** 5 m ü. d. M.
Bundesland: Hauptstadt des   **Einwohnerzahl :** 245 000
Bundeslandes Schleswig-Holstein

Kiel ist der größte Passagierhafen Deutschlands. Der Fährverkehr nach Skandinavien spielt eine entscheidende Rolle, worauf auch Bezeichnungen wie »Schwedenkai« und »Norwegenkai« hinweisen. Für Leben sorgt jeden Sommer die weit über die Stadtgrenzen hinaus bekannte »Kieler Woche«, die größte Segelsportveranstaltung der Welt, mit der kulturelle Veranstaltungen und ein Volksfest auf den Straßen der Innenstadt einhergehen.

Geschichte Gegründet wurde Kiel im 13. Jh. durch den holsteinischen Grafen Adolf IV. von Schauenburg. 1242 erhielt der Ort das Stadtrecht, 1283 trat er der Hanse bei. Herzog Christian Albrecht von Holstein-Gottorf gründete 1665 die Universität. Mit der Verlegung der preußischen Flotte nach Kiel (1865) begann das rasche Wachstum der Stadt. 1895 wurde der Kaiser-Wilhelm-Kanal, heute **Nord-Ostsee-Kanal**, eröffnet. Mit der Meuterei der Matrosen der in Kiel vor Anker liegenden Hochseeflotte begann die Novemberrevolution von 1918. 1972 fanden auf der Kieler Förde die Segelwettbewerbe der Olympischen Sommerspiele statt.

Sehenswertes in Kiel

Alter Markt In der Altstadt steht am Alten Markt die **Nikolaikirche**. Beachtung verdienen der Altar, das Taufbecken (1344) und die Kanzel. Vor der Kirche zieht die Plastik »Geistkämpfer« (1928) von Ernst Barlach den Blick auf sich. Südwestwärts verläuft die Holstenstraße (Fußgängerzone) zum Berliner Platz und zum Europaplatz.

Westlich vom Markt liegt der Kleine Kiel, Rest eines die Altstadt halbkreisförmig umschließenden **Kleiner Kiel** Fördearms. Dort stehen das Opernhaus und das Rathaus. Die alte Fischhalle östlich vom Markt an der Seegartenbrücke beherbergt heute das **Schifffahrtsmuseum**; im Museumshafen liegen historische Schiffe vor Anker.

Auf den Grundmauern des im Zweiten Weltkrieg zerstörten Schlos-   **Altes Schloss** ses am Ufer der Förde entstand ein Kulturzentrum mit einer Landesbibliothek, einem Konzertsaal, Sälen für Wechselausstellungen und anderen Einrichtungen. Daran anschließend erstreckt sich der hübsche **Schlossgarten**.

Westlich des Schlossareals lohnt der Warleberger Hof (17. Jh.) an der   **Weitere Museen** Dänischen Straße einen Abstecher; er beherbergt das Stadtmuseum. Interessante Ausstellungen finden auch in der Kieler Kunsthalle statt,

Herzstück Kiels ist der Hafen mit dem Stena-Terminal und dem Werftgelände auf dem Ostufer.

die nördlich vom alten Schloss am Düsternbrooker Weg liegt. In der neuen Einkaufsgalerie Sophienhof befinden sich die Stadtgalerie und die Stadtbibliothek.

✶
**Hindenburg-
ufer**

Das **Hindenburgufer** zwischen dem innerstädtischen Olympia- und dem Tirpitzhafen, einem Marinestützpunkt, eröffnet weite Ausblicke auf die Kieler Förde. Im Tirpitzhafen liegt das Segelschulschiff der Bundesmarine »Gorch Fock«.

»Kiel-Hörn«

Gegenüber der Kieler Innenstadt lagen an der Ostseite der so genannten Hörn, dem südlichsten Teil der Kieler Förde, große Flächen der **ehemaligen Werftindustrie** brach. Von 1989 an wurde ein Sanierungskonzept umgesetzt, das eine Erweiterung der Innenstadt um das südliche Ende des Kieler Innenhafens brachte sowie den Ausbau des Norwegenkais südlich vom Schwedenkai, den Bau einer Fußgänger- und Radfahrerbrücke über die Hörn in Höhe des Kieler Hauptbahnhofs, ferner ein Areal für über 2000 Arbeitsplätze und 400 bis 500 Wohnungen.

Nördlich der Anlegestelle Seegartenbrücke liegt das **Institut für Meereskunde**, zu dem ein sehenswertes **Aquarium** gehört; vor dem Gebäude befindet sich ein Robbenbecken. In der Nähe erstreckt sich der Alte Botanische Garten.

Im Stadtteil **Strande** wurde 1999 zum ersten Mal ein aktiver Leuchtturm für die Öffentlichkeit zugänglich gemacht. Während des Sommers kann der 1807 von den Dänen erbaute, heute schwarz-weiß gestrichene **Leuchtturm** am Eingang der Kieler Förde bestiegen und die Aussicht von der 22 m hohen Plattform genossen werden (Anmeldung zur Besichtigung im Winter unter Tel. 0 43 49/92 64).

Besonders schön ist der Stadtteil **Düsternbrook**, der das Düsternbrooker Gehölz umschließt. Am

Kiel Orientierung

500 m
HOLTENAU
① Kanalstraße ✶Dankeskirche
Nord-Ostsee-Kanal Doppelschleusen
Uferstraße
WIK Scheerhafen
Petruskirche
Kieler Förde
Tirpitzhafen
©Baedeker

Übernachten
① Waffenschmiede
② Parkhotel Kieler Kaufmann
③ Steigenberger Conti Hansa

Essen
① Im Schloss
② Lüneburg-Haus
③ September

St. Heinrich
Kleiststr.
Kleine Holte
Esmarchstr.
West-Universität Iltis
Düppelstr.
② Inst. für Weltwirtschaft
Landeshaus
Schauspielhaus
Ansgarkirche
Pauluskirche
Univ.-gelände
Schauenburger Straße
Lehmberg
Kunsthalle
Sporthafen Düsternbrook
Schrevenpark
Brunswiker
Ostseekai
Schreventeich
Kleiner Kiel ③ ①
Markt Schloss
Oper ② Berl. Nikolai-kirche
Jakobikirche Platz Konzerthalle Schifffahrtsmus.
Rathaus I
Ostseehalle
Rathaus II HDW
Stresemannpl.
③ Hauptbahnhof
Volkspark
Freilichtmuseum

 KIEL ERLEBEN

AUSKUNFT

Tourist Information
Andreas-Gayk-Straße 31, 24103 Kiel
Tel. (04 31) 67 91 00, Fax 6 79 10 99
www.kiel-tourist.de

ESSEN

▶ Fein & Teuer

② *Lüneburg-Haus*
Dänische Straße 22, 24103 Kiel
Tel. (04 31) 9 82 60 00
Kleines Restaurant mit vorzüglicher
Gourmetküche und einer grandiosen
Weinkarte.

▶ Erschwinglich

① *Im Schloss*
Am Wall 74, 24103 Kiel
Tel. (04 31) 9 11 55
Genießen Sie im Gewölbekeller
aus dem 16. Jh. feine internationale
Küche.

③ *September*
Alte Lübecker Chaussee 27,
24113 Kiel
Tel. (04 31) 68 06 10
Modernes Restaurant in einer ehemaligen Schmiede, schöne Terrasse
im begrünten Innenhof.

ÜBERNACHTEN

▶ Luxus

③ *Steigenberger Conti Hansa*
Schlossgarten 7, 24103 Kiel
Tel. (04 31) 5 11 50, Fax 5 11 54 44
www.steigenberger.de
Elegantes Hotel mit maritimer Aus-
strahlung und einem schönen Blick
auf Schloss, Park und Kieler Förde.
Restaurant und Sauna im Haus.

▶ Komfortabel

② *Parkhotel Kieler Kaufmann*
Niemansweg, 24105 Kiel
Tel. (04 31) 8 81 10, Fax 8 81 11 35
www.kieler-kaufmann.de
Oberhalb des Yachthafens gelegenes
Hotel in einer ehemaligen Bankiers-
villa, schicke und moderne Zimmer,
gediegenes Restaurant, Schwimmbad.

▶ Günstig

① *Waffenschmiede*
Friedrich-Voss-Ufer 4, 24159 Kiel
Tel. (04 31) 36 96 90, Fax 36 39 94
www.hotel-waffenschmiede.de
Helle freundliche Zimmer mit tollem
Blick auf den Schiffsverkehr im Nord-
Ostsee-Kanal. Restaurant mit herr-
licher Gartenterrasse zur Wasserseite.

Förde-Ufer liegt das Landeshaus, Sitz des schleswig-holsteinischen
Landtags und der Landesregierung.

Im Westen der Stadt befindet sich das Gelände der Christian-Al-   **Universität**
brechts-Universität. Beachtenswert ist das **Mineralogisch-Petrografi-
sche Museum** an der Olshausenstraße 40. Der Botanische Garten der
Universität liegt nordwestlich des Universitätsgeländes. Dort gibt es
rund 9000 Pflanzenarten aus aller Welt zu bestaunen.

Beim nördlichen Stadtteil Holtenau mündet der von Brunsbüttel   **Holtenau**
kommende Nord-Ostsee-Kanal in die Innenförde. Die Holtenauer
Schleusen regulieren den Wasserstand des Kanals. Sehenswert ist die
Kanal-Ausstellung auf der Schleuseninsel Nord.

Sail away!

Im Februar 2001 lief die 107 m lange »Sea Cloud II« vom Stapel, ein weißer Kreuzfahrtdreimaster für max. 96 gut betuchte Passagiere. Nicht gar so teuer wie eine wochenlange Kreuzfahrt gerät der 3-Tage-Rundtörn auf dem majestätischen Windjammer, der während der Kieler Woche angeboten wird (Information: Tel. 0 40/3 09 59 20, www.seacloud.com).

Weiter nördlich liegt an der Außenförde der Stadtteil Schilksee. Hier befindet sich das Olympiazentrum mit dem Olympiahafen, der 1972 Schauplatz der Segelwettbewerbe war. Heute gibt es dort ein **Meerwasser-Hallenbad**.

Umgebung von Kiel

Marine-Ehrenmal Laboe

Das 85 m hohe Marine-Ehrenmal im Ostseebad Laboe wurde 1927–1936 in Form eines Schiffsstevens erbaut. Heute erinnert es an die gefallenen Marinesoldaten des Ersten und Zweiten Weltkriegs; zur Aussichtsplattform führt ein Aufzug. Vor dem Ehrenmal steht das **begehbare Unterseeboot** U 995.

Freilichtmuseum Schleswig-Holstein

In Molfsee, 6 km südlich von Kiel, befindet sich das Freilichtmuseum Schleswig-Holstein, eine Anlage mit alten landwirtschaftlichen Gebäuden aus allen Landesteilen Schleswigs und Holsteins. In den Werkstätten werden **alte Handwerke** wie Korbflechten, Töpfern und Weben vorgeführt.

Rendsburg

Die Stadt Rendsburg ist **wichtigster Binnenhafen des Nord-Ostsee-Kanals**. In der Altstadt auf der Eiderinsel steht am Altstädter Markt das Alte Rathaus, ein Fachwerkbau von 1566. In der Nähe befindet sich die gotische Marienkirche, ausgestattet mit einem Schnitzaltar aus dem Jahr 1649 und Wandgemälden des 14. Jh.s. Zum Kultur-

Wo kann man schon, wie in Laboe, ein U-Boot von unten anschauen?

zentrum Arsenal am Paradeplatz gehören das Norddeutsche Druckmuseum, das Historische Museum Rendsburg mit Objekten zur Stadtgeschichte und ein Café. Im Gebäude der ehemaligen Synagoge wurde 1988 ein Jüdisches Museum eröffnet.

In Rendsburg-Büdelsdorf sind im Eisenkunstguss-Museum Feinguss- und Schmiedestücke der 1827 in Büdelsdorf gegründeten Carlshütte ausgestellt. Im Südosten der Stadt zieht die Eisenbahnhochbrücke (mit Schwebefähre) den Blick auf sich: In 42 m Höhe überquert die von Süden kommende Eisenbahn den Nord-Ostsee-Kanal. Ferner verläuft eine Autobahnhochbrücke über den Kanal.

Büdelsdorf

✳

◄ Eisenbahn-
hochbrücke

Gut 25 km nordöstlich von Rendsburg liegt an der Eckernförder Bucht das **Ostseebad** Eckernförde. Von den einst zahlreichen Stadthäusern des Landadels vermag allein noch die »Ritterburg« an der Kieler Straße eine Vorstellung zu geben. Einen Besuch lohnt die spätgotische Nikolaikirche, eine dreischiffige Hallenkirche aus dem ausgehenden Mittelalter mit Satteldach und spitzem Dachreiter. Zum breiten Sport- und Freizeitangebot des Ostseebades gehört auch das knapp 20 km nordöstlich von Eckernförde gelegene **»Aqua Tropicana«**, ein Erlebnis- und Spaßbad, in dem man das ganze Jahr unter Palmen baden kann.

Eckernförde

Kleve

Atlasteil: S. 23 • C 3/4   **Bundesland:** Nordrhein-Westfalen
Höhe: 17 m ü. d. M.   **Einwohnerzahl:** 48 500

Einst war Kleve Hauptstadt des gleichnamigen Herzogtums. Nach dem Dreißigjährigen Krieg erhielt die Stadt eine barocke Neugestaltung, die man heute noch bewundern kann. 1748 wurde eine eisenhaltige Quelle entdeckt, und Kleve entwickelte sich zum Kurbad.

Sehenswertes in Kleve

In der Mitte der Stadt steht auf einer Anhöhe als weithin sichtbares **Wahrzeichen** das ehemalige Schloss der Herzöge von Kleve, die Schwanenburg (15.–17. Jh.). Vom Turm aus, in dem ein geologisches Museum sowie eine Kunstgalerie untergebracht sind, bietet sich dem Besucher ein lohnender Blick über Stadt und Rheinebene bis nach Holland.

✳
Schloss

Zeugnisse der mittelalterlichen Stadt Kleve sind die dreischiffige Stiftskirche Mariä Himmelfahrt (1341–1426), die die Grablege der Klever Herzöge war, und die ehemalige Minoritenkirche aus dem 15. Jh. im Norden der Innenstadt.

Stiftskirche

Städtisches Museum In der Nähe der Minoritenkirche befindet sich in der Kavariner-straße 33 das Städtische **Museum Haus Koekkoek**, benannt nach dem gleichnamigen niederländischen Maler, dessen Werke zusammen mit denen seiner Schüler einen Sammlungsschwerpunkt bilden. Darüber hinaus zeigt das Museum kunst- und kulturhistorische Zeugnisse der Region.

WUSSTEN SIE SCHON ...?

■ dass die Schwanenburg angeblich Schauplatz der berühmten Lohengrin-Sage gewesen ist? Hier rettete der edle Ritter Lohengrin, der von einem Schwan hergebracht wurde, die Tochter des verstorbenen Herzogs von Brabant.

Das Bild der heutigen Stadt ist geprägt durch die im 17. Jh. von dem preußischen Statthalter Moritz von Nassau angelegten Alleen und **Tiergarten** **weitläufigen Grünanlagen**. Der 1653–1657 geschaffene Tiergarten mit Rot- und Schwarzwild, Rentieren, Wölfen, Bären u. a. erstreckt sich auf der Hügelreihe im Westen der Stadt. Die eindrucksvolle Klever Gartenbauarchitektur galt u. a. als Vorbild für die Versailler Schlossanlagen. Zeichen der Blütezeit der Stadt im 19. Jh. sind die repräsentativen Villen in der Tiergartenstraße und das zum Mataré-Museum umgebaute große Kurhaus. Im Norden schließt der Forstgarten an.

▶ KLEVE ERLEBEN

AUSKUNFT

Kleve Marketing
Werftstaße 1, 47533 Kleve
Tel. (0 28 21) 89 50 90, Fax 8 95 09 19
www.kleve.de

ESSEN

▶ Erschwinglich
Altes Landhaus im Forstgarten
Joseph-Beuys-Allee 1,
47533 Kleve
Tel. (0 28 21) 97 32 74
Gemütliches Gasthaus mit saisonal orientierter, typisch niederrheinischer Küche, schöne Terrasse.

▶ Preiswert
Haus Vossegatt
Vossegatt 24, 47533 Kleve-Keeken
Tel. (0 28 21) 39 08 33
Das gemütliche Gasthaus im Rheintal ist für seine vorzüglichen Pfannkuchen-Spezialitäten bekannt.

ÜBERNACHTEN

▶ Komfortabel
Cleve
Tichelstraße 11, 47533 Kleve
Tel. (0 28 21) 71 70, Fax 71 71 00
www.georgia-hotel-cleve.de
Schicke Suiten mit Designermöbeln und wohnliche Zimmer sorgen für einen angenehmen Aufenthalt. Gourmetrestaurant im Stil einer Brasserie, Schwimmbad und Sauna im Haus.

▶ Günstig
Parkhotel Schweizerhaus
Materborner Allee 3, 47533 Kleve
Tel. (0 28 21) 80 70, Fax 80 71 00
www.schweizerhaus.de
Nahe der Innenstadt gelegen, bietet das weitläufige Haus bequeme Zimmer, drei Restaurants, eine Kegelbahn und einen Schießstand.

Auf der Schwanenburg lebten die Klever Herzöge, Nachfahren von Lohengrin, den ein Schwan einst von hier fortgebracht haben soll.

Umgebung von Kleve

Im Wasserschloss Moyland unweit südlich von Kleve ist seit Mai 1997 die 60 000 Werke umfassende **Sammlung der Brüder van der Grinten** untergebracht. Herzstück ist der Komplex mit ca. 4000 Werken von Josef Beuys. Das 1307 errichtete, kastellartige Schloss wurde 1854 neugotisch umgebaut und nach seiner Zerstörung im Zweiten Weltkrieg erst 1997 wieder hergestellt.

✳
Museum Schloss
Moyland

Jenseits des Rheins liegt 13 km nordöstlich die alte Reichs- und Hansestadt Emmerich. Ihr Wahrzeichen ist die **längste Hängebrücke der Bundesrepublik**. Die Stadt besitzt mehrere interessante Museen, z. B. das Plakatmuseum mit 90 000 Exponaten aus aller Welt, das Museum für Kaffeetechnik und das Rheinmuseum (Martinikirchgang 2). In der nach dem Zweiten Weltkrieg wieder erstandenen Altstadt ist neben der gotischen Aldegundiskirche (15. Jh.) auch die weiter rheinabwärts gelegene Münsterkirche St. Martini (11.–15. und 17. Jh.) beachtenswert, die den Schrein des hl. Willibrord (10. Jh.), die früheste niederrheinische Goldschmiedearbeit, birgt.

Emmerich

Rund 16 km südöstlich von Kleve kommt man nach Kalkar. Noch heute dokumentieren die prächtigen Giebelhäuser, das mächtige Rathaus und die Stadtkirche St. Nikolai (1409–1455) das Selbstbewusstsein des mittelalterlichen Bürgertums der 1242 zur Stadt erhobenen Siedlung. In St. Nikolai sind kostbare Schnitzaltäre, Skulpturen und

Kalkar

Gemälde erhalten. In der Nähe befindet sich das lang umstrittene Kernkraftwerk vom Typ Schneller Brüter, das nie ans Netz gegangen und mittlerweile zum **Freizeitpark »Kernwasser Wunderland«** umfunktioniert worden ist.

Straelen
Gut 40 km südlich von Kleve liegt nahe der Grenze die Blumenstadt Straelen (gesprochen: Straalen). Die Pfarrkirche aus dem 14./15. Jh. besitzt schöne Schnitzaltäre. Eine in Europa einmalige Einrichtung ist das **Europäische Übersetzerkollegium** (Führungen nach Vereinbarung) mit umfangreicher Bibliothek.

✳ Koblenz

Atlasteil: S. 43 • C 1	**Bundesland:** Rheinland-Pfalz
Höhe: 60 m ü. d. M	**Einwohnerzahl:** 110 000

Die einstige Residenz der Trierer Kurfürsten, Koblenz, liegt reizvoll an der Mündung der Mosel in den Rhein. Das Stadtbild wird seit dem 10. Jh. von der hoch über dem rechten Rheinufer thronenden Feste Ehrenbreitstein beherrscht. Zu den berühmtesten Söhnen der Stadt gehört der spätere österreichische Staatsmann Fürst von Metternich (1773–1859).

Geschichte
Im Jahr 9 v. Chr. gründeten die Römer zur Sicherung des Moselübergangs das Kastell Castrum ad Confluentes (Lager am Zusammenfluss). 1018 kam Koblenz unter die Herrschaft der Erzbischöfe bzw. Kurfürsten von Trier, die hier vom 13. bis zum Anfang des 19. Jh.s häufig residierten. Ab 1798 erlebte Koblenz unter französischer Herrschaft eine neue Blütezeit, die ihr den Namen **»Klein-Paris«** einbrachte. 1815 sprach man die Stadt Preußen zu. Durch Eingemeindungen (Ehrenbreitstein u. a.) bekam Koblenz 1937 Stadtteile auf der rechten Rheinseite. Im Zweiten Weltkrieg erlitt die Stadt erhebliche Zerstörungen. Der Altstadtkern wurde später weitgehend in historischer Form wieder aufgebaut, das übrige Stadtgebiet trägt moderne Züge. Von 1827 bis 1872 war Koblenz Sitz der Verlagsbuchhandlung von Karl Baedeker (1801–1859).

Sehenswertes in Koblenz

Deutsches Eck
Von der Landspitze am Zusammenfluss von Rhein und Mosel hat man einen herrlichen Blick über die Stadt und auf die Festung Ehrenbreitstein. Der Name Deutsches Eck für diesen markanten Punkt erinnert an den Deutschen Ritterorden, der hier nach 1216 seine Ordenshäuser gründete. Am deutschen Eck steht auch das 1993 wieder hergestellte **Kaiser-Wilhelm-Denkmal**, dessen Sockel von 1953 bis zur Wiedervereinigung 1990 als Mahnmal der Deutschen Einheit diente.

Im nahen Deutschherrenhaus, einem Rest des Schlosses des Deutschen Ritterordens, ist das Ludwig-Museum untergebracht. Darin ist **zeitgenössische Kunst hauptsächlich aus Frankreich** zu sehen. Im Blumenhof finden sommerliche Matineen und Serenaden statt.

Ludwig-Museum

Südlich schließt die Basilika St. Castor an, die 836 außerhalb der damaligen Stadt gegründet wurde und in ihrer jetzigen Gestalt größtenteils im 12. Jh. entstand. Hier wurde 843 der Vertrag von Verdun vorbereitet, der zur Aufteilung des Karolingerreichs führte.

✳
St. Castor

Auf dem Weg in die Altstadt passiert man das wohnturmartige **Gasthaus** Deutscher Kaiser mit einem schönen spätgotischen Gewölbe. Das Haus wurde im 16. Jh. erbaut und überdauerte als einziges Gebäude der Altstadt die Kriegszerstörungen.

Deutscher Kaiser

Den Florinsmarkt ziert die romanisch-gotische **Florinskirche** (12.–14. Jh.), die erst im 15. Jh. ihren gotischen Chor erhielt. Im alten Kauf- und Danzhaus ist das Mittelrhein-Museum untergebracht. Es zeigt Gemälde und Skulpturen des 12.–20. Jh.s, vor allem Koblenzer Malerei, die Rheinromantiker und niederländische Kunst des 17. Jh.s.

Mittelrhein-Museum

Am höchsten Punkt der Altstadt erhebt sich die romanische Liebfrauenkirche (12.–15. Jh.) mit gotischem Chor und Barocktürmen. Westlich des Mittelrhein-Museums liegt die **Alte Burg** aus dem 13. Jh., in der Stadtbibliothek und Stadtarchiv untergebracht sind.

Liebfrauenkirche

Koblenz *Orientierung*

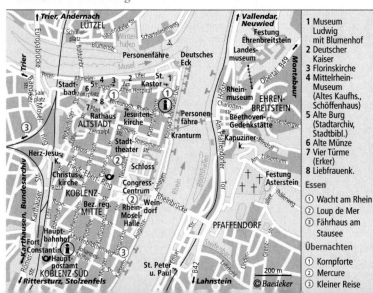

1 Museum Ludwig mit Blumenhof
2 Deutscher Kaiser
3 Florinskirche
4 Mittelrhein-Museum (Altes Kaufhs., Schöffenhaus)
5 Alte Burg (Stadtarchiv, Stadtbibl.)
6 Alte Münze
7 Vier Türme (Erker)
8 Liebfrauenk.

Essen
① Wacht am Rhein
② Loup de Mer
③ Fährhaus am Stausee

Übernachten
① Kornpforte
② Mercure
③ Kleiner Reise

© Baedeker

*Karl Baedeker
(1801–1859)*

DER GETREUE ECKHARDT
DER REISENDEN

Unter dieser Überschrift erschien im Jahr 1861 in der »Gartenlaube«, des deutschen Bürgers Leib- und Magenblatt, ein Nachruf auf den Koblenzer Buchhändler und Verleger der berühmten Reisehandbücher, Karl Baedeker. Lesen wir nach, wie ihn seine Zeitgenossen sahen:

»Seit langer Zeit jedes Jahr, sobald die Reisesaison begann und bis zum Ende derselben, durchwanderte ein Mann von kaum mittlerer Größe, aber starkknochig und wohlbeleibt, mit festen, fast harten Zügen, aber gar gutmüthigen und klugen Augen in dem breiten Gesicht, in sehr bescheidenem Anzuge ..., Deutschland, oder die Schweiz, die Niederlande, oder Italien. ... Er hatte sich selbst die Pflicht und das Amt auferlegt, alle schönen Aussichtspunkte und die bequemsten dahin führenden Wege aufzusuchen, um andere darauf aufmerksam zu machen. ... er unterließ sogar nicht zu notiren, wie viel man da und dort Trinkgeld zu zahlen habe. Namentlich hielt er strenge Revision in den Gasthäusern, und wehe dem Wirth mit hohen Rechnungen und schlechten Betten.«

Der erste »Baedeker«

Karl Baedeker wurde am 3. November 1801 in Essen als Sohn des Verlegers und Buchdruckers Gottschalk Diede-rich Baedeker geboren. 1817–1820 absolvierte er eine **Buchhändlerlehre** bei J. C. B. Mohr in Heidelberg. Daneben studierte er ein Jahr lang Geschichte und Philosophie. Es folgten zwei Jahre Militär und schließlich 1823–1825 eine Anstellung als Gehilfe bei der Buchhandlung von Georg Andreas Reimer in Berlin. Karl Baedeker aber wollte auf eigenen Beinen stehen, und am 1. Juli 1827 eröffnete er in Koblenz an der Rheinstraße seine Verlagsbuchhandlung.

Die Stadt an Mosel und Rhein zog bereits zu jener Zeit Touristen – namentlich **Engländer** – an, hatte doch im selben Jahr die Preußisch-Rheinische Dampfschifffahrtsgesellschaft den Regelverkehr zwischen Köln und Mainz aufgenommen. Entsprechend bot Baedekers Buchhandlung Stadtbeschreibungen, Ansichten, Panoramen vor allem vom Rhein, Goethe und Schiller, aber auch Schulbücher an. 1832 erwarb er den Verlag von Friedrich Röhling aus Koblenz. Zu dessen Programm gehörte auch

Von Gelb zu Rot: »Rhein-reise«, 3. Auflage 1839, und »Schweiz«, 3. Auflage 1851

eine von Prof. J. A. Klein 1828 verfasste »Rheinreise von Mainz bis Köln – Handbuch für Schnellreisende«. Für die zweite Auflage dieses Büchleins begab sich Karl Baedeker erstmals **selbst auf Reise**, und so erschien 1835 die »Rheinreise von Straßburg bis Rotterdam« als erster eigentlicher »Baedeker«, auch wenn dessen Grundlage von Herrn Klein stammte. Mit der zweiten Auflage der »Rheinreise« hatte Karl Baedeker offensichtlich die Erwartungen der Touristen an ein Reisebuch erfüllt: Innerhalb von zehn Jahren erlebte sie drei weitere Auflagen.

Für den praktischen Nutzen

Allerdings gab es auch schon 1835 genügend Reise- und vor allem **Rhein-reiseliteratur**, allen voran die roten »Handbooks for Travellers« des Engländers John Murray, mit denen fast jeder seiner Landsleute auf dem Kontinent unterwegs war. Was Karl Baedeker aber nun anders machte als seine Konkurrenten, hat er selbst am besten formuliert: »Des Reisenden praktisches Bedürfnis ist des Herausgebers erster Zweck.« Nach diesem Credo erkundete er auf wiederholten Reisen die Verhältnisse vor Ort, machte präzise Angaben über Verkehrsverbindungen, bewertete die »Merkwürdigkeiten«, und führte akribisch Buch über Preise und Angebot

von Gasthäusern und Hotels. Ein solches »Handbuch für Reisende« unterschied sich deutlich von allen bisher bekannten. Mit einem Baedeker in der Tasche war der Reisende nun unabhängig von Bediensteten, Fremdenführern und Gastwirten. Das war neu und ein entscheidender Fortschritt für den Touristen.

Karl Baedeker ruhte sich nicht auf den Lorbeeren seiner »Rheinreise« aus. 1839 erschienen »Belgien« und »Holland«, wenig später **sein Hauptwerk** »Deutschland und der österreichische Kaiserstaat«, 1844 die »Schweiz« – sein erklärter Lieblingsband – und 1855 »Paris und Umgebung«, sein letztes eigenhändig verfasstes Reisebuch. Er starb am 4. Oktober 1859 in Koblenz.

Welch ungeheures Renommee er unter den Reiselustigen dieser Welt genoss, zeigt die in der »Gartenlaube« kolportierte **Anekdote**:

»Als charakteristisch aber ist noch beizufügen, daß dem langen Zuge der Leidtragenden, der sich am 7. Oktober 1859 durch Coblenz bewegte, als Repräsentant der großen Zunft der dankbaren Reisenden, um welche der Verstorbene sich so hochverdient gemacht hatte, ein fremder Tourist im Reiseanzug sich anschloß und in der Hand das rothe Buch trug, wie bei anderen Begräbnissen einer wohl die Orden des Verstorbenen trägt.«

Münzplatz Der Münzplatz erinnert an die kurfürstliche Münze, von der heute nur noch das Münzmeisterhaus von 1763 erhalten ist. Im **Haus Metternich** am selben Platz wurde 1773 Fürst Metternich geboren, der später als Außenminister und Staatskanzler dem österreichischen Kaiserhaus diente und 1814/1815 den Wiener Kongress leitete. Heute finden in dem Haus u. a. Kunstausstellungen statt. Die südlich des Münzplatzes stehenden vier Häuser, »Vier Türme« genannt, mit ihren kunstvollen Erkern wurden Ende des 17. Jh.s erbaut.

Rathaus und Schängelbrunnen Östlich von hier befinden sich am Jesuitenplatz die 1959 wieder errichtete Jesuitenkirche und das Rathaus (1695–1700), vor dem der Schängelbrunnen steht, das **heimliche Wahrzeichen** von Koblenz.

Weindorf Oberhalb der Rheinbrücke lohnt sich der Besuch des 1925 errichteten und 1951 neu aufgebauten Weindorfs, ein Ensemble, das aus einem Weinberg und Fachwerkhäusern aus den **berühmtesten deutschen Weinanbaugebieten** besteht.

✴ Festung Ehrenbreitstein Die Rheinbrücke führt zum rechtsrheinischen Stadtteil Ehrenbreitstein, überragt von der gleichnamigen ehemaligen Festung (um 1817 bis 1832). Man erreicht sie nicht nur zu Fuß oder mit dem Auto, sondern auch per Sessellift. In der heute noch fast vollständig erhaltenen Anlage ist u. a. das **Landesmuseum** mit Sammlungen technischer Kulturdenkmäler untergebracht. Vom Festungsplateau bietet sich ein schöner Ausblick auf die Stadt, den Rhein und die Moselmündung.

Hoch über dem rechten Rheinufer thront die Festung Ehrenbreitstein.

▶ KOBLENZ ERLEBEN

AUSKUNFT

Tourist-Information
Bahnhofsplatz 17,
56068 Koblenz
Tel. (02 61) 3 31 04, Fax 1 00 43 88
www.koblenz.de

ESSEN

► Fein & Teuer
Loup de Mer
Neustadt 12, 56068 Koblenz
Tel. (02 61) 1 61 38
Hier werden Freunde erlesener
Fischspezialitäten glücklich.

► Erschwinglich
Fährhaus am Stausee
An der Fähre 3,
56072 Koblenz-Metternich
Tel. (02 61) 92 72 90
Idyllisch an der Mosel liegt dieses
charmante Restaurant, wo Sie mit
ausgefallenen regionalen und internationalen Gerichten verwöhnt werden. Besonders empfehlenswert sind
die Lamm-, Wild- und
Fischspezialitäten.

► Preiswert
Wacht am Rhein
Rheinzollstraße 8, 56068 Koblenz
Tel. (02 61) 1 53 13
Gutbürgerliche Küche in prachtvoller
Aussichtslage auf der Rheinterrasse.

ÜBERNACHTEN

► Komfortabel
Mercure
Julius-Wegeler-Straße 6,
56068 Koblenz
Tel. (02 61) 13 60,
Fax 1 36 11 99
www.accorhotel.com
Attraktives Stadthotel am Congress
Centrum mit moderner Ausstattung,
elegante Zimmer, teils mit schönem
Blick auf den Rhein. Restaurant,
Sauna und Fitnessstudio im Haus.

Kleiner Riese
Kaiserin-Augusta-Anlagen 18,
56068 Koblenz
Tel. (02 61) 91 57 80,
Fax 3 62 78
www.hotel-brenner.de
Zentral gelegenes, dennoch sehr ruhiges Haus, hübsch möblierte Zimmer, schöner Garten.

► Günstig
Kornpforte
Kornpfortstraße 11,
56068 Koblenz
Tel. (02 61) 3 11 74,
Fax 3 11 76
Mitten in der Altstadt befindet sich
das kleine Haus, das gepflegte Zimmer
unterschiedlicher Größe anbietet.

Am Fuße der Festung, im Ortsteil Ehrenbreitstein, befindet sich das **Ortsteil Ehrenbreitstein mit Museen** Rhein-Museum (Charlottenstraße 53a), das Exponate zur Kultur-landschaft des Rheins, zur Entwicklung der Schifffahrt, zum Leben am Rhein, zum Fischfang usw. zeigt. Im Geburtshaus der Mutter Ludwig van Beethovens (Wambachstraße 204) ist die **weltgrößte Beethovensammlung** in Familienbesitz ausgestellt. Einige Exponate erinnern an die Dichterin Sophia La Roche und ihren hier geborenen Enkel Clemens Brentano.

Blick über den Rhein auf die Kölner Altstadt: vor dem Dom das Museum Ludwig, links Groß St. Martin, im Hintergrund der Fernsehturm »Colonius«

✷✷ **Köln**

Atlasteil: S. 33 • D 3 und S. 34 • A 3   **Bundesland:** Nordrhein-Westfalen
Höhe: 56 m ü. d. M.   **Einwohnerzahl:** 963 000

Die alte Domstadt Köln am Rhein, die im Stadtgebiet insgesamt acht Rheinbrücken besitzt, ist in erster Linie als Kunstmetropole und internationale Messestadt bekannt. Mit dem Dom, ihren zwölf romanischen Kirchen und Römerstätten ist die Stadt einer der Brennpunkte abendländischer Kultur.

Ausführlich beschrieben im Baedeker Allianz Reiseführer »Köln«

Darüber hinaus hat sich Köln u. a. durch seine Lage zu einem bedeutenden Verkehrsknotenpunkt und zu einem führenden Handels- und Industriezentrum entwickelt. Die Stadt ist Sitz eines Erzbischofs, einer Universität sowie mehrerer Hoch- bzw. Fachhochschulen und etlicher überregionaler Behörden, u. a. des Bundesamtes für Verfassungsschutz. Zahlreiche Funk- und Fernsehanstalten, darunter Deutsche Welle, Deutschlandfunk, WDR, RTL, Vox und VIVA, knapp 60 Verlage, über 200 Druckereien und fast 70 Zeitungs- und Zeitschriftenhäuser haben hier ihren Standort und begründen Kölns Ruf als **Medienstadt**. Der MediaPark nordwestlich der Innenstadt nimmt u. a. Zentren für Informations-, Kommunikations- und Medientechnik auf. Köln ist außerdem eine Hochburg des Sports (Fußball-Bundesligaspiele; Union-Rennen und Großer Preis von Europa auf der Pferderennbahn Köln-Weidenpesch) und natürlich des rheinischen

Karnevals. Zu den berühmtesten Söhnen der Stadt gehören der erste Bundeskanzler Konrad Adenauer und Heinrich Böll, der 1972 den Nobelpreis für Literatur erhielt.

1. Jh. n. Chr.	Köln erhält seine erste Stadtmauer.	**Geschichte**
795	Karl der Große erhebt Köln zum Erzbistum.	
1388	Die alte Universität wird gegründet.	
1396	Neue Stadtverfassung nach einenm Aufstand der Handwerkerzünfte	
1794–1814	Köln steht unter französischer Herrschaft.	
1815	Köln wird preußisch.	
1993, 1995	Jahrhunderthochwasser	

Köln entstand aus der römischen Siedlung Colonia Claudia Ara Agrippinensium. Die Stadt gehörte seit dem Ende des 5. Jh.s zum Reich der Franken und war schon im frühen Mittelalter eine der führenden Städte Deutschlands sowie zeitweilig neben Lübeck das wichtigste Mitglied der Hanse. Im 12./13. Jh. ersetzte man die römische Stadtmauer durch eine der damals größten und stärksten Befestigungsanlagen Europas. 1248 legte man den Grundstein zum Bau des Doms, der erst 1880 vollendet wurde. Bis ins 13. Jh. erbaute man in Köln zahlreiche Kirchen im romanischen Stil. Diese und der Dreikönigenschrein im Dom machten Köln zum »**Heiligen Köln**« des Mittelalters und zum Anziehungspunkt für zahlreiche Pilger. Ende des 14. Jh.s erkämpften die zu Gaffeln zusammengeschlossenen Handwerkerzünfte eine neue Verfassung, die bis zur französischen Besetzung 1794 in Kraft blieb. Nach 20 Jahren französischer Herrschaft wurde die Stadt 1815 preußisch. Im Zweiten Weltkrieg wurde der größte Teil der Innenstadt zerstört; heute zeigt sie sich in modernem Gewand.

Highlights *Köln*

Dom
In diesem Meisterwerk der Hochgotik verehrten einst die frisch gekrönten Könige die Reliquien der Heiligen Drei Könige als Zeichen ihrer Kirchentreue.
► Seite 657

Römisch-Germanisches Museum
Die bedeutendsten Funde aus der Zeit, als Köln eine römische Siedlung war, hat man bei Ausschachtungsarbeiten im Kölner Stadtgebiet gemacht.
► Seite 656

Museum Ludwig
Hier sind so ziemlich alle berühmten Künstler des 20. Jh.s versammelt.
► Seite 656

Altstadtgassen
Flanieren Sie in den verwinkelten Gassen und über kopfsteingepflasterte Plätze.
► Seite 656

Wallraf-Richartz-Museum
Hervorragender Querschnitt durch Malerei und Grafik des Mittelalters bis zum 19. Jh.
► Seite 661

Köln Orientierung

© Baedeker

300 m

Übernachten

① Classic Hotel Harmonie
② Ludwig
③ Excelsior Hotel Ernst
④ Ascot
⑤ Renaissance
⑥ Im Wasserturm

Weidengasse
Eigelsteintor
Unt. Straße
Krahnenbäumen
Zoo, Flora
Rheinpark

Tanzbrunnen

Dechant-Löbbel-Platz

St. Ursula

Viktoriastraße

Eigelsteinstraße
Turiner Straße
Machabäer Str.
St. Kunibert

Kreuzkirche

Jakordhaus

Johannishaus

Rhein

Messeturm

Ursulastraße

Maria-Abl.-Platz

Kp.
Tunis-straße

An den Dominikanern

St. Andreas

Komödienstraße

St. Mariä Himmelfahrt
Breslauer Platz

Goldgasse
ZOB

Hauptbahnhof

Dom

Frankenplatz

Musical Dome

Uferplatz
Auenplatz

Messegelände

Messeplatz

Amtsgericht

WDR

Museum f. Angew. Kunst

WDR

»4711«
Glockeng.

St. Kolumba

Opernhaus

Offenbachpl.

Dischhaus

Philharm.

Röm.-Germ. Museum
Wallraf-platz

Diözesanmuseum

Minor.-Kirche

Praetorium

Rathaus

Wallraf-Richartz-Mus.

Gürzenich

Museum Ludwig

Heinzelmännchenbrunnen

Groß St. Martin

Fischmarkt

Hohenzollernbrücke

H.-Böll-Platz

Rheinauhafen

Bf. Köln-Deutz

Herm.-Pünder-Str.

Landeshaus

Jugendherberge

Alt St. Heribert

Neu St. Heribert

St. Johannes

Kennedy-Ufer

Antoniter-Kirche

Stadthaus

Schnütgen-Museum

Cäcilienstraße

St. Peter

St. Maria i. Kap.

Marienplatz

Deutzer Brücke

Overstolzenhaus

Trinitatis-Kirche

Malakoffturm

Agrippabad

St. Georg

St. Maria Lyskirchen
Fröbelhaus

Stollwerck-Schokoladenmuseum

Hist. Archiv

Severinsbrücke

St.-Joh.-Bapt.-Kirche

Elendskirche

Severinstor

St. Severin

Rautenstrauch-Joest-Museum

Drehbrücke

Hafenamt

Rhein

Essen

1 Le Moissonnier
2 Maître
3 Alt Köln
4 Früh am Dom
5 Em Krützche
6 Heising und Adelmann

▶ KÖLN ERLEBEN

AUSKUNFT

Köln Tourismus
Unter Fettenhennen 19, 50667 Köln
Tel. (02 21) 22 13 04 00,
Fax 22 12 04 10
www.koeln.de

SIGHTSEEING MAL ANDERS

Der Taxi-Guide bietet eine Rundfahrt
im Taxi (mit geschultem Fahrer)
wahlweise für eine oder zwei Stunden
an – mit der Gelegenheit zu Foto-
Stopps. Die Kosten liegen bei 40 bzw.
55 Euro (Tel. 02 21/1 94 10). Genauso
individuell ist die Fahrt mit der
Rikscha – und dabei noch umwelt-
freundlich (Tel. 02 21/2 19 23 62,
www.perpedalo.de).

SHOPPING

Die vom Dom nach Süden ziehende
Hohe Straße und die Schildergasse,
die von der Hohen Straße zum
Neumarkt führt, sind die den
Fußgängern vorbehaltenen Haupt-
geschäftsstraßen. Weitere wichtige
Einkaufsstraßen: Mittelstraße, Breite
Straße, Ehren- und Pfeilstraße.

ORIGINAL KÖLSCH

Wer urkölsche Atmosphäre schnuppern will, sollte einen Besuch in
einem der kölschen Brauhäuser nicht
versäumen. Hier bedient der »Köbes«
(Kellner) mit deftigen Sprüchen und
serviert neben dem obligatorischen
Glas (»Stange«) Kölsch auch Gerichte
wie »Himmel un Äd« (Kartoffel- und
Apfel-Püree mit Blutwurst) oder den
»Halve Hahn« (Brötchen mit Käse).
Empfehlungen: Früh am Dom (s.
rechts), Gaffel-Haus (Alter Markt
20–22, Tel. 2 57 76 92), Päffgen in
der Altstadt (Heumarkt 62, Tel.
2 57 77 65), Malzmühle (Heumarkt 6,
Tel. 22 01 17).

ESSEN

▶ Fein & Teuer

① Le Moissonnier
Krefelder Staße 25, 50670 Köln
Tel. (02 21) 72 94 79
In dem wunderschönen Jugendstil-
Bistro mit phantastischen Wand- und
Deckenmalereien genießen Sie raffi-
nierte französische Kochkunst auf
hohem Niveau.

② Maître
Unter Sachsenhausen 10
(im IHK-Gebäude), 50667 Köln
Tel. (02 21) 13 30 21
In der Nähe des Doms befindet sich
das gediegen-elegante Restaurant, das
mit seiner hervorragenden klassisch
ausgerichteten Küche auch anspruchsvolle Genießer überzeugt.

▶ Erschwinglich

⑤ Em Krützche
Am Frankenturm 1, 50667 Köln
Tel. (02 21) 20 58 08 39
Genießen Sie in dem traditionsrei-
chen Altstadthaus leckere rheinische
Küche – seit über 400 Jahren werden
hier Gäste bewirtet.

⑥ Heising und Adelmann
Friesenstraße 58, 50670 Köln
Tel. (02 21) 1 30 94 24
Modernes Lokal im legeren Bistrostil.
An blanken Holztischen werden vor
allem französische und mediterrane
Gerichte serviert.

► **Preiswert**

④ *Früh am Dom*
Am Hof 12, 50667 Köln
Tel. (02 21) 2 61 32 11
Seit 1904 genießt man in der gemütlichen Braustube frisches Kölsch und deftige Hausmannskost.

③ *Alt Köln am Dom*
Trankgasse 7, 50667 Köln
Tel. (02 21) 13 74 71
Kölsche Gastlichkeit und rheinische Spezialitäten sorgen auf drei Etagen für gute Stimmung.

ÜBERNACHTEN

► **Luxus**

③ *Excelsior Hotel Ernst*
Domplatz, 50667 Köln
Tel. (02 21) 27 01, Fax 13 51 50
www.excelsiorhotelernst.de
Klassisches Grandhotel. Das traditionsreiche Haus überzeugt mit eleganten Zimmern, fürstlich ausgestatteten Suiten, zwei Gourmetrestaurants und individueller Betreuung.

⑤ *Renaissance*
Magnusstraße 20, 50672 Köln
Tel. (02 21) 2 03 40, Fax 2 03 47 77
www.renaissancehotels.com
Modernes, elegantes Haus in zentraler Lage, das seinen Gästen schöne Zimmer mit jedem Komfort bietet. Dazu zwei ansprechende Restaurants, Schwimmbad und Sauna.

⑥ *Im Wasserturm*
Kaygasse 2, 50676 Köln
Tel. (02 21) 2 00 80, Fax 2 00 88 88
www.hotel-im-wasserturm.de
Ein außergewöhnliches Hotel beherbergt der denkmalgeschützte Wasserturm aus dem 19. Jh. Schicke Räume und Suiten sorgen für einen angenehmen Aufenthalt. Zwei Luxusrestaurants lassen Gourmetherzen höher schlagen.

► **Komfortabel**

① *Classic Hotel Harmonie*
Ursulaplatz 13, 50668 Köln
Tel. (02 21) 1 65 70, Fax 1 65 72 00
www.classic-hotel-harmonie.de
Freundliches Hotel mit italienischem Flair in einer ruhigen Seitenstraße. Das ehemalige Kloster ist der ideale Ausgangspunkt für Erkundungstouren durch die Stadt.

Baedeker-Empfehlung

④ *Ascot*
Hohenzollernring 95, 50672 Köln
Tel. (02 21) 9 52 96 50, Fax 9 52 96 51 00
www.ascot.bestwestern.de
Die Einrichtung im britischen Landhausstil passt gut zu dem denkmalgeschützten Stadthaus. Theater, Kinos und Geschäfte liegen ganz in der Nähe.

► **Günstig**

② *Ludwig*
Brandenburger Straße 24, 50668 Köln
Tel. (02 21) 16 05 40, Fax 16 05 44 44
www.hotelludwig.com
Zweckmäßig eingerichtete Zimmer bietet das Haus in nächster Nähe zum Zentrum.

Dom und Altstadt

✶✶
Dom

Als mächtiges, 157 m hohes **Wahrzeichen** von Köln erhebt sich unweit vom linken Rheinufer der Dom. Er wurde 1248 als großartigstes und umfangreichstes Bauprojekt des Mittelalters begonnen, nachdem die Stadt 1164 durch Kaiser Friedrich Barbarossa die Reliquien der Heiligen Drei Könige aus Mailand bekommen hatte. Ab Anfang des 16. Jh.s ruhten jedoch die Arbeiten am Dom, und erst 1842–1880 wurde er vollendet. Seit Oktober 2000 hat die Domschatzkammer außerhalb des Doms, vor dem nördlichen Langchor, ein neues Domizil gefunden. In einem braunen Kubus sind auf 500 m² die **prächtigsten Kostbarkeiten** des Domes zu sehen, wertvolle Schreine, Reliquiare, Monstranzen, Insignien und anderes liturgisches Gerät.

Domschatz-kammer ►

✶✶
Römisch-Germanisches Museum
🕐

Das Römisch-Germanische Museum an der Südseite des Doms zeigt Mosaiken, römische Gläser, darunter das Diatretglas aus der römischen Kaiserzeit, Gebrauchskeramik, Möbel und Skulpturen sowie römischen und germanischen Goldschmuck (Öffnungszeiten: Di., Fr., Sa., So. 10.00–17.00, Mi. 10.00–19.00 Uhr). Besondere Bachtung verdienen das Dionysos-Mosaik (2. Jh. n. Chr.) und das 15 m hohe Grabmal des Poblicius (1. Jh. n. Chr.).

Kolumba Diözesan-museum

In der Nähe (Roncalliplatz 2) kontrastiert das Kolumba Diözesanmuseum sakrale Malerei, Plastik und Goldschmiedekunst des 11. bis 16. Jh.s mit zeitgenössischer Kunst des 20. Jh.s. Vom Museum aus sieht man bereits den berühmten **Heinzelmännchenbrunnen** weiter südlich und eines der berühmtesten kölschen Brauhäuser der Stadt: das Früh am Dom.

✶✶
Museum Ludwig

🕐

Das Museum Ludwig bietet einen erstklassigen Querschnitt durch die Kunst des 20. Jh.s, von der klassischen Moderne bis hin zur aktuellen Kunstszene mit Gemälden, Skulpturen, Zeichnungen, Druckgrafik und Fotografie. Schwerpunkte bilden u. a. die Werke des deutschen Expressionismus, der russischen Avantgarde, der amerikanischen Pop Art, des Surrealismus und die Werke von Pablo Picasso. Im selben Gebäude ist auch das **Agfa-Foto-Historama** mit Fotografien und Fotoapparaten seit 1840 zu finden (Öffnungszeiten: Di. 10.00–20.00, Mi. bis Fr. 10.00–18.00; Sa., So. 11.00–18.00 Uhr).

Philharmonie

Ein hervorragendes Klangerlebnis genießen Sie in der Philharmonie. Die in konzentrischen Kreissegmenten ansteigenden Sitzreihen des Konzertsaals bieten 2000 Besuchern Platz.

✶
Altstadtgassen

Südlich des Doms beginnt das Altstadtviertel mit seinen verwinkelten Gassen und kopfsteingepflasterten Plätzen. Empfehlenswert ist ein Spaziergang über die **Rheinpromenade** (Frankenwerft), wo sich kölsche Kneipen, kleine Läden und Restaurants aneinander reihen. Sehenswert sind auch die Plätze Heumarkt und Alter Markt.

KÖLNER DOM

★ ★ Unter den großen Kirchen der Welt verkörpert der Kölner Dom St. Peter und Marien den Typus der hochgotischen Kathedrale am reinsten und vollkommensten. Vielleicht ist der Grund dafür seine lange Bauzeit von über 600 Jahren.

🕐 **Öffnungszeiten:**
Mo. bis So. 6.00–19.30 Uhr

In der Gotik strebt alles nach oben zu Gott. So war der Dom mit seinen 157 m hohen Türmen lange das höchste Bauwerk der Welt. Bis heute ist er eine der größten Kirchen der Christenheit überhaupt. Im Innenraum dreht sich alles um die heiligen drei Könige, deren Gebeine im weltberühmten Schrein der Kathedrale liegen. Er ist einer der bedeutendsten Kunstschätze des Mittelalters.

① Dreikönigenschrein

Der Dreikönigenschrein im Hochchor ist ein Meisterwerk mittelalterlicher Goldschmiedekunst (12./13. Jh.), das nach Entwürfen von Nikolaus von Verdun gefertigt wurde. Er birgt die Reliquien der Heiligen Drei Könige, die ab 1164 für einen großen Pilgerstrom nach Köln sorgten.

② »Anbetung der Heiligen Drei Könige«

Für die Rathauskapelle malte der Kölner Stephan Lochner 1445 die Anbetung der Heiligen Drei Könige. Heute hängt das Kunstwerk, fälschlich »Dombild« genannt, im Chorumgang des Kölner Doms. Die Könige aus dem Morgenland wurden die Schutzpatrone der Stadt Köln.

③ Gerokreuz

Das erste Monumentalkreuz in Nordeuropa mit einem überlebensgroßen Jesus wurde um 980 hergestellt.

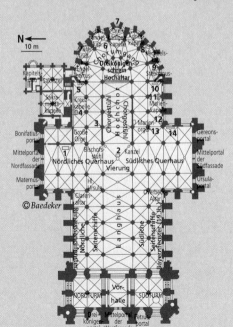

© Baedeker

Kathedralkirche
des Erzbistums Köln

1 Gnadenmadonna
2 Bronzealtar
3 Zugang zur Krypta
4 Judenprivileg
5 Gerokreuz
6 Hochgrab des Erz-
   bischofs Konrad
7 Älteres Bibelfenster
8 Kreuzigungsaltar
   von B. Bruyn d. Ä.
9 Jüngeres Bibelfenster
10 »Dombild« von
   Stephan Lochner
11 Mailänder Madonna
12 Hochgrab des Erz-
   bischofs Rainald
   von Dassel
13 St. Christophorus
14 Agilolphusaltar

Der eindrucksvolle Innenraum empfängt sein Licht aus einer Vielzahl von bunten Glasfenstern. Über hundert Pfeiler im gewaltigen Inneren tragen die Gewölbe, die im Mittelschiff eine Höhe von 43,35 m erreichen.

Vom Südturm, den man über mehr als 500 Stufen besteigen kann, bietet sich eine weite Rundsicht über die Stadt. Nach Osten schaut man auf die Hohenzollernbrücke über den Rhein.

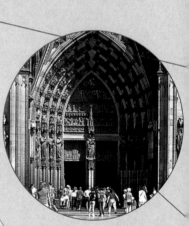

Das älteste Portal der Kirche ist das Petersportal (14. Jh.) in der Westfassade.

Abendstimmung am Rhein. Neben den Türmen des Doms wirken das Rathaus und der Kirchturm von Groß St. Martin fast niedlich.

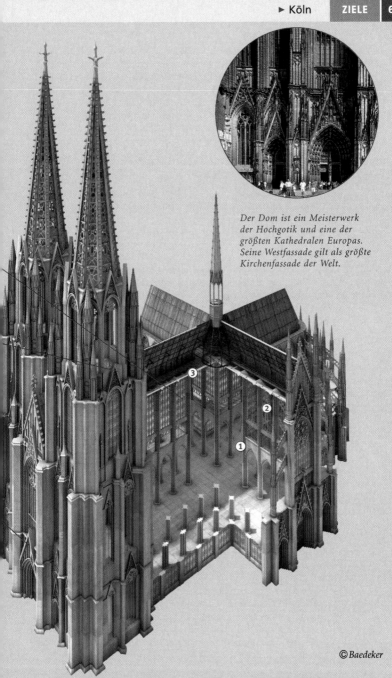

Der Dom ist ein Meisterwerk der Hochgotik und eine der größten Kathedralen Europas. Seine Westfassade gilt als größte Kirchenfassade der Welt.

© Baedeker

Rathaus

Westlich schließt an den Alten Markt das nach dem Zweiten Weltkrieg wieder aufgebaute Rathaus an mit dem 61 m hohen, figurengeschmückten Rathausturm, der Renaissancelaube und dem Hansasaal.

Rathausplatz mit Mikwe und Praetorium

Unter einer Glaspyramide auf dem Rathausplatz liegt der einzige erhaltene Rest der mittelalterlichen jüdischen Siedlung an dieser Stelle: eine Mikwe, ein **rituelles jüdisches Tauchbad** aus dem 12. Jh. Unter dem Rathausplatz befinden sich die Ruinen des Praetoriums, des einstigen Palastes des römischen Statthalters Niedergermaniens. Der Eingang zum Museum mit den bedeutenden Funden liegt im Spanischen Bau (Kleine Budengasse).

? WUSSTEN SIE SCHON ...?

■ dass die 124 Figuren am Rathausturm Persönlichkeiten aus der 2000-jährigen Geschichte Kölns darstellen, darunter Peter Paul Rubens, Karl Marx, Konrad Adenauer und Heinrich Böll?

✱ Groß St. Martin

Östlich vom Rathaus, nahe am Rhein, steht die 1172 geweihte Kirche Groß St. Martin mit ihrem mächtigen Vierungsturm und dem Kleeblattchor. Einzigartig ist die Auflösung der schweren Baumassen durch die reiche Wandgliederung mit mehreren Arkadenreihen und Zwerggalerien. Im Brigittengässchen auf dem Kirchvorplatz stehen die lebensgroßen Bronzeplastiken der **Kölner Urtypen** und Hauptpersonen unzähliger Kölner Witze: Tünnes (kölsch für Antonius) und Schäl (der Schieler).

Nördliche Innenstadt

✱ Museum für Angewandte Kunst

Südwestlich vom Dom befindet sich seit 1989 das Museum für Angewandte Kunst (An der Rechtschule). Ausgestellt sind Werke der Gattungen des Kunstgewerbes und Designs vom Mittelalter bis heute, darunter Möbel, Mode, Porzellan, Glas, Schmuck und Kleinplastik.

St. Andreas

In der Krypta der romanischen Kirche St. Andreas (15. Jh.) ist in einem römischen Sarkophag der Universalgelehrte Albertus Magnus († 1280) bestattet.

Zeughaus

In der Zeughausstraße steht das wieder aufgebaute Zeughaus mit einem schönen Renaissanceportal. Hier dokumentiert das **Kölnische Stadtmuseum** die Stadtgeschichte vom Mittelalter bis heute.

Römerturm

Bedeutendster Rest der römischen Stadtmauer ist der reich verzierte Römerturm aus dem 1. Jh. n. Chr. am Ende der Zeughausstraße.

✱ St. Gereon

Nordwestlich liegt St. Gereon, die **ungewöhnlichste romanische Kirche** der Stadt. Ihr lang gestreckter Chor (11. Jh.) schließt an einen Ovalraum an, der bereits im 4. Jh. entstand. Im 13. Jh. wurde er in ein Zehneck umgebaut und eine riesige Kuppel aufgesetzt. Sie gehört neben der der Hagia Sophia und der des Florentiner Doms zu den gewaltigsten ihrer Art.

Im Schatten der Bäume am Buttermarkt läßt sich's gut aushalten.

Hahnentor

Durch das Hahnentor am Rudolfplatz, dem bedeutendsten und **schönsten Tor** der mittelalterlichen Stadtmauer, zogen einst Könige in die Stadt ein, nachdem sie in Aachen gekrönt worden waren. Hier verehrten sie die Reliquien der Heiligen Drei Könige.

★ St. Aposteln

Am zentral gelegenen Neumarkt erhebt sich die spätromanische Kirche St. Aposteln (11.–13. Jh.), die vor allem wegen ihres schönen Kleeblattchors berühmt ist.

Opernhaus

Östlich des Neumarkts liegen das moderne Opernhaus (1954–1956) und das Schauspielhaus (1959–1962). Auf der gegenüberliegenden Seite der Glockengasse fällt das verzierte neugotische **4711-Haus** auf, von dessen Obergeschoss stündlich ein Glockenspiel erklingt.

Gürzenich und Alt St. Alban

Über Schildergasse und Gürzenichstraße gelangt man zum Gürzenich, der 1441–1447 als Kauf- und Festhaus errichtet wurde und als bedeutendster **frühneuzeitlicher Profanbau** der Stadt gilt. Hier finden heute Veranstaltungen, Prunksitzungen und Konzerte statt. Eine Wand teilt der Gürzenich mit der kriegszerstörten Kirche Alt St. Alban, die als Gedenkstätte für die Toten der Weltkriege dient.

★★ Wallraf-Richartz-Museum

Seit Januar 2001 hat das Wallraf-Richartz-Museum seinen Sitz im neuen, von Oswald Mathias Ungers entworfenen Gebäude zwischen Rathaus und Gürzenich (Martinstraße 39). Präsentiert wird ein hervorragender Querschnitt durch die **Malerei und Grafik vom Mittelalter bis zum 19. Jh.** Ausgezeichnete Werke von Dürer, Lucas Cranach d. Ä., Rubens, van Dyck, Tizian, Tintoretto und Rembrandt bis hin zu Gauguin, Monet, Cézanne, Renoir, Caspar David Friedrich, Spitzweg u. v. a. begründen den Ruhm des Museums (Öffnungszeiten: Di. 10.00–20.00, Mi. bis Fr. 10.00–18.00, Sa., So. 11.00–18.00 Uhr). ⊕

Weitere romanische Kirchen

Im nördlichen Innenstadtbereich sind drei romanische Kirchen sehenswert. Direkt beim Hauptbahnhof liegt die reich ausgestattete Kirche St. Mariä Himmelfahrt, die eines der bedeutendsten Beispiele für den jesuitischen Frühbarock darstellt. Nördlich davon befindet sich St. Ursula (12.–17. Jh.) mit der »Goldenen Kammer« aus dem 17. Jh., deren Wände mit Tausenden von Knochen, Skelettteilen und Reliquienbüsten geschmückt sind. **St. Kunibert** nahe des Rheins ist die jüngste (13. Jh.) und stilistisch einheitlichste unter Kölns romanischen Kirchen. Sehenswert sind die Reste mittelalterlicher Wandmalereien im Innern und die Glasmalereien der Chorfenster.

? WUSSTEN SIE SCHON ...?

■ dass die Verzierungen in der »Goldenen Kammer« in der Kirche St. Ursula angeblich von den elftausend Jungfrauen der hl. Ursula, einer englischen Prinzessin, stammen? Sie soll samt ihren Gefährtinnen im 3. Jh. bei Köln von Hunnen niedergemetzelt worden sein.

Südliche Innenstadt

Schnütgen-Museum

Südöstlich vom Neumarkt ist in der ehemaligen St.-Cäcilien-Basilika das Schnütgen-Museum untergebracht. Es beherbergt eine der bedeutendsten Sammlungen **mittelalterlicher Kirchenkunst**, zeigt aber auch christliche Kunst bis zum 19. Jh. und byzantinische Werke. Westlich schließt die Josef-Haubrich-Kunsthalle an, in der Wechselausstellungen stattfinden. Hinter dem Museum liegt die Kirche St. Peter aus dem 12. bis 16. Jh., die Kunstfreunde vor allem als ungewöhnlichen Ausstellungsort für zeitgenössische Kunst kennen.

St. Peter ►

St. Maria im Kapitol

Weiter östlich steht auf dem Platz eines einstigen römischen Tempels die Kirche St. Maria im Kapitol (11.–13. Jh.), deren Kleeblattchor Vorbildfunktion für die rheinische Romanik hatte. An der Westwand des südlichen Seitenschiffs stehen zwei wertvolle geschnitzte Türflügel aus dem frühen Mittelalter (1050–1065); unter dem Chor verbirgt sich eine gewaltige Krypta.

Overstolzenhaus ►

Östlich von St. Maria im Kapitol liegt etwas versteckt an der Rheingasse das Overstolzenhaus, das als hervorragendstes Beispiel eines **Bürgerhauses der Romanik** in Deutschland gilt (13. Jh.).

Schokoladen-museum

Wundern Sie sich nicht, wenn Ihnen im Imhoff-Stollwerck-Museum das Wasser im Mund zusammenläuft, denn das erste **Schokoladenmuseum der Welt** informiert anschaulich und appetitanregend über Kakao-Anbau, die Herstellung von Pralinen mittels einer funktionierenden kleinen Produktionsanlage, Schokoladenwerbung u. v. m.

Sport- und Olympia-Museum

Wer im Anschluss ans Schokoladenmuseum sportlichen Ausgleich sucht, der kann gleich nebenan im Windkanal Rennrad fahren. Im Deutschen Sport- und Olympia-Museum am Rheinauhafen 1 wird die Geschichte des Sports seit der griechischen Antike bis heute durch Original-Objekte und Multimedia-Technik lebendig.

Die weit im Südwesten der Innenstadt gelegene romanische Kirche St. Pantaleon (10.–17. Jh.) beansprucht als eines der **ältesten Gotteshäuser Kölns** und mit ihrem kunsthistorisch bedeutsamen Westwerk einen Spitzenplatz unter den Kirchen der Stadt. Ein schöner spätgotischer Lettner schließt den Chor ab. In der Krypta liegen die Gebeine der Kaiserin Theophanu († 991), der Gemahlin Ottos II., und des Kölner Erzbischofs Bruno. Die nur mit Führung zugängliche Schatzkammer bewahrt u. a. einen romanischen Christuskopf (um 1000) und den Marinusschrein aus dem Jahr 1170.

St. Pantaleon

Nahe am Rhein, am südlichsten Teil der Ringstraßen (Ubierring 45), präsentiert das Rautenstrauch-Joest-Museum **völkerkundliche Exponate** (Keramik, Textilien, Musikinstrumente, Kultgegenstände); Schwerpunkte der Sammlung sind die präkolumbischen Kulturen Amerikas sowie Ozeanien und Afrika.

Rautenstrauch-Joest-Museum

Das Severinsviertel um die Severinstraße gilt mit seinen vielen Kneipen, Geschäften und der Mischung aus Urkölnern und Ausländern als eines der **lebendigsten »Veedel«** der Stadt. Am Chlodwigplatz am Ring erhebt sich die Severinstorburg, ein Rest der mittelalterlichen Stadtmauer. In der Nähe liegt die romanische Kirche St. Severin (13.–15. Jh.) mit einer reichen Innenausstattung, einer dreischiffigen Krypta und einem sehenswerten römisch-fränkischen Gräberfeld unter der Kirche. An der wieder aufgebauten Kirche St. Johann Baptist und dem zu Ehren des Kölner Komponisten und Sängers aufgestellten Karl-Berbuer-Brunnen (K.-Berbuer-Platz) vorbei erreicht man am nördlichen Ende der Severinstraße die romanische Kirche St. Georg (11. Jh.) mit einem festungsartigen, quadratischen Westchor.

Severinsviertel

Am Rheinauhafen liegt das Schokoladenmuseum »vor Anker«.

Kein Kölner, der etwas auf sich hält, lässt sich den Rosenmontagszug entgehen.

KÖLLE ALAAF!

Kölner Karneval, auf kölsch »Fastelovend« (= Fastnacht), ist für die meisten Kölner die fünfte Jahreszeit und eine wilde und ausgelassene Liebeserklärung an ihre Stadt. Für den Fremden stellt sich der Karneval eher als eruptives Ereignis dar, das selbst das hinterste Zipfelchen der Stadt zum Beben bringt.

Die Wurzeln des Ereignisses, bei dem alles drunter und drüber geht, die Innenstadt gesperrt ist und dem (mehr oder weniger ahnungslosen) Fremden Absonderliches passieren kann, reichen so weit zurück wie die Stadtgeschichte. So haben sich im Karneval Formen rauschhafter **Feste der Römer**, etwa Bacchus-Festen oder Saturnalien (Bacchus war der Gott des Rausches und der Ekstase, Saturn Gott des Ackerbaus und der Fruchtbarkeit) mit ihrer zeitweisen Aufhebung der Standesordnung erhalten. Außerdem spielten die Vertreibung der Wintergeister und die Feier des nahen Frühlings eine Rolle.

Das Wichtigste scheint jedoch schon damals eine gewisse **Ventilfunktion** gewesen zu sein. Die Worte Fastnacht oder Karneval weisen auf die christliche Umdeutung des Festes hin: An diesem seit dem 12. Jh. belegten Fest der vorösterlichen Fastenzeit durfte man sich noch einmal richtig austoben, um dann gesittet die 40 Tage Fastenzeit bis Ostern zu verbringen (Karneval = »carne vale« = Fleisch, lebe wohl).

Karneval heute

Die Form des heutigen organisierten Karnevals mit Umzügen und Sitzungen entstand erst im 19. Jh., wenn auch aus älteren Wurzeln. So pflegten schon im Mittelalter Zunftangehörige, Familien oder ganze Straßenzüge mit Musik und Masken durch die Straßen zu ziehen. Den ersten **Rosenmontagumzug** gab es 1823, als auch das heutige Dreigestirn entstand, das zu Karneval Köln regiert: der Prinz als »Held Karneval«, die Jungfrau – dargestellt von einem Mann, verkörpert sie Colonia, die Stadt Köln – und der Bauer, der für das deftige, bisweilen etwas vulgäre Volkselement steht. Aus den Saufgelagen früherer Zeiten und den »Generalversammlungen« der Karnevalsorganisatoren im 19. Jh. entstanden die heutigen Sitzungen mit den Büttenreden, Liedern und Tänzen.

Ein wichtiges Karneval-Element, die **Roten Funken**, waren ursprünglich (seit 1880) die Kölner Stadtsoldaten, mit denen man ironisch Bezug nahm auf Kölns reichsstädtische Vergangenheit. Noch stärker ist der parodieren-

de Bezug aufs Militär bei den Blauen Funken, die in der Uniform eines preußischen Dragonerregiments stecken. Die Lust an der Parodierung der Gesellschaftsordnung steckt auch im Werfen von »Kamellen« (Bonbons) und »Strüüßcher« (Sträußchen): Ähnlich pflegten Fürsten und andere Obrigkeiten früher Geld und Lebensmittel unters Volk werfen zu lassen. Wichtig zu wissen: Neben dem offiziellen Karneval gibt es noch den uralten, eruptiven **Fastelovend** in den alten Kölner Vierteln, der originaler ist als alles, was man im organisierten Karneval findet.

Vom 11.11. bis Aschermittwoch

Der Karneval wird jährlich am 11.11. um 11.11 Uhr auf dem Ostermann-Platz eingeläutet. Im Januar wird der Prinz proklamiert; von jetzt an bis Aschermittwoch finden Bälle und Sitzungen statt. Endlich dann, an »Wieverfastelovend« (Weiberfastnacht, dem Donnerstag vor Rosenmontag), beginnt um 11.11 Uhr auf dem Alten Markt der **Straßenkarneval**. Die Frauen übernehmen die Herrschaft über die Stadt, auch dies eine Verkehrung der gesellschaftlichen Ordnung, nachmittags gegen 15.00 Uhr am Severinstor das Karnevalsspiel »Jan und Griet«. Die meisten Geschäfte und Behörden schließen spätestens nachmittags! Abends beginnen – wie an allen folgenden Tagen – Kostümbälle und Sitzungen.

Am Samstag um ca. 11.00 Uhr wird der Biwak der Roten Funken auf dem Neumarkt aufgeschlagen; durch einige Stadtteile ziehen bereits Umzüge. Am Abend setzt sich der **Geisterzug** in Bewegung, eine rebellische Alternative zum Rosenmontagszug. Meist ab 12.00 oder 13.00 Uhr gehen sonntags die »Schull- un Veedelszöch« (= Schul- und Viertelszüge) in den Stadtvierteln los. Diese Züge (erstmals 1933 abgehalten) gehen zurück auf die »Banden« der früheren Zeit.

Der Rosenmontag ist unbestritten der Höhepunkt des Karnevals. Mittags zieht der jedes Jahr unter einem Motto stehende **Rosenmontagszug** mit Tanz- und Musikgruppen, Wagen, Masken und dem Dreigestirn durch die Stadt. Es empfiehlt sich, möglichst frühzeitig einen Platz am Zugweg zu suchen, denn von morgens früh an sind bereits »Jecken« unterwegs, manche in ganzen Unterzügen; am Mittag des nächsten Tages schließlich die Umzüge in den Vororten.

Um den strapazierten Magen zu erholen und sich auf die Fastenzeit einzustimmen, aber auch, damit nicht alles so schnell vorbei ist, trifft man sich abends zum traditionellen Fischessen. Danach beginnt dann die schreckliche, karnevalslose Zeit …

Außerhalb der Ringstraßen

Ringstraßen Um die Altstadt ziehen sich die Ringstraßen, die nach der Schleifung der ehemaligen Stadtmauer angelegt wurden und einen **Park- und Flanierbereich** mit vielen Geschäften und Gaststätten besitzen. Von den alten Torburgen sind – von Nord nach Süd gesehen – noch die Eigelsteintorburg, die Hahnentorburg und die Severinstorburg erhalten.

✱
Museum für Ostasiatische Kunst

Am westlichen Stadtrand (Universitätsstraße 100) liegt das Museum für Ostasiatische Kunst, das nach einem Entwurf des Japaners Kunio Maekawa erbaut wurde. Den Besucher erwartet nicht nur eine einzigartige Sammlung chinesischer, koreanischer und japanischer Kunst aller Gattungen (Sakralbronzen, Holzskulpturen, Malerei, Grafiken, Möbel, Keramik, Glas, Textilien), sondern auch ein Eindruck **fernöstlicher Atmosphäre**, der durch die Architektur und die Einbeziehung der Natur in die Architektur entsteht.

Fernmeldeturm Nordwestlich des Zentrums erhebt sich der 243 m hohe Fernmeldeturm »Colonius«, der **fünfthöchste der Bundesrepublik**, mit einem Aussichtsraum in 170 m Höhe.

Müngersdorfer Stadion Hier im Müngersdorfer Stadion feuern die Fans bei Heimspielen der Fußball-Bundesliga den 1. FC Köln an. Der Neubau (1973–1975) fasst rund 60 000 Zuschauer.

✱
Botanischer Garten und Zoo

Nördlich von Theodor-Heuss-Ring und Zoobrücke liegen der Botanische Garten und die **Flora**, die 1864 von P. J. Lenné mit schönen Gärten, Beeten, Teichen und großen Gewächshäusern angelegt wurde. Gleich nebenan kann man im Zoo mehr als 5000 Tiere etwa 600 verschiedener Arten betrachten, darunter auch Bären, Raubkatzen, Affen, Giraffen, Elefanten und Seelöwen. Im angeschlossenen Aquarium mit Terrarium und Insektarium wird eine große Anzahl Reptilien (z. B. Krokodile), Insekten und Fische gehalten.

> ! *Baedeker* TIPP
>
> **Im Märchenwald**
>
> Unmittelbar beim Altenberger Dom liegt der Eingang zu einem Märchenwald. Hier entdecken auch wanderunwillige kleine Gäste, dass ein Waldspaziergang durchaus seine Reize haben kann: Überall ducken sich unter hohen Bäumen kleine Häuschen, in denen berühmte Märchenszenen nachgestellt sind – auf Knopfdruck wird eine Sequenz aus dem entsprechenden Märchen erzählt.

Rechtsrheinisches Köln

Die schönsten Aussichten auf das Stadtpanorama hat man von der Deutzer und der Hohenzollernbrücke, aber auch aus luftiger Höhe von einer Gondel der **Rheinseilbahn**, die vom Zoo ausgehend über den Rhein in den Rheinpark führt.

Auf dem Messegelände im Stadtteil Deutz finden zahlreiche internationale Industrie-, Gewerbe- und Handelsmessen statt. Wer vom Messetrubel genug hat, kann im Panoramarestaurant des **Messeturms** ausruhen. Nördlich schließt der schöne, viel besuchte Rheinpark mit Tanzbrunnen, Blumenbeeten, Gewächshäusern, Spielplätzen, einer kleinen Seilbahn und einem Mineral-Thermalbad an. Hier ist auch der Endpunkt der großen Rheinseilbahn.

Messe
Rheinpark

Umgebung von Köln

In Bergisch Gladbach lohnt vor allem das **Bergische Museum** für Bergbau, Handwerk und Gewerbe einen Besuch. Es zeigt u. a. verschiedene Formen ländlichen Bauens und Wohnens, einen nachgebauten Bergwerksstollen und traditionelle Handwerkstechniken.

Der **Altenberger Dom** (13./14. Jh.), auch »Bergischer Dom« genannt, ist eines der glänzendsten Beispiele **rheinischer Frühgotik**. Beachtung verdienen insbesondere die gotischen Glasfenster, allen voran das imposante achtteilige Westfenster, das größte Kirchenfenster Deutschlands, sowie die reiche Innenausstattung.

Die beiden Schlösser Augustusburg und Falkenlust in Brühl gelten als **Höhepunkte des Rokoko** und als Vorbilder für etliche deutsche Fürstenhöfe. Beide sowie die sie umgebenden Gär-

Das prachtvolle Treppenhaus von Augustusburg

ten nahm die UNESCO 1984 in die Liste der Weltkulturdenkmäler auf. Schloss Augustusburg glänzt mit seiner prunkvollen Innenausstattung und dem prächtigen Treppenhaus von Balthasar Neumann.

✱
Schloss
Augustusburg

Nahe bei Brühl liegt das Phantasialand, einer der **größten deutschen Freizeitparks**. In der Anlage gibt es zahlreiche Attraktionen von Gondel-, Wildwasser- und Achterbahnen über Wikingerbootsfahrten bis zu einer Hollywood-Tour, einer Dinosaurier-Welt, einem Space-Center, Flugsimulatoren und einem 3D-Kino; ferner ein nachgebautes Stadtbild von Altberlin, eine Westernstadt, Chinatown mit Pagoden und Geister-Rikscha und verschiedene Shows, z. B. eine Delphinshow und eine computergesteuerte »Reise um die Welt«, deren Darsteller Puppen sind.

✱
Phantasialand

✳ Konstanz

Atlasteil: S. 60 • B 2   **Bundesland:** Baden-Württemberg
Höhe: 407 m ü. d. M.   **Einwohnerzahl:** 79 000

Konstanz, wunderbar am Seerhein gelegen, ist die größte Stadt am Bodensee, ein bedeutendes Kulturzentrum mit Universität und Fachhochschule und einem regen Theater- und Musikleben. Die malerische Altstadt mit ihren zahlreichen mittelalterlichen Bauten erstreckt sich zwischen dem Rhein und der Schweizer Grenze. Die Neustadt schmiegt sich an die sanften Hänge des Bodanrücks.

Geschichte Als Keimzelle der Stadt wird eine keltische Fischersiedlung angenommen, die in spätrömischer Zeit den Namen »Constantia« erhielt. Das hier um 590 gegründete Bistum war damals das erste im deutschen Raum. Im Schnittpunkt wichtiger Handelswege nach Italien und Frankreich blühte die Stadt im Mittelalter auf, erhielt um 900 Marktrecht und war 1192–1548 **Freie Reichsstadt**. Auf dem bedeutenden Konstanzer Reformkonzil (1414–1418) wurde Martin V. zum Papst gewählt – die einzige Papstwahl auf deutschem Boden –, und man verurteilte den böhmischen Reformator Jan Hus zum Tode. Ambrosius Blarer (1492–1564) führte in Konstanz die protestantische Reformation ein, worauf die Bischöfe 1526 ihre Residenz nach Meersburg verlegten. Infolge der Einverleibung nach Österreich 1548 wur-

»Imperia« wacht über der Hafeneinfahrt im Bodensee.

KONSTANZ ERLEBEN

AUSKUNFT

Tourist-Information
Bahnhofsplatz 13,
78462 Konstanz
Tel. (0 75 31) 13 30 30, Fax 13 30 60
www.konstanz.de

KULTUR SEEÜBERGREIFEND

Künstler und Ensembles aus deutschen und Schweizer Bodenseegemeinden veranstalten zusammen jedes Frühjahr das Konstanzer Kulturfest. Auf dem Münsterplatz, im und um das Kulturzentrum am Münster und in der Stephanskirche wird ein spannendes und vielseitiges Programm geboten (Information: Tel. 0 75 31/90 09 10).

ESSEN

► Erschwinglich
Staader Fährhaus
Fischerstraße 30, 78464 Konstanz
Tel. (0 75 31) 3 31 18
Ganz gediegen speisen Sie in dem rustikalen Restaurant im historischen Fährhaus.

► Preiswert
Konzil-Gaststätten
Hafenstraße 2, 78462 Konstanz
Tel. (0 75 31) 2 12 21
Schönes Restaurant, das für gutbürgerliche Küche und die vielen Fischspezialitäten geschätzt wird. Grandioser Blick auf den Bodensee.

ÜBERNACHTEN

► Luxus
Steigenberger Inselhotel
Auf der Insel 1, 78462 Konstanz
Tel. (0 75 31) 12 50, Fax 2 64 02
www.konstanz.steigenberger.de
Das Hotel im ehemaligen Kloster bietet zwei vorzügliche Restaurants, edel ausgestattete Zimmer mit historischen Einrichtungsgegenständen.

► Komfortabel
Buchner Hof
Buchnerstraße 6, 78464 Konstanz
Tel. (0 75 31) 8 10 20, Fax 81 02 40
www.buchner-hof.de
Unweit der Altstadt und dem See gelegenes Haus, funktionell ausgestattete Zimmer, Sauna.

---

de es allerdings wieder katholisch. In der zweiten Hälfte des 19. Jh.s wurde die Stadtbefestigung größtenteils niedergerissen. Während des Zweiten Weltkrieges blieb die Stadt von Luftangriffen verschont. 1968 wurde die Universität gegründet.

Sehenswertes in Konstanz

An der Südostseite der Altstadt erstreckt sich der 1839–1842 angelegte Hafen, der Haupthafen der Bodenseeflotte. Neues Wahrzeichen von Konstanz ist die mächtige, an der Hafeneinfahrt installierte **Statue der »Imperia«** des Bildhauers Peter Lenk. An der Nordwestecke des Hafens steht das große, 1388 erbaute »Kaufhaus«, das Lagerhaus für den Italienhandel, bekannt als Konzilsgebäude. Es war Schauplatz der Papstwahl von 1417 und wird heute als Fest- und Tagungsgebäu-

✶
Hafen

◄ Konzilsgebäude

de genutzt. Am Festplatz Klein-Venedig haben nun das Bodensee-Naturmuseum zu Ur- und Frühgeschichte und das neue Aquarium Sea Life ihren Platz gefunden.

Dominikaner-kloster

Nördlich auf einer Bodenseeinsel findet man das 1785 aufgehobene Dominikanerkloster mit schönem Kreuzgang, das heute als Inselhotel fungiert. Hier wurde 1838 **Ferdinand Graf Zeppelin** geboren, der Erfinder des lenkbaren Starrluftschiffs.

✱
Münster

Das Münster (11., 15. und 17. Jh.) mit schönem Hauptportal, das mit kunstvoll geschnitzten Reliefs aus dem Jahr 1470 geschmückt ist, wird von stattlichen ehemaligen Domherrenhöfen umrahmt. Von dem **sehenswerten Inneren** sind das Chorgestühl von 1460, die vier Konstanzer Goldscheiben (11.–13. Jh.), große vergoldete Kupferplatten, und in der Mauritiusrotunde ein Heiliges Grab (13. Jh.) hervorzuheben. Vom Turm (1850–1857) bietet sich eine schöne Aussicht.

Naturmuseum Gemäldegalerie

Unweit westlich präsentiert die Wessenberg-Gemäldegalerie altdeutsche, niederländische und italienische Malerei des 15.–18. Jh.s.

Obermarkt

Am südlich gelegenen Obermarkt steht das Haus zum Hohen Hafen, vor dem am 18. April 1417 Friedrich IV. von Zollern, Burggraf von Nürnberg, mit der Mark Brandenburg belehnt wurde. Das **Renaissance-Rathaus** nahebei entstand 1589–1594 durch Umbau des Zunfthauses der Leinweber und Krämer (14. Jh.). Die Außenfresken stammen aus dem Jahr 1864.

✱
Rosgarten-Museum

Ausgerechnet im mittelalterlichen Zunfthaus der Metzger ist das Rosgarten-Museum untergebracht. Im so genannten »Haus zum Rosengarten« wird eine regional- und heimatgeschichtliche Sammlung mit Exponaten zur Geologie, Paläontologie und Stadtgeschichte sowie zur Kunst- und Kulturgeschichte des gesamten Bodenseeraums gezeigt. Besonders hervorzuheben sind die Exponate zur Pfahlbaukultur und die Gemäldesammlung.

Weitere Sehenswürdigkeiten

Die gotische, kurz vor 1300 für den Augustinerorden erbaute Dreifaltigkeitskirche südlich des Rathauses weist bedeutende Fresken aus dem Jahr 1407 auf. Westlich der Dreifaltigkeitskirche stehen das fälschlich als Wohnhaus des böhmischen Reformators Jan Hus angesehene **»Hushaus«** (15./16. Jh.), das als Gedenkstätte eingerichtet ist, und das Schnetztor (14. Jh.), ein Rest der mittelalterlichen Stadtbefestigung.

Niederburg

Zwischen Münster und Rhein erstreckt sich die so genannte Niederburg, das Gassengewirr des ursprünglich von Handwerkern und Fischern bewohnten **ältesten Stadtteils** von Konstanz, mit zahlreichen Bürgerhäusern des 13. bis 16. Jh.s. Als bemerkenswerte Bauten sind zu nennen: an der Brückengasse das Haus zur Inful, auch Haus am Tümpel genannt (15./16. Jh.; Spitalkellerei), das im Jahr 1257 ge-

Das Haus zum Hohen Hafen am Obermarkt zieren Malereien zur Richental-Chronik.

gründete Kloster Zoffingen mit einer schlichten freskengeschmückten Kirche (um 1300) und zwischen Rheingasse und Konzilstraße das Regierungsgebäude, die ehemalige Dompropstei (1609).

Unweit nördlich erhebt sich der mächtige Rheintorturm (14./15. Jh.). Weiter westlich finden sich auf der Rheinufermauer die Standbilder (19. Jh.) der Bischöfe Konrad I. († 975) und Gebhard II. († 995) sowie der Herzöge Berthold von Zähringen († 1077) und Leopold von Baden († 1852). Dann folgt der Pulverturm (14. Jh.). **Rheintorturm Pulverturm**

Vom Rheintorturm führt die Rheinbrücke zum Stadtteil Petershausen, dem **bedeutendsten Teil der Neustadt**, mit ausgedehnten Wohnvierteln und den meisten Freizeiteinrichtungen. Gleich links der Brücke liegen die Gebäude der ehemaligen Benediktiner-Reichsabtei Petershausen, die 1814–1977 als Kaserne diente. In den vorbildlich restaurierten Gebäuden ist ein Kulturzentrum untergebracht. Im U-förmigen Konventbau am Benediktinerplatz befindet sich neben dem Stadtarchiv die 1992 eröffnete Zweigstelle des Archäologischen Landesmuseums Baden-Württemberg, in dem anhand von Modellen und Rekonstruktionen Methoden der Archäologie erläutert werden. **Petershausen**

Von der Rheinbrücke zieht die Seestraße, von der man einen schönen Ausblick auf die Altstadtsilhouette hat, am Bodenseeufer entlang und am Casino vorbei zum **Jachthafen**. In der mit Jugendstilfresken geschmückten Villa Prym (1908) sind das Haus des Gastes und eine Kunstschule untergebracht. **Seestraße**

Westlich von Konstanz dehnt sich das Wollmatinger Ried aus, ein großes **Naturschutzgebiet** in einer schilfbewachsenen Sumpflandschaft, in dem zahlreiche gefährdete Pflanzen und Tiere leben. **Wollmatinger Ried**

Lahntal

Atlasteil: S. 35 • C/D 3/4 und
S. 43 • C/D 1

Bundesländer: Nordrhein-Westfalen,
Hessen, Rheinland-Pfalz

**Die Lahn entspringt am Lahnkopf (610 m ü. d. M.) im südlichen Rot-
haargebirge und mündet nach 245 km bei Lahnstein in den Rhein.
In ihrem meist gewundenen Lauf berührt sie Orte, Burgruinen und
Schlösser, die die Geschichte dieses Raumes bezeugen.**

Reiseziele an der Lahn

Bad Laasphe
Folgt man der Lahn von der Quelle bis zur Mündung, so ist Bad
Laasphe der erste größere Ort an der Strecke. Auf einem steil abfal-
lenden Berg im Nordwesten steht das Schloss der Fürsten zu Sayn-
Wittgenstein aus dem 18. Jh. Flussabwärts folgen die Städte ►
Marburg, ► Gießen und Wetzlar. In Bad Laasphe ist das **Internatio-
nale Radiomuseum** Hans Necker besonders sehenswert.

✴ Braunfels
Südwestlich von Wetzlar liegt etwas abseits der Lahn der Ort Braunfels mit einem alten Stadtkern. Sehr eindrucksvoll wirkt die Silhouette von Schloss Braunfels. In den Räumen des Schlosses befindet sich
ein **Museum**, das Waffen, sakrale Kunst sowie Gemälde und Plastiken
aus dem 15.–19. Jh. zeigt.

Die traditionsreiche Heilstätte Bad Ems schlängelt sich entlang der Lahn.

Auf einem von der Lahn umflossenen Felsrücken liegt die kleine ✱
Stadt Weilburg, einst Residenz der Fürsten von Nassau. Über der Alt- **Weilburg**
stadt erhebt sich das **Renaissance-Schloss** mit einem Uhrturm, einer
schönen Schlosskirche und einem Schlossgarten. Im Bergbau- und
Schlossmuseum erfährt der Besucher sowohl etwas über die Geschichte, Kunst und Kultur des oberen Lahntals als auch über das
nassauische Fürstenhaus.

In Runkel gibt es bemerkenswerte alte **Fachwerkbauten**. Über dem **Runkel**
Ort thront die Burg Runkel, Stammburg der Fürsten von Wied. Von
der alten Brücke aus bietet sich ein herrlicher Blick auf die Burg, deren Mauerwerk geradezu mit den Felsen verwachsen zu sein scheint.

In Dietkirchen zieht die prächtig über die Lahn gelegene romanische **Dietkirchen**
St.-Lubentius-Kirche (12. Jh.) den Blick auf sich. Unter dem Hochal-
tar befindet sich der Steinsarg des hl. Lubentius, der als Apostel des
Lahntals gilt.

Im fruchtbaren Limburger Becken zwischen Taunus und Westerwald ✱
grüßen schon von weitem Burg und Dom von Limburg. Von 1420 **Limburg**
bis 1803 war Limburg kurtrierisch, dann nassauisch; im Jahr 1866
fiel es an Preußen. Berühmt geworden ist die vom Stadtschreiber Ti-
leman Elhen von Wolfhagen für die Jahre 1336–1398 verfasste **Limburger Chronik**.
Im Kern der Altstadt, insbesondere um den Fischmarkt, gibt es viele
alte Fachwerkhäuser zu sehen, darunter das ehemalige Rathaus. Im
Haus der Kunst ist die städtische Kunstsammlung zu besichtigen.
Oberhalb der Altstadt thront hoch über der Lahn der Dom (13. Jh.), ✱ ✱
der als eine der **vollendetsten Schöpfungen der Spätromanik** in ◄ **Dom**
Deutschland gilt. Beachtenswert sind im Inneren die im 13. Jh. entstandenen Fresken, auf denen u. a. der thronende Christus zwischen
dem hl. Georg und dem hl. Nikolaus dargestellt ist. Im nördlichen
Querhaus befindet sich das Grabdenkmal des Stifters Graf Konrad
Kurzbold († 948). Das Diözesanmuseum Limburg zeigt außer dem
Domschatz in einer Dauerausstellung Werke der sakralen Kunst aus
zwölf Jahrhunderten. Wertvollstes Ausstellungsstück ist die Dernba-
cher Beweinung, eine Figurengruppe aus der Zeit um 1420. Hinter
dem Dom liegt das ehemalige Schloss der Lahngrafen. Von der Alten
Lahnbrücke bietet sich ein schöner Blick auf den Dom.

In Diez verdienen die Marien-Stiftskirche und das ehemalige Schloss **Diez**
der Fürsten von Nassau-Oranien Beachtung. Rund 1,5 km nördlich
steht an der Lahn das um 1700 erbaute **Schloss Oranienstein**; dort
findet man Exponate, die die Geschichte des Hauses Oranien dokumentieren. Weiter südlich liegen der Balduinstein, die Ruine einer
Burg, die Graf Balduin von Luxemburg erbauen ließ, und Schloss
Schaumburg, das sich mit seinen zinnengekrönten Türmen über
dem Lahntal erhebt.

⏵ LAHNTAL ERLEBEN

AUSKUNFT

Lahntal Tourismus Verband
Karl-Kellner-Ring 51, 35576 Wetzlar
Tel. (0 64 41) 4 07 19 00, Fax 4 07 19 03
www.daslahntal.de

ESSEN

▶ Erschwinglich

Geranio
Am Kurpark 2, 35619 Braunfels
Tel. (0 64 42) 93 19 90 67
Freundliches italienisches Restaurant
in einem alten Fachwerkhaus unter-
halb der Burg.

Schweizerhaus
Malbergstraße 21, 56130 Bad Ems
Tel. (0 26 03) 9 36 30
Im Hotelrestaurant oberhalb des
Städtchens genießen Sie nicht nur
feine klassische Küche, sondern auch
einen grandiosen Blick über Bad Ems.

▶ Preiswert

Werner Senger Haus
Rütsche 5, 65549 Limburg
Tel. (0 64 31) 69 42
In einem schmucken Fachwerkhaus
aus dem 13. Jh. finden Sie dieses
ebenso gediegene wie gemütliche
Restaurant.

ÜBERNACHTEN

▶ Luxus

Häcker's Kurhotel
Römerstraße 1, 56130 Bad Ems
Tel. (0 26 03) 79 90, Fax 79 92 52
www.haeckers-kurhotel.de
Altehrwürdiges Kurhotel mit Sinn für
Tradition, klassisch eingerichtete
Zimmer. Internationale Küche ge-
nießen Sie im Restaurant. Thermal-
bad, Sauna, Kuranwendungen im
Haus.

▶ Komfortabel

Altes Amtsgericht
Gerichtsstraße 2, 35619 Braunfels
Tel. (0 64 42) 9 34 80, Fax 93 48 11
www.altesamtsgericht.de
Modernes, elegantes Hotel im ehemaligen Gerichtsgebäude, geschmackvolle Zimmer, mediterran
angehauchte Küche im Restaurant,
Gartenterrasse, Sauna.

Dom Hotel
Grabenstraße 57, 65549 Limburg
Tel. (0 64 31) 90 10, Fax 68 56
www.domhotel.net
Ansprechendes Hotel in einem klas-
sizistischen Gebäude am Rande der
Altstadt, elegante Zimmer, vornehmes

✳
Kloster Arnstein
Auf einem Bergkegel bei Obernhof liegt das ehemalige Prämonstra-
tenserstift Arnstein. Das Innere der ursprünglich romanischen Klosterkirche wurde später barockisiert. Beachtenswert sind die Kanzel
und der Taufstein sowie im nördlichen Querschiff ein großes Holz-
kruzifix (um 1520).

Nassau
Im unteren Lahntal erreicht man die alte Stadt Nassau. Sehenswert
sind das schöne Fachwerk-Rathaus und das 1621 erbaute Schloss. In
Nassau wurde der preußische Staatsmann und Reformer **Karl Frei-
herr vom und zum Stein** (1757–1831) geboren. Über dem linken
Flussufer ragen die Ruinen von Burg Stein und Burg Nassau auf.

Flussabwärts folgt nun Bad Ems, ein traditionsreicher Badeort mit ✶
Thermalquellen, heute noch bekannt für die **Emser Pastillen**. Im   **Bad Ems**
19. Jh. kam der Adel Europas hierher. Berühmt wurde die so genannte Emser Depesche, die eine Unterredung des preußischen Königs Wilhelm I. mit dem französischen Gesandten in Bad Ems wie-
dergab.Bismarck kürzte den Text der Depesche an den französischen
Kaiser so geschickt, dass er sich zur reinen Provokation wandelte und
letztlich den Deutsch-Französischen Krieg (1870–1871) auslöste.

Die **Doppelstadt** Lahnstein liegt zu beiden Seiten der Lahn, die hier   **Lahnstein**
in den Rhein mündet. Im Stadtteil Oberlahnstein (links der Lahn-
mündung) sind noch Reste der Stadtbefestigung und das reich geschmückte spätgotische Alte Rathaus (15. Jh.) mit dem Marktbrunnen zu sehen. Im Hexenturm wurde das Stadtmuseum eingerichtet.
In Niederlahnstein stehen noch einige der einst reichen Adelshöfe
und auch das viel besungene Wirtshaus an der Lahn (Lahnstraße 8),
ein Fachwerkbau (1697) auf Fundamenten aus dem 14. Jh. Östlich
erhebt sich der Allerheiligenberg mit einem Kloster und einer Wallfahrtskirche. Die **Burg Lahneck**, die – nach Zerstörungen im 17. Jh.
– ab 1854 im Stil der englischen Neugotik wieder aufgebaut wurde,
liegt ebenfalls oberhalb von Lahnstein und ist ein sehr reizvolles, viel
besuchtes Ausflugsziel.

Landshut

Atlasteil: S. 55 • D 3   **Bundesland:** Bayern
Höhe: 393 m ü. d. M.   **Einwohnerzahl :** 57 000

**Die alte Herzogsstadt Landshut, heute Sitz der Regierung von Nie-
derbayern, liegt an der Isar, die sich hier in zwei Arme teilt. Der Innenstadt geben die platzartig erweiterten Straßenzüge »Altstadt«
und »Neustadt« mit ihren alten Giebelhäusern das Gepräge.**

Landshut, um 1150 erstmals urkundlich erwähnt, entwickelte sich   **Geschichte**
aus einer Siedlung bei der Isarbrücke. Im Jahr 1255 wurde Landshut
Hauptstadt des Herzogtums Niederbayern. 1475 fand die »Landshuter Fürstenhochzeit« statt, die Heirat des Landshuter Herzogs Georg
mit der polnischen Königstochter Hedwig.

Sehenswertes in Landshut

In der »Altstadt« genannten Hauptstraße steht das Rathaus aus dem   **Rathaus**
14./15. Jh., ein **dreigiebeliges Gebäude mit Renaissance-Erkern**. Der
Prunksaal diente bei der Landshuter Fürstenhochzeit als Festsaal. Bei
der Teilerneuerung 1861 wurde der Saal neugotisch ausgestattet und
mit Historiengemälden-Szenen der Fürstenhochzeit geschmückt.

▶ LANDSHUT ERLEBEN

AUSKUNFT

Verkehrsverein
Altstadt 315, 84028 Landshut
Tel. (08 71) 9 22 05 15, Fax 8 92 75
www.landshut.de

LANDSHUTER FÜRSTENHOCHZEIT

Alle vier Jahre wird die »Landshuter Fürstenhochzeit« von 1475 nachgespielt, ein Fest, das gut drei Wochen andauert und zu den größten historischen Spielen in Europa zählt. Über 2000 Mitwirkende in mittelalterlichen Kostümen lassen dabei die Pracht der Hochzeit wieder aufleben. Nächster Termin ist 2009.
(Information: Tel. 08 71/92 20 50, www.landshuter-hochzeit.de).

ESSEN

► Erschwinglich
Bernlochner
Ländtorplatz 2, 84028 Landshut
Tel. (08 71) 8 99 90
In ungezwungener Atmosphäre genießen Sie in dem attraktiven Lokal hervorragende bayerische und mediterrane Küche.

► Preiswert
Zum Ainmiller
Altstadt 195, 84028 Landshut
Tel. (08 71) 2 11 63
In der rustikalen Gaststube des hübschen Altstadthauses wird leckere regionale Kost serviert.

ÜBERNACHTEN

► Komfortabel
Romantik Hotel Fürstenhof
Stethaimer Straße 3, 84034 Landshut
Tel. (08 71) 9 25 50, Fax 92 55 44
www.romantikhotels.com
Geschmackvoll eingerichtetes Stadthotel mit komfortablen Zimmern. Besondere Beachtung verdient das Gourmetrestaurant, das für kulinarische Meisterleistungen bekannt ist.

► Günstig
Gasthof zur Insel
Badstraße 16, 84028 Landshut
Tel. (08 71) 92 31 60, Fax 9 23 16 36
Mitten in der Stadt an der Isar gelegen, überzeugt der rustikale Gasthof mit ruhigen, gepflegten Zimmern. Herzhafte bayerische Schmankerl in Gaststube und Biergarten.

✸ Stadtresidenz

Gegenüber dem Rathaus befindet sich die ehem. herzogliche Stadtresidenz mit dem »Deutschen Bau« und dem »Italienischen Bau« (um 1540), dem **ersten Palast im Stil der italienischen Renaissance** auf deutschem Boden. Die Residenz beherbergt die Staatliche Gemäldesammlung und das Stadtmuseum.

✸ St. Martin

Am südlichen Teil der »Altstadt« liegt die spätgotische Kirche St. Martin (14.–15. Jh.), das Hauptwerk von Hans Stethaimer, dem bedeutendsten Baumeister der bayerischen Spätgotik. Besonders schön ist der um 1500 vollendete schlanke Turm, mit 133 m der höchste in Bayern. Das Innere birgt eine geschnitzte Muttergottes (um 1520) von Hans Leinberger; der im Jahr 1494 geschaffene Hochaltar stammt von Stethaimer.

Die 1107 begonnene Spitalkirche vom Hl. Geist am anderen Ende der »Altstadt« erbaute Hans von Burghausen. Sie ist heute **Kunstmuseum**; ungewöhnlich ist der Chorpfeiler in der Mittelachse.

Spitalkirche vom Hl. Geist

Das unterirdisch angelegte Skulpturenmuseum im Hofberg ist die jüngste Attraktion der Stadt.

Skulpturenmuseum

Über der Stadt thront auf einem steilen Hügel (464 m) Burg Trausnitz, die, um 1204 von Herzog Ludwig I. gegründet, bis zum Jahr 1503 Residenz des Wittelsbacher Teilherzogtums Niederbayern war. Von 1568 bis 1578 erfolgte unter Erbprinz Wilhelm der Umbau zu einem Schloss italienischen Stils mit Prunkräumen und der freskengeschmückten **»Narrentreppe«**.

✱ Burg Trausnitz

In der Vorstadt St. Nikola links der Isar befindet sich die Abtei Seligenthal, ein Zisterzienserinnenkloster mit prachtvoller Rokokokirche, die zwischen 1732 und 1734 entstand; die Stuckaturen und Deckenfresken schuf Johann Baptist Zimmermann.

Seligenthal

✱ Lauenburgische Seen

Atlasteil: S. 17 • D 1/2   **Bundesland:** Schleswig-Holstein

Mehr als 40 Seen im Naturpark Lauenburgische Seen, darunter der Ratzeburger See, machen die Region zu einem Paradies für Wassersportler. Auf dem Küchensee südlich von Ratzeburg, bekannt als Übungs- und Regattastrecke des Deutschland-Achters, finden Ruderwettbewerbe statt. Größter der Seen ist der verzweigte Schaalsee, an den sich ein weiterer Naturpark anschließt.

Reiseziele im Gebiet der Lauenburgischen Seen

Malerisch auf einer Insel im südlichen Teil des Ratzeburger Sees liegt das gleichnamige Städtchen, einst Sitz der Herzöge von Lauenburg. Im Norden der Altstadt steht erhöht der eindrucksvolle Dom (12./ 13. Jh.), ein **romanischer Backsteinbau**. Von der Innenausstattung sind das spätromanische Triumphkreuz, Reste des Chorgestühls (um 1200), die Kanzel aus der Zeit der Reformation und der Hochaltar, ein gutes Beispiel für den Knorpelbarock, hervorzuheben. Zahlreiche Grabplatten erinnern an die hier beigesetzten Bischöfe und Herzöge. Am Domhof sind zeitkritisch-satirische Lithografien des Zeichners Andreas Paul Weber (1893–1980) im nach ihm benannten Haus zu sehen. Ein weiterer großer Künstler lebte zeitweise in Ratzeburg: der Bildhauer Ernst Barlach (1870–1938), dem im ehemaligen Wohnhaus der Familie ein Museum mit Bronzeplastiken, Zeichnungen, Lithografien und Holzschnitten des Künstlers gewidmet ist.

Ratzeburg

✱ ◄ Dom

▶ LAUENBURGISCHE SEEN ERLEBEN

AUSKUNFT

Tourist-Information »De open Door«
Elbstraße 91, 21481 Lauenburg/Elbe
Tel. (0 41 53) 52 02 67, Fax 52 02 69
www.lauenburg-tourismus.de

ESSEN

► Erschwinglich

Zum Weissen Ross
Hauptstraße 131, 23879 Mölln
Tel. (0 45 42) 27 72
Das gemütliches Restaurant am Rand
der Altstadt ist seit sechs Generationen im Familienbesitz. Lassen Sie sich
mit regionalen Klassikern und saisonalen Spezialitäten verwöhnen und
riskieren Sie einen Blick in die offene
Küche.

► Preiswert

Zum Alten Schifferhaus
Elbstraße 114, 21481 Lauenburg
Tel. (0 41 53) 5 86 50
In dem Fachwerkbau von 1663 mitten
in der Altstadt genießen Sie boden-
ständige Küche mit Spezialitäten von
der Küste und dem Binnenland
Schleswig-Holsteins.

Fredenkrug
Am Wildpark 5,
23909 Ratzeburg-Fredeburg
Tel. (0 45 41) 35 55
Seit 1358 verfügt der gemütliche
Gasthof über eine Schanklizenz, heute
bietet er bodenständige regionale
Küche.

ÜBERNACHTEN

► Komfortabel

Lauenburger Mühle
Bergstraße 17,
21481 Lauenburg
Tel. (0 41 53) 58 90, Fax 5 55 55
www.hotel-lauenburger-muehle.de
Komfortables Hotel im Landhausstil
direkt an der historischen Windmühle, geräumige Zimmer. Im rustikalen Restaurant gibt's Leckerbissen
aus dem original Holsteiner Backofen.

Der Seehof
Lüneburger Damm 1,
23909 Ratzeburg
Tel. (0 45 41) 86 01 01, Fax 86 01 02
www.der-seehof.de
Traditionsreiches Haus direkt am Ufer
des Küchensees, schlicht eingerichtete
Zimmer im Altbau, moderne im
seitlichen Anbau. Eigener Badestrand,
Bootssteg und schöne Terrasse am
See.

► Günstig

Beim Wasserkrüger
Wasserkrüger Weg 115,
23879 Mölln
Tel. (0 45 42) 70 91, Fax 18 11
Gepflegtes Haus mit geräumigen
Zimmern, schöner Garten, Sauna.

*Das Rumpf'sche Haus in der
Elbstraße in Lauenburg*

Etwa 12 km südwestlich von Ratzeburg liegt die **»Eulenspiegel-** ✷
Stadt« Mölln. An den Schelm Till Eulenspiegel, der hier 1350 an der   **Mölln**
Pest gestorben sein soll, erinnert eine Grabplatte an der Außenwand
der St.-Nikolai-Kirche, die ihn in
der Narrentracht – mit Eule und
Spiegel – zeigt. Im Heimatmuseum, einem Fachwerkhaus am
Markt, kann der Besucher außerdem Gegenstände sehen, die über
den originellen Narren Auskunft
geben. Im Umkreis der Stadt liegen
einige kleinere Seen, u. a. Möllner
See, Lankauer See, Schmalsee, Lit-
tauer See, Drüsensee und Krebssee.

Rund 30 km südlich von Mölln
liegt das **malerische Elbstädtchen**
Lauenburg an einem bewaldeten
Steilufer. In der alten Unterstadt

> ## ❗ *Baedeker* TIPP
>
> ### Eulenspiegel live
> Möchten Sie den weltbekannten Schelm mal live
> erleben? Ein Angestellter der Möllner Kurver-
> waltung schlüpft auf Anfrage in das Narren-
> kostüm und erzählt aus seinem bewegten Leben
> im 14. Jh. Aber seien Sie gewarnt: Wie der echte
> Eulenspiegel dreht er Ihnen das Wort im Munde
> herum und hält Ihnen gnadenlos den Spiegel vor
> (Anfrage: Kurverwaltung, Tel. 0 45 42/70 90
> oder 70 99).

sind schöne Fachwerk-Schifferhäuser aus dem 16. und 17. Jh. erhalten. Die Elbschifffahrt ist das Thema des Museums in der   ✷
Elbstraße 59 (u. a. Demonstrationen an Schiffsmaschinen). Vom ehe-   **Lauenburg**
maligen Schloss der Herzöge von Sachsen-Lauenburg in der Ober-
stadt blieb nur der runde Uhrturm erhalten. Von hier oben genießt
man einen herrlichen Blick über die Elbe.

Lausitz

Atlasteil:
S. 40/41 • B–D 3–4

Bundesländer:
Brandenburg und Sachsen

**Das Gebiet um obere Spree und Neiße wird in Niederlausitz und
Oberlausitz eingeteilt. Während die Niederlausitz vom Lausitzer
Höhenzug mit ausgedehnten Altmoränen, von Sandflächen mit Kiefernwäldern und Urstromtälern geprägt ist, herrschen in der Oberlausitz Landwirtschaft, bewaldete Bergrücken sowie stark indust-
rialisierte Dörfer vor.**

Der Name Lausitz, sorbisch »Lužica« (= Moor, Sumpfniederung), be-   **Heimat der**
zeichnet historische Territorien zwischen mittlerer Oder und mittle-   **Sorben**
rer Elbe im Gebiet der oberen Spree und Neiße. Zunächst bezog er
sich auf das von den slawischen Lusizern bewohnte Gebiet, die Niederlausitz um ►Cottbus (sorb. Chośebuz), die im 12. Jh. an die wettinischen Markgrafen von Meißen ging. Später wurde der Name als
Oberlausitz auch für das frühere Siedlungsgebiet der slawischen Milzener um ►Bautzen (sorb. Budyšin) und ►Görlitz (sorb. Zhorjelc)

Solange die Beine tragen, wird mitmarschiert: Jung und Alt auf dem Burger Heimat- und Trachtenfest im August.

gebraucht, in dem sich im 14. Jh. der mächtige **Lausitzer Sechsstädtebund** (Görlitz, Bautzen, Löbau, Zittau, Kamenz und Lauban) gebildet hatte. In der Lausitz längs der Spree, zwischen dem Spreewald und dem Lausitzer Bergland, leben über 500 000 deutsche und annähernd 60 000 sorbische Bürger. Die Sorben zählen – neben den dänischen Südschleswigern und den Friesen – zu den anerkannten ethnischen Minderheiten in Deutschland.

Sorben ▶

Niederlausitz

Bergbau

Die Niederlausitz ist heute ein Gebiet mit ausgedehntem Braunkohlenbergbau, dem eine ganze Reihe von Dörfern zum Opfer fiel. Mit der Kohle werden hauptsächlich Großkraftwerke wie die Schwarze Pumpe befeuert. Zwar sind manche ausgekohlten Tagebaue zu Naherholungsgebieten umgewandelt worden, doch in einigen Regionen der Niederlausitz wähnt man sich in einer **Mondlandschaft** apokalyptischen Ausmaßes.

Senftenberg

Bis 1966 war Senftenberg an der Schwarzen Elster, 37 km südwestlich von Cottbus, für ausgedehnten Braunkohlentagebau bekannt. Als er in jenem Jahr eingestellt wurde, beschloss man die Rekultivierung der Gruben und ihre Umwandlung in ein **Badeparadies**. Das ist gelungen: 1300 ha Wasserfläche und 11 km Strände ziehen alljährlich zehntausende Badelustige an den Senftenberger See. Wer nicht nur baden will, kann sich das aus einer Wasserburg hervorgegangene Schloss mit dem Kreismuseum ansehen oder fährt Ski. Sie haben richtig gelesen, denn in Senftenberg wurde die erste Skihalle Ostdeutschlands eröffnet.

✳
Senftenberger
See ▶

Etwa 26 km östlich von Senftenberg liegt das Städtchen Spremberg. **Spremberg**
In seiner Kreuzkirche sind viele Gegenstände aus Dorfkirchen untergekommen, die dem Braunkohlenabbau weichen mussten. Im Niederlausitzer **Heidemuseum** lebt die ländliche Vergangenheit vor der
Braunkohlenzeit weiter.

Ein ungewöhnlich prachtvoll ausgestattetes Zisterzienserkloster liegt **Kloster**
an der Oder 55 km nördlich von Cottbus. Die prunkvollen Altäre im **Neuzelle**
böhmisch-sächsischen Barock sind ein Werk des frühen 18. Jh.s, als
die im 13. Jh. gegründete, während der Reformation geschleifte und
im 17. Jh. wieder aufgebaute Kirche innen neu gestaltet wurde.

Oberlausitz

Die wichtigsten Städte in der Oberlausitz sind ► Bautzen, ► Görlitz **Landschaftsbild**
und ► Zittau, die gesondert beschrieben sind.

Ein Besuch in Löbau (sorb. Lubij) lohnt u. a. auch wegen der **typi-** **Löbau**
schen Lausitzer Dörfer in der Umgebung, z. B. Cunewalde mit seiner
barocken Dorfkirche oder Neusalza-Spremberg sowie Obercunnersdorf mit seinen vielen Umgebindehäusern.
Auf Löbaus Frühzeit geht das barocke Rathaus (1711) zurück; Turm
und Kellergewölbe sind spätgotisch. Stattlichstes Bürgerhaus ist das
links daneben stehende »Goldene Schiff«. Östlich vom Rathaus steht
die frühgotische Johanniskirche, einst Teil des Franziskanerklosters,
in dessen Refektorium im 14. und 15. Jh. die Tagungen des Sechsstädtebundes stattfanden. Das Stadtmuseum (Johannisstraße 5) zeigt
Exponate zur Stadtgeschichte, zu Kultur und Handwerk der Oberlausitz. Architekturbegeisterte sollten das Haus Schminke von Hans
Scharoun (Kirschallee 1 b) nicht versäumen. Im Osten der Stadt erhebt sich als Landmarke der **Löbauer Berg** (447 m ü. d. M.), gekrönt
vom gusseisernen, 1854 eingeweihten Friedrich-August-Turm.

Die kleine Stadt Herrnhut, ca. 15 km südlich von Löbau, ist Stamm- ✱
sitz der **Herrnhuter Brüdergemeine**. Diese evangelisch-pietistische **Herrnhut**
Kirche geht auf böhmisch-mährische Exilanten zurück, die 1722
Aufnahme bei Nikolaus Ludwig Graf von Zinzendorf fanden. Er veranlasste den Bau der Musterstadt mit Gemeinhaus (Kirche), Chor-
häusern und einem in »Quartiere« geteilten Friedhof. Interessant ist
das **Museum für Völkerkunde**, dessen Bestände aus der Missionstätigkeit der Brüdergemeine stammen; das Heimatmuseum dokumentiert deren Geschichte.

In der Stadt Kamenz (sorb. Kamjénc), 25 km westlich von Bautzen **Kamenz und**
an der Schwarzen Elster gelegen, wurde am 22. Januar 1729 **Gotthold** **Umgebung**
Ephraim Lessing, der große Dichter der Aufklärung, geboren.
Am Markt leuchtet rostrot das burgartige Rathaus, nach dem verheerenden Stadtbrand von 1842 nach Plänen Schinkels im Stil der

italienischen Renaissance wieder aufgebaut. Der Andreasbrunnen (1570) ist eine kunstvolle Sandsteinarbeit mit dem Standbild der Justitia. In nächster Nähe zum Markt findet man in der Zwingerstraße (Nr. 7) das von der Renaissance geprägte Malzhaus und am Ende der Straße den Basteiturm (16. Jh.), ein Rest der 1835 niedergelegten Stadtbefestigung. In der die Zwingerstraße kreuzenden Pulsnitzer Straße ist im Ponickau-Haus (Nr. 16), einem alten Bürgerhaus mit 1745 vorgesetzter Barockfassade und romanischem Keller, das **Museum der Westlausitz** untergebracht. Auf einem Felsen südwestlich vom Markt ragt die Hauptkirche St. Marien empor (um 1400 bis 1480). Bemerkenswert sind der Hauptaltar (15. Jh.), der Michaelisaltar (1498) und die Kreuzigungsgruppe (um 1500). Jenseits der Friedhofsmauer bezeichnet im Lessinggässchen eine Gedenktafel die Stätte des 1842 abgebrannten Pfarrhauses, des Geburtshauses von Lessing. Dem großen Dramendichter der Aufklärung wird in einem Museum am anderen Ende der Innenstadt gedacht (Lessingplatz 1–3). Die Ausstellung zeichnet sein Leben und Werk nach und verfügt zudem über eine 3500 Bände umfassende Bibliothek, darunter viele seltene Erstausgaben. Gegenüber steht die dreischiffige spätgotische Kirche (1493–1499) des ehemaligen Franziskanerklosters St. Annen, die vier wertvolle, allesamt zwischen 1510 und 1520 gefertigte Holzaltäre bewahrt.

✳
Lessing-
museum ▶

> ## ❗ Baedeker TIPP
>
> ### Zu Gast bei den Sorben
>
> Im Landkreis Kamenz ist das sorbische Element noch besonders lebendig, denn in einem Drittel der Gemeinden überwiegt die sorbische Bevölkerung. Eine Rundfahrt durch sorbische Dörfer, auf der auch die Wallfahrtskirche in Rosenthal und der sehenswerte Friedhof in Balbitz besucht werden, bietet die Tourist-Information von Kamenz an (Tel. 0 35 78/7 00 01 11).

Panschwitz-
Kuckau
✳
Kloster
St. Marienstern ▶

Das 8 km südlich gelegene Panschwitz-Kuckau ist ein **Zentrum sorbischen Brauchtums**. Der hier gepflegte Osterritt gehört zu den meistbesuchten der Oberlausitz. Er beginnt jeweils am 1248 gegründeten Kloster St. Marienstern (14. Jh.), eines von zwei Zisterzienserinnenklöstern in Sachsen (▶Görlitz, Kloster Marienthal, S. 503). Die Nonnen von Marienstern brauen ein dunkles Bier, zu probieren in der gemütlichen Klosterstube. Viele Wallfahrer ziehen von Marienstern weiter nach Rosenthal zur Verehrung einer Marienstatuette in der barocken Wallfahrtskirche von 1778.

Schloss
Rammenau

Am Ortsrand von Rammenau, 16 km südlich von Kamenz, steht mit Schloss Rammenau eines der **schönsten Barockschlösser Sachsens**, 1721–1735 von Johann Christoph Knöffel erbaut. Außer prächtig ausgestatteten Räumen präsentiert es auch eine Gedächtnisausstellung für den Philosophen Johann Gottlieb Fichte (1762–1814), der in Rammenau geboren wurde.

Südlich von Hoyerswerda, wo zum ersten Mal Plattenbauten entstanden, erstreckt sich bis nach Kamenz und Bautzen das Oberlausitzer

OBERLAUSITZER UMGEBINDEHAUS

* * **Das Siedlungsbild in der Oberlausitz ist von so genannten Umgebindehäusern der Leinenweber geprägt. In diese Häuser ist der Webstuhl fest im Erdgeschoss eingebaut, während eine kastenartige Ständerkonstruktion das Obergeschoss mit der Wohnstube trägt. Diese Bauweise vereint die Vorzüge dreier Hausbautechniken: Block-, Fachwerk- und Mauerbau.**

Die zahlreichen Umgebindehäuser sind die Schmuckstücke der Lausitz. Es sind Block- oder Bohlenstuben, um deren Außenwände ein Stützgerüst gestellt ist. Oft ist ein Oberstock aus Fachwerk auf die Stube gebaut. In vielen der ehemaligen Weber-, Bauern- oder Faktorenhäuser wurden Restaurants, Heimatmuseen, Pensionen bzw. Ferienwohnungen eingerichtet. Sie strahlen Wärme, Behaglichkeit und Solidität aus. Besonders zahlreich finden sich Umgebindehäuser in Obercunnersdorf, das deshalb zum Denkmalsort erklärt wurde.

① Blockstube
Massives Mauerwerk im unteren Bereich vermied Feuchtigkeitsschäden. Die Blockstuben können auch Holzblockwände, Blockbohlenwände, Fachwerk oder Lehmbau aufweisen. In der Blockstube herrschte ein ausgeglichenes Raumklima ohne große Temperaturschwankungen, was der Qualität der Leinwand zugute kam, die hier verarbeitet wurde.

② Obergeschoss
Das Obergeschoss, Fachwerk- oder auch ein Blockbau, ruht auf den Umgebinde-Ständern und deren Verstrebungen.

③ Ständer
Die Ständer stehen als Stützgerüst dicht vor den Wänden des Blockhauses und sind mit Spannriegeln, Kopfbändern oder so genannten Knaggen versteift. Die Riegel sind oft bogenförmig ausgeschnitten. Der umlaufende Balken, der die senkrechten Stützen und das Mauerwerk als Umgebinderahmen vereint, gab den Bauten ihren Namen.

④ Dach
Die aufwändige Holzkonstruktion des Daches ist oft mit rechteckigen Schiefern bedeckt. Sie wurden früher von Handelsleuten als Rückfracht aus England hierher gebracht.

Klein, schön und alt: das Reiterhaus von Neusalza-Spremberg.

Das Haus des Leinenwebers und ersten Ortsvorstehers Johann Raschke in Niesky, das Mitte des 18. Jh.s gebaut wurde, diente bis 1981 als Wohnhaus, teilweise auch als Poststation. Seit 1986 befindet sich das Museum Niesky und seit 1991 die Touristeninformation in diesem ältesten Haus der Stadt.

Gemütliche kleine Umgebindehäuser mit Garten und Holzzaun: wer würde da nicht sofort einziehen?

In einigen der Häuser sind heute Heimatmuseen untergebracht, wo auch alte Handwerkstechniken gezeigt werden.

Oft findet man in der Lausitz auch das so genannte Bogenumgebinde, eine Abwandlung des gewöhnlichen Umgebindehauses. Hier sind die Ständer ähnlich einer Arkadenreihe angeordnet. Diese bilden optisch mit den Kopfbändern eine Einheit.

© Baedeker

✳ **Oberlausitzer Heide- und Teichgebiet** Heide- und Teichgebiet, eine 26 000 ha große **Wald-, Sumpf- und Seenlandschaft** mit seltenen Pflanzen und Tieren, vor allem Wasservögeln wie Kormoran, Fischadler und Graureiher. Der Knappensee und der Silbersee am Nordrand des Gebiets sind aus der Rekultivierung von Braunkohlengruben entstandene und mittlerweile sehr beliebte Naherholungsgebiete.

LAUSITZ ERLEBEN

AUSKUNFT

Marketing-Gesellschaft Oberlausitz
Taucherstraße 23, 02625 Bautzen
Tel. (0 35 91) 4 87 70, Fax 48 77 48
www.oberlausitz.com

Tourismusverband Niederlausitz
Schlossbezirk 3, 03130 Spremberg
Tel. (0 35 63) 60 23 40, Fax 60 23 42
www.niederlausitz.de

ESSEN
▶ **Erschwinglich**
Ratskeller
Markt 10 (im Hotel Goldener Hirsch), 01917 Kamenz
Tel. (0 35 78) 7 83 50
Für regionale und internationale Gerichte ist das urige Restaurant mit dem weißgekalkten Kreuzgewölbe bekannt.

▶ **Preiswert**
Zur Post
Lange Straße 24, 03130 Spremberg
Tel. (0 35 63) 3 95 50
In dem bürgerlichen Restaurant kommt bodenständige Küche auf den Tisch.

Allee Restaurant
Bautzener Allee 1 a (im Hotel Achat)
02977 Hoyerswerda
Tel. (0 35 71) 47 00
In dem modern eingerichteten Restaurant genießen Sie klassische Lausitzer Spezialitäten.

ÜBERNACHTEN
▶ **Komfortabel**
Congresshotel
Dr.-Wilhelm-Külz-Straße 1
02977 Hoyerswerda
Tel. (0 35 71) 46 30, Fax 46 34 44
www.akzent.de/hoyerswerda
Modernes Hotel im imposanten Rundbau, geräumige Zimmer, Restaurant und Biergarten.

Lausitz-Therme
Buchwalder Straße 77
01968 Senftenberg
Tel. (0 35 73) 3 78 90, Fax 37 89 11
www.lausitztherme.de
Großzügige Ferienanlage am Senftenberger See, gemütliche Zimmer und Ferienbungalows, Restaurant mit schöner Terrasse, weitläufige Sauna- und Badelandschaft.

▶ **Günstig**
Am Berg
Bergstraße 30, 03130 Spremberg
Tel. (0 35 63) 3 95 50, Fax 39 55 30
www.hotel-restaurant-am-berg.de
Nahe dem Zentrum liegt dieses charmante Haus mit soliden und zweckmäßig eingerichteten Zimmern und einem netten Restaurant.

Villa Weiße
Poststraße 17, 01917 Kamenz
Tel. (0 35 78) 37 84 70, Fax 3 78 47 30
In der schmucken Villa mit schönem Garten stehen geschmackvolle Zimmer zur Verfügung.

Das ganz im Nordosten der Oberlausitz an der Neiße liegende Bad Muskau (sorb. Muzakow), das 1823 zum **Kurbad** ernannt wurde, ist untrennbar mit dem Namen von Hermann Fürst von Pückler-Muskau verbunden, der sich mit den hiesigen Parkanlagen einen Platz im Olymp der Gartengestalter sicherte. Über einen großen Teil der Neißeaue sowohl auf deutschem wie auf polnischem Gebiet erstrecken sich die Parkanlagen, die von 1815 an nach den Plänen des Fürsten gestaltet wurden. Dem Exzentriker schwebte die Verbindung seines Schlosses als »vergrößerter Wohnung« mit dem Park als »idealisierter Natur« vor. Als ihm 1845 das Geld ausging, musste er Schloss und Park verkaufen, und vieles blieb unrealisiert; im Zweiten Weltkrieg wurden zudem große Teile zerstört. Dennoch wird man beim Spaziergang immer wieder das **Genie des Fürsten** im Wechsel von belebten und ruhigeren Parkabschnitten, von Grünzonen und Wasserflächen, Natur und Bauwerken erkennen.

Das 1980 wieder aufgebaute **Alte Schloss** gründet auf einer Burg des Deutschritterordens aus dem 14. Jh. und wird heute als Museum, Standesamt und Weinkeller genutzt. Das **Neue Schloss** (16. Jh.) wurde im letzten Jahr des Zweiten Weltkriegs zerstört; die Restaurierung war 2000 abgeschlossen. Weiterhin trifft man im Park auf das barocke Kavaliershaus (1772), die Orangerie von Gottfried Semper (1840) und das Tropenhaus in der ehemaligen Schlossgärtnerei.

Bad Muskau

* *
◄ Parkanlagen von Bad Muskau

> **!** *Baedeker* TIPP
>
> **Blütenpracht im Osten**
>
> Wer den Osten der Republik bereist und auch das Fürst-Pückler-Bad Muskau auf dem Programm hat, ist gut beraten, seine Reise im Mai/Juni anzutreten. Denn dann präsentiert sich der Rhododendrenpark im nahen Kromlau in vollster Blütenpracht. Vom Landschaftspark Bad Muskau zuckelt von April bis Oktober die Waldeisenbahn via Weißwasser nach Kromlau.

* Leipzig

Atlasteil: S. 39 • C/D 1/2	**Bundesland:** Sachsen
Höhe: 118 m ü. d. M.	**Einwohnerzahl:** 435 000

Die Messe- und Kulturstadt ist vielseitig: An wichtigen Handelsstraßen gelegen, entwickelte sich der Ort zu einer Messestadt von nationalem und internationalem Rang. Seit dem Mauerfall hat sich Leipzig aber auch zum zweitgrößten Bankenplatz in Deutschland nach Frankfurt am Main gemausert. Von jeher gilt die Stadt, Sitz der Deutschen Bücherei, auch als Stadt des Buches und der Musik.

Leipzig liegt im Süden der Leipziger Tieflandbucht an den Mündungen der Parthe und Pleiße in die Weiße Elster. Hier wirkten u. a. Bach, Mendelssohn-Bartholdy und Schumann. Diese Traditionen

Kulturstadt

halten zahlreiche Verlage, der Thomanerchor und das Gewandhausorchester aufrecht. Auch in Kunst, Kultur und Wissenschaft nimmt
Leipzig eine wichtige Stellung in Deutschland ein: Die 1409 gegründete Universität Leipzig, die »Alma Mater Lipsiensis«, ist nach der
Heidelberger und Kölner Universität die drittälteste in Deutschland.

Geschichte		
1165	Leipzig erhält Stadtrechte.
1497	Kaiser Maximilian I. erhebt Leipzig in den Rang einer Reichsmessestadt.
1519	Leipziger Disputation
Okt. 1813	Völkerschlacht bei Leipzig zwischen Napoleon und den verbündeten europäischen Mächten
2. Weltkrieg	Große Teile der Leipziger Innenstadt werden zerstört.
ab 1989	Montagsandachten in der Nikolaikirche

Im Jahr 1015 entstand an der Kreuzung der Via Regia (Königsstraße)
und der Via Imperii (Reichsstraße) eine **Burg**, in deren Schutz sich
eine Siedlung bildete. Der Handelsschutzbrief von 1268 ebnete den
Weg zur Reichsmessestadt. Bedingt durch die Erschließung der reichen Silbervorkommen im Erzgebirge kam Leipzig nun rasch zu
Wohlstand. Im Verlauf der Leipziger Disputation zwischen Luther
und Eck in der Pleißenburg brach der Reformator öffentlich mit der
katholischen Kirche. Das 18. Jh. sah die Entfaltung von Buchhandel,
Buchdruck, Theater, Universität und Musikleben, aber auch die Besetzung durch die Preußen im Siebenjährigen Krieg.

Leipzigs modernes Aushängeschild ist die gläserne Architektur der Neuen Messe.

Spätestens im Frühjahr 1989 manifestierte sich dann mehr oder weniger deutliche Kritik an den politischen Verhältnissen in der DDR. Die traditionellen **Montagsandachten** in der Nikolaikirche wurden zum offenen Protest, der das gesamte Land erfasste und schließlich zum Sturz des SED-Regimes führte.

Markt und Umgebung

Das Zentrum des alten Leipzig ist der großzügige Markt, unter dessen Pflaster 1925 das Untergrundmessehaus eröffnet wurde.

Markt

Die gesamte Ostseite des Markts nimmt das Alte Rathaus ein, zwischen zwei Messen im Jahr 1556 vom Leipziger Bürger- und Baumeister Hieronymus Lotter erbaut. Vom Bläseraustritt über dem Verkündigungsbalkon lassen jedes Wochenende die **Leipziger Stadtpfeifer** ihre Instrumente ertönen. Im Alten Rathaus befindet sich heute das Stadtgeschichtliche Museum Leipzig mit einer ständigen Ausstellung. Zum Museum gehört auch ein gewaltig großer Festsaal mit drei Renaissancekaminen.

✶ Altes Rathaus (Museum)

In der Alten Waage an der Nordseite des Markts wurden vor jeder Messe die Waren geprüft, gewogen und verzollt sowie die von den Kaufleuten mitgebrachten Gewichte geeicht.

Alte Waage

In der von der Nordwestecke des Markts abzweigenden Hainstraße steht Leipzigs **ältestes erhaltenes Messehaus**, ein typisches Beispiel für einen sog. Leipziger Durchhof, in den die großen Planwagen zum Be- und Entladen von einer Seite hinein- und auf der anderen Seite wieder hinausfahren konnten. Barthels Hof wurde 1523 als Faktorei der Welser gegründet und 1749/1750 für den Kaufmann J. G. Barthel barock umgebaut.

Barthels Hof

Wenige Schritte entfernt findet man in der Kleinen Fleischergasse das Haus Coffe-Baum, das 1694 erstmals eine Lizenz für den Ausschank von Kaffee erhielt und somit eines der **ältesten Kaffeehäuser Europas** ist.

Haus Coffe-Baum

Die **Machenschaften der Stasi** in Leipzig durchleuchtet das Museum in der Runden Ecke am Dittrichring, wenige Minuten westlich vom Haus Coffe-Baum.

Museum in der Runden Ecke

Die spätgotische Thomaskirche inmitten des in alter Schönheit restaurierten Thomaskirchhofs ist in der Musikwelt ein Begriff als Heimat des **Thomanerchors**. Dieser ist auf das Engste mit Johann Sebastian Bach verbunden, der hier von 1723 bis 1750 als Kantor wirkte und dessen Grab sich unter einer Bronzeplatte im Chor der Thomaskirche befindet. Das einstige Gotteshaus des Augustiner-Chorherrenstifts entstand von 1212–1222 zunächst im romanischen Stil und

✶ Thomaskirche

wurde im 14. und 15. Jh. zur dreischiffigen Hallenkirche umgebaut. Der Turm erhielt seinen achteckigen Oberbau 1537 und die Barockhaube 1702. Im einstigen Kreuzgang befindet sich das Grab des Minnesängers Heinrich von Morungen.

Bach-Museum

Das Denkmal für Johann Sebastian Bach am Thomaskirchhof stammt aus dem Jahr 1908. Das Haus Thomaskirchhof Nr. 16 ist heute Sitz des **Bach-Archivs,** dem seit 1985 auch das Bach-Museum angeschlossen ist. Es zeigt Möbel, Instrumente und Handschriften aus Bachs Leipziger Zeit.

Königshaus

Das seit 1558 bestehende und 1707 barock umgebaute Königshaus an der Südseite des Markts sah **berühmte Gäste**, darunter 1695 Zar Peter den Großen, 1705 Karl XII. von Schweden, 1760 Friedrich den Großen und 1813 nach der Völkerschlacht auch Napoleon.

Leipzig Orientierung

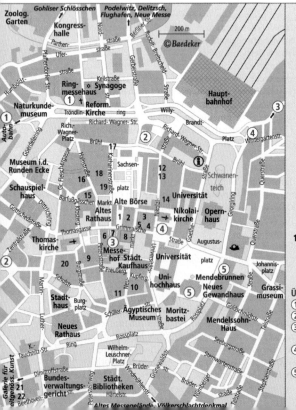

1 Naschmarkt
2 Handelshof, Mus. d. bild. Künste
3 Specks Hof
4 Hansahaus
5 Reichshof
6 Messehaus am Markt und Königshaus
7 Mädlerpassage mit Auerbachs Keller
8 Zentral-Messepalast
9 Petershof
10 Dresdner Hof, Kabarett »academixer«
11 Stentzlers Hof
12 Selters Hof
13 Steibs Hof
14 Antikenmuseum
15 Zum Coffe Baum
16 Barthels Hof
17 Romanushaus
18 Fregehaus
19 Alte Waage
20 Kabarett »Pfeffermühle«
21 Hochschule für Grafik und Buchkunst
22 Universitätsbibliothek

Übernachten
① Fürstenhof
② Marriott
③ Leipziger Hof
④ Victor's Residenz
⑤ Mercure am Augustusplatz

Essen
① Allee
② Apels Garte
③ Auerbachs Keller
④ Medici
⑤ Stadtpfeiffer

Naschmarkt und Umgebung

Im Jahr des Rathausbaus wurde an dessen Rückfront der **Nasch-markt** angelegt. Dessen Nordseite begrenzt die prächtige Alte Börse (1678–1687). Einst Versammlungsort der Kaufleute und später der Stadtverordneten, dient sie heute für Konzerte und literarische Veranstaltungen. Das Goethe-Denkmal (1903) davor zeigt den großen Dichter als Leipziger Studenten.

✱ Alte Börse

Als man 1895 die Mustermessen im Frühjahr und Herbst einführte, erwiesen sich die traditionellen Kaufmannshöfe als wenig geeignet. Sie wurden abgelöst durch **Mustermessehäuser oder Messepaläste**, in denen die Kunden einen Zwangsrundgang durch die angebotenen Waren absolvierten. Einige der wichtigsten erreicht man bequem vom Naschmarkt aus:

✱ Passagen und Messehäuser

An der Ostseite des Naschmarkts steht der 1909 als zweites städtisches Messehaus erbaute große **Handelshof**.

Dahinter liegt der Reichshof von 1896, der noch Kaufhaus und Mustermesse vereint. Dessen Nachbar ist Specks Hof, das älteste private Messehaus (1908–1929), in dem erstmals durch Ladenstraßen verbundene Lichthöfe eingeplant wurden. Durch das Hansahaus kommt man zum Riquethaus, 1909 im Jugendstil fertig gestellt und vormals eine der ersten Adressen für Schokolade und Pralinen.

Südlich vom Naschmarkt jenseits der Grimmaischen Straße steht an der Ecke Neumarkt der **Zentral-Messepalast** (1912–1914). Daneben liegt die Mädler-Passage, Leipzigs schönste Ladenpassage (1912–1914), für die der als Schänke und Kaufhof bekannte Auerbachs Hof weichen musste. Von ihm ist noch der durch Goethes »Faust« literarisch verewigte Auerbachs Keller erhalten, die **älteste historische Gastwirtschaft** der Stadt und wohl die berühmteste Deutschlands. In der Passage weisen Mephisto und Faust sowie die »Verzauberten Zecher« den Weg in den Keller.

✱ ◄ Mädler-Passage

✱ ◄ Auerbachs Keller

Ecke Neumarkt/Kupfergasse errichtete die Stadt 1893–1901 das Städtische Kaufhaus als **erstes Mustermessehaus**, in dem bereits 1895 die erste Mustermesse stattfand. Über der Einfahrt ehrt eine Skulptur Kaiser Maximilian, den Verleiher des Messeprivilegs.

Städtisches Kaufhaus

? WUSSTEN SIE SCHON …?

■ dass Faust Auerbachs Keller 1525 tatsächlich besuchte? Sein legendärer Fassritt ist auf zwei 1625 entstandenen Wandgemälden verewigt, die gemeinsam mit manchem Schoppen Rotwein auch den Dichterfürsten inspiriert haben.

▶ LEIPZIG ERLEBEN

AUSKUNFT

Tourist-Service
Richard-Wagner-Straße 1, 04109
Leipzig
Tel. (03 41) 7 10 42 60, Fax 7 10 42 71
www.leipzig.de

FREITAGSMOTETTE

Wer sich einen besonderen Ohrenschmaus gönnen möchte, der begebe
sich am Freitagabend um 18.00 Uhr
bzw. am Samstagnachmittag um 15.00
Uhr in die Leipziger Thomaskirche.
Denn zu beiden Terminen treten die
Thomaner auf – wenn sie nicht in
Ferien oder auf Gastspielreise sind –
und bieten ihre berühmte Freitags-
motette dar.

ESSEN

▶ Fein & Teuer

① *Allee*
Jahnallee 28, 04109 Leipzig
Tel. (03 41) 9 80 09 47
Etwas abseits der Innenstadt liegt
dieses in warmen Farbtönen gehaltene
Bistro. Lassen Sie sich von einer
wahrhaft kreativen Küche, die mit
Bio-Produkten aus dem Umland zu-
bereitet wird, überraschen.

⑤ *Stadtpfeiffer*
Augustusplatz 8, 04109 Leipzig
Tel. (03 41) 2 17 89 20
Modern und elegant präsentiert sich
das rundum verglaste Fein-
schmeckerrestaurant im Neuen Ge-
wandhaus, wo Sie mit klassischen
Gourmetgerichten verwöhnt werden.

▶ Erschwinglich

③ *Auerbachs Keller*
Grimmaische Straße 2 (Mädler-Passage), 04109 Leipzig
Tel. (03 41) 21 61 00
www.auerbachs-keller-leipzig.de

Klassische und gutbürgerliche Küche
wird in der berühmten historischen
Weinschänke aufgetischt, die seit 1525
Gäste bewirtet. Legerer geht es im
Großen Keller zu, der rund 500
Personen Platz bietet.

④ *Medici*
Nikolaikirchhof 5, 04109 Leipzig
Tel. (03 41) 2 11 38 78
Ausgefallene italienische Küche in
einem schicken Bistro mit Galerie
gleich neben der Nikolaikirche.

▶ Preiswert

② *Apels Garten*
Kolonnadenstraße 2, 04109 Leipzig
Tel. (03 41) 9 60 77 77
Das traditionsreiche Restaurant mit
überdachter Terrasse vor dem Haus
überzeugt mit origineller Dekoration
und schmackhafter sächsischer
Küche, die nach alten Rezepten zubereitet wird.

ÜBERNACHTEN

▶ Luxus

① *Fürstenhof*
Tröndlinring 8, 04105 Leipzig
Tel. (03 41) 14 00, Fax 1 40 37 00
www.arabellasheraton.com
Luxuriöse Eleganz erwartet sie im
klassizistischen Patrizierpalais aus
dem Jahre 1770. Helle Zimmer und
Suiten mit allem erdenklichen Komfort, wunderschöne Badelandschaft,
fürstliches Ambiente im Restaurant.

▶ Komfortabel

② *Marriott*
Am Hallischen Tor 1, 04109 Leipzig
Tel. (03 41) 9 65 30, Fax 9 65 39 99
www.mariott.de
Nobelunterkunft im Zentrum,
äußerst komfortable Zimmer mit
moderner technischer Ausstattung

wie Internet und Anrufbeantworter. Im amerikanisch gestylten Restaurant findet sich auf der Karte für jeden Geschmack etwas.

④ *Victor's Residenz*
Georgiring 13, 04103 Leipzig
Tel. (03 41) 6 86 60, Fax 6 86 68 99
www.victors-leipzig.bestwestern.de
Modernes Hotel in einem historischen Haus neben dem Hauptbahnhof, komfortable Stilmöbelzimmer und Suiten, flottes Restaurant im Stil einer Pariser Brasserie.

▶ **Günstig**
⑤ *Mercure am Augustusplatz*
Augustusplatz 5, 04109 Leipzig
Tel. (03 41) 2 14 60, Fax 9 60 49 16
www.mercure-leipzig.de

In zentraler Lage bietet das Hotel praktische, geradlinig eingerichtete Zimmer zu zivilen Preisen, Restaurant im Haus.

Baedeker-Empfehlung

③ *Leipziger Hof*
Hedwigstraße 1, 04315 Leipzig
Tel. (03 41) 6 97 40, Fax 6 97 41 50
www.leipziger-hof.de
Das originelle Hotel könnte glatt als Galerie durchgehen, im ganzen Haus stellen Leipziger Künstler ihre Werke aus, sehr gefällige Zimmer, ansprechendes Restaurant, Sauna.

In der Katharinenstraße stellt das Museum der Bildenden Künste seine Schätze aus. Schwerpunkte der Sammlung sind altdeutsche und niederländische Kunst des 16. bis 18. Jh.s, italienische Kunst vom 18.–20. Jh. sowie deutsche Malerei des 18.–20. Jh.s.

★
Museum der Bildenden Künste

Sachsenplatz und Umgebung

Die Bomben des Zweiten Weltkriegs »schufen« den Sachsenplatz nördlich vom Naschmarkt, denn sie zerstörten ein altes und nach dem Krieg nicht wieder aufgebautes Stadtviertel. An der Westseite allerdings fällt das prächtige frühbarocke **Romanushaus** (1704) auf, ein Höhepunkt des Leipziger Barock, vom Leipziger Bürgermeister Franz Conrad Romanus mit einer eigens dafür als »Ratsscheine« deklarierten – und natürlich wertlosen – Währung finanziert.

Sachsenplatz

Südöstlich vom Sachsenplatz findet man am Nikolaikirchhof die im Jahr 1512 gegründete Alte Nikolaischule, wo u. a. Leibniz, Seume und Richard Wagner die Schulbank drückten. Sie ist nun die Heimat des Antikenmuseums.

Alte Nikolaischule (Antikenmuseum)

Leipzigs größte Kirche, die Nikolaikirche, ist spätestens seit dem 9. Oktober 1989 weltbekannt geworden, als das seit 1982 abgehaltene montägliche Friedensgebet sich zur ersten **Montagsdemonstration** ausweitete. Was die im 12. Jh. begonnene und im 14. bis 16. Jh. umgebaute Nikolaikirche darüber hinaus so besonders macht, ist der

★
Nikolaikirche

herrliche Innenraum. Er wurde 1784–1797 von Johann Friedrich Carl Dauthe im Geiste des Klassizismus völlig neu gestaltet und bietet seitdem einen überwältigenden Anblick in Rosé, Lindgrün und Weiß, insbesondere dank Dauthes Idee, die Pfeiler in kannelierte Säulen zu verwandeln und in Palmwedeln auslaufen zu lassen. Von der Kanzel (1521) soll schon Luther gepredigt haben.

Augustusplatz und Umgebung

Augustusplatz Im Osten der Innenstadt öffnet sich der Blick auf den 40 000 m² großen Augustusplatz, der im 19. Jh. angelegt wurde. Nach den Kriegszerstörungen, dem Abriss des Augusteums und der 1968 von Ulbricht angeordneten Sprengung der alten Universitätskirche prägen ihn die im Geiste **sozialistischen Bauens** entstandenen Gebäude (Oper, Neues Gewandhaus, Universität).

Zuallererst zu nennen sind die neuen **Universitätsgebäude** an der Südwestseite des Platzes, die von 1968–1975 nach Plänen von Hermann Henselmann und Horst Siegel erbaut wurden. Sie schufen mit dem 142 m und 34 Stockwerke hohen »Uniriesen« (auch »Weisheitszahn«, heute City-Hochhaus), der ein aufgeschlagenes Buch symbolisiert, ein **Leipziger Wahrzeichen**. Von der Plattform im 26. Stockwerk in 110 m Höhe hat man eine großartige Aussicht auf die Stadt. Hinter dem Hochhaus an der Universitätsstraße ehrt ein 1883 geschaffenes Denkmal Gottfried Wilhelm Leibniz (1646–1716).

Neues Gewandhaus Des Uniriesen Nachbar ist das Neue Gewandhaus, 1977–1981 von Rudolf Skoda als letzter Neubau des damaligen Karl-Marx-Platzes für das Gewandhausorchester erbaut. Die Beethovenplastik im Wandelgang (1902) stammt von Max Klinger; das Standbild von Felix Mendelssohn-Bartholdy vor dem Gebäude ist Ersatz für das 1936 von den Nazis zerstörte Denkmal. **Mendelssohns Sterbehaus** in der nahen Goldschmidtstraße 12 ist heute Museum.

Moritzbastei Wenig südlich vom Neuen Gewandhaus liegt die in den Jahren 1551 bis 1553 aufgerichtete Moritzbastei, letzter Rest der unter Kurfürst Moritz von Sachsen angelegten **Stadtbefestigung**. Sie ist heute eine der ersten Adressen der Stadt, wenn es um Kleinkunst, Kabarett, Musik oder Kneipe geht.

Ägyptisches Museum Das Ägyptische Museum der Universität an der Schillerstraße präsentiert unter anderem eine Sammlung nubischer Keramik und Kleinkunst aus dem 2. Jt. v. Chr.

Im größten Kopfbahnhof Europas wird nicht nur Zug gefahren, sondern auch nach Herzenslust geshoppt.

Opernhaus

Das Opernhaus am nördlichen Ende des Augustusplatzes ist in den Jahren 1956 bis 1960 am Standort des 1943 zerstörten Neuen Theaters errichtet worden. Seine Gestaltung zitiert den klassizistischen Stil des Vorgängerbaus.

✶ Hauptbahnhof

Im Park hinter dem Schwanenteich erinnert ein Denkmal an die Eröffnung der Bahnlinie Leipzig–Dresden im Jahr 1839. Jenseits davon sieht man den kolossalen Leipziger Hauptbahnhof. Mit einer Frontlänge von 298 m und jeweils 220 m langen Längsbahnsteigen ist er der **größte Kopfbahnhof Europas**.

✶ Grassimuseum

Östlich vom Augustusplatz erreicht man am Johannisplatz den großen Neubau des Neuen Grassimuseums. Das Museum zeigt **europäisches Kunsthandwerk** vom Mittelalter bis zur Mitte des 20. Jh.s; Höhepunkte sind die europäische Ornamentblattsammlung und der Leipziger Ratsschatz. Hinzugekommen sind das Museum für Völkerkunde und das Musikinstrumentenmuseum.

Südwestliche und südliche Stadtteile

Neues Rathaus

Ganz in der Südwestecke des Innenstadtrings glaubt man zunächst die Zinnen und Türme einer Burg zu erblicken, doch es handelt sich um das 1899–1905 erbaute Neue Rathaus. Es nimmt den Platz der im 13. Jh. unter Markgraf Dietrich errichteten **Pleißenburg** ein.

Ehemaliges Reichsgericht

Nicht weit vom Burgplatz entfernt, erreicht man das ehemalige Reichsgericht (1888–1895), in dem u. a. 1933 der sog. **Reichstagsbrandprozess** gegen Georgij Dimitroff stattfand, der mit einem Freispruch endete. Zuvor Heimat des Museums der Bildenden Künste, ist das Gebäude nun Sitz des Bundesverwaltungsgerichts.

Botanischer Garten

Südlich der Altstadt befinden sich das Alte Messegelände und das Völkerschlachtdenkmal. Auf dem Weg dorthin passiert man zunächst den 1844 eröffneten Bayerischen Bahnhof mit seinem vierbogigen Portikus sowie den Botanischen Garten im Friedenspark.

✴ Russische Gedächtniskirche

Am Südrand des Friedensparks strahlt golden die Zwiebelkuppel der Russischen Gedächtniskirche St. Alexi, die 1912/1913 aus Anlass der Hundertjahrfeier der Völkerschlacht zu Ehren der 22 000 russischen Gefallenen errichtet wurde. Vorbild war die Moskauer Himmelfahrtskirche von 1532. Die Unterkirche stellt das eigentliche Mahnmal dar, die Oberkirche wird beherrscht von einer 18 m hohen, von den Donkosaken gestifteten Ikonenwand.

Deutsche Bücherei

Wenig entfernt kommt man am Deutschen Platz zur Deutschen Bücherei, die seit 1913 Sammelplatz für jegliche Veröffentlichung in deutscher Sprache ist. Angegliedert an die Bücherei ist das **Deutsche Buch- und Schriftmuseum**.

Altes Messegelände

Am Deutschen Platz öffnet sich das Westtor des Alten Messegeländes, auf dem 1920 die **erste Technische Messe** eröffnet wurde. Deren Symbol ist das berühmte, vom Leipziger Grafiker Erich Gruner entworfene Doppel-M, das 27 m hoch die drei Eingänge – Ost-, Nord- und Südtor – markiert. Eines der markantesten Gebäude ist der Sowjetische Pavillon. Nach Eröffnung der Neuen Messe (s. u.) werden die Hallen der Alten Messe für Ausstellungen und Märkte genutzt.

✴ Völkerschlachtdenkmal

Jenseits des Messegeländes beginnt der noch nicht bebaute Teil des Völkerschlachtfelds mit dem monumentalen, Furcht einflößenden Völkerschlachtdenkmal. 1813 tobte vor den Toren Leipzigs die **größte militärische Auseinandersetzung** des 19. Jh.s. Die verbündeten Armeen Russlands, Österreichs, Preußens und Schwedens, insgesamt 225 000 Mann, schlugen die 160 000 Mann der Armee Napoleons und die auf seiner Seite kämpfende Rheinbundarmee, darunter auch die sächsische. Insgesamt 130 000 Tote und Verwundete blieben auf dem Schlachtfeld. 1913, hundert Jahre danach, wurde nach 15 Jahren Bauzeit das 91 m hohe Denkmal eingeweiht. Initiator war der Deutsche Patriotenbund, der Architekt hieß Bruno Schmitz, der mit dem Kyffhäuser-Denkmal schon einschlägige Erfahrungen vorweisen konnte.

Über der Krypta mit den 5,5 m hohen Masken sterbender Krieger erhebt sich eine 60 m hohe Ruhmeshalle mit insgesamt 324 Reiterfiguren in der Kuppel; außen an der Kuppel halten zwölf weitere, über 12 m hohe Kriegerfiguren und der Erzengel Michael Wache. Die Vorgeschichte der Völkerschlacht und ihr Verlauf erläutert der **Ausstel-**

? WUSSTEN SIE SCHON …?

▪ dass der Bau des Völkerschlachtdenkmals außer 6 Millionen Goldmark noch 120 000 t Beton und 26 000 Granitquader verschlang?

lungspavillon an der Prager Straße 210. Von der Plattform des Denkmals bietet sich ein prächtiger Ausblick über Leipzig und seine Umgebung.

Sehenswürdigkeiten in den Außenbezirken

Im westlichen Stadtteil Gohlis liegt in der Menckestraße Nr. 23 das frisch sanierte **Gohliser Schlösschen** (1758), dessen Festsaal, in dem heute Konzerte stattfinden, Goethes Zeichenlehrer A. F. Oeser 1789 mit dem Deckengemälde »Lebensweg der Psyche« verzierte. Das Landgut mit seinem nach historischen Vorlagen rekonstruierten Schlossgarten zählt zu den Höhepunkten sächsischer Rokokoarchitektur. In unmittelbarer Nachbarschaft befindet sich das Schillerhäuschen (Menckestraße Nr. 42), in dem Friedrich Schiller im Sommer 1785 wohnte und u. a. die erste Fassung der »Ode an die Freude« schrieb.

Gohlis

★
◀ *Schillerhäuschen*

Das Stadtgebiet durchzieht von Südosten nach Nordwesten der **Leipziger Auewald**, ein Landschaftsschutzgebiet entlang von Pleiße, Elster und Luppe. Er bietet reichlich Platz für Erholungsgebiete wie den Auensee und das Rosental mit dem bereits im Jahr 1878 gegründeten Zoologischen Garten.

Ganz im Norden Leipzigs nahe der Autobahn ist 1996 die **Neue Messe Leipzig** eröffnet worden. Ihr Zentrum ist die 225 m lange, 75 m breite und 30 m hohe, lichtdurchflutete Halle.

Umgebung von Leipzig

Der noch nicht überbaute Teil des Völkerschlachtfelds zieht sich am Südrand der Stadt zwischen Liebertwolkwitz im Osten bis nach Markkleeberg im Westen hin. Da-

> ## ! *Baedeker* TIPP
>
> ### Auf nach Pongoland
>
> Viele der Anlagen im Leipziger Zoo sind zwar denkmalgeschützt, aber nicht artgerecht. Darüber können sich zumindest die Menschenaffen nicht mehr beklagen. Ihr neues Zuhause – Pongoland – ist die größte und modernste Menschenaffen-Anlage der Welt. Und mehr: Max-Planck-Gesellschaft und Zoo betreiben hier ein Verhaltensforschungsprojekt, das die Besucher direkt beobachten können (Öffnungszeiten: Nov. bis März tgl. 9.00–17.00 Uhr, April und Okt. bis 18.00 Uhr; Mai bis Sept. bis 19.00 Uhr).

rüber verstreut sind einige Denkmäler. Eines der bemerkenswertesten ist der 158 m hohe **Monarchenhügel** in Meusdorf, der daran erinnert, dass Kaiser Franz I. von Österreich, Alexander I. von Russland und Preußenkönig Friedrich Wilhelm III. die Schlacht von hier verfolgten. An der Elster erinnert ein Denkmal an den auf französischer Seite kämpfenden und noch auf dem Schlachtfeld zum Marschall ernannten polnischen Fürsten Poniatowski, der schwer verwundet im Fluss ertrank. Die sog. Apelsteine, gestiftet vom Schriftsteller Theodor Apel, markieren die Positionen der Truppenteile (»N« für die Franzosen, »V« für die Verbündeten).

Völkerschlachtfeld

✳ Landschaftspark Machern

In Machern, 20 km östlich von Leipzig, findet man eine der **schönsten sächsischen Parkanlagen**. Der Ende des 18. Jh.s vom Grafen Lindenau angelegte englische Garten besticht vor allem architektonisch: das gräfliche Mausoleum in Gestalt einer ägyptischen Pyramide, der Hygieiatempel, der Agnestempel und die künstliche Ruine einer Ritterburg.

Wurzen

Wurzen liegt 26 km östlich von Leipzig an der Mulde. Die erstmals 961 erwähnte Stadt war eine Zeit lang bischöfliche Residenz, wovon der Dombezirk mit dem Dom St. Marien (12. Jh.) und das Schloss (15. Jh.) zeugen. Im Dom sieht man eine berühmte Kreuzigungsgruppe (1928–1932) von Georg Wrba. Sehenswert sind auch das **Kulturgeschichtliche Museum** im nach dem Erfinder des Mäusegifts benannten Hermann-Ilgen-Haus, das Posttor von 1734 am Crostigall mit dem kursächsischen und dem königlich-polnisch-litauischen Wappen und, nahebei, das Geburtshaus von Hans Bötticher (1883–1934), besser bekannt als **Joachim Ringelnatz**.

Grimma

Die 30 km südöstlich von Leipzig liegende Stadt Grimma besitzt einen hübschen Marktplatz mit einem bemerkenswerten Rathaus (1538–1585) und der ehemaligen Göschenschen Druckerei (Markt Nr. 11). Ansonsten kann man noch die frühgotische Frauenkirche (1230–1240), das um 1200 begonnene Schloss und die Muldenbrücke mit ihrem prächtigen Wappenstein mit dem Wappen August des Starken besichtigen. Das Kloster Nimbschen im Süden der Stadt erreicht man auf einer schönen Wanderung entlang der Mulde. Aus ihm floh 1523 Katharina von Bora mit Hilfe ihres späteren Ehemanns Martin Luther. Im Vorort Hohnstädt besaß der Leipziger Verleger Göschen ein Sommerhaus, in dem die wichtigsten Vertreter der deutschen Klassik ein und aus gingen, wie das Erinnerungsmuseum zu belegen weiß. Seinem Lektor und Autor Johann Gottfried Seume ist eine eigene Ausstellung gewidmet. In Großbothen kann man Haus und Labor des Chemie-Nobelpreisträgers Wilhelm Ostwald (1853–1932) besichtigen.

Göschenhaus in Hohnstädt ▶

✳ Schloss Hubertusburg

Schloss Hubertusburg, einst das **größte barocke Jagdschloss Europas**, wurde 1721–1724 bei Wermsdorf (18 km nordöstlich von Grimma) erbaut. Hier wurde 1763 der Hubertusburger Friede zur Beendigung des Siebenjährigen Kriegs geschlossen. Von der damaligen Einrichtung ist bis auf die Schlosskapelle nichts mehr erhalten. Für Besucher steht lediglich das Schlossmuseum offen, von dem man jedoch in die Kapelle blicken kann.

Pegau

Nach 25 km Fahrt durch das Braunkohlengebiet südwestlich von Leipzig erreicht man Pegau. In der romanischen Kapelle der Laurentiuskirche ist der Markgraf Wiprecht von Groitzsch († 1124) begraben. Seine Grabplatte (um 1230) gehört zu den **bedeutendsten romanischen Grabkunstwerken**.

✶✶ Lübeck

Atlasteil: S. 8 • A/B 4   **Bundesland:** Schleswig-Holstein
Höhe: 11 m ü. d. M.   **Einwohnerzahl:** 216 000

**Die »Königin der Hanse«, wie man die einstige Freie Reichsstadt
gerne nennt, gehört mit ihren vielen Kulturschätzen zu den schönsten und meistbesuchten Städten im norddeutschen Raum. Die gesamte, ringsum von Wasser umgebene Altstadt von Lübeck steht
unter Denkmalschutz und ist Teil des UNESCO-Weltkulturerbes.
Heute ist Lübeck auch eine moderne Hafen-, Industrie- und Handelsstadt mit dem größten Fährhafen Europas**

Lübeck wurde 1143 gegründet und erhielt bereits 1226 die Reichs-   **Geschichte**
freiheit. Die Stadt entwickelte sich rasch zum **bedeutenden Stapel-
und Handelsplatz**, doch als die Hanse im 16. und 17. Jh. an Macht
und Einfluss verlor, war auch Lübecks Blütezeit vorbei. Erst mit dem
Beginn der Industrialisierung und der Eröffnung des Elbe-Lübeck-
Kanals im Jahr 1900 eröffneten sich für die Stadt neue Perspektiven.
Im März 1942 wurde ein Großteil der Lübecker Altstadt durch Bombenangriffe schwer beschädigt.

*Das Wahrzeichen von Lübeck ist das mächtige Holstentor,
in dem heute das stadtgeschichtliche Museum untergebracht ist.*

Sehenswertes in Lübeck

✳ ✳
Holstentor
Salzspeicher

Am Westeingang der Altstadt erhebt sich **Lübecks Wahrzeichen**, das wuchtige, doppeltürmige Holstentor. Es wurde im Jahr 1478 vollendet und beherbergt heute ein stadtgeschichtliches Museum. Die südlich benachbarten hohen Backsteingiebelhäuser aus dem 16.–18. Jh. dienten früher als Salzspeicher.

»Mississippi«

An der Holstenbrücke liegt das **Museumsschiff** »Mississippi«. Hier erfährt man vieles aus der Geschichte der Überseeschifffahrt.

St. Petri

Geht man vom Holstentor weiter stadteinwärts, so sieht man rechts die fünfschiffige Petrikirche (13.–16. Jh.), von deren Turm man einen wunderschönen Blick über die Stadt genießen kann.

Museum für
Puppentheater

Westlich der Petrikirche, in der Kleinen Petersgrube, kann man das liebevoll zusammengestellte Puppentheatermuseum der Puppenspielerfamilie Fritz Fey besuchen.

✳ ✳
Rathaus

Wenige Schritte weiter nördlich von St. Petri erreicht man den Markt, der von der **eindrucksvollen Fassade** des Rathauses beherrscht wird. Das Charakteristikum des Mitte des 13. Jh.s begonnenen, L-förmigen Gebäudes sind die hohen Schildwände mit ihren spitzen Türmen. Den Nordflügel schmückt seit dem Jahr 1571 ein Renaissancevorbau mit Sandsteinfassade.

✳
Marienkirche

Nördlich vom Markt steht die hochgotische Marienkirche aus dem 13.–14. Jh. Der gewaltige Backsteinbau mit 80 m langem und knapp 40 m hohem Mittelschiff wird von zwei mit hohen und spitzen Hauben versehenen Türmen flankiert. Das Gotteshaus diente vielen gotischen Backsteinkirchen im Ostseeraum (u. a. in Stralsund, Rostock) als Vorbild. Zu ihren bedeutendsten Ausstattungsstücken gehören der **Marienaltar** (1512) eines niederländischen Meisters sowie das Sakramentshäuschen (15. Jh.).

Archäologen entdeckten im Jahr 1996 nahe der Marienkirche das bislang **älteste Haus der Hansestadt**. Im ehemaligen Kaufleuteviertel wurden Überreste u. a. von zwei Pfostenhäusern, einem Ständerbau und einem Brunnen gefunden, die schon aus dem Jahr der Stadtgründung (1143) stammen.

? **WUSSTEN SIE SCHON ...?**

■ dass bereits seit dem 16. Jh. Marzipan (von ital. »marzapane«) hergestellt wurde. Berühmtheit erlangte das Naschwerk jedoch erst im 19. Jh. durch die besonders wohlschmeckende Rezeptur des Konditormeisters Niederegger.

✳
Buddenbrook-
haus

Nordöstlich der Marienkirche steht das Buddenbrookhaus (Mengstraße 4), ein Patrizierhaus aus dem 16. Jh. mit Barockfassade (1758). Von 1841 bis 1891 gehörte das Gebäude der Familie des

Schriftstellers Thomas Mann, der ihm in seinem weltberühmten Roman »Die Buddenbrooks« ein literarisches Denkmal setzte. Heute ist hier ein **Dokumentationszentrum** über Heinrich und Thomas Mann eingerichtet. Zum 125. Geburtstag Thomas Manns im Jahr 2000 sind als offizielles Expo-Projekt das »Landschafts-« und das Speisezimmer nach der Romanvorlage gestaltet worden.

Etwas weiter westlich, in der Mengstraße 48–50, erreicht man das **Schabbelhaus** aus dem 16. Jh., das eigentlich aus zwei im Renaissance- bzw. Rokokostil errichteten Häusern besteht. Es wurde nach seiner Zerstörung im Zweiten Weltkrieg wieder aufgebaut und beherbergt heute ein Restaurant.

In der Königstraße wird 2007 das **Willy-Brandt-Haus** eröffnet. Der ehemalige Bundeskanzler wurde 1913 in Lübeck geboren und verbrachte hier seine Kinder- und Jugendzeit.

Nordöstlich vom Buddenbrookhaus steht das **Haus der Schiffergesellschaft** aus dem Jahr 1535 (heute beherbergt es ein historisches Lokal) an der Breiten Straße. Das spätgotische Kompaniehaus gilt als Musterbeispiel seiner Art. Gegenüber fällt die gotische **Jakobikirche** aus dem 14. Jh. ins Auge. In der dreischiffigen Hallenkirche befindet sich ein barocker Hochaltar. Der Altar in der Südkapelle wurde im 15. Jh. von Bürgermeister Brömbse gestiftet.

Nordöstlich der Jakobikirche liegt das 1280 von Lübecker Kaufleuten als Heimstatt für Arme und Kranke gestiftete **Heiligen-Geist-Hospital**,

Lübeck *Orientierung*

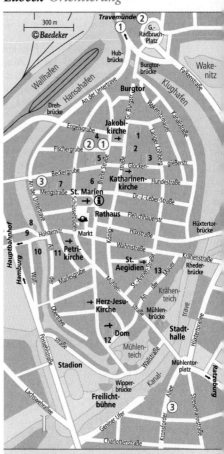

1	Heiligen-Geist-Hospital	**7**	Schabbelhaus
2	Behnhaus	**8**	MS »Mississippi«
3	Füchtingshof	**9**	Holstentor
4	Haus der Schiffergesellschaft	**10**	Salzspeicher
5	Stadttheater	**11**	Puppentheatermuseum
6	Buddenbrookhaus	**12**	Naturhistorisches Museum
		13	St.-Annen-Museum

Übernachten
① Waldhotel Twiehaus
② Scandic
③ Kaiserhof

Essen
① Schiffergesellschaft
② Markgraf
③ Wullenwever

Heiligen-Geist-Hospital

das zu den **besterhaltenen mittelalterlichen Baudenkmälern** seiner Art in Deutschland gehört. In der Spitalkirche sind spätgotische Wandmalereien aus dem 13./14. Jh. zu sehen.

Burgkloster Burgtor

Nördlich vom Hl.-Geist-Hospital kommt man zum Burgkloster, das im Laufe des 13. bis 15. Jh.s errichtet wurde, und schließlich zum hübschen Burgtor (13. u. 15. Jh.) an der Spitze des Altstadtovals.

▶ LÜBECK ERLEBEN

AUSKUNFT

Tourist-Service
Breite Straße 62, 23539 Lübeck
Tel. (0 18 05) 88 22 33, Fax 1 22 54 19
www.luebecker-verkehrsverein.de

ESSEN

▶ Fein & Teuer

③ *Wullenwever*
Beckergrube 71, 23552 Lübeck
Tel. (04 51) 70 43 33
Nostalgisches Flair versprüht der edle Gourmettempel im typischen Lübecker Patrizierhaus aus dem 16. Jh. Genießen Sie französisch inspirierte kreative Küche und erlesene Weine.

▶ Erschwinglich

① *Schiffergesellschaft*
Breite Straße 2, 23552 Lübeck
Tel. (04 51) 7 67 76
Allein das maritime Interieur der historischen Gaststätte aus dem Jahre 1535 ist einen Besuch wert, die hervorragende Küche sorgt dafür, dass das Restaurant überaus beliebt ist.

② *Markgraf*
Fischergrube 18, 23552 Lübeck
Tel. (04 51) 7 06 03 43
Elegantes Restaurant, das mit seinen schönen lehmverputzten Wänden mediterranes Flair ausstrahlt. Ausgezeichnete neue deutsche und italienische Küche, sensationelle Pizza.

ÜBERNACHTEN

▶ Luxus

② *Scandic*
Travemünder Allee 3, 23568 Lübeck
Tel. (04 51) 3 70 60,
Fax 3 70 66 66
www.scandic-hotel-luebeck.de
Zeitgemäßes Haus nahe der Altstadt, schönes Restaurant mit Blick auf den Park, Schwimmbad, Sauna und Wellness im Haus.

▶ Komfortabel

③ *Kaiserhof*
Kronsforder Allee 11, 23560 Lübeck
Tel. (04 51) 70 33 01,
Fax 79 50 83
www.kaiserhof-luebeck.de
Aus zwei liebevoll restaurierten Patrizierhäusern besteht dieses Haus, das allen neuzeitlichen Komfort bietet und stilvoll eingerichtet ist. Attraktiver Freizeitbereich, gediegenes Ambiente im Restaurant.

▶ Günstig

① *Waldhotel Twiehaus*
Waldstraße 41, 23568 Lübeck
Tel. (04 51) 39 87 40,
Fax 3 98 74 30
www.waldhotel-twiehaus.de
Ruhiges, familiär geführtes Haus unweit des Lübecker Tierparks, behagliche Zimmer im Landhausstil, traditionsreiches Restaurant mit schönem Garten, das für seine Grillspezialitäten bekannt ist.

Südlich des Heiligen-Geist-Hospitals, an der Königstraße, laden das Behnhaus und das angrenzende Drägerhaus zum Besuch ein. Beide Häuser gehören heute zum Museum für Kunst und Kulturgeschichte Lübecks und vermitteln dank ihrer barocken bzw. klassizistischen Ausstattung Einblicke in die **lübische Wohnkultur des 19. Jh.s.** Im Behnhaus befindet sich eine Sammlung von Gemälden von der Romantik bis zum Expressionismus.

Museum für Kunst

Die hochgotische Katharinenkirche (14. Jh.) ist heute **Museum für lübische Plastik.** Sehenswert sind u. a. ein Figurenzyklus von Ernst Barlach und Gerhard Marcks, das Chorgestühl sowie das Tintoretto-Gemälde »Auferstehung des Lazarus« (1575).

St. Katharinen

In der Glockengießerstraße 23–27 liegt der 1636 von einem lübischen Ratsherrn als Wohnanlage für Arme gestiftete Füchtingshof, einer der **größten seiner Art** in Deutschland. Nebenan illustriert das Günter-Grass-Haus Leben und Werk des Literatur-Nobelpreisträgers.

Füchtingshof

◄ Günter-Grass-Haus

Am Südrand der Altstadt erhebt sich der nach schwerer Kriegsbeschädigung wieder aufgebaute Dom. Das von zwei Türmen überragte Gotteshaus wurde 1173 von Heinrich dem Löwen gegründet und im 13. bzw. 14. Jh. gotisch erweitert. Beachtenswert im Inneren sind die Triumphkreuzgruppe von 1477 und die Lettnerverkleidung aus der Werkstatt des Lübecker Meisters Bernt Notke.

✷ Dom

Südlich an den Dom schließt sich das Museum für Natur und Naturgeschichte an, das anschaulich über Pflanzen, Tiere und **Umweltbedingungen im holsteinischen Ostseeraum** informiert.

Museum für Natur

Das Museum St.-Annen in einem ehemaligen Kloster aus dem 16. Jh. zeigt eine der bedeutendsten deutschen Sammlungen von **Schnitzaltären.** In der neuen Kunsthalle St. Annen stellt das Lübecker Museum für Kunst und Kulturgeschichte Kunstschätze aus der Hansestadt vom frühen Mittelalter bis zum 18. Jh. vor.

✷ St.-Annen-Museum und Kunsthalle

Umgebung von Lübeck

In die Lübecker Bucht schmiegt sich das **mondäne Seebad** Travemünde. Der alte Siedlungskern drängt sich um die Pfarrkirche St. Lorenz (16. Jh.). Weithin sichtbare Landmarke ist heute das 158 m hohe Hotel Maritim, von dessen Dachgarten man einen überwältigenden Ausblick genießt. Auf der Strandpromenade herrscht das ganze Jahr über reger Publikumsverkehr. Altehrwürdige Bauten wie das Alte Kurhaus, das Casino und das Hotel »Deutscher Kaiser« zeugen davon, dass Travemünde schon im vorletzten Jahrhundert ein Weltbad war. An der Hafeneinfahrt steht der Alte Leuchtturm, der bereits im 16. Jh. errichtet wurde. Der Skandinavienkai ist in den letzten Jahren zum **größten Fährhafen Europas** ausgebaut worden.

✷ Travemünde

Priwall
»Passat« ▶
Östlich der Hafeneinfahrt erstreckt sich der Priwall mit seinem langen **Badestrand**. Am Traveufer liegt die »Passat«, eine ansehnliche Viermastbark mit 56 m hohem Großmast, die 1911 in Hamburg gebaut wurde. Sie war einst Schulschiff der Handelsmarine.

✳
Brodtener
Steilufer
Rund 1,5 km nördlich von Travemünde erreicht man das Brodtener Steilufer mit der aussichtsreichen Hermannshöhe, ein etwa 4 km langes und bis zu 30 m hohes Steilufer, das den vorspringenden Küstenbogen zwischen Travemünde und Niendorf einnimmt.

Niendorf ▶
Die hübsche Fischersiedlung Niendorf bietet sich heute als familienfreundlicher Erholungsort dar. Lohnende Ausflugsziele in Ortsnähe sind der **Vogelpark und der Hemmelsdorfer See**.

✳
Timmendorfer
Strand
Weiter westlich erstreckt sich das **Ostseeheilbad** Timmendorfer Strand mit diversen Kureinrichtungen, Parkanlagen, zwei Seebrücken, Jachtclub und vielen noblen Feriendomizilen. Hier haben sich Kurgäste schon im vorletzten Jahrhundert wohl gefühlt. Am nördlichen Ortsrand erreicht man das moderne Spaßbad Ostsee-Therme mit Saunaparadies und Riesenrutschbahn. Zum Publikumsmagneten hat sich das per Unterwassertunnel begehbare Aquarium »Sea Live« entwickelt.

4 km nördlich kommt man zum Seebad **Scharbeutz** mit modernen Kureinrichtungen und einer belebten Strandallee.

Weiter nördlich schließt sich **Haffkrug** an. Bereits zu Beginn des 19. Jh.s hatte sich das ehemalige Fischerdorf zu einem **Seebad mit familiärer Atmosphäre** entwickelt.

! *Baedeker* TIPP

Prahmfahrt

Sehr geruhsam verspricht eine Fahrt auf dem Elbe-Lübeck-Kanal zu werden, der im Jahr 2000 seinen 100. Geburtstag feierte. Auf einer nachgebauten, sieben Meter langen Prahm – ein Bootstyp, auf dem vom Mittelalter bis zur Neuzeit Salz von Lüneburg über Lübeck in den Ostseeraum verschifft wurde – fährt man gemütlich über die von Pappeln gesäumte Wasserstraße im Süden Lübecks, von Lauenburg zur Schleuse nach Witzeeze oder von Witzeeze nach Siebeneichen (Information: Tel. 0 45 41/20 06 oder 0 18 05/88 22 33).

Sierksdorf
Es folgt das **alte Fischerdorf** Sierksdorf, das heute ebenfalls als Seebad besucht wird. Die besondere Attraktion von Sierksdorf ist der Freizeit- und Vergnügungspark »Hansa-Park«, der seinen Besuchern u. a. eine Achterbahn und diverse Shows bietet.

Neustadt
in Holstein
Ca. 3 km weiter nördlich liegt Neustadt in Holstein, eine bereits im 13. Jh. gegründete **kleine Hafenstadt**. Im beschaulichen Hafen drängen sich Fischerboote, Marineboote und Segeljachten. Außer dem malerischen Marktplatz besitzt Neustadt auch eine gotische Stadtkirche (13. Jh.), ein klassizistisches Rathaus sowie einen 1830 zwischen Binnenwasser und Hafen errichteten Pagodenspeicher. Im mittelalterlichen Kremper Tor ist das regionalhistorisch ausgerichtete Ost-

holstein-Museum untergebracht. In einem Nebengebäude wird an den Untergang der KZ-Häftlingsflotte erinnert, bei dem am 3. Mai 1945 mehrere tausend Menschen in der Neustädter Bucht ihr Leben verloren.

Badestrand und Kurpromenade sowie eine lange Seebrücke locken viele Besucher ins **Seebad Grömitz.** Moderne Kureinrichtungen (u. a. ein Meerwasserhallenbad) und ein großzügiger Jachthafen mit mehreren hundert Liegeplätzen lassen heute fast vergessen, dass Grömitz zu den ältesten Kurorten an der Ostsee gehört. Vor allem für Familien mit Kindern interessant ist der am nördlichen Ortsrand liegende kleine **Zoo,** der den Namen »Arche Noah« trägt.

Etwa 5 km nördlich von Grömitz erreicht man das ehemalige **Benediktinerkloster Cismar,** das im 13. Jh. gegründet wurde und heute Zweigmuseum des schleswig-holsteinischen Landesmuseums ist. Die Kirche besitzt einen sehenswerten geschnitzten Flügelaltar.

Strandwanderung unterm Brodtener Steilufer

Etwa 10 km nordöstlich von Grömitz liegt das familienfreundliche Ostseeheilbad Kellenhusen mit einem schönen Badestrand. Landeinwärts erstreckt sich der mit 572 ha **größte Eichenwald** an der schleswig-holsteinischen Ostseeküste. **Kellenhusen**

Etwa 4 km weiter nördlich folgt das durch einen Damm geschützte **Ostseeheilbad** Dahme mit seinem feinsandigen Strand. ◀ **Dahme**

Knapp 10 km nördlich von Lübeck liegt **der älteste Kurort Schleswig-Holsteins,** denn die Jodsole-Quellen von Bad Schwartau werden bereits seit dem Jahr 1899 erschlossen. **Bad Schwartau**

Seit 1952 verbindet man den Namen dieser 30 km nordwestlich von Lübeck gelegenen Stadt vor allem mit den **Karl-May-Festspielen,** die hier alljährlich vor einer eindrucksvollen Naturkulisse über die Bühne gehen. In der Nähe der Freilichtbühne gibt es eine Kalkberghöhle. Außerdem besitzt die Stadt auch ein Sol- und Moorbad. ★ **Bad Segeberg**

Ludwigsburg

Atlasteil: S. 52 • B 2
Höhe: 196–328 m ü. d. M.
Bundesland: Baden-Württemberg
Einwohnerzahl:: 80 000

Drei Barockschlösser nennt Ludwigsburg sein Eigen, von denen das Residenzschloss die größte erhaltene Barockanlage Deutschlands ist. Darüber hinaus gilt der Ort als Musterbeispiel für eine planmäßig angelegte barocke Fürstenresidenz, was ihm den Namen »schwäbisches Versailles« eintrug.

Bekannte Einrichtungen
Die Kreisstadt Ludwigsburg, Sitz einer traditionsreichen Porzellanmanufaktur, einer Orgelbaufachschule und der Filmakademie Baden-Württemberg, liegt 15 km nördlich von ▶ Stuttgart über dem Neckar. Die **Ludwigsburger Schlossfestspiele** (Opern und Konzerte) finden weit über die baden-württembergischen Landesgrenzen hinaus Beachtung.

> ! **Baedeker TIPP**
>
> **Butterbrezel, Hefezopf …**
>
> … und Schneckennudel – Klassiker schwäbischer Backkunst – genießt man am besten im Caféstüble Lutz am Marktplatz, wo es zu den Köstlichkeiten aus der Backstube auch noch den wunderbaren Blick auf den – laut Theodor Heuss – »stolzesten Platz Württembergs« gibt.

Die Stadt verdankt ihren Namen Herzog Eberhard Ludwig von Württemberg, der hier ab 1704 ein Schloss erbauen ließ, neben dem sich der 1709 zur Stadt erhobene Ort entwickelte. Von 1717 bis 1734 und wieder ab 1764 war Ludwigsburg herzogliche Residenz; im Jahr 1758 gründete Herzog Karl Eugen die Porzellanmanufaktur. Die Rückverlegung der Residenz nach Stuttgart 1775 ließ die Bedeutung Ludwigsburgs schwinden, das fortan nur noch als Garnison und Beamtenstadt eine Rolle spielte – aus dem »schwäbischen Versailles« wurde das **»schwäbische Potsdam«**.

Sehenswertes in Ludwigsburg

Marktplatz
Mittelpunkt der barocken Innenstadt ist der großzügige, arkadengesäumte Marktplatz. Ihn dominieren die zweitürmige evangelische Stadtkirche (1718–1726) und die schlichtere katholische Dreieinigkeitskirche (1721–1727). Am Markt und in dessen Umgebung sind die **vier bedeutendsten Söhne der Stadt** geboren worden: die Dichter Justinus Kerner (1786–1862; Marktplatz 8) und Eduard Mörike (1804–1875; Kirchstraße 2), der Ästhetiker Friedrich Theodor Vischer (1807–1887; Stadtkirchenplatz 1) und der Theologe David Friedrich Strauß (1808–1874; Marstallstraße 1). Vom Marktbrunnen blickt man nach Norden zum Holzmarkt mit einem Obelisken zu Ehren dieser vier Männer. Nach Süden hin sieht man das Rathaus; dahinter liegt das Kulturzentrum mit dem Städtischen Museum.

Das Ludwigsburger Barockschloss wurde 1704–1733 von verschiedenen Baumeistern nach dem Vorbild von Versailles für Herzog Eberhard Ludwig errichtet. Unter Herzog Karl Eugen, der von 1764 bis 1775 die Residenz wieder von Stuttgart hierher verlegt hatte, war das Schloss Schauplatz der **prächtigsten Hofhaltung Europas**. Die schönsten der reich ausgestatteten Räume erlebt man auf einer Führung; neu sind als Filialen des Württembergischen Landesmuseums das **Modemuseum**, das **Keramikmuseum** und die Barockgalerie. Die Verkaufsstelle der Ludwigsburger Porzellanmanufaktur befindet sich im Erdgeschoss der östlichen Ahnengalerie.

✶ ✶
Residenz-schloss

Die das Schloss umgebenden Gärten sind in ihrem Süd- und Nordteil als formaler Barockgarten, in den übrigen Teilen als englischer Landschaftsgarten angelegt. Zahlreiche Attraktionen, vor allem der **Märchengarten**, machen dieses »Blühende Barock« zu einem Publikumsmagneten. An der Ostseite der Südgärten verläuft die barocke Häuserzeile der Mömpelgardstraße mit dem Haus von Joseph Süß Oppenheimer, dem als »Jud Süß« bekannt gewordenen Geheimen Finanzrat des Herzogs Karl Alexander (Führungen im Schloss ganzjährig; Saison Blühendes Barock März–Nov.).

✶ ✶
◄ Blühendes Barock

An der Schorndorfer Straße liegen Baden-Württembergs einziges Strafvollzugsmuseum und die einstige Porzellanmanufaktur.

Strafvollzugs-museum

Alle zwei Jahre: venezianische Messe in Ludwigsburg

✳
**Schloss und
Park Favorite**

Nördlich vom Schloss erstreckt sich der als herzoglicher Jagdpark angelegte Favoritepark mit dem aparten Rokokoschlösschen Favorite (1718–1723), dessen Räume besichtigt werden können.

**Schloss
Monrepos**

Auf der den Favoritepark durchziehenden Allee gelangt man nach einer halben Stunde Fußweg zum Seeschloss Monrepos (1760–1764).

Hoheneck

Das altbekannte **Heilbad** Hoheneck am Neckar lockt mit einem Sole-Bewegungsbad, einer Kurmittelabteilung und einem Mediterraneum. Auch den hübschen Ortskern von Alt-Hoheneck sollte man gesehen haben.

Umgebung von Ludwigsburg

Hohenasperg

Rund 5 km westlich von Ludwigsburg sieht man den Hohenasperg über dem Ort Asperg aufragen. Aus dem keltischen Fürstensitz wurde später eine Festung und ein **Gefängnis**, in dem u. a. zehn Jahre lang der Dichter Christian Daniel Schubart einsaß. Der Rundgang um die Festungsanlage bietet eine großartige Aussicht in das württembergische Unterland.

Markgröningen

Unweit westlich von Asperg kommt man in das Städtchen Markgröningen. Im gut restaurierten Stadtkern sieht man viele Fachwerkhäuser aus dem 15.–17. Jh. und vor allem das stattliche Rathaus. Die gotische Bartholomäuskirche birgt das **älteste Chorgestühl Süddeutschlands**. Weit bekannt ist der alljährlich im August stattfindende »Schäferlauf«.

✳
**Keltenmuseum
Hochdorf**

Im 7 km westlich von Markgröningen gelegenen Hochdorf wurde ein nicht ausgeraubtes **keltisches Fürstengrab** entdeckt. Das didaktisch hervorragend gestaltete Keltenmuseum am Ortsrand dokumentiert die Lebensweise der Kelten und zeigt Repliken der einzigartigen Funde. Neu hinzugekommen ist ein Freilandbereich mit Nachbauten keltischer Gebäude.

? ## WUSSTEN SIE SCHON ...?

■ dass junge Schäfer und Schäferinnen beim Markgröninger Schäferlauf barfuß über ein abgemähtes stoppeliges Feld rennen müssen? Außerdem werden ihre Leistungen beim Schafehüten bewertet.

Bietigheim, 9 km nördlich von Ludwigsburg, besitzt eine vorbildlich restaurierte Altstadt aus dem 16.–18. Jh., wobei das Rathaus und das Hornmoldhaus (1535/1536) mit dem Stadtmuseum herausragen. Von hier ist es nicht mehr weit in das Weinbaugebiet von Stromberg und Heuchelberg mit dem Vergnügungspark **Tripsdrill**.

**Marbach
am Neckar**

Marbach, 8 km nordöstlich von Ludwigsburg hoch über dem rechten Ufer des Neckars gelegen, ist der **Geburtsort von Friedrich Schiller** (1759–1805). Sein Geburtshaus (Nicklastorstraße 31), ein einfacher

⏵ LUDWIGSBURG ERLEBEN

AUSKUNFT

Tourist-Information
Marktplatz 6, 71638 Ludwigsburg
Tel. (0 71 41) 91 75 55, Fax 91 75 77
www.ludwigsburg.de

ESSEN

► Fein & Teuer

Alte Sonne
Bei der katholischen Kirche 3,
71634 Ludwigsburg
Tel. (0 71 41) 92 52 31
Elegant eingerichtetes Restaurant in
einem schönen alten Stadthaus zwischen Marktplatz und Schloss. Hervorragende kreative Gourmetküche
und grandiose Weinkarte.

► Erschwinglich

Post-Cantz
Eberhardtstraße 6,
71634 Ludwigsburg
Tel. (0 71 41) 92 35 63
Mit gepflegtem rustikalen Ambiente
und feiner schwäbischer Küche weiß
das traditionsreiche Haus seine Gäste
zu begeistern.

► Preiswert

Weinstube Klingel
Eberhardstraße 8, 71634 Ludwigsburg
Tel. (0 71 41) 92 69 68
Grundsolide schwäbische Gastlich-
keit, regionale Küche und eine große
Auswahl an Württemberger Weinen.

ÜBERNACHTEN

► Komfortabel

Nestor Hotel Ludwigsburg
Stuttgarter Straße 53/2
71638 Ludwigsburg
Tel. (0 71 41) 967-0, Fax 967 113
www.nestor-hotels.de
Modernes Hotel im historischen
Gemäuer einer denkmalgeschützten
Kaserne aus dem 19. Jh. Nur wenige
Gehminuten vom Stadtzentrum und
vom Blühenden Barock entfernt.

Favorit
Gartenstraße 18, 71638 Ludwigsburg
Tel. (0 71 41) 97 67 70, Fax 97 67 75 55
www.hotel-favorit.de
Zentral gelegenes, sehr gepflegtes
Hotel mit modernen Zimmern in
unterschiedlichen Kategorien und
Größen.

Fachwerkbau, ist heute als Gedenkstätte eingerichtet. Das Schiller-
Nationalmuseum zeigt in seiner ständigen Ausstellung Werke und
Erinnerungsstücke schwäbischer Dichter und veranstaltet bemerkenswerte Sonderausstellungen. Mit seinen außerordentlich umfangreichen Beständen an Autografen, Drucken und sonstigen Dokumenten aus allen Phasen der deutschsprachigen Literatur seit dem 18. Jh.
gehört das angeschlossene **Deutsche Literaturarchiv** zu den wichtigsten Stätten deutscher Sprach- und Literaturforschung.

◄ Schiller-
Nationalmuseum

Nach so viel Kultur empfiehlt sich ein Ausflug in das Bottwartal, eine
der Kernregionen des württembergischen Weinbaus. Einladend sind
z.B. Steinheim mit dem Urmenschmuseum, Großbottwar und die
Burg Lichtenberg.

Bottwartal

Lüneburg

Atlasteil: S. 17 • D 3
Höhe: 17 m ü. d. M

Bundesland: Niedersachsen
Einwohnerzahl: 66 000

Zahlreiche Gebäude aus Spätgotik und Renaissance machen Lüneburg zu einer Hauptstätte der norddeutschen Backsteinbaukunst, wo noch heute ein Eindruck von Wohlstand und Selbstbewusstsein der einst hier ansässigen Patrizierfamilien und Kaufleute vermittelt wird. Auch als staatlich anerkanntes Sol- und Moorbad wird der Ort gern besucht.

Hafen- und Universitätsstadt
Die alte Salz- und Hansestadt Lüneburg liegt im Nordosten der ▶Lüneburger Heide, am Rand der Elbniederung sowie an der schiffbaren Ilmenau. Seit 1976 ist der Binnenhafen am Elbe-Seitenkanal in Betrieb, und seit 1980 kann Lüneburg sich rühmen, Standort einer Universität zu sein, die aus einer Pädagogischen Hochschule hervorgegangen ist.

Geschichte
Lüneburg erreichte schon früh Bedeutung durch die um 951 vom Sachsenherzog Hermann Billung auf dem Kalkberg als Schutzfeste und Verwaltungsmittelpunkt erbaute Burg und die auch als Gerichtsort wichtige Ilmenaubrücke sowie durch die **ergiebigen Salzquellen**. Doch erst nach der Zerstörung der mächtigen Nachbarstadt Bardo-

Das »Gerechtigkeitsbild« schmückt die Gerichtslaube im Rathaus.

Lüneburg *Orientierung*

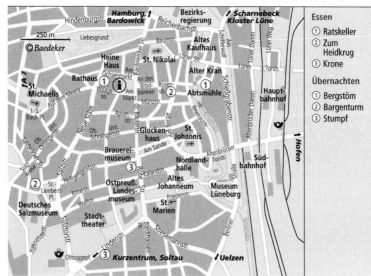

Essen
① Ratskeller
② Zum Heidkrug
③ Krone

Übernachten
① Bergstöm
② Bargenturm
③ Stumpf

wick (1189 durch Heinrich den Löwen) und dem Beitritt zur Hanse erlangte die Stadt (Stadtrechte 1247 bestätigt) die Selbständigkeit einer Freien Reichsstadt. Mit der Zerstörung der Burg auf dem Kalkberg im Lüneburger Erbfolgekrieg (1371) schüttelte die Stadt die Herrschaft der Herzöge von Braunschweig-Lüneburg weitgehend ab, deren Residenz sie bisher gewesen war. Im 16. Jh. gehörte Lüneburg zu den reichsten Städten Norddeutschlands; dann sank ihr Wohlstand. Neue Impulse gaben der Ausbau des Sol- und Moorbades und die Ansiedlung von Industriebetrieben.

Sehenswertes in Lüneburg

Das Lüneburger Rathaus wendet dem Marktplatz seine figurengeschmückte barocke Schauseite zu; andere Teile des Gebäudekomplexes sind jedoch schon erheblich älter. Denn bereits um das Jahr 1230 wurde mit dem Bau eines ersten Rathauses begonnen. Die im Rahmen von Führungen zugänglichen Innenräume künden mit ihrer **kostbaren Ausstattung** aus unterschiedlichen Stilepochen von Lüneburgs stolzer Vergangenheit. In der mit farbigen Glasfenstern und einer bemalten Holzdecke (um 1530) prächtig ausgestatteten Gerichtslaube versammelte sich der Rat seit dem 14. Jh. Die Große Ratsstube sowie der Fürstensaal erhielten ihr Aussehen im 15. Jh.

✱ Rathaus

Vom Markt schlendert man durch die Bardowicker Straße zur nahen Nikolaikirche, die 1409 geweiht wurde. Östlich davon steht vor dem

Nikolaikirche Alter Kran

▶ LÜNEBURG ERLEBEN

AUSKUNFT

Verkehrsverein
Am Markt, 21335 Lüneburg
Tel. (0 41 31) 2 07 66 20, Fax 2 07 66 44
www.lueneburg.de

ESSEN

▶ Fein & Teuer
Zum Heidkrug
Am Berge 5, 21335 Lüneburg
Tel. (0 41 31) 2 41 60
Im historischen Ambiente eines gotischen Backsteinbaus aus dem 15. Jh.
verwöhnt Sie die exzellente Küche mit
ausgezeichneten Gourmetgerichten.

▶ Preiswert
Ratskeller
Am Markt 1, 21335 Lüneburg
Tel. (0 41 31) 3 17 57
Unter einem imposanten Kreuzgewölbe aus dem 14. Jh. wird im
elegant-rustikalen Restaurant feine
regionale und internationale Küche
serviert.

Krone
Heiligengeiststraße 39,
21335 Lüneburg
Tel. (0 41 31) 71 32 00
Zünftige Brauereigaststätte in einem
schmucken Altstadthaus; bodenständige Küche.

ÜBERNACHTEN

▶ Komfortabel
Bergström
Bei der Lüner Mühle,
21335 Lüneburg
Tel. (0 41 31) 30 80, Fax 30 84 99
www.bergstroem.de
Stilvolles Hotel in reizvoller Lage
direkt an der Ilmenau, geschmackvolle Einrichtung. Restaurant im
Brasserie-Stil, Schwimmbad, Sauna
und Fitnessstudio im Haus.

Bargenturm
Lambertiplatz, 21335 Lüneburg
Tel. (0 41 31) 70 90, Fax 72 94 99
www.hotel-bargenturm.de
Nahe der Fußgängerzone überzeugt
das Haus mit einem gelungenem Mix
aus Tradition und Moderne. Funktionale Zimmer, schönes Restaurant,
Sauna und Massage.

▶ Günstig
Stumpf
Ringstraße 6,
21409 Lüneburg-Embsen
Tel. (0 41 34) 2 15, Fax 83 43
Gemütliche Zimmer hält dieser
freundliche Gasthof bereit. In der
Stube speisen Sie zwischen einer
Sammlung von historischen Waffen
und Gebrauchsgegenständen.

1745 erbauten Alten Kaufhaus, das eine schöne Barockfassade besitzt,
der bereits 1332 erstmals erwähnte, in seiner heutigen Form aber erst
Ende des 18. Jh.s errichtete Alte Kran. Mit diesem Drehkran wurde
das in Lüneburg gewonnene Salz auf die Transportschiffe verladen.

Museum für das Fürstentum Lüneburg   Entlang der Ilmenau gelangt man von hier, in südlicher Richtung gehend, zum Museum für das Fürstentum Lüneburg. Es zeigt Exponate
zur Archäologie, Regionalgeschichte, kirchlichen Kunst, zu Innungen
und Zünften, ferner bäuerliches Mobiliar.

Im Süden der Innenstadt bildet der mittelalterliche Handelsplatz Am Sande mit seinen Backsteinbauten aus Gotik, Renaissance und Barock ein **einzigartiges Architekturensemble**. Das einstige Brauhaus aus dem Jahr 1548 an der Westseite des Platzes ist heute Sitz der Industrie- und Handelskammer.

★ **Am Sande**

Die fünfschiffige Johanniskirche (13./14. Jh.) beherrscht mit ihrem 108 m hohen Turm den Platz. Im Innern sind der stattliche Hochaltar (1485), das schöne Chorgestühl (1589), verschiedene Grabmäler und die **Orgel** beachtenswert. Letztere stammt aus dem 16. Jh. (im 18. Jh. vergrößert) und ist damit eine der ältesten Deutschlands.

◄ St. Johanniskirche

Westlich vom Platz Am Sande vermittelt das Brauereimuseum einen Eindruck von der 500-jährigen Geschichte der Lüneburger Braukunst. Südlich hat in der Ritterstraße Nr. 10 das Ostpreußische Landesmuseum, das Schausammlungen zur Landeskunde und Kultur Ostpreußens zeigt, seinen Sitz.

◄ Brauereimuseum, Ostpreußisches Landesmuseum

Von hier der Ritterstraße in westlicher Richtung folgend, gelangt man zum Deutschen Salzmuseum auf dem Gelände der ehemaligen Saline, die mehr als 1000 Jahre, nämlich von 956 bis 1976, in Betrieb war. Das Salzmuseum informiert sehr anschaulich über die **Bedingungen der Salzgewinnung** in den verschiedenen Jahrhunderten. Man kann in einen nachgebauten mittelalterlichen Stollen hinabsteigen oder in Bleipfannen selbst Salz sieden.

★ **Deutsches Salzmuseum**

Am Ilmenauhafen von Lüneburg wurde schon im Mittelalter mit dem »Alten Kran« Salz auf Schiffe verladen.

Salztherme Lüneburg (SaLü)

Mit Salz kommt man auch im SaLü, Lüneburgs Salztherme im Kurzentrum, in Berührung. Den Mittelpunkt der Badelandschaft bildet das **Sole-Wellenbad**. Ein Sole-Bewegungsbad, Riesenrutschen, Solarien und eine Saunalandschaft sind weitere Attraktionen.

Michaeliskirche Kalkberg

Am Westrand der Altstadt steht die Michaeliskirche (14.–15. Jh.). Am Fuß des Kalkbergs befindet sich das geologisch interessante Senkungsgebiet über dem Lüneburger Salzstock. Der 57 m hohe Kalkberg (**Naturschutzgebiet**) bietet eine schöne Aussicht.

Umgebung von Lüneburg

✳ Kloster Lüne

Das Kloster Lüne im Norden von Lüneburg wurde 1172 gegründet. Die bis heute erhaltenen Bauten stammen aus dem 14./15. Jh. Seit der Reformation ist das Kloster ein evangelisches Damenstift. Neben Kreuzgang, Refektorium und Klosterkirche kann man eine Zelle besichtigen, die zeigt, wie die Nonnen um 1500 lebten. Seit 1995 ist dem Kloster ein **Teppichmuseum** angegliedert, in dem auch kostbare Stickereien gezeigt werden.

Scharnebeck

Rund 10 km nordöstlich von Lüneburg und 8 km östlich von Bardowick befindet sich am Elbe-Seitenkanal das Schiffshebewerk Scharnebeck, in dem die Schiffe in wassergefüllten Trögen von 100 m Länge, 12 m Breite und 3,50 m Tiefe wie in einem Fahrstuhl einen Höhenunterschied von 38 m überwinden. Es ist das **größte Schiffshebewerk dieser Art in der Welt**.

✳ Lüneburger Heide

Atlasteil: S. 17 • C/D 3/4   **Bundesland:** Niedersachsen

Hauptsaison in der Heide sind die Monate August und September, wenn das Heidekraut blüht. Die schönsten Gebiete dieser faszinierenden Landschaft mit seltsam geformten Wacholderbüschen, von Birken gesäumten Sandwegen und unter Eichen versteckten ziegelroten und strohgedeckten, so genannte Heidjerhöfen sind der Naturschutzpark Lüneburger Heide und der Naturpark Südheide.

Größtes Heidegebiet Deutschlands

Die Lüneburger Heide erstreckt sich zwischen der Aller und der unteren Weser im Südwesten und der Elbe im Nordosten. Die Nord-Süd-Ausdehnung dieses größten Heidegebietes Deutschlands beträgt etwa 110 km, die Ost-West-Ausdehnung zwischen 70 und 130 km.

Die eigentliche Heide hat in den letzten Jahrzehnten an Fläche mehr und mehr verloren. Die früher sehr umfangreiche Imkerei sowie die Zucht des **Heideschafes** (Heidschnucke), das keinen Baumwuchs aufkommen ließ, sind stark zurückgegangen; an ihre Stelle traten

Die Heidschnucke hat sich den besonderen Verhältnissen der Heidelandschaft gut angepasst.

zum Teil Forstwirtschaft, Ackerbau und Industrie (Kieselgur-Gruben, Erdölquellen). Die Randgebiete der Heide, z. B. die Aller- und die Elbmarschen, sind bekannte Pferdezuchtgebiete.

Rundfahrt durch die Lüneburger Heide

Südwestlich von Lüneburg wurde bereits 1921 rund um das typische Heidedorf Wilsede ein etwa 20 000 ha großes Gebiet zum **ersten deutschen Naturschutzpark** erklärt. Er ist für Autos weitgehend gesperrt. Per Pferdekutsche gelangt man von Parkplätzen (z. B. von Undeloh oder Egestorf) nach Wilsede; das Museum »Dat ole Huus« informiert hier über die Heidebauernwirtschaft. Reizvolle Spazierwege

✳
Naturschutzpark Lüneburger Heide

führen zum 169 m hohen Wilseder Berg, der einen weiten Blick über die Heide bzw. in den Totengrund bietet. Durch dieses mit Heide und Wacholder bewachsene Tal wurden Verstorbene von Wilsede nach Bispingen gebracht – daher der Name. Am Nordostrand des Naturschutzgebietes befindet sich bei Hanstedt-Nindorf der **Wildpark Lüneburger Heide** mit über 1000 Tieren, darunter Bären und Elche!

Nächste Station der Heide-Rundfahrt ist Soltau, das südlich des Naturschutzparks liegt. Im Zentrum sind noch einige schöne alte Fachwerkhäuser erhalten.

Soltau

▶ LÜNEBURGER HEIDE ERLEBEN

AUSKUNFT

Lüneburger Heide Tourismus
Barckhausenstraße 35,
21335 Lüneburg
Tel. (0 41 31) 7 37 30, Fax 4 26 06
www.lueneburger-heide.de

ESSEN

▶ Fein & Teuer

Pades Restaurant
Grüne Straße 15, 27283 Verden (Aller)
Tel. (0 42 31) 66 60
In der im Art-déco-Stil eingerichteten
Patriziervilla aus dem 15. Jh. genießen
Sie ausgezeichnete französisch-medi-
terrane Küche mit regionalen Einflüs-
sen. Besondere Würdigung verdient
die Weinkarte. Im dazugehörigen Bis-
tro wird Gutbürgerliches zu zivilen
Preisen aufgetischt.

▶ Erschwinglich

Victoria
Johanniswall, 27283 Verden (Aller)
Tel. (0 42 31) 95 18 13
Hier findet sich für jeden Geschmack
und Geldbeutel etwas Passendes, denn
der hübsche Pavillon vereint Restau-
rant, Bistro, Café, Weinstube und
Imbissbude unter einem Dach!

▶ Preiswert

Arte
Ueckerstraße 9, 29525 Uelzen
Tel. (05 81) 3 89 02 15
Die Umgestaltung des Uelzeners
Bahnhofs war das letzte Projekt des
Wiener Künstlers Friedensreich Hun-
dertwasser. Genießen Sie im fantasie-
vollen Ambiente üppiges Frühstück,
leichte Küche vom Mittagsbüfett oder
Leckereien à la carte am Abend.

Brauhaus Joh. Albrecht
Winsener Straße 34d, 29614 Soltau
Tel. (0 51 91) 97 63 13
Im Gebäude der ehemaligen kaiserli-
chen Reitschule ist heute ein kleines
Brauhaus samt Gaststube unterge-
bracht. Genießen Sie hausgebraute
Bierspezialitäten und deftige Haus-
mannskost.

ÜBERNACHTEN

▶ Komfortabel

Höltje
Obere Straße 13, 27283 Verden (Aller)
Tel. (0 42 31) 89 20, Fax 89 21 11
www.hotelhoeltje.de
Das zeitlos elegante Hotel besticht mit
herzlicher Gastfreundlichkeit, attraktiven Zimmern und einem vorzüglichen Restaurant. Schwimmbad und
Sauna im Haus.

Heidehotel Soltauer Hof
Winsener Straße 109, 29614 Soltau
Tel. (0 51 91) 96 60, Fax 96 64 66
www.soltauer-hof.de
Wunderschöne Hotelanlage aus mehreren teilweise reetgedeckten Häusern,
prachtvoll angelegter Garten, gediegenes Restaurant mit Kaminstube und
Terrasse, Sauna.

▶ Günstig

Haus Petersen
Schlüterberg 1,
29683 Bad Fallingbostel
Tel. (0 51 62) 59 66, Fax 12 62
Charmantes ländliches Hotel, umge-
ben von einem großen Garten, be-
hagliche Zimmer; Schwimmbad und
Sauna im Haus.

Stadt Hamburg
Lüneburger Straße 4, 29525 Uelzen
Tel. (05 81) 9 08 10, Fax 9 08 11 88
www.hotelstadthamburg.de
Zentral in der Einkaufsstraße gelegen,
bietet das kleine Haus solide, preiswerte Zimmer.

Die **wichtigste Attraktion** dieses Gebietes ist jedoch im Norden von Soltau das Freizeit- und Vergnügungszentrum Heide-Park mit Schwebe- und Westerneisenbahn, Wasserrutsche, Mississippi-Dampfer, großem Showprogramm und anderen Attraktionen.

Heide-Park

Südlich von Soltau liegt im Tal der Böhme das **Kneippheilbad** Fallingbostel. Etwa 2 km westlich davon umgibt prächtige Heidelandschaft (Naturschutzgebiet) das Grab und ein Denkmal des Heidedichters Hermann Löns (1866–1914).

Fallingbostel

Walsrode, 10 km westlich von Fallingbostel, ist für seinen sehr großen Vogelpark (22 ha) bekannt. Viele der über 5000 Vögel aus allen Kontinenten und Klimazonen sind in Freiflughallen zu bestaunen.

✱
Vogelpark Walsrode

Ein lohnender Abstecher führt von Walsrode in das knapp 30 km entfernte, am Westrand der Heide gelegene hübsche Städtchen Verden an der Aller. Als **Reiterstadt** ist die alte Bischofs- und einstige Freie Reichsstadt international bekannt.

Verden an der Aller

Im Süden des Zentrums erhebt sich an dem »Lugenstein« genannten Platz der mächtige Dom (1270–1490) mit romanischem Westturm und Kreuzgang. Im Innern der vor 1220 erbauten kleinen St.-Andreaskirche findet man rechts vom Altar die gravierte Messinggrabplatte des Bischofs Yso († 1231), die älteste ihrer Art in Deutschland.

◄ Dom

Vom Lugenstein führt die Große Straße (Fußgängerzone) nördlich zum Rathaus (1730) und zur Johanniskirche, einer ursprünglich romanischen, im 15. Jh. gotisierten Backsteinkirche, in der man sich die schönen mittelalterlichen Wand- und Deckengemälde sowie das Stuckrelief des Jüngsten Gerichts ansehen sollte. Interessant ist ferner ein Besuch im **Pferdemuseum** im Süden der Stadt. Nördlich der Innenstadt liegt der Sachsenhain, wo im Jahre 782 Karl der Große angeblich 4500 der unterworfenen Sachsen hinrichten ließ. Am 2 km langen Rundwanderweg wurden 1934/1935 zur Erinnerung an dieses Massaker 4500 Findlingsblöcke aufgestellt. Am Südrand des Hains kann die Niedersächsische Storch-Pflegestation besichtigt werden.

◄ Johanniskirche

◄ Sachsenhain

! *Baedeker* TIPP

Per Kutsche durch die Heide

Im August und September, wenn die Heide blüht, herrscht Hochbetrieb, dann startet eine Kutsche nach der anderen zur Ausflugsfahrt nach Wilsede. Reizvoll ist die holprige Tour in das malerische Heidedorf jedoch auch zu jeder anderen Jahreszeit. Ausgangspunkte für die Kutschfahrt sind u. a. mehrere Parkplätze an der Straße, die Bispingen mit Nieder- bzw. Oberhaverbeck verbindet.

Safariland Hodenhagen Ein Safaripark mit Freizeitland lockt bei Hodenhagen die Besucher von nah und fern. Von hier folgt man dem Lauf der Aller bis ►Celle.

Naturpark Südheide Nördlich der Stadt Celle erstreckt sich der 50 000 ha große Naturpark Südheide. Weite Heideflächen und Mischwälder bestimmen das Landschaftsbild. Die wohl schönste Ortschaft in diesem Gebiet ist **Müden** am Nordrand des Naturparks. Von hier aus bieten sich zahlreiche Wandermöglichkeiten an, zum Beispiel zum Löns-Denkmal oder ins Örtzetal.

Museumsdorf Hösseringen ► Das Museumsdorf Hösseringen (Landwirtschaftsmuseum Lüneburger Heide) besteht aus **historischen Heidehäusern.**

Uelzen Die einstige Hansestadt Uelzen besitzt als jüngste Attraktion den von Friedensreich Hundertwasser umgestalteten **Bahnhof** von 1847. Sehenswert sind auch das **Rathaus** von 1789/1790 und die **Marienkirche** (1270), in deren Vorhalle das »Goldene Schiff« steht, das Wahrzeichen der Stadt.

Ebstorf Für die Rückfahrt nach Lüneburg nimmt man am besten die reizvolle Nebenroute über Ebstorf. Sehenswert ist hier das um 1160 gegründete Benediktinerinnenkloster. Es bewahrt eine Kopie der um 1300 entstandenen, 1943 aber verbrannten **Ebstorfer Weltkarte.**

✳
Bad Bevensen Alternativ dazu kann man einen Abstecher in den sehr hübschen Kurort Bad Bevensen mit seinem großen Kurpark machen.

✳ Lutherstadt Wittenberg

Atlasteil: S. 29 • D 3   **Bundesland:** Sachsen-Anhalt
Höhe: 65–104 m ü. d. M.   **Einwohnerzahl:** 54 000

Wie der Name schon andeutet, dreht sich in Lutherstadt mehr oder weniger alles um die Reformation, auch alle Sehenswürdigkeiten stehen damit in Verbindung. Als Wiege der lutherischen Reformationsbewegung war die alte Universitätsstadt im 16. Jh. ein geistiges und kulturelles Zentrum von europäischer Bedeutung, das die gelehrtesten Köpfe dieser Zeit und Studenten aus aller Herren Länder anzog.

Geschichte Das 1180 erstmals erwähnte Wittenberg erhielt 1293 das Stadtrecht. Seit 1422 Residenz der sächsischen Kurfürsten aus dem Hause Wettin, blühte es ab 1486 unter Kurfürst Friedrich dem Weisen auf, der mit der Gründung der **ersten landesfürstlichen deutschen Universität** im Jahr 1502 die Stadt zu einem geistigen Zentrum Deutschlands machte.

▶ LUTHERSTADT WITTENBERG ERLEBEN

AUSKUNFT

Wittenberg-Information
Schlossplatz 2,
06886 Lutherstadt Wittenberg
Tel. (0 34 91) 49 86 10, Fax 49 86 11
www.wittenberg.de

»TRABI-ABI«

Wessis können erfahren, wie es war, und Ossis können sich nostalgischen Gefühlen hingeben beim »Trabi-Abitur«, das für größere Reisegruppen angeboten wird. Bei einer Fahrt durch einen Parcours mit den mittlerweile legendären Rennpappen aus Zwickau muss man u. a. mit verbundenen Augen Slalom fahren nach den Anweisungen des Beifahrers. Auf der »Trabi-Safari« machen sich Team zu zweit oder zu dritt mit dem Trabi auf eine Orientierungsfahrt rund um Wittenberg. Auch ein simples Mieten eines Trabis für einen Tag ist möglich (Information: Tel. 0 34 91/66 01 95).

ESSEN
▶ Erschwinglich
Klabautermann
Dessauer Straße 93, 06886 Wittenberg-Piesteritz, Tel. (0 34 91) 66 21 49
Wie der Name vermuten lässt, sind Fischgerichte die Spezialität des eleganten Restaurants mit seinem maritimen Dekor.

▶ Preiswert
Brauhaus Wittenberg
Markt 6, 06886 Wittenberg
Tel. (0 34 91) 43 31 30
In urigem Ambiente wird deftige, gutbürgerliche Küche serviert.

ÜBERNACHTEN
▶ Komfortabel
Stadtpalais Wittenberg
Collegienstraße 56, 06886 Wittenberg
Tel. (0 34 91) 42 50, Fax 42 51 00
www.stadtpalais.bestwestern.de
Gediegenes Hotel neben dem Melanchton-Haus mit schöner klassizistischer Fassade. Gemütliche Zimmer, elegantes Restaurant.

▶ Günstig
Schwarzer Baer
Schlossstraße 2, 06886 Wittenberg
Tel. (0 34 91) 4 20 43 44, Fax 4 20 43 45
www.stadthotel-wittenberg.de
Traditionsreiches Haus in der Altstadt, schöne, aufwändig restaurierte Zimmer mit zeitgemäßer Ausstattung.

Grüne Tanne
Am Teich 1, 06886 Wittenberg
Tel. (0 34 91) 62 90, Fax 62 92 50
www.gruenetanne.de
Historischer Landgasthof, sehr ruhig am Stadtrand gelegen, freundliche Zimmer, schöner Garten, Restaurant.

1508 kam Martin Luther (1483–1546) als Augustinermönch an die Universität, an der er ab 1512 Theologie lehrte. Mit seinen berühmten 95 Thesen kämpfte er 1517 gegen die Ablasswirtschaft und bestehende kirchliche Verhältnisse. Durch ihn wurde Wittenberg zum Ausgangspunkt der Reformation, mitgetragen von bedeutenden Persönlichkeiten wie Philipp Melanchthon, Johann Bugenhagen, Justus Jonas und dem Maler Lucas Cranach d. Ä. Mit der Verlegung der Residenz nach Dresden, dem Tod Luthers 1546 und dem Übergang an das albertinische Sachsen 1547 war der Höhepunkt der Stadtentwicklung überschritten. 1997 erklärte UNESCO die Luther-Gedenkstätten Wittenbergs zum **Weltkulturerbe** der Menschheit.

Sehenswertes in Lutherstadt Wittenberg

✷✷
Lutherhaus
Das Haus, in dem Martin Luther von 1508 bis 1546 wohnte, liegt am Beginn der Collegienstraße und ist heute Teil des 1564–1583 errichteten Augusteums. Es entstand 1504 als Bettelordenshaus der Augustiner-Eremiten und wurde 1566 umgebaut; zwischen 1844 und 1900 wurde es nach Plänen von Friedrich August Stüler und Franz Schwechten umgestaltet und als **reformationsgeschichtliches Museum** eingerichtet. Man betritt das Haus durch das Katharinenportal, das Luthers Frau Katharina ihm 1540 zum Geburtstag schenkte. Ausgestellt sind in seiner original erhaltenen Wohn- und Arbeitsstätte (Lutherstube) Schriften, Drucke, Münzen, Luthers Universitätskatheder, die Lutherkanzel aus der Stadtkirche St. Marien und wertvolle Gemälde (Öffnungszeiten: April bis Sept. Di. bis So. 9.00–18.00, Okt. bis März Di. bis So. 10.00–17.00 Uhr).

✷
Melanchthon-haus
Wenige Schritte weiter kommt man zum Melanchthonhaus (1536), dem Wohn- und Sterbehaus des **engsten Mitarbeiters Luthers**, Philipp Melanchthon (eigtl. Schwarzerdt, 1497–1560). Heute ist das jüngst renovierte Haus Gedenkstätte für den »Praeceptor Germa-

Martin Luther soll seine 95 Thesen am 31. Oktober 1517 an die Kirchentür der Wittenberger Schlosskirche geheftet haben.

niae« (»Lehrer Deutschlands«), der auf audiovisuelle Weise auch »selbst« in Erscheinung tritt; Teile des Hausgartens wie ein Röhrbrunnen, ein Steintisch oder der Gewürz- und Kräutergarten stammen noch aus dem 16. Jh.

Vorbei an der Fridericianums-Kaserne, dem einstigen Hauptgebäude der Universität, geht man nun zum Markt, der in großen Teilen noch den **Geist der Renaissance** atmet. Den Platz zieren der Marktbrunnen von 1617 und die Bronzedenkmäler der Reformatoren Martin Luther (1821) von Gottfried Schadow und Philipp Melanchthon (1860) von Friedrich Drake unter eisernen Baldachinen von Karl Friedrich Schinkel bzw. Johann Heinrich Strack.

★ Markt

Das markante Rathaus (1524–1540) zeichnet sich durch vier Renaissancegiebel, spätgotische Fenster, einen 1573 geschaffenen Altan und reichen figürlichen Schmuck aus.

★ ◀ Rathaus

Die Ecke zur Schlossstraße nimmt das imposant große Cranachhaus ein, in dem **Lucas Cranach d. Ä.** 1505–1547 lebte. Er war zeitweise Hofmaler Friedrichs des Weisen, Apotheker, später Bürgermeister von Wittenberg und ein Freund Martin Luthers. In seinem Haus mit über 80 Zimmern fanden eine Malschule, eine Apotheke und eine Druckerei im Vorderhaus, in der alle wichtigen Schriften der Reformation gedruckt worden sind, Platz.

◀ Cranachhaus

Die dreischiffige gotische Stadtkirche St. Marien (13.–15. Jh.) gilt als **Predigtkirche Luthers**. Ihre beiden spitzen Turmhelme wurden abgetragen und 1558 im Renaissancestil als achteckige Turmhäuser neu gebaut, die Turmbrücke 1656 hinzugefügt. Im Inneren befinden sich der dreiflügelige, von Lucas Cranach d. Ä. und seinem Sohn geschaffene Reformationsaltar (1547), auf dem die Hauptakteure der Reformation verewigt sind; weiterhin das kunstvolle Taufbecken aus Bronze (1457) von Hermann Vischer, Gemälde von Lucas Cranach d. J., Renaissance-Epitaphien und Grabmäler, darunter diejenigen des Reformators Johannes Bugenhagen († 1585), von Lucas Cranach d. J. († 1586) und von Paul Eber († 1559).

★ Stadtkirche St. Marien

Bei der Kirche steht die Kapelle zum Heiligen Leichnam (1377), die im Stil der **Backsteingotik** errichtet wurde; an der Ecke Jüdenstraße wohnte Johannes Bugenhagen.

Kapelle zum Heiligen Leichnam

Die Schlossstraße hinauf spaziert man zum Schlossplatz mit der spätgotischen Schlosskirche, deren markanter Turm mit seinem neogotischen, kronenähnlichen Aufsatz die Stadtsilhouette bestimmt. Die Kirche, um 1500 von Conrad Pflüger begonnen und im Siebenjährigen Krieg zerstört, ist um 1850 und dann 1883–1892 von Johann Heinrich Friedrich Adler als **Gedächtniskirche der Reformation** um- und neu gebaut worden. Sie ist eng mit dem Beginn der Reformation verbunden, denn an ihre – 1760 verbrannte – Holztür soll der Mönch Martin Luther im Oktober 1517 seine 95 Thesen angeschla-

★ Schlosskirche

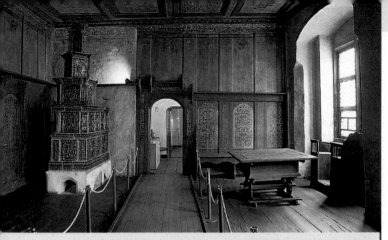

In der Lutherstube hat der Reformator zwischen 1508 und 1546 gelebt und gearbeitet.

gen haben. Diese kann man nun auf der 1858 eingesetzten bronzenen Thesentür nachlesen. In der Schlosskirche sind die Kurfürsten Friedrich der Weise in einem Epitaph (1527) des Nürnberger Bronzegießers Peter Vischer d. J. und Johann der Beständige in einem ähnlichen Grabmal (1532) von Peters Bruder Hans begraben; die **Alabasterstatuen** der beiden Fürsten entstanden 1532. Schlichte Gedenktafeln bezeichnen die Gräber Luthers und Melanchthons, die gemeinsam mit anderen Reformatoren als lebensgroße Figuren an den Kirchensäulen aufragen.

Schloss Die Kirche ist verbunden mit dem einstigen kurfürstlichen Residenzschloss (1490–1525), das im Siebenjährigen Krieg beschädigt wurde und beim Umbau zur **Festung** sein spätgotisches Aussehen verlor. Erhalten sind noch zwei Treppenaufgänge, Altane und der wehrhafte Eckturm. Im Schloss befinden sich das Museum für Natur- und Völkerkunde »Julius Riemer« und das Stadtarchiv.

Umgebung Lutherstadt Wittenberg

Kemberg Das 13 km südlich gelegene Kemberg besitzt noch eine Stadtmauer aus dem 15. Jh. und manch prächtiges Bürgerhaus aus dem 17. und 18. Jh. Das Rathaus (15. Jh.) am Markt zeichnet sich durch seine schöne Freitreppe und eine Eingangslaube von 1609 aus. Die große, im 15. Jh. erbaute Pfarrkirche erhielt 1859 einen von Friedrich August Stüler entworfenen Turm und besitzt einen Flügelaltar von Lucas Cranach dem Jüngeren.

Pretzsch Ein Abstecher zum 20 km südöstlich von Wittenberg liegenden **Eisenmoorbad** Pretzsch führt auch zum stattlichen Renaissanceschloss aus dem Jahr 1574 mit dem unter Mitwirkung des Dresdner Zwingerbaumeisters Daniel Pöppelmann barock gestalteten Schlosspark, der heute als Kurpark dient. Weitere Sehenswürdigkeiten sind das Rathaus aus dem 18. Jh. und die spätgotische Stadtkirche, ein flachgedeckter Saalbau mit reicher barocker Ausstattung und Hofloge.

✱
Bad
Schmiedeberg

Das Stadtbild von Bad Schmiedeberg wird durch die Bebauung der gekrümmten Hauptstraße mit Wohnhäusern des 16. bis 18. Jh.s geprägt, darunter auch einige **Renaissancegebäude** mit Sitznischenportalen. Das Rathaus, ursprünglich ein Renaissancebau von 1570, wurde nach der Zerstörung im Dreißigjährigen Krieg im Barockstil 1661–1663 neu erbaut und weist zwei asymmetrisch angeordnete Portale mit Diamantquaderung auf. Die im 15. Jh. errichtete und im 18. Jh. barock umgestaltete Stadtkirche bewahrt u. a. eine Altarwand aus dem Jahr 1680 und ein Pfarrgestühl aus der Leipziger Werkstatt.

◄ **Wasserschloss Reinharz**

Westlich außerhalb von Bad Schmiedeberg liegt das Wasserschloss Reinharz, erbaut von 1696 bis 1701, das durch seinen 68 m hohen Turm auffällt. Der frühere Besitzer Hans Löser fertigte **astronomische Instrumente**, die man heute im Mathematisch-Physikalischen Salon im Zwinger von ►Dresden bewundern kann.

Dübener Heide

Nordwestlich und südöstlich von Bad Schmiedeberg erstreckt sich bis nach Sachsen in die Gegend von ►Torgau und Bad Düben hinein die **Wald- und Seenlandschaft** der Dübener Heide.

Ziesar

Seit dem Jahr 1214 ist die **Burg von Ziesar** mit ihrem weithin sichtbaren Bergfried und dem Storchenturm (15. Jh.) bezeugt. Sie liegt ca. 56 km nordwestlich von Wittenberg. Von 1327 bis 1560 diente sie als Residenz der brandenburgischen Bischöfe. Die Klosterkirche ist eine der ältesten erhaltenen Kirchen östlich der Elbe.

Fläming

Der Fläming bildet den mittleren Teil des Südlichen Landrückens, der von der Altmark im Nordwesten bis zum Lausitzer Höhenzug im Südosten reicht. Über 100 km lang und bis zu 50 km breit ist die abwechselnd hügelige und ebene Landschaft, die hauptsächlich mit Kiefernwäldern bedeckt ist. Sehenswerte Reiseziele im Hohen Fläming sind neben dem Hagelberg mit seinem Denkmal zur Erinnerung an ein Gefecht 1813 gegen Napoleon die Städte Belzig und Wiesenburg. Im Niederen Fläming empfiehlt sich als Reiseziel Jüterbog, wo vor allem die Kirche St. Nikolai (13. Jh.) mit ihren mittelalterlichen Ausstattungsstücken von Bedeutung ist. Eine echte touristische Attraktion ist das frühere **Zisterzienserkloster Zinna** in der Nähe von Jüterbog. Die in diesem 1170 gestifteten Kloster bei Restaurierungsarbeiten freigelegten Fresken werden zu den schönsten gotischen Wandgemälden in Deutschland gerechnet.

◄ **Hoher Fläming**

◄ **Niederer Fläming**

❗ *Baedeker* TIPP

Freie Fahrt!

Wovon Inline-Skater träumen, ist im Fläming verwirklicht: Rund um Jüterbog führt Deutschlands längste Skaterbahn. 100 km freie Fahrt! (www.flaeming-skate.de)

Magdeburg

Atlasteil: S. 28 • B 2/3
Bundesland: Hauptstadt des
Bundeslandes Sachsen-Anhalt

Höhe: 50 m ü. d. M.
Einwohnerzahl: 227 000

Magdeburg, eine wichtige Hafenstadt am Wasserstraßenkreuz Mittellandkanal, wurde als Wirkungsstätte des Naturforschers Otto von Guericke (1602–1686) und als Geburtsort des Musikers Georg Philipp Telemann (1681–1767) bekannt. Das Stadtbild ist heute in großen Teilen von gewaltigen, blockhaften Bauten sozialistischer Stadtplanung geprägt, wobei es freilich auch einige Prachtbauten aus vergangenen Zeiten gibt, wie Rathaus und Dom.

Geschichte   Der 805 erstmals erwähnte Handelsplatz wurde 968 Sitz eines Erzbischofs und damit Zentrum der Slawenmission. Trotz ständiger Kontroversen mit der klerikalen Obrigkeit gelang es den Bürgern, Freiheiten zu bewahren, die als **»Magdeburger Recht«** Vorbild für viele Städteverfassungen wurden. Während der Reformation wurde Mag-

Magdeburg Orientierung

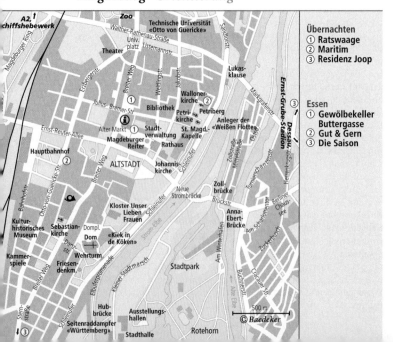

Übernachten
① Ratswaage
② Maritim
③ Residenz Joop

Essen
① Gewölbekeller
   Buttergasse
② Gut & Gern
③ Die Saison

© Baedeker

deburg protestantisch. 1631, im Dreißigjährigen Krieg, zerstörten die Truppen Tillys die Stadt fast völlig. Zu dieser Zeit war Otto von Guericke Ratsherr und ab 1646 Bürgermeister, der seine Stadt als Gesandter mit diplomatischem Geschick auf dem Osnabrücker Friedenskongress vertrat. Bekannt wurde Guericke vor allem als Physiker durch seine Experimente mit Luftdruck und Vakuum. Die Industrialisierung setzte im 19. Jh. mit der Entwicklung von Schiffs- und später von Maschinenbaubetrieben ein. Die wenigen nach dem verheerenden Bombenangriff vom 16. Januar 1945 erhaltenen Architekturdenkmale dokumentieren die Unterteilung der Stadt in die Domäne des Klerus und die sehr viel größere des Bürgertums.

Domplatz

Die Geistlichkeit hatte ihr Zentrum im Süden der Innenstadt um den Domplatz. Dessen Südseite beherrscht der 1209–1520 erbaute Dom St. Mauritius und St. Katharina, eine dreischiffige Basilika mit Chorumgangskapellen und Kreuzganganlage. Sie ist die **erste gotisch konzipierte Kathedrale** auf deutschem Boden.

✱ **Dom**

Im Chor befindet sich das Grab Kaiser Ottos I. Vom ottonischen Vorgängerbau (955–1207) sind noch Fundamentreste (vom Kreuzgang aus zugänglich), Säulen und der südliche Kreuzgang vorhanden. Bronzegrabplatten (12. Jh.), spätromanische Kapitellfriese im Chorumgang, ausdrucksstarke Sandsteinskulpturen des 13. Jh.s und ein

Das Kloster Unser Lieben Frauen ist heute Kunstraum.

Chorgestühl mit Miserikordien (1363) gehören zur reichen Ausstattung der Kathedrale. Kanzel und Epitaphien sind qualitätvolle Renaissancewerke. An der Paradiespforte im Norden stellen die Skulpturen der klugen und der törichten Jungfrauen (um 1245) ein schönes Beispiel für die gotische Bildhauerkunst dar.

Bebauung am Domplatz

Am Domplatz sind Magdeburgs **ältestes erhaltenes Wohnhaus** (um 1600), Teile der Stadtmauer sowie Barockhäuser rekonstruiert worden. Letztere nutzen Landtag und Regierung von Sachsen-Anhalt.

✳

Kloster Unserer Lieben Frauen

Nördlich schließt an den Domplatz der Komplex des Klosters Unserer Lieben Frauen an, das **älteste erhaltene Bauwerk der Stadt**. Die Klosterkirche (um 1064–1230) dient heute als Konzerthalle. Im 1135–1150 angelegten Klausurtrakt mit Kreuzgang, Brunnenhaus, Kapelle und Refektorium sind Ausstellungen zu sehen, u. a. Kleinplastiken und Holzplastiken aus früheren Epochen.

Alter Markt

Rathaus

Der repräsentativste Bauzeuge im einstigen **Bürgerbezirk** ist das Rathaus an der Ostseite des Alten Marktes. Der zweigeschossige Bau wurde 1691–1698 im Barockstil errichtet. Im Nordteil des Gebäudes, u. a. im Ratskeller, sind Gewölbe aus dem 12./13. Jh. erhalten.

? WUSSTEN SIE SCHON …?

■ dass der Magdeburger Reiter als das älteste freistehende nachantike Reiterstandbild auf deutschem Boden gilt?

Vor dem Rathaus steht der um 1240 geschaffene **Magdeburger Reiter**, die kunsthistorisch bedeutendste Sehenswürdigkeit auf dem Alten Markt. 1966 wurde das Kunstwerk durch eine Kopie ersetzt; das Original befindet sich heute im Kulturhistorischen Museum der Stadt (Otto-von-Guericke-Straße 68–73).

✳

Weinkeller Buttergasse

Romanischen Ursprungs sind auch die Räume des Weinkellers Buttergasse in der Nordwestecke des Marktes. Vermutlich gehörten sie zum Untergeschoss des alten **Innungshauses der Gerber**.

Bürgerhäuser

Von den einst zahlreichen barocken Bürgerhäusern am und um den Markt blieben nur zwei (Breiter Weg 178 und 179) unzerstört; beide entstanden um das Jahr 1728.

Denkmäler und Johanniskirche

In der Nähe des Rathauses erinnern drei Denkmäler an berühmte Personen: an Doktor Eisenbart, an Otto von Guericke sowie an den Reformator Martin Luther. Die wieder aufgebaute spätgotische Johanniskirche, die nun für Veranstaltungen genutzt wird, wurde jahrzehntelang als Ruine belassen – als Mahnmal des Bombeninfernos von 1945.

▶ MAGDEBURG ERLEBEN

AUSKUNFT

Tourist-Information
Ernst-Reuter-Allee 12
39104 Magdeburg
Tel. (03 91) 5 40 49 04, Fax 5 40 49 00
www.magdeburg-tourist.de

ESSEN

▶ Fein & Teuer

③ *Die Saison*
Herrenkrug 3 (im Parkhotel
Herrenkrug)
39114 Magdeburg
Tel. (03 91) 8 50 80
Wunderschönes Jugendstilrestaurant,
1887 mit einer einzigartigen Holz-
deckenkonstruktion erbaut. Hervorragende und allseits gelobte
mediterrane Gourmetküche.

▶ Preiswert

② *Gut & Gern*
Wallonenberg 5, 39104 Magdeburg
Tel. (03 91) 5 31 33 15
Modern eingerichtetes »Bier- und
Weingasthaus« mit üppiger italienisch
angehauchter Speisekarte.

① *Gewölbekeller Buttergasse*
Alter Markt 13, 39104 Magdeburg
Tel. (03 91) 6 62 56 66
Über 800 Jahre alter Gewölbekeller,
mit regionalen Spezialitäten und
bayerischen Schmankerln.

ÜBERNACHTEN

▶ Luxus

② *Maritim*
Otto-von-Guericke-Straße 87,
39104 Magdeburg
Tel. (03 91) 5 94 90, Fax 5949990
www.maritim.de
Zentrales, komfortables Stadthotel
mit eindrucksvollem Atrium, elegante
wie moderne Ausstattung in den
Zimmern, Restaurant, Schwimmbad,
Sauna und Fitnessstudio.

▶ Komfortabel

③ *Residenz Joop*
Jean-Burger-Straße 16
39112 Magdeburg
Tel. (03 91) 6 26 20, Fax 6 26 21 00
www.residenzjoop.de
Schmucke Villa von 1903, liebevoll
eingerichtete Zimmer mit zeitgemäßem Komfort. Absolut empfehlenswert!

① *Ratswaage*
Ratswaageplatz 1, 39104 Magdeburg
Tel. (03 91) 5 92 60, Fax 5 61 96 15
www.ratswaage.de
1994 wurde der unter Denkmalschutz
stehende Altbau umfassend saniert
und erweitert, alle Zimmer bieten
zeitgemäßen Komfort, Restaurant mit
schöner Gartenterrasse, Schwimmbad
und Sauna im Haus.

Weitere Sehenswürdigkeiten in Magdeburg

Besonders gemütlich schlendert's sich vom **Lukasturm** aus entlang
des linken Elbufers. Dieser Turm wurde als Teil einer einstigen Bas-
tion Preußens gebaut.   **Elbufer-
promenade**

Im oberen Teil der Promenade erheben sich auf dem Petriberg drei
interessante Bauten: die Wallonerkirche (14. Jh.), eine ehemalige   **Petriberg**

! Baedeker TIPP

Schiffshebewerk

Eine Rundfahrt auf dem Wasser mit der Weißen Flotte Magdeburg zum Schiffshebewerk Rothensee (14 km nördlich von Magdeburg) ist ein nicht alltägliches Erlebnis. Das 1938 vollendete Hebewerk gilt noch heute als technisches Meisterwerk. 2003 wurde hier die längste Trogbrücke Europas über die Elbe für den Verkehr freigegeben.

Klosterkirche, die **Petrikirche** (um 1380 bis Ende 15. Jh.) mit einem romanischen Westturm und, gleich benachbart, die Magdalenenkapelle, die 1315 in vollendeter Hochgotik erbaut wurde.

Am östlichen Elbufer, eingerahmt von Stromelbe und Alter Elbe, bietet der **Stadtpark Rotehorn** mit seinen weitläufigen Grünanlagen und Freizeiteinrichtungen vielfältige Möglichkeiten zur Erholung. Um die architektonische Dominante der 1927 eingeweihten **Stadthalle** gruppieren sich das Pferdetor (Entwurf von Albinmüller) und der Aussichtsturm (mit Café). In der Nähe liegt auch der zum Museums- und Gaststättenschiff umgebaute Seitenradschleppdampfer »Württemberg«.

Elbauenpark Zwischen Cracauer Anker und Herrenkrug erstreckt sich das ehem. BUGA-Gelände mit dem 60 m hohen hölzernen Jahrtausendturm, in dem eine interaktive Ausstellung zu Wissenschaft und Technik untergebracht ist.

Magdeburger Börde Von der **enormen Fruchtbarkeit** der Magdeburger Börde, westlich von Magdeburg, zeugen viele Äcker mit Weizen und Zuckerrüben.

✳ Maintal

Atlasteil: S. 44/45 • A–D 1–3 und S. 46 • A/B 1/2

Bundesländer: Bayern, Baden-Württemberg und Hessen

Entlang des Maintals, besonders zwischen Miltenberg und Volkach reihen sich mehrere charmante Städtchen, in denen einiges geboten ist: Burgruinen, mit ehrwürdigen Fachwerkhäusern gesäumte Marktplätze, alte Stadtmauern und natürlich der traditionsreiche fränkische Wein. Besonders reizvoll ist die Fahrt am Main entlang entweder auf dem Maintal-Radweg oder per Schiff.

Verlauf des Mains In seinem Ober- und Mittellauf fließt der windungsreiche Main durch das **Frankenland**. Er hat zwei Quellflüsse: den Weißen Main, der im ►Fichtelgebirge entspringt, und den Roten Main, der aus der Fränkischen Alb (► Fränkische Schweiz) kommt. Unterhalb von Kulmbach vereinigen sich die beiden Flussläufe, fließen über Aschaffenburg und Frankfurt weiter nach Westen und münden schließlich unterhalb von Rüsselsheim in den Rhein.

Im Frankenland hat der Weinbau seit jeher Bedeutung. Das Haupt-
weinbaugebiet liegt im Maindreieck um Würzburg, aber auch am
Westhang des Steigerwalds und an der Frankenhöhe wird viel Weinbau betrieben. Die fränkischen Weißweine genießen traditionell einen guten Ruf. Besonders gute Weine gedeihen bei Würzburg, bei
Randersacker, in Escherndorf, bei Iphofen (»Julius-Echter-Berg«), in
Rödelsee und Volkach. Mit dem bauchigen **»Bocksbeutel«** haben
sich die Winzer ein unverkennbares Markenzeichen geschaffen.

✶
Weinbau

Von Frankfurt durch das Maintal nach Kulmbach

Von ►Frankfurt am Main gelangt man auf der B 8 oder auf der Autobahn nach ►Aschaffenburg, von wo man dem linken Flussufer
aufwärts folgt. Bei Großwallstadt befindet sich eine Staustufe; am gegenüber liegenden Ufer des Mains steht in Kleinwallstadt eine eindrucksvolle Rokokokirche.

**Von Frankfurt
nach
Kleinwallstadt**

Obernburg, an der Stelle eines einstigen Römerkastells gelegen, betritt man meistens durch eines der **alten Stadttore**. Einen Besuch
lohnt auch das Museum im »Römerhaus«.

Obernburg

Hier in Klingenberg sollten Sie überlegen, zu übernachten, denn das
Städtchen ist vor allem wegen seines Rotweins bekannt. Den Ort
überragt majestätisch die Burgruine Klingenburg.

Klingenberg

In Kleinheubach residierten in der barocken Anlage des ehemaligen
Schlosses die **Fürsten zu Löwenstein**. Am anderen Ufer liegt Groß-
heubach, wo das Kloster Engelberg mit seiner barocken Wallfahrtskirche beachtenswert ist.

Kleinheubach

Besonders an der »Mainschleife« genannten Strecke zwischen Miltenberg und Volkach findet man viele ansprechende Orte. Der Erste
in dieser Reihe ist die kleine unterfränkische Stadt Miltenberg mit ihren noch von Mauern mit Tortürmen umschlossenen Fachwerkgas-
sen. Sie liegt reizvoll im Maintal zwischen Odenwald und Spessart.
Nacheinander gehörte die Stadt zum Erzstift Mainz, zu Leiningen,
Baden und Hessen und seit 1816 zu Bayern.
Den stimmungsvollen Marktplatz schmückt der Marktbrunnen, der
1583 von dem Miltenberger Bildhauer Michael Junker aus rotem
Sandstein geschaffen wurde. In der ehemaligen Amtskellerei, einem
schönen Fachwerkhaus am Markt, befindet sich das Städtische Museum. An der Hauptstraße steht das Gasthaus »Riesen«, ein Fachwerkbau von 1590, in dem in früheren Zeiten viele Fürsten Aufnahme fanden, sodass es den Beinamen **»Fürstenherberge«** erhielt. In
der Nähe des Gasthofs erinnern der Judenfriedhof und die alte Synagoge an die jüdischen Bürger von Miltenberg.
Das Ortsbild von Miltenberg prägen nicht zuletzt die Stadttore. Am
Ostende der Hauptstraße steht das Würzburger Tor (1379) mit ei-

✶
Miltenberg

Von den Türmen der Miltenberger Pfarrkirche aus kann man den Schiffen auf der Mainschleife hinterherwinken.

nem sechsgeschossigen Turm. Im Westen der Stadt findet man das Mainzer Tor, auch »Spitzer Turm« genannt, das 1379 erstmals als westlichster Begrenzungspunkt erwähnt wird. Das Schwertfeger Tor bildet den Abschluss der Westvorstadt.

Mildenburg ▶ Über der Stadt liegt auf dem nördlichen Vorsprung des Greinbergs die Mildenburg (13.–16. Jh.). Der aus Buckelquadern erbaute Bergfried ist der älteste Teil der Burganlage. Neben der außerordentlich **schönen Aussicht** auf die Stadt bietet die Burg sehenswerte Steindenkmäler im Burghof.

Stadtprozelten Der Weg verläuft weiter am südlichen Flussufer entlang. Von Mondfeld führt eine Fähre zum gegenüberliegenden Städtchen Stadtprozelten, das von der mächtigen Ruine der Henneburg überragt wird.

✳ An der Mündung der Tauber in den Main liegt die kleine Stadt Wert-
Wertheim heim. Am Marktplatz stehen schöne Fachwerkbauten. Beachtung verdient die gotische Pfarrkirche, in deren Chor sich Grabmäler der **Grafen von Wertheim** (15.–18. Jh.) befinden. Sehenswert ist ferner das Glasmuseum. Über der Stadt erhebt sich auf einem Bergsporn die große Burg Wertheim. Die Strecke durch das Maintal folgt weiterhin dem linken Flussufer.

Marktheidenfeld Die Brücke von Marktheidenfeld verbindet das fränkische Weinland mit dem ▶ Spessart. Besonders eindrucksvoll in dem ansprechenden Ortskern wirkt ein 1745 erbautes Patrizierhaus, das mit Stuckaturen und schönen Deckengemälden geschmückt ist. In der Nähe der Stadt erstreckt sich der **romantische Istelgrund**, neben der Welzbachschlucht ein beliebtes Wanderziel in dieser Gegend.

An Rothenfels mit seiner Burg vorbei erreicht man die durch Fachwerkbauten geprägte Stadt Lohr. Bemerkenswert sind in St. Michael die Grabmäler der Grafen von Rieneck, der Kreuzaltar im nördlichen Seitenschiff und die Kanzel, eine Arbeit des Karlstadter Bildhauers Georg Schäfer (1804). Am Marktplatz steht das große Renaissance-Rathaus, nordwestlich das ehemals kurmainzische Schloss (16. Jh.) mit dem **Spessartmuseum**. Dieses informiert über die Kulturgeschichte des Spessartraums und besitzt die größte Sammlung von Prunkspiegeln (18. Jh.) aus der Lohrer Glasmanufaktur, ferner Keramik und Gläser des 15.–19. Jh.s.

Lohr

> ## ! Baedeker TIPP
>
> ### Karfreitag in Lohr
>
> Lohr ist eine der wenigen deutschen Städte, in denen noch eine Karfreitagsprozession durchgeführt wird. Auf dem Zug durch die Straßen tragen die Männer Passionsfiguren, die die Handwerkerzünfte hergestellt haben. Die 1656 erstmals erwähnte Prozession ist ein seltenes Beispiel tiefer Volksfrömmigkeit geworden.

An der Einmündung der Fränkischen Saale und des Sinn in den Main liegt Gemünden, das daher den Beinamen »Fränkische Dreiflüssestadt« hat. Einst schützte den Ort die Scherenburg, deren Ruine auf einer Bergzunge zwischen Main und Saale thront. Im Huttenschlösschen ist das **Unterfränkische Verkehrsmuseum** untergebracht.

Gemünden

Die kleine Stadt ist Geburtsort des entschiedenen Reformators Andreas Rudolf Bodenstein (genannt Karlstadt; 1486–1541), der mit seiner Schrift »Vom Abtun der Bilder« den **Bildersturm** (1521/1522) einleitete. Am Markt fällt das Rathaus, 1422 erbaut, mit dem Staffelgiebel auf. Die Pfarrkirche St. Andreas aus dem 14./15. Jh. birgt eine Statue des hl. Nikolaus, geschaffen von Tilman Riemenschneider.

✶ Karlstadt

Über ►Würzburg geht es weiter nach Ochsenfurt. Das Bild der kleinen Stadt prägen das stattliche Rathaus aus dem Mittelalter mit seiner Freitreppe und viele Fachwerkbauten. Beachtenswert sind in der gotischen Pfarrkirche das Bronze-Taufbecken und das Sakramentshaus aus der Werkstatt von Adam Krafft. Im **Stadtmuseum mit dem Schwerpunkt Trachten** (lebensgroße Puppen und Einzelstücke der Ochsenfurter Gautracht) verdienen besonders eine 2200 Jahre alte Goldmünze mit dem Kopf Philipps von Makedonien und ein kostbarer Messeimer aus Bronze die Aufmerksamkeit des Besuchers.

Ochsenfurt

Einst war die unterfränkische Stadt Marktbreit, die an der Mündung des Breitbachs in den Main liegt, durch die Schifffahrt auf dem Main und den Kaffeehandel wohlhabend. Am Fluss sieht man den Mainkran von 1784. Neben der spätgotischen Nikolauskirche, dem Rathaus und den barocken Bürgerhäusern sollte man das ehemalige Schloss der Grafen von Seinsheim, einen Renaissancebau von 1580, nicht verpassen. Auf dem Kapellenberg bei Marktbreit wurde 1986 ein **römisches Legionärslager** entdeckt.

Marktbreit

● MAINTAL ERLEBEN

AUSKUNFT

Tourismusverband Franken
Postfach 440453, 90209 Nürnberg
Tel. (09 11) 94 15 10, Fax 9 41 51 10
www.frankentourismus.de

Hessen Touristik Service e.V.
Abraham-Lincoln-Straße 38
65189 Wiesbaden
Tel. (06 11) 7 78 80 21, Fax 77 88 21 40
www.hessen-tourismus.de

ESSEN

► Fein & Teuer
Philipp
Hauptstraße 12
97286 Sommerhausen bei Ochsenfurt
Tel. (0 93 33) 9 73 00
Kleines, geschmackvolles Restaurant
in bildschönem Renaissance-Fach-
werkhaus, kreative Gourmetküche.

► Erschwinglich
Brauerei Keller
Hauptstraße 66, 63897 Miltenberg
Tel. (0 93 71) 50 80
Der Traditions-Gasthof aus dem Jahr
1590 bietet regionale Küche und
gepflegte Zimmer.

Gasthaus Zur Krone
Bocksbeutelstraße 1
97332 Volkach-Escherndorf
Tel. (0 93 81) 28 50
Gehobene deutsche Küche in char-
mantem ländlichen Restaurant.

► Preiswert
Bestenheider Stuben
Breslauer Straße 1
97877 Wertheim-Bestenheid
Tel. (0 93 42) 9 65 40
Hübscher Landgasthof mit Holzfas-
sade, für bodenständige Küche und
gemütliche Gästezimmer bekannt.

ÜBERNACHTEN

► Komfortabel
Wald- und Sporthotel Polisina
Marktbreiter Straße 265
97199 Ochsenfurt
Tel. (0 93 31) 84 40, Fax 76 03
www.polisina.de
Großzügiges Hotel im Landhausstil
vor den Toren der Stadt, rustikale
Zimmer im Altbau, zeitgemäße im
Neubau, behagliches Restaurant, um-
fangreicher Freizeitbereich.

Baedeker-Empfehlung

Romantik Hotel Zum Schwane
Hauptstraße 12
97332 Volkach
Tel. (0 93 81) 8 06 60, Fax 80 66 66
www.schwane.de
Mitten in der Altstadt, gepflegte
und wohnliche Zimmer. Regionale
Spezialitäten werden in der altfränkischen Stube oder auf der
herrlichen Innenhofterrasse serviert.

► Günstig
Hopfengarten
Ankergasse 16
63897 Miltenberg
Tel. (0 93 71) 9 73 70, Fax 6 97 58
www.flairhotel-hopfengarten.de
Zweckmäßige Zimmer bietet dieser
freundlich geführte, zentrale Gasthof.

Schwan
Mainplatz 8
97877 Wertheim
Tel. (0 93 42) 9 23 30, Fax 96 54 44
www.hotel-schwan-wertheim.de
Alteingesessenes Hotel, gepflegte
Zimmer, rustikales Restaurant mit
Terrasse.

Kitzingen, neben Würzburg ein **Hauptsitz des fränkischen Weinhandels**, liegt in einer fruchtbaren Weitung des Maintals. Wahrzeichen der Stadt ist der von einem schiefen Dach bekrönte Falterturm (15./16. Jh.), in dem sich das **Deutsche Fastnachtsmuseum** befindet. Am Marktplatz stehen das dreigeschossige **Renaissance-Rathaus**, der mächtige Marktturm (um 1360) und die ev. Pfarrkirche.

✳ Kitzingen

Von Kitzingen lohnt ein Abstecher zu dem Weinort Iphofen, der, am Steilabfall des Steigerwalds gelegen, mit seiner mittelalterlichen Befestigung und zahlreichen alten Bauten ein reizvolles Bild abgibt. Hervorzuheben ist die spätgotische **Pfarrkirche St. Veit**, zu deren Ausstattung Bildwerke der Riemenschneider-Werkstatt gehören. Darüber hinaus lohnt das **Fränkische Bauern- und Handwerkermuseum** einen Besuch, in dem Winzerei, ländliches Wohnen und verschiedene Handwerke dokumentiert sind.

Iphofen

Im Maintal folgt Dettelbach, ein altes Städtchen, das noch von einer Mauer aus dem 15. Jh. mit 36 Türmen und zwei Toren umschlossen ist. Das spätgotische **Rathaus** entstand in den Jahren 1492–1512. Am Ortsende befindet sich die **Wallfahrtskirche Maria** auf dem Sand (16./17. Jh.). Sie ist ein gutes Beispiel des nachgotischen Stils. Während am Außenbau das prunkvolle Hauptportal mit Ornamenten auffällt, beherrscht der Gnadenaltar von 1779 mit spätgotischer Pietà den Innenraum der Kirche.

✳ Dettelbach

An Münsterschwarzach vorbei kommt man zu dem wegen seines Weins bekannten Volkach. Das Ortsbild ist geprägt von Stadttoren, stattlichen Giebelhäusern, dem Renaissance-Rathaus und der spätgotischen Stadtpfarrkirche. Auf dem von Rebhängen bedeckten Kirchberg erhebt sich die gotische Wallfahrtskirche **St. Maria** im Weingarten mit der berühmten **»Rosenkranzmadonna«** (1521) von Tilman Riemenschneider.

✳ Volkach

Die einstmals Freie Reichsstadt Schweinfurt, 1254 durch die Grafen von Henneberg gegründet, hat heute durch ihre Kugellagerwerke und Farbenfabriken Bedeutung. Eine **Glanzleistung der deutschen Renaissance** ist das von Meister Nikolaus Hofmann aus Halle an der Saale um 1570 am Markt erbaute Rathaus. An der Südostecke des Marktplatzes befindet sich das Geburtshaus des Dichters und Orientalisten Friedrich Rückert (1788–1866). Auf dem Marktplatz steht auch ein Rückert-Denkmal. Im nördlichen Stadtgebiet sind auf drei Gebäude verteilt die Städtischen Sammlungen untergebracht. Südlich vom Markt sollte man den Schrot-Turm, 1611 als Treppenturm eines Renaissance-Hauses erbaut, und das Harmonie-Gebäude mit der Naturkundlichen Sammlung ansehen. Etwa 10 Min. vom Rathaus entfernt liegt im Villenviertel (Judithstraße 16) die Bibliothek Otto Schäfer, ein interessantes Museum für Buchdruck, Grafik und Kunsthandwerk.

✳ Schweinfurt

Haßfurt   Im oberen Maintal liegt Haßfurt, ebenfalls mit Resten einer alten Stadtmauer und Stadttoren. Am Markt stehen das gotische Rathaus und die Pfarrkirche, in deren Chor sich eine Holzskulptur Johannes des Täufers von Riemenschneider befindet. Beachtung verdient ferner im Osten der Stadt die **spätgotische Ritterkapelle** mit Adelswappen an den Netzgewölben.

Bamberg   ►dort

Kulmbach   ►Bayreuth

✳ Mainz

Atlasteil: S. 43 • D 2   **Höhe:** 88 m ü. d. M.
Bundesland: Hauptstadt des   **Einwohnerzahl:** 190 000
Bundeslandes Rheinland-Pfalz

Die rheinland-pfälzische Landeshauptstadt und Universitätsstadt Mainz, ein alter Kurfürsten- und Erzbischofssitz mit großer Vergangenheit, ist Zentrum des rheinischen Weinhandels (Sektkellereien), wichtiger Handels-, Verkehrs- und Industrieplatz, Sitz von Rundfunk- und Fernsehanstalten (ZDF, SAT 1, SWR) sowie eine Hochburg des Karnevals (»Määnzer Fassenacht«).

Gutenberg-   Zu den Berühmtheiten, die in Mainz geboren wurden bzw. lange hier
stadt   lebten, gehören neben Johannes Gutenberg, dessen 600. Geburtstag die Stadt im Jahr 2000 beging, der Minnesänger Heinrich von Meißen (genannt Frauenlob) sowie die Schriftsteller Carl Zuckmayer und Anna Seghers.

Geschichte

38 v. Chr.	Die Römer legen hier ihr Feldlager an.
20 n. Chr.	Das römische Feldlager wird Sitz des militärischen Oberbefehlshabers für Obergermanien.
742	Bonifatius gründet das Erzbistum Mainz.
13. Jh.	Blütezeit als Hauptort des Rheinischen Städtebundes
1476/77	Erzbischof Diether von Isenburg gründet Universität.
15. Jh.	Gutenberg erfindet den Buchdruck.
1792	Die Republik Mainz wird ausgerufen.
2. Weltkrieg	80% der Altstadt werden zerstört.
1950	Mainz wird Hauptstadt von Rheinland-Pfalz.

Nachdem Bonifatius 742 das Erzbistum gegründet hatte, entwickelte sich Mainz zur christlichen Metropole Deutschlands. Die Mainzer

Mainz Orientierung

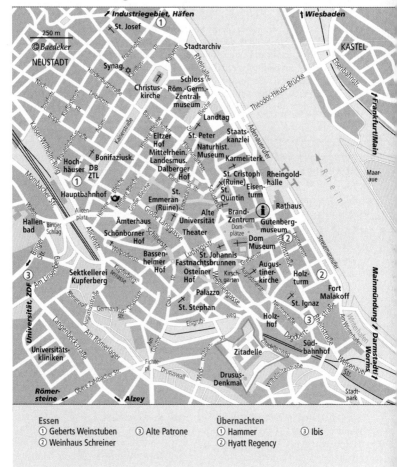

Essen
① Geberts Weinstuben ③ Alte Patrone
② Weinhaus Schreiner

Übernachten
① Hammer ③ Ibis
② Hyatt Regency

Erzbischöfe waren Reichskanzler und Kurfürsten. Eine Weltneuheit ging im 15. Jh. von Mainz aus: Johannes Gensfleisch, genannt Gutenberg, erfand hier den Druck mit beweglichen Lettern.

Ihr barockes Gepräge erhielt die Stadt im 17. und 18. Jh. zur Blütezeit des kurfürstlichen Mainz. Die Mainzer Republik, die sich an den Ideen der Französischen Revolution orientierte, entstand im Jahre 1792; von der verheerenden Beschießung der Stadt im selben Jahr berichtet Goethe als Augenzeuge. Im Zweiten Weltkrieg wurde die Altstadt weitgehend zerstört. Seit 1950 ist Mainz Hauptstadt von Rheinland-Pfalz.

Sehenswertes in Mainz

✶✶
Dom und
Domplatz
Im Zentrum der Stadt erhebt sich der sechstürmige Dom St. Martin und St. Stephan, der mit den Domen zu Speyer und Worms den **Höhepunkt der romanischen Sakralbaukunst** am Oberrhein bildet. Unter Erzbischof Willigis wurde 975 mit dem Bau des Doms begonnen, fertig gestellt wurde die gesamte Anlage erst 1236. Der imposante Vierungsturm und seine beiden kleineren Nachbarn stammen aus dem 18. Jh. Der Innenraum birgt bedeutende kunsthistorische Schät-

 MAINZ ERLEBEN

AUSKUNFT

Tourist-Centrale
Im Brückenturm am Rathaus
55116 Mainz
Tel. (0 61 31) 28 62 10, Fax 2 86 21 55
www.info-mainz.de/tourist

WEINVERGNÜGEN

Bei einem guten Tropfen in einer der zahlreichen Weinstuben, Straußwirtschaften oder auf einem Weinfest lernt man nicht nur gute Weine kennen, sondern auch Mainzer Geselligkeit zu schätzen. Adressen und Termine in Hülle und Fülle findet man im Internet unter www.mainz.de/freizeit.

ESSEN

► Erschwinglich

① *Geberts Weinstuben*
Frauenlobstraße 94, 55118 Mainz
Tel. (0 61 31) 61 16 19
Regionale Gaumenfreuden, eine opulente Weinkarte und die behagliche Atmosphäre in der Stube sorgen dafür, dass die Gäste sich hier rundum wohl fühlen.

③ *Alte Patrone*
Am Judensand 63, 55112 Mainz
Tel. (0 61 31) 38 46 38
In den Räumen einer ehemaligen Munitionsfabrik wird heute im modernen Ambiente klassische mediterrane Küche serviert.

► Preiswert

② *Weinhaus Schreiner*
Rheinstraße 38, 55116 Mainz
Tel. (0 61 31) 22 57 20
Pfälzer Gastlichkeit in Reinkultur. Rustikale Gaststube, lebendige Atmosphäre und regionale Küche.

ÜBERNACHTEN

► Luxus

② *Hyatt Regency*
Malakoff-Terrasse 1, 55115 Mainz
Tel. (0 61 31) 72 12 34, Fax 73 12 35
www.mainz.regency.hyatt.de
Niveauvolles Hotel oberhalb des Rheins. Edles Restaurant mit Showküche und Rheinblick. Schwimmbad, Sauna, Fitnessstudio und Wellness.

► Komfortabel

① *Hammer*
Bahnhofsplatz 6, 55116 Mainz
Tel. (0 61 31) 96 52 80, Fax 9 65 28 88
www.hotel-hammer.com
Modern ausgestattete Zimmer in einem sehr gepflegten Haus am Hauptbahnhof.

► Günstig

③ *Ibis*
Holzhofstraße 2, 55116 Mainz
Tel. (0 61 31) 24 70, Fax 23 41 26
Nahe bei der Altstadt bietet das einfache Haus solide Zimmer mit zweckmäßiger, moderner Einrichtung.

Mosaik und Sarkophag im Römisch-Germanischen Zentralmuseum in Mainz

ze wie Grabdenkmäler aus dem 13. bis 18. Jh., die Erzbischöfen, Domherren und Heiligen gewidmet sind. Besonders beachtenswert sind die Grabmäler der Erzbischöfe Berthold von Henneberg, Jakob von Liebenstein und Uriel von Gemmingen vor dem Westchor. Im **Dom- und Diözesanmuseum** im Kreuzgang kann man u. a. Teile des alten Domlettners von 1239 sehen. Der Marktbrunnen an der nördlichen Seite des Domplatzes wurde 1526 errichtet und gilt als einer der bedeutendsten Renaissancebrunnen in Deutschland.

◄ Marktbrunnen

An der Nordostecke des Platzes befindet sich das Gutenberg-Museum (Weltmuseum der Druckkunst) mit der berühmten **42-zeiligen Gutenberg-Bibel**, die zwischen 1452 und 1455 entstand, und einer Nachbildung von Gutenbergs Satz- und Druckwerkstatt (Öffnungszeiten: Di. bis Sa. 10.00–18.00 Uhr, So. 10.00–13.00 Uhr).

✶ ✶
◄ Gutenberg-
Museum
☉

Hinter dem Museum gelangt man zum Einkaufszentrum am Brand (1974), von dem aus eine Fußgängerbrücke zum Rheinufer führt. Entlang des Rheinufers stehen das **Rathaus** (1970–1973) und die **Rheingoldhalle** (1968). Von der mittelalterlichen **Stadtmauer** künden noch der Eisenturm (um 1240) und der Holzturm (14. Jh.).

Rheinufer

Unterhalb der Rheinbrücke beherbergt das ehemalige Kurfürstliche Schloss (17. und 18. Jh.) das 1852 gegründete **Römisch-Germanische Zentralmuseum**, ein überregionales Forschungsinstitut für Vor- und Frühgeschichte der Alten Welt (Schausammlungen zu Vorgeschichte, Römerzeit und Frühmittelalter; Restaurierungswerkstätten und Laboratorien). Südöstlich gegenüber trifft man auf den **Landtag** (ehem. Deutschordenshaus) und die Staatskanzlei.

✶
Schloss

Die verwinkelte Altstadt südlich des Domes lädt zu einem Bummel ein – besonders die Augustinerstraße mit ihren netten Läden und

Altstadt

Boutiquen und der Kirschgarten mit seinen malerischen Fachwerkhäusern. Sehenswert sind zudem die Seminarkirche und die Kirche St. Ignaz, die von 1763 bis 1775 errichtet wurde und an der man gut den Übergang vom Rokoko zum Klassizismus ablesen kann.

Gutenbergplatz Am Gutenbergplatz zeigt eine Markierung im Pflaster den Verlauf des 50. Grads nördlicher Breite an. Hier steht das Theater, und gegenüber hat man ein Standbild des berühmten Mainzers Johannes Gutenberg (1398–1468) errichtet, der um 1440 den Satz mit beweglichen Lettern erfand und damit ein neues Zeitalter einläutete.

! *Baedeker* TIPP

Blick hinter die Kulissen

Wollten Sie schon immer mal wissen, wie Fernsehen gemacht wird? Beim ZDF-Sendezentrum in Mainz kann man von Montag bis Freitag an kostenlosen Führungen teilnehmen. Seit Januar 2004 besteht immer montags die Möglichkeit einer Abendführung mit anschließendem Besuch der Livesendung WISO. (www.zdf.de)

Von hier führt die Schillerstraße direkt zum **Schillerplatz**, der von schönen Höfen, d. h. ehemaligen Adelspalais, umgeben ist.

Witzig und originell wurden bei der Gestaltung des **Fastnachtsbrunnens** (1966) Szenen und Figuren der »Fassenacht« aufgegriffen. Auf dem Gutenbergplatz hat man die Möglichkeit zur »Gradwanderung« – denn in dem Pflaster des Platzes ist der Verlauf des 50. Breitengrades angezeigt.

★★
Chagall-Fenster von St. Stephan
Neben Gutenberg wirkte noch ein weltberühmter Mann in Mainz. **Marc Chagall** gestaltete die Glasfenster der gotischen Kirche St. Stephan (14. Jh.) in den Jahren 1973 bis 1984. Sehenswert ist auch der Kreuzgang an der Südseite der Kirche.

Schifffahrtsmuseum
Nahe dem Mainzer Rheinufer fand man 1981 Kriegsschiffe aus der Spätzeit des Römerreichs. Zwei davon sind neben vielen anderen Exponaten, die einen Überblick über das römische Flottenwesen geben, im Museum für antike Schifffahrt zu sehen, das sich in der Nähe des Südbahnhofs Ecke Holzhofstraße/Rheinstraße befindet.

Landesmuseum
An der Großen Bleiche wurde im ehemaligen Marstall das Mittelrheinische Landesmuseum mit Sammlungen zur Vor- und Frühgeschichte und zum Kunsthandwerk untergebracht. Im zentralen Hofpavillon ist eine Sammlung von 27 **Tàpiez-Werken** zu sehen.

Peterskirche Museum
Einige Meter weiter ragt die doppeltürmige Peterskirche empor, die ursprünglich von 1752 bis 1756 erbaut worden war. Unweit östlich findet man das **Naturhistorische Museum**.

★
Römersteine
Im Stadtteil Zahlbach, südöstlich des Universitätsgeländes, liegen die Römersteine, die Reste eines im 1. Jh. n. Chr. errichteten Aquädukts, an denen ein Spazierweg entlangführt.

Umgebung von Mainz

Gut 15 km westlich liegt über dem linken Rheinufer das alte Win- **Ingelheim**
zerstädtchen Ingelheim mit Burgkirche und den Resten einer **karolingischen Kaiserpfalz.**

In Oppenheim (20 km südlich von Mainz) lohnt die im 13.–15. Jh. **✳**
erbaute Katharinenkirche einen Besuch; sie gehört zu den **bedeu-** **Katharinen-**
tendsten gotischen Bauwerken am Rhein. Sehenswert ist ebenfalls **kirche**
das **Deutsche Weinbaumuseum**. **Oppenheim**

Mannheim

Atlasteil: S. 44 • A 3/4	**Bundesland:** Baden-Württemberg
Höhe: 97 m ü. d. M.	**Einwohnerzahl:** 326 000

**Die ehemalige kurpfälzische Residenzstadt Mannheim ist dank ih-
rer günstigen Lage am Zusammenfluss von Rhein und Neckar eine
bedeutende Handels- und Industriestadt im südwestdeutschen
Raum und nach dem Regierungssitz Stuttgart die zweitgrößte
Stadt Baden-Württembergs. Die Mannheimer Hafenanlagen gehören zu den größten des europäischen Binnenlandes.**

Die Hafenstadt ist Sitz zahlreicher Bildungsstätten (Universität, Staat- **Von Räubern**
liche Hochschule für Musik und darstellende Kunst, Fachhochschu- **und Rädern**
len für Gestaltung, Technik u. a.). Im Jahr 1782 ging Mannheim in
die **Theatergeschichte** ein: Im hiesigen Nationaltheater fand die Ur-
aufführung von Friedrich Schillers Drama »Die Räuber« statt. In
Mannheim haben Karl Friedrich Freiherr Drais von Sauerbronn
1817 sein erstes Laufrad und Carl Friedrich Benz 1886 seinen ersten
Kraftwagen vorgestellt.

1606	Kurfürst Friedrich IV. legt eine Festung an.
17./18. Jh.	Nachdem die Stadt zweimal zerstört war, lässt Kurfürst Johann Wilhelm sie schachbrettartig neu erbauen.
1720	Die kurfürstliche Residenz wird von Heidelberg nach Mannheim verlegt.
18. Jh.	Kurfürst Karl Theodor verlegt Residenz nach München.
19. Jh.	Mannheim wird Wirtschaftszentrum.
1834–1876	Ausbau der Häfen
2. Weltkrieg	Mannheim wird stark beschädigt.
1975	Bundesgartenschau
2007	Mannheim feiert 400. Stadtjubiläum.

»Stadt im Quadrat«	Die innere Stadt wurde im 17. und 18. Jh. **schachbrettartig** in 136 Rechtecken (heute sind es 144) angelegt, wobei bis heute die Straßen keine Namen haben, sondern jeder Häuserblock (Quadrat) mit einem Buchstaben und einer Zahl bezeichnet ist. Auch die Nummerierung der Häuser verläuft nicht entlang der Straßen, sondern wird häuserblockweise vorgenommen.
Geschichte	Der Name der Stadt geht auf das seit 766 bezeugte Schiffer- und Fischerdorf »Mannenheim« (= Heim des Manno) zurück. Allerdings erst Anfang des 17. Jh.s wird Mannheim Handelssiedlung mit Stadtrechten, ab 1720 sogar Residenzstadt. An der Stelle der Zitadelle entstand das weitläufige Schloss. Kurfürst Karl Philipp und sein Nachfolger zogen bedeutende französische und italienische Architekten und Künstler an ihren Hof. Die »Mannheimer Schule« (1743–1778), die von Komponisten und Mitgliedern des Mannheimer Orchesters (darunter J. Stamitz, F. X. Richter, Chr. Cannabich) getragen wurde, war **wegbereitend für die Wiener Klassik**. Diese kulturelle Blüte fand ein Ende, als Karl Theodor, der seit 1778 auch Kurfürst von Bayern war, seine Residenz nach München verlegte. Die Erschließung des Rheins für die Schifffahrt machte Mannheim zum Endpunkt der Oberrheinschifffahrt und leitete seinen Aufstieg zum Wirtschaftszentrum ein.

? **WUSSTEN SIE SCHON ...?**

▪ wie »die Planken« zu ihrem Namen gekommen ist? Einst wurden dort Holzplanken ausgelegt, damit man trockenen Fußes über den Platz flanieren konnte.

Innenstadt innerhalb der Ringstraßen

Planken	Hauptgeschäftsstraßen (großenteils Fußgängerzone) der Innenstadt sind **die Planken** und die Kurpfalzstraße, die sich im Paradeplatz kreuzen.
Marktplatz	Den Marktplatz zieren das Alte Rathaus und die Untere Pfarrkirche, ein in den Jahren 1701 bis 1723 errichteter Doppelbau. Ganz in der Nähe befindet sich auch das jüdische Gemeindezentrum mit der 1987 erbauten modernen **Synagoge, der größten ihrer Art in Deutschland**.
Paradeplatz	Der Paradeplatz ist der frühere zentrale Alarmplatz der Festung Mannheim und heute das belebte Zentrum der Stadt. In seiner Mitte steht die Brunnenanlage mit der barocken Bronzepyramide »Allegorie der herrscherlichen Tugenden«. Das moderne Stadthaus (1991) beherbergt außer Läden auch Cafés, Restaurants und die Stadtinformation.
Schloss	In der Nähe des Rheinufers steht das 1720–1760 erbaute ehemalige kurfürstliche Schloss, eine der **größten barocken Schlossanlagen**

Mannheim Orientierung

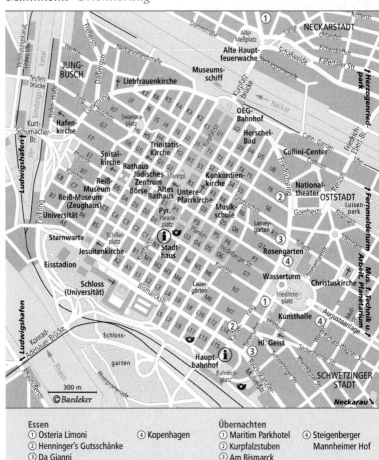

Essen
① Osteria Limoni
② Henninger's Gutsschänke
③ Da Gianni
④ Kopenhagen

Übernachten
① Maritim Parkhotel
② Kurpfalzstuben
③ Am Bismarck
④ Steigenberger
Mannheimer Hof

Deutschlands. Die mehr als 400 Räume werden heute zum großen Teil von der Universität genutzt; durch einige der historischen Räume werden Führungen angeboten. In der angeschlossenen Schloss- ◄ Schlosskirche kirche sind vor allem der Altar und der Prunksarg des Kurfürsten Carl Philipp in der Gruft sehenswert.

Nordwestlich vom Schloss erreicht man die wieder hergestellte **Jesuitenkirche** Jesuitenkirche, die als **bedeutendste Barockkirche Südwestdeutschlands** gilt (1733–1760), daneben liegt die ehemalige Sternwarte (1772–1774).

▶ MANNHEIM ERLEBEN

AUSKUNFT

Tourist-Information
Willy-Brandt-Platz 3
68161 Mannheim
Tel. (06 21) 10 10 12, Fax 2 41 41
www.tourist-mannheim.de

ESSEN

► Fein & Teuer
③ *Da Gianni*
R 7, 34, 68161 Mannheim
Tel. (06 21) 2 03 26
Ausgezeichnete italienische Küche in
wunderschönem Ristorante.

► Erschwinglich
④ *Kopenhagen*
Friedrichsring 4, 68161 Mannheim
Tel. (06 21) 1 48 70
Stilvolles Restaurant, Fisch und
Fleisch werden vom Chef zubereitet.

① *Osteria Limoni*
Schimperstraße 16, 68167 Mannheim
Tel. (06 21) 3 45 03
Charmantes Restaurant mit vorzüg-
licher italienischer Küche, das Ur-
laubsgefühle weckt.

► Preiswert
② *Henninger's Gutsschänke*
T 6, 28, 68161 Mannheim
Tel. (06 21) 1 49 12
Zünftige Weinstube, wo herzhafte
Hausmannskost serviert wird.

ÜBERNACHTEN

► Luxus
① *Maritim Parkhotel*
Friedrichsplatz 2, 68165 Mannheim
Tel. (06 21)1 58 80, Fax 1 58 88 00
www.maritim.de
Prachtvoller Jugendstilbau (um 1900).
Moderner Komfort, gemütl. Keller-
restaurant, Schwimmbad und Sauna.

④ *Steigenberger Mannheimer Hof*
Augustaanlage 4, 68165 Mannheim
Tel. (06 21) 4 00 50, Fax 4 00 51 90
www.mannheim.steigenberger.de
Altes Hotel (an der Augusta-Anlage),
elegante Einrichtung.

► Komfortabel
③ *Am Bismarck*
Bismarckplatz 9, 68165 Mannheim
Tel. (06 21) 40 30 96, Fax 44 46 05
www.hotel-am-bismarck.de
Freundliches, familiengeführtes Haus
garni. Solide, gepflegte Zimmer mit
sehr gemütlicher Einrichtung.

► Günstig
② *Kurpfalzstuben*
L 14, 15, 68161 Mannheim
Tel. (06 21) 1 50 39 20, Fax 15 03 92 90
www.kurpfalzstuben.de
Zentrales, charmantes Hotel in einem
Stadthaus (um 1900). Geschmackvolle
Zimmer, Restaurant mit schwäbi-
schen und Pfälzer Gerichten.

✱ Reiss-Engelhorn-Museum und Zeughaus

Die Sammlungen des Reiss-Museums sind auf zwei Gebäude verteilt:
Im Zeughaus (1777) sind vor allem die niederländische Malerei des
17. Jh.s, Porzellan und die Aufsatzsekretäre sehenswert.
Interessantes bieten auch die stadtgeschichtliche und die neue Thea-
tersammlung. Im Neubau in D5 sind ur- und frühgeschichtliche
Funde sowie Völkerkundliches, hauptsächlich aus Indianer- und
Südseekulturen, ausgestellt.

Östlich des Innenstadtrings

Das **Wahrzeichen der Stadt**, der 60 m hohe Wasserturm, ziert den Friedrichsplatz, der mit seinen prächtigen Wasserspielen als eine der größten und schönsten Jugendstilanlagen Deutschlands gilt. Nördlich schließt das Kongress- und Veranstaltungszentrum **Rosengarten** in einem schönen Jugendstilgebäude an.

Wasserturm am Friedrichsplatz

Südlich vom Wasserturm präsentiert die Kunsthalle, die ebenfalls in einem Jugendstilgebäude untergebracht ist, **Gemälde und Plastiken des 19. und 20. Jh.s,** darunter Plastiken von Rodin, Barlach und Giacometti, wichtige Werke des französischen Impressionismus, deutsche Sezessionsmaler, Vertreter des Expressionismus wie Beckmann, Heckel und Kokoschka sowie Kunst der Neuen Sachlichkeit.

✳ **Kunsthalle**

Das , das durch die Uraufführungen von Schillers »Die Räuber«, »Fiesco« sowie »Kabale und Liebe« 1782 bzw. 1784 berühmt geworden ist, wurde nach seiner Zerstörung am Friedrichsring wieder neu erbaut (1955–1957).

Nationaltheater

Östlich vom Nationaltheater erstreckt sich der um 1900 entstandene, große Luisenpark mit Seebühne, Pflanzenschauhaus, Aquarium, Tiergehegen und dem 205 m hohen Fernmeldeturm (1975), der ein Drehrestaurant in 125 m Höhe besitzt. Seit der Park 1975 zur Bundesgartenschau erweitert wurde, gilt er als **eine der schönsten Parkanlagen Deutschlands**.

✳ **Luisenpark**

Die »herrschenden Tugenden« vor dem Stadthaus am Paradeplatz

Nahe beim südöstlichen Ende des Luisenparks steht im Autobahnoval das **Planetarium**. Im Inneren der 20-m-Kuppel werden einstündige **Multivision-Sternenshows** inszeniert.

✶

Landesmuseum für Technik und Arbeit

Östlich des Autobahnovals (Museumsstraße 1) hat 1990 das Landesmuseum für Technik und Arbeit eröffnet. Es dokumentiert die Geschichte der Industrialisierung Deutschlands und die Sozialgeschichte. In einer Zeitspirale wandern die Besucher von oben nach unten ins 20. Jh. Täglich finden an 16 Stationen Vorführungen statt (z. B. Handpapierschöpfen, Drucken und Setzen, Automobilmontage usw.). Eine Außenstelle des Landesmuseums ist das **Museumsschiff »Mannheim«** (mit Restaurant), das nahe der Kurpfalzbrücke auf dem Neckar liegt. Maschinenraum und Schiffsküche sowie zahlreiche Modelle, Fotos und Ausrüstungsgegenstände im Innern des alten Raddampfers machen die Geschichte der Rhein- und Neckarschifffahrt lebendig. Von der Kurpfalzbrücke starten Hafenrundfahrten.

Umgebung von Mannheim

Ludwigshafen am Rhein

Die moderne rheinland-pfälzische Großstadt Ludwigshafen ist weltbekannt als Sitz der BASF AG. Im Zentrum der Innenstadt (Berliner Straße 23) steht das 1979 eröffnete Wilhelm-Hack-Museum, dessen farbenfreudige Fassade von Joan Miró gestaltet worden ist. Durch seinen Sammlungsschwerpunkt »Klassische Moderne, speziell konstruktive und konkrete Kunst« erlangte das Museum **internationales Ansehen**. Wenige Schritte östlich sind im Pfalzbau (1968) Theater- und Konzertsäle sowie Kongressräume untergebracht. An der Heinigstraße wurde 1985 der Bau der Staatsphilharmonie eingeweiht. Im Norden der Innenstadt befindet sich das Rathauscenter mit dem 70 m hohen Rathaus (1979), einem Einkaufszentrum und dem Stadtmuseum. Im nordwestlichen Stadtteil Friesenheim liegt der schöne Ebertpark mit der Friedrich-Ebert-Halle.

Ladenburg

Ladenburg (zwischen Mannheim und Heidelberg) besitzt einen hübschen Ortskern mit viel Fachwerk. An den hier geborenen Autopionier Carl Benz erinnern das Carl-Benz-Haus in der Altstadt und manches Stück im Automuseum (Am Sägewerk 6–8). Vor allem aber ist Ladenburg als **»Römerstadt«** bekannt: 98. v. Chr. erhob Kaiser Trajan die Siedlung um ein Kastell zum Hauptort des »Ulpischen Gaubezirks der Neckarsueben«. Sehenswerte römische Ausgrabungen sind das Forum in der Metzgergasse, bei der romanisch-gotischen Galluskirche (die auf der römischen Marktbasilika errichtet wurde) und beim Bischofshof. Dort lohnt auch der Besuch der auf karolingische Zeit zurückgehenden Sebastianskapelle und des Lobdengau-Museums. Dieses zeigt die Geschichte Ladenburgs von der Eiszeit bis in die Gegenwart, wobei natürlich das römische Ladenburg im Mittelpunkt steht.

✴ Marburg an der Lahn

Atlasteil: S. 35 ● D 3
Höhe: 180 m ü. d. M.

Bundesland: Hessen
Einwohnerzahl: 75 000

Die malerische Altstadt der Universitätsstadt Marburg an der Lahn zieht sich mit engen Straßen und Treppengassen halbkreisförmig am steilen Schlossberg hinauf. Moderne Akzente setzen die Instituts- und Klinikbauten der Universität. Marburg ist Sitz bedeutender pharmazeutischer und optischer Industrie.

Der Ort, der 1228 Stadtrechte erhielt, entstand im Schutz einer Burg. Vom 13. bis 17. Jh. war die zum Schloss umgebaute Burg die Residenz der Landgrafen von Hessen, der Nachkommen der heiligen Elisabeth. Diese war 1227 – nach dem Tode ihres Gatten, des Landgrafen Ludwig IV. von Thüringen – von der Wartburg nach Marburg übergesiedelt und widmete sich hier der Pflege der Kranken und Armen. Nach ihrer Heiligsprechung 1235 wurden ihre Reliquien in der eigens für sie erbauten gotischen Kirche bewahrt: Marburg wurde so zu einem wichtigen Wallfahrtsort. 1527 gründete Landgraf Philipp der Großmütige von Hessen die nach ihm benannte Universität, die **erste protestantische Hochschule in Deutschland**, die für Forschung und Lehre weithin bekannt wurde. 1529 war das Schloss Stätte des berühmten Marburger Religionsgesprächs zwischen Martin Luther und Ulrich Zwingli.

Universitätsstadt

> **!** | *Baedeker* TIPP
>
> **Märchenstunde**
> Zu den berühmtesten Studenten in Marburg gehörten die Gebrüder Grimm. Ihren Spuren folgt eine Stadtführung durch das märchenhafte Marburg (April bis Okt.: 11.00 Uhr, Treffpunkt Marktbrunnen).

Sehenswertes in Marburg

Im Norden der Stadt hat der schönste Bau Marburgs über die Grenzen der Stadt hinaus Berühmtheit erlangt. Die St.-Elisabeth-Kirche (1235–1283) gilt neben der Liebfrauenkirche in ▶ Trier als frühester **rein gotischer Sakralbau** Deutschlands. Die Ausstattung im Innern ist fast vollständig erhalten und umfasst u. a. in der Sakristei den goldenen Schrein (um 1250), der bis 1539 die Reliquien der hl. Elisa-

✴
St. Elisabeth

Hoch über Marburg erhebt sich das Schloss. Wer nicht hochlaufen mag, kann auch an der Lahn entlangspazieren und die Ruhe genießen.

beth von Thüringen enthielt, und im Chor eine hölzerne Statue der Heiligen (15. Jh.) sowie Glasgemälde aus dem 13. und 15. Jh.

Im nördlichen Querschiff sind ein Marienaltar von 1517 und der Sarkophag (nach 1250) der hl. Elisabeth beachtenswert, im südlichen Querschiff die Grabmäler hessischer Fürsten (13.–16. Jh.) und im Langhaus ein Standbild der hl. Elisabeth in höfischer Kleidung (um 1470). In der Kapelle unter dem Nordturm ist der Reichspräsident Paul von Hindenburg (1847–1934) begraben.

Mineralogisches Museum ▶ Am Deutschhausplatz, im ehemaligen Kornspeicher hinter der Elisabethkirche, befindet sich das Mineralogische Museum.

Universität mit Klinik und Museum Die Gebäude der Universität sind über das Stadtgebiet verteilt: Südlich der Elisabethkirche grenzen die Universitätskliniken an den schönen **Alten Botanischen Garten**.

Das Universitätsmuseum für Bildende Kunst jenseits des Mühlgrabens in der Biegenstraße (Ernst-von-Hülsen-Haus) zeigt neben Kunst nach 1500 vor allem Werke deutscher Maler des 19. und 20. Jahrhunderts.

In einiger Entfernung, im Südosten der eigentlichen Altstadt, thront reizvoll über der Lahn das 1874–1891 errichtete neugotische Gebäude der 1527 gestifteten Philipps-Universität mit der Universitätskirche (13./14. Jh.).

St. Kilian Unweit nördlich erhebt sich mit der Kiliankirche die **älteste erhaltene Kirche Marburgs**, die um 1200 erbaut wurde und die heute das Deutsche Grüne Kreuz beherbergt.

Markt und Rathaus Am Markt, der mit reizvollen alten Fachwerkhäusern gesäumt ist, sticht besonders das gotische Rathaus (1525) hervor. Vom seinem Treppenturm bläst stündlich ein mechanischer Trompeter, dazu schlägt ein Hahn mit den Flügeln.

▶ MARBURG AN DER LAHN ERLEBEN

AUSKUNFT

Tourist-Information
Pilgrimstein 26, 35037 Marburg
Tel. (0 64 21) 9 91 20, Fax 99 12 12
www.marburg.de

ESSEN

► Erschwinglich
Das kleine Restaurant
Barfüßertor 25, 350737 Marburg
Tel. (0 64 21) 2 22 93
Modernes, kleines Restaurant mit
feiner, internationaler Küche.

Alter Ritter
Steinweg 44, 350737 Marburg
Tel. (0 64 21) 6 28 38
Das historische Stadthaus (1835) beherbergt ein zeitgemäßes Restaurant,
mit feiner regionaler und internationaler Küche.

► Preiswert
Zur Sonne
Markt 14, 350737 Marburg
Tel. (0 64 21) 1 71 90

Uriges Gasthaus aus dem 16. Jh.,
niedrige Decken, schönes Fachwerk,
bekannt für regionale Spezialitäten.

ÜBERNACHTEN

► Luxus
Vila Vita Hotel Rosenpark
Rosenstraße 18, 350737 Marburg
Tel. (0 64 21) 6 00 50, Fax 6 00 51 00
www.vilavitahotels.com
Mondänes Grand-Hotel, mit luxuriö-
ser Ausstattung und ansprechendem
Freizeitbereich. Im noblen Restaurant
Bel Etage wird anspruchsvolle Gour-
metküche serviert.

► Komfortabel
Landhaus La Villa
Sylvester-Jordan-Straße 22, 350739
Marburg
Tel. (0 64 21) 17 50 70, Fax 1 75 07 20
www.la-villa-kuhl.de
Liebevoll eingerichtetes Haus mit
bequemen Zimmern im Landhausstil,
tollen Bädern und einem einladenden
Frühstücksraum. Grandioses Buffet!

Zur Marienkirche, einem ehemals romanischen, im 13./14. Jh. zur **Marienkirche**
gotischen Hallenkirche umgebauten Gotteshaus, gelangt man durch
die Nikolaistraße. Ihr schiefer Turm wurde zu einem **Wahrzeichen
Marburgs**. Vom Kirchhof hat man einen schönen Blick auf die Altstadt.

Am Ende des Kirchplatzes führt der Weg zur Kugelkirche hinunter, **Kugelkirche,**
einer spätgotischen Kirche aus dem 15. Jh. mit sehenswerten Gewöl- **Stadtmauer**
bemalereien von 1516. Unweit östlich sind einige Teile der Stadtmauer aus dem 13. Jh. erhalten, so das romanische Kalbstor und der
Bettinaturm.

Hier oben, hoch über der Altstadt, trafen sich 1529 die beiden Refor- ✱
matoren Luther und Zwingli zu ihrem berühmten **Marburger Reli- Schloss**
gionsgespräch. Das Schloss war vom 13. bis zum 17. Jh. Sitz der
Landgrafen von Hessen. Im Wilhelmsbau (15. Jh.) des Schlosses be-

findet sich u. a. das Museum für Kulturgeschichte, das neben vielen anderen Kunstwerken auch mehrere Ausstattungsstücke der Elisabethkirche besitzt. Zu besichtigen sind außerdem der großartige Rittersaal (um 1300) im Wilhelmsbau sowie die Schlosskapelle aus dem 13. Jh. Interessant ist ein geführter Rundgang durch die Kasematten (Festungsräume).

✶ ✶ Mecklenburgische Seenplatte

Atlasteil:
S. 19 • C/D 1–3 und S. 20 • A/B 1–3

Bundesland:
Mecklenburg-Vorpommern

Die rund tausend kleinen Seen im mecklenburgischen Binnenland, zwischen ► Schwerin im Westen und der ► Uckermark im Osten, sind eingebettet in eine herrliche Naturlandschaft. Da die meisten Seen entweder durch Kanäle oder natürliche Wasserwege verbunden sind, gelten sie als El Dorado für Wasserwanderungen, auch Naturbegeisterte und Badeurlauber kommen hier auf ihre Kosten.

Ferienparadies Besonders viele Seen nennt der Westteil des Gebiets um den Schweriner See sein Eigen. Die Infrastruktur bietet vor allem für **Campingferien** gute Möglichkeiten; aber auch das Angebot an Hotels und Ferienwohnungen hat sich in den vergangenen Jahren durch die gestiegene Nachfrage vergrößert. Ein abwechslungsreiches Kulturprogramm und zahlreiche Sehenswürdigkeiten erwarten die Besucher vor allem in den drei größeren Städten im Seengebiet, nämlich in ►Schwerin, ►Güstrow und ►Neubrandenburg.

Die Entstehung der Mecklenburgischen Seenplatte hängt mit Vorgängen während der letzten Eiszeit zusammen, als durch das Vordringen der Gletscher Vertiefungen ausgehobelt wurden, die sich später mit Wasser füllten.

Hinweis Im Folgenden werden die größeren Seen ihrer Lage nach, von Nordwest nach Südost, beschrieben. Der Schweriner See findet sich als Umgebungsziel von ►Schwerin.

Krakower See und Umgebung

✶
Malerisches Bild Der rund 16 km² große Krakower See, südöstlich von Güstrow, bietet mit seinen vielen Buchten und Inselchen ein höchst malerisches Bild. Der Tourismus um den See konzentriert sich vor allem auf das gleichnamige Städtchen an der Westseite. Eines der interessantesten Naturschutzgebiete der Region ist der **Krakower Obersee**, an dessen Ufer zahlreiche Vogelarten brüten. Mit etwas Glück kann man hier See- und Fischadler beobachten. Der See ist für den Sportbootverkehr gesperrt.

Zuweilen meint man am Meer zu sein:
Das »kleine Meer« bei Müritz ist ein Paradies für Wassersportler.

Der Luftkurort Krakow am See ist wegen seiner idyllischen Lage ein beliebtes Erholungsziel. Die um das Jahr 1200 gegründete Stadt verlor durch **mehrere Brände** ihre mittelalterliche Bebauung leider fast vollständig. Die Stadtkirche, ein barocker Backsteinbau, entstand 1762 an der Stelle einer mittelalterlichen Kirche, von der nur der Ostgiebel erhalten blieb. An die einstige jüdische Gemeinde erinnern der Jüdische Friedhof und die Synagoge, beide um 1860 angelegt.

Krakow am See

In der Umgebung von Krakow gibt es zahlreiche sog. **Hünen- und Hügelgräber** (u. a. Serrahn, Marienhof, Kuchelmiß, Charlottenthal, Groß Tessin, Klein Tessin) und ringförmige Steinsetzungen, sog. Steintänze (u. a. bei Bellin und auf Lindwerder).

Gräber und Steinsetzungen

Bei Kuchelmiß, 2 km vom Nordufer des Krakower Sees entfernt, beginnt ein Wanderweg ins wild-romantische, streckenweise sehr enge Nebeltal.

Nebeltal

Mecklenburgische Schweiz

Mecklenburgische Schweiz wird die stark hügelige Seenlandschaft östlich von Güstrow, etwa zwischen Teterow und Malchin, genannt. Den Reiz dieser Landschaft machen vor allem die vergleichsweise starken Höhenunterschiede und der Wechsel von Äckern, Wäldern, Wiesen und Seen aus.
Für einen **Panoramablick** über die Mecklenburgische Schweiz empfiehlt sich der Weg auf den 96 m hohen Röthelberg oder auf den 93 m hohen Heidberg, beide bei Teterow.

✳
Abwechslungsreiche Landschaft

Teterow In der Mitte des 20. Jh.s entwickelte sich das Städtchen zum **Mittel-punkt der landwirtschaftlichen Umgebung** und zu einem regionalen Fremdenverkehrszentrum. Zwei der ehemals drei mittelalterlichen Stadttore sind erhalten; ebenso die gotische **Stadtpfarrkirche St. Peter und Paul.** Auf der Insel im Teterower See stehen noch die Reste einer slawischen Fliehburg. Nordwestlich außerhalb der Stadt liegt der Teterower Bergring, eine bekannte Grasbahnstrecke für Motorradrennen. Einen herrlichen Blick auf die Stadt, die Hügelkuppen und Seen der Mecklenburgischen Schweiz genießt man vom **Aussichtsturm** auf der südlichsten Erhebung der Teterower Heidberge, die im Nordwesten der Stadt bis zu einer Höhe von 100 m ansteigen.

Etwa 10 km östlich von Teterow, an der Peene, liegt das Städtchen **Malchin**, das im Zweiten Weltkrieg fast völlig zerstört wurde. Erhalten blieb die sehenswerte **Stadtkirche St. Maria und Johannes** mit einem kostbaren spätgotischen Schnitzaltar und einer Renaissancekanzel.

> **!** *Baedeker* TIPP
>
> **Badewannenrallye**
>
> Bei der Plauer Badewannenrallye müssen Wasserfahrzeuge nicht aussehen wie Boote, es ist alles zugelassen, was sich schwimmend vorwärts bewegen kann. Je skurriler das Gefährt, desto besser. Das Spektakel auf der Elde findet jeden Juli statt (Infos: Tel. 03 87 35/4 56 78).

Malchiner See Bei einer Fahrt um den Malchiner See, der sich südwestlich der Stadt ausbreitet, kommt man durch das Dorf Basedow mit Dorfkirche, Renaissanceschloss und einem hübschen Park.

✳ Burg Schlitz Viel besucht ist das schön gelegene Schloss Burg Schlitz nordwestlich des Sees, oberhalb der B 108 nach Teterow. Die Anlage aus dem 19. Jh. dient seit Ende 2002 als **Schlosshotel.** Auch Remplin, an der B 104 zwischen Teterow und Malchin gelegen, besitzt ein Schloss (zum Teil zerstört), zu dem ein herrlicher Landschaftsgarten gehört.

Plauer See und Umgebung

✳ Plauer See Der lang gezogene, im Durchschnitt nur 8 m tiefe Plauer See ist mit 39 km² das drittgrößte Gewässer in Mecklenburg-Vorpommern. Er wird von der Elde durchflossen und ist somit Teil der Elde-Müritz-Wasserstraße, die von der Müritz bis zum Schweriner See reicht. Bereits um die Mitte des 19. Jh.s setzte hier der Fremdenverkehr ein. Am Südufer des Plauer Sees entstand in Bad Stuer 1845 eine **Kaltwasserheilanstalt.** Der mecklenburgische Mundartdichter Fritz Reuter weilte dort als Kurgast und berichtete darüber auf humorvolle Weise in seinem Roman »Ut mine Stromtid«.

Plau Am Westufer des Plauer Sees, dort, wo die Elde bei einer Schleuse den See verlässt, liegt Plau. Die Stadt wurde 1225/1226 planmäßig erbaut, 1288 mit einer Mauer und einem Graben umgeben und

▶ MECKLENBURGISCHE SEENPLATTE ERLEBEN

AUSKUNFT

Fremdenverkehrsverband Mecklen-
burgische Seenplatte e. V.
Turnplatz 2, 17207 Röbel
Tel. (0 39 31) 53 80, Fax 5 38 29
www.mecklenburgische-seenplatte.de

ESSEN

▶ Fein & Teuer
Ich weiß ein Haus am See
Altes Forsthaus 2,
18292 Krakow-Seegrube
Tel. (03 84 57) 2 32 73
Reizvoll, direkt am See gelegen, bietet
das Gourmetrestaurant im Land-
hausstil erstklassige französische
Küche mit regionalem Einschlag. Auf
der Weinkarte finden sich ausgefallene
Tropfen. Das Haus bietet zudem
komfortable Zimmer an.

▶ Erschwinglich
Kleines Meer
Alter Markt 7, 17192 Waren
Tel. (0 39 91) 64 80
Stilvolles Hotelrestaurant in Hafen-
nähe, für seine fantasievolle Küche
mit regionalem Bezug bekannt. Ge-
nießen Sie Fisch aus der Müritz und
Wild aus den umliegenden Wäldern.

Landhaus Stöcker
Strelitzer Straße 8, 17258 Feldberg
Tel. (03 98 31) 27 10
In der schmucken Villa am See (mit
Gästezimmern) genießen Sie im
stilvollen Ambiente gehobene regio-
nale und internationale Küche.

▶ Preiswert
Seelust
Seebadstraße 33 a, 17207 Röbel
Tel. (03 99 31) 58 30
Traditionsreiches Gasthaus direkt am
See, schmackhafte Küche, wun-
derschöne Terrasse.

ÜBERNACHTEN

▶ Luxus
Golf- und Wellnesshotel
Schloss Teschow
Gutshofallee 1,
17166 Teterow-Teschow
Tel. (0 39 96) 14 00, Fax 14 01 00
www.schloss-teschow.de
Herrschaftliches Schlosshotel mit allem Komfort und vielfältigen Frei-
zeitangeboten, zwei Golfplätzen,
großzügigem Wellnessbereich,
Schwimmbad, Sauna. Drei Restaurants bieten internationale, thailändi-
sche und italienische Küche.

▶ Komfortabel
Landhaus Müritzgarten
Seebadstraße 45, 17207 Röbel
Tel. (03 99 31) 88 10, Fax 88 11 13
www.landhaus-mueritzgarten.
m-vp.de
Eine ruhige Adresse zum Erholen und
Entspannen. An der Müritz gelegen
bietet die schöne Hotelanlage zwei
gediegene Gästehäuser im Landhausstil und vier komfortable Blockhäuser.

Schlossgarten
Tiergartenstraße 15, 17235 Neustrelitz
Tel. (0 39 81) 2 45 00, Fax 24 50 50
www.hotel-schlossgarten.de
Freundlich geführtes Haus in zentraler Lage, gemütliche, zeitgemäß
eingerichtete Zimmer, stilvolles Restaurant mit Terrasse, schöner Garten.

▶ Günstig
Gasthof Kegel
Große Wasserstraße 4, 17192 Waren
Tel. (0 39 91) 6 20 70, Fax 62 07 14
www.gasthof-kegel.de
Freundliche, gepflegte Zimmer bietet
der charmante Gasthof im Zentrum
der Stadt; schönes Restaurant mit
antiken französischen Möbeln.

Das Städtchen Plau mit seinen vielen Fachwerkhäusern gehört zu den beliebten Urlaubszielen im Gebiet der Mecklenburgischen Seenplatte.

durch eine Festung gesichert, von der ein 12 m hoher Burgturm mit 3 m starken Mauern erhalten ist. Im 19. Jh. erlebte die Stadt vor allem durch die Tuchherstellung eine kurze Periode industrieller Blüte. Bis heute hat sich Plau mit seinen Fachwerkhäusern den Charme einer **typisch mecklenburgischen Ackerbürgerstadt** bewahrt. In der abwechslungsreichen, von Wald und Seen geprägten Umgebung gibt es viele Möglichkeiten zur aktiven Erholung, insbesondere für unterschiedliche Wassersportarten.

Müritz und Umgebung

✳
Ferienregion par excellence

Die Müritz ist das größte Gewässer der Mecklenburgischen Seenplatte und nicht erst seit der Wiedervereinigung eine Ferienregion par excellence. Bade- und Wassersportmöglichkeiten, aber auch unberührte Natur im Nationalpark am Ostufer der Müritz locken vor allem im Sommer viele Feriengäste an **Deutschlands zweitgrößten See** (115 km²). Die Müritz ist im Durchschnitt 6,50 m tief und durch den Müritz-Havel-Kanal mit der oberen Havel und zahlreichen Seen dieses Gebietes verbunden.

✳ ✳
Nationalpark Müritz

Der 1990 eingerichtete Nationalpark gehört zu den **landschaftlichen Highlights** Mecklenburg-Vorpommerns. Er umfasst im Wesentlichen zwei Teile: das Ostufer der Müritz zwischen Waren und Neustrelitz sowie ein kleineres Gebiet zwischen Neustrelitz und Feldberg. Urwälder, schilfgesäumte Seen, Sümpfe und Wiesen prägen das Landschaftsbild des 310 km² großen Nationalparks. Er bietet zahlreichen seltenen Tierarten (z. B. Kranichen, See- und Fischadlern) Lebensraum. Wanderwege führen durch den Park; auch naturkundliche Führungen werden angeboten.

Wer in der Müritz-Region z. B. an Ausflügen in den Nationalpark teilnehmen oder baden, wandern und wassersporteln will, der ist gut beraten, Waren anzusteuern, ist die kleine Stadt doch schon seit dem 19. Jh. touristischer Mittelpunkt hier. Auf dem höchsten Punkt von Waren thront die gotische Pfarrkirche St. Georg (um 1225; später mehrfach verändert), das **älteste Bauwerk der Stadt**. Die Pfarrkirche St. Marien aus dem 13. Jh., ursprünglich ein dreischiffiger frühgotischer Bau, wurde nach einem Brand 1792 einschiffig wieder hergestellt. Der interessanteste Profanbau der Stadt ist das im Stil der Tudorgotik errichtete Alte Rathaus am Neuen Markt (1797 und 1857); der Fachwerkbau ihm gegenüber stammt aus dem Jahr 1623 (Löwenapotheke). Das Müritz-Museum (Friedensstraße 5), das schon 1866 gegründet wurde, zeigt u. a. ur- und frühgeschichtliche Funde aus Mecklenburg sowie Sammlungen zur Tier- und Pflanzenwelt der Müritz-Landschaft.

Waren

WUSSTEN SIE SCHON …?

■ dass der Name Müritz aus dem Slawischen abgeleitet ist und so viel wie »kleines Meer« bedeutet?

Etwa 8 km westlich von Waren ragt die Halbinsel Damerower Werder in den Kölpinsee. In einem weitläufigen Naturgehege werden **Wisente**, die europäische Variante des berühmten nordamerikanischen Bisons, gehalten, die man bei der täglichen Fütterung aus der Nähe beobachten kann.

*Kölpinsee
Wisentgehege*

Der viel besuchte Erholungsort Röbel schmiegt sich malerisch in eine Bucht am Westufer der Müritz. Zu sehen sind dort die frühgotische Backsteinhalle St. Marien (mit einem schönen Flügelaltar und einer Triumphkreuzgruppe), die neogotisch umgestaltete Nikolaikirche (Taufstein und Chorgestühl von 1519) und Reste der Stadtbefestigung.

*★
Röbel*

Neustrelitz und Umgebung

Die barocke Kleinstadt am Zierker See ist das **Tor zum Neustrelitzer Seengebiet**, auch bekannt unter dem Namen Neustrelitzer Kleinseenplatte. Nach dem Brand des Schlosses in Altstrelitz (1712) verlegten die Herzöge von Mecklenburg-Strelitz ihre Residenz hierher, ließen das Schloss bauen (1726–1731) und gründeten das dazugehörige Städtchen (1733), das bis 1918 Herzogsresidenz blieb.
Mittelpunkt der Innenstadt ist der Markt, von dem strahlenförmig acht breite Straßen wegführen. Die Bebauung stammt überwiegend aus der zweiten Hälfte des 19. Jh.s. An der Ostseite des Platzes zieht das 1841 erbaute Rathaus die Blicke auf sich. Die barocke Stadtkirche (1768–1778) erhielt im Jahr 1831 ihren 45 m hohen Turm. Auch in den benachbarten Straßenzügen prägen Wohnhäuser aus dem 18. und 19. Jh. das Bild.

Neustrelitz

Schlossgarten Das Schloss der Herzöge von Mecklenburg-Strelitz wurde 1945 zerstört; erhalten blieb der ebenfalls im 18. Jh. angelegte Barockgarten, der im 19. Jh. unter Beibehaltung der Hauptachse in einen **Landschaftspark** umgewandelt wurde. Bestandteil der Gartenanlage sind auch verschiedene Parkbauten wie der kleine Tempel zu Ehren von Königin Luise von Preußen mit einer Marmorkopie ihrer Grabfigur, der runde Hebetempel in der Hauptachse (1840), Marstall (1870), Landestheater Mecklenburg (1926–1928, erneuert nach 1945) und Orangerie (1755 als Wintergarten entstanden, 1842 zum Gartensalon umgebaut und heute u. a. Restaurant). Aus dem barocken Park stammen noch die Sandsteinfiguren der sog. Götterallee (Kopien). Am Südostrand des Parks steht die neogotische Schlosskirche (1859). Südöstlich vor dem einstigen Schloss liegt der 1721 entstandene Tiergarten mit Gehegen und altem Baumbestand.

Ankershagen In Ankershagen (B 193, 20 km nördlich bis Penzlin, dann 8 km westlich) ist neben der gotischen Dorfkirche mit mittelalterlichen Fresken das ehemalige Gutshaus bemerkenswert. Südlich des Ortes erstreckt sich das Landschaftsschutzgebiet Havelquellseen.

! *Baedeker* TIPP

Troja für Kinder

Nirgends können Sie besser den lieben Kleinen die List mit dem Trojanischen Pferd erklären als in Ankershagen. Denn dort steht vor dem Schliemann-Museum ein 6 m hohes Holzpferd, in dem man rutschen kann. Heinrich Schliemann, der berühmte Altertumsforscher, verbrachte seine Kinderjahre in Ankershagen und wurde später durch seine Feldarchäologie um Troja weltberühmt.

Neustrelitzer Seengebiet

Das Neustrelitzer Seengebiet, eine nahezu unberührte Seenlandschaft mit **über 300 Gewässern**, erstreckt sich zwischen der Müritz im Nordwesten und der Lychen-Templiner Seenplatte im Südosten und reicht nach Süden bis Mirow und Rheinsberg. In dem großteils waldbedeckten Hügelland (Höhe zwischen 80

Unberührte Seenlandschaft und 120 m) liegen Talrinnen mit kleinen Seen, Heidelandschaften und kiefernbestandene Talsandflächen. Dünen wechseln mit Laubwäldern. Kleinere Flächen werden landwirtschaftlich genutzt. Oft sind in den einzelnen Rinnen mehrere Seen hintereinander angeordnet, von trockenen Senken oder feuchten Wiesenniederungen unterbrochen.

Auch die Havel, die im Neustrelitzer Seengebiet entspringt, ist mal Fluss und mal See. Der Müritz-Havel-Kanal stellt die Verbindung zu Müritz, Kölpinsee, Fleesensee und Plauer See her.

Wesenberg Wer Lust hat auf Wasserwanderungen, ist in Wesenberg am richtigen Platz. Ferner gibt es am Großen Weißen See ein **Strandbad**.

Mirow Auch Mirow, knapp 12 km westlich von Wesenberg, gehört zu den beliebten Ferienorten im Neustrelitzer Seengebiet und bietet Boots-

In Lychen startet die Tour durch die Kleinseenplatte.

verleih und Campingplatz. Sehenswert sind das barocke Schloss von 1752 mit einem Renaissancetor (1588) und einer romantischen »Liebesinsel«. In der gotischen Kirche, Überbleibsel der ehemaligen Johanniterkomturei, befindet sich die herzogliche Gruft, die 1821/1822 angelegt wurde.

Fürstenberg liegt 20 km südlich von Neustrelitz auf drei Inseln zwischen Röblin-, Baalen- und Schwedtsee an der Havel. Als Ferienort in wald- und seenreicher Umgebung wird es ebenfalls gern besucht. Klassizistische Bauten prägen das Bild der Innenstadt. **Ältestes Bauwerk der Stadt** ist die Alte Burg, von der noch drei Flügel erhalten sind. Das Schloss von 1752 (heute Krankenhaus) ist ein massiver barocker Putzbau. Die Stadtkirche wurde 1845–1848 im neobyzantinischen Stil erbaut. **Fürstenberg**

Im Fürstenberger Ortsteil Ravensbrück befand sich 1939–1945 ein Konzentrationslager, an dessen Opfer seit 1959 ein **Gedenkmuseum** erinnert. In der ehemaligen Kommandantur befindet sich heute das Museum des antifaschistischen Widerstands. ◀ **Ravensbrück**

Den 68 m tiefen, blaugrün schimmernden Großen Stechlinsee beschrieb **Theodor Fontane** in seinem Roman »Der Stechlin«. Dem großen Dichter ist in Neuglobsow ein kleines Museum gewidmet. **Großer Stechlinsee**

Feldberg-Lychener Seenlandschaft

Nach Nordosten setzt sich das Gewässerband bis in die Feldberg-Lychener Seenlandschaft fort, eine der schönsten Erholungsregionen Mecklenburg-Vorpommerns. ✱✱ **Erholungsregion**

Schmaler Luzin ▶ Paradebeispiel für einen **Rinnensee**, der durch die eiszeitlichen Gletscher seine Form erhielt, ist der 6 km lange und maximal 300 m breite, von Buchenwäldern umrahmte Schmale Luzin, der eine Tiefe von bis zu 50 m erreicht. Einen herrlichen Blick über die reizvolle Seenlandschaft hat man vom 142 m hohen Reiherberg. Im Naturschutzgebiet Heilige Hallen westlich von Feldberg stehen bis zu 350 Jahre alte und mehr als 40 m hohe Rotbuchen (Wanderweg).

Feldberg Feldberg, 30 km östlich von Neustrelitz in malerischer Umgebung am Haussee gelegen, ist das **touristische Zentrum** der Feldberg-Lychener Seenlandschaft. Im Feldberger Ortsteil Carwitz am gleichnamigen See lebte und arbeitete der Schriftsteller Hans Fallada 1933–1944. Sein Wohnhaus kann besichtigt werden.

✳
Templiner Seen Die Templiner Seen bilden den östlichen Teil der Mecklenburgischen Seenplatte und reichen bis in die hügelige Seenlandschaft in der ▶ Uckermark hinein. In der Nachbarschaft der Stadt Templin bilden vier lange Rinnenseen das Templiner Seenkreuz: Templiner Stadtsee, Röddelinsee, Fährsee und Lübbesee.

Meiningen

Atlasteil: S. 37 • D 4	**Bundesland:** Thüringen
Höhe: 286 m ü. d. M.	**Einwohnerzahl:** 25 900

Seit dem 19. Jh. pflegen die Meininger besonders das Musik- und Theaterschaffen in ihrer Gemeinde sowie die Kunst. Dadurch ist das Städtchen zum Kulturzentrum Thüringens geworden, was sich besonders im Schloss Elisabethenburg und am Theater im Goethe-Park zeigt.

Geschichte Im Jahre 982 erstmals urkundlich genannt und 1152 zur Stadt erhoben, war der Ort ab 1680 Residenzstadt des Herzogtums Sachsen-Meiningen. Aufgeklärte Herrscher korrespondierten, dem Geist der Zeit gemäß, mit freisinnigen Denkern. Im Dezember 1782 suchte der junge Friedrich Schiller auf der Flucht vor seinem württembergischen Landesherrn im nahen Bauerbach Zuflucht.
Der »Theaterherzog« Georg II. (1866–1914) z. B. förderte das Musik- und Theaterschaffen, sodass sich die Meininger in seiner Regierungszeit rasch zu einem der angesehensten Theatergensembles Europas entwickelten. An der Meininger Hofkapelle wirkten so bedeutende Dirigenten wie Hans von Bülow (1880–1885), Richard Strauss (1885–1886) und Max Reger (1911–1914). Zu den **berühmtesten Bürgern der Stadt** gehört Ludwig Bechstein, der als Sammler und Herausgeber deutscher Sagen und Märchen den Gebrüdern Grimm kaum nachstand.

● MEININGEN ERLEBEN

AUSKUNFT

Tourist-Information
Markt 14, 98617 Meiningen
Tel. (0 36 93) 4 46 50, Fax 44 65 44
www.meiningen.de

MEININGER HÜTES

Mit Kopfbedeckungen haben die
»Hütes« nichts zu tun – vielmehr
handelt es sich um die Leibspeise
der Thüringer, die Kartoffelklöße,
die angeblich in Meiningen zum
ersten Mal hergestellt wurden. Die
märchenhafte Frau Holle soll die
Erfinderin sein. Alljährlich Mitte Juli
ehrt man die Klöße sogar mit einem
Hütesfest.

ESSEN

► Erschwinglich

Posthalterei
Georgenstraße 1 (im Romantik
Hotel Sächsischer Hof),
98617 Meiningen
Tel. (0 36 93) 45 70
Früher als Poststation der Fürsten von
Thurn und Taxis genutzt, genießt
man heute hier gute regionale Küche
und erlesenen Wein im elegant-rusti-
kalen Ambiente.

► Preiswert

Schlundhaus
Schlundgasse 4, 98617 Meiningen
Tel. (0 36 93) 81 38 38
Mit regionaler Küche werden Sie in
der urigen Stube des historischen
Gasthauses (mit Gästezimmern) an
blanken Holztischen bewirtet.

ÜBERNACHTEN

► Komfortabel

Schloss Landsberg
Landsberger Straße 150
98617 Meiningen
Tel. (0 36 93) 4 40 90, Fax 44 09 44
www.castle-landsberg.com
Feudales Schloss im gotischen Stil,
ruhige Lage, antik möblierte Zimmer,
prachtvolles Restaurant im historischen Rittersaal.

► Günstig

Im Kaiserpark
Günter-Raphael-Straße 9
98617 Meiningen
Tel. (0 36 93) 81 57 00, Fax 81 57 40
www.hotel-im-kaiserpark.de
In einem neuzeitlichen Geschäftshaus
ist dieses freundliche Etagenhotel untergebracht, zeitgemäße Zimmer in
Kirschbaumoptik, modernes Restaurant mit Marmortischen.

Sehenswertes in Meiningen

Das Schloss Elisabethenburg, einstmals Residenzschloss, ist heute Sitz
der **Staatlichen Museen**. Die barocke Dreiflügelanlage (1682–1692)
wurde zum Teil auf einer spätgotischen Burg errichtet. Zahlreiche
Schlossräume haben eine prachtvolle Innenausstattung, besonders
das Treppenhaus, der Turmsaal, der Gartensaal und im Südflügel der
»Johannes-Brahms-Saal«, die ehemalige Schlosskirche.
Die Staatlichen Museen umfassen eine wertvolle Kunstsammlung mit
Gemälden europäischer Meister des 15.–19. Jh.s, ein Theatermu-

✱
**Schloss
Elisabethenburg**

seum, das die Entwicklung der Meininger Theaterreform verdeutlicht, eine musikhistorische Abteilung, die die Geschichte der Hofkapelle und einiger hervorragender Musiker und Dirigenten dokumentiert, eine literaturhistorische Abteilung im Baumbachhaus (Burggasse 22; u. a. mit einem Literaturmuseum, das die Beziehungen Schillers und anderer Dichter zu Meiningen dokumentiert; ferner südthüringische Trachten) sowie eine naturwissenschaftliche Abteilung. Im Hessensaal lädt das Turmcafé zu einer stilvollen Pause ein.

Nördlich des Stadtkerns liegt am Westrand des als Englischer Garten gestalteten **Goetheparks** das berühmte, 1831 eröffnete und 1908 nach einem Brand neu errichtete Theater. Im Park steht inmitten eines Sees das Grabmal Herzog Karls von Sachsen-Meiningen.

Das Café in Schloss Elisabethenburg

Umgebung von Meiningen

Bauerbach

Das Dörfchen Bauerbach, 10 km südlich von Meiningen, war von Dezember 1782 bis Juli 1783 Zufluchtsort des »desertierten« Karlsschülers und Verfassers der »Räuber«, **Friedrich Schiller**, der im Hause Henriette von Wolzogens eine Unterkunft fand. Im einstigen Wolzogenschen Anwesen, dem heutigen Schillerhaus, veranschaulicht ein Museum die Lebensumstände des jungen Schiller.

✳
Schiller-
Museum ▶

Römhild

Grabdenkmäler in der Marienkirche, die von der berühmten Gießerwerkstatt Peter Vischer in Nürnberg hergestellt wurden, erinnern in Römhild, gut 25 km südöstlich von Meiningen, an Otto IV. und Hermann VII.

Im Töpferhof werden die Traditionen des Römhilder Töpfergewerbes bewahrt und fortgeführt. Das Steinsburg-Museum auf dem Kleinen Gleichberg zeigt u.a. Funde, die man dort – auf dem größten **archäologischen Bodendenkmal Thüringens** – ausgegraben hat. Auf dem Berg stand gegen Ende des 6. Jh.s v. Chr. eine keltische Burganlage.

Walldorf

Wer nach Walldorf kommt, sollte sich auf keinen Fall die **größte von Menschenhand geschaffene Höhle Europas** entgehen lassen. In der Schauhöhle wandelt man durch verschiedene Märchen und kann sich außerdem einen Überblick über die Geologie dieses Raums verschaffen. Wer lieber über der Erde bleibt, kann sich eine Kirchenburg aus dem 15. Jh. anschauen. Von den 110 Wehrkirchen dieser Region ist sie die am besten erhaltene.

Kühndorf, rund 11 km nordöstlich von Meinigen, ist stolz auf die einzige im deutschen Sprachraum erhaltene Johanniterburg. Sie wurde um 1315 vom Johanniterorden erbaut. Ein **Rundgang** durch die Anlage ist ausgeschildert.

Johanniterburg Kühndorf

✴ Meißen

Atlasteil: S. 40 • B 2
Höhe: 109 m ü. d. M.

Bundesland: Sachsen
Einwohnerzahl: 36 000

Meißen gilt als »Wiege Sachsens«, denn hier gründeten die deutschen Kaiser auf ihrem Weg nach Osten die erste Siedlung auf slawischem Gebiet. Aber nicht ihre über tausendjährige Geschichte hat den Namen der Stadt über die Grenzen getragen, sondern die Meißener »Blauen Schwerter«, Zeichen der ersten europäischen Porzellanmanufaktur, haben Meißen weltweit bekannt gemacht.

Meißen ist aus der 929 unter Heinrich I. auf slawischem Gebiet gegründeten Burg »Misni« entstanden, die 968 zum Bischofssitz erhoben wurde. Der **wirtschaftliche Aufstieg** zeigte sich ab dem 12. Jh. in reger Bautätigkeit: Dom, Bischofsschloss und Albrechtsburg entstanden. Mit der sächsischen Landesteilung, der Verlegung der Residenz nach Dresden sowie der Auflösung des Bistums zur Zeit der Reformation verlor Meißen seine politische Bedeutung. Wirtschaft und Kultur dagegen erreichten zu dieser Zeit neue Höhepunkte, wie die Einrichtung der Meißner »Fürstenschule« im Kloster St. Afra 1543 verdeutlicht. Im Dreißigjährigen Krieg wurde Meißen schwer beschädigt. Einen großen Beitrag zum Wiedererstehen leistete die 1710 auf der Albrechtsburg gegründete Königliche Porzellanmanufaktur. Nach der napoleonischen Besetzung war Meißen Ziel romantischer Dichter wie Friedrich von Hardenberg (Novalis) und von Malern wie Caspar David Friedrich und Adrian Ludwig Richter. Den Zweiten Weltkrieg hat die Stadt ohne schwere Schäden überstanden, doch in 40 Jahren DDR unterblieben Maßnahmen zur Erhaltung der historischen Bausubstanz. Dies wurde in den vergangenen Jahren mit eindrucksvollem Ergebnis nachgeholt.

Porzellanstadt

Burgberg

Weithin sichtbar ragen auf dem Burgberg die Albrechtsburg, der Dom und das ehemalige Bischofsschloss über Stadt und Strom auf. Die Albrechtsburg wurde in ihrer heutigen Gestalt von 1471 bis 1500

✴
Albrechtsburg

Panorama von Meißen mit der Albrechtsburg

von Arnold von Westfalen, einem der bedeutendsten Baukünstler des ausgehenden Mittelalters, als Wohn- und Regierungssitz der Wettiner Fürsten Ernst und Albrecht geschaffen. Sie gilt als einer der **schönsten Profanbauten der Spätgotik**. Herausragend sind der große Wendelstein – eine repräsentative Wendeltreppe an der Hofseite – sowie die Reliefs, die Christoph Walther I. 1524 im ersten Obergeschoss anbrachte. Die Ausmalung vieler Räume stammt allerdings von der Erneuerung um 1870. Ausstellungen informieren über die Burgarchitektur und die Geschichte der Porzellanmanufaktur.

✳ **Dom** Größter Schatz des um 1260 begonnenen und 1477 vollendeten Doms sind die **Stifterfiguren**, geschaffen von Meistern der Naumburger Werkstatt. Die Mitte des 13. Jh.s hergestellten Skulpturen stellen u. a. das Kaiserpaar Otto I. und Adelheid dar. Weiterhin beachtenswert sind die Gräber der Kurfürsten Friedrich der Streitbare und Georg sowie Kruzifix und Kandelaber aus Meissener Porzellan des berühmten Porzellanmodelleurs Johann Joachim Kändler.

Domplatz ▶ Um den Domplatz versammeln sich einige stattliche Gebäude, darunter die Domherrenhöfe, das Kornhaus, der Domkeller (**Meißens ältestes Gasthaus**) und der Burgkeller, von dessen Gartenterrasse man einen herrlichen Blick auf die Stadt und die Elbe hat.

Innenstadt

Markt Am Markt erhebt sich das spätgotische Rathaus (um 1472), das durch seine Blendgiebel auffällt. Der Platz ist gesäumt von ansehnlichen Bürgerhäusern aus Renaissance und Neorenaissance wie der

Marktapotheke von 1560. Die Reihe stattlicher Häuser setzt sich fort in der zum Burgberg hinaufführenden Burgstraße, in der an der Ecke zum Markt die Verkaufsstube der Sächsischen Winzergenossenschaft zum **Probeschluck** einlädt.

In die Südwestecke des Markts ragt der Chor der Frauenkirche aus dem 15. Jh. hinein, die einen wertvollen spätgotischen Altar besitzt. Im Turm hängt das **erste Porzellanglockenspiel der Welt** (1929). Nachbarn der Kirche sind das alte Brauhaus (1569) und das Tuchmachertor, eines der schönsten Renaissance-Denkmale, sowie die historische Weinschenke »Vincenz Richter«.

◄ Frauenkirche

Hinter der Frauenkirche steigt man die Frauenstufen hinauf zum Afraberg und zur Afranischen Freiheit, einer abgeschlossenen Renaissancesiedlung mit der Kirche St. Afra (um 1300), der Afranischen Pfarre mit Renaissance-Eckerker von 1535 und dem Jahnaischen Friedhof. Die berühmte ehemalige Fürstenschule St. Afra, unter Herzog Moritz 1543 gegründet, sollte junge Männer aus allen Bevölkerungsschichten auf die Universität vorbereiten. Bedeutende Schüler waren u. a. Lessing, Gellert und Rabener.

Afraberg

Im Triebischtal, 10 Min. Fußweg vom Marktplatz, hat seit 1863 die 1710 auf der Albrechtsburg gegründete Staatliche Porzellanmanufaktur Meißen ihren Sitz. In der **Schauhalle** werden ca. 3000 der mehr als 20 000 entworfenen Modelle von den Anfängen bis zur jüngsten Produktion ausgestellt. In der Schauwerkstatt kann man den Formern, Drehern, Bossierern (die die Teile einer Figur zusammensetzen) und den Malern über die Schulter sehen (Öffnungszeiten: Mai bis Okt. tgl. 9.00–18.00, Nov. bis März bis 17.00 Uhr).

✹ ✹
Staatliche Porzellan-manufaktur

> **!** *Baedeker* TIPP
>
> **Mit Dampf an Bord**
>
> Beim leisen Rauschen der Schaufelräder und dem Schnaufen der Dampfmaschinen kann man auf einer Ausflugsfahrt über die Elbe gleiten. Neun historische Raddampfer besitzt die Sächsische Dampfschifffahrt – die älteste und größte Raddampferflotte der Welt. Zwischen Seußlitz bei Meißen und Decin in Böhmen verkehren die Schiffe (Information: Tel. 03 51/86 60 90).

Die ehemalige **Franziskanerkirche** am Heinrichsplatz nordöstlich vom Markt wird als Stadtmuseum genutzt. Im Kreuzgang sind Grabplatten und Skulpturen ausgestellt, u. a. auch Arbeiten von Johann Joachim Kändler. Am Theaterplatz steht das 1851 zum Theater umgebaute **Gewandhaus der Tuchmacher** (16. Jh.), das einst als Kaufhaus diente. Die **Martinskapelle** auf dem Plossen ist ein romanischer Bau (um 1200); im Innern steht ein sehenswerter spätgotischer Altar. In der um 1100 errichteten und im 13. Jh. umgebauten **Nikolaikirche** am Neumarkt sind Reste frühgotischer Wandmalereien erhalten. Die Kirche ist als Gedenkstätte für die Gefallenen des Ersten Weltkriegs mit großen Porzellanplastiken (1921–1929) von Emil Paul Börner ausgestattet.

Umgebung von Meißen

Meißner Weinbaugebiet
Elbaufwärts lädt das Spaargebirge mit seinen idyllischen Weinbergen und Weinstuben zu **Wanderungen** und natürlich vor allem zu Weinproben ein. Einer der ältesten Weinbauorte ist das Städtchen Weinböhla an der sächsischen Weinstraße.

Diesbar-Seußlitz
Elbabwärts gelangt man über Niederau mit seinem Bahnhof von 1842 nach Diesbar-Seußlitz, einem romantischen Doppeldorf an der Elbe. Es ist der nördlichste Anbauort des sächsischen Weinbaugebiets. Mehrere Weingaststätten bieten hiesige und andere Weine und den hier angebauten Spargel an. Das Barockschloss in Seußlitz wurde 1726 auf dem Klostergelände nach Plänen von George Bähr für

▶ MEISSEN ERLEBEN

AUSKUNFT

Tourist-Information
Markt 3, 01662 Meißen
Tel. (0 35 21) 4 19 40, Fax 41 94 19
www.stadt-meissen.de

ESSEN

▶ Erschwinglich
Goldener Löwe
Heinrichplatz 6, 01662 Meißen
Tel. (0 35 21) 4 11 10
Gediegen speisen Sie in dem schönen Hotelrestaurant in der Altstadt bei Kaminfeuer und Kerzenschein.

▶ Preiswert
Romantik Restaurant Vincenz Richter
An der Frauenkirche 12
01662 Meißen
Tel. (0 35 21) 45 32 85
Das Tuchmacherzunfthaus von 1523 beherbergt eine urige Gaststube. Schöne Innenhof-Terrasse!

ÜBERNACHTEN

▶ Komfortabel
Mercure Grand Hotel
Hafenstraße 27, 01662 Meißen
Tel. (0 35 21) 7 22 50, Fax 72 29 04
www.accorhotels.com

In reizvoller Lage an der Elbe bietet die prachtvolle Jugendstilvilla (1870) attraktive, elegant eingerichtete Zimmer. Im Restaurant »Die Villa« werden neben internationalen Klassikern viele sächsische Gerichte angeboten.

Burgkeller
Domplatz 11, 01662 Meißen
Tel. (0 35 21) 4 14 00, Fax 4 14 04
www.meissen-hotels.com
Seit 1881 überzeugt das kleine Hotel mit bequemen und eleganten Zimmern, teilweise mit grandiosem Blick auf die Stadt, gediegenes Restaurant mit wunderschöner Aussichtsterrasse und Biergarten.

▶ Günstig
Goldgrund
Goldgrund 14, 01662 Meißen
Tel. (0 35 21) 4 79 30, Fax 47 93 44
www.hotel-goldgrund-meissen.de
In malerischer Lage zwischen Stadt und Landschaftsschutzgebiet Goldgrundwald finden Sie diese Oase der Ruhe, von der aus die touristischen Attraktionen Meißens in nur wenigen Minuten zu Fuß zu erreichen sind. Solide Zimmer mit Kirschbaummöbeln, Restaurant.

Heinrich von Bünau errichtet; es dient heute als Seniorenheim. In der Nähe von Diesbar befinden sich die **ausgedehntesten bronzezeitlichen Befestigungsanlagen in Sachsen**, die aus der Zeit zwischen 1500 und 400 v. Chr. stammen.

Elbabwärts erreicht man über die Industriestadt Riesa das Städtchen Strehla, das von einer auf das 10. Jh. zurückgehenden Burg dominiert wird und dessen Stadtkirche eine außergewöhnliche, aus farbiger Keramik hergestellte Kanzel aus dem Jahr 1565 besitzt.

Strehla

In Oschatz, 32 km westlich von Meißen, sind vor allem das Rathaus von 1537 und die »Ratsfronfeste« sehenswert, die das Stadtmuseum beherbergt. Es zeigt in einer sehr interessanten Abteilung die Geschichte des in Oschatz traditionell heimischen Waagenbaus.

Oschatz

> **? WUSSTEN SIE SCHON …?**
>
> ■ dass die Markgrafen von Meißen ihre ersten Landtage auf dem 6 km westlich von Oschatz sich erhebenden Collmberg abhielten? Als »Tagungsort« diente ihnen das bereits im Sachsenspiegel erwähnte Tausendjährige Linde.

Memmingen

Atlasteil : S. 61 • D 1
Höhe : 595 m ü. d. M.

Bundesland: Bayern
Einwohnerzahl: 38 000

Vor der prächtigen Kulisse der Allgäuer Alpen posiert die einst Freie Reichsstadt Memmingen. Ihr von Gotik und Renaissance geprägtes Bild hat sie sich noch weitgehend erhalten. Von ihrer Wehrhaftigkeit zeugen die Mauern und stattlichen Türme der ehemaligen Befestigungsanlage.

Memmingen wurde um 1160 von Herzog Welf VI. an der Stelle einer Römersiedlung gegründet und erlangte 1268 Reichsfreiheit. Die günstige Lage an einem Handelsweg von Süddeutschland nach Italien brachte der Stadt **beträchtlichen Wohlstand**. Im Dreißigjährigen Krieg wurde sie mehrmals belagert, verlor an Besitz und Bedeutung und versank schließlich in Provinzialität. Im Jahr 1806 wurde Memmingen bayerisch.

Geschichte

Sehenswertes in Memmingen

Den Mittelpunkt der malerischen, noch teilweise von der mittelalterlichen Stadtmauer umzogenen Altstadt bildet der Marktplatz mit dem Renaissance-Rathaus (1589), dem Steuerhaus, dessen Fassade 1909 neu gestaltet wurde und dessen Arkaden von 1495 stammen, und der Großzunft (1453, 1718 barockisiert), dem Gesellschaftshaus der Patrizier.

Marktplatz

**Weitere Sehens-
würdigkeiten**

Nördlich vom Markt, an der Ulmer Straße, stehen das Parishaus (1736) mit der Städtischen Galerie und das Grimmelhaus, das mit Stuckaturen des 18. Jh.s ausgestattet ist. Geht man vom Markt in westlicher Richtung, sieht man bald die gotische Martinskirche, mit ihrem 66 m hohen Turm das **Wahrzeichen der Stadt**. Das Chorge-stühl (1501–1507) im Inneren ist ein Meisterwerk der Memminger Schnitzerschule. Gegenüber der Martinskirche ist im Hermansbau, einem spätbarocken Palais (1766), das Städtische Museum (Vor- und Frühgeschichte, Gemälde, Möbel, Fayencen u. a.) untergebracht. Südlich der Martinskirche steht die Kinderlehrkirche aus dem 14./ 15. Jh., die ehemalige Antoniter-Klosterkirche, mit Fresken. Geht man weiter nach Süden, trifft man auf den 1589 errichteten Fugger-bau, die Faktorei der Augsburger Kaufmannsdynastie. Östlich vom Fuggerbau erstreckt sich der Weinmarkt mit dem Haus der Weber-

▶ MEMMINGEN ERLEBEN

AUSKUNFT

Stadtinformation
Marktplatz 3, 87700 Memmingen
Tel. (0 83 31) 85 01 72, Fax 85 01 78
www.memmingen.de

ESSEN

► Erschwinglich
Weinstube Weber am Bach
Untere Bachgasse 2
87700 Memmingen
Tel. (0 83 31) 24 14
Romantisch am Stadtbach liegt das älteste Weinhaus Memmingens neben dem Marktplatz. Edle Weine, geho-bene deutsche und regionale Küche, viele Fischspezialitäten.

Bauerntanz
Brückenstraße 5, 87700 Memmingen
Tel. (0 83 31) 24 25
In der Altstadt lädt der geschichts-trächtige Gasthof (1500), zu bayerisch-schwäbischen Schmankerln ein.

► Preiswert
Landgasthof Weiherhaus
Am Wiherhaus 13,
87740 Buxheim bei Memmingen
Tel. (083 31) 7 21 23

Gemütlicher, rustikaler Gasthof an einem See westlich von Memmingen. Freunde schwäbischer Küche werden begeistert sein, die nach altem Rezept zubereiteten Maultaschen sind ein Gedicht!

ÜBERNACHTEN

► Komfortabel
Falken
Roßmarkt 3
87700 Memmingen
Tel. (0 83 31) 9 45 10, Fax 9 45 15 00
www.hotel-falken-memmingen.com
Behagliche Atmosphäre herrscht in diesem gepflegten Haus, rustikal ein-gerichtete Zimmer, aufmerksamer Service.

► Günstig
Weißes Ross
Salzstraße 10
87700 Memmingen
Tel. (0 83 31) 96 60, Fax 93 61 50
www.hotelweissesross.de
Hotel in einem historischen Altstadt-haus, zeitgemäßer Komfort, hübsche und geräumige Zimmer. Im tradi-tionsreichen Bacchus-Keller lässt sich herrlich tafeln.

zunft und dem der Kramerzunft (15. Jh.). Die 1258 erstmals erwähnte gotische Kirche Unserer Frauen am Südrand der Altstadt weist einen herrlichen Freskenzyklus der Strigel-Schule auf.

Umgebung von Memmingen

Etwa 4 km westlich von Memmingen liegt in Buxheim das 1402 gegründete ehemalige Kartäuserkloster Maria Saal; Konventsgebäude und Kirche wurden im 17./18. Jh. barockisiert. Das barocke Chorgestühl von Ignaz Waibel gehört zu den **schönsten Beispielen süddeutscher Bildhauerkunst.**

Buxheim

Seine Bekanntheit verdankt Ottobeuren, 8 km südöstlich von Memmingen, vor allem der Klosteranlage mit der mächtigen Barockbasilika. Die Kirche wurde ab 1737 nach Plänen Johann Michael Fischers

✳
Kloster
Ottobeuren

Die ehemalige Reichsabtei Ottobeuren wird auch gern als »Schwäbischer Escorial« bezeichnet.

erbaut, von Johann Michael Feuchtmayr mit Stuckaturen ausgestattet und von Johann Jakob und Franz Anton Zeiller mit Fresken ausgemalt. Die berühmten Chororgeln (1766) stammen von Karl Joseph Riepp.

Illerbeuren In Illerbeuren, 10 km südlich von Memmingen, lohnt das Schwäbische Bauernhof-, Schützen- und Brotmuseum, **das älteste Freilichtmuseum Bayerns**, einen Besuch.

Merseburg

Atlasteil: S. 39 • C 2 **Bundesland:** Sachsen-Anhalt
Höhe: 98 m ü. d. M. **Einwohnerzahl:** 41 800

Dom und Schloss oberhalb des Saalehochufers beherrschen das Panorama der bekannten Bischofs- und Residenzstadt Merseburg und verleihen der ansonsten überwiegend modernen Industriestadt kunsthistorische Bedeutung.

Geschichte Um 800 bestand an der strategisch wichtigen Saale-Elbe-Grenzlinie des Frankenreichs eine karolingische Burg. König Heinrich I. gründete hier eine Pfalz, in der bis zum 13. Jh. alle deutschen Kaiser und Könige Hoftage hielten. Durch das 968 von Otto I. begründete Bistum wurde Merseburg zum Bischofssitz; 1653–1738 war die Stadt Residenz der Herzöge von Sachsen-Merseburg. Der **Braunkohlenabbau** machte aus ihr Anfang des 20. Jh.s eine Industriestadt, die im Zweiten Weltkrieg schweren Luftangriffen ausgesetzt war.

Sehenswertes in Merseburg

✶ ✶
Dom
Der jetzige, ursprünglich ottonisch-frühromanische Bau wurde 1015 begonnen, im 13. Jh. kam u. a. die große Vorhalle hinzu, 1510–1517 entstand das netzgewölbte Langhaus. Am spätgotischen Westportal beachte man die Büste Kaiser Heinrichs II. mit dem Dommodell. Der Dom besitzt eine **überaus reiche Innenausstattung** aus nahezu allen Epochen. Das bedeutendste der zahlreichen Grabmäler (13.–18. Jh.) im Dom und zugleich ein herausragendes Zeugnis mittelalterlicher Grabmalplastik ist die Bronzegrabplatte des Gegenkönigs Rudolf von Schwaben (1080). Zu den Spitzenstücken der Innenausstattung gehören weiterhin der romanische, reich verzierte Taufstein (um 1180), das spätgotische Chorgestühl (1446), die Renaissancekanzel (1520), der barocke Hochaltar (1668) und das Portal zur Fürstengruft (1670). Die dreischiffige Hallenkrypta gilt als bedeutendes Beispiel für die frühromanische Baukunst. An der Südseite des Domes schließt sich der Kreuzgang mit frühgotischem Westflügel und romanischer Johanniskapelle an.

Dom und Schloss von Merseburg spiegeln sich in der Saale.

Im Domstiftsarchiv befindet sich eine umfangreiche Sammlung mittelalterlicher Handschriften, darunter das Fränkische Taufgelöbnis aus dem 9. Jh., die weltberühmten **Merseburger Zaubersprüche** aus dem 10. Jh. und eine reich illuminierte Bibelhandschrift mit Vulgata-Text (um 1200).

Stiftsarchiv

Zum Ensemble auf dem Domberg gehört auch die beeindruckende Schlossanlage, die Stilelemente der Spätgotik und Renaissance aufweist. Der Ostflügel, nach schweren Kriegsschäden wieder aufgebaut, beherbergt das **Kulturhistorische Museum**. Aus der Zeit der Spätrenaissance stammt der reich verzierte Brunnen an der Südostseite des Hofes. Nördlich des Schlosses erstreckt sich der 1661 angelegte **Schlossgarten** mit dem Schlossgartensalon (1727–1738) von Johann Michael Hoppenhaupt, der 1738 auch die etwas nördlicher liegende Obere Wasserkunst entworfen hat.

★
Schloss

Nördlich vom Schlossgelände liegt der bereits in frühgeschichtlicher Zeit besiedelte Burgberg Altenburg, der **alte Siedlungskern der Stadt** (8. Jh.). Erhalten aus späterer Zeit sind Reste des Petersklosters (Klausur, 13. Jh.) sowie die Vitikirche (12.–17. Jh.).

Burgberg Altenburg

Die wichtigsten historischen Gebäude in der Altstadt sind das Alte Rathaus aus dem 15./16. Jh. und die spätgotische Stadtpfarrkirche St. Maximi. Südlich außerhalb der Altstadt erhebt sich als Ruine die

Weitere Sehenswürdigkeiten

? WUSSTEN SIE SCHON ...?

■ dass der Rabenkäfig im Vorhof des Schlosses an die Merseburger Rabensage erinnert? Bischof Tilo von Trotha verlor einen teuren Ring und ließ dafür seinen treuen Diener hinrichten. Als man später den Ring in einem Rabennest fand, ließ Tilo von Trotha als Mahnung, kein Urteil im Jähzorn zu fällen, im Schlosshof einen Vogelbauer errichten, in welchem seitdem ein Kolkrabe für den Diebstahl büßt.

⏵ MERSEBURG ERLEBEN

AUSKUNFT

Merseburg-Information
Burgstraße 5, 06217 Merseburg
Tel. (0 34 61) 1 94 33, Fax 21 41 77
www.merseburg-tourist.de

ESSEN

▶ Preiswert

Imperial
Gotthardstraße 28,
06217 Merseburg
Tel. (0 34 61) 28 99 64
Internationale Klassiker und boden-
ständige Küche wird im historischen
Ambiente des Altstadt-Restaurants
serviert.

Ritters Weinstube
Große Ritterstraße 22,
06271 Merseburg
Tel. (0 34 61) 3 36 60
Weinspezialitäten aus der Saale-Un-
strut-Region und klassische deutsche
Küche in gemütlichem Gasthaus.

ÜBERNACHTEN

▶ Komfortabel

Radisson SAS
Oberaltenburg 4,
06271 Merseburg
Tel. (0 34 61) 4 52 00, Fax 45 21 00
www.radissonsas.com
Im Zech'schen Palais, einem altehr-
würdigen Barockgebäude gegenüber
dem Residenzschloss, ist das moderne
Hotel seit den 90er-Jahren. Moderne
Ausstattung, Restaurant, Sauna.

Quality Hotel Stadt Merseburg
Christianenstraße 25,
06271 Merseburg
Tel. (0 34 61) 35 00, Fax 35 01 00
www.qualityhotel-merseburg.de
Neuzeitliches Hotel am Rande der
Innenstadt, die Zimmer sind hoch-
wertig eingerichtet und bieten guten
Komfort, Restaurant mit Wintergarten
und Terrasse, Schwimmbad und
Sauna.

Sixtikirche, die seit 1888 als Wasserturm genutzt wird. In der Kirche
befindet sich ein Reiterstandbild Friedrich Wilhelms III. aus dem
Jahr 1905. Interessant aufgrund der Grabdenkmäler aus dem 18. Jh.
ist der ab 1581 angelegte Stadtfriedhof. Zu den ältesten Bauwerken
der Stadt gehört auch die am östlichen Ufer der Saale ab 1173 erbaute Neumarktkirche.

Umgebung von Merseburg

Leuna   Durch die Leuna-Werke, die 1916 hier angesiedelt wurden, entwickelte sich das ehemalige Dorf (seit 1945 Stadt) 3 km südlich von
Merseburg zum **größten Industriestandort der damaligen DDR**.

Bad Dürrenberg   Im ehemaligen Kurort Bad Dürrenberg, 11 km südöstlich von Merseburg, lohnt der Kurpark mit dem Gradierwerk einen Besuch. In
223 m Tiefe entspringt eine Solequelle unter dem Borlachturm, in
dem sich ein Museum zur Geschichte der Salzgewinnung befindet.
Die lang gestreckten **Siedehäuser** sind noch erhalten.

Minden

Atlasteil: 6 • A 2   **Bundesland:** Nordrhein-Westfalen
Höhe: 46 m ü. d. M.   **Einwohnerzahl:** 84 000

Dass sich zwei Gewässer kreuzen, ist zunächst nicht außergewöhnlich, tun sie es aber, ohne ineinander zu fließen, wird's komisch. Diesen bizarren Anblick können Sie beim Wasserstraßenkreuz von Minden bewundern: Der Mittellandkanal führt hier in einer Brücke über die Weser. Neben diesem Wasserkreuz hat die Porta Westfalica Minden über die Grenzen Westfalens hinaus bekannt gemacht.

Geschichte Keimzelle der Stadt war eine Fischersiedlung an der Weserfurt. Im Jahr 799 gründete Karl der Große das Bistum Minden. Im 15. Jh. wurde die Stadt Mitglied der Hanse. Nach dem Dreißigjährigen Krieg fiel Minden an Brandenburg-Preußen; der Große Kurfürst ließ es zur Festungsstadt ausbauen. Im Verlauf des Siebenjährigen Kriegs siegten die verbündeten englischen und preußischen Truppen bei Minden am 1. August 1759 über die Franzosen. 1873 wurden die alten Befestigungsanlagen niedergerissen und an ihrer Stelle Grünflächen und Straßen angelegt.

Sehenswertes in Minden

Die bedeutendste gotische Hallenkirche Westfalens ziert die Mindener Altstadt. An dem im 11. bis 13. Jh. errichteten Dom fallen besonders das wuchtige Westwerk und die großen Maßwerkfenster an der Südseite auf.
Bemerkenswerte Ausstattungsstücke sind der Apostelfries (um 1250) und das Altarbild von Gerd van Loen (1480). Die **Schatzkammer des Doms** ist im Haus am Dom untergebracht und besitzt als wertvollstes Stück das »Mindener Kreuz« von 1070, dessen Nachbildung sich am nördlichen Pfeiler der Domvierung befindet.

> **!** *Baedeker* TIPP
>
> ### Nachtwächterinnen
> Findet man sich donnerstagabends vor der historischen Rathauslaube ein, kann man an einer ungewöhnlichen Stadtführung durch die Mindener Oberstadt teilnehmen. Zwei in historische Nachtwächtergewänder gekleidete Frauen führen gänzlich ohne geschichtliche Daten, dafür aber mit vielen Anekdoten und Geschichten zur Mindener Vergangenheit und Gegenwart durch die Stadt (Information: Tel. 05 71/2 35 69).

✱ Dom

Markt Ansprechend wirkt am Markt das Rathaus (13. Jh.) mit seinem gotischen Laubengang. Es ist das **älteste Rathaus in Westfalen**. Der Oberbau wurde 1945 zerstört und 1953/1954 neu gestaltet.
Weiterhin sind am Markt die Löwenapotheke, ein reich verziertes Backsteingebäude, und das Schmiedingsche Haus mit stattlichem Fachwerkgiebel zu sehen. An der Straße Scharn steht das sog. Hagemeyerhaus von 1592 im Stil der Weserrenaissance.

Das Wasserstraßenkreuz von Minden: Wie ein gigantischer Badezuber wirkt die Brücke des Mittellandkanals, auf der die Schiffe die Weser kreuzen.

Museumszeile
Eine nahezu unverändert erhaltene Reihe von Bürgerhäusern des 16. Jh.s präsentiert sich in der Museumszeile. Einen Besuch lohnt das Mindener Museum für Geschichte, Landes- und Volkskunde in der Ritterstraße 23–33. Die Textilsammlung des Museums zeigt typische Mindener Trachten. Eine besondere Attraktion stellt das **Kaffeemuseum** dar. Von der Verbreitung des Getränks bis zum Kaffeesatzlesen erfährt der Besucher Wissenswertes über den Kaffee.

✳
Wasser-straßenkreuz
Nördlich der Altstadt befinden sich die Hafenanlagen und vor allem das beeindruckende Wasserstraßenkreuz: Auf einer 375 m langen Kanalbrücke überquert der Mittellandkanal in 13 m Höhe die Weser. Bei der Ausstellungshalle des **Informations-Zentrums** ehrt ein Denkmal Dr. Ing. Leo Sympher, der einen entscheidenden Anteil an der Planung des Mittellandkanals hatte.

Umgebung von Minden

✳
Porta Westfalica
An der Porta Westfalica – 6 km südlich von Minden – durchbricht die Weser in einem 800 m breiten Einschnitt das Weser- und Wiehengebirge. Westlich auf dem Wittekindsberg erhebt sich weithin sichtbar das monumentale, 1896 enthüllte **Kaiser-Wilhelm-Denkmal**.

Besucher-bergwerk Kleinbremen
Südlich von Minden wurde in Kleinbremen ein alter Erzstollen als Besucherbergwerk eingerichtet. Nach dem Einfahren sieht man bei einem Rundgang riesige Hohlräume: die alten Abbaufelder. Ein Schaupfad vermittelt einen Einblick in den bis in die Fünfzigerjahre des 20. Jh.s betriebenen Bergbau.

Westfälische Mühlenstraße
Die Westfälische Mühlenstraße verbindet 42 Wind-, Wasser- und Rossmühlen, die im Kreis Minden-Lübbecke restauriert wurden. Ei-

⏵ MINDEN ERLEBEN

AUSKUNFT

Tourist-Information
Domstraße 2, 32423 Minden
Tel. (05 71) 8 29 06 59, Fax 8 29 06 63
www.mindenmarketing.de

ESSEN

▶ Erschwinglich
La Scala
Markt 6, 32432 Minden
Tel. (05 71) 8 29 20 00
Kleines, charmantes Restaurant am
Markt mit feiner italienischer Küche.

▶ Preiswert
El Toro
Simeonplatz 3, 32432 Minden
Tel. (05 71) 8 29 02 02
In dem urgemütlichen Restaurant mit
rustikaler Einrichtung bietet sich die
ganze kulinarische Vielfalt Spaniens.

ÜBERNACHTEN

▶ Komfortabel
Victoria
Markt 11, 32423 Minden
Tel. (05 71) 97 31 00, Fax 9 73 10 90
www.victoriahotel-minden.de
Zentral gelegenes Haus mit moderner
Einrichtung und komfortablen Zim-
mern, im Restaurant speisen Sie
gediegen, schöne Gartenterrasse.

Bad Minden
Portastraße 36, 32429 Minden
Tel. (05 71) 9 56 33 00
Fax 9 56 33 69
www.badminden.de
Schöne, praktische Zimmer erwarten
Sie in dem Haus nahe der Innenstadt,
einladendes, mediterran gehaltenes
Restaurant im Bistro-Stil, Sauna,
Massage, Fitnessstudio im Haus.

nige Mühlen sind regelmäßig für **Besichtigungen** geöffnet. Besu-
chern wird auf Wunsch die Funktionsweise der mit Wind-, Wasser-
oder Pferdekraft betriebenen technischen Kulturdenkmäler erläutert.
Zweimal im Jahr, am »Kreismühlentag« und am Besichtigungstag
»Die Westfälische Mühlenstraße lädt ein«, können alle restaurierten
Mühlen kostenlos besichtigt werden.

Ungefähr 10 km südöstlich von Minden liegt die Stadt Bückeburg in **Bückeburg**
reizvoller Landschaft zwischen den Ausläufern der Bückeberge und
dem Wesergebirge. Ihr Aufstieg begann unter Fürst Ernst von
Schaumburg, der Bückeburg 1609 zu seiner Residenz machte. Erhalten sind zahlreiche Bauwerke des 17. Jh.s, darunter das ehemalige
Residenzschloss, ein Wasserschloss, dessen Nord- und Westflügel den ★
Stil der Weserrenaissance erkennen lassen. Das Mausoleum im ◀ Residenz-
Schlosspark fasziniert besonders durch seine Mosaikkuppel. In einem schloss
der Burgmannshöfe des 16. Jh.s ist das Landesmuseum untergebracht, in einem anderen das in seiner Art einmalige **Hubschrauber-
museum**.
Neben dem Rathaus sollte man die 1651 geweihte Stadtkirche mit ihrer prächtigen Fassade beachten; sie besitzt ein Taufbecken von dem
Niederländer Adrian de Vries.

Mönchengladbach

Atlasteil: S. 33 • C/D 2
Höhe: 60 m ü. d. M.

Bundesland: Nordrhein-Westfalen
Einwohnerzahl: 270 000

Wollten Sie schon immer mal Berti Vogts oder Günther Netzer begegnen? Dann sollten Sie sich die Fußgängerzone in Mönchengladbach näher ansehen, denn dort hat man den berühmten Fußballern ein Denkmal gesetzt. Fußball ist es auch, was die meisten Menschen mit der Stadt am Niederrhein verbinden, obwohl der Ort einiges an Sehenswertem vorzuweisen hat.

Sehenswertes in Mönchengladbach und Umgebung

Alter Markt
Der Alte Markt mit der Pfarrkirche St. Mariä Himmelfahrt bildet den **lebendigen Mittelpunkt der Stadt.** Hinter der Kirche erhebt sich das Münster.

Abteiberg
Die Silhouette der Stadt wird vom Abteiberg mit dem Rathaus bestimmt. Das daran angrenzende spätromanische Münster mit schönem Chor und Glasgemälden aus dem 13. Jh. und den Reliquien des hl. Vitus, des Schutzheiligen der Stadt, wurde 1275 von Albertus Magnus geweiht. Nach Plänen des Wiener Architekten Hans Hollein wurde ein Gegenpol zu den historischen Bauten errichtet: das Städ-

Die Straßencafés am Alten Markt von Mönchengladbach vermitteln im Sommer ein bisschen südliches Flair.

tische Museum Abteiberg in der Abteistraße 27, ein **Zentrum für moderne Kunst**, u. a. mit Werken von Joseph Beuys, Andy Warhol und Yves Klein.

✷
◄ Museum Abteiberg

Daneben regiert eher der Spaß: Im Karnevalsmuseum im alten Zeughaus hat man Urkunden und Utensilien der Mönchengladbacher Karnevalsgesellschaften aus den letzten 100 Jahren gesammelt, ferner Zepter, Pritschen, Feströcke und Monografien.

Karnevalsmuseum

Nördlich vom Abteiberg kann man den im Jugendstil gehaltenen Wasserturm (50 m hoch) an der Viersener Straße besuchen. Er hat 16 **Aussichtskanzeln**, von denen sich ein herrlicher Blick bietet.

Wasserturm

MÖNCHENGLADBACH ERLEBEN

AUSKUNFT

Marketing Gesellschaft Mönchen-gladbach
Voltastraße 2
41061 Mönchengladbach
Tel. (0 21 61) 25 25 25, Fax 25 24 39
www.moenchengladbach.de

ESSEN

► Fein & Teuer
Lindenhof
Vorster Straße 535,
41169 Mönchengladbach-Hardt
Tel. (0 21 61) 55 93 40
Historischer, rusikaler Gasthof, klassische Küche auf hohem Niveau.

► Erschwinglich
Michelangelo
Lüpertzender Straße 133,
41061 Mönchengladbach
Tel. (0 21 61) 20 85 83
Gehobene italienische Küche in zentral gelegenem Ristorante.

Volksgarten Pavillon
Carl-Diem-Straße 2,
41065 Mönchengladbach
Tel. (0 21 61) 4 85 96
Elegantes, ambitioniertes Restaurant, in dem Vater und Sohn traditionelle und neue deutsche Küche servieren.

ÜBERNACHTEN

► Luxus
Mercure Parkhotel
Hohenzollernstraße 5,
41061 Mönchengladbach
Tel. (0 21 61) 89 30, Fax 89 36 17
www.accorhotels.com
Schnörkelloser Flachdachbau mit modern ausgestatteten Zimmer. Restaurant im Wintergarten, großzügige Badelandschaft.

► Komfortabel
Coenen
Giesenkirchener Straße 41,
41238 Mönchengladbach-Rheydt
Tel. (0 21 61) 1 60 06, Fax 18 67 95
www.hotelcoenen.de
Freundliches, familiär geführtes Hotel, sehr wohnliche Zimmer, schöner Garten, elegantes Restaurant mit feiner Tischkultur.

► Günstig
Amadeo
Waldhausener Straße 122,
41061 Mönchengladbach
Tel. (0 21 61) 92 66 30, Fax 9 26 63 40
www.hotelamadeo.de
Zentral gelegen, bietet das engagiert geführte Haus zeitgemäße Zimmer mit guter Ausstattung.

Schloss Rheydt In der prächtigen Renaissanceanlage von Schloss Rheydt ist das **Städtische Museum** untergebracht – mit Abteilungen für Kunst und Kultur sowie für Stadtgeschichte mit Schwerpunkt auf Textilgeschichte.

✳ **Schloss Dyck** Schloss Dyck war Stammsitz der bereits im 11. Jh. bezeugten Herren von Dyck. Das Herrenhaus präsentiert sich als Vierflügelanlage mit fast quadratischem Innenhof. Die Schlosskapelle im Westtrakt beeindruckt den Besucher durch stuckierte Wände und ein Deckengemälde mit der Darstellung des hl. Maternus. Der Schlosspark, im Landschaftsstil des 19. Jh.s gestaltet, lädt mit seinem herrlichen Baumbestand zu einem Spaziergang ein.

✳ Moseltal

Atlasteil: S. 42/43 • A–C 1–3   **Bundesland:** Rheinland-Pfalz

Die Mosel ist mit 545 km einer der längsten Nebenflüsse des Rheins. Das Landschaftsbild wird besonders zwischen Bernkastel-Kues und Cochem durch Burgen, die auf Talhängen stehen oder in Seitentälern liegen, sowie kleine Städte und Weindörfer geprägt. Der gewundene Flusslauf und die Enge des Tals standen der Entwicklung größerer Städte entgegen.

»Die kleine Maas« Ihren Namen »Mosella« – »die kleine Maas« – gaben ihr die Römer. Die Mosel entspringt am Col de Bussang in den südlichen Vogesen (Frankreich); zwischen Perl und der Einmündung der Sauer bei Oberbillig bildet sie die natürliche Grenze zwischen Deutschland und dem Großherzogtum Luxemburg. Der Abschnitt von Perl bis ► Trier wird als Obermosel, der von Trier bis Bullay als Mittelmosel und der von Bullay bis zur Mündung in den Rhein bei ► Koblenz als Untermosel bezeichnet. Der im Folgenden eingehender geschilderte, landschaftlich schönste Abschnitt des Moseltals liegt zwischen Trier und Koblenz. Nach der Trierer Talweitung windet sich der Fluss in zahlreichen Mäandern durch das Rheinische Schiefergebirge zwischen ► Eifel und ► Hunsrück und mündet bei Koblenz in den Rhein.

? WUSSTEN SIE SCHON …?

■ wie die bekannte Weinmarke »Zeller Schwarze Katz« zu ihrem Namen gekommen ist? Der Überlieferung zufolge soll eine schwarze Katze einem Weinhändler verraten haben, in welchem Fass der beste Wein lagerte.

✳ **Moselwein** Die steilen Hänge an der mittleren Mosel sind fast ausschließlich mit Weißweinreben bestanden, überwiegend Riesling, Silvaner und Müller-Thurgau. Der Weißwein von der Mosel hat zwar weniger Alkoholgehalt, aber dennoch einen großen Geschmack. Als gute Kreszen-

*Mit ihren zahlreichen Erkern und Türmen zählt die Burg Eltz
zu den schönsten Burgen Deutschlands.*

zen gelten u. a. der kräftigere Piesporter, der Brauneberger, der Bern-
kasteler Doctor, ferner die Weine von Graach, Wehlen, Zeltingen
(»Himmelreich«), von Traben-Trarbach und von Zell (»Schwarze
Katz«).

Von Koblenz nach Trier

Vorbei an Kobern-Gondorf – über den Ort wacht die Ruine der Altenburg mit der kunsthistorisch bedeutenden Matthiaskapelle
(13. Jh.) – führt die Route am linken Ufer der Mosel nach Moselkern, einem Weinort an der Mündung des Eltzbachs in die Mosel.
Fährt man von hier im Eltztal aufwärts, gelangt man zur malerisch
auf steilem Fels thronenden Burg Eltz, deren Geschichte sich bis in
die Zeit um 1160 zurückverfolgen lässt. Mit ihren Giebeln, Türmen
und Erkern zählt die Burg Eltz zu den **schönsten Burgen Deutschlands**. Ihren architektonischen Höhepunkt hat die Anlage im inneren
Burghof. Ein Gang durch die Räumlichkeiten der alten Burg lohnt:
In fast allen Zimmern und Sälen sind alte Einrichtungsgegenstände
zu sehen. Auf der Höhe gegenüber liegt die Ruine Trutz-Eltz.

In Brodenbach, ebenfalls am rechten Ufer der Mosel gelegen, verdient eine Kirche Beachtung, die im Rokokostil ausgestattet ist. Von
dem Ort besteht Zufahrt zur Ehrenburg in einem südlichen Seitental,
die zu den **imposantesten Burgruinen im Moselgebiet** zählt.

Moselkern

★ ★
◄ Burg Eltz

Brodenbach

Treis-Karden Bei dem Brückenort Treis-Karden mündet die Strecke, die am rechten Ufer der Mosel verläuft, in die am linken Ufer ein. Über dem Ortsteil Treis erheben sich Burg Treis und die Wildburg. Das Bild von Karden, einst eine kurtrierische Stiftsstadt, prägt die St.-Castor-Kirche mit drei Türmen, die im 12./13. Jh. errichtet wurde.

✳ Cochem Die Route verläuft nun weiter am linken Ufer der Mosel und erreicht Cochem, den Geburtsort des Kapuzinerpredigers Martin von Cochem (1634–1712). Mit seiner hoch gelegenen Burg, die 1070 erbaut und im 19. Jh. neugotisch wieder errichtet wurde, ist Cochem **einer der hübschesten Orte im Moseltal**. Von der ehemaligen Stadtbefestigung sind mehrere Türme erhalten. Die Pfarrkirche St. Martin in der Altstadt geht auf eine fränkische Gründung zurück. Von der Ausstattung verdient die Reliquienbüste des hl. Martin (um 1500) besondere Beachtung. Entlang der Moselpromenade und am Marktplatz findet man schöne alte Häuser. Am Markt steht das Rathaus von 1739.

> **!** *Baedeker* TIPP
>
> **Via Ausonia**
>
> Von Trier über Neumagen nach Niederemmel kann man auf der ehemaligen Römerstraße Via Ausonia parallel zur Mosel auf herrlichen Waldwegen wandern oder Rad fahren. Hinter Niederemmel und Piesport führt diese alte Römerstraße, die Trier mit den Festungen am Mittel- und Oberrhein verband, an Horath, Kirchberg, Simmern und Stromberg vorbei bis nach Bingen.

Von Ellenz-Poltersdorf bietet sich ein schöner Blick hinüber auf **Beilstein** am anderen Ufer. Die dortige Burg fiel 1637 an den Freiherrn von Metternich, einen Ahnherrn des berühmten Fürsten und österreichischen Kanzlers. Seit der Zerstörung im Jahr 1689 ist nur noch eine Ruine vorhanden.

Alf und Bullay Der Ort Alf bildet zusammen mit dem gegenüberliegenden Bullay (Fähre und Brücke) das **Tor zum mittleren Moseltal**, das berühmt ist für seine Weine. Von der Marienburg 5 km südlich bietet sich ein schöner Blick über die 12 km lange Moselschleife »Zeller Hamm«.

✳ Zell Am südlichen Ende der »Zeller Hamm« wechselt die Route auf das rechte Flussufer. Einen Abstecher von hier lohnt Zell, ein bekannter **Weinbauort** mit ca. 6 Mio. Rebstöcken. Sehenswert sind die Reste der alten Stadtbefestigung mit dem Obertor, die Peterskirche und das ehemals kurtrierische Schloss. Im Wein- und Heimatmuseum wird anhand von Grabungsfunden die Zeit der Kelten und Römer lebendig; ferner sind Geräte zu sehen, die man früher für den Weinbau und die Weinlese benutzte. Im August und September werden in Zell-Kaimt und anderen Orten der Region Weinfeste veranstaltet.

✳ Traben-Trarbach Zu beiden Seiten des Flusses liegt das Städtchen Traben-Trarbach, Weinbauort und Schauplatz zünftiger Straßenfeste, mit Fachwerkbauten und stattlichen Patrizierhäusern. Einen Besuch lohnen das

Mittelmosel-Museum in der Villa Böcking und das **Ikonenzentrum** im Stadtteil Kautenbach. Den von einer Flussschlinge umschlossenen Mont Royal krönt die Ruine einer französischen Festung. Überragt wird der Ort von der Grevenburg, wo einst die Sponheimer Grafen residierten und heute eine Schänke zum Einkehren einlädt.

Über Wehlen und Graach kommt man nach Bernkastel-Kues mit vielen schönen Fachwerkhäusern. In dem von der Burg Landshut überragten Stadtteil Bernkastel sind der Marktplatz mit dem Michaelsbrunnen, das Renaissance-Rathaus und die Kirche St. Michael

✱ Bernkastel-Kues

MOSELTAL ERLEBEN

AUSKUNFT
Mosellandtouristik
Kordelweg 1, 54470 Bernkastel-Kues
Tel. (0 65 31) 9 73 30, Fax 97 33 33
www.mosellandtouristik.de

ESSEN
► Erschwinglich
L'Auberge du Vin
Obergasse 1, 56812 Cochem
Tel. (0 26 71) 39 76
Marktorientierte Küche im ehemaligen Speichergebäude. Lecker: Filet vom Rind mit Ochsenschwanz und Gänseleber.

Doctor Weinstuben
Hebegasse 5, 54470 Bernkastel-Kues
Tel. (0 65 31) 9 66 50
Rustikale Weinstube mit origineller Einrichtung im schönen Fachwerkhaus mit gutbürgerlicher Küche.

► Preiswert
Rotisserie Royale
Burgstraße 19, 54470 Bernkastel-Kues
Tel. (0 65 31) 65 72
Behagliche Gaststube mit offenem Fachwerk. Ausgezeichnete Küche.

Alte Zunftscheune
Neue Rathausstraße,
56841 Traben-Trabach
Tel. (0 65 41) 97 37

In Traben beim Rathaus liegt dieses originelle Kleinod mit historischem Gewölbekeller und Scheunengärtchen. Gutbürgerliche Küche.

ÜBERNACHTEN
► Komfortabel
Romantik Hotel Bellevue
Am Moselufer, 56841 Traben-Trabach
Tel. (0 65 41) 70 30, Fax 70 34 00
www.bellevue-hotel.de
Malerisch am Moselufer gelegen, prachtvolles, um 1900 erbautes Jugendstilhaus mit schönen, bequemen Zimmern. Anspruchsvolle Küche im Restaurant »Clauss Feist«.

► Günstig
Zur Post
Gestade 17, 54470 Bernkastel-Kues
Tel. (0 65 31) 9 67 00, Fax 96 70 50
www.hotel-zur-post-bernkastel.de
Alteingesessenes Hotel nahe dem mittelalterlichen Stadtkern mit gemütlichem Restaurant, Sauna.

Haus Erholung
Moselpromenade 64,
56812 Cochem-Sehl
Tel. (0 26 71) 75 99, Fax 43 62
www.haus-erholung.de
Familiäres Haus in reizvoller Lage, Balkonzimmer mit Moselblick. Schwimmbad und Sauna.

sehenswert. Eine Brücke führt hinüber nach Kues mit dem St.-Nikolaus-Hospital, einer Stiftung des in Kues geborenen **Philosophen Nikolaus von Kues** (1401–1464). Das spätgotische Hospital besteht aus einem Kreuzgang und einem Hof, um den sich Wohnbauten im Süden und Westen gruppieren. Im Chor der Kapelle sieht man die Grabplatte Nikolaus' von Kues und in seinem Geburtshaus wird eine Dokumentation zu Leben und Werk des späteren Kardinals gezeigt.

Neumagen Neumagen, Schiffsanlegestelle der Römer, zeigt auf seinem Marktplatz die Nachbildung einer römischen Skulptur, ein mit Fässern beladenes, von Galeerensklaven gesteuertes Schiff. Das Original dieses **»Neumagener Weinschiffs«** ist im Landesmuseum von Trier.

Mühlhausen

Atlasteil: S. 37 • D 2	**Bundesland:** Thüringen
Höhe: 230 m ü. d. M.	**Einwohnerzahl:** ca. 39 000

Das im Wesentlichen intakte mittelalterliche Stadtbild der einstigen Freien Reichs- und Hansestadt Mühlhausen steht unter Denkmalschutz. Besonders der in Abschnitten erhaltenen Stadtmauer und der Pfarrkirche St. Marien verdankt die letzte Wirkungsstätte des Volksreformators Thomas Müntzer diese Schutzmaßnahme.

Thomas-Müntzer-Stadt Im August 1524 siedelte der Reformator Thomas Müntzer (1486–1525) nach Mühlhausen über. Der gelehrte Geistliche ließ sich anfangs von Martin Luther in den Bann ziehen. Später entwickelte er eine mystische Theologie und strebte ein urchristlich-kommunistisches Reich gegen die Gottlosen an. 1524/1525 schloss er sich den Wiedertäufern und aufständischen Bauern in Mitteldeutschland an. Er war Mitinitiator des **»Ewigen Rats«** von Mühlhausen, infolge dessen sich die Stadt zum Zentrum des Thüringer Bauernaufstands entwickelte. Nach der Niederlage der Bauern bei Frankenhausen am 15. Mai 1525 wurde Müntzer gefangen genommen und enthauptet, zehn Tage später kapitulierte auch Mühlhausen.

! *Baedeker* TIPP

Wehrgang

Wie wäre es mit einem Spaziergang in luftigen Höhen und auf historischem Terrain? Auf der Stadtmauer verläuft ein Wehrgang, der am Frauentor beginnt, mit drei Türmen aus dem Mittelalter und drei Gartenhäusern.

Sehenswertes in Mühlhausen

Pfarrkirche Divi Blasii Am Untermarkt erhebt sich die Pfarrkirche Divi Blasii, die als romanischer Bau begonnen und ab 1270 als gotische Hallenkirche mit

Die Marienkirche »wacht« über die Steinstraße in Mühlhausen.

Kreuzrippengewölben und Rundpfeilern neu gestaltet wurde. Hervorzuheben ist ihre Bachorgel. In unmittelbarer Nachbarschaft der Pfarrkirche steht die **Annenkapelle** aus dem 13. Jh., die früher dem Deutschritterorden gehörte. Von hier sind es nur wenige Schritte zu einigen alten Bürgerhäusern, darunter der Bürenhof und das Alte Backhaus.

Die Stadtbefestigung, mit deren Bau im 13. Jh. begonnen wurde, ist noch in Abschnitten erhalten. Besonders bemerkenswert sind die Teile nördlich des Inneren Frauentors, der Abschnitt an der Straße Hinter der Mauer und der Teil am Lindenbühl. Der größte der noch erhaltenen Türme ist der **Rabenturm**, vor dem das 1956 geschaffene Thomas-Müntzer-Denkmal steht.

✷ **Stadtmauer**

Das Museum am Lindenbühl behandelt die Ur- und Frühgeschichte des Mühlhauser Raums, die Stadt-, Kultur- und Kunstgeschichte sowie die Geologie Nordwestthüringens.

Museum am Lindenbühl

Wenn Sie mehr über die turbulente Zeit des Bauernkrieges in Mühlhausen erfahren wollen, sind Sie in der ehemaligen **Kirche des Barfüßerklosters** am Kornmarkt gut aufgehoben. Dort dokumentiert das Bauernkriegsmuseum u. a. das Wirken Thomas Müntzers.

Bauernkriegsmuseum

Wenige Schritte vom Museum kommt man in der Ratsstraße zum Rathaus, das zwischen dem 14. und 16. Jh. entstand. Kernstück ist das gotische Hauptgebäude mit der Ratsstube, wo der »Ewige Rat« gegründet wurde, und dem großen Ratssaal. Im Südflügel ist das Stadtarchiv untergebracht.

Rathaus

✴ **St. Marien (Müntzer-Gedenkstätte)** Die fünfschiffige Pfarrkirche St. Marien nördlich vom Rathaus ist nach dem Erfurter Dom die **größte gotische Hallenkirche Thüringens**. Der Außenbau besticht durch seinen reichen Maßwerk-, Fialen- und Figurenschmuck. Das bauplastische Programm an der Südfassade zeigt u. a. Kaiser Karl IV. und seine Gemahlin. Im Inneren der Hallenkirche mit ihren dreischiffigen Querhausarmen sind spätgotische Flügelaltäre und ein großes Triumphkreuz sehenswert. In dieser Kirche predigte einst Thomas Müntzer und verkündete vor den Bürgern der Stadt und den Bauern des Umlands sein Programm, woran heute die Müntzer-Gedenkstätte im Kirchenraum erinnert.

Brotlaube Neben der Marienkirche steht an der Stelle eines mittelalterlichen Kaufhauses die dreigeschossige Brotlaube mit einer Fassade von 1722.

Umgebung von Mühlhausen

Anrode Westlich der Stadt befindet sich in Anrode, einem Ortsteil von Bickenriede, ein ehemaliges **Zisterzienserinnenkloster**. Die Kirche wurde 1590 unter Verwendung frühgotischer Teile errichtet und 1670–1690 im Stil der Renaissance erneuert.

 # MÜHLHAUSEN ERLEBEN

AUSKUNFT

Tourist-Information
Ratsstraße 20, 99974 Mühlhausen
Tel. (0 36 01) 45 23 21, Fax 45 23 16
www.muehlhausen.de

ESSEN

▶ **Preiswert**
Landhaus Frank
Eisenacher Landstraße 34,
99974 Mühlhausen
Tel. (0 36 01) 81 25 13
Am Ortsrand gelegenes, gemütliches, freundliches Restaurant mit internationalen und regionalen Gerichten.

Brauhaus Zum Löwen
Kornmarkt 3, 99974 Mühlhausen
Tel. (0 36 01) 47 10
Leckere Bierspezialitäten und deftige bodenständige Küche wird in der urigen Brauereigaststätte serviert, zu der auch ein komfortables Hotel gehört.

ÜBERNACHTEN

▶ **Günstig**
Mirage
Karl-Marx-Straße 9,
99974 Mühlhausen
Tel. (0 36 01) 43 90, Fax 43 91 00
www.mirage-hotel.de
Nahe beim Bahnhof und dem Altstadtkern hält dieses neuzeitliche Hotel zweckmäßige Zimmer mit guter Ausstattung bereit.

Sporthotel Mühlhausen
Kasseler Straße 5,
99974 Mühlhausen
Tel. (0 36 01) 49 80, Fax 49 82 52
www.sporthotel-muehlhausen.de
Modernes Design bestimmt die Atmosphäre in diesem 1992 erbauten Haus. Es bietet solide Zimmer mit praktischer Ausstattung, ein schickes Restaurant sowie vielfältige Sport- und Wellnessangebote.

Im Ried zwischen Ober- und Niederdorla wenig südwestlich von Mühlhausen stieß man 1957 beim Torfabbau auf größere Mengen von Tierschädeln und -knochen sowie auf Hölzer mit Schnitt- und Feuerspuren, die zu einer **alten Kultstätte** aus dem 6. Jh. v. Chr. gehörten. Aus jener Zeit stammt ein rechteckiger Opferaltar aus Muschelkalkstein. Eine Steinstele als Symbol einer Gottheit war das Zentrum der Anlage. Ende des 1. Jh.s v. Chr. hatten die Hermunduren hier ein großes Rundheiligtum mit einem Opferplatz angelegt. Der Fund von zwei Schiffsheiligtümern aus dem 5. Jh. markierte einen Höhepunkt der Ausgrabungsarbeiten: Die große Anlage gehörte zu einer männlichen Gottheit, das kleinere Schiff zu einer weiblichen. Trotz der Christianisierung wurden in späteren Jahrhunderten an dieser Stelle noch Opfer dargebracht. Die Ausstellung »Opfermoor« in Niederdorla informiert über die Ausgrabungen.

✷
**Opfermoor
Niederdorla**

Durch unberührten Laubmischwald von großer Artenvielfalt, hauptsächlich jedoch Rotbuchen, wandern Sie im Hainich, **Thüringens erstem Nationalpark**. Den Wald, wie er einst für Deutschland typisch war, durchzieht als Hauptwanderweg der Rennsteig.

✷
**Nationalpark
Hainich**

◄ ✷ München

Atlasteil: S. 54/55 • B/C 4
Bundesland: Hauptstadt des
Freistaates Bayern

Höhe: 530 m ü. d. M.
Einwohnerzahl: 1,3 Mio.

Die bayerische Landeshauptstadt München, die nur eine knappe Autostunde vom Alpenrand entfernt an der Isar liegt, wird auch »heimliche Hauptstadt Deutschlands« genannt. Durch ihre Lage im Herzen Mitteleuropas und an der Kreuzung wichtiger Fernverkehrswege entwickelte sie sich zur süddeutschen Metropole, deren Ausstrahlung weit über die Grenzen Bayerns hinausreicht.

Schon immer wurden in München **Kunst und Kultur** gepflegt: Im Zeitalter des Barock und des Rokoko eiferte man in der Sakral- und Profanbaukunst italienischen und französischen Vorbildern nach; im Zeitalter von Klassik und Klassizismus sprach man gar vom »Isar-Athen«. Um die Wende zum 20. Jh., als München europaweit als Zentrum der Künste anerkannt war, wurde die Stadt zum Brennpunkt des Jugendstils.

Ausführlich
beschrieben im
Baedeker Allianz
Reiseführer
»München«

Doch nicht nur die Kunst hat München berühmt gemacht – bis heute hält sich der Ruf von der »Weißwurst-Metropole« bzw. der »deutschen Bierhauptstadt«; schließlich wird hier auch alljährlich mit dem Oktoberfest das **größte Volksfest der Erde** gefeiert. Dass es sich in München gut leben lässt, merkt man schon bei einem Bummel durch die Innenstadt. Nirgendwo sonst im deutschen Süden gibt es

◄ »Weißwurst-
Metropole«

so viele noble Shopping-Adressen, und nirgendwo sonst in Deutschland trifft man auf so viel Schickeria. Die Münchner Theater- und Museumslandschaft sucht ihresgleichen. Auch als Hochschulstandort und Sportstadt genießt München nicht erst seit den Olympischen Sommerspielen 1972 Weltruf. Außerdem haben die Nähe der Alpen und das überaus reizvolle Umland dafür gesorgt, dass die Isarmetropole seit Jahrzehnten der **beliebteste Wohnsitz der Deutschen** ist.

Einer der wichtigsten Industriestandorte Deutschlands ►

Auch in ökonomischer Hinsicht nimmt München einen Spitzenplatz ein. Es ist einer der wichtigsten Industriestandorte Deutschlands, in dem zahlreiche Unternehmen von Weltruf (Siemens, BMW u. a.) zu Hause sind; es ist die **führende deutsche Medienstadt** mit über 8500 einschlägigen Firmen, und es gilt als erstrangiger Finanzplatz, an dem einige der größten deutschen Versicherungsgesellschaften und Geldinstitute agieren. Schließlich gehört München zu den beliebtesten Städtereisezielen Europas.

Geschichte

6. Jh.	Bajuwaren gründen mehrere Siedlungen an der Isar.
1158	Stadtgründung durch Heinrich den Löwen
1180	München kommt an die Pfalzgrafen von Wittelsbach.
15.–18. Jh.	München erlebt mehrere Aufschwungphasen.
19. Jh.	König Ludwig I. macht München zur Kunststadt von europäischem Rang.
1923	Hitler unternimmt seinen Marsch zur Feldherrnhalle.
2. Weltkrieg	Große Teile der Stadt werden zerstört.
1972	Olympische Sommerspiele
1974	Fußballweltmeisterschaft findet u. a. in München statt.
1992	Eröffnung des neuen Flughafens »Franz-Josef-Strauß«

Im 6. Jh. n. Chr. gründeten die Bajuwaren mehrere Siedlungen an der Isar (heute noch an der Endung »-ing« – Schwabing, Pasing, Aubing, Sendling usw. – zu erkennen). Im 10./11. Jh. ließen sich Mönche an der Isar nieder (»Apud Munichen«).

Die eigentliche Stadtgründung erfolgte 1158 durch Heinrich den Löwen. 1180 kam der Ort an den Pfalzgrafen Otto von Wittelsbach und wurde wenig später unter Ludwig dem Strengen zur dauernden Residenz der Wittelsbacher. Im 15. Jh. (Spätgotik), in der Renaissance- und in der Barockzeit erlebte München Aufschwungphasen, die sich auch im Stadtbild manifestierten. Der eigentliche Schöpfer des neueren München ist König Ludwig I. (reg. 1825–1848), der es zu einer **Kunststadt von europäischem Rang und zu einem Mittelpunkt deutschen Geisteslebens** machte. Nach dem Ersten Weltkrieg erlebte München eine kurze Episode als Räterepublik und bald darauf den Aufstieg der Nationalsozialisten, die München zur »Hauptstadt der Bewegung« machten, was sich u. a. in diversen Monumentalbauten manifestierte. Nach dem Zweiten Weltkrieg ließen

Highlights München

Marienplatz
Lauern Sie auf dem geschäftigen Platz auf das Glockenspiel am Neuen Rathaus.
► Seite 783

Frauenkirche
Die beiden fast 100 Meter hohen Türme kann man schon von weitem sehen.
► Seite 784

Residenz
Von hier aus regierten über Jahrhunderte die Wittelsbacher.
► Seite 789

Nationaltheater
Münchens Musentempel fasziniert auch ohne Theaterstück.
► Seite 794

Bayerisches Nationalmuseum
Lassen Sie sich von flandrischen Tapisserien und der Krippensammlung begeistern.
► Seite 798

Alte und Neue Pinakothek
Die Gemäldesammlungen von Weltrang zeigen Kunst vom Mittelalter bis zum 20. Jahrhundert.
► Seite 801

Deutsches Museum
Hier können Sie Ihren Kindern komplizierte technische oder naturwissenschaftliche Sachverhalte anschaulich erläutern.
► Seite 801

Allianz-Arena
Fußball der Oberklasse in einer fantastischen Architektur
► Seite 802

Tierpark Hellabrunn
Schlendern Sie zwischen Elefanten, Bären und anderen Tieren umher!
► Seite 802

Schloss Nymphenburg
Für das Barockschloss und die prächtige Parkanlage können Sie getrost einen Tag einplanen.
► Seite 802

Schloss Schleißheim
Nehmen Sie drei Schlösser, diverse Wasserspiele und eine sehr berühmte Porzellansammlung, mischen Sie alles gut und heraus kommt Schloss Schleißheim.
► Seite 806

Wiederaufbau und Wirtschaftswunder München in den 1950er- und 1960er-Jahren zur Millionenstadt heranwachsen. Die Olympischen Sommerspiele von 1972 und die Fußballweltmeisterschaft von 1974 beflügelten ebenfalls die Wirtschaft.

Marienplatz · Stachus

Mittelpunkt des alten München ist der immer belebte Marienplatz mit der 1638 aufgestellten Mariensäule und dem **neugotischen Neuen Rathaus** (1867–1908), an dessen Turm ein Glocken- und Figurenspiel tgl. um 11.00, Mai bis Okt. auch 12.00, 17.00 u. 21.00 Uhr seine Runden dreht. Von der Aussichtsplattform hoch oben bietet sich ein herrlicher Blick über die Stadt. An der Ostseite des Marienplatzes steht das Alte Rathaus (15. Jh.), von dem noch der Saalbau mit Durchfahrt erhalten ist. In seinem Turm ist ein Spielzeugmuseum untergebracht.

✳ ✳
Marienplatz

Viktualienmarkt

»Echte« Münchner Atmosphäre schnuppern Sie auf dem Viktualienmarkt südlich des Marienplatzes. Wochentags herrscht hier reges Treiben, wenn Obst und Gemüse, Fleisch, Backwaren und Milchprodukte feilgeboten werden. Selbstverständlich ist auf dem Areal auch ein Biergarten angesiedelt. Ein Ganzjahres-Maibaum ergänzt die Idylle. Brunnenstandbilder erinnern an unvergessene Münchner, so an Karl Valentin und Liesl Karlstadt. Hier steht auch die Peterskirche,

Peterskirche ►

die im 11. Jh. erbaute **älteste Pfarrkirche der Stadt**. Von ihrem »Alter Peter« genannten Turm genießt man eine schöne Aussicht.

Stadtmuseum

Am St.-Jakobs-Platz ist das Münchner Stadtmuseum beheimatet. Es umfasst Sammlungen zur **Kulturgeschichte der Stadt**, das Foto- und Filmmuseum, Spielzeug-, Puppentheater- und Musikinstrumentensammlungen sowie ein Modemuseum, ein – man ist in München – üppig bestücktes Brauereimuseum und weitere Spezialsammlungen. Das Haus des berühmten Rokoko-Künstlers Ignaz Günther am Oberanger (Nr. 11) ist heute ebenfalls Teil des Stadtmuseums.

Kirche St. Johannes Nepomuk

Eine der fantasievollsten Schöpfungen des süddeutschen Rokoko, die Kirche St. Johannes Nepomuk (zwischen 1733 und 1746), ziert die vom Sendlinger Tor (14. Jh.) begrenzte Sendlinger Straße.

Isartor Valentin-Musäum

Sie lesen ganz richtig: Im Torbau des Isartors (14. Jh., 1972 restauriert) ist nicht etwa ein Museum sondern das Valentin-Musäum untergebracht. Bilder, Kuriositäten und Skurrilitäten wie der »gefangene Engländer« (ein Werkzeug im Vogelkäfig), erinnern an den Volksschauspieler und »Linksdenker« **Karl Valentin** (1882–1948) und seine Bühnengefährtin Liesl Karlstadt.

Hofbräuhaus

Damals wie heute versorgt das 1589 gegründete Münchner Hofbräuhaus Hof und Gesinde mit ausreichend Speisen und Getränken. Nur sind seine Gäste heute nicht mehr in Adelige und Bedienstete eingeteilt, sondern höchstens in Trinkfeste und weniger Trinkfeste.

Frauenkirche

Nordwestlich vom Marienplatz erhebt sich das **Münchner Wahrzeichen**, die Frauenkirche mit ihren beiden charakteristischen Türmen. Die große dreischiffige Backstein-Hallenkirche ist 1468–1488 nach Plänen von Jörg von Halspach errichtet worden. Bemerkenswert sind die Sakramentskapelle mit Bildwerken des Memminger Altars (um 1500) sowie das aus dunklem Marmor bestehende Grabmonument für Kaiser Ludwig den Bayern, das Hans Krumper im 17. Jh. schuf. In der Krypta sind Mitglieder des Hauses Wittelsbach sowie mehrere Bischöfe beigesetzt. Von der Aussichtsplattform des Südturms hat man einen schönen Blick auf die Stadt (werktags geöffnet).

Michaelskirche

Die Michaelskirche in der Kaufingerstraße wurde im 16. Jh. nach Plänen von Sustris als **größtes Renaissance-Gotteshaus nördlich der Alpen** errichtet. In der Fürstengruft sind 41 Mitglieder des Hauses

FRAUENKIRCHE

✱ ✱ Das 1494 geweihte Gotteshaus beeindruckt allein schon durch seine Ausmaße: Es ist 109 m lang und 40 m breit, zusammen mit seinen beiden 99 m hohen Türmen, deren welsche Hauben grüne Patina tragen. Der spätgotische Bau ist eine der größten Hallenkirchen Süddeutschlands und besticht durch die klare Gliederung.

⏲ Öffnungszeiten:
Sa. bis Mi. 7.00–19.00, Do. bis 20.30, Fr. bis 18.00;
Turmauffahrt: April bis Okt. Mo. bis Sa.
10.00–17.00 Uhr

① Prunk-Hochgrab

Das von Hans Krumper im 17. Jh. gestaltete Marmorgrab für Kaiser Ludwig den Bayern (1283–1347) zieren Bildnisse von Herzog Wilhelm IV. und Herzog Albrecht V. sowie Genien mit den kaiserlichen Insignien.

② Chor

Im Chor beeindrucken hervorragende Glasgemälde (14.–16. Jh.) Hier ist die berühmte Schutzmantelmadonna »Maria im Ährenkleid« zu sehen; Jan Pollack schuf sie um 1510.

③ Scharfzandfenster

Die Glasgemälde der Chorfenster sind die einzigen, die noch aus der Erbauungszeit stammen. Zu den kostbarsten gehört das »Scharfzandfenster« (1493) von Peter Hemmel über dem Hochaltar.

④ Sieben-Schmerzen-Kapelle

Hier befindet sich die Gnadenfigur der »Mater dolorosa« (17./18. Jh.); das Gemälde »Christus am Kreuz« schreibt man dem Niederländer Van Dyck zu.

⑤ Gruft

Sie birgt die ältesten Gräber der Wittelsbacher in München, darunter das des letzten Königs Ludwig III. (gest. 1921).

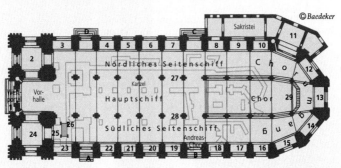

© Baedeker

Grundriss des Vorgängerhaus

A Arsatiusportal   B Brautportal   C Bennoportal   D Sixtusportal

1 Turmaufgang	11 Sakramentskapelle (Ehem. Sakristei)	21 Mariä-Verkündigungs-Kapelle
2 Nördliche Turmkapelle (Tulbeckkapelle)	12 Sebastianskapelle	22 Bartholomäuskapelle
3 Apolloniakapelle	13 Altöttinger Kapelle (Chorhauptkapelle)	23 Ecce-Homo-Kapelle (Kongresskapelle)
4 Dreikönigskapelle	14 Kapelle Mariä Opferung	24 Südliche Turmkapelle (Sendlinger Kapelle)
5 Korbinianskapelle	15 (Arsatiuskapelle)	25 Hl. Christophorus
6 Blasiuskapelle	16 Rupertuskapelle	26 Prunkgrabmal für Kaiser Ludwig den Bayern
7 Sieben-Schmerzen-Kapelle	17 Johann-Nepomuk-Kapelle	27 Burchard-Epitaph
8 Sakristeieingang	18 Bennokapelle	28 Ligsalz-Epitaph
9 Katharinenkapelle	19 Taufkapelle	29 Bischofsgruft (Zugang)
10 Kapelle der hl. Anna Selbdritt und der Hofbruderschaft St. Georg	20 Geburt-Christi-Kapelle	
	21 St. Georgs- und Margaretenkapelle	

*Ende 1944 zerstörte eine
Sprengbombe die Domorgel;
seit 1994 ersetzt eine neue
Orgel mit 95 Registern die
der Nachkriegszeit.*

*Eine spätgotische Deckplatte
und ausdrucksvolle Bronze-
figuren zieren das Prunk-
Hochgrab von Kaiser Ludwig
dem Bayern.*

Die berühmten welschen Hauben der Kirchtürme wurden erst 1525 aufgesetzt.

Der dreischiffige Innenraum wird von 22 achteckigen Pfeilern getragen

③

②

⑤

Detail des wertvollen »Scharfzandfensters«, das in Straßburg entworfen wurde und noch aus dem Vorgängerbau stammt.

Schutzmantelmadonna in der Chorhauptkapelle

© *Baedeker*

Bürgersaal ▶ Wittelsbach beigesetzt, darunter König Ludwig II. Einige Schritte weiter kommt man zum Bürgersaal, einem barocken Betsaal, in dessen Unterkirche der 1987 selig gesprochene Pater Rupert Mayer (1876–1945) bestattet ist. Er hatte den Nationalsozialisten Widerstand geboten.

Karlsplatz (Stachus) ▶ Am Ende der Neuhauser Straße führt das Karlstor aus dem 14. Jh. zum verkehrsreichen Stachus (offiziell Karlsplatz). An seiner Nordwestseite steht der monumentale Justizpalast, der 1898 nach Plänen von Friedrich Thiersch fertig gestellt worden ist. Dahinter erstreckt sich der **Alte Botanische Garten**.

Odeonsplatz · Hofgarten · Residenz

Odeonsplatz ▶ Der Odeonsplatz, von dem aus die Brienner Straße westwärts zum Forum der Künste (Königsplatz) und die Ludwigstraße nordwärts zum Forum der Wissenschaften (Universität) führt, entstand nach Plänen von Leo von Klenze und spiegelt das **Selbstbewusstsein des jungen Königreichs Bayern** wider.

✴ Theatiner-kirche ▶ Im Südwesten des Odeonsplatzes steht die doppeltürmige und mit einer hohen Kuppel versehene Theatinerkirche (St. Cajetan). Barock und Rokoko prägen dieses 1663–1768 errichtete Gotteshaus, an dessen Entstehung namhafte Baumeister wie Agostino Barelli, Enrico Zuccalli und François de Cuvilliés beteiligt waren.

Östlich der Theatinerkirche bildet die **Feldherrnhalle** den südlichen Abschluss der Ludwigstraße. Sie wurde 1841–1844 von Friedrich von Gärtner nach dem Vorbild der Florentiner Loggia dei Lanzi errichtet. Nach dem gescheiterten Putschversuch von Adolf Hitler 1923 wurde die Feldherrnhalle zur Kultstätte der Nationalsozialisten. Die Denkmäler des Feldherrn Tilly und des Fürsten Wrede entwarf Ludwig von Schwanthaler.

Monumentale Gebäude wie die Theatinerkirche und Skulpturen prägen den Odeonsplatz.

Von der Theatinerkirche führt die Theatinerstraße mit ihren noblen Geschäften stadteinwärts in Richtung Marienplatz. Bemerkenswert ist das **Rokoko-Palais Preysing**, das

✴ Theatiner-straße von 1723–1728 für den Grafen Maximilian von Preysing-Hohenaschau erbaut wurde. Beachtliche Ausstellungen veranstaltet die Kunsthalle der Hypo-Stiftung.

Wenige Schritte südwestlich der Theatinerkirche kommt man zur spätgotischen Salvatorkirche sowie zum Erzbischöflichen Palais. Der schmucke Barockbau wurde im 18. Jh. für Gräfin Holnstein, die Geliebte des Kurfürsten Karl Albrecht, errichtet.

Salvatorkirche Erzbischöfliches Palais

Wie baut man einen Elektromotor oder ein Radio? Wer das nicht weiß, kann's im SiemensForum München am Oskar-von-Miller-Ring ausprobieren! Das »Museum zum Anfassen« macht die Entwicklung der Elektrotechnik und Mikroelektronik seit dem Jahr 1847 bis heute auch für technisch eher Unbegabte verständlich.

✱ SiemensForum

Östlich der Theatinerkirche erstreckt sich der 1613–1617 nach dem Vorbild der **italienischen Gartenbaukunst** angelegte Hofgarten mit seinem hübschen Dianatempel. An seiner Nordseite lädt das Deutsche Theatermuseum zum Besuch ein. An der Ostseite liegt der 1992 fertig gestellte Glaspalast der Bayerischen Staatskanzlei. Kern des modernen Bauwerks ist der restaurierte Kuppelbau des im Zweiten Weltkrieg zerstörten Bayerischen Armeemuseums.

Hofgarten

Die ab dem 16. Jh. in mehreren Bauperioden entstandene, im Zweiten Weltkrieg schwer beschädigte Schlossanlage der ehemaligen Residenz gehört zu den **wichtigsten ihrer Art in Deutschland**. Der nach dem Krieg restaurierte Gebäudekomplex sowie seine Innenausstattung bieten sich heute wieder als Einheit dar, die die Stilelemente der Spätrenaissance, des Barock und Rokoko sowie des Klassizismus umfasst.

✱✱ Residenz

Ein Großteil der Schlossanlage ist als Residenzmuseum zugänglich. Beachtung verdienen vor allem Ahnengalerie, Porzellankabinett, Grottenhof, Antiquarium, Schlachtensäle, das Reiche Zimmer, die Grüne Galerie, die Nibelungensäle, die Reliquienkammer, die Steinzimmer und die Wohnräume von König Ludwig I. Die Kostbarkeiten der Schatzkammer zählen zu den

! *Baedeker* TIPP

Cuvilliéstheater

Unter den fast zahllosen Theatern Münchens gibt es eines, das man sogar genießen kann, falls die Inszenierung einmal nicht so gut sein sollte: Das Cuvilliéstheater in der Residenz ist eine Augenweide, es gilt als das schönste Rokoko-Logentheater Europas. Mitte des 18. Jh.s unter der Leitung von François de Cuvilliés erbaut, wird es heute vom Bayerischen Staatsschauspiel bespielt (Infos und Vorbestellung: Tel. 0 89/21 85–19 40).

wertvollsten Sammlungen dieser Art. Sie umfassen das Kreuzreliquiar von Kaiser Heinrich II., die Hausaltäre von Herzog Albrecht V. sowie die bayerische **Königskrone von 1806**. Auch die bedeutende Staatliche Münzsammlung ist in der Residenz untergebracht. An der Hofgartenseite der Residenz betritt man die **Staatliche Sammlung Ägyptischer Kunst**, die alle Epochen der altägyptischen Geschichte umfasst. Glanzstücke der Sammlung sind eine weibliche Figur aus dem Tempelbezirk von Abydos sowie ein Bildnis des Krokodilgottes Sobek.

✱ ◄ Schatzkammer

München Orientierung

✶✶ Franz-Josef-Strauß-Flughafen
✶ Olympiapark

Kreittmayrstr.
Gabelsbergerstr.
Schleißheimerstr.
Augustenstr.
Theresienstr.
Schellingstr.
Luisenstr.
Theresienstr.
Heßstr.
Arcostr.
Schellingstr.
Turkenstr.

✶✶ Neue Pinakothek

Theresienstr.
Barer
Str.
Türkenstr.

✶ Schloss Nymphenburg

MAX-VORSTADT

Technische Universität

Münchner Volkstheater
Paläontologisches Museum

✶✶ Alte Pinakothek
✶ Reich der Kristalle

Rottmannstr.
Gabelsbergerstr.

✶ Lenbachhaus
✶✶ Glyptothek

✶✶ Pinakothek der Moderne

Gabelsbergerstr.

✶✶ Markuskirche

✶ Propyläen
Brienner Str.

Staatliche Hochschule für Musik

Königs-platz
Brienner
Barer Str.
Prinz-Ludwig-Str.

✶✶ Antikensammlungen

Obelisk
Karolinen-platz

Oskar-
Glück-str.
Jäger-str.

✶ Palais Ludwig Ferdinand

Türkenstr.

✶ Arco-Palais
Briennerstr.
Finken-str.

Basilika St. Bonifaz

Amerika-haus
Karlstr.
Pl. d. Opfer d. Nationalsoz.
Otto-
Max-Joseph-Str.

✶ Salvator-kirche
Literatur-haus

Alter Botan. Garten
Sophien-str.
Arcostr.

Wittelsbacher Brunnen
Börse
✶ Dreifaltig-keitskirche
✶ Erzbisch. Palais

Elisen-hof
Elisenstr.
Lenbach-pl.
Pacellistr.
Kard.-Faulhaber-Str.

Neptun-brunnen
Maxburg
Maxburgstr.

Justizpalast
Künstler-haus
Karmeliter-k.
✶ Palais Montgelas
Promenade-platz

✶ Hypo-Kunsth.

Starnberger Bhf.
Hauptbahnhof
Bahnhof-platz
Bayerstr.
Prielmayerstr.
Schützenstr.
Karls-Platz
Bürger-saal
✶ St. Michael
Neuhauser Str.
Löwen-grube
Frauen-platz
Theatinerstr.

Holzkirchner Bhf.

Karlstor

✶✶ Frauen-kirche

✶✶✶ Neues Rathaus

Goethestr.
Schillerstr.
Senefelderstr.
Zweigstr.
Schlosserstr.
Sonnenstr.
Herzog-
Herzogspitalstr.
Eisen-mann-str.
Hotterstr.

Marienpl.
✶ St. Peter

LUDWIGS-VORSTADT
Landwehrstr.

Deutsches Theater
Schwanthalerstr.

✶✶ Damenstifts-kirche St. Anna

Viktualien-markt

Paul-Heyse-
Landwehrstr.
Joseph-Spital-str.
Brunn-str.
Hacken-str.
Sendlinger Str.

✶ Kreuzk.

✶✶ Stadt-museum

Georg-Hirth-Platz
Petten-
koferstr.
Goethestr.
Schillerstr.
Pettenkofer-str.
Mathildenstr.
Sonnenstr.
Wilhelm-str.
Kreuzstr.
Damenstiftstr.

✶✶✶ St.-Johann-Nepomuk (Asamkirche)
St.-Jakobs-Platz
Kloster-hofstr.
Oberanger

Ursulastr.
Reichen-
bachstr.

Sendlinger Tor

✶ Theresienhöhe · ✶ Verkehrsmuseum
✶ Bavaria, Ruhmeshalle

Beethoven-Platz
Kaiser-Ludwig-Platz
Nußbaumstr.
Ziemssenstr.

✶ Matthäus-kirche

Blumenstr.
Rumford-str.
Unterer Anger
Pestalozzistr.

Altkath. Kirche

Marionetten-theater

Gärtner-platz

Staatstheater am Gärtnerplatz

Herzog-
Haydnstr.
Goethestr.
Lindwurmstr.
Fliegen-str.
Thalkircher Str.
Müllerstr.
Stephanspl.
Blumenstr.
Hans-Sachs-Str.
Kolosseumstr.
Corneliusstr.
Reichen-

Klinikum Innenstadt der LMU

⚓ Tierpark Hellabrunn   ⊕ **✝ St. Stephan**

✶ Zirkus Krone
Marsstr.
Seidlstr.
Hirtenstr.
Dachauer Str.
Landsberger Str.
Elisenstr.

Stiglmaier-platz
250 m
© Baedeker
Karlstr.

Meiserstr.
Luisenstr.
Augustenstr.

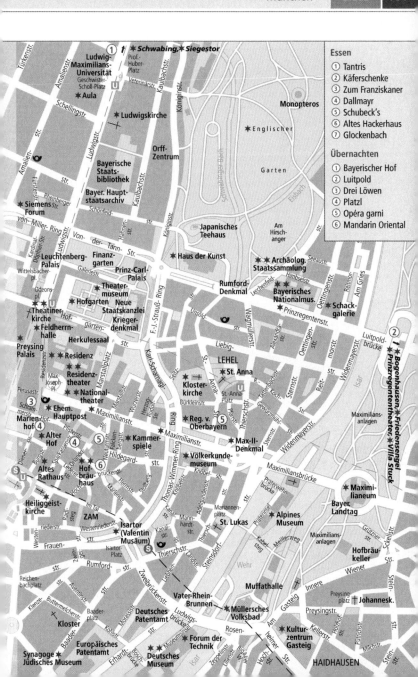

Essen
① Tantris
② Käferschenke
③ Zum Franziskaner
④ Dallmayr
⑤ Schubeck's
⑥ Altes Hackerhaus
⑦ Glockenbach

Übernachten
① Bayerischer Hof
② Luitpold
③ Drei Löwen
④ Platzl
⑤ Opéra garni
⑥ Mandarin Oriental

▶ MÜNCHEN ERLEBEN

AUSKUNFT

Fremdenverkehrsamt
Sendlinger Straße 1, München
Tel. (089) 23 39 65 00, Fax 23 33 02 33
www.muenchen-tourist.de

SHOPPING

Die Fußgängerzone vom Stachus bis
zum Marienplatz und vom Sendlinger
Tor bis zum Odeonsplatz versammelt
Kaufhäuser und Einzelhandels-
geschäfte. Luxuriös geht es in der
Theatiner-, Maximilian-, Residenz-
oder Perusastraße zu. Jüngste Attraktion: die Shopping-Passage »Fünf
Höfe« an der Theatinerstraße.

München leuchtet zum Oktoberfest

ESSEN

▶ Fein & Teuer

① Tantris
Johann-Fichte-Straße 7
80805 München
Tel. (0 89) 3 61 95 90
In dem avantgardistisch gestalteten
Gourmettempel verwöhnt der hoch
dekorierte Spitzenkoch Hans Hass
seine Gäste mit exquisiten Gaumenfreuden aus Küche und Keller.

⑤ Schubeck's
in den Südtiroler Stuben
Platzl 6, 80331 München
Tel. (0 89) 2 16 69 00

Bei Alfons Schubeck lässt es sich nicht
nur auf höchstem Niveau schlemmen,
wer möchte, kann beim Meister
persönlich einen Kochkurs belegen.

▶ Erschwinglich

④ Dallmayr
Dienerstraße 14, 80331 München
Tel. (0 89) 2 13 51 00
Zwischen Marienplatz und Residenz
liegt das edle Restaurant, das zu dem
weltweit bekannten Delikatessen-
Haus gehört.

② Käferschenke
Prinzregentenstraße 73,
81675 München
Tel. (0 89) 4 16 82 47
Die Gute Stube des Stammhauses von
Feinkost Käfer versprüht toskanisches
Flair. Neben typisch bayerischen
Gerichten gibt es auch mediterrane
Köstlichkeiten. Berühmt ist das Res-
taurant für sein einzigartiges Austern-
und Kaviarbuffett.

⑦ Glockenbach
Kapuzinerstraße 29, 80337 München
Tel. (089) 53 40 43 31
Schönes Gasthaus, in dem Sie Bo-
denständiges mit Pfiff genießen
können, wie Angusrind mit Kartof-
felgemüse und Petersiliensauce.

▶ Preiswert

③ Zum Franziskaner
Residenzstraße 9/Persuastraße 9,
80333 München
Tel. (0 89) 2 31 81 20
Traditionelle blau-weiße Gastfreund-
schaft herrscht in der weiträumigen
Stube nahe der Hauptpost. Genießen
Sie bayerische Schmankerl von der
hausgemachten Weißwurst bis zum
Fisch aus heimischen Gewässern.

⑥ Altes Hackerhaus
Sendlinger Straße 14, 80331 München
Tel. (0 89) 2 60 50 26
Typisch bayerische Spezialitäten im
lebhaften Biergarten zur Straße, im
romantischen Innenhof oder in der
zünftigen Stube mit Kellergewölbe.

ÜBERNACHTEN
▶ Luxus
① Bayerischer Hof
Promenadenplatz 2, 80333 München
Tel. (0 89) 2 12 00, Fax 2 12 09 06
www.bayerischerhof.de
Traditionsreiches Grandhotel in der
Nähe der Frauenkirche. Verschiedene
Zimmertypen von rustikal über nos-
talgisch bis modern, exzellente Gas-
tronomie, Dachgarten-Schwimmbad,
Sauna und Massage. Der Nightclub ist
ein beliebter Treff der Münchner
Schickeria.

⑥ Mandarin Oriental
Neuturmstraße 1, 80331 München
Tel. (0 89) 29 09 80, Fax 22 25 39
www.mandarinoriental.com
Ein Haus der absoluten Spitzenklasse
in Deutschland. Es liegt gleich hinter
dem Hofbräuhaus, nur wenige Gehminuten von den touristischen Highlights der Stadt entfernt.

⑤ Opéra garni
St.-Anna-Straße 10, 80538 München
Tel. (0 89) 2 10 49 40, Fax 21 04 94 77
www.hotel-opera.de
Nahe der Maximilianstraße trifft man
auf dieses kleine Refugium im Stadt-

teil Lehel. Hinter der schönen Fassade
verbirgt sich ein wahres Juwel der
Münchner Hotellandschaft mit
vorzüglichem Service.

▶ Komfortabel
④ Platzl
Sparkassenstraße 10, 80331 München
Tel. (0 89) 23 70 30, Fax 23 70 38 00
www.platzl.de
Schräg gegenüber vom Hofbräuhaus
mitten in der historischen Altstadt.
Gediegene, im bayerischen Stil ein-
gerichtete Zimmer, gemütliches Res-
taurant mit Gewölbe, schöne
Wellnesslandschaft.

③ Drei Löwen
Schillerstraße 8, 80336 München
Tel. (0 89) 55 10 40, Fax 55 10 49 05
www.hotel3loewen.de
Nahe beim Bahnhof bietet das gedie-
gene Haus modern eingerichtete
Zimmer, die recht gemütlich und
komfortabel ausgestattet sind.

② Luitpold
Schützenstraße 14, 80335 München
Tel. (0 89) 59 44 61, Fax 55 45 20
www.hotel-luitpold.de
Direkt an der Fußgängerzone gelegenes Haus. Der freundliche Familienbetrieb weiß mit schönen
Zimmern im alpenländischen Stil zu
überzeugen.

Baedeker-Empfehlung

Hirschgarten
Kein Sommer in München ohne Bier-
gartenbesuch! Nur – in welchen geht
man? Für gestandene Münchner gibt's nur
eine Antwort: den Hirschgarten nicht weit
von Schloss Nymphenburg, weil er Bier-
gartenkultur par excellence bietet – und gut
mit öffentlichen Verkehrsmitteln zu erreichen ist (S-Bahn: Laim).

Münchens Musentempel am Max-Joseph-Platz: das Nationaltheater

** National-theater Südlich der Residenz erstreckt sich der von monumentalen Bauten umgebene Max-Joseph-Platz. Das an seiner Ostseite 1811–1818 im klassizistischen Stil erbaute Bayerische Nationaltheater (zugleich Bayerische Staatsoper) wurde im Zweiten Weltkrieg fast völlig zerstört und bis 1963 wieder aufgebaut. Danach erfolgten langwierige Renovierungsmaßnahmen. Seit 1988 erstrahlt der Münchner Musentempel wieder in alter Pracht.

Maximilianstraße · Lehel

* Maximilian-straße Vom Max-Joseph-Platz führt die im 19. Jh. von Friedrich Bürklein konzipierte **Prachtmeile** in südöstlicher Richtung zur Isar. Repräsentative Bauten wie die ehemalige Münze, die Kammerspiele (Schauspielhaus) und das Hotel »Vier Jahreszeiten« sowie exklusive Geschäfte prägen den westlichen Straßenabschnitt. An einer platzartigen Erweiterung stehen sich die Regierung von Oberbayern (links) – ein architektonisches Musterbeispiel des Maximilianstils – und das Völkerkundemuseum (rechts) gegenüber.

* Völkerkunde-museum Hauptsächlich über die Kulturen Ostasiens, West- und Zentralafrikas sowie Südamerikas können Sie sich im Staatlichen Museum für Völkerkunde informieren.

Maxmonument Maximilianeum Kurz vor der Isarbrücke ehrt das imposante Maxmonument König Maximilian II. (reg. 1848–1864). Auf der Höhe jenseits der Isar errichtete man 1857–1874 das Maximilianeum, das heute der **Sitz des Bayerischen Landtags** ist.

Die Bedienungen leisten Schwerstarbeit bei Münchner Festen.

OANS, ZWOA, GSUFFA!

An welchen Fixdaten orientiert sich der Jahreskalender des gestandenen Münchener Biertrinkers? Am Josefitag (19. März), wenn der Starkbieranstich ansteht. An jenem Frühjahrstag, an dem sich der erste Wirt traut, seine Tische und Bänke herauszustellen und die Biergartensaison, die »fünfte Jahreszeit«, eröffnet. Und erst recht am ersten Oktobersonntag, an dem der Münchener OB per Fassanstich das Oktoberfest eröffnet: »Ozapft is!«

Die Münchner und ihr Bier: Das gehört zusammen wie Bayern und die Lederhose und wie Neuschwanstein und der Kini. Geht es ums Bier, treibt es die ansonsten eher konservativen Münchener sogar auf die Straße – wie 1844, als der **Bierpreis** um einen halben Kreuzer erhöht werden sollte und die tobende Menge daraufhin 50 Brauhäuser niedermachte. Oder wie vor einigen Jahren, als ein großer Demonstrationszug gegen die gerichtlich verfügte abendliche Schließungszeit des Großhesseloher Biergartens protestierte. Ein Anwohner (womöglich ein zugezogener Preuß') hatte gegen den Lärm geklagt. Von großem Interesse war auch die bewegende Frage, ob es rechtens sei, das Bier auf dem Oktoberfest aus einem Container und nicht mehr aus großen Fässern (einem »Hirschn«) auszuschenken, oder wie es kommt, dass findige Festwirte aus einem 200-Liter-Hirschn 240 Maß zapfen – zur Klärung dieses Sachverhalts wende

man sich an den »Verein gegen das betrügerische Einschenken« in München daselbst.

Das »Münchener«

Seinen Ruf verdankt das Münchener Bier vor allem **Gabriel Sedlmayr**, der im 19. Jh. in seiner Spatenbrauerei Pionierarbeit leistete. Er tauschte sich mit Kollegen in ganz Europa aus, betrieb seine Brauerei als Erster mit Dampfkraft, tüftelte mit Carl von Linde an der Kühlung und korrespondierte mit Louis Pasteur über die Gärung. Er war ein vehementer Streiter für das untergärige, weil besser haltbare Bier, und brachte das dunkle, malzige »Münchener« heraus, das neben dem Pilsener und dem Wiener bald weltbekannt wurde.

Von Doppelbock und Preißnmaß

Ironie des Schicksals ist, dass heute in München kaum noch »Münchener« gebraut wird. Es ist vom herberen

Hellen (Alkoholgehalt ca. 4,7%) als dem meistgetrunkenen Bier abgelöst worden. Das Märzenbier (Alkohol ca. 6%) wurde ursprünglich im März für den Herbst eingebraut; in München feiert es als Oktoberfestbier resp. Wiesnbier alljährlich fröhliche Urständ. Selbstverständlich machen die **Münchener Brauer** auch Export (Edelstoff, Edelhell, Spezial), Pils und Weißbiere (Weizenbiere), die aber mit eher durchschnittlichem Ergebnis. Spitzenleistungen dagegen sind die Münchener Doppelbockbiere, allesamt dunkel, recht malzig, mit 6,5–7% Alkoholgehalt und auf der Silbe »-ator« endend. Der traditionelle Starkbieranstich an einem Samstag nahe des Josefitags (19. März) ist ein

Opposition den Hohn maßkrugweise abbekommt. Diese übrigens heißen **Keferloher**, sind aus Steingut, halten das Bier sehr schön kühl und eignen sich auch vorzüglich als Wurfgeschoss bei Wirtshausraufereien. Das ist vielleicht der Grund, weshalb es sie gar nicht mehr so häufig gibt, sondern durch 1-Liter-Glaskrüge ersetzt wurden. Immer öfter sieht man auch Halbliter-Krüge oder gar 0,4-l-Gläser, die »Preiß'nmaß«.

Die Brauereien

Über 6 Mio. Hektoliter **Jahresausstoß** bringen die Münchener Brauereien zustande. Eine Fusionswelle hat einstige Konkurrenten fest zusammengeschweißt und die Braulandschaft

»In München steht ein Hofbräuhaus, oans, zwoa, gsuffa!«

gesellschaftliches Ereignis ersten Ranges. Wer es geschafft hat, zum Salvatoranstich von Paulaner auf den Nockherberg geladen zu werden, kann sich zu den »Großkopfeten« zählen. Die werden zu diesem Anlass von der Bühne herab verbal durch den Kakao gezogen – wer der Regierungspartei, von der es in Bayern nur eine gibt, angehört, kann dieser Sache gelassen entgegenblicken, während die

recht unübersichtlich gemacht: Paulaner-Salvator-Thomasbräu (ihr Doppelbock heißt »Salvator«) und Hacker-Pschorr (»Animator«) ziehen nun an einem Strang und gehören der deutsch-niederländischen Unternehmensgruppe BayBräuHold Schörgruber/Heineken an.
Löwenbräu, der größte Münchener Brauer (»Triumphator«), holte Spaten und Franziskaner-Leistbräu (»Opti-

Einer der bekanntesten Biergärten in München ist der zu Füßen des Chinesischen Turms im Englischen Garten.

mator«) ins Boot. Das Trio wurde mittlerweile der belgischen Inbev-Gruppe einverleibt, dem größten Braukonzern der Welt, der z. B. auch Beck's herstellt.

Weiter zählen zu den Münchner Brauereien das Hofbräuhaus (»Delicator«) und Augustiner, mit dem Gründungsdatum 1328 **Münchens ältestes Brauhaus** (»Maximator«). Auch einige Brauereien aus der näheren Umgebung haben es geschafft, den Münchener Gaumen zu überzeugen: das Ayinger, die Weißbiere aus Erding, die Schneider-Weisse mit ihrem Ausschank Im Tal oder die Weihenstephaner Brauerei, die älteste der Welt. Wer ein rechtes Weißbier sucht, halte Ausschau nach einer HUBER-Weissen aus Freising.

Radi, Steckerlfisch und frisch Gezapftes

Nur halb so schön aber wäre das Biertrinken in München, gäbe es nicht die Biergärten. Wobei »Biergarten« ein Modewort ist, denn in München geht man eigentlich »**auf den Keller**«. Da einst das Brauen im Sommer verboten war (es bestand die Gefahr, dass das Bier hätte sauer werden können), mussten die Brauer ihr Bier in kühlen Kellern lagern. Darauf pflanzten sie Schatten spendende Kastanien. Was lag näher, als an solch einem schönen Ort sein Bier

gleich auszuschenken? Und weil die Brauer eben nur Brauer und keine Gastwirte waren, gab es nichts zu essen, sondern der Gast musste seine Brotzeit selbst mitbringen – eine Tradition, die manch Münchener Biergarten heute noch aufrechterhält. Dennoch gehört zu jedem größeren Biergarten ein **Imbissstandl**, wo man sich Brezn, Obatzdn, Weißwürste, Schweinswürstl, Geselchtes, Haxn, Steckerlfische und Radi holt.

Und hier ist es **besonders schön**: im Paulaner auf dem Nockherberg in Giesing (3500 Plätze, Brotzeit kann mitgebracht werden), im kinderfreundlichen Hofbräu-Keller in Haidhausen (Innere Wiener Straße 19), im Augustiner-Keller mitten in der Stadt und doch einer der schönsten (5000 Plätze, Arnulfstraße 52), im Hirschgarten in Laim (Baedeker Empfehlung S. 793), im Biergarten am Chinesischen Turm im Englischen Garten (7000 Plätze), ebenfalls im Englischen Garten beim Aumeister oder im Seehaus am Kleinhesseloher See, beim Flaucher in den Isarauen (Spezialität: Steckerlfische; auch sehr beliebt, weil sich hier die »Nackerten« in der Isar so bequem beobachten lassen), im Franziskanergarten in Waldtrudering (Brotzeit kann mitgebracht werden) oder auf dem Löwenbräukeller in der Nymphenburger Straße.

Lehel Freunde der Biedermeierzeit, des Historismus und des Jugendstils sollten sich die Vorstadt Lehel zwischen Isartor und Englischem Garten nicht entgehen lassen. Beachtung verdient dort die Klosterkirche St. Anna im Lehel, die 1727–1733 nach Plänen von Johann Michael Fischer errichtete erste Rokoko-Kirche Altbayerns mit wertvoller Innenausstattung von den Brüdern Asam und Johann Baptist Straub.

Prinzregent Luitpold steht als Reiterstandbild vor dem Nationalmuseum.

Prinzregentenstraße

Im Norden wird das Lehel von der zwischen 1891 und 1912 angelegten Prinzregentenstraße begrenzt. Entlang dieser **Prachtmeile** trifft man auf zahlreiche repräsentative Bauten und wichtige Museen.

Einer der letzten noch erhaltenen Monumentalbauten aus der Zeit des Nationalsozialismus ist das **Haus der Kunst** am Beginn der Prinzregentenstraße. Hier sind wechselnde Ausstellungen zu verschiedenen Kunstepochen oder Künstlern zu sehen.

Gleich nebenan, ebenfalls auf der linken Straßenseite, lädt das Bayerische Nationalmuseum zum Besuch ein. Es ist eines

✶✶
Bayerisches Nationalmuseum

der **bedeutendsten Museen für europäische Skulptur und Kunstgewerbe**. Herausragend sind vor allem die Sammlung altdeutscher Plastik (u. a. Arbeiten von Tilman Riemenschneider), die Abteilung flandrischer Tapisserien, eine umfangreiche Porzellansammlung und eine großartige Krippensammlung.

✶
Prähistorische Staatssammlung ►

Hinter dem Nationalmuseum befindet sich die Prähistorische Staatssammlung mit Kulturzeugnissen von der Altsteinzeit bis zum frühen Mittelalter, darunter Funde aus dem keltischen Oppidum von Manching sowie aus dem Fürstengrab von Wittislingen.

✶
Schackgalerie

In dem von Max Littmann entworfenen Gebäude, das 1907 für die Preußische Gesandtschaft errichtet wurde, kann man heute die Entwicklung der deutschen Malerei des 19. Jh.s nachvollziehen. Zu sehen sind u. a. Werke von Schwind, Spitzweg und Böcklin.

✶
Friedensengel

Über die Isar strebt die Prinzregentenstraße dem Ende des 19. Jh.s entstandenen Friedensengel zu, einem der **schönsten Denkmäler des Historismus**.

Nach einigen Gehminuten erreicht man die prächtige Villa des **Malerfürsten Franz von Stuck** (1863–1928). In Architektur und Ausstattung fließen Elemente des späten Klassizismus und des Jugendstils zusammen. Zu sehen sind hier u. a. Stucks »Bronzene Amazone« und das seinerzeit viel diskutierte Bildwerk »Die Sünde«. Eine ständige Ausstellung informiert über den Münchner Jugendstil.

✶ Villa Stuck

Die Prinzregentenstraße führt zum gleichnamigen Theater. Dieser repräsentative Kulturbau, dessen Architektur Elemente des Klassizismus und des Jugendstils zeigt, wurde 1900/1901 nach Plänen von Max Littmann als **Richard-Wagner-Festspielhaus** errichtet.

✶ Prinzregententheater

Ludwigstraße · Universität · Englischer Garten

Die lange, schnurgerade Ludwigstraße, die vom Odeonsplatz nordwärts zur Universität führt und am Siegestor endet, wurde auf Wunsch von König Ludwig I. angelegt. Hofarchitekt Leo von Klenze und sein Nachfolger im Amt, Friedrich von Gärtner, haben mit ihrer Bautätigkeit das Bild der **Prachtstraße** nachhaltig geprägt.

Ludwigstraße

Die Bayerische Staatsbibliothek, deren Architektur an die italienische Frührenaissance erinnert, wurde in den Dreißigerjahren des 19. Jh.s nach Plänen von Friedrich von Gärtner errichtet. Die Skulpturen vor dem Eingang – sie stellen Aristoteles, Hippokrates, Homer und Thukydides dar – sind Arbeiten von Ludwig von Schwanthaler. Sie ist eine der größten wissenschaftlichen Bibliotheken in Europa.

Staatsbibliothek

Weiter nördlich folgt die 1829–1844 ebenfalls nach Entwürfen von Friedrich von Gärtner entstandene Ludwigskirche. An der Altarwand im Chor beeindruckt das »Jüngste Gericht«, ein Monumentalgemälde des »Nazareners« Peter Cornelius.

Ludwigskirche

Westlich des Englischen Gartens gelangt man zum »Forum der Wissenschaften«, das König Ludwig I. in den 1830er-Jahren errichten ließ. Der symmetrische Gebäudekomplex der Ludwig-Maximilians-Universität war 1840 vollendet. Am 18. Februar 1943 ließen die **Geschwister Sophie und Hans Scholl** gegen die Nationalsozialisten gerichtete Flugblätter der Widerstandsgruppe »Die Weiße Rose« in den Lichthof des Hauptgebäudes flattern. Kurz darauf wurden sie zum Tode verurteilt und hingerichtet.

Universität

Das 1843–1852 erbaute Siegestor ist von einer bronzenen Bavaria mit Löwenquadriga bekrönt. Es erinnert an die Verdienste des bayerischen Heeres.

Siegestor

An der Wende vom 19. zum 20. Jh. wohnten hier Künstler und Bohemiens, heute ist von dem einstigen Flair in Schwabing allerdings nur noch wenig zu spüren.

Schwabing

Der Englische Garten ist Münchens grüne Lunge.

Englischer Garten ✳
Der als Volksgarten konzipierte und an schönen Tagen sehr belebte Landschaftspark entstand 1789–1832 nach den Vorstellungen des Grafen Rumford und des Gartenarchitekten Ludwig von Sckell. **Publikumsmagneten** sind der Chinesische Turm (1790) mit seinem großen Biergarten, der klassizistische Monopteros-Tempel, der Japanische Teegarten, der Kleinhesseloher See sowie das Aumeisterhaus.

Königsplatz · Karolinenplatz

Brienner Straße
Vom Odeonsplatz verläuft die Brienner Straße als Prachtstraße in nordwestliche Richtung zum Karolinen- und weiter zum Königsplatz – vorbei am Wittelsbacherplatz mit einem Reiterdenkmal von Kurfürst Maximilian I.

Königsplatz ✳
Der nach dem Karolinenplatz angelegte, von Klenze konzipierte Königsplatz sollte mit seinen monumentalen Bauten als **»Forum der Künste«** den Gegenpol zum »Forum der Wissenschaften« an der Ludwigstraße bilden. Zwischen 1933 und 1935 wurde der Königsplatz von den Architekten Paul Ludwig Troost und Leonhard Gall zur nationalsozialistischen »Akropolis Germaniae« umgestaltet. Als imposante Kulissen für die Aufmärsche der Nationalsozialisten entstanden damals der sog. Führerbau (heute Musikhochschule), in dem 1938 das Münchner Abkommen unterzeichnet wurde, und ein Verwaltungsgebäude der NSDAP, heute Sitz der Staatlichen Grafischen Sammlung. Die Umgestaltung des Platzes seit 1988 orientiert sich wieder stärker am klassizistischen Erscheinungsbild. In der Platzmitte steht das Prachttor, das Leo von Klenze nach dem Vorbild der Propyläen der Athener Akropolis entwarf.

Propyläen ▶ ✳

Glyptothek ▶ ✳
Die Nordseite des Königsplatzes nimmt die 1816–1830 ebenfalls von Klenze gebaute, antike Tempelarchitektur zitierende Glyptothek ein. Sie beherbergt eine der **bedeutendsten antiken Skulpturensammlun-**

gen Europas, die im Auftrag von König Ludwig I. zusammengetragen wurde. In dem monumentalen Gebäude gegenüber der Glyptothek, 1838–1848 errichtet, sind seit 1967 die hervorragenden Staatlichen Antikensammlungen beheimatet.

◄ Antikensammlungen

An der Nordwestseite des Königsplatzes steht das im Stil einer italienischen Renaissance-Villa erbaute Lenbach-Haus. Im ehemaligen Wohnsitz und Atelier des Malerfürsten Franz von Lenbach (1836–1904) zeigt heute die **Städtische Galerie** ihre Sammlung. Besonders gut vertreten sind die Künstler des »Blauen Reiter« (Wassily Kandinsky, Franz Marc u. a.). Hinter dem Lenbach-Haus lohnt die Staatssammlung für Paläontologie und Historische Geologie einen Besuch. Prunkstücke der Schausammlung sind Versteinerungen aus dem Schwäbischen und Fränkischen Jura.

◄ Lenbach-Haus

Zwei **Gemäldegalerien von Weltrang** stehen sich nordöstlich vom Königsplatz gegenüber: Alte und Neue Pinakothek. Die Sammlung der Alten Pinakothek bietet einen Querschnitt durch alle Schulen der europäischen Malerei vom Mittelalter bis zum beginnenden 19. Jh. Darunter befinden sich auch so berühmte Werke wie die »Alexanderschlacht« von Albrecht Altdorfer (1529) und das bekannteste Selbstbildnis von Albrecht Dürer aus der Zeit um 1500.

Alte und Neue Pinakothek

Die von Alexander Freiherr von Branca entworfene Neue Pinakothek öffnete 1981 ihre Pforten. Ihre Sammlungen umfassen Gemälde und Plastiken vom Rokoko bis zum Jugendstil sowie bedeutende Werke von Cézanne, Gauguin, Van Gogh, Manet und Monet (Öffnungszeiten: Di. bis So. 10.00–17.00, Di. und Do. bis 20.00 Uhr).

2002 wurde die Pinakothek der Moderne eröffnet. Sie unterteilt sich in vier Bereiche: Moderne und zeitgenössische Kunst seit 1950 (= Bayerische Staatsgemäldesammlung), Staatliche Grafische Sammlung, Architekturmuseum der Technischen Universität und Neue Sammlung, die Design des 20. und 21. Jh.s ausstellt (Öffnungszeiten: Di. bis So. 10.00–17.00, Do. und Fr. bis 20.00 Uhr).

Pinakothek der Moderne

Südöstliches und südliches Stadtgebiet

Südöstlich des Stadtzentrums liegt das Deutsche Museum, **eines der größten technisch-naturwissenschaftlichen Museen der Welt**. Die Errungenschaften der Naturwissenschaften und der Ingenieurskunst werden hier nicht nur an einzigartigen Schaustücken, sondern auch an beweglichen Demonstrations- und Funktionsmodellen gezeigt. Außenstellen des Museums sind die Flugzeugwerft Oberschleißheim und das neue Verkehrszentrum in den alten Messehallen auf der Theresienhöhe, wo Schienen- und Radfahrzeuge ausgestellt sind.

Deutsches Museum

✔ NICHT VERSÄUMEN

- Forum der Technik mit IMAX-Kino, Lasershow und »Space Theater«, einem Sternentheater mit Zeiss-Planetarium
- Abteilungen Luft-, Schiff- und Raumfahrt

★★
Tierpark
Hellabrunn

Im südlichen Stadtteil Harlaching befindet sich der viel besuchte Tierpark Hellabrunn. Tiere aus aller Welt werden hier in möglichst naturnaher Umgebung gehalten, u. a. kann man ein Aquarium, ein Elefantenhaus und eine Großvoliere besuchen.

★
Bavaria-
Studios

Im noblen südlichen Vorort Geiselgasteig liegt das Gelände der Filmgesellschaft Bavaria Atelier GmbH, auf dem heute vorwiegend Fernsehproduktionen gedreht werden. Filmfans sei die »BavariaFilm-Tour« empfohlen, bei der Kniffe, Tricks und Spezialeffekte aus bekannten Filmproduktionen (u. a. »Das Boot«) vorgeführt werden.

Westliche Stadtteile

Theresienwiese

★
Bavaria und
Ruhmeshalle ▶

Südwestlich vom Stadtzentrum liegt die Theresienwiese (volkstümlich »Wiesn« genannt), wo alljährlich – meist schon ab Mitte September – das **Oktoberfest** stattfindet. An der Westseite der Theresienwiese steht die 1850 nach einem Entwurf Schwanthalers in Bronze gegossene Bavaria, die von der Ruhmeshalle umrahmt wird. In dieser von Klenze entworfenen Marmorsäulenhalle sind die Büsten namhafter bayerischer Bürger zu sehen.

★★
Schloss
Nymphenburg

Publikumsmagneten in dem Barockschloss (1664–1728) sind die Schönheitengalerie von König Ludwig I., das Marstallmuseum (Südflügel) mit Prunkkarossen und Prunkschlitten sowie das reichhaltige Porzellanmuseum. Im nordöstlichen Teil des Schlossrondells befindet sich die 1747 gegründete Staatliche **Porzellanmanufaktur** Nymphenburg. Im Nordflügel ist seit 1990 das Museum Mensch und Natur zu Hause. In der prächtigen Parkanlage ist die **Amalienburg** hervorzuheben, ein 1734 bis 1739 von François de Cuvilliés d. Ä. erbautes Jagdschlösschen.

★
Botanischer
Garten

Ein Besuch des Neuen Botanischen Gartens mit Alpinum, Farnschlucht und diversen Schaugewächshäusern lohnt sich besonders, wenn die unzähligen Rhododendrenbüsche blühen (Ende April bis Ende Mai).

München-Nord · Olympiapark

★★
Allianz-Arena

Ganz im Nordwesten Münchens, eingerahmt von A9 und A99, liegt die gerade eröffnete Allianz-Arena. Mit ihrem Bau soll ein neues Kapitel in der Fußball-Geschichte Münchens geschrieben werden. Das Stadion der Superlative ist die neue Heimat der beiden Münchner Traditionsclubs TSV 1860 München und FC Bayern München.
Schon die Ausmaße des neuen Stadions sind gewaltig: 258 m lang, 227 m breit und 50 m hoch, insgesamt sind 37 600 m² überbaut. 285 Millionen Euro hat die modernste Sportarena der Welt mit 66 000 Zuschauerplätzen gekostet und verbirgt mit rund 10 000 Plätzen das größte Parkhaus Europas.

ALLIANZ ARENA

✳ ✳ Als »Meilenstein moderner Architektur« wird die neue Allianz Arena gerühmt, Münchens neues Stadion, das 2006 eine wichtige Rolle als Austragungsort der Fußballweltmeisterschaft spielen wird. Die Sportarena entstand
seit Herbst 2002 nach Vorlagen der Schweizer Stararchitekten Herzog und
de Meuron. Finanziell wird das Großprojekt von den beiden Clubs TSV 1860
München und FC Bayern München gemeinsam getragen.

① Außenfassade

Das imposante Dachtragewerk verbirgt sich hinter
2800 rautenförmigen, mit Luft gefüllten Mem-
brankissen. Die transparente Fassade hüllt die
Arena mit einem integrierten Lichtsystem in die
jeweiligen Farben der Vereine.

② Nordkurve

Damit man sich richtig echauffieren kann, können
jeweils 10 000 Sitzplätze in der Nord- und Südkurve
durch hochklappen der Sitze in Stehplätze umgewandelt werden. In der Nordkurve gibt es
außerdem ein Fan-Restaurant des TSV 1860.

③ Südkurve

Hier können sich die Anhänger des FC Bayern
München im Fan-Restaurant des Vereins auf ca.
1500 Plätzen versammeln.

④ Unterer Rang

Der unterste Rang umrahmt das Spielfeld sehr eng,
um den Zuschauern eine größtmögliche Nähe zum
Spielgeschehen zu ermöglichen. Es stehen hier
20 000 Sitzplätze zur Verfügung.

⑤ Mittlerer Rang

Hier finden 24 000 Zuschauer einen Sitzplatz. Durch
den Neigungswinkel von 30° ist gute Sicht von
jedem Platz aus gewährleistet.

⑥ Oberer Rang

Mit 22 000 Sitzplätzen auf diesem Rang ist die
Kapazität dieses gewaltigen Stadions vonn 66 000
Plätzen ausgeschöpft. Wegen der extrem hohen
Neigung von 34° kann man auf diesem Rang
ausschließlich sitzen. Die oberste Sitzreihe befindet
sich 39 m hoch über dem Spielfeld.

⑦ VIP-Logen

Für wichtige Stadionbesucher gibt es 100 Logen
mit rund 1400 Plätzen und 2200 so genannte
Business Seats.

*Je nachdem, wer spielt, wird die Arena
in farbiges Licht getaucht: Rot beim
FC Bayern und Blau beim TSV 1860.
Bei neutralen Spielen leuchtet das
Stadion in weißem Licht.*

Statt wie bisher im Olympiastadion trainieren und kämpfen die zwei Münchener Fußball-Mannschaften nun hier.

Bis zu 66 000 Fans können ihren Mannschaften in der Allianz Arena zujubeln – von Rängen mit einer Steigung von 34 Grad..

© Baedeker

Allianz ⓐ Arena

⑥

②

Sie haben das spektakuläre Großprojekt in Auftrag gegeben: der FC Bayern München und der TSV 1860 München.

2800 Kissen aus 0,2 mm dünner Folie überspannen die aufwändige Dachkonstruktion des Stadions.

Toooor! Hoffentlich entspricht das Niveau der Spiele auch dem der Architektur der Arena.

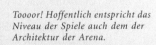

Vom Olympiaturm überblickt man das Stadion und die Stadt.
Fast 3 km² groß ist der Olympiapark, der für die Spiele 1972 angelegt wurde.

✳ Olympiapark

Etwa 5 km nordwestlich der Stadtmitte entstand für die Olympischen Sommerspiele 1972 der Olympiapark. Er umfasst den 290 m hohen Olympiaturm mit Drehrestaurant und Aussichtsplattformen, das Olympiastadion, die Schwimmhalle, die große Olympiahalle, das neue Eissportstadion sowie andere Sporteinrichtungen. Ein Teil der Anlagen wird von einem 74 800 m² großen **Zeltdach** geschützt, einer filigranen Konstruktion, bestehend aus einem riesigen, an hohen Masten aufgehängten Stahlnetz und teilweise lichtdurchlässigen Platten aus Acrylglas.

BMW-Automuseum

Östlich schließt das Werksgelände der Bayerischen Motoren-Werke (BMW) an mit dem Vierzylinder-Hochhaus als Wahrzeichen (1972, Karl Schwanzer). In einer fensterlosen Halbkugelschale ist das BMW-Automuseum untergebracht. 2007 wird der benachbarte Flachbau ebenfalls als Museum eingerichtet sein.

Umgebung von München

✳✳ Schlosspark Schleißheim

Gleich drei Schlösser hat der kleine Ort Schleißheim am Ostrand des Dachauer Mooses zu bieten. Der von Kanälen umzogene Schlosspark ist streng symmetrisch entlang einer Mittelachse angelegt. Im Westen der Anlage steht das verhältnismäßig schlichte Alte Schloss. Östlich folgt das 1701–1704 nach Plänen von Enrico Zuccalli erbaute Neue Schloss mit einer prachtvollen Innenausstattung. Es schließt sich ein großes Gartenparterre mit Wasserkünsten an, das sich ostwärts bis zum **Schloss Lustheim** hinzieht. Hier zieht besonders die berühmte Meissener Porzellansammlung von Ernst Schneider, die nur noch von der Ausstellung im Dresdner Zwinger übertroffen wird, die Besucher in ihren Bann.

Auf dem Gelände der ehemaligen Flugzeugwerft Oberschleißheim ist 1992 das **Museum für Luft- und Raumfahrt** als Zweigstelle des Deutschen Museums eröffnet worden. In den alten Werfthallen und einer neuen großen Ausstellungshalle sind Flugzeuge, flugtechnisches Gerät sowie allerlei Antriebsaggregate zu sehen.

Flugzeugwerft Oberschleißheim

Wird heute der Name der Stadt Dachau (17 km nordwestlich von München) erwähnt, denkt man zunächst an das **Konzentrationslager** der Nationalsozialisten, in dem rund 32 000 Häftlinge ermordet wurden, hauptsächlich Juden, Sinti, Roma, Geistliche und Kommunisten. Auf dem Gelände des ehemaligen Dachauer Konzentrationslagers ist heute eine Gedenkstätte mit Museum und internationalem Mahnmal eingerichtet. Beachtenswert ist aber auch das von Joseph Effner im 18. Jh. gestaltete Schloss von Dachau mit seinem großen Barockgarten. Es handelt sich um den umgestalteten Westflügel einer einst mächtigen Renaissance-Anlage aus dem 16. Jh. Interesse verdienen ferner einige Häuser von Mitgliedern der Dachauer Künstlerkolonie, die im 19. und frühen 20. Jh. bestand.

✶
Dachau

◄ Schloss

Reizvoll schmiegt sich die Kreisstadt Fürstenfeldbruck mit barocken und klassizistischen Bürgerhäusern ins idyllische Ampertal. Der bayerische Herzog Ludwig II. gründete hier im Jahr 1258 ein Kloster, die heutigen Klosterbauten stammen allerdings aus der Zeit um 1700. In der so genannten Klostergalerie ist eine der **größten Maßkrugsammlungen Oberbayerns** untergebracht. Die bemerkenswerte barocke Klosterkirche wurde 1713–1766 nach Entwürfen von Viscardi errichtet. Im gewaltig wirkenden Innenraum des Gotteshauses sind italienische, französische und bayerische Stilrichtungen vereint. Die meisterhafte Innenausstattung mit wundervollen Stuckarbeiten und grandiosen Fresken entstand unter Mitarbeit der Brüder Appiani und der Brüder Asam.

Fürstenfeldbruck

> ! *Baedeker* TIPP
>
> **Wellness und Reha**
>
> Nur wenige Autominuten vom Flughafen entfernt strahlt ein neuer Stern am deutschen Bäderhimmel: die Therme Erding mit schwefelhaltigem Mineralwasser. Im März 2001 wurde sie von der Stiftung Warentest als bestes Thermalbad seiner Art gerühmt (Öffnungszeiten: Mo. bis Fr. 10.00–23.00 Uhr, Sa., So. u. Fei. 9.00–23.00 Uhr).

Die altbayerische Stadt Freising, die vom 8. bis zum 18. Jh. Sitz eines Bistums (jetzt Erzbistum München und Freising) war, thront auf dem hohen linken Ufer der Isar. Auf dem Domberg erhebt sich der zweitürmige Dom, eine seit 1160 erbaute romanische Backstein-Basilika, deren barocke Innenausstattung (1723/1724) von den Brüdern Asam stammt. In der Krypta (12. Jh.) befindet sich der Reliquienschrein des hl. Korbinian. Ebenfalls auf dem Domberg lädt das **Diözesanmuseum** zum Besuch ein. Südwestlich des Freisinger Stadtzentrums trifft man auf das ehemalige Benediktinerkloster Weihenste-

✶
Freising

◄ Weihenstephan

phan, dessen 1671–1705 errichtete Gebäude die **älteste noch in Betrieb befindliche Brauerei der Welt**, natürlich mit Biergarten, sowie Institute der beiden Münchner Universitäten beherbergen. Das neu eingerichtete Museum im Schafhof informiert über die Entwicklung der bayerischen Landwirtschaft seit 1800.

✳ Münster · Münsterland

Atlasteil: S. 24 • B 3   **Bundesland:** Nordrhein-Westfalen
Höhe: 62 m ü. d. M.   **Einwohnerzahl:** 280 000

Die altehrwürdige Bischofs- und Universitätsstadt Münster ist das geografische und wirtschaftliche Zentrum des Münsterlands im Nordwesten von Nordrhein-Westfalen. Münsters Stadtbild ist geprägt von Adelshöfen, Bürgerhäusern, Kirchen und vor allem von Fahrrädern. Münster gilt zurecht als Europas Fahrrad-Hauptstadt, denn hier gibt es mehr Fahrräder als Einwohner, ein Fahrrad-Parkhaus und sogar einen Fahrrad-Abschleppdienst – und natürlich genügend Mietfahrräder für Touristen.

Geschichte Gegen Ende des 8. Jh.s gründete Karl der Große das Bistum Münster, dessen erster Bischof der Friese Liudger (Ludgerus) war. Im 12. Jh. erhielt der Ort Stadtrechte, im 13. Jh. trat er der Hanse bei. Von 1534 bis 1535 regierten die radikalreformatorischen Wiedertäufer in der Stadt, die die Einheit von Kirche und Staat ablehnten und u. a. die Erwachsenentaufe propagierten. Ihre Schreckensherrschaft endete nach 16 Monaten Belagerung durch Truppen des Bischofs von Münster. 1648 beendete der Friede von Münster und Osnabrück den Dreißigjährigen Krieg. Bis 1803 war die Stadt Zentrum eines Fürstbistums, 1816 wurde Münster Hauptstadt der preußischen Provinz Westfalen.

? WUSSTEN SIE SCHON ...?

■ dass in den drei eisernen Käfigen am Westturm der Lambertikirche auf dem Prinzipalmarkt im Jahr 1536 die Leichen der Wiedertäufer Johann von Leyden, Knipperdollinck und Krechting zur Schau gestellt wurden?

Sehenswertes in Münster

✳
Prinzipalmarkt,
Rathaus

An dem von Laubengängen und Giebelhäusern umrahmten Prinzipalmarkt steht das gotische Rathaus (14. Jh.). Im Friedenssaal wurde am 16. Mai 1648 der Teilfriede zwischen Spanien und den Niederlanden unterzeichnet.
Neben dem Rathaus sieht man das **Stadtweinhaus**, ein Giebelhaus aus der Spätrenaissance.

Münster *Orientierung*

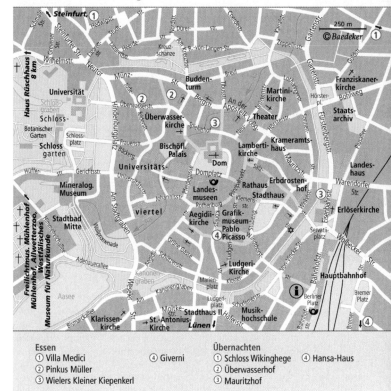

Essen
① Villa Medici
② Pinkus Müller
③ Wielers Kleiner Kiepenkerl
④ Giverni

Übernachten
① Schloss Wikinghege
② Überwasserhof
③ Mauritzhof
④ Hansa-Haus

Am Domplatz erhebt sich der Dom St. Paul, 1225–1265 im romanisch-gotischen Übergangsstil erbaut, der **eine der größten Kirchen Westfalens** und von bestechender Raumwirkung ist. Bedeutendste Schätze seiner Innenausstattung sind die zehn Apostelfiguren im »Paradies«, der Vorhalle an der Südseite. In der Kirche ist u. a. Clemens August Graf von Galen (1878–1946) bestattet, einer der führenden Männer im katholischen Widerstand. Beachtung verdient auch die astronomische Uhr von 1542 im Chorumgang. Am Nordflügel des Kreuzgangs wird der Domschatz aufbewahrt.

✶ **Dom St. Paul**

An der Südseite des Domplatzes zeigt das Westfälische Landesmuseum u. a. Dokumente zur Stadt- und Landesgeschichte, Malerei und Plastik des Mittelalters sowie Gemälde des Impressionismus.

✶ ◄ **Westfälisches Landesmuseum**

Deutschlands einziges Picasso-Museum, im September 2000 eröffnet, besitzt mit etwa 800 Werken das einmalige, nahezu vollständige grafische Werk des Künstlers (Königsstraße 5).

✶ **Picasso-Museum**

Patrizierhäuser mit schönen Renaissancegiebeln rahmen den Prinzipalmarkt ein.

Erbdrostenhof   An der Salzstraße 38 steht der Erbdrostenhof, ein ehemaliger Adelshof, der 1754 von dem bedeutenden westfälischen Baumeister Johann Conrad Schlaun errichtet und zwischen 1953 und 1970 originalgetreu wieder hergestellt wurde.

Museum für Lackkunst   In der Nähe des Bahnhofs zeigt das in seiner internationalen Ausrichtung **weltweit einzigartige Museum** für Lackkunst eine Kollektion feiner Lackobjekte vor allem aus Asien, Europa, dem islamischen und dem präkolumbischen Kulturkreis mehrerer Jahrhunderte, z. B. chinesische Stellschirme, Figuren jeder Art, ziselierte Vasen und natürlich die Lacca ilicis, jene Lausart, aus deren Sekreten man bereits im Mittelalter den nach ihr benannten, allseits bekannten Werk- und Konservierungsstoff Lack gewann.

Schloss   Im Westen der Altstadt liegt jenseits der Aa das um 1770 nach Plänen Johann Conrad Schlauns erbaute ehemals fürstbischöfliche Schloss, das heute die Westfälische Wilhelms-Universität beherbergt.

Aasee, Freilichtmuseum Mühlenhof   Im Südwesten der Stadt dehnt sich der Aasee aus, Münsters **Wassersportparadies**. Vom See aus lohnt ein Abstecher zum Freilichtmuseum Mühlenhof, in dem Hofbauten und eine originalgetreu erhaltene Bockwindmühle gezeigt werden. In unmittelbarer Nähe befindet sich das Westfälische Museum für Naturkunde, zu dem ein Planetarium gehört.

⏵ MÜNSTER · MÜNSTERLAND ERLEBEN

AUSKUNFT

Münster Marketing
Klemensstraße 10, 48143 Münster
Tel. (02 51) 4 92 27 10, Fax 4 92 77 43
www.muenster.de

ESSEN

► Erschwinglich

① *Villa Medici*
Ostmarkstraße 15, 48145 Münster
Tel. (02 51) 3 42 18
Modernes Design und anspruchsvolle
Tischkultur gibt es hier nebst geho-
bener italienischer Küche.

④ *Giverni*
Hötteweg 9, 48143 Münster
Tel. (02 51) 51 14 35
Feine französische Esskultur mitten in
der Fußgängerzone Münsters.

► Preiswert

② *Pinkus Müller*
Kreuzstraße 4, 48143 Münster
Tel. (02 51) 4 51 51
Traditionsreiche Brauereigaststätte
(seit 1860) mit langen Holztischen.
Schmackhafte regionale Küche.

③ *Wielers Kleiner Kiepenkerl*
Spiekerhof 47, 48143 Münster
Tel. (02 51) 4 34 16
Zünftiges westfälisches Gasthaus in
der Altstadt.

ÜBERNACHTEN

► Luxus

① *Schloss Wilkinghege*
Steinfurter Straße 374, 48159 Münster
Tel. (02 51) 14 42 70, Fax 21 28 98
www.schloss-wilkinghege.de
Wasserschloss der Spätrenaissance,
mit Stilmöbeln eingerichtete Zimmer,
elegante Bäder. Restaurant mit
Stuckdecke und Kronleuchter.

► Komfortabel

③ *Mauritzhof*
Eisenbahnstraße 17, 48143 Münster
Tel. (02 51) 4 17 20, Fax 4 66 86
www.mauritzhof.de
Extravagantes Design bestimmt das
Flair dieses Hotels, komplett mit Mo-
biliar von Philippe Starck eingerichtet.

② *Überwasserhof*
Überwasserstraße 3, 48143 Münster
Tel. (02 51) 4 17 70, Fax 4 17 71 00
www.ueberwasserhof.de
Freundliches Hotel mit gepflegten
Zimmern in Naturholzmöbeln.

► Günstig

④ *Hansa-Haus*
Albersloher Weg 1, 48155 Münster
Tel. (02 51) 60 92 50, Fax 6 09 25 35
www.hotel-hansa-haus.de
Solide Zimmer, wohnlich eingerich-
tet, in kleinem, zentralem Hotel.

Münsterland

Das meist ebene oder leicht wellige Münsterland nördlich und nordöstlich des Ruhrgebiets geht im Westen in die Niederrheinische Tiefebene über. Aus dem flachen Land ragen einige Bergzüge auf, so im
Osten die Beckumer Berge und im Nordwesten die Baumberge. Den
Reiz der überwiegend durch Landwirtschaft geprägten Region machen die vielen Wasserburgen aus, z. B. Burg Vischering, Schloss

★
**Landwirtschaft
und Wasser-
burgen**

Nordkirchen oder Schloss Lembeck bei Raesfeld. Außerdem ist das Münsterland ein **Pferdeland**: Fast auf jedem Hof stehen Pferde ein, und Warendorf ist das Zentrum der deutschen Springreiterei. Dort finden alljährlich im September und Oktober die viel besuchten Hengstparaden statt.

Haus Rüschhaus In der Umgebung von Münster erinnert vieles an die Familie von Droste-Hülshoff. Haus Rüschhaus, 8 km nordwestlich der Stadt, wurde 1745–1749 von Johann Conrad Schlaun als Sommersitz der Familie erbaut und war später Wohnsitz der **Dichterin Annette von Droste-Hülshoff** (1797–1848).

Schloss Hülshoff ▶ Einige Kilometer vom Rüschhaus entfernt befindet sich bei Roxel Schloss Hülshoff (16. Jh.), das Wasserschloss, in dem Annette von Droste-Hülshoff 1797 geboren wurde.

✱ **Schloss Nordkirchen** Höchst prachtvoll gibt sich Schloss Nordkirchen, die größte und bedeutendste Wasserburg Westfalens, die bewundernd als **»westfälisches Versailles«** bezeichnet wurde. Umgeben von breiten Wassergräben liegt das Schloss auf einer fast quadratischen Insel, deren Ecken mit vier achteckigen Pavillons besetzt sind. Das Innere des Schlosses ist mit Deckenstuckierungen ausgeschmückt. Im Park, den Johann Conrad Schlaun zusammen mit französischen Gartenarchitekten gestaltete, gibt es eine Orangerie, die zu einem Gartenkasino ausgebaut wurde.

! **Baedeker TIPP**

Grünkohl

Des Westfalen Leibgericht ist Grünkohl. Besonders gut auf dessen Zubereitung – und andere westfälische Spezialitäten – versteht sich das schön eingerichtete Alte Gasthaus Lewe in Münster (Alter Steinweg 37, Tel. 02 51/4 55 95).

Telgte Die kleine Stadt Telgte, 12 km östlich von Münster, ist ein bekanntes Wallfahrtsziel. Im Heimatmuseum ist die Geschichte der Marienwallfahrt dokumentiert, u. a. mit einem 28 m² großen Hungertuch von 1623; darüber hinaus erfährt man einiges über die regionale Wohnkultur und über **Clemens August Graf von Galen** (1878–1946), der als Bischof von Münster (seit 1933) gegen die Politik der Nationalsozialisten Stellung bezog. Günter Grass hat Telgte in seiner Erzählung »Das Treffen in Telgte« literarisch verewigt.

Beckum Beckum liegt etwa 43 km südöstlich von Münster. Die Kirche St. Stephanus bewahrt mit dem um 1230 gefertigten Prudentia-Schrein ein außerordentliches Zeugnis **spätromanischer Gold- und Silberschmiedekunst**.

✱ **Wasserschloss Raesfeld** Weit im Westen des Münsterlands, jenseits der A 31 und südlich von Borken, liegt der Ort Raesfeld mit seinem Wasserschloss. Von dem ursprünglich vierflügeligen Hauptschloss sind der Nordtrakt und der frühbarocke Westflügel erhalten, den Generalfeldmarschall Alexander II. von Velen ab 1643 errichten ließ. Wie sein Vorbild Wallenstein beschäftigte er einen Astrologen: Für dessen Beobachtungen wurde der mächtige, von einer Haube gekrönte Eckturm hochgezogen. Heute beherbergt das Schloss eine **Akademie des Handwerks** und ein Restaurant.

✳ Naumburg

Atlasteil: S. 38 • B 2   **Bundesland:** Sachsen-Anhalt
Höhe: 108 m ü. d. M.   **Einwohnerzahl:** 31 000

Die durch ihren Dom berühmt gewordene Stadt Naumburg liegt am Nordostrand des Thüringer Beckens, südlich der Stelle, wo die Unstrut in die Saale mündet. Überall an den Talhängen der beiden Flüsse wird Wein angebaut.

Etwa um das Jahr 1000 entstand an der Kreuzung zweier Handelsstraßen die **»neue Burg«** der Markgrafen von Meißen. Von 1028 bis 1564 war der Ort Bischofssitz. Neben dem Burgbezirk als geistlicher Residenz wuchs die Bürger- und Handelsstadt. Als 1506 Leipzig das Messeprivileg für das Gebiet im Umkreis von 15 Meilen erhielt, verlor Naumburg seine Bedeutung als Handelsstadt. Von 1656 bis 1718 gehörte Naumburg zum Herzogtum Sachsen-Zeitz. 1832 wurden Bürgerstadt und Domstadt vereinigt. | **Geschichte**

Die meisten Besucher Naumburgs kommen seinetwegen: der **spätromanisch-frühgotische Dom** St. Peter und Paul steht im Nordwesten der Stadt, im Bereich der einstigen Domfreiheit. Die Basilika besteht aus Lang- und Querhaus mit einem West- und einem Ostchor, denen jeweils zwei Türme zugeordnet sind. Südwärts schließt sich an die Kirche ein Kreuzgang mit Hof an. Der erste romanische Bau, von dem die Krypta unter dem Ostchor stammt, wurde 1042 geweiht; der zweite spätromanische Bau wurde vor 1213 begonnen und 1242 fertig gestellt. Um 1250 entstand der Westchor (Eintritt nur gegen Gebühr.) | ✳ ✳ **Dom St. Peter und Paul**

Weltberühmt sind die Figuren der zwölf Stifter im Westchor, Hauptwerk des nicht namentlich bekannten Naumburger Meisters (nach 1250). Alle Gestalten sind lebensgroß in Kalkstein gehauen und nach der Mode der Zeit gekleidet. Die bekanntesten Paare, bei denen es sich nicht um realistische Porträts handelt, da die Personen zur Zeit der Darstellung bereits verstorben | ✳ ✳ ◄ **Stifterfiguren**

> ❗ *Baedeker* TIPP
>
> **Hussiten-Kirschfest**
> Wer im Juni die Stadt Naumburg besucht, erlebt das Hussiten-Kirschfest. Jedes Jahr werden dabei ein großer Jahrmarkt, ein Umzug und die berühmte mittelalterliche Peter-Pauls-Messe veranstaltet (Informationen: Tel. 0 34 45/20 16 14).

Auf dem Naumburger Marktplatz herrscht reger Betrieb.

waren, sind Ekkehard und Uta sowie Hermann und Regelindis. Bemerkenswert ist ferner der Figurenfries am Westlettner (Schauseite zum Mittelschiff), der Szenen aus der Leidensgeschichte darstellt.

✳ Marktplatz Ansprechende Bürgerhäuser, meist aus Barock und Renaissance, umrahmen den weiträumig angelegten Platz. Den Marktbrunnen krönt die Figur des hl. Wenzel, **des Schutzpatrons der Stadt**. Das Rathaus, ein spätgotischer Bau mit dekorativem Hauptportal, weist einen Ratskeller aus dem 14. Jh. auf. Neben dem »Schlösschen« von 1541 befindet sich die alte Residenz, die 1652 für Herzog Moritz von Sachsen-Zeitz errichtet wurde.

St. Wenzel ▶ Wer wandelt nicht gerne auf den Spuren großer Meister? In der Stadtkirche St. Wenzel an der Südseite des Marktplatzes begegnet man gleich zwei von ihnen. Auf der Hildebrandt-Orgel in der spätgotischen Hallenkirche hat nämlich kein Geringerer als **Johann Sebastian Bach** gespielt. Und das Gemälde »Jesus als Kinderfreund« stammt aus der Werkstatt von **Lucas Cranach d. Ä.**.

Marientor Durch die Marienstraße gelangt man am Marienplatz zum Marientor (15. Jh.), einem Teil der mittelalterlichen Stadtbefestigung mit Außentor, Wehrgang, Innentor und Wartturm. Teile der ehemaligen Stadtmauer sind noch erhalten. Im Innentor finden Aufführungen des **Naumburger Puppentheaters** statt. Am Außentor sieht man das Wappen der Stadt.

Nietzsche-Haus Eng mit Naumburg verknüpft ist der Name Friedrich Nietzsches. Im Südosten der Stadt kaufte Nietzsches Mutter, die schon 1850 mit ihren beiden Kindern nach Naumburg gezogen war, ein Haus (Weingarten 18), das sie bis zu ihrem Tod bewohnte. Friedrich Nietzsche ging in Naumburg zur Schule. Nachdem das Nietzsche-Haus grundlegend saniert worden war, richtete man dort 1994 die Ausstellung **»Nietzsche in Naumburg«** ein, die den Besuchern vielfältige Informationen über den Philosophen vermittelt. Im Obergeschoss werden Sonderausstellungen gezeigt.

✳ Unstruttal

Im Norden von Naumburg (zwischen Memleben im Westen und Naumburg im Osten) verläuft der landschaftlich **reizvollste Abschnitt des Unstruttal** – enge Talabschnitte wechseln hier mit weiten Flusssenken, an deren Südhängen Wein angebaut wird, vorwiegend die Weißweinsorten Müller-Thurgau, Bacchus, Gutedel, Silvaner und Weißburgunder.
Unstrut

Die Unstrut ist mit 192 km Länge der bedeutendste Nebenfluss der Saale, mit der sie sich bei Naumburg vereinigt. Sie entspringt weit westlich bei Dingelstädt, durchfließt ► Mühlhausen und bildet bei Heldrungen ein 400 m breites malerisches Tal, die sog. Thüringer Pforte, die einst durch Sachsenburgen (heute Ruinen) geschützt wurde.

Die Reihe der sehenswerten Orte entlang des Unstruttals nahe Naumburg beginnt im Westen Naumburgs mit der historisch bedeutenden Ortschaft Memleben, eine ehemalige ottonische Kaiserpfalz mit einem Benediktinerkloster. Die Kirche (heute Ruine) war nach dem Magdeburger Dom der **größte Bau des 10. Jh.s im Osten des ottonischen Reiches**. Die Kaiserpfalz selbst, in der der erste deutsche König, Heinrich I., und Kaiser Otto I. gestorben sind, wird südöstlich vermutet.
Memleben

Ca. 10 km südöstlich von Nebra liegt Burgscheidungen. Das Barockschloss des Ortes steht an der Stelle einer früheren Höhenburg; der Schlosspark ist als italienischer Terrassengarten angelegt.
Burg-scheidungen

Möchten Sie wissen, wie Glocken gegossen werden? Dann sind Sie in Laucha richtig. In dem kleinen Ort gibt es eine als Museum eingerichtete Glockengießerwerkstatt. Die **älteste Glocke** stammt aus dem Jahr 1311. Außerdem kann man sich in Laucha das Rathaus mit einer Freitreppe und die gut erhaltene Stadtmauer anschauen.
Laucha

Freyburg ist das Zentrum des Weinbaus an der Unstrut sowie der Wein- und Sektherstellung. Hier lebte und starb der Turnvater Friedrich Ludwig Jahn (1778–1851).
Freyburg

Von den Sehenswürdigkeiten in Freyburg ist vor allem Schloss Neuenburg (1090–1227) zu nennen. Nach der Wartburg war es **die bedeutendste Burg der Thüringer Landgrafen** und im 17. Jh. Residenz
✳
◄ Schloss Neuenburg

► NAUMBURG ERLEBEN

AUSKUNFT

Tourist- und Tagungsservice
Markt 6, 06618 Naumburg
Tel. (0 34 45) 20 16 14, Fax 26 60 47
www.naumburg.de

ESSEN

► Erschwinglich

Bocks
Steinweg 5, 06618 Naumburg
Tel. (0 34 45) 23 09 99
Ehemaliges Zunfthaus der Lederger-
ber (18. Jh.); modernes Restaurant im
Bistrostil mit schöner Innenhofterrasse und Weingeschäft. Hervorragende neue deutsche Küche mit italienischen und asiatischen Einflüssen.

► Preiswert

Ratskeller
Markt 1, 06618 Naumburg
Tel. (0 34 45) 20 20 63

Gewölberestaurant mit guter regionaler Küche und großer Auswahl an
Saale-Unstrut-Weinen.

ÜBERNACHTEN

► Komfortabel

Stadt Aachen
Markt 11, 06618 Naumburg
Tel. (0 34 45) 24 70, Fax 24 71 30
www.hotel-stadt-aachen.de
Zimmer mit Stilmöbeln in schönem
Stadthaus. Restaurant Carolus Mag-
nus mit viel historischem Flair.

► Günstig

Kaiserhof
Bahnhofstraße 35, 06618 Naumburg
Tel. (0 34 45) 24 40, Fax 24 41 00
www.centerhotels.de
Preisgünstige Übernachtungsadresse
nahe beim Bahnhof, geräumige Zimmer, Restaurant und Sauna.

---

der Herzöge von Sachsen-Weißenfels. Bemerkenswert in dem Schloss
sind eine spätromanische Doppelkapelle, die Kapitelle mit Pflanzen-
und Tierornamenten aufweist, der Fürstensaal, ein Bergfried und ein
120 m tiefer Brunnen. Das Museum im Bergfried zeigt u. a. Dokumente zum Weinbau im Unstruttal. Von der Burg bietet sich ein
schöner Blick auf das Tal.

In Freyburg sollte man sich ferner die romanische Stadtkirche
St. Marien (13. Jh.), das Jahnmuseum im ehemaligen Wohnhaus des
»Turnvaters«, die Erinnerungsturnhalle mit Jahndenkmal und die
Reste der Stadtmauer ansehen. Das spätgotische Rathaus wurde nach
einem Brand 1682 in einfacheren Formen wieder aufgebaut.

Großjena   In Großjena, einem Ort 3 km nördlich von Naumburg, wohnte am
Hang eines Weinbergs der Bildhauer, Maler und Grafiker **Max Klinger** (1857–1920). Eine Ausstellung im Atelier des Radierhäuschens
gibt über Leben und Werk des Künstlers Auskunft.

Können Sie sich ein 200 m langes Buch vorstellen? In der Nähe von
Großjena wurde vor rund 200 Jahren ein »Steinernes Bilderbuch«,
ein 200 m langes Bildrelief, in den Sandstein gehauen. Es zeigt Darstellungen zur Geschichte des Weinbaus.

Weitere Ziele in der Umgebung von Naumburg

Das Bild der einstigen Residenzstadt wird geprägt von Schloss Neu-Augustusburg, einer barocken Dreiflügelanlage, die 1660–1694 als Residenz der Herzöge von Sachsen-Weißenfels erbaut wurde. Im Original erhalten blieb die Schlosskirche mit kunstvollem Altaraufsatz; unter dem Altarraum befindet sich die Gruft der Weißenfelser Herzogsfamilie. Im Schloss ist das Weißenfelser Museum untergebracht, zu dem ein **Schuhmuseum** gehört. Unterhalb des Schlosses erstreckt sich der **Markt**. Um ihn gruppieren sich das barocke **Rathaus** und die **Stadtkirche St. Marien**. In der Klosterstraße (Nr. 24)

✷ Weißenfels, Schloss Neu-Augustusburg

> **? WUSSTEN SIE SCHON …?**
>
> ■ dass der Schöpfer der ersten deutschen Oper, Heinrich Schütz (1585–1672), mehrere Jahre lang in Weißenfels wohnte? In seinem ehemaligen Wohnhaus, in der Nikolaistraße, werden Konzerte veranstaltet.

steht das Wohn- und Sterbehaus von Friedrich von Hardenberg, besser bekannt als der Frühromantiker Novalis (1772–1801). Im nahe gelegenen Stadtpark befindet sich ein Abguss seiner Porträtbüste von Fritz Schaper.

Westlich von Naumburg liegt an der Saale Bad Kösen, ein Solbad, in dem ein Gradierwerk und alte Soleförderanlagen erhalten sind. Beachtung verdient das Kunstgestänge von 1780, das die Strömungskraft der Saale bergauf übertrug. Das Romanische Haus aus dem 12. Jh., das heute ein Heimatmuseum beherbergt, gilt als das **älteste Wohnhaus in Mitteldeutschland**. Einen guten Ruf hatte einst die evangelische Landesschule Schulpforta in Pforta, heute ein Ortsteil von Bad Kösen. 1543 ließ Moritz von Sachsen dort in einem aufgehobenen Zisterzienserkloster eine »Fürstenschule« einrichten, zu deren späteren Schülern u. a. Fichte, Klopstock und Nietzsche gehörten. Sehenswert ist heute vor allem die ehemalige Klosterkirche.

Bad Kösen

◀ Pforta

Schöne, ausgeschilderte Wanderwege führen von Bad Kösen flussaufwärts zur Ruine Rudelsburg, die 1172 erbaut wurde, und zur Burg Saaleck, die schon 1050 zur Überwachung der Handelsstraßen auf einem Felsen errichtet wurde, etwa 170 m über der Saale. Von dort bietet sich ein **herrlicher Blick ins Saaletal**.

✷ Rudelsburg Saaleck

Die kleine Stadt Eckartsberga liegt rund 15 km westlich von Naumburg an den Ausläufern der Finne. Entstehung und Bedeutung verdankt sie der einst reichen Veste Eckartsburg, deren Ruine über ihr aufragt. Diese im Kern romanische Anlage zählt zu den **bedeutendsten Denkmälern im Kreis Naumburg**. Im Wohnturm »spielen« Zinnfiguren die Schlacht bei Auerstedt (1806) nach. Das ehemalige Schlachtfeld erreicht man von Eckartsberga über die B 87. Zwischen den Orten Hassenhausen und Taugwitz steht ein Denkmal für den bei der Schlacht schwer verwundeten Herzog von Braunschweig.

✷ Eckartsburg

Von der Ruine Rudelsberg überblickt man das Saaletal.

Bad Sulza Von Eckartsberga gelangt man über Reisdorf und Auerstedt nach Bad Sulza. Seit 1847 Solbad, verfügt der Ort mit dem **ehemaligen Salinenkomplex** über ein sehenswertes technisches Denkmal spätmittelalterlicher Salzförderung. Beachtung verdienen das Museum und der Kurpark des Solbads mit einer Trinkhalle.

Buttstädt In Buttstädt, einer alten, durch ihre Pferde- und Ochsenmärkte bekannten Stadt, fallen die spätgotische Hallenkirche und das Rathaus mit reich geschmückten Portalen und Erkern auf. Im Vogthaus wurde ein **Heimatmuseum** eingerichtet, u. a. mit Thüringer Bauernstube.

Neubrandenburg

Atlasteil : S. 20 • A 2   **Bundesland:** Mecklenburg-Vorpommern
Höhe : 19 m ü. d. M.   **Einwohnerzahl :** 80 000

Neubrandenburg, am Nordufer des Tollensesees, ist wirtschaftlich, verkehrstechnisch und kulturell ein wichtiger Knotenpunkt im Osten des norddeutschen Bundeslandes. Die nach weitgehender Zerstörung im Zweiten Weltkrieg überwiegend modern gestaltete Innenstadt von Neubrandenburg wird von einem vollständig intakten mittelalterlichen Befestigungsring mit reich geschmückten Stadttoren umschlossen.

Geschichte Neubrandenburg entstand ab 1248 als planmäßige Gründung des Markgrafen Johann von Brandenburg und war bis zum Dreißigjährigen Krieg eine prosperierende Handwerker- und Handelsstadt. Im

19. Jh. gewann die Stadt durch die Industrialisierung und die Anbindung an die Eisenbahnlinie Berlin-Sassnitz an Bedeutung. Von 1856 bis 1863 war Neubrandenburg die Heimat des mecklenburgischen Mundartdichters Fritz Reuter (1810–1874). Im Zweiten Weltkrieg wurden rund 85% der Innenstadt von Neubrandenburg zerstört.

Sehenswertes in Neubrandenburg

Das historische Zentrum mit dem weitläufigen, von modernen Nachkriegsbauten geprägten Marktplatz umläuft eine 2,3 km lange mittelalterliche Stadtmauer aus Feldsteinen, die ursprünglich mit 56 kleinen Fachwerkbauten zur Verteidigung besetzt war. Knapp die Hälfte dieser Wiekhäuser wurde **originalgetreu rekonstruiert** und wird u. a. als Galerien und Kunsthandwerksläden wieder genutzt.

✳ Stadtmauer mit Wiekhäusern

Der Schmuck der Stadtbefestigung sind die vier im 14./15. Jh. errichteten, mit Blenden, Fialen und Giebeln reich verzierten Stadttore, besonders das Stargarder und das Treptower Tor, in dem heute das **Regionalmuseum zur Ur- und Frühgeschichte** untergebracht ist.

✳ Stadttore

Wenige Gehminuten südlich des Stargarder Tores sind im Modellpark Mecklenburgische Seenplatte die schönsten Sehenswürdigkeiten der Region im Maßstab 1 : 25 versammelt.

Modellpark Mecklenburgische Seenplatte

Neubrandenburgs Stadttore sind imposante Beispiele mittelalterlicher Stadtbaukunst.

⏵ NEUBRANDENBURG ERLEBEN

AUSKUNFT

Tourist-Information
Stargarderstraße 17,
17033 Neubrandenburg
Tel. (0395) 1 94 33, Fax 5 66 76 61
www.neubrandenburg.de

ESSEN

▶ Erschwinglich

Werderbruch
Lessingstraße 14,
17033 Neubrandenburg
Tel. (0395) 5 44 30 13
Regionale Küche und viele Fischspezialitäten bietet das stilvolle Restaurant in reizvoller Lage am Tollensesee. Legerer geht's im dazugehörigen Fischerstübchen zu.

▶ Preiswert

Badehaus
Parkstraße 3, 17033 Neubrandenburg
Tel. (0395) 5 71 92 40

Bodenständige mecklenburgische Küche und Fischspezialitäten.

ÜBERNACHTEN

▶ Komfortabel

Radisson SAS
Treptower Straße 1,
17033 Neubrandenburg
Tel. (0395) 5 58 60
www.radissonsas.com
In zentraler Lage hält das zu DDR-Zeiten erbaute Haus wohnliche und modern eingerichtete Zimmer, schickes Restaurant mit Show-Küche.

▶ Günstig

Weinert
Ziegelbergstraße 23,
17033 Neubrandenburg
Tel. (0395) 58 12 30, Fax 5 81 23 11
www.hotel-weinert.de
Nettes Stadthotel, gepflegte Zimmer, moderner Frühstücksraum.

Umgebung von Neubrandenburg

Tollensesee

Der beinahe 11 km lange und durchschnittlich nur 1 km breite Tollensesee ist ein **beliebtes Erholungsgebiet**, von der Altstadt Neubrandenburgs nur etwa 1 km entfernt und leicht zu Fuß zu erreichen. Das frühere Sumpfgelände am Nordufer wurde in den 1970er-Jahren in einen Kultur- und Erholungspark umgewandelt (Sportstätten, Badeanstalten, Bootsverleih, Seglerhafen). Ein Wander- und Radwanderweg führt um den gesamten See herum; auf dem See verkehren auch Ausflugsschiffe. Am westlichen Steilufer des Tollensesees, im Stadtteil Broda, steht das 1823 von Hofbaumeister Friedrich Wilhelm Buttel entworfene **Belvedere**, ehemals eine Ausflugsstätte des herzoglichen Hofs. Wie malerisch der Tollensesee in die bewaldete mecklenburgische Hügellandschaft eingebettet ist, sieht man am besten vom Turm der Behmshöhe am Ostufer des Sees aus oder von Usadel an der äußersten Südspitze.

Burg Stargard

Das Städtchen Burg Stargard, 10 km südöstlich von Neubrandenburg und etwa 7 km vom Seeufer entfernt, wird vor allem wegen der Burg aus dem 13. Jh. besucht, von der u. a. ein imposanter Bergfried erhalten blieb. In der Burg sind heute eine Gaststätte und eine Jugendherberge untergebracht.

Der kleine Ort südöstlich des Tollensesees (zwischen der B 193 und der B 96) diente den Herzögen von Mecklenburg-Strelitz als **Sommerfrische**. Im Barockschloss von 1751 (1790 erweitert) ist eine Gedenkstätte für Königin Luise von Preußen, die hier mit nur 34 Jahren starb, eingerichtet worden. Am Schloss befindet sich der älteste Landschaftspark, 1770 nach englischem Vorbild angelegt, im Norddeutschen Raum. **Hohenzieritz**

? WUSSTEN SIE SCHON ...?

■ dass der Ort Reuterstadt Stavenhagen seinen offiziellen Beinamen dem Dichter Fritz Reuter, dem berühmtesten Bürger der Stadt, verdankt? Im Fritz-Reuter-Literaturmuseum im alten Rathaus am Markt, dem Geburtshaus Reuters, erfährt man alles Wichtige über den Mundartdichter und sein Werk. Vor dem Gebäude wird er mit einem Denkmal geehrt.

Das an der Westseite des Tollensesees gelegene Penzlin entstand als planmäßig angelegte mittelalterliche Siedlung. Gern besucht wird die **Alte Burg von Penzlin** aus dem 16. Jh. (Burgrestaurant). **Penzlin**

Über 1000 Jahre alte, **mächtige Eichen** haben den Park (mit Damwildgehege) am Westufer des Ivenacker Sees bekannt gemacht. Im Ort Ivenack steht ein Renaissanceschloss mit Marstall und Orangerie aus dem 18. Jahrhundert. **Ivenack**

Das Fritz-Reuter-Literaturmuseum birgt eine umfangreiche Sammlung von Handschriften des Schriftstellers.

✴✴ Nürnberg

Atlasteil: S. 46 • B 4
Höhe: 280–400 m ü. d. M.

Bundesland: Bayern
Einwohnerzahl: 490 000

Viele Namen und Attribute hat sich die einstige Freie Reichsstadt Nürnberg erworben: Meistersingerstadt, Dürerstadt, Stadt des Spielzeugs und des Christkindlmarkts, der Lebkuchen und der Bratwürste, aber auch der Ort der Kriegsverbrecherprozesse. Heute ist Nürnberg einer der bedeutendsten Industrie- und Handelsplätze Süddeutschlands.

»Des Deutschen Reiches Schatzkästlein«

Ein Gang durch Nürnberg, »des Deutschen Reiches Schatzkästlein« – denn hier wurden die **Reichskleinodien** aufbewahrt –, ist ein Gang durch die deutsche Geschichte. Beim Wiederaufbau nach dem Zweiten Weltkrieg blieb der historische Grundriss der Altstadt gewahrt. So vermitteln heute die großenteils erhaltene Stadtmauer (14./15. Jh.; im 16. und 17. Jh. bedeutend verstärkt) mit ihren zahlreichen Toren und Türmen, die Burg sowie die wieder hergestellten Pfarrkirchen St. Lorenz und St. Sebaldus ein eindrucksvolles Bild des alten Nürnberg. Die prächtigsten Ansichten bieten sich zwischen dem mächtigen Spittlertor und dem ehemaligen Maxtor; am Fürther Tor hat man den schönsten Blick auf Mauerring, Altstadt und Burg. Die Pegnitz teilt die Altstadt in die südlich gelegene Lorenzer Seite und die nördlich gelegene Sebalder Seite mit der Burg.

> **❗ Baedeker TIPP**
>
> **Trempelmarkt**
>
> Die größten Flohmärkte der Bundesrepublik finden jeweils am zweiten Wochenende im Mai und September in der Altstadt von Nürnberg statt. Edle Antiquitäten und Trödel aller Art werden von rund 4000 Händlern am Hauptmarkt und in den benachbarten Straßen angeboten.

Geschichte

1050	Nürnberg wird erstmals urkundlich erwähnt.
1219	König Friedrich II. verleiht dem Ort Stadtrechte.
1835	Erste deutsche Eisenbahn fährt von Nürnberg nach Fürth.
1933–1938	»Reichsparteitage« der NSDAP
1945–1949	Nürnberger Kriegsverbrecherprozesse
1952	Einrichtung der »Bundesanstalt für Arbeit«
2000	Nürnberg feiert 950. Stadtjubiläum.

Nachdem König Friedrich II. dem Ort 1219 Stadtrechte verliehen hatte, entwickelte sich Nürnberg bald zum mächtigsten Handelsplatz Frankens, der neben Augsburg Hauptstapelplatz des durch Venedig

Nürnberg Orientierung

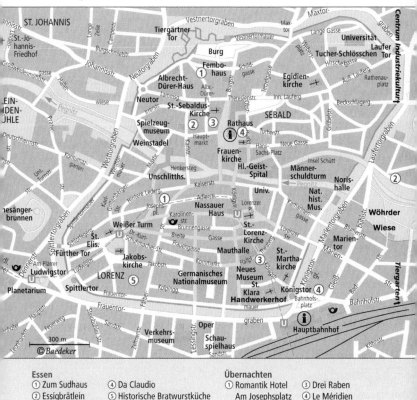

Essen
① Zum Sudhaus
② Essigbrätlein
③ Bratwursthäusle
④ Da Claudio
⑤ Historische Bratwurstküche
   Zum Guldenen Stern

Übernachten
① Romantik Hotel
   Am Josephsplatz
② Prinzregent
③ Drei Raben
④ Le Méridien
   Grand Hotel

vermittelten Orienthandels mit dem Norden war, und erreichte zu Beginn des 16. Jh.s seine größte wirtschaftliche und kulturelle Blüte. Von den vielen Berühmtheiten, die hier wirkten, seien nur der Kosmograf und Schöpfer des ersten Globus, Martin Behaim (1459–1506), der Dichter Hans Sachs (1494–1576), der Bildhauer Veit Stoß (1445–1533), der Erfinder der ersten Taschenuhr (»Nürnberger Ei«), Peter Henlein (um 1480–1542), und vor allem der Maler **Albrecht Dürer** (1471 bis 1528) genannt.

Im 19. Jh. ließ ein technisches Ereignis aufhorchen: 1835 verkehrte von Nürnberg nach Fürth die erste deutsche Eisenbahn. Die Nationalsozialisten machten Nürnberg zum Ort ihrer Reichsparteitage – nicht zuletzt deswegen war die Stadt Ziel massiver alliierter Bombenangriffe, die die Altstadt größtenteils vernichteten.

Lorenzer Seite

Frauentor Ein günstiger Ausgangspunkt für die Erkundung der Altstadt ist der Bahnhofsplatz. Gegenüber dem Bahnhof erhebt sich das markante und vollständig erhaltene Frauentor (vor 1400).

Neues Museum für Kunst und Design Ebenfalls gegenüber dem Bahnhof ist im Jahr 2000 das »Neue Museum für Kunst und Design« eröffnet worden – das erste der bislang 13 staatlichen Museen Bayerns, das außerhalb Münchens liegt. Es zeigt im Erdgeschoss internationales modernes Design seit 1945 (Möbel, Produkt-Design, Pop- und Anti-Design, Neues Deutsches Design usw.) und im Obergeschoss Malerei und Bildhauerei seit den Vierzigerjahren des 19. Jh.s.

Königstor Den Zugang zur Altstadt markiert das Königstor im Dicken Turm, wo im ehemaligen Waffenhof in neu erbauten Fachwerkhäusern **Handwerk nostalgisch-kommerziell** betrieben wird.

✳ Verkehrsmuseum Wenig westlich vom Bahnhof befindet sich in der Lessingstraße das Verkehrsmuseum, das umfassendste Museum zu diesem Thema in Deutschland, das sich außerdem auch mit dem Postwesen beschäftigt; u. a. gibt es einen original großen Nachbau des »Adler«, **des ersten deutschen Eisenbahnzugs**.

St. Marthakirche, Mauthalle Über die Königstraße geht es nun vorbei an der St. Marthakirche mit ihren Glasmalereien (1390), in der 1578–1620 die **Meistersinger** ihre Singschulen abhielten, zur imposanten Mauthalle, dem 1502 erbauten Korn- und Salzspeicher und späteren Waag- und Zollamt.

Das Germanische Nationalmuseum von seiner modernen Seite

Von der Mauthalle ist es nicht weit zum Kornmarkt, wo sich mit dem Germanischen Nationalmuseum **das größte kunst- und kulturgeschichtliche Museum der deutschsprachigen Länder** befindet. Zum Eingang in der Kartäusergasse durchschreitet man die »Straße der Menschenrechte« (1993) von Dani Karavan. Das Museum beherbergt rund 1,2 Mio. Objekte von 30 000 v. Chr. bis heute, u. a. Malerei, Plastik, Kunsthandwerk, Design, vor- und frühgeschichtliche Objekte, wissenschaftliche Instrumente, Apotheken, Musikinstrumente, Spielzeug sowie eine Waffensammlung (Öffnungszeiten: Di. bis So. 10.00 –17.00 Uhr, Mi. bis 21.00 Uhr).

✷✷
Germanisches Nationalmuseum

✔ NICHT VERSÄUMEN
▪ Skulpturen von Veit Stoß und Adam Krafft
▪ Kaiserbildnisse von Albrecht Dürer
▪ Globus von Martin Behaim
▪ Sammlung historischer Puppenhäuser

Auf dem Lorenzer Platz wenig nördlich vom Mauthaus erhebt sich die zweitürmige gotische St.-Lorenz-Kirche (13.–15. Jh.), **die größte Kirche von Nürnberg**. Blickfänge von außen sind das Westportal (um 1355) mit reichhaltigem Figurenschmuck und vor allem die 9 m durchmessende Fensterrose darüber, deren Wirkung im Inneren am besten zur Geltung kommt. Unter den weiteren Kunstwerken sind besonders hervorzuheben: der am Chorgewölbe hängende »Engelsgruß« (1517/1518) und das Kruzifix auf dem Hauptaltar von Veit Stoß, das Sakramentshäuschen (1493–1496) von Adam Krafft, der dahinter liegende Krellsche Altar (um 1480) mit der ältesten erhaltenen Darstellung der Stadt und schließlich die prächtigen Glasgemälde (1477–1493) im Chor. Bei der Kirche symbolisiert der Tugendbrunnen von Benedikt Wurzelbauer (1589) die Grundlagen der Nürnberger Stadtverfassung.

✷
St. Lorenz

◄ Tugendbrunnen

Von der Lorenzkirche führt ein Abstecher über die Karolinenstraße zum Jakobsplatz mit der evangelischen Jakobskirche (14. Jh.), der katholischen Elisabethkirche, einem 1785–1806 errichteten Kuppelbau, und dem Weißen Turm (ca. 1250).
Weit origineller aber ist der 1984 aufgestellte Ehekarussell-Brunnen auf dem Jakobsplatz. Er soll nicht etwa Sodom und Gomorrha darstellen, sondern einfach nur das normale Eheleben. Mit ihm hat der Bildhauer Jürgen Weber kongenial das Gedicht des Meistersingers Hans-Sachs über Freud und Leid der Ehe, »Das bittersüße eheliche Leben«, umgesetzt.

Jakobsplatz

✷
◄ Ehekarussell

Die Museumsbrücke führt unterhalb der Lorenzkirche über die Pegnitz auf die Sebalder Seite. Von hier genießt man eine der Schokoladenseiten Nürnbergs: den Anblick des die Pegnitz überspannenden **Heilig-Geist-Spitals**. Aber auch vom Jakobsplatz aus ist der Weg hinüber sehr reizvoll: über die Maxbrücke mit Blick auf die Partie am Weinstadel (1446–1448 als Schlafstatt für die Aussätzigen erbaut) und den Henkersteg.

Pegnitzbrücken

⏵ NÜRNBERG ERLEBEN

AUSKUNFT

Tourist-Information
Hauptmarkt 18, 90443 Nürnberg
Tel. (09 11) 2 33 61 32, Fax 2 33 61 66
www.tourismus.nuernberg.de

SHOPPING

Besonders viele Geschäfte unter einem Dach: im »Handwerkerhof« und im »City-Point« in der Innenstadt.

ESSEN

▶ Fein & Teuer

② **Essigbrätlein**
Weinmarkt 3, 90403 Nürnberg
Tel. (09 11) 22 51 31
Ältestes Gasthaus Nürnbergs (1550) mit kreativer Gourmetküche.

▶ Erschwinglich

① **Zum Sudhaus**
Bergstraße 20, 90403 Nürnberg
Tel. (09 11) 20 43 14
Feine fränkische Küche wird in der rustikalen Braustube aufgetragen.

④ **Da Claudio**
Hauptmarkt 16, 90403 Nürnberg
Tel. (09 11) 20 47 52
Charmantes Restaurant, gehobene italienische Küche.

▶ Preiswert

③ **Bratwursthäusle**
Rathausplatz 1, 90403 Nürnberg
Tel. (09 11) 22 76 95
Genießen Sie Bratwurst mit Sauerkraut und andere regionale Spezialitäten in dem beliebten Lokal am Rathausplatz mit eigener Metzgerei.

⑤ **Historische Bratwurstküche Zum Gulden Stern**
Zirkelschmiedsgasse 26,
90402 Nürnberg
Tel. (09 11) 2 05 92 88

Urgemütliches historisches Gasthaus, das fränkische Tradition zu pflegen weiß: die berühmte Bratwurst wird hier über Buchenholzfeuer gegrillt.

ÜBERNACHTEN

▶ Luxus

④ **Le Méridien**
Bahnhofstraße 1, 90402 Nürnberg
Tel. (09 11) 2 32 20, Fax 2 32 24 44
www.grand-hotel.de
Honoriges Grand Hotel Nähe Bahnhof, mit klassischer Jugendstil-Eleganz. Geschmackvolle Zimmer, Marmorbäder, edles Restaurant, Sauna.

▶ Komfortabel

① **Romantik Hotel Am Josephsplatz**
Josephsplatz 30, 90403 Nürnberg
Tel. (09 11) 21 44 70, Fax 21 44 72 00
www.romantikhotels.com
Aufwändig renoviertes Stadthaus (1675) mit rustikalen, eleganten und italienischen Zimmern – oder die Hochzeitssuite? Schöne Dachterrasse.

Baedeker-Empfehlung

③ **Drei Raben**
Königstraße 63, 90402 Nürnberg
Tel. (09 11) 27 43 80, Fax 23 26 11
www.hotel-drei-raben.de
Originelles Hotel mit verschiedenen Themenzimmern, die sich alten Nürnberger Legenden widmen.

▶ Günstig

② **Prinzregent**
Prinzregentenufer 11, 90489 Nürnberg
Tel. (09 11) 58 81 88, Fax 55 62 36
www.prinzregent.net
Stadthaus (um 1900) am Pegnitz-Ufer mit gemütlichem Frühstücksraum.

Sebalder Seite

Via Museumsbrücke erreicht man – vorbei an der mächtigen Brunnenskulptur »Das Narrenschiff« von Jürgen Weber – den Hauptmarkt mit dem 17 m hohen Schönen Brunnen (um 1385, heute Kopie), dessen reicher Figurenschmuck Heilige, Kirchenväter, christliche und jüdische Helden darstellt. Am **»Goldenen Ring«** am Gitter kann man drehen – es soll Glück bringen.

✱ Hauptmarkt, Schöner Brunnen

Die Ostseite des Platzes nimmt die gotische Frauenkirche (1352–1361) ein. Über der mit reichem Bildwerk geschmückten Vorhalle sieht man das Michaels-Chörlein (Erker), von dem 1361 erstmals die Reichskleinodien dem Volk gezeigt wurden; darüber die 1509 geschaffene Kunstuhr mit dem »Männleinlaufen«: Täglich um 12.00 Uhr umschreiten die sieben Kurfürsten den Kaiser Karl IV. in Erinnerung an den Erlass der Goldenen Bulle im Jahr 1356. Im Kircheninnern sind der Tucher-Altar (um 1440) und zwei schöne Grabmäler von Adam Krafft besonders sehenswert.

✱ ◄ Frauenkirche

✱ ✱ ◄ Männleinlaufen

Von der Nordseite des Hauptmarkts kommt man zu dem von prächtigen Portalen unterteilten, von Jakob Wolff unter Einbeziehung des Altbaus errichteten **Rathaus** (1616–1622), in dessen Keller die sog. Lochgefängnisse besichtigt werden können. In der Eingangshalle links sind Nachbildungen der wichtigsten Reichsinsignien ausgestellt (Kaiserkrone, Zepter, Reichsapfel); außerdem gibt es zwei sehenswerte Brunnen: den Rathausbrunnen von Pankraz Labenwolf (1557) und das berühmte »Gänsemännlein« (um 1555).

Dem Rathaus gegenüber erblickt man den großartigen **gotischen Ostchor** (1379) der ursprünglich 1225–1273 erbauten St.-Sebaldus-Kirche. Hier prangt das Schreyer-Landauersche Grabmal von 1492, ein Hauptwerk von Adam Krafft. Innen gilt das besondere Augenmerk der »Madonna im Strahlenkranz« (1420–1425) an einem Pfeiler im nördlichen Seitenschiff und dem berühmten Sebaldusgrab von Peter Vischer, der dieses Meisterwerk deutscher Gießkunst 1508–1519 mit seinen Söhnen ausführte. Die Kreuzigungsgruppe hinter dem Grab (1507 und 1520) stammt von Veit Stoß.

»Schöner Brunnen« am Hauptmarkt

✱ ✱ St. Sebaldus

Nicht nur Kinderherzen schlagen höher angesichts des Nürnberger Spielzeugmuseums in der Karlstraße. Spielsachen aus allen Epochen und den unterschiedlichsten Kulturkreisen sind hier zu bestaunen – Zinnfiguren, Puppen, Blechspielzeug, Dampfmaschinen und eine große Modelleisenbahnanlage.

✱ Spielzeugmuseum

Fembohaus Auf dem Weg vom Rathaus zur Burg passiert man das Fembohaus aus dem späten 16. Jh., das **am besten erhaltene Alt-Nürnberger Patrizierhaus**; es beherbergt heute das Stadtmuseum. Hier begibt man sich mit der Multivisionsschau »Noricama« ins alte Nürnberg.

✷✷
Burg Mächtig erhebt sich die Burg über der Altstadt. Sie gliedert sich in drei Teile: die Burggrafenburg in der Mitte, die reichsstädtischen Bauten im Osten und die im 12. Jh. begonnene Kaiserburg im Westen. Auf ihr weilten zwischen 1050 und 1571 zeitweise alle anerkannten deutschen Könige und Kaiser und hielten Reichs-, Hof- und Gerichtstage ab. Von der Burgstraße geht man hinauf zum um 1040 erbauten Fünfeckigen Turm, Rest der Zollerschen Burggrafenburg und **ältestes Gebäude der Stadt**. Unterhalb liegt die sog. Kaiserstallung, 1495 als Kornhaus errichtet und nun Jugendherberge. Weiter links aufwärts geht es über die Freiung zum äußeren Hof der Kaiserburg mit dem Sinwellturm und dem »Tiefen Brunnen«, anschließend durch das Innere Burgtor zum Palas und der Kemenate. Die Burgräume können (nur mit Führung) besichtigt werden.

Unterhalb dieses Teils der Burg liegt das Tiergärtner-Tor, wo noch ein geschlossenes mittelalterliches Platzbild erhalten ist. Dazu gehört auch das wieder aufgebaute **Albrecht-Dürer-Haus** (15. Jh.), in dem der Meister von 1509 bis zu seinem Tod 1528 wohnte. Zwei Wohnräume und die Küche sind im Stil der Zeit eingerichtet; ansonsten gibt es Originalgrafik, aber nur Kopien von Gemälden sowie eine »Dürer-Multivision« im Anbau.

Das Tiergärtner Tor weist ein geschlossenes Fachwerk- und Sandsteinensemble auf.

Nürnbergs einzigem erhaltenen barocken Kirchenbau begegnet man im östlichen Teil der Sebalder Seite am Egidienplatz. Die **Egidienkirche** wurde von 1711 bis 1717 erbaut und bildet zusammen mit dem Alten Gymnasium das schönste Barock-Ensemble der Stadt. An der Südseite sind drei Kapellen der Vorgängerkirche geblieben, von denen die gotische Tetzelkapelle von 1345 mit dem Landauerschen Grabmal von Adam Krafft die bedeutendste ist. In die Stadtbibliothek an der Nordseite des Platzes ist der Arkadenhof des zerstörten Pellerhauses (1605) integriert, Nürnbergs bedeutendstem Bürgerhaus der Renaissance.

Östlich steht in der Hirschelgasse das für die Patrizierfamilie Tucher erbaute Tucherschloss (1533–1544) mit einem originellen »Chörlein« (Erker). Im Haus werden Objekte aus Familienbesitz ausgestellt; Höhepunkt ist der **Hirschvogelsaal aus der Renaissance.**

Tucherschlösschen

Zurück Richtung Pegnitz kommt man zum Hans-Sachs-Platz mit einem Denkmal für den Schuhmacher und Meistersinger (1495–1576), der in der Nähe seine Werkstatt hatte.

Hans-Sachs-Platz

Die Südseite des Platzes nimmt das 1332 gestiftete Heilig-Geist-Spital ein, in dessen Kirche von 1424 bis 1796 die Reichskleinodien aufbewahrt wurden. Die Kreuzigungsgruppe im Hof schuf Adam Krafft. Auf Spital- und Heubrücke geht es dann über die Pegnitz-Insel Schütt hinweg und am Männerschuldturm (1323) vorbei wieder auf die Lorenzer Seite.

◄ *Heilig-Geist-Spital*

Sehenswürdigkeiten im äußeren Stadtgebiet

Im Südosten der Stadt liegen der Luitpoldhain mit der **Meistersingerhalle** und weiter südlich der ausgedehnte Volkspark Dutzendteich mit kleinen Seen und dem Frankenstadion, in dem der 1. FC Nürnberg antritt.

Luitpoldhain Dutzendteich

Auch die Überreste des einstigen »Reichsparteitagsgeländes« sind hier zu finden, im Wesentlichen der Torso der in den Dutzendteich hineinragenden Kongresshalle, die Große Straße und vor allem die Tribüne am Zeppelinfeld, von der die nationalsozialistische Prominenz die Aufmärsche abnahm. In der Kongresshalle erinnert ein **Dokumentationszentrum** an die Zeit der Reichsparteitage. Heute werden auf dem Norisring, der auf dem ehemaligen Reichsparteitagsgelände liegt, Autorennen gefahren.

◄ *Ehemaliges Reichsparteitagsgelände*

Am östlichen Stadtrand beim Schmausenbuck zieht der Nürnberger Tiergarten die Besucher an, nicht zuletzt wegen seines Delphinariums und der dem »Adler« von 1835 nachgebildeten Kleinbahn.

Tiergarten

Das Museum Industriekultur im Nordosten an der Äußeren Sulzbacher Straße 62 dokumentiert die Kulturgeschichte des Industriezeitalters. Auf dem Gelände versammeln sich ein Schul-, ein Kinder- und ein Motorradmuseum mit ca. 200 in Nürnberg fabrizierten Motorrädern, ein Dampfmaschinenhaus und Wohn- und Ladeneinheiten wie ein Kolonialwarenladen oder ein Friseurladen von 1908..

Museum Industriekultur

Die im Nordwesten gelegene Johannis-Vorstadt zeigt sich an manchen Ecken noch als die barocke Gartenvorstadt, als die sie einst entstand, so am Anwesen Johannisstraße Nr. 13.

Johannis-Vorstadt

Hauptsehenswürdigkeit aber ist der **St.-Johannis-Friedhof**, auf dem viele bedeutende Bürger der Stadt begraben sind, u. a. Albrecht Dürer, Veit Stoß, Willibald Pirckheimer und Anselm Feuerbach, aber auch William Wilson, der Lokomotivführer des »Adlers«.

Umgebung von Nürnberg

Neunhofer Schlösschen
Das 9 km nördlich gelegene Neunhofer Schlösschen, ein 1246 erstmal erwähnter, von einem Wassergraben umzogener Herrensitz, ist der **am besten erhaltene** von einst etwa 60 alten Sitzen Nürnberger Patrizierfamilien. Deren Lebensweise zeigt die Ausstellung in den Schlossräumen.

Schwabach
Etwa 15 km südlich von Nürnberg kommt man nach Schwabach, das sich eines der **schönsten Marktplätze Frankens** rühmen kann. Die spätgotische Stadtkirche (15. Jh.) besitzt ein 13 m hohes Sakramentshäuschen von 1505 und einen Hochaltar von 1508 mit Gemälden aus der Schule von Michael Wolgemut und Schnitzereien möglicherweise von Veit Stoß – ein Kunstwerk von europäischem Rang.

Hersbruck ▶Fränkische Schweiz

Fürth
Als am 7. Dezember 1835 zwischen Fürth und Nürnberg die erste deutsche Eisenbahnlinie eröffnet wurde, galt es noch eine Distanz zu überwinden – heute sind die beiden Städte fast ganz zusammengewachsen. Trotz seiner gut erhaltenen Sandstein- und Fachwerkhäuser aus dem 17. und 18. Jh. zeigt Fürth ein überwiegend neuzeitliches Gesicht. Das alte Fürth erlebt man in der Altstadt um den Markt, wo besonders das ehemalige Gasthaus »Goldener Schwan« auffällt, und am Waagplatz. Unweit östlich vom Markt erhebt sich die Michaelskirche (14. Jh.), die ein zierliches

spätgotisches Sakramentshäuschen aus der Werkstatt von Adam Krafft besitzt. **Wahrzeichen der Stadt** ist der Turm des Rathauses am Rand der Altstadt an der Königstraße, das 1844–1850 nach dem Vorbild des Palazzo Vecchio in Florenz erbaut wurde. Im nordwestlichen Stadtteil Burgfarrnbach steht das ehemalige Schloss der Grafen von Pückler-Limpurg mit dem Stadtmuseum und seit 1993 auch dem Deutschen Rundfunkmuseum.

✱ Cadolzburg
Etwa 12 km westlich liegt der malerische Ort Cadolzburg, überragt von der mächtigen gleichnamigen Burg mit dreifachem Mauerring, die sich die Nürnberger Burggrafen im 15./16. Jh. erbauen ließen.

✱ Erlangen
Was für Franken so typisch ist – Fachwerk und heimelige Winkel –, wird man in Erlangen, 16 km nördlich von Nürnberg, vergeblich suchen: Hier herrscht die planmäßige Geradlinigkeit einer **barocken Residenz- und Universitätsstadt** vor.
Verkehrsmittelpunkt ist der Hugenottenplatz beim Hauptbahnhof, der dominiert wird von der 1686–1693 erbauten **Hugenottenkirche**.

Von hier ist es nicht weit zum nördlich gelegenen **Marktplatz** mit dem 1886 aufgestellten Paulibrunnen. Das ehemalige **Palais Stutterheim** (1730) an seiner Südseite gehört zu den bedeutendsten Barockbauten der Stadt und beherbergt heute u. a. zwei Galerien. Die gesamte Ostseite des Platzes nimmt das 1704 nach Plänen von Antonio della Porta erbaute markgräfliche **Schloss** ein, seit 1825 die Friedrich-Alexander-Universität. Links um das Gebäude herum gelangt man an der 1705 errichteten Orangerie vorbei in den **Schlossgarten**, den die Fakultätsgebäude der Universität säumen. An der Nordseite des Schlosses befinden sich der Botanische Garten und das barocke Markgrafentheater von 1715. Vom Theater geht man über den schönen Theaterplatz zum Altstädter Kirchenplatz. Dort ist im Alten Rathaus (1731–1736) das **Stadtmuseum** untergebracht. In den Platz hinein ragt der Chor der Dreifaltigkeitskirche (Altstädter Kirche; 1709–1721).

 Baedeker TIPP

Bergkirchweih

Jedes Jahr um Pfingsten ruft in Erlangen der Berg! Denn dann ist Kirchweih auf den ehemaligen Eis- und Lagerkellern der Erlanger Brauereien. Und dabei schwitzt man nicht in Bierzelten, sondern unter freiem Himmel an den Hängen des Burgbergs. Der einzige Wermutstropfen dabei: Das Fest ist nichts für Menschen mit Hang zur Klaustrophobie, denn es geht wirklich jede/r Erlanger/in hin, und das gleich mehrmals.

In Herzogenaurach sind die beiden größten Sportartikelhersteller Deutschlands zu Hause. Wer keine Turnschuhe kaufen will, kann sich an der von einer Mauer umschlossenen Altstadt erfreuen.

Herzogenaurach

Oberpfalz

Atlasteil: S. 47 • C/D 3/4 und S. 55 • C D 1   **Bundesland:** Bayern

Die beiden Hauptlandschaften der Oberpfalz, der Oberpfälzer Wald an der Grenze zur Tschechischen Republik und dessen südwestliches Vorland, sind eher herbes und karges Land, das nur eine mäßige Landwirtschaft zulässt, umso mehr bieten sie gute Wandermöglichkeiten.

Der bayerische Regierungsbezirk Oberpfalz liegt im Osten des Freistaats zwischen den Regierungsbezirken Niederbayern und Oberfranken. Verwaltungssitz ist Regensburg. Die Bezeichnung Oberpfalz hat sich nach dem 1329 geschlossenen Vertrag von Pavia, als die Ämter Amberg, Sulzbach und Weiden an die pfälzische Linie der Wittelsbacher fielen, allmählich eingebürgert. Im 1777 mit der Pfalz vereinten Bayern entstand 1838 die Provinz Oberpfalz.

Reiseziele in der Oberpfalz

Weiden Am Westrand des Naturparks Nördlicher Oberpfälzer Wald kommt man im Tal der Waldnaab in die **Porzellanstadt** Weiden i. d. Oberpfalz. Ihr Zentrum bildet der von schönen Giebelhäusern des 16. und 17. Jh.s gesäumte Marktplatz, den der achteckige Turm des alten Rathauses beherrscht; auffallend das Eckhaus Marktplatz/Thürlgasse mit einem Erker von 1583. Nahe der evangelischen Pfarrkirche St. Michael steht das Alte Schulhaus, ein mächtiger siebengeschossiger Bau, der 1529 als Fruchtkasten erbaut und 1565 nach einem Brand wieder errichtet wurde und dann auch die Lateinschule und die deutsche Schule aufnahm. Heute findet man hier u. a. das **Stadtmuseum und das Max-Reger-Zimmer**. Der Komponist wurde 1873 in Weiden geboren und lebte bis 1901 hier.

Internationales Keramik-Museum ▶ Im so genannten Waldsassener Kasten zeigt das internationale Keramik-Museum im Wechsel Objekte aus sechs bayerischen Staatsmuseen; die Skala reicht von ägyptischer Kunst über Meissener Porzellan und Objekten aus Selb bis hin zu modernem Design.

✳ Flossenbürg Im 15 km nordöstlich von Weiden liegenden **Konzentrationslager** Flossenbürg wurden ca. 30 000 Menschen ermordet. An sie erinnert die Gedenkstätte. Der Ort wird überragt von der Ruine der im 12. Jh. begonnenen Burg.

Tirschenreuth Nach Tirschenreuth pilgern viele in die Wallfahrtskapelle, um dort das Gnadenbild der Schmerzhaften Muttergottes zu verehren. Seit über 800 Jahren wird in Tirschenreuth Fischzucht betrieben, deren Geschichte man im Oberpfälzer **Fischereimuseum** erfährt.

Nabburg Über der Naab liegt 30 km südlich von Weiden auf einem steilen Höhenzug die Stadt Nabburg. Von der Stadtbefestigung sind noch einige Wehrtürme erhalten, darunter der Dechanthofturm im Südosten und der Pulverturm im Norden. Das Rathaus, um die Mitte des 16. Jh.s erbaut, präsentiert sich als malerisches Gebäude mit laubenartigen Öffnungen im Obergeschoss des Treppenhauses. In der katholischen Pfarrkirche St. Johann Baptist sollte man neben der gotischen Figur der Muttergottes im linken Seitenschiff vor allem die Glasgemälde (14. Jh.) beachten. Im Zehentstadel sind das Stadtmuseum und das Museum der heimischen Tierwelt zu Hause.

? WUSSTEN SIE SCHON …?

■ dass das tiefste Loch Deutschlands bei Windischeschenbach nördlich von Weiden gebohrt worden ist? 9101 m fraß sich der Bohrkopf in die Tiefe, um die Gesteinsformationen zwischen zwei Kontinentalplatten zu erforschen. Ein Science-Center berichtet heute über das 1994 beendete Projekt.

Im Ortsteil Perschen befindet sich das **»Bauernmuseum des Bezirks Oberpfalz«**, das u. a. über eine große Sammlung von Pflügen verfügt; im Freigelände sind alte Höfe aufgebaut.

Die Stadt Amberg, im Osten des Fränkischen Jura, ist eingebettet in ✴
das Tal der Vils, die mitten durch die Altstadt fließt. Ihre wirtschaft- **Amberg**
liche Blüte, die bis zum 17. Jh. dauerte, verdankte die Stadt dem Erzabbau, der Weiterverarbeitung der Erze und dem Handel. Den spätmittelalterlichen Stadtkern umschließen bis heute Ringmauern mit
Türmen und Toren; besonders malerisch ist die
»Stadtbrille« genannte Wehrbrücke über die Vils
hinweg, das **Wahrzeichen** der Stadt. Den Mittelpunkt des Altstadt-Ovals bildet der Marktplatz,
geprägt vom Rathaus und der Kirche St. Martin,
der nach dem Regensburger Dom bedeutendsten
gotischen Hallenkirche der Oberpfalz mit ihrem
im Stil der sächsischen Bergmannsgotik gestalteten Emporenumgang. Wertvollste Ausstattungsgegenstände sind das Altarbild des Niederländers
Caspar de Crayer und das Grab des 1397 gestorbenen Pfalzgrafen Ruprecht Pipan. Gegenüber
der Kirche – auf dem anderen Ufer der Vils – ist
das Klösterl, einst Teil der alten pfalzgräflichen
Residenz, nun Sitz des Vorgeschichtsmuseums der
Oberpfalz; das neue Schloss (15./17. Jh.), heute
Landratsamt, liegt weiter südlich. Im ehemaligen
Städtischen Zeughaus ist das **Stadtmuseum** untergebracht. Im Nordosten der historischen Alt-
stadt steht auf einer Anhöhe die Wallfahrtskirche
Mariahilf, 1697–1703 nach Plänen von J. W.
Dientzenhofer erbaut. Die Ausstattung stammt
von Giovanni Battista Carlone, die Fresken schuf
Cosmas Damian Asam.

Die Martinskirche in Amberg

Einen Abstecher lohnt Sulzbach-Rosenberg am Ostrand der Fränki- **Sulzbach-**
schen Alb. Die Siedlung Sulzbach, im Schutz der Burg der Grafen **Rosenberg**
von Sulzbach entstanden, wurde im 13. Jh. Stadt; 1934 wurden Sulzbach und Rosenberg, das sich durch die Maxhütte zu einem **Zentrum
der Eisen verarbeitenden Industrie** in Bayern entwickelt hatte, zusammengelegt. Eindrucksvolle Bauten sind das gotische Rathaus am
Marktplatz mit seinen Staffelgiebeln und die gotische Pfarrkirche
Mariä Himmelfahrt (14./15. Jh.) in der Pfarrgasse. In der Kirche verdienen die schönen Maßwerkfenster Beachtung, ferner das Gemälde
»Mariä Himmelfahrt« am Hochaltar von Hans Georg Asam, Vater
des berühmten Brüderpaares. Das Schloss ließ Herzog Ottheinrich II.
von Pfalz-Sulzbach nach 1589 errichten. Der Schlossbrunnen mit
dem kurpfälzischen Löwen wurde auf Geheiß des Herzogs Christian
August 1701 geschaffen. Eine originelle Abwechslung bietet das **Erste
Bayerische Schulmuseum**. Zwischen Sulzbach und Rosenberg erhebt
sich der Annaberg mit der Wallfahrtskirche St. Anna. Sie ist alljährlich im Juli Ort der Wallfahrt und des Volksfests zu Ehren der
Schutzpatronin der Bergmänner und Eisenhüttenleute.

⏵ OBERPFALZ ERLEBEN

AUSKUNFT

Tourismusverband Ostbayern
Luitpoldstraße 20, 93047 Regensburg
Tel. (09 41) 58 53 90, Fax 5 85 39 39
www.ostbayern-tourismus.de

ESSEN

► Erschwinglich

Restaurant Casino
Schrannenplatz 8, 92224 Amberg
Tel. (0 96 21) 2 26 64
Gediegenes Restaurant im ehemaligen
Franziskanerkloster. Saisonal orien-
tierte, klassische Küche, viele Wild-
und Fischspezialitäten.

► Preiswert

Brauereigasthof Sperber-Bräu
Rosenberger Straße 14,
92237 Sulzbach-Rosenberg
Tel. (0 96 61) 8 70 90
Uriger Gasthof für Freunde baye-
rischer Lebensart!

Gasthof Wittmann
Bahnhofstraße 21, 92318 Neumarkt
Tel. (0 91 81) 90 74 26
Bodenständige bürgerliche Kost wird
in dem freundlichen Gasthof serviert,
zu dem eine eigene Metzgerei gehört.

Brauereigasthof Winkler
Reichenauplatz 22, 92334 Berching
Tel. (0 84 62) 2 73 31
Gemütliches, rustikales Restaurant,
das für seine gute regionale Küche
bekannt ist.

ÜBERNACHTEN

► Komfortabel

Drahthammer Schlößl
Drahthammer Straße 30,
92224 Amberg
Tel. (0 96 21) 70 30, Fax 8 84 24
www.hotel-drahthammer-
schloessl.com
Sie wohnen in historischem Ambiente
mit stilvollen Zimmern und zwei
empfehlenswerten Restaurants.

Mehl
Viehmarkt 20, 92318 Neumarkt
Tel. (0 91 81) 29 20, Fax 29 21 10
www.hotel-mehl.de
Ruhiges, zentral gelegenes Haus;
vorzügliches Restaurant, mit regionaler und mediterraner Küche.

► Günstig

Zum Bartl
Glückaufstraße 2,
92237 Sulzbach-Rosenberg
Tel. (0 96 61) 5 39 51, Fax 5 14 61
www.zum-bartl.de
Freundlicher Gasthof mit gepflegten
Zimmern und herrlicher Aussicht.
Die gemütliche Stube bietet u. a.
bayerische Brotzeit.

Gewürzmühle
Gredinger Straße 2, 92334 Berching
Tel. (0 84 62) 20 00 50, Fax 20 00 51
www.gewuerzmuehle-berching.de
Landhotel mit modernem Ambiente,
Restaurant im Bistro-Stil, schöner
Garten, Sauna und Massage im Haus.

Burglengenfeld Burglengenfeld im Tal der Naab entstand am Fuß der gleichnamigen
Burg, von der beträchtliche Teile erhalten geblieben sind: die Ringmauer, der Bergfried und der Friedrichsturm. Die Wohnhäuser zeigen der Straße ihre Giebelfronten; hervorzuheben ist der Pfälzerhof

mit hohem Staffelgiebel. In der katholischen Pfarrkirche St. Veit, die im Stil des Rokoko mit Stuck und Malereien ausgeschmückt ist, verdient der Epitaph für Bernhard von Hürnheim († 1541) Beachtung. Unweit der Pfarrkirche steht das malerische Allmannsche Schlösschen, ein ehemaliges Burggut (16. Jh.). Im **Oberpfälzer Volkskundemuseum** (Berggasse 3) wird ländliche Wohnkultur gezeigt.

Der Grundriss von Neumarkt i.d. Oberpfalz lässt eine planmäßige Anlage mit einem lang gestreckten Straßenmarkt als Hauptachse erkennen. Auf dem Markt steht das Rathaus, ein rechteckiger Bau mit hohen Zinnengiebeln. Von den zahlreichen Kirchen sind die katholische Pfarrkirche St. Johannes und die Hofkirche Mariä Himmelfahrt hervorzuheben. In ihrem südlichen Seitenschiff steht das Grabmal des Pfalzgrafen Otto II. Das Schloss der Pfalzgrafen ist nur noch in Teilen erhalten; dem Hauptgiebel ist ein Treppenturm vorgesetzt mit prunkvollem, von zwei Löwen flankierten Portal. Neumarkt besitzt **drei Museen**: das Stadtmuseum in der Adolf-Kolping-Straße 4 mit einer besonders interessanten Fahrradabteilung, das Brauereimuseum Glossner und ein Modelleisenbahnmuseum. Auf dem Mariahilfberg, einem Kalvarienberg, erhebt sich die Wallfahrtskirche Maria-Hilf; hier oben befindet sich auch die Volkssternwarte. Gute Ausblicke bietet der Turm der Ruine Wolfstein.

Neumarkt i. d. Oberpfalz

? WUSSTEN SIE SCHON …?

■ dass die erste Fahrradfabrik Europas in Neumarkt i. d. Oberpfalz eröffnet wurde? Bereits ab 1882 stellten hier die Express-Werke serienmäßig Fahrräder her.

Die »König Ludwig« schippert auf dem Main-Donau-Kanal nach Kehlheim.

✳
Berching

Als **Kleinod des Mittelalters** und Tor zum Naturpark Altmühltal zeigt sich die Altstadt des 1100 Jahre alten Berching, gut 20 km südlich von Neumarkt. Die vollkommen erhaltene Stadtmauer mit ihren vier Stadttoren und 13 Türmen geht auf einen Eichstätter Bischof zurück. Die St.-Lorenz-Kirche besitzt Tafelbilder aus der Donauschule Albrecht Altdorfers, die Kirche Mariä Himmelfahrt gehört zu den schönsten Barockkirchen im Bistum Eichstätt.

Velburg

Velburg, eine **kleine Landstadt** im Oberpfälzer Jura knappe 20 km östlich von Neumarkt, breitet sich am Fuß des Burgbergs mit der Velburg (12. Jh.) aus. Von ihr steht noch der erneuerte Bergfried, von dem sich eine weite Sicht auf Stadt und Umgebung bietet. Besonders zu empfehlen ist ein Ausflug zur König-Otto-Tropfsteinhöhle, die ein Schäfer im September 1895 durch Zufall entdeckte. Velburg ist auch Ausgangspunkt eines Waldlehrpfads.

✳
König-Otto-Höhle ▶

✳ Oberschwaben

Atlasteil: S. 60/61 • B/C 1/2   **Bundesland:** Baden-Württemberg

Sanft gewellte Hügelketten, Moore und Moorseen, Wälder und Äcker, Obstbaumwiesen und Hopfengärten prägen das abwechslungsreiche Bild dieser Landschaft zwischen Bodensee, Donau und Iller. Wer auf den Spuren barocker Baulust wandeln möchte, kann zwischen zwei Routen der Oberschwäbischen Barockstraße wählen. Außerdem erschließt ein Netz von Wander- und Radwanderwegen die Region.

Reiseziele in Oberschwaben

Biberach

Sowohl die Oberschwäbische Barockstraße als auch die Schwäbische Dichterstraße gehen durch die ehemalige Freie Reichsstadt Biberach im Tal der Riss. Berühmtester Sohn der Stadt ist der Dichter **Christoph Martin Wieland** (1733–1813), einer der geistreichsten Männer der Weimarer Klassik. Er wurde im Vorort Oberholzheim geboren und wirkte 1760–1769 als Biberacher Stadtschreiber. Höhepunkt im jährlichen Festkalender ist das **Biberacher Schützenfest**, ein historisches Heimat- und Kinderfest, das kurz vor Beginn der Sommerferien stattfindet.

✳
Marktplatz ▶

Mittelpunkt der gut erhaltenen historischen Altstadt ist der Marktplatz, den prächtige Patrizierhäuser aus dem 15.–19. Jh. umrahmen. Ihn beherrscht die Martinskirche aus dem 14. Jh.; ihr Inneres wurde 1746–1748 barockisiert. Südlich der Kirche stehen das Alte Rathaus, ein Fachwerkbau von 1432, sowie das 1503 errichtete Neue Rathaus. Unweit südöstlich erreicht man das im 16. Jh. errichtete Heiliggeistspital mit seiner spätgotischen Kirche. Es beherbergt heute die Städtischen Sammlungen, die auch Werke der Tiermaler Anton Braith (1836–1905) und Christian Mali (1832–1906) umfasst. Das Wieland-Museum ist südlich vom Marktplatz in einem der **ältesten Häuser Süddeutschlands** (1318) untergebracht. Im Erdgeschoss des Hauses wird an das traditionsreiche Biberacher Weberhandwerk erinnert. Am Südrand der Altstadt findet man das einstige Gartenhaus Wielands mit der Dauerausstellung »Gärten in Wielands Welt«.

WUSSTEN SIE SCHON …?

■ dass der Metallesel auf dem Biberacher Marktplatz als Symbol für Bürgerfrieden gilt? Vorbild für die Skulptur war der Esel in Wielands »Geschichte der Abderiten«, in der die antiken Schildbürger einen Prozess um den Schatten dieses Esels führen.

Laupheim

Ein Stopp in Laupheim lohnt sich vor allem wegen des **alten Jüdischen Friedhofs** – die ältesten Grabsteine stammen aus der Mitte des 18. Jh.s – und des modernen Planetariums.

Ehingen

Am Südrand der schwäbischen Alb liegt Ehingen, das sich als **Ausgangspunkt für Wanderungen** und Radwanderungen anbietet. Das Heimatmuseum der im Kern hübsch renovierten Stadt ist in einem schönen Renaissance-Fachwerkbau (1532) untergebracht.

Obermarchtal

15 km südwestlich von Ehingen erreicht man die barocke Klosteranlage Obermarchtal. Die zwischen 1686 und 1701 erbaute **Klosterkirche** ist ein Werk von Michael Thumb.

✶ Ochsenhausen

Gleich drei **Highlights barocker Baukunst** erwarten Sie in den benachbarten Ortschaften Ochsenhausen, Gutenzell und Rot an der Rot. Die dortigen Klöster mit ihren Kirchen sind im 17. und 18. Jh. erbaut worden.

Bad Waldsee

Knapp 20 km südlich von Biberach, idyllisch eingebettet zwischen zwei Seen, liegt das alte Kurstädtchen Bad Waldsee. Die doppeltürmige Kirche des ehem. Augustiner-Chorherrenstiftes, ursprünglich gotisch, erhielt im Zuge ihrer barocken Umgestaltung durch den Barockbaumeister Dominikus Zimmermann eine bemerkenswerte Westfassade und einen Hochaltar. Mitten in der Altstadt ist das 1426 fertig gestellte spätgotische **Rathaus** ein Blickfang. Das gegenüber liegende, mit einem Staffelgiebel versehene Kornhaus wird heute als **Heimatmuseum** genutzt. Westlich der Altstadt liegt inmitten einer Parkanlage das im 18. Jh. erbaute **Schloss** des Fürstenhauses Waldburg-Wolfegg. Am östlichen Stadtrand ist vor wenigen Jahren ein modernes Kurzentrum mit Mineralthermalbad entstanden.

Bad Wurzach

Bad Wurzach, 12 km östlich von Bad Waldsee, ist das **älteste Moorheilbad Baden-Württembergs**. Sehenswert sind das Alte und das Neue Schloss (1723–1728) des Fürstenhauses Waldburg-Zeil. Aus

Die Bibliothek des ehemaligen Prämonstratenserstifts in Bad Schussenried zeichnet sich durch ihre herrliche barocke Innenausstattung aus.

dem 18. Jh. stammen auch die 1777 vollendete Pfarrkirche St. Verena sowie die Rokokokapelle im benachbarten Kloster Maria Rosengarten. Nördlich und westlich der Kurstadt dehnt sich das Wurzacher Ried aus. Dieses große Naturschutzgebiet umfasst in seinem Kern das größte noch **intakte Hochmoor Mitteleuropas.**

Wurzacher Ried ▶

Aulendorf

Aulendorf, knapp 15 km nordwestlich von Bad Waldsee, genießt als **Kneippkurort** einen guten Ruf – 1994 wurde hier ein modernes Mineralthermalbad eingeweiht. Der Ort selbst wird beherrscht vom hübsch restaurierten ehem. Schloss der Grafen von Königsegg-Aulendorf. An das Schloss ist die Martinskirche angebaut, ein Sakralbau romanischen Ursprungs, der einen um 1500 entstandenen spätgotischen Flügelaltar bewahrt.

Bad Schussenried

6 km nördlich von Aulendorf gelangt man in das Moorheilbad Bad Schussenried. Kunstinteressiert ist die ehemalige Prämonstratenser-Reichsabtei ein Begriff: Besichtigen sollte man aber nicht nur die Kirche, sondern vor allem den einzigartigen **Bibliothekssaal** (1755–1763), wegen seiner in üppigem Barock schwelgenden Ausstattung. Für (Hobby-)Sprachforscher: Im Kloster ist auch das **württembergische Mundartarchiv** zu Hause.

An der Straße nach Bad Waldsee demonstriert das Freilichtmuseum des Landkreises Biberach mit Bauernhäusern aus dem 15.–18. Jh. bäuerliche Wohnkultur in Oberschwaben. Über 1220 Bierkrüge aus fünf Jahrhunderten sind im Bierkrugmuseum zu bewundern.

5 km nordöstlich von Bad Schussenried, in Steinhausen, steht die barocke Wallfahrtskirche St. Peter und Paul – angeblich die **schönste Dorfkirche der Welt**. Die Besonderheit des äußerlich schlichten, 1728–1731 nach Plänen von Dominikus Zimmermann erbauten Kirchleins ist der ovale Innenraum, dessen Architektur mit dem Freskenschmuck und den Stuckaturen zu einem barocken Gesamtkunstwerk verschmilzt.

✶
Dorfkirche in Steinhausen

Am Rand des Federseebeckens zieht das Thermal- und Moorheilbad Bad Buchau vor allem **Steinzeit-Interessierte** in seinen Bann: In der Umgebung des von Mooren, Riedflächen und Streuwiesen umrahmten Federsees wurden Reste jungsteinzeitlicher und bronzezeitlicher Dorfanlagen gefunden. Darüber informiert umfassend das Federseemuseum. Rund um das Museum sind als **»archäologischer Erlebnispark«** vier Dorfteile von der Jungstein- bis zur Bronzezeit aufgebaut; auch einen archäologischen Moorlehrpfad gibt es. Im Städtchen selbst ist die ursprünglich romanische und gotische, im 18. Jh. barockisierte Stadtpfarrkirche, Teil des ehemaligen reichsfürstlichen Chorfrauenstiftes, sehenswert.

Bad Buchau

✶
◄ Federsee

In Bad Saulgau wird der Marktplatz von der gotischen Stadtpfarrkirche St. Johannes Baptist beherrscht; daneben steht das um 1400 errichtete Haus am Markt, das zu den **ältesten Fachwerkbauten Süddeutschlands** zählt. Das Franziskanerinnenkloster am Nordrand der Altstadt, im 14. Jh. gegründet und bis ins 18. Jh. bestehend, dient heute als Rathaus. Nahebei blieb das so genannte Katzentürmle als Rest der alten Stadtbefestigung erhalten. Westlich oberhalb der Kernstadt liegt das noch junge Thermalbad.

> ❗ *Baedeker* TIPP
>
> ### EU-Ritter
>
> Kanzach bei Bad Buchau wartet mit einer einzigartigen Attraktion auf: dem Nachbau einer hölzernen Ritterburg, den es sonst nur noch im französischen Angers gibt. Einst waren solche Burgen für den niederen Adel in Europa häufig anzutreffen, und so stand auch in Kanzach eine hölzerne Turmhügelburg aus dem 13. Jh. Die Stadtväter besannen sich auf die Vergangenheit und ließen sie mit EU-Mitteln nachbauen.

Saulgau

Im Dominikanerinnenkloster Sießen bei Bad Saulgau lebte die Ordensfrau Maria Innozentia Hummel, die **Schöpferin der Hummelfiguren** (Hummelmuseum). Die großartig ausgestattete Klosterkirche (1726/1727) ist das Werk von Dominikus Zimmermann.

◄ Kloster Sießen

Knapp 20 km nördlich von Bad Saulgau schmiegt sich Riedlingen an die Donau, ein altes Städtchen mit romantischen Gassen, Fachwerkhäusern und mittelalterlicher Stadtbefestigung.
Hausberg der Donaugemeinde ist der Bussen (767 m ü. d. M.), im Volksmund der **»heilige Berg Oberschwabens«**. Auf ihm sind noch Reste einer auf vorgeschichtlichen Befestigungen erbauten mittelalterlichen Burg zu finden. 1516 wurde hier oben eine Wallfahrtskirche erbaut.

Riedlingen

✶
◄ Bussen

OBERSCHWABEN ERLEBEN

AUSKUNFT

Tourismusgesellschaft Oberschwaben
Klosterhof 1
88427 Bad Schussenried
Tel. (0 75 83) 33 10 60, Fax 33 10 20
www.oberschwaben-tourismus.de

AUSBLICK

Einen fantastischen Blick über den Bodensee und – bei günstiger Wetterlage – bis hinüber zu den Alpen genießt man vom Gipfel des Höchsten (833 m ü. d. M.), knapp 20 km südöstlich von Pfullendorf.

ESSEN

► Erschwinglich

Vinum
Marktplatz 4,
88348 Bad Saulgau
Tel. (0 75 81) 5 23 52
Modernes Restaurant mit einer ausgefallenen Speisekarte, von der Vielfalt der Küchen dieser Welt inspiriert.

Scala
Wurzacher Straße 55,
88339 Bad Waldsee
Tel. (0 75 24) 91 32 00
Mediterrane und regionale Gaumenfreuden genießen Sie in dem schicken Restaurant direkt am Stadtsee, das über eine herrliche Terrasse verfügt.

► Preiswert

Zur Pfanne
Auwiesenstraße 24,
88400 Biberach-Rindenmoos
Tel. (0 73 51) 3 40 30
Im stilvollen Rahmen wird schmackhafte schwäbische Küche serviert. Unbedingt probieren: saure Leber mit Bratkartoffeln!

Adler
Schlossstraße 8, 88410 Bad Wurzach
Tel. (0 75 64) 9 30 30
Traditionsreicher Gasthof mitten in der Altstadt, moderner Landhausstil, leckere regionale Spezialitäten.

ÜBERNACHTEN

► Komfortabel

Parkhotel Jordanbad
Im Jordanbad 7, 88400 Biberach
Tel. (0 73 51) 34 33 00, Fax 34 33 10
www.jordanbad.de
Klassisches Kurhotel von 1905 in einem schönen Park, gediegene Zimmer, teils mit Balkon, Restaurant, vielfältige Wellnessangebote, direkter Zugang zum Jordanbad.

Kleber-Post
Postraße 1, 88348 Bad Saulgau
Tel. (0 75 81) 50 10, Fax 50 14 61
www.kleber-post.de
Ansprechendes, neuzeitliches Haus garni in der Innenstadt, sehr geschmackvoll eingerichtete Zimmer, aufmerksamer Service.

► Günstig

Gästehaus Rössle
Wurzacher Straße 55,
88339 Bad Waldsee
Tel. (0 75 24) 4 01 00, Fax 40 10 40
Nette kleine Pension direkt am schönen Wurzacher Tor, modern eingerichtete Zimmer.

Landgasthof Apfelblüte
Markdorfer Straße 45,
88682 Salem-Neufrach
Tel. (0 75 53) 9 21 30, Fax 92 13 90
www.landgasthof-apfelbluete.de
Freundlicher Familienbetrieb mit modernen Zimmern, im Altbau auch schlichtere Zimmer. Behagliches Restaurant im Landhausstil.

Unbedingt sehenswert ist die mittelalterliche Klostersiedlung Heiligkreuztal, ca. 7 km westlich von Riedlingen, vor allem wegen der Glasmalereien des Chorfensters (1312–1315) in der Klosterkirche.

✱ ◄ Heiligkreuztal

Am steilen Donauufer bei Herbertingen-Hundersingen befand sich
einer der **wichtigsten keltischen Fürstensitze** in Süddeutschland. Ein
Lehrpfad führt zu einzelnen Gräbern; ein Teil der Grabfunde wird
im Heuneburg-Museum gezeigt. Der Wehrgang im Freilichtmuseum
bietet einen herrlichen Blick über das Donautal.

Heuneburg

Auf halber Strecke zwischen Sigmaringen (► Schwäbische Alb) und
► Bodensee liegt die ehemalige Freie Reichsstadt Pfullendorf, deren
mittelalterlicher, aus hübschen Fachwerkhäusern bestehender Kern
gut erhalten ist. **Wahrzeichen** der Stadt ist das Obere Tor. Beachtung
verdient auch die ursprünglich gotische Pfarrkirche St. Jakob.

Pfullendorf

Ca. 15 km südlich von Pfullendorf erreicht man den **Luftkurort** Heiligenberg. Auf steilem Bergsporn thront das **Renaissanceschloss** der
Fürsten von Fürstenberg, dessen Rittersaal aus derRenaissance mit einer prachtvollen Kassettendecke beeindruckt.

✱ **Heiligenberg**

Das ehem. Zisterzienserkloster Salem, ca. 10 km südlich unterhalb
Heiligenbergs, gehört seit der Säkularisation den Markgrafen von Ba-
den. Sein 1299–1414 erbautes Münster Mariä Himmelfahrt gilt als
Musterbeispiel hochgotischer Baukunst. Das mächtige Konventsge-

✱ **Salem**

Die Residenz der Fürsten zu Fürstenberg: Schloss Heiligenberg

bäude – heute Schloss – entwarf im frühen 18. Jh. der Vorarlberger Baumeister Franz Beer. Im Westflügel, dem ehem. Priorat, ist die berühmte Internatsschule untergebracht, zu deren Zöglingen u. a. Prinz Philip von England gehörte. Prunkvoll im Stil des Barock ist der Kaisersaal ausgestattet. Vor allem bei Kindern sehr beliebt ist das 20 ha große, begehbare Freigehege bei Salem, in dem rund 200 Berberaffen gehalten werden.

Weitere Ziele ►Bodensee, ►Ravensburg

✴ Oberstdorf · Kleinwalsertal

Atlasteil: S. 61 • D 3	**Bundesland:** Bayern
Höhe: 815–2224 m ü. d. M.	**Einwohnerzahl:** 11 000

Wegen des günstigen Klimas und der herrlichen Lage inmitten eines großartigen Bergkranzes ist der heilklimatische Kur- und Kneippkurort Oberstdorf sommers wie winters eines der meistbesuchten Urlaubsziele Süddeutschlands. Von hier aus gelangt man in das relativ schneesichere Kleinwalsertal, ein Hochtal, über dessen waldbedeckte Flanken schroffe Kalkgipfel aufragen.

Oberstdorf Das einstige Bauerndorf wurde 1865 von einem verheerenden Brand heimgesucht und danach großenteils neu aufgebaut. Heute beherrscht das Ortsbild der spitze Turm der neugotischen Pfarrkirche; zu den ältesten Gebäuden zählt das **Trettachhäusle** von 1694. Unweit südlich liegt der **Kurplatz** mit der Wandelhalle, von wo sich ein herrlicher Blick auf die majestätischen Gipfel der Allgäuer Alpen bietet. Über die Geschichte von Oberstdorf informiert das **Heimatmuseum** östlich der Pfarrkirche. Jenseits der Trettach befindet sich das große Kunsteisstadion, in dem schon viele bekannte Eiskunstläufer trainiert haben. Dahinter sieht man das Schattenberg-Skistadion mit seinen Sprungschanzen, wo traditionell die **Vierschanzen-Tournee** beginnt.

Östlich von Oberstdorf ragt das **Nebelhorn** (2224 m ü. d. M.) auf, dessen Gipfel man entweder mit einer Großkabinen- oder mit einer Gipfel-

Schon lang kein einsames Ziel mehr: die Breitachklamm

bahn in wenigen Minuten erreichen kann. Bei günstiger Witterung ✳ **Nebelhorn**
bietet sich von dort oben ein überwältigender **Alpen-Panoramablick**.

Im Winter herrscht auf dem Nebelhorn reger Skibetrieb, und von Frühjahr bis Herbst zieht es Bergtouristen in das außerordentlich attraktive Bergwandergebiet. Von herrlichen Landschaftseindrücken begleitet ist der Abstieg vom Nebelhorn vorbei am Geißalpsee zur Geißalpe und zurück nach Oberstdorf. Am Nebelhorn beginnt bzw. endet der gut gesicherte, aber nicht ganz einfache **Hindelanger Klettersteig**, der nur geübten Bergtouristen empfohlen wird.

> ❗ *Baedeker* TIPP
>
> **Surfen alpin**
> Verspürt man das dringende Bedürfnis, den Lieben daheim einen elektronischen Gruß aus luftiger Höhe zu schicken, ist man in der Mittelstation Höfatsblick auf dem Nebelhorn an der richtigen Adresse: Hier ist das höchste und südlichste Internet-Café Deutschlands. Wer nicht mailen oder surfen will, kann sich Filme zu Carving oder Snowboarding anschauen.

Südlich oberhalb von Oberstdorf breitet sich der Freibergsee aus, ein **Heini-Klopfer-** beliebtes Ausflugsziel. Etwa 5 km südlich vom Zentrum sieht man **Schanze** die Heini-Klopfer-Skiflugschanze, die zu den größten Sportanlagen dieser Art gehört. Weiter talaufwärts erreicht man die Talstation der Seilbahn, die das 2037 m hohe Fellhorn mit seinem ausgedehnten ✳ Höhenwander- und Skigebiet erschließt. ◄ Fellhorn

Weitere beliebte Ausflugsziele sind die Einöde im oberen Stillachtal ✳ sowie die Spielmannsau im oberen Trettachtal vor der gewaltigen **Einödsbach** Kulisse von **Hohem Licht** (2652 m ü. d. M.), **Mädelegabel** (2645 m **Spielmannsau** ü. d. M.) und **Großem Krottenkopf** (2657 m ü. d. M.). Der bekannte **Heilbronner Weg** Heilbronner Weg, einer der **schönsten Hochgebirgspfade** in den Alpen, erschließt diese Gipfel. Der beste Einstieg für diese Gebirgstour bietet sich von der Rappenseehütte südlich oberhalb der Einöde.

Etwa 2 km südwestlich von Oberstdorf hat die Breitach eine wildro- ✳ mantische Klamm förmlich ausgefräst. Man kann diesen Engpass auf **Breitachklamm** gesichertem Pfad durchwandern (Gehzeit: ca. 1 Std.).

Das von der Breitach durchströmte Kleinwalsertal ist eines der **reiz-** ✳ ✳ **vollsten und bekanntesten Alpentäler** und aufgrund der relativ ho- **Kleinwalsertal** hen Schneesicherheit ein überaus beliebtes Wintersportgebiet. Das südwestlich von Oberstdorf etwa 1100–1250 m hoch gelegene Tal gehört zum österreichischen Bundesland Vorarlberg, von dem es jedoch durch das Gebirge abgeriegelt wird, sodass es dem deutschen Zoll- und Wirtschaftsgebiet angeschlossen ist.

Der Hauptort des Kleinwalsertals ist der rund 1100 m hoch gelegene **Riezlern** Ort Riezlern, wo es sogar ein Spielkasino gibt. Eine Seilbahn erschließt die 1980 m hohe Kanzelwand.. Im Winter herrscht hier ◄ Kanzelwand oben Hochbetrieb, da man von hier aus auch das Skigebiet am Fellhorn erreichen kann. Südlich erheben sich die **Hammerspitze** (2170 m ü. d. M.) und die **Hochgehrenspitze** (2252 m ü. d. M.), die sich über einen **schönen Gratweg** erwandern lässt.

Schwarz-wassertal
Von Riezlern führt eine lohnende Bergtour durch das Schwarzwassertal zur Melköde und hinauf zur Schwarzwasserhütte (1651 m ü. d. M.). Von dort geht es weiter auf den Diedamskopf oder auf den Hohen Ifen, ein markant schräges, bis zu 2232 m hohes Kalkplateau.

✳

Hoher Ifen ▶
Den Hohen Ifen kann man auch von der Ifenhütte aus (Seilbahn) und über das nur mühsam begehbare **Gottesackerplateau** erreichen.

▶ OBERSTDORF UND KLEINWALSERTAL ERLEBEN

AUSKUNFT

Tourist-Information
Marktplatz 7, 87561 Oberstdorf
Tel. (0 83 22) 70 00, Fax 70 02 36
www.oberstdorf.de

Verkehrsamt
Walserstraße 64, 87568 Hirschegg
Tel. (0 83 29) 5 11 40, Fax 51 14 21
www.kleinwalsertal.de

ESSEN

▶ Fein & Teuer

Maximilians
Freibergstraße 21, 87561 Oberstdorf
Tel. (0 83 22) 9 67 80
In elegant-gediegenem Ambiente speisen Sie gehobene, saisonal beeinflusste Küche. Viele Fischspezialitäten!

▶ Erschwinglich

Königliches Jagdhaus
Ludwigstraße 13, 87561 Oberstdorf
Tel. (0 83 22) 98 73 80
Ehemaliges Jagdhaus von Prinzregent Luitpold bietet in der urgemütlichen Stube modern zubereitete regionale Kost von besonders beachtenswerter Qualität.

▶ Preiswert

Oberstdorfer Einkehr 7 Schwaben
Pfarrstraße 9, 87561 Oberstdorf
Tel. (0 83 22) 97 78 50

Bei Gästen und Einheimischen beliebtes Gasthaus, internationale Gerichten und regionale Schmankerln.

ÜBERNACHTEN

▶ Luxus

Parkhotel Frank
Sachsenweg 11, 87561 Oberstdorf
Tel. (0 83 22) 70 60, Fax 70 62 86
www.parkhotel-frank.de
Gediegener Komfort in einem attraktiven Haus mit schönem Blick auf die Bergkulisse. Elegantes Restaurant, große Bade- und Wellnesslandschaft.

▶ Komfortabel

Wittelsbacher Hof
Prinzenstraße 24, 87561 Oberstdorf
Tel. (0 83 22) 60 50, Fax 60 53 00
www.wittelsbacherhof.de
Ruhiges Ferienhotel in reizvoller Lage, sehr gemütliche und bequeme Zimmer, klassischer Speisesaal für Hausgäste, Restaurant, Hallen- und Freibad, Sauna und Massage im Haus.

Nebelhornblick
Kornau 49, 87561 Oberstdorf-Kornau
Tel. (0 83 22) 9 64 20, Fax 96 42 50
www.nebelhornblick.de
Das Hotel bietet wohnliche, neuzeitlich eingerichtete Zimmer, Restaurant, Schwimmbad, Sauna, Massage und eine atemberaubende Aussicht.

Die Allgäuer Alpen mit dem Kleinwalsertal bieten fantastische Wandermöglichkeiten, z. B. eine Gratwanderung auf der Hammerspitze.

Die auf 1218 m Höhe gelegene Ortschaft Mittelberg wird von der Pyramide des Zwölferkopfs und vom massigen Widderstein überragt. In der Pfarrkirche des Orts sind Fresken aus dem 14. Jh. erhalten. Eine **Seilbahn** verbindet Mittelberg mit dem Gipfel des 1993 m hohen Walmendinger Horns. **Mittelberg**

Der 1244 m hoch gelegene Weiler Baad liegt im prächtigen Talschluss des Kleinwalsertals. Von hier lohnt ein mehrstündiger, beschwerlicher Aufstieg auf den 2536 m hohen Widderstein. **Baad**

✴ Odenwald · Bergstraße

Atlasteil: S. 44 • A/B 3   **Bundesländer:** Baden-Württemberg, Hessen und Bayern

Seit neuestem darf sich der gesamte Odenwald, ein abwechslungsreiches Mittelgebirge zwischen Neckar und Main mit reizvollen Städtchen und Burgen, Unesco-Geopark nennen. Dieses Gütesiegel tragen weltweit nur 25 Naturparks. Die wegen ihres milden Klimas weit bekannte Bergstraße verläuft am Westhang des Odenwaldes von Darmstadt bis Heidelberg.

Der Odenwald wird unterschieden in die von Tälern durchzogene, bewaldete Kuppenlandschaft des Vorderen Odenwalds, die im Westen aus der Rheinebene ansteigt, und in den Hinteren Odenwald. **Vorderer und Hinterer Odenwald**

Individuelle Schneekugeln

Wer erinnert sich nicht an die Faszination beim Schütteln einer Schneekugel? Erfunden hat sie 1950 die Erbacher Firma Koziol-Geschenkartikel. Mittlerweile ist sie von »Zwergen im Tann« und »Eiffelturm im Schneegestöber« zu witzigsten Designerkugeln übergegangen – mit über 5000 Motiven. Zu erwerben sind sie im Werksverkauf in Michelstadt, Frankfurter Straße 35–37. Der Clou: Man kann sich auch seine persönliche (allerdings nicht billige) Schneekugel machen lassen (Information: Tel. 0 60 62/604–0).

Dieser auch Buntsandstein-Odenwald genannte Abschnitt bildet eine recht einförmige Hochfläche. Im Süden hat sich der Neckar in das Gebirge eingeschnitten, sodass ein windungsreiches Tal entstand; bei Eberbach ragt der 626 m hohe **Katzenbuckel** als höchste Erhebung des Odenwalds über dem Neckartal auf.

Reiseziele im Odenwald

An einem schon von den Römern besiedelten Straßenknotenpunkt im Norden der Region und östlich von ▶Darmstadt liegt Dieburg mit

Dieburg

seiner barocken Wallfahrtskirche. Das örtliche Museum zeigt u. a. Fundstücke aus einem **römischen Mithrasheiligtum**.

✳ Michelstadt

Wichtigster Fremdenverkehrsort des Odenwalds ist Michelstadt, ungefähr in der Mitte der Region an der Nibelungenstraße gelegen. Hier besticht vor allem das zweitürmige spätgotische Rathaus am Marktplatz, ein Fachwerkbau von 1484. Aus dem 16. Jh. stammt der Marktplatzbrunnen mit dem hl. Michael. Die spätgotische Stadtkirche birgt Grabmäler der Grafen von Erbach (14.–17. Jh.).

Am südöstlichen Rand der Altstadt befinden sich in der Kellerei, dem Rest einer ehemaligen Burg, das **Odenwaldmuseum** und das **Spielzeugmuseum**. Ferner wurde in der ehemaligen Synagoge ein **Jüdisches Museum** eingerichtet.

✳ Einhardsbasilika ▶

Im Stadtteil Steinbach steht die vom Chronisten Karls des Großen im 9. Jh. erbaute Einhardsbasilika, eines der **eindrucksvollsten Zeugnisse karolingischer Architektur** in Deutschland. Sehenswert ist im Umkreis von Michelstadt ferner Schloss Fürstenau, ein schöner Renaissancebau.

Erbach ✳ Elfenbeinmuseum ▶

Erbach wenig südlich von Michelstadt ist das Zentrum der deutschen Elfenbeinschnitzerei. Wie dieses Handwerk hierher kam und was es hervorbringt, zeigt das sehr zu empfehlende Elfenbeinmuseum. Im **Erbacher Schloss**, das an Stelle einer alten Wasserburg errichtet wurde, kann man Waffen und Rüstungen sowie eine Hirschgeweihgalerie besichtigen.

Amorbach ✳ St. Maria ▶

Ganz im Osten der Region kommt man in das Städtchen Amorbach. Südlich vom Markt steht die Kirche der ehemaligen Benediktinerabtei St. Maria, eine barocke Anlage, die 1742–1747 durch den Umbau einer romanischen Basilika entstand. Die beiden Vierecktürme stammen noch von dem romanischen Vorgängerbau. Das glänzend ausge-

Wenn Osterschmuck den Marktplatz ziert, ist Michelstadt mit seinem Rathaus besonders schön.

stattete Innere gehört zu den **bedeutendsten Rokokoschöpfungen** in Deutschland. Besonders beachtenswert sind die prachtvolle Kanzel und die Orgel.

Rund 17 km südöstlich von Amorbach liegt der **Wallfahrtsort** Walldürn. Die Wallfahrtskirche zum hl. Blut wurde in den Jahren 1698 bis 1729 von Lorenz Gassner erbaut. Im Stadtteil Gottersdorf sind im Odenwälder Freilichtmuseum typische Gebäude des Odenwalds aufgebaut, die das Leben in dieser Region dokumentieren. Westlich außerhalb Walldürns stößt man auf Überreste eines Römerkastells.

Walldürn

Reiseziele entlang der Bergstraße

? WUSSTEN SIE SCHON ...?

■ dass Walldürns gotisches Rathaus von 1448 als das dienstälteste Deutschlands gilt? Denn seit seiner Erbauung fungiert es ununterbrochen als Amtssitz des Bürgermeisters.

Die Bergstraße, »strata montana« der Römer, begleitet den Oberrheingraben am Westhang des Odenwalds von ▶ Darmstadt bis ▶ Heidelberg. Bekannt ist dieser Landstrich wegen seines milden Klimas: Im Frühling, der hier früher einzieht als sonst in Deutschland, verwandelt sich die Landschaft in ein **Meer von Blüten**, was Scharen von Besuchern anlockt. Neben Obst und Wein reifen hier auch Feigen und Mandeln heran, und in den Parks findet man manch exotische Bäume. Von den Höhen bieten sich schöne Ausblicke, besonders vom 515 m hohen **Melibokus**.

Eine der wärmsten Regionen Deutschlands

Weinheim Weinheim entstand am Austritt des Weschnitztals aus dem Odenwald in die Oberrheinebene. Das Bild der Altstadt prägen winklige Gassen und alte Wohnhäuser, darunter der Büdinger Hof (16. Jh.) mit einem interessanten Treppenturm und das Alte Rathaus (1554). Oberhalb der Stadt liegt das ehemalige Berckheimsche Schloss mit einem schönen Park. Weinheim wird überragt von Burg Windeck (heute Ruine), im 12. Jh. vom Kloster Lorsch zum Schutz seiner Besitzungen angelegt und im Dreißigjährigen Krieg weitgehend zerstört. Noch höher liegt die Wachenburg (1913).

 # ODENWALD UND BERGSTRASSE ERLEBEN

AUSKUNFT

Touristikgemeinschaft Odenwald
Renzstraße 7, 74821 Mosbach
Tel. (0 62 61) 8 43 19, Fax 8 44 67
www.tg-odenwald.de

ESSEN

► Fein & Teuer

**Abt- und Schäferstube
im Hotel Schafhof**
Schafhof 1, 63916 Amorbach
Tel. (0 93 73) 9 73 30
Prachtvolles historisches Ambiente mit exquisiten Kreationen der klassischen Küche und edlen Tropfen aus dem außergewöhnlichen Keller.

► Erschwinglich

Hutters
Bergstraße 90, 69469 Weinheim
Tel. (0 62 01) 9 06 10
In dem attraktiven Restaurant erhalten Sie anspruchsvolle Gaumenfreuden in Tapas-Größe. Stellen Sie sich ihr individuelles Gourmet-Menü zusammen!

La Villetta
Zimmerstraße 44,
64823 Gross-Umstadt
Tel. (0 60 78) 7 22 56
Charmantes Ristorante im Landhausstil, gehobene und saisonal orientierte italienische Küche, der Küchenchef berät Sie individuell.

ÜBERNACHTEN

► Luxus

Hotel Schafhof (s. Essen)

► Komfortabel

Fuchs'sche Mühle
Birkenauer Talstraße 10,
69469 Weinheim
Tel. (0 62 01) 00 20, Fax 10 02 22
www.fuchssche-muehle.de
Sehr gastfreundliches Hotel in einer alten Mühle von 1563, gemütlich eingerichtete Zimmer, schöner Garten, behagliche Stube mit Kachelofen, Schwimmbad und Sauna.

► Günstig

Jakob
Zimmerstraße 43,
64823 Gross-Umstadt
Tel. (0 60 78) 7 80 00, Fax 7 41 56
www.hotel-jakob.de
Sehr engagiert geführtes Haus garni in reizvoller Stadtrandlage, behagliche, individuell eingerichtete Zimmer, schöner Garten mit Aussicht.

Erlenhof
Bullauer Straße 10, 64711 Erbach
Tel. (0 60 62) 31 74, Fax 6 26 66
www.hotel-erlenhof-erbach.de
Ruhiges, familiär geführtes Ferienhotel am Stadtrand; modern eingerichtete Zimmer, gemütliches Restaurant, toller Garten, Sauna und Kegelbahn.

Den historischen Marktplatz von Heppenheim säumen ansprechende **Heppenheim**
Fachwerkhäuser, darunter der ehemalige Mainzer Amtshof mit dem
Volkskunde- und Heimatmuseum. Das Rathaus von 1551 wurde nach
einem Brand um 1700 mit barockem Fachwerk neu erbaut. Das
Gasthaus »Goldener Engel« war früher das Zunfthaus der Schneider-
innung. Über dem Ort ragt die Ruine der Starkenburg auf, 1065
zum Schutz von Kloster Lorsch erbaut.

Westlich von Heppenheim findet man mit der Königshalle der ehe- **✶ ✶**
maligen Benediktinerabtei von Lorsch ein **einzigartiges Zeugnis ka-** ◄ Königshalle
rolingischer Baukunst vor. Die mit roten und weißen Steinplatten Lorsch
verkleidete Halle ist der Überrest des großen, 764 gegründeten Klosters, in dem bedeutende Karolinger begraben waren. Ganz neu angelegt hat man einen **Kräutergarten**, wie er im 1200 Jahre alten »Lor-
scher Arzneibuch« beschrieben ist.

Ungefähr in der Mitte der Bergstraße kommt man in das 765 erst- **Bensheim**
mals erwähnte Bensheim. Anfang September feiert man hier das
»Bergsträßer Winzerfest«. Zeugen der Vergangenheit sind einige
Reste der Stadtbefestigung, darunter der **Rote Turm** aus dem 16. Jh.
Im alten Stadtkern findet man weiterhin Fachwerkhäuser und Adelshöfe wie den Walderdorffer Hof (heute Weinstube) und den Roden-
steiner Hof. Die katholische **Pfarrkirche St. Georg** entstand um 1830
nach Plänen von Georg Moller im klassizistischen Stil. Das Museum
der Stadt Bensheim informiert über Vor- und Frühgeschichte, Stadtgeschichte, bäuerliche Wohnkultur u. a.

Oldenburg

Atlasteil: S. 15 • C 3   **Bundesland:** Niedersachsen
Höhe: 5 m ü. d. M.   **Einwohnerzahl:** 155 000

**Oldenburg ist das wirtschaftliche und kulturelle Zentrum des deut-
schen Nordwestens. Dank der Verbindung zur Nordsee via Hunte
und Weser ist Oldenburg auch der umschlagreichste Binnenhafen
Niedersachsens. 1973 wurde Oldenburg Universitätsstadt.**

Die einstige Residenzstadt der Grafen, Herzöge und Großherzöge **Geschichte**
von Oldenburg wurde 1108 erstmals als »Aldenburg« erwähnt und
gehörte von 1667 an für knapp hundert Jahre zum dänischen Königs-
reich. Der letzte Großherzog von Oldenburg dankte 1918 ab.
Die Oldenburger Hochschule trägt den Namen Carl von Ossietzkys.
Zum Andenken an den Publizisten, der im westlich bei Papenburg
(► Emsland) gelegenen KZ Esterwegen interniert war, verleiht die
Stadt den weit beachteten **»Carl-von-Ossietzky-Preis«** für Arbeiten
zur Thematik des Widerstandes gegen den Nationalsozialismus. Als
zweite, sehr renommierte Auszeichnung vergibt Oldenburg den »Ol-

Architektonische Kontraste: die Oldenburger Schlosswache vor der Lambertikirche

denburger Kinder- und Jugendbuchpreis« zur Förderung von Nachwuchsschriftstellern und -illustratoren. Zu den großen Söhnen und Töchtern der Stadt zählen der Philosoph Karl Jaspers und die Frauenrechtlerin Helene Lange.

Sehenswertes in Oldenburg

Markt In der Mitte der von restaurierten Wallanlagen sowie von Wasserläufen umgebenen Altstadt liegt der Markt mit dem 1887 erbauten Rathaus und der Lambertikirche. Auffällig unter den bauhistorischen Zeugen der Stadt ist das **Degode-Haus** westlich vom Markt, ein reich verziertes Ackerbürgerhaus aus dem Jahr 1502, das den Stadtbrand von 1676 überstand.

Lappan Der »Lappan« am Nordrand der Altstadt, ehemals der Glockenturm des Heiligengeist-Spitals von 1467, ist das **Wahrzeichen** der Stadt.

Schloss Südlich vom Markt steht das ehemalige großherzogliche Schloss; in unmittelbarer Nähe liegt der im englischen Landschaftsstil gestaltete Schlossgarten.
Das Schloss beherbergt das **Landesmuseum für Kunst und Kulturgeschichte**, das u. a. das Kabinett des Hofmalers und Goethe-Freundes Wilhelm Tischbein (1751–1829) präsentiert. Die »Galerie Alter Meister« zeigt überwiegend italienische und niederländische Gemälde des

16.–18. Jh.s, u. a. auch Werke von Rembrandt. Außerdem kann man typisch möbilierte Räume norddeutscher Bauernhäuser aus dem 16.–18. Jh. und eine rekonstruierte Apotheke des 18. Jh.s besichtigen.

Das **Augusteum** in der Elisabethstraße wird als Ausstellungsgebäude des Landesmuseums Oldenburg für dessen »Galerie des 20. Jahrhunderts« genutzt. Sammlungsschwerpunkte sind Gemälde der Klassischen Moderne, der Kunst zwischen den beiden Weltkriegen mit Neuer Sachlichkeit und Magischem Realismus, u. a. von Franz Radziwill, sowie die Kunst nach 1945.

> **! Baedeker TIPP**
>
> **Radierungen ...**
>
> ... Holzschnitte, Plakate und die wichtigsten Zeichnungen von Horst Janssen (1929–1995) sind fünf Gehminuten vom Bahnhof im eigens für den Künstler eröffneten Museum zu bewundern. Den Ausstellungskatalog kann man online im Museumsshop bestellen (Am Stadtmuseum 4–8, www.horst-janssen-museum.de, Öffnungszeiten: Di. bis So. 10.00–18.00 Uhr).

Einen Besuch lohnt auch das Museum für Naturkunde und Vorgeschichte an der »Damm« genannten Straße. Es informiert über Geologie und Ökologie des nordwestdeutschen Raumes, über Moorfunde und Mineralien.

Naturkundemuseum

Nordwestlich des Wallrings (Raiffeisenstraße) kommt man zum Stadtmuseum, das in zwei Villen beheimatet ist, die der Kunstliebhaber Theodor Francksen (1875–1914) der Stadt schenkte. Seine Sammlung umfasst Möbel, Terrakotten und Kunsthandwerk. Anhand von Stadtmodellen wird die **Entwicklung Oldenburgs** seit dem Mittelalter für den Besucher anschaulich.

Stadtmuseum

Umgebung von Oldenburg

Nordwestlich von Oldenburg erstreckt sich das Ammerland, ein **Geest- und Hochmoorgebiet** mit dem Zwischenahner Meer. Am südlichen Ufer dieses Binnensees liegt das Moorheilbad Bad Zwischenahn.
Einen Besuch lohnt das Freilichtmuseum »Ammerländer Bauernhaus«, das anhand von 18 Häusern und einer Mühle einen Eindruck von der ehemaligen regionalen Wohnkultur vermittelt.

★
Ammerland

Knapp 40 km südöstlich von Oldenburg liegt am Flüsschen Hunte die kleine Stadt Wildeshausen. Beachtung verdient die **Kirche des ehemaligen Alexanderstifts**, eine dreischiffige Basilika aus dem 13. Jh. mit quadratischem Chor und Westturm, in deren Langhaus Reste spätmittelalterlicher Wandmalereien zu sehen sind; die Glasfenster zeigen z. T. Jugendstilformen. Südlich von Wildeshausen befinden sich prähistorische Gräberfelder, darunter das Pestruper Gräberfeld.

Wildeshausen

Visbek ▶ In der Umgebung von Visbek, südwestlich von Wildeshausen, gibt es zahlreiche stein- und bronzezeitliche Grabstätten. Nahe der Autobahn liegen die beiden Hünengräber »Visbeker Braut« und »Visbeker Bräutigam«.

✳
Museumsdorf
Cloppenburg

Von Wildeshausen und Visbek ist es nicht weit nach Cloppenburg. Die Hauptattraktion der Stadt ist das Museumsdorf. Hier stehen 50 naturgetreu wieder aufgebaute und originalgetreu eingerichtete Bauernhäuser und andere Bauten des ländlichen Raums aus dem 16.–19. Jh., darunter eine Dorfkirche von 1698, eine Schule, ein Brauhaus, mehrere Windmühlen, niederdeutsche Hallenhäuser und ostfriesische Gulfhäuser sowie Arbeitsstätten von Handwerkern. Thematisch gestaltete Einzelsammlungen sind in den verschiedenen Gebäuden untergebracht, z. B. Geräte zur Butterherstellung.

OLDENBURG ERLEBEN

AUSKUNFT

Oldenburg Tourismus und Marketing
Wallstraße 14, 26122 Oldenburg
Tel. (04 41) 3 61 61 30, Fax 36 16 13 50
www.oldenburg.de

ESSEN

▶ Erschwinglich
Hundsmühler Krug
Hundsmühlerstr. 255,
26131 Oldenburg
Tel. (04 41) 9 55 77-0
Bekannt für das »Oldenburger Nationalgericht« Grünkohl mit Pinkel.

Der Patenkrug
Wilhelmshavener Heerstraße 359
26125 Oldenburg-Etzhorn
Tel. (04 41) 3 94 71
Etwas außerhalb liegendes Restaurant mit breit gefächertem, internationalem und regionalem Speiseangebot.

▶ Preiswert
Klöter
Herbartgang 6, 26122 Oldenburg
Tel. (04 41) 1 29 86
Gelobtes Restaurant im gleichnamigen Feinkostgeschäft.

ÜBERNACHTEN

▶ Komfortabel
Altera Hotel
Herbartgang 23,
26122 Oldenburg
Tel. (04 41) 21 90 80,
Fax 2 19 08 88
www.altera-hotels.de
Schickes und modernes Haus am Waffenplatz mit elegantem Restaurant.

City-Club-Hotel
Europaplatz 2,
26123 Oldenburg
Tel. (04 41) 80 80,
Fax 80 81 00
www.cch-hotel.de
Gut gepflegte Zimmer direkt am Europaplatz, klassisches Restaurant mit Terrasse, Schwimmbad und Sauna.

▶ Günstig
Bavaria
Bremer Heerstraße 196
26135 Oldenburg
Tel. (04 41) 20 67 00,
Fax 2 06 70 10
www.hotel-bavaria-ol.de
Solide Zimmer, Restaurant, schicker Wellnessbereich, Sauna und Solarium.

Osnabrück

Atlasteil: S. 26 • C 2   **Bundesland:** Niedersachsen
Höhe: 64 m ü. d. M.   **Einwohnerzahl:** 162 000

Die alte Bischofs- und junge Universitätsstadt (seit 1973) Osnabrück ist eingebettet in das Hasetal und umrahmt von den Höhenzügen des Wiehengebirges und des ►Teutoburger Waldes. Osnabrück, ein bedeutender Wirtschaftsraum, hat über einen Stichkanal Verbindung mit dem Mittellandkanal.

Geschichte   Keimzelle der Stadt war die Domburg. Um 800 erhob Karl der Große die Siedlung zum Bischofssitz, 1147 wird Osnabrück erstmals als Stadt erwähnt. Im 13. Jh. war Osnabrück Mitglied der Hanse und des Westfälischen Städtebundes. 1306 wurden die Altstadt und die Neustadt vereint. In den Jahren 1643–1648 fanden in Osnabrück zwischen den protestantischen Mächten, den Schweden und den Kaiserlichen die Verhandlungen zum **Westfälischen Frieden** statt, der den Dreißigjährigen Krieg beendete. Osnabrück ist Geburtsort des Schriftstellers Erich Maria Remarque (1898–1970), dem sein Roman »Im Westen nichts Neues« zu Weltruhm verhalf.

Der Türgriff am Rathaus erinnert an den Westfälischen Frieden.

Im Zentrum der Altstadt steht der romanische Dom St. Peter, dessen Grundstein Ende des 8. Jh.s auf Veranlassung Karls des Großen gelegt wurde. Die heutige Gestalt – mit dem wuchtigen Südwestturm und dem schmaleren Nordwestturm – erhielt der Dom im 13. Jh. Sehenswert sind das Bronzetaufbecken (1225), das Triumphkreuz (1250) und die acht Apostelstatuen an den Pfeilern des Langhauses. Im angrenzenden **Diözesanmuseum** wird der Domschatz gezeigt. Ein Bronzestandbild auf der »Domsfreiheit« erinnert an den Publizisten und Geschichtsschreiber Justus Möser (1720–1794), der in Osnabrück geboren wurde.

Markt
✳
◄ Rathaus   Westlich vom Dom liegt der von Giebelhäusern eingefasste **Markt**. Im Friedenssaal des spätgotischen, um 1500 entstandenen Rathauses wurde am 24. Oktober 1648 der Teilfriede zwischen dem Kaiser, den protestantischen Reichsständen und den Schweden geschlossen. Beachtung verdienen auch die Ratsschatzkammer und das Stadtmodell.

Marienkirche   Am Markt stehen ebenfalls die Stadtwaage von 1531 und die Marienkirche. Zu ihrer Ausstattung gehören ein im Jahr 1520 entstandener Antwerpener Flügelaltar und ein Triumphkreuz aus dem 14. Jh.; unter dem Chorumgang befindet sich das Grab von Justus Möser.

Heger-Tor-Viertel	Zwischen dem Rathaus und dem Heger Tor im Südwesten erstreckt sich das Heger-Tor-Viertel. An der Krahnstraße und der Bierstraße stehen alte **Fachwerkbauten**, darunter Haus Willmann (1586) und der Gasthof Walhalla (1690). Die Heger Straße mit Altstadtkneipen und Antiquitätengeschäften führt zum Heger Tor, einem Teil der alten Stadtbefestigung, von der im Zuge der Wallstraße auch Bocksturm (Sammlung mittelalterlicher Folterinstrumente und Waffen), Bürgergehorsam, Vitischanze mit Barenturm und Pernickelturm erhalten geblieben sind.
Kulturgeschichtliches Museum	Lohnenswert ist das Kulturgeschichtliche Museum am Heger-Tor-Wall mit Sammlungen zur Volkskunde, Stadtgeschichte und Kunst.
✳ **Felix-Nussbaum-Haus**	Der labyrinthische Grundriss des Felix-Nussbaum-Hauses zeigt, wer es entworfen hat: **Daniel Libeskind**. Hier ist die Dauerausstellung zu Leben und Werk des Malers Felix Nussbaum (1904–1944) zu sehen, der in Osnabrück geboren wurde und in Auschwitz ums Leben kam. Seine Bilder, die stilistisch der Neuen Sachlichkeit nahe stehen und auch surrealistische Elemente enthalten, sind Dokumente eines jüdischen Schicksals zur Zeit des Nationalsozialismus.

Osnabrück *Orientierung*

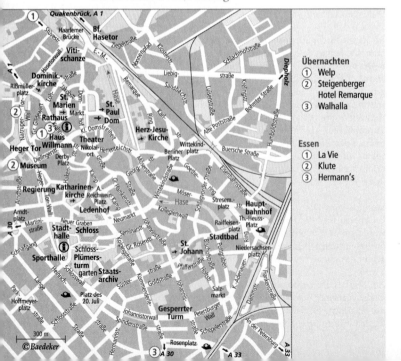

Übernachten
1. Welp
2. Steigenberger Hotel Remarque
3. Walhalla

Essen
1. La Vie
2. Klute
3. Hermann's

Am Felix-Nussbaum-Haus ist nichts rechtwinklig.

Der Straßenzug »Neuer Graben« bildet die Grenze zwischen Altstadt im Norden und Neustadt im Süden. Am Neuen Graben stehen die Stadthalle und das ehemals **fürstbischöfliche Schloss** (1668–1690), heute Sitz der Universität. Ein Meisterwerk der Renaissance ist der Ledenhof mit seinem stattlichen Glockengiebel.

Neuer Graben

An den Neuen Graben schließt östlich der Neumarkt an, in den von Norden die Große Straße und von Süden die Johannisstraße einmündet. An der Johannisstraße steht die Johanniskirche, einst Keimzelle der Neustadt. Der Schnitzaltar (1511) stammt aus der Schule des »Meisters von Osnabrück«.

Neumarkt

Im Süden von Osnabrück nahe der Autobahn A 30 befinden sich am Schölerberg der **Zoo** und das Museum am Schölerberg, das Exponate zum Themenkreis Natur und Umwelt zeigt und auch ein Planetarium besitzt.

Schölerberg

Im Museum Industriekultur nördlich von Osnabrück werden Technik-, Wirtschafts- und Sozialgeschichte der Region dokumentiert. Dazu gehört auch z. B. eine funktionsfähige Metallwerkstatt.

Museum Industriekultur

Umgebung von Osnabrück

Einige **schöne Ausflugsziele** liegen im Umkreis von maximal 20 km im ►Teutoburger Wald: Tecklenburg im Südwesten, Bad Iburg, Bad Laer und Bad Rothenfelde im Süden.

Teutoburger Wald

Lange glaubte die Historikerzunft, der Germanenfürst Hermann habe den Römer Varus bei Detmold besiegt. Doch 1987 hat ein britischer Offizier und Hobbyhistoriker durch seine Funde belegt, dass

Museum und Park Kalkriese

⏵ OSNABRÜCK ERLEBEN

AUSKUNFT

Tourist-Information
Krahnstraße 58, 49074 Osnabrück
Tel. (05 41) 3 23 22 02, Fax 3 23 27 09
www.osnabrueck.de

ESSEN

► Fein & Teuer
① *La Vie*
Krahnstraße 1, 49074 Osnabrück
Tel. (05 41) 33 11 50
Modern-elegant gestyltes Restaurant
in einem liebevoll restaurierten
Bürgerhaus (18 Jh.), hervorragende
kreative Nouvelle Cuisine, erstklassiger Service. Reservierung ratsam.

► Erschwinglich
② *Klute*
Lotter Straße 30, 49078 Osnabrück
Tel. (05 41) 40 91 20
Schönes, altdeutsches Lokal mit Ka-
chelofen und regionaler Küche.

► Preiswert
③ *Hermann's*
Koksche Straße 1
49080 Osnabrück
Tel. (05 41) 98 11 40
Neuzeitliches Kellerlokal im Hotel
Westermann mit schmackhaft zube-
reiteten internationalen Klassikern.

ÜBERNACHTEN

► Komfortabel
② *Steigenberger Hotel Remarque*
Natruper-Tor-Wall 1
49074 Osnabrück
Tel. (05 41) 6 09 60, Fax 60 96 6 00
www.osnabrueck.steigenberger.de
Geschmackvoll eingerichtete und
technisch gut ausgestattete Zimmer,
elegantes, mediterran angehauchtes
Restaurant im wunderschönen Wintergarten, Sauna im Haus.

③ *Walhalla*
Bierstraße 24
49074 Osnabrück
Tel. (05 41) 3 49 10, Fax 3 49 11 44
www.hotel-walhalla.de
Traditionsreiches Haus, das schon
viele Berühmtheiten beherbergt hat,
sehr individuell gestaltete Zimmer,
behagliches Restaurant, Sauna.

► Günstig
① *Welp*
Natruper Straße 227
49090 Osnabrück
Tel. (05 41) 91 30 70 , Fax 9 13 07 34
www.hotel-welp.de
Familienbetrieb mit zweckmäßigen
Zimmern und rustikalem Keller-Res-
taurant.

die Schlacht nicht bei Detmold war, sondern bei Kalkriese, 12 km
nördlich von Osnabrück. Im Juni 2000 sind hier ein Museum und
ein Park eröffnet worden, der sich als **»archäologischer Erlebnispark«** versteht.

Dümmer 35 km nordöstlich von Osnabrück liegt der Dümmer, ein von Nie-
dermooren umgebener See, der von der Hunte durchflossen wird.
An vielen Stellen der vorgeschichtlichen Uferlinie hat man Siedlungs-
reste aus der Steinzeit gefunden; vollkommen ausgegraben wurde das
»Moordorf« Hüde I (4200–2700 v. Chr.).

Die Stadt Nordhorn gehört zur **deutsch-niederländischen Euregio**, die ihren Sitz im holländischen Enschede hat und über 80 Städte und Gemeinden umfasst. Nordhorn wurde um 1000 erstmals erwähnt und erhielt 1339 die Stadtrechte. Zu den wichtigsten historischen Gebäuden zählt die Alte Kirche am Markt, die aus einer Missionskirche des hl. Ludger hervorgegangen ist und 1445 geweiht wurde. Beachtung verdienen in ihr die freigelegte Ornament-Gewölbemalerei und der Abendmahlstisch von 1600.

Nordhorn

Das Augustinerkloster in Frenswegen, rund 3 km nordwestlich von Nordhorn, wurde 1394 gegründet. Von der Größe seiner im 19. Jh. vollständig ausgebrannten Kirche vermittelt die erhalten gebliebene Südwand noch immer eine Vorstellung. Im Kreuzgang und in der Klosterkirche stößt man auf Grabsteine des gräflich Bentheimschen Hauses. Mit einem Preis gekrönt wurde die neue Stahlkonstruktion der Klosterkapelle.

Frenswegen

Bad Bentheim südlich von Nordhorn wird überragt vom fürstlich Bentheimschen Schloss. Im Burghof steht der »Herrgott von Bentheim«, ein romanisches Steinkruzifix aus dem 11. Jahrhundert.

Bad Bentheim

✳ Ostfriesische Inseln

Atlasteil: S. 15/16 • A–C 1/2   **Bundesland:** Niedersachsen

Zu den Ostfriesischen Inseln vor der niedersächsischen Nordseeküste zwischen Ems- und Wesermündung, gehören – von Westen nach Osten – Borkum, Juist, Norderney, Baltrum, Langeoog, Spiekeroog und Wangerooge. Hier bestimmen die Gezeiten den Lebensrhythmus. Gesundes Klima, herrliche Dünen und lange Strände sowie ein vielfältiges Veranstaltungsprogramm erwarten den Besucher.

1986 wurde der »Nationalpark Niedersächsisches Wattenmeer« gegründet, in dem alle Ostfriesischen Inseln liegen. Der 2400 km² große Nationalpark erstreckt sich von Emden bis Cuxhaven und schließt nicht nur das eigentliche Watt ein, sondern auch angrenzende Meeresgebiete und einige Sandbänke. Sitz der Nationalparkverwaltung ist Wilhelmshaven (▶Ostfriesland).

✳
Nationalpark Niedersächsisches Wattenmeer

Sehenswertes auf den Inseln

Borkum, 12 km nördlich vom Festland gelegen (Fährverbindung von Emden), ist die westlichste und größte der Ostfriesischen Inseln. Im Ort – im Westen der Insel – sollte man auf der Bismarck- und der Franz-Habich-Straße einen Einkaufs- und Kneipenbummel machen. Zum Baden und Spazierengehen laden das Meerwasser-Hallenbad

✳
Borkum

! *Baedeker* TIPP

Ins Watt

Ein Urlaub auf den Ostfriesischen Inseln ohne eine Wattwanderung ist nur eine halbe Sache. Aber: Keine Wattwanderung ohne einen erfahrenen Wattführer! Denn zum einen kann nur ein Führer die Geheimnisse des Wattenmeers lüften, zum anderen – und viel wichtiger – weiß er auch um dessen Gefahren. Schon mancher Wattwanderer auf eigene Faust ist von der Flut überrascht worden und konnte nur mit knapper Not gerettet werden. In den Nationalpark-Häusern kann man sich über Führungen informieren.

und die Seepromenade ein. Die heimatkundliche Sammlung Borkums, **»Heimatmuseum Dykhus«**, ist in einem für Ostfriesland typischen Gulfhaus untergebracht, das von einem Zaun aus Walkieferknochen umgeben ist. Einen Besuch lohnt auch das Nordseeaquarium an der Bürgermeister-Kieviet-Promenade, in dem Seetiere wie Seedahlien, Einsiedlerkrebse und Hummer zu sehen sind. Borkum besitzt zwei **Leuchttürme**: den Alten von 1576 und den 60 m hohen Neuen, den man besteigen kann.

Romantiker zieht es immer wieder zum **Ostland**, einem winzigen Weiler, wo die letzten Inselbauern ihre Höfe haben. Am Ortsrand von Borkum liegt der geschützte Tüskendörsee, der erst im 20. Jh. durch Sandabbau für den Deich entstand. Dort kann man Uferschnepfen, Rotschenkel, Bekassinen und Neuntöter beobachten.

Tüskendörsee ▶

Juist   Nach Osten schließt sich die extrem schmale Insel Juist an (Fährverbindung von Norden–Norddeich) an, was ihr zu dem besonders langen und **schönen Nordstrand** verholfen hat. Hier begegnet man keinem Auto, dafür umso mehr Pferdekutschen. In der Mitte der Insel liegt der Ort Juist, wo das Küstenmuseum über Seefahrt und Fischerei, Natur und Küstenschutz informiert. Eine Besonderheit von Juist stellt der Hammersee im Westteil dar, der größte Süßwassersee der Ostfriesischen Inseln und Rastplatz für viele Vögel wie Rallen und Haubentaucher. Der Name des Sees weist darauf hin, dass er die Fläche des ehemaligen Hamerichs, der dörflichen Gemeindewiese, bedeckt.

Seevogelschutzinsel Memmert ▶   Nahe dem westlichen Ende von Juist liegt die Seevogelschutzinsel Memmert. Die Fahrt vom Ort in den Osten der Insel endet am Rand des Flugplatzes. Von dort gelangt man zu Fuß zum **Kalfamer**, einem weitgehend unberührten Dünengebiet.

✳ Norderney   Die nach Borkum zweitgrößte der Ostfriesischen Inseln, Norderney (Fähre von Norden–Norddeich) besitzt als einzige Insel größere Waldbestände. **Wahrzeichen** von Norderney ist das Kap, ein 12 m hohes Seezeichen. Im Nordseeheilbad ganz im Südwesten der Insel ist viel historische Bausubstanz erhalten geblieben. Ganze Straßenzüge mit Biedermeier- und klassizistischen Bauten wie Kurhaus und Kurhotel verweisen auf die Zeit, als Norderney Sommerresidenz von König Georg V. von Hannover war und prominente Besucher wie Heinrich Heine und Otto von Bismarck in diesem **»Modebad des Nordens«** zu Gast waren. Das Kurhaus beherbergt die Spielbank der

Bunte Strandkörbe und Umkleidekabinen bringen Farbe ins Badeleben von Borkum.

Insel. Im winzigen Fischerhausmuseum erfährt man, wie man früher auf Norderney lebte. Im Rettungsbootschuppen an der Weststrandpromenade kann man eine Ausstellung über das Seenotrettungswesen besichtigen.

Die östliche Inselhälfte ist hingegen **»Natur pur«** mit ausgedehnten Salzwiesen und Dünenlandschaften. Sie gehört zur Ruhezone des Nationalparks, durch die nur wenige Wege führen. Hier kann es einem durchaus passieren, dass man den nächsten Wanderer nur mit dem Fernglas erkennt. Im äußersten Osten der Insel liegt seit 1968 das Wrack eines Muschelbaggers.

Mit einer Fläche von 6,5 km² ist Baltrum (Fähre von Neßmersiel) die **Baltrum** kleinste der Ostfriesischen Inseln, vor allem aber ist sie die ruhigste und idyllischste, denn sie ist **fahrzeugfrei**! Bei der Anreise läuft die Fähre dicht an der Ostspitze Norderneys vorbei, was Gelegenheit gibt, die Seehunde auf den Sandbänken zu beobachten. Die gut 500 Menschen, die ständig auf Baltrum leben, wohnen heute in zwei Siedlungen, die ineinander übergehen: dem größeren West- und dem kleineren Ostdorf. Einen Besuch lohnt die Alte Kirche: Neben dem Innenraum – mit rotem Klinkerboden, blauen Bänken und blauer Decke – ist besonders der hölzerne Glockenstuhl mit einer holländischen Schiffsglocke, die vom Sturm an den Strand gespült wurde, beachtenswert. Auf dem Kirchhof findet sich manch schöner seemännischer Grabstein.

Langeoog Von der Anlegestelle der Personenschiffe führt ein Bähnchen in sechs Minuten zum Nordseeheilbad Langeoog (Fähre von Benserssiel), das im Westteil der Insel liegt. In der Langeooger Inselkirche, einer evangelischen Kirche aus dem 19. Jh., sorgt seit einigen Jahren ein **modernes Altarbild** für Diskussionsstoff, denn das Motiv ist nicht der Bibel entnommen. Das surrealistisch anmutende Werk des Malers Hermann Buß zeigt ein Fährschiff, das auf dem Deck einer anderen Fähre gestrandet ist; die Menschen stehen trotz des schrecklichen Geschehens ungerührt da. Interessante Einrichtungen auf der Insel sind das **Schifffahrtsmuseum** und das **Museums-Rettungsboot Langeoog**, das von 1945 bis 1980 vor Langeoog im Einsatz war. Sturmfluten haben dem autofreien Langeoog immer wieder schwer zugesetzt. Im Jahr 1825 ließ eine Sturmflut die Insel in zwei Teile zerfallen. Wo bis zum Deichbau von 1906 das Wasser stand, ist an der flachen Wiesenlandschaft noch heute zu erkennen: im Großen und Kleinen Schlopp, zwischen denen die Melkhörndüne liegt. Von der als Aussichtsturm befestigten, 21 m hohen Düne hat man einen schönen Blick auf die Salzwiesen und Vogelschutzgebiete.

! *Baedeker* TIPP

Tee bei Lili Marleen

Mit dem Ohrwurm der vor der Kaserne auf den Geliebten Wartenden wurde Lale Andersen weltberühmt – Deutsche und alliierte Soldaten gleichermaßen lauschten ihr. Ihr einstiges Wohnhaus auf Langeoog ist heute Café-Restaurant und ein guter Platz für Ostfriesentee mit Kuchen (Sonnenhof, Gerk-Sin-Spoor 6, Tel. 0 49 72/713).

Spiekeroog Den Kern der Insel Spiekeroog (Fähre von Neuharlingersiel) bildet eine stellenweise bewaldete Dünenlandschaft. Selten gewordene Pflanzen wie die gelb blühende Strandwinde, der Strandqueller, die Strand- oder Salzaster wachsen hier. Kein modernisierter Bau stört das harmonische Bild des Inseldorfs im Westen. Zwischen Dorf und Strand liegt ein außergewöhnlich breiter Dünengürtel, durch den ein Netz von Wanderwegen führt. Apostelbilder und Pietà der Kirche von Spiekeroog, 1696 erbaut, stammen vermutlich von einem 1588 vor der Insel gestrandeten Schiff der spanischen Armada, die im Ärmelkanal aufgerieben worden war. Die **ungewöhnlichste Muschelausstellung** der Ostfriesischen Inseln präsentiert ein Sammler in der Strandhalle. Muscheln und Meeresschnecken aus allen Weltmeeren hat er nicht nur zusammengetragen, sondern auch auf sehr originelle Art arrangiert.

✱
Wangerooge Wangerooge (Fähre von Harlesiel) ist die östlichste der Ostfriesischen Inseln. Das Nordseeheilbad liegt im mittleren Teil der Insel. Wegen der Lage am Ausgang der Wesermündung hatte das **autofreie** Wangerooge für die Schifffahrt seit jeher Bedeutung. Heute gibt es auf der Insel drei bemerkenswerte Türme: den Westturm, den alten Leuchtturm und den neuen Leuchtturm. Der Westturm, der als weit-

◉ OSTFRIESISCHE INSELN ERLEBEN

AUSKUNFT

Die Nordsee GmbH
Olympiastraße 1, 26419 Schortens
Tel. (0 18 05) 20 20 96, Fax 20 20 97
www.die-nordsee.de

ESSEN

▶ Erschwinglich

Fischerkate
Hindenburgstraße 99,
26757 Borkum
Tel. (0 49 22) 38 44
Ein Muss für Freunde maritimer
Gaumenfreuden! In dem heimeligen
Restaurant werden ausschließlich
Fischgerichte zubereitet.

Gabeljürge
Gräfin-Theda-Straße 3, 26571 Juist
Tel. (0 49 35) 10 07
Ländliches Restaurant, besonders
leckere Fischgerichte und internatio-
nale Klassiker, aufmerksamer Service.

Restaurant Lenz
Benekestr. 3, 26548 Norderney
Tel. (0 49 32) 22 03
Gehobene regionale Küche und internationale Gerichte werden in dem
reizenden Restaurant mit seinem
leicht friesischen Ambiente serviert.

▶ Preiswert

Süderhörn
Melksett 15, 26474 Spiekeroog
Tel. (0 49 76) 4 18
Charmantes, kleines, von den Inha-
bern engagiert geführtes Restaurant.
Saisonal orientierte, regionale Küche.

ÜBERNACHTEN

▶ Luxus

Romantik Hotel Achterdiek
Wilhelmstraße 36, 26571 Juist
Tel. (0 49 35) 80 40, Fax 17 54
www.hotel-achterdiek.de

Besonders angenehmes und ruhiges
Urlaubsdomizil, nobles Ambiente
wohin das Auge schaut, komfortable
Zimmer mit unterschiedlicher Einrichtung von friesisch bis modern,
elegantes Restaurant, erstklassige
Gästebetreuung, beeindruckende Badelandschaft, Wellness und Massage
im Haus.

Villa Ney
Gartenstraße 59, 26548 Norderney
Tel. (0 49 32) 91 70, Fax 9 17 31
www.villa-ney.de
Wohltuende Gastlichkeit und exklusive Wohlfühlatmosphäre zeichnet
dieses moderne Haus aus, das alle
Annehmlichkeiten für einen entspannenden Aufenthalt bietet. Äußerst
komfortabel und geschmackvoll eingerichtete Zimmer, Restaurant nur für
Hausgäste.

▶ Komfortabel

Strandhotel Ostfriesenhof
Jann-Berghaus-Straße 23
26757 Borkum
Tel. (0 49 22) 70 70, Fax 31 33
www.ostfriesenhof.de
In reizvoller Lage direkt an der
Strandpromenade weiß das ruhige
Hotel mit gemütlichen Zimmern, die
teils einen tollen Seeblick bieten, zu
überzeugen. Gediegenes Restaurant
mit großer Fensterfront zum Meer.

Inselfriede
Süderloog 12, 26474 Spiekeroog
Tel. (0 49 76) 9 19 20, Fax 91 92 66
www.inselfriede.de
Neuzeitliches Hotel mit mehreren
Gästehäusern in zentraler Lage,
moderner Komfort, schönes, friesisch
angehauchtes Restaurant, Schwimmbad und Sauna, herrlicher Garten.

hin sichtbares **Wahrzeichen** von Wangerooge gilt, erhebt sich über 56 m hoch am Westende der Insel und ist heute Jugendherberge. Noch etwas höher ist der 1969 in Betrieb genommene neue Leuchtturm. Der alte Leuchtturm (1855–1859) nahe dem Bahnhof ist das älteste erhaltene Bauwerk der Insel. Er beherbergt das Heimatmuseum der Insel. Im Vorgarten ist eine Dampflok aufgestellt, die bis 1957 als Inselbahn im Einsatz war. Im Rosenhaus wird über den Nationalpark Niedersächsisches Wattenmeer informiert. In einem kleinen Kiefernwald findet man eine Gedenkstätte mit den Namen derer, die im Zweiten Weltkrieg auf Wangerooge ums Leben kamen: etwa 60 der über 800 ausländischen Zwangsarbeiter, die ab 1940 zum Bau des Flugplatzes und anderer militärischer Anlagen eingesetzt wurden, sowie Soldaten und Opfer des Bombenangriffs vom 25. April 1945.

? WUSSTEN SIE SCHON ...?

- dass alle Ostfriesischen Inseln langsam, aber stetig nach Osten wandern? Besonders gut kann man das an der über 7 km langen Ostplate auf Spiekeroog sehen. Diese Sandbank hat sich größtenteils erst in der zweiten Hälfte des 19. Jh.s gebildet.

Ostfriesland

Atlasteil: S. 15/16 • A–C 1/2   **Bundesland:** Niedersachsen

Ein breites und fruchtbares Band von Marschen – verfestigte Schlickablagerungen wie das Harlinger Land und die Krummhörn – umsäumt Ostfriesland im Norden und Westen; weiter im Binnenland folgt die sandige Geest. Als bleibenden Eindruck nimmt man aus Ostfriesland das Gefühl der Weite und den Anblick von Windmühlen und zahllosem Weidevieh mit.

Plattes Land Die Heimat der Ostfriesen erstreckt sich zwischen dem Dollart, wo die Ems in die Nordsee mündet, und dem Jadebusen entlang der niedersächsischen Nordseeküste. Für Radfahrer ist Ostfriesland ein Paradies; Teetrinker werden sich in den Teestuben bei Ostfriesentee mit Kluntjes (Kandiszucker) und Sahne wohl fühlen. Die wichtigsten Sehenswürdigkeiten liegen entlang der Störtebekerstraße.

Als **Grenzregion** zwischen den Niederlanden und Deutschland hat das Gebiet im Lauf der Geschichte mehrfach den Besitzer gewechselt. 1866 kam Ostfriesland an Preußen.

Reiseziele in Ostfriesland

★
Leer Leer, die alte Hafen- und Handelsstadt an der Leda nennt sich **»Das Tor Ostfrieslands«**. Von hier unternahm im 8. Jh. der Missionar Liudger seine Reisen. Im 16. Jh. machten vor Glaubensverfolgung ge-

flohene niederländische Handwerker und Kaufleute die Stadt zu einem Zentrum der Leinenweberei. 1899 wurde der **Dortmund-Ems-Kanal** in Betrieb genommen. Im Ortsbild mit seinen roten Backsteinbauten ist der Einfluss des **niederländischen Frühbarock** noch zu erkennen. Am Hafen stehen das im deutsch-niederländischen Renaissancestil erbaute Rathaus und die Alte Waage von 1714, heute ein Restaurant. Ostfriesische Lebensart vermitteln das **Heimatmuseum** und das »Haus Samson« aus dem Jahr 1643, eigentlich eine große Weinhandlung, doch im Obergeschoss hält die Besitzerfamilie eine komplette altostfriesische Wohnung aus dem 18. und 19. Jh. bereit. Im Westen der Altstadt entstand im 17. Jh. die Haneburg, ein Renaissancebau, nun Volkshochschule. Östlich außerhalb der Innenstadt erreicht man **Schloss Evenburg**, eine Wasserburg aus dem 17. Jh., die im 19. Jh. neugotisch umgebaut wurde. Zusammen mit dem Park, der barocken Vorburg und der Allee, die aus der Stadt zu ihr hinausführt, ist sie ein sehr beliebtes Ausflugsziel.

An der Ems liegt nördlich des Dollart die kreisfreie Stadt Emden, das **wirtschaftliche und kulturelle Zentrum Ostfrieslands**. Der Emdener Hafen ist der westlichste deutsche Nordseehafen, wo vor allem Kraftfahrzeuge und Baustoffe umgeschlagen werden. Über den Ostfriesland quer durchziehenden, mittlerweile nur noch touristisch genutzten Ems-Jade-Kanal ist Emden mit Wilhelmshaven verbunden. Im Stadtzentrum steht am Ratsdelft das (neu aufgebaute) Alte Rathaus,

Emden

Vergnügliche Angelegenheit: Ende Mai sind Matjestage in Emden.

von dessen Turm sich ein schöner Blick bietet. Es beherbergt das Ostfriesische Landesmuseum und das **Stadtmuseum** mit seiner bemerkenswerten Rüstkammer. Am Ratsdelft liegt das Feuerschiff »Deutsche Bucht«, das 1917 gebaut wurde. Lohnend ist ein Spaziergang auf dem Wall (mit Windmühle), der einstigen Stadtbefestigung, die sich halbkreisförmig um die Innenstadt zieht.

✳
◀ Kunsthalle

Emdens große Attraktion ist die Kunsthalle im Nordwesten der Stadt (Hinter dem Rahmen 13), die vom »Stern«-Verleger Henri Nannen (1913–1996) gestiftet wurde. Der postmoderne Backsteinbau beherbergt eine reichhaltige Sammlung von Werken deutscher Expressionisten sowie zeitgenössischer Malerei und Plastik, die der in Emden geborene Publizist im Laufe seines Lebens zusammengetragen hat.

✳
Greetsiel

Auf der Suche nach **ostfriesischer Idylle** ist man in Greetsiel, 16 km nordwestlich von Emden, genau richtig: Hier findet man malerische Ostfriesenhäuser um den Hafen der Krabbenfischerflotte und die »Greetsieler Zwillinge«, zwei Windmühlen von 1856 bzw. 1921.

Norden

Weiter an der Küste kommt man in die auf einer Geestinsel in der ostfriesischen Marsch liegende Stadt Norden. Ihren Ortsteil Norddeich, ein **beliebtes Seebad**, kannte jeder Seemann auf einem deutschen Schiff, denn Norddeich Radio hielt in handylosen Zeiten die Verbindung mit der Heimat aufrecht. Die Attraktion für Kinder schlechthin ist die **Seehund-Aufzuchtstation**. Neben dem Fremdenverkehr spielen u. a. Tee verarbeitende Betriebe eine Rolle; zum Heimatmuseum gehört daher ein Teemuseum. Der Seehafen Norddeich ist Ausgangspunkt für den Fährverkehr nach Juist und Norderney (▶ Ostfriesische Inseln). Das Stadtbild prägt – neben Profanbauten wie dem Rathaus und dem Schöninghschen Haus, einem Renaissancebau mit in Fenstern aufgelöstem Giebel – die evangelische Ludgerikirche (13. / 14. Jh.). Zu deren Ausstattung gehören ein spätgotisches Sakramentshaus, das spätgotische Chorgestühl mit Fürstenstuhl (1601), die Arp-Schnitger-Orgel und die Barockkanzel.

> **❗ *Baedeker* TIPP**
>
> **»Otto-Huus«**
>
> Der berühmteste Sohn der Stadt Emden ist der Komiker Otto Waalkes. Im »Otto-Huus« (Große Straße 1) hat er eine Kuriositätensammlung zusammengetragen.

Aurich

Aurich, jahrhundertelang ostfriesische Hauptstadt, liegt ungefähr in der Mitte Ostfrieslands nördlich am Ems-Jade-Kanal, auf dem man auch Ausflugsfahrten unternehmen kann.

Zentrum Aurichs ist der Marktplatz. An seiner Westseite steht das Knodtsche Haus, ein barocker Bau, der heute als Schule genutzt wird. An der breiten Burgstraße südlich vom Markt reihen sich mehrere Häuser mit barocken Giebeln. Im einstigen Verwaltungsgebäude der ostfriesischen Grafen hat das Historische Museum seinen Sitz.

Die »Greetsieler Zwillinge« nutzen die steife Brise im flachen Ostfriesland.

Das Stadtbild prägt besonders die evangelische Lambertuskirche mit ihrem markanten Turm; beachtenswert ist ihr gotischer Schnitzaltar aus Antwerpen (um 1510). Im Südwesten der Innenstadt wurde 1851–1855 auf den Grundmauern einer wesentlich älteren Burg das neue Schloss errichtet, heute Sitz von Behörden. Östlich vom Schloss verläuft der Georgswall: Dort stehen das niedrige Pingelhus, dessen Glocke früher das Ablegen der Schiffe ankündigte, und das um 1900 in historisierenden Renaissanceformen erbaute **Haus der Ostfriesischen Landschaft**, in dessen Sitzungssaal Porträts ostfriesischer Grafen und Fürsten zu sehen sind. Westlich vom Schloss gelangt man zur **Stiftsmühle**, einer großen Windmühle, der ein Mühlenmuseum angegliedert ist. Südwestlich vom Schloss legen am Ems-Jade-Kanal die Boote zu Kanalfahrten ab.

In der Moorlandschaft der näheren Umgebung ist lange Zeit Torf gestochen worden. Im Moormuseum von Moordorf (westlich außerhalb von Aurich) erfährt man, wie das vor sich gegangen ist und wie die Moorbauern gelebt haben.

✳
◀ Moormuseum Moordorf

Noch weiter westlich von Aurich liegt Ostfrieslands größter Binnensee, deshalb auch gleich »Großes Meer« getauft. Der allenfalls einen Meter tiefe See ist ein sehr beliebtes **Bade- und Surfrevier**.

✳
◀ Großes Meer

Wilhelmshaven, Hafenstadt am Jadebusen und Endpunkt des Ems-Jade-Kanals, hat seit der Kaiserzeit eine lange Tradition als Marinehafen und ist heute noch **wichtigster Hafen der Bundesmarine** an der Nordsee. Im zivilen Bereich dieses einzigen deutschen Tiefwasserhafens spielt der Umschlag von Rohöl und anderen petrochemischen Produkten eine bedeutende Rolle.

Wilhelmshaven

Das Rathaus, ein schöner Klinkerbau, wurde 1927–1929 von Fritz Höger errichtet. Vom 49 m hohen Turm bietet sich ein weiter Rundblick. Am Rathausplatz steht das City-Haus mit dem Küsten-Museum, in dem Exponate zu Naturkunde und Kulturgeschichte der Nordseeküste und zur Schifffahrt sowie Schiffsmodelle zu sehen sind.

 afenanlagen ► Die ausgedehnten Hafenanlagen befinden sich im Süden der Stadt. Blickfang am Großen Hafen ist die zu Beginn des 20. Jh.s erbaute Kaiser-Wilhelm-Brücke, mit einer Spannweite von 159 m die **größte Drehbrücke Europas**, die auch heute noch regelmäßig für durchfah-

▶ OSTFRIESLAND ERLEBEN

AUSKUNFT

Ostfriesland Tourismus
Friesenstraße 34/36, 26789 Leer
Tel. (0 18 05) 93 83 30, Fax 93 88 31
www.ostfriesland.de

ESSEN

► Erschwinglich
Zur Waage und Börse
Neue Straße 1, 26789 Leer
Tel. (04 91) 6 22 44
Im Waaghaus von 1714 genießen Sie in dem nostalgisch-gemütlichen Restaurant friesische Gastfreundschaft.

Waldhaus
Zum Alten Moor 10,
26605 Aurich-Wiesens
Tel. (0 49 41) 6 04 09 90
Hübsches Restaurant, in einem Park gelegen, klassische Küche.

Haus der Getreuen
Schlachtstraße 1,
26441 Jever
Tel. (0 44 61) 30 10
Traditionsreiches Restaurant mit gehobener, abwechslungsreicher Küche, Fisch- und saisonale Spezialitäten.

► Preiswert
Alt-Emder-Bürgerhaus
Friedrich-Ebert-Straße 33,
26725 Emden
Tel. (0 49 21) 97 61 00
Gutbürgerliches Restaurant, für seine Fischspezialitäten bekannt.

ÜBERNACHTEN

► Komfortabel
Frisia
Bahnhofsring 16, 26789 Leer
Tel. (04 91) 9 28 40, Fax 9 28 44 00
www.frisia.bestwestern.de
Modernes, schickes Hotel garni, aufwändig ausgestattete Zimmer, Sauna.

Parkhotel Upstalsboom
Friedrich-Ebert-Straße 73,
26725 Emden
Tel. (0 49 21) 82 80, Fax 82 85 99
www.upstalsboom.de
Zeitgemäßer Komfort in der Nähe des historischen Stadtwalls, freundliches Restaurant mit regionaler Küche, Sauna im Haus.

► Günstig
Brems Garten
Kirchdorfer Straße 7,
26603 Aurich
Tel. (0 49 41) 92 00, Fax 92 09 20
www.brems-garten.de
Familienbetrieb neben der Stadthalle, gepflegte und solide Zimmer. Gutbürgerliches Restaurant mit Kamin.

Schützenhof
Schützenhofstraße 47, 26441 Jever
Tel. (0 44 61) 93 70, Fax 93 72 99
www.schuetzenhof-jever.de
Geräumige Zimmer in einem neuzeitlichen Klinkerbau. Im Restaurant »Zitronengras« gibt es deutsche Küche mit asiatischen Einflüssen.

rende Großschiffe geöffnet wird. Am Bontekai liegen die »Kapitän Meyer«, ein dampfbetriebener Seetonnenleger, und das Feuerschiff »Norderney«. Das Seewasser-Aquarium am zur Promenade ausgebauten Südstrand zeigt die Tierwelt der Nordsee; hier befinden sich auch das Nationalparkzentrum **»Wattenmeerhaus«** und die Pottwalausstellung, die präparierte Organe eines 1994 vor Baltrum gestrandeten Pottwals zeigt. Etwas unterhalb kommt man auf dem ehemaligen Gelände der kaiserlichen Werft zum neu eröffneten

> ## ! *Baedeker* TIPP
>
> ### Oceanis
> Bei der Expo 1998 in Lissabon war der deutsche Beitrag »Oceanis« ein Erfolg, sodass diese virtuelle Meeresforschungsstation zur Expo 2000 in Wilhelmshaven erneut aufgebaut wurde und mittlerweile zur ständigen Einrichtung geworden ist. Perfekte Simulationstechnik macht körperlich spürbar, wie man vermeintlich auf 100 m Meerestiefe hinabgleitet, um dort die Meereswelt kennen zu lernen (Bontekai, Müller-Raschig-Halle; Öffnungszeiten: tgl. 10.00–18.00 Uhr).

Deutschen Marinemuseum, das die Geschichte und Entwicklung der deutschen Militärschifffahrt zum Thema hat. Im Norden Wilhelmshavens ist 1996 der Freizeit- und Umweltpark Störtebeker Park mit Miniaturburgen eröffnet worden. Umweltbewußtsein wird u.a. im Feuchtbiotop und in der Schilfkläranlage vermittelt.

Die Kreisstadt Jever 11 km nordwestlich von Wilhelmshaven kennt jeder Biertrinker ob des dort gebrauten feinherben Biers. Wie es gemacht wird, erfährt man im **Brauhaus-Museum**. Ansonsten bietet das Städtchen mit seinem vierflügeligen, großzügigen Schloss eine Attraktion, die einen Ausflug allemal rechtfertigt, denn in dessen 58 Gemächern breitet das **Museum für Regionalkultur** seine Schätze aus. Danach spaziert man durch die hübschen Altstadtgassen.

✴ **Jever**

✴ Paderborn

Atlasteil: S. 25 • D 4
Höhe: 94–347 m ü. d. M.

Bundesland: Nordrhein-Westfalen
Einwohnerzahl : 140 000

An fünf Stellen mit über 200 Quellen in der Stadt tritt die Pader aus dem Boden, so z. B. unter der Kaiserpfalz, dem Stadthaus oder auch einfach in großen Quellbecken – daher auch der Name Paderborn. Diese Wasserläufe geben dem Zentrum ein ganz besonderes Flair. Die Innenstadt wird von romanischen Bauwerken dominiert wie z. B. der Abdinghofkirche, dem Dom oder der Kaiserpfalz.

Paderborn, die alte Kaiser-, Bischofs- und Hansestadt, liegt im Osten der Westfälischen Bucht zwischen der Münsterländer Tiefebene und dem Teutoburger Wald bzw. dem Eggegebirge. Am Schnittpunkt zweier alter Handelswege, Hellweg und Frankfurter Weg, entstand ei-

Bischofsstadt

? WUSSTEN SIE SCHON …?

- Das originelle »Hasenfenster« (16. Jh.) im Kreuzgang des Doms zeigt drei Hasen, die zusammen nur auf drei Ohren kommen – und doch hat jeder zwei. Der Trick an der Sache: Die Hasen sind so angeordnet, dass ihre Ohren ein gleichseitiges Dreieck bilden.

ne sächsische Siedlung. 776/777 ließ Karl der Große eine Burg und spätere Kaiserpfalz errichten, 806 wurde das Bistum gegründet. 836 überführte Bischof Badurad die Gebeine des Stadtpatrons Liborius von Le Mans nach Paderborn. 1930 wurde das Bistum Paderborn zum Erzbistum erhoben. Paderborn ist dank der 1614 gegründeten Theologischen Fakultät – noch heute Hochschule – **älteste westfälische Hochschulstadt**. Die Universität wurde allerdings erst 1980 gegründet.

Sehenswertes in Paderborn

✳ **Dom** Am Domplatz, dem Mittelpunkt der Altstadt, erhebt sich der mächtige, dreischiffige Dom (St. Maria, St. Liborius und St. Kilian; 11.–13. Jh.), dessen 94 m hoher Westturm das **Wahrzeichen** Paderborns ist. Das südliche Haupttor, das Paradiesportal, zeigt romanischen Figurenschmuck. Beachtenswert sind im Inneren die Grabmäler, darunter das des 1618 gestorbenen Bischof Dietrich IV. von Fürstenberg und das Epitaph des Domdechanten Wilhelm von Westphalen (16. Jh.). In der großen Krypta befinden sich die Reliquien des hl. Liborius und die Bischofsgruft.

Am Marktplatz der ehemaligen Hansestadt Paderborn erhebt sich der altehrwürdige Dom hinter der modernen Fassade des Diözesanmuseums.

⏵ PADERBORN ERLEBEN

AUSKUNFT

Tourist Information
Marienplatz 2a, 33098 Paderborn
Tel. (0 52 51) 88 29 80, Fax 88 29 90
www.paderborn.de

ESSEN

► Fein & Teuer
Balthasar
Warburger Straße 28,
33098 Paderborn
Tel. (0 52 51) 2 44 48
Exklusives Ambiente in geschmack-
voll gestaltetem Restaurant mit an-
spruchsvoller Tischkultur. Genießen
Sie innovative Gourmetküche auf
hohem Niveau. Reservierung ratsam.

► Erschwinglich
Zu den Fischteichen
Dubelohstraße 92, 33102 Paderborn
Tel. (0 52 51) 3 32 36
In reizvoller Lage beim Teich am
Waldrand bietet die Karte des gedie-
genen Ausflugslokal viele regionale
Spezialitäten an.

Altes Zollhaus
Schlossstraße,
33104 Paderborn-Schloss Neuhaus
Tel. (0 52 54) 8 52 88

Kleines, rustikales Restaurant in einem Fachwerkhaus, internationale
Gerichte, mit offener Küche!

ÜBERNACHTEN

► Komfortabel
Arosa
Westernmauer 38, 33098 Paderborn
Tel. (0 52 52) 12 80, Fax 12 88 06
www.arosa.bestwestern.de
Stillvolles Haus mit zeitgemäßem
Komfort, gediegenes Restaurant,
Schwimmbad und Sauna.

Krawinkel
Karlstraße 33, 33098 Paderborn
Tel. (0 52 52) 69 39 90, Fax 6 93 99 26
www.hotel-krawinkel.de
Sehr wohnliche, zeitlos elegante Zim-
mer in einem familiär geführten Haus
am Rande der Innenstadt, moderate
Preise.

► Günstig
Zur Mühle
Mühlenstraße 2, 33098 Paderborn
Tel. (05251) 1 07 50, Fax 10 75 45
www.hotelzurmuehle.de
Zeitgemäß eingerichtete Zimmer
in einem kleinen Haus, schöner
Frühstücksraum.

Diözesanmuseum

Im Diözesanmuseum am Marktplatz ist sakrale Kunst ausgestellt, darunter der vergoldete Liboriusschrein (1627), die romanische Imad-
Madonna (um 1050) und zwei um 1100 entstandene Tragaltäre.

Kaiserpfalz

Seit 1945 wurden an der Nordseite des Doms die Reste einer karolingischen und einer ottonisch-salischen Kaiserpfalz ausgegraben und
rekonstruiert. Im **Museum** sind Funde wie Reste von Wandmalereien
und Fragmente wertvoller Gläser zu sehen. Zu dem Komplex gehört
auch die Bartholomäuskapelle aus dem 11. Jh., eine nach byzantini-
schem Vorbild errichtete Hallenkirche, die durch ihre fantastische
Akustik besticht.

Rathaus

Südwestlich vom Domplatz führt die Fußgängerstraße »Schildern« zum Rathausplatz, der vom Rathaus, einem dreigiebeligen Bau im Stil der Weserrenaissance, beherrscht wird. In der Nähe zeigt das Heisingsche Haus (um 1600) seine reich geschmückte Fassade.

Städtische Galerie am Abdinghof

Paderborns **herausragendste Kunstsammlung** ist in der Städtischen Galerie am Abdinghof ausgestellt: 80 Werke von Ella Bergmann-Michel und Robert Michel, u. a. Collagen und Gemälde, Gemälde und Zeichnungen des Paderborner Malers Willy Lucas und die Sammlung »Grafik des Expressionismus«.

Museum für Stadtgeschichte

Nördlich der Altstadt erreicht man das **Adam-und-Eva-Haus**, den ältesten Fachwerkbau der Stadt (Ende 16. Jh.). Er beherbergt das Museum für Stadtgeschichte und die Räume des Kunstvereins.

Heinz-Nixdorf-Museumsforum

Im Gebäude der ehemaligen Hauptverwaltung der Nixdorf Computer AG (Fürstenallee 7) ist das »Heinz-Nixdorf-Museumsforum für Informationstechnik« eingerichtet worden. Viele Beispiele zeigen, wie sich die Informationstechnik vom Altertum bis heute entwickelt hat.

Schloss Neuhaus

Nordwestlich der City liegt im Stadtteil Neuhaus das Schloss der Fürstbischöfe (13. bis 16. Jh.). Im Marstall sind das **Naturkundemuseum und das Historische Museum** untergebracht.

Wewelsburg

Die etwa 20 km südwestlich von Paderborn gelegene Wewelsburg aus dem 17. Jh., **Wahrzeichen des Paderborner Landes**, ist die einzige erhaltene deutsche Dreiecksburg. Sie wurde im Dritten Reich als SS-Ordensburg requiriert. Heute befinden sich hier das Historische Museum des Hochstifts Paderborn und die zeitgeschichtliche Dokumentation »Wewelsburg 1933–1945«.

✳ Passau

Atlasteil: 56 • B 2	**Bundesland:** Bayern
Höhe: 290 m ü. d. M.	**Einwohnerzahl:** 50 000

Schon wegen ihrer einzigartigen Lage an der Vereinigung der Donau mit Inn und Ilz ist die alte Bischofsstadt Passau berühmt. Die Altstadt ruht auf einer schmalen Landzunge und drängt sich um einen Hügel, von dem sich malerische Treppengassen zu den beiden Flüssen hinabwinden. Die Häuser zeigen mit ihren flachen Dächern die deutsch-italienische Architektur der Inn- und Salzachstädte.

Geschichte

Passau wurde benannt nach dem um 200 n. Chr. auf dem südlichen Innufer gegründeten Römerlager Castra Batava, auf dessen Trümmern im 7. Jh. eine Herzogsburg stand. Um 739 wurde das Bistum

! Baedeker TIPP

Mächtiges Rauschen

Mit 17 774 Pfeifen und 233 Registern ist die 1928 gebaute Domorgel die größte in einer katholischen Kirche
weltweit. Genau genommen besteht sie aus fünf Werken
(drei auf den Westemporen, eines über dem Eingang und
eines auf dem Dachboden), die aber alle vom Haupt-
spieltisch gespielt werden. Das geschieht regelmäßig bei
den Orgelkonzerten von Mai bis Oktober, werktags um
12.00 Uhr und zusätzlich donnerstags um 19.30 Uhr.

gegründet. 1662 und 1680 wurde die Stadt von zwei verheerenden
Bränden heimgesucht. Zum Wiederaufbau holten die Fürstbischöfe
italienische Baumeister in die Stadt, durch die Passau sein **barockes
Gepräge** erhielt. Im Jahr 1803 wurde das Bistum säkularisiert, seit
1821 ist die Stadt aber wieder Bischofssitz.

Sehenswertes in Passau

Das **geistige Zentrum** der Stadt bildet der Dom St. Stephan. Die Anlage besteht aus einem spätgotischen, von einer Kuppel bekrönten
Ostbau (1407–1530) und einem barocken Langhaus, das 1668–1678
von Carlo Lurago errichtet wurde und von zwei mächtigen Türmen
flankiert wird. Im Inneren fallen zunächst vor allem die Stuckaturen,
die um 1680 von G. B. Carlone angefertigt wurden, und die herrlichen Fresken auf. Kostbare Gemälde des österreichischen J. M. Rott-
mayr (1654–1730) befinden sich in den Seitenaltären.

✶ **Dom**

Östlich vom herrlichen spätgotischen Domchor öffnet sich der stimmungsvolle Residenzplatz mit dem Wittelsbacherbrunnen, alten Patrizierhäusern und der Neuen Bischöflichen Residenz (18. Jh.), die
das **Domschatz- und Diözesan-Museum** beherbergt.

✶
◀ **Residenzplatz**

Am rechten Donauufer öffnet sich der Rathausplatz: Das Rathaus, eine Gebäudegruppe aus Patrizierhäusern des 14. Jh.s mit herrlicher
Fassadenmalerei, überragt der 68 m hohe Turm (18. Jh.).

Rathaus

Im historischen Patrizierhaus »Wilder Mann« zeigt das Passauer
Glasmuseum Meisterwerke bayerischer, böhmischer und österreichi-
scher Glaskunst von 1780 bis 1935. Der Schriftsteller Friedrich Dür-
renmatt nannte dieses Museum das **»schönste Glashaus der Welt«**.

✶
Glasmuseum

Vom Dreiflüsseeck, in dessen Nähe die Anlegestellen der **Kreuzfahrtschiffe** liegen, bietet sich ein eindrucksvoller Blick auf den Zusammenfluss der gelbgrünen Donau, des grauen Inns und der moor-
braunen Ilz (von Norden).

✶
Dreiflüsseeck

Der Dom St. Stephan blickt auf Donau, Inn und die Passauer Altstadt hinab.

Museum Moderner Kunst Vom Dreiflüsseeck sind es nur ein paar Schritte zum Museum Moderner Kunst, das, in einem der schönsten Altstadthäuser untergebracht, moderne Kunst des 20. Jh.s präsentiert.

Innstadt Auf dem rechten Ufer des Inn liegt die Innstadt. Dort wurden 1974 die Fundamente des spätrömischen Kastells Boiotro (3. Jh. n. Chr.) freigelegt und ein Teil der Anlage rekonstruiert. Ausgrabungsfunde sind im **»Gruberhaus«** zu sehen.

Kloster Mariahilf ▶ Über der Innstadt erhebt sich die Wallfahrtskirche Kloster Mariahilf (1627). Von dort oben bietet sich ein weiter Blick auf die Stadt, auf die Mündung des Inn in die Donau und auf die Veste Oberhaus.

Von der Altstadt führt die Luitpoldbrücke zum linken Ufer der Donau. Dann verläuft der Weg durch ein 1762 angelegtes Felsentor zum rechten Ufer der Ilz. Links steht an der Felswand die ehemalige Salvatorkirche (heute Konzertsaal). An der Brücke zur Ilzstadt vorbei und links bergauf geht es zur mächtigen Veste Oberhaus, ab 1219

✳ Veste Oberhaus errichtete **Trutzburg** der Passauer Fürstbischöfe. In der Festung befinden sich heute das kulturgeschichtliche Museum und die Neue Galerie der Stadt Passau.

Veste Niederhaus ▶ Ein Wehrgang verbindet die Veste Oberhaus mit der ehemaligen Veste Niederhaus auf der Landzunge zwischen Ilz und Donau.

Umgebung von Passau

Vilshofen Mehrere Kilometer stromaufwärts mündet bei Vilshofen die Vils in die Donau. Von Vilshofens Kirchen lohnt die katholische **Pfarrkirche St. Johannes Baptist**, die 1803/1804 unter Einbeziehung älterer Bauteile nach einem Stadtbrand wieder aufgebaut wurde, wegen ihrer Innenausstattung einen Besuch: In dem spätbarocken Raum findet man am Hochaltar ein Gemälde von Caspar Sing, ferner am Chorbogen eine Kopie von Egid Quirin Asams Johannes-Nepomuk-Figur zu Neustadt an der Donau (1746).

In Künzing nordwestlich von Vilshofen berichtet das **Museum Quintana** über die keltische und römische Vergangenheit des Dorfs. ◀ Künzing

Südwestlich von Passau kommt man in das so genannte Bäderdreieck mit den Orten Bad Griesbach, Bad Birnbach und Bad Füssing. Griesbach im Rottal ist seit 1979 staatlich anerkannter **Kurort** mit drei Thermal-Mineralquellen. Das Kurzentrum liegt südlich der eigentlichen Ortschaft, im Ort selbst und in der Umgebung gibt es mehrere **Bäderdreieck** ◀ Bad Griesbach

 ## PASSAU ERLEBEN

AUSKUNFT

Tourist-Information
Rathausplatz 3, 94032 Passau
Tel. (08 51) 95 59 80, Fax 3 51 07
www.passau.de

ESSEN

▶ Erschwinglich

Kaiserin Sissi
Am Rathausplatz 3 (im Hotel Wilder Mann), 94032 Passau
Tel. (08 51) 3 50 71
Elegantes Restaurant im Barockstil, gehobene kreative Küche, hervorragende Weinkarte.

▶ Preiswert

Heilig-Geist-Stift-Schenke
Heiliggeistgasse 4, 94032 Passau
Tel. (08 51) 26 07
Genießen Sie heimische Küche im historischen Ambiente der urigen Gaststube aus dem Jahr 1358 mit schöner Gewölbedecke und Holzvertäfelung. Herrliche Gartenterrasse!

Donaustuben
Bräugasse 23 (im Altstadt-Hotel), 94032 Passau
Tel. (08 51) 33 70
Gutbürgerliches Restaurant, das für bodenständige regionale Küche bekannt ist.

ÜBERNACHTEN

▶ Luxus

Holiday Inn
Bahnhofstraße 24, 94032 Passau
Tel. (08 51) 5 90 00, Fax 5 90 05 29
www.passau.holiday-inn.com
Großzügiges Hotel, modern ausgestattete Zimmer, teils mit herrlicher Aussicht. Elegantes Restaurant, Schwimmbad, Sauna und Massage.

▶ Komfortabel

Residenz
Fritz-Schäfer-Promenade,
94032 Passau
Tel. (08 51) 98 90 20, Fax 98 90 22 00
www.residenz-passau.de
Das traditionsreiche Hotel garni, dessen Ursprünge ins 15. Jh. zurückreichen, liegt in reizvoller Lage am Donau-Ufer in Nähe der Altstadt. Gemütliche und bestens ausgestattete Zimmer sorgen für einen erholsamen Aufenthalt.

▶ Günstig

Spitzberg
Neuburger Straße 29, 94032 Passau
Tel. (08 51) 95 54 80, Fax 9 55 48 48
www.hotel-spitzberg.de
Freundlich geführte Pension, rustikale Eichenholz-Einrichtung, gepflegte Zimmer.

Bad Birnbach ▶ 18-Loch-Golfplätze. Bad Birnbach, etwas westlich von Griesbach ebenfalls im Rottal, ist seit 1976 Kurort. Von beiden Orten aus empfehlen sich Ausflüge nach Asbach und Rotthalmünster, wo man sich die Kirchen St. Matthäus bzw. Mariä Himmelfahrt ansehen sollte. Besonders die St. Matthäus in Asbach, eine ehemalige Klosterkirche, besticht durch ihre Rokoko-Innenausstattung.

Pirmasens

Atlasteil: S. 43 • C 4   **Bundesland:** Rheinland-Pfalz
Höhe: 368 m ü. d. M.   **Einwohnerzahl:** 50 000

Die meisten Menschen verbinden das Städtchen mit Schuhen. Die Schuhindustrie ist der wichtigste Wirtschaftszweig, in der Deutschen Schuhfachschule werden Fachleute aus dem In- und Ausland ausgebildet, und alle drei Jahre findet in Pirmasens die Internationale Messe für Schuhtechnologie (IMS) statt. Gute Schuhe braucht man auch, wenn man die ausgedehnten Wälder um und in der Stadt erwandern will.

Sehenswertes in Pirmasens und Umgebung

Exerzierplatz
Schlossplatz

Das **belebte Zentrum** der Stadt bilden der 1995 fertig gestellte Exerzierplatz mit Kolonnadengang, Brunnen und Stahlplastik sowie der großzügige Schlossplatz mit den weit geschwungenen, von Kaskaden begleiteten »Ramba-Treppen« und dem Alten Rathaus (um 1770) an der Westseite.

✱
Museen im
Alten Rathaus

Das Alte Rathaus beherbergt einige Museen, insbesondere das **Schuhmuseum**. Zu dessen Prunkstücken gehören die verzierten Stiefelchen einer preußischen Prinzessin, indianische Mokassins und die mit Silber bestickten Schuhe eines burmesischen Prinzen.

Weitere Museen hier sind das **Heimatmuseum**, die **Bürkel-Galerie** mit Gemälden des Genremalers Heinrich Bürkel (1802–1869) und das **Scherenschnitt-Kabinett** mit Werken der Künstlerin Elisabeth Emmler.

Die neugotische Backsteinbasilika **St. Pirminius** (Johanniskirche) gegenüber vom Alten Rathaus ist dem Wanderbischof Pirminius ge-

---

! *Baedeker* TIPP

Schnäppchen en masse

Aigner, Bogner, Burberry, Lacoste, Stefanel, Trussardi Jeans, Versace ... sind nur einige Firmen im Designer Outlet von Zweibrücken. Für Waren aus der Vorsaison, Musterkollektionen oder Überproduktion geben sie Rabatte zwischen 30 und 70%. Anfahrt über die A 8 (Abfahrt Contwig/Flughafen), Infos: Tel. 0 800/6 88 53 87 oder www.zweibrueckenoutlet.com.

⏵ PIRMASENS ERLEBEN

AUSKUNFT

Stadtmarketing
Exerzierplatzstraße 3
66953 Pirmasens
Tel. (0 63 31) 84 23 55,
Fax 84 22 83
www.pirmasens.de

ESSEN

▶ Erschwinglich

Ciccio
Zeppelinstraße 2, 66953 Pirmasens
Tel. (0 63 31) 7 54 00
Italienisches, traditionelles Restaurant
mit gehobener Küche.

Casa dell' Arte
Landauerstraße 105, 66953 Pirmasens
Tel. (0 63 31) 28 66 29
Landhaus mit schönem Wintergarten
und mediterranen Gerichten.

ÜBERNACHTEN

▶ Komfortabel

Kunz
Bottenbacher Straße 74,
66954 Pirmasens-Winzeln
Tel. (0 63 31) 87 50, Fax 57 51 25
www.hotel-kunz.de
Geräumige und sehr gut ausgestattete
Zimmer in angenehmem Hotel mit
persönlicher Atmosphäre. Vorzüg-
liches gutbürgerliches Restaurant,
Schwimmbad und Sauna.

▶ Günstig

Landauer Tor
Landauer Straße 7,
66953 Pirmasens
Tel. (0 63 31) 2 46 40, Fax 24 64 44
Modernes Hotel am Ende der
Fußgängerzone, komfortable helle
Zimmer und Suiten, kleines Bistro.

---

widmet, der bedeutende Klöster wie dasjenige auf der Insel Reichenau im Bodensee gründete und dem die Stadt ihren Namen
verdankt.

Lutherkirche

Im südlichen Teil der Fußgängerzone erreicht man die ursprünglich
spätbarocke Lutherkirche mit ihrem geschweiften Turmhelm. Der
Schusterbrunnen davor erinnert an den Schuhmachermeister Joß,
der als Wegbereiter der mechanischen Schuhherstellung gilt.

**Westwall-
museum**

Der Westwall verlief in unmittelbarer Nähe von Pirmasens, wo man
im Stadtteil Niedersimten Teile des **Hohlgangsystems Gerstfeldhöhe**
besichtigen kann, der größten für den Westwall begonnenen unterirdischen Anlage.

Hexenklamm

Als lohnendes Ausflugsziel im näheren Umkreis bietet sich das Na-
turdenkmal Hexenklamm an, eine **malerische Schlucht**, die von
Wanderwegen durchzogen ist.

Zweibrücken

Knapp 20 km westlich von Pirmasens liegt Zweibrücken, von 1410
bis 1794 Hauptstadt des Herzogtums Pfalz-Zweibrücken. Im Zweiten
Weltkrieg wurde die Stadt fast vollständig zerstört. Beachtung ver-

dient dennoch das ehemals **herzogliche Barockschloss** (1720–1725). Es wurde 1793 bei der Besetzung der Stadt durch französische Truppen weitgehend dem Erdboden gleich gemacht, jedoch 1817 und dann endgültig 1965 wieder hergestellt. Es ist heute Sitz des Oberlandesgerichts. Im Osten der Stadt stehen die Überreste des **Lustschlöss-**

Stadtmuseum ► **chens Tschifflik** . Das Zweibrücker Stadtmuseum umfasst Sammlungen zur **Geschichte der Stadt** und des Herzogtums sowie zu Kunsthandwerk und Wohnkultur. Beachtung verdient in der Altstadt der

Gasthof »Zum um 1600 erbaute Gasthof »Zum Hirsch«, das **älteste Gebäude** Zwei-
Hirsch« ► brückens, ein Giebelbau mit vorspringendem Erker und Treppen-
Alexanderkirche ► turm (16. Jh.) an der Rückseite. Die evangelische Alexanderkirche, um 1500 unter Herzog Alexander als Hof- und Stadtpfarrkirche erbaut, baute man nach dem Zweiten Weltkrieg vereinfacht wieder auf.

★★ Potsdam

Atlasteil: S. 30 • A 2 **Höhe:** 35 m ü. d. M.
Bundesland: Hauptstadt des **Einwohnerzahl:** 143 000
Bundeslandes Brandenburg

Immer noch schwingt im Namen Potsdam ein »preußischer Unterton« mit. Kein Wunder, denn die Stadt am Ufer der Havel, die sich hier zu Kanälen und Seen ausweitet, war Sommerresidenz der preußischen Könige und deutschen Kaiser und ist insbesondere mit Friedrich dem Großen verbunden. Seinem Kranz von Schlössern und Gärten verdankt das »Versailles des Nordens« die Aufnahme in die UNESCO-Liste des Weltkulturerbes im Jahr 1990.

Geschichte Fernab bedeutender Handelsstraßen entwickelte sich das eher unbedeutende Landstädtchen erst, als Kurfürst Friedrich Wilhelm (1640–1688) es zu seiner **zweiten Residenz** neben Berlin wählte und das Stadtschloss (1664–1670, Memhardt) erbauen ließ. Friedrich II. der Große (1740–1786) setzte die rege Bautätigkeit fort: Das Stadtschloss wurde erweitert und mit dem Bau des Schlosses Sanssouci und des Neuen Palais begonnen, ganze Stadtteile abgerissen und mit barocken Bürgerhäusern neu aufgebaut. Während Friedrichs Regierungszeit war Potsdam Anziehungspunkt für Schriftsteller, Philosophen und Musiker.

Der britische Bombenangriff im April 1945 zerstörte die barocke und klassizistische Innenstadt. Dieses Werk setzten DDR-Stadtplaner fort, indem sie die Ruine des Stadtschlosses, die Garnisonskirche sowie eine große Anzahl alter Bürgerhäuser sprengten, den die Innenstadt durchziehenden Kanal zuschütteten und stattdessen breite Magistralen anlegten und die einst bedacht komponierten Sichtachsen verbauten. Seit der **Wiedervereinigung** hat Potsdam jedoch einen bedeutenden kulturellen, politischen und wirtschaftlichen Aufschwung erlebt, der auch aufgrund der geografischen Nähe zur Hauptstadt Berlin weiterhin anhält.

993	Potsdam wird als Poztupimi erstmals erwähnt.
um 1317	Potsdam wird Stadt.
1660	Kurfürst Friedrich Wilhelm wählt Potsdam zu seiner zweiten Residenz.
ab 1713	Potsdam wird Verwaltungs- und Garnisonsstadt.
ab 1740	Glanzzeit unter Friedrich II. dem Großen
1838	Die erste preußische Eisenbahn von Berlin nach Potsdam wird eröffnet.
2.8.1945	Alliierte beschließen Potsdamer Abkommen im Schloss Cecilienhof.
1990	Potsdam wird Hauptstadt des Bundeslands Brandenburg.
2001	Bundesgartenschau in Potsdam

✳ ✳ Park und Schloss Sanssouci

Der 290 ha große Park Sanssouci ist ein Ensemble von Schlössern und Gartenanlagen, die im 18. Jh. unter Friedrich II. dem Großen begonnen und im 19. Jh. durch Friedrich Wilhelm IV. (1840–1861) erweitert wurden.
Ensemble von Schlössern und Gärten

Schloss Sanssouci, die **Sommerresidenz Friedrichs des Großen**, bildet mit den Weinbergterrassen den ältesten Teil und damit den Ausgangspunkt der weiteren Parkgestaltungen. Der Park in seiner heutigen Form geht auf den Gartenarchitekten Peter Joseph Lenné (1789–1866) zurück.

Man betritt den Park am östlichen Eingang der Hauptallee (Schopenhauerstraße). Obelisk und Hauptportal entwarf Hans Georg Wenzeslaus von Knobelsdorff, der Hauptvertreter des Rokoko in Potsdam (1747). Unweit nördlich liegt die Neptungrotte (1751 bis 1754), ebenfalls von Knobelsdorff.
Eingang

◄ Neptungrotte

Die 1755–1764 von J. G. Büring erbaute eingeschossige Bildergalerie, das **private Museum Friedrichs II.**, besteht aus einem lang gestreckten, prachtvollen Saal. Hier hängen Bilder, wie im Barock üblich, dicht neben- und übereinander. Vorwiegend handelt es sich um Historiengemälde holländischer und italienischer Meister wie Rubens, van Dyck, Tintoretto und Caravaggio.
✳ **Bildergalerie**

Friedrich II. ließ ab 1744 den ehemaligen »Wüsten Berg« terrassieren und in einen Weinberg umgestalten. Ein Jahr später begann Knobelsdorff nach Skizzen des Königs mit dem Bau des Schlosses. Der lang
✳ ✳ **Schloss Sanssouci**

gestreckte, eingeschossige Rokokobau ist ein **Meisterwerk des friderizianischen Rokoko**. Die Schauseite zum Garten zeigt reichen plastischen Schmuck (von F. C. Glume); auf der Schlossrückseite wird der Ehrenhof im Stil der französischen Klassik durch eine halbrunde Säulenkolonnade eingefasst. Man sieht von hier den Ruinenberg mit dem normannischen Turm (1846). Neben dem Ostflügel befindet sich das Grabmal des Bauherrn sowie das seiner Lieblingshunde. Bereits 1744, mit 32 Jahren, hatte er bestimmt, dass er in Sanssouci begraben werden wolle, doch erst 1991 wurden seine sterblichen Überreste von der Burg Hohenzollern überführt.

Mittelpunkt im Innern des prachtvoll ausgestatteten Schlosses ist der ovale Marmorsaal; im Westflügel liegen die Gästezimmer, darunter das so genannte Voltaire-Zimmer, im Ostflügel die Aufenthaltsräume des Königs mit Konzertzimmer und der prächtigen Bibliothek. Die seitlichen Flügelbauten – Damenflügel im Westen und Wirtschaftsflügel im Osten – ließ Friedrich Wilhelm IV. 1841/1842 von L. Persius anfügen.

Neue Kammern   Westlich vom Schloss entstanden 1747–1748 die Neuen Kammern (Knobelsdorff). Ursprünglich dienten sie als Orangerie, wurden aber 1771–1774 von G. C. Unger zum Gästewohnhaus Friedrichs II. umgestaltet. Oberhalb der Neuen Kammern drehen sich die Flügel der **Historischen Mühle**, allerdings nur ein Nachbau der 1790 erbauten Vorgängerin.

Orangerie   Die 300 m lange Orangerie ist nach Entwürfen von L. Persius von den Schinkelschülern Stüler und Hesse im **Stil italienischer Renaissancepaläste** ausgeführt (1851–1862; heute Archiv). Vor dem Haupteingang steht die Statue des Bauherrn Friedrich Wilhelm IV.; das Reiterstandbild im Parterre stellt Friedrich II. dar. Innen hält der Raffaelsaal Gemäldekopien des Künstlers bereit; vom Turm bietet sich ein weiter Blick über die gesamte Parkanlage.

Drachenhaus   Von der oberen Terrasse der Orangerie gelangt man über die Lindenallee zum Drachenhaus, das 1770 von Gontard im chinesischen Stil als **Wohnhaus des königlichen Winzers** erbaut wurde. Schließlich erreicht man das Belvedere auf dem Klausberg, einen zweigeschossigen Pavillon oberhalb der Obstterrassen (1770–1772, Unger), der rekonstruiert wurde, nachdem er 1945 abgebrannt war.

! *Baedeker* TIPP

Wahrhaft wundervoll

Seit April 2001 kann man wieder einen Blick auf die Potsdamer Schlösser- und Kulturlandschaft genießen, den der Maler Carl Ludwig Häberlin 1855 als »wahrhaft wundervolle Umschau« lobte: Das **Belvedere auf dem Pfingstberg**, nach Skizzen Friedrich Wilhelms IV. 1847 bis 1863 erbaut, wurde restauriert und ist öffentlich zugänglich (Öffnungszeiten: Di. bis Fr. 10.00–18.00 Uhr, Sa. und So. bis 20.00 Uhr). Vor lauter Aussicht sollte man hier oben aber einen Besuch des wunderbaren kleinen Ponomatempels von Schinkel (1801) nicht vergessen.

PARK UND SCHLOSS VON SANSSOUCI

✳✳ Was einst der »Wüste Berg« war, ist heute eine einmalige Schlösser- und Gartenlandschaft und von der UNESCO zu Recht als Weltkulturerbe deklariert. Sanssouci ist aber nicht das Schloss allein: Im und um den Park verstecken sich manche weiteren Schätze.

① Neues Palais
Ganz am Ende des Parks liegt das Neue Palais, das in seiner Riesenhaftigkeit gar nicht so recht hierher passen will. Friedrich II. wohnte nur selten darin.

② Hauptallee
Die 2,3 km lange Hauptallee verbindet schnurgerade das Obeliskportal mit dem Neuen Palais.

③ Historische Mühle
Nur Legende: Der Müller der Mühle hinter dem Schloss trotzte seinem König, den angeblich das Geklapper störte.

④ Bornstedter See
Außerhalb des Parks gelegen, aber einen Abstecher wert: der Bornstedter See mit dem italienisch anmutenden Korngut.

⑤ Ruinenberg
Ebenfalls außerhalb: der Ruinenberg. Von hier sollten Schloss und Park mit Wasser versorgt werden – das gelang nur am Karfreitag 1754.

⑥ Weinbergterrasse
Sechs Terrassen sind mit Kirsch-, Aprikosen- und Pflaumenbäumen bepflanzt, Weinreben und Feigen gedeihen in den verglasten Nischen.

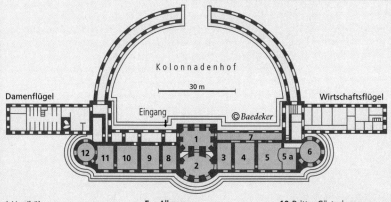

1 Vestibül
2 Marmorsaal
3 Audienzimmer
4 Konzertzimmer
5 Arbeits- und Wohnzimmer (Sterbezimmer Friedrichs d. Gr.)
5 a Alkoven
6 Bibliothek
7 Kleine Galerie
8 Erstes Gästezimmer
9 Zweites Gästezimmer (»Blauweißes Zimmer«)
10 Drittes Gästezimmer (»Rotweißes Zimmer«)
11 Viertes Gästezimmer (»Voltairezimmer«)
12 Fünftes Gästezimmer (»Rotenburgzimmer«)

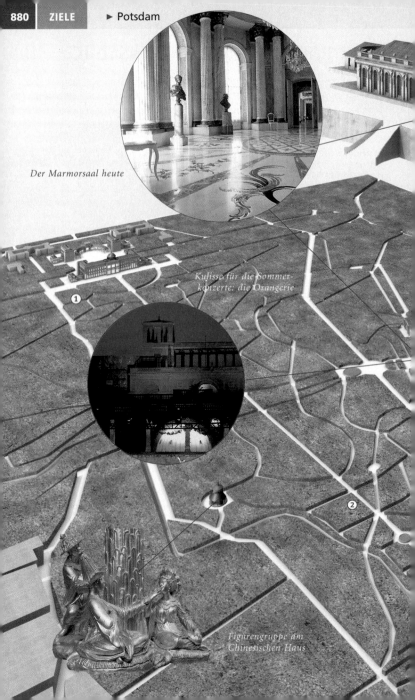

Der Marmorsaal heute

*Kulisse für die Sommer-
konzerte: die Orangerie*

① ②

*Figurengruppe am
Chinesischen Haus*

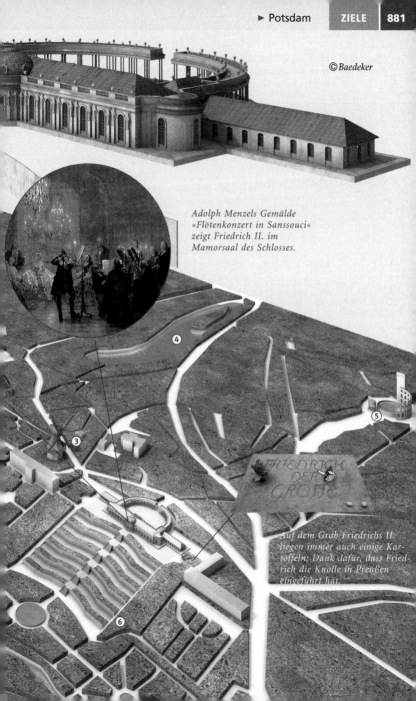

©Baedeker

Adolph Menzels Gemälde
»Flötenkonzert in Sanssouci«
zeigt Friedrich II. im
Mamorsaal des Schlosses.

Auf dem Grab Friedrichs II.
liegen immer auch einige Kartoffeln: Dank dafür, dass Friedrich die Knolle in Preußen
eingeführt hat.

✱✱
Neues Palais

Nach dem Ende des Siebenjährigen Krieges ließ Friedrich II. **als Zeichen für die ungebrochene Macht Preußens** seinen letzten und gewaltigsten Schlossbau ausführen: das dreigeschossige Neue Palais (1763–1769, Büring und Gontard). 428 Sandsteinfiguren schmücken die 240 m lange Anlage mit rund 200 Repräsentations- und Wohnräumen und einem Theater, ca. 60 Räume sind zu besichtigen. Die Einrichtungsgegenstände, Mobiliar und Porzellan einheimischer Handwerker und Künstler sowie Gemälde, stammen zum großen Teil aus dem 1960/1961 abgerissenen Potsdamer Stadtschloss. Die beiden mit Kuppelaufsatz, Kolonnaden und großen Treppenanlagen versehenen Gebäude hinter dem Neuen Palais (1766–1769; Gontard), die Communs, dienten als **Wirtschaftsgebäude** und Unterkunft für die Dienerschaft (heute Universität).

✱
Communs ▶

✱
Schloss Charlottenhof

Im Park Charlottenhof, dem ebenfalls von Lenné angelegten südlichen Teil des Parkes von Sanssouci, steht das nüchtern wirkende spätklassizistische Schloss Charlottenhof (1826–1829, nach K.F. Schinkel). Hier wohnten Kronprinz Friedrich Wilhelm IV. und seine Frau Elisabeth. Sehenswert sind u. a. das Arbeits- und Schlafzimmer Alexander von Humboldts sowie einige romantische Gemälde von Caspar David Friedrich, Carl Gustav Carus und Carl Blechen.

Römische Bäder

Gleich am Maschinenteich liegen die Römischen Bäder (1829–1835; Schinkel und Persius), acht Gebäude im Stil italienischer Landhäuser. Heute finden hier Wechselausstellungen statt.

✱
Chinesisches Teehaus

Das Chinesische Teehaus (1754–1757, J. G. Büring) offenbart die Verspieltheit des Rokoko und ist ein Musterbeispiel für die **Chinamode** des 18. Jh.s; hier ist eine Sammlung chinesischen, japanischen und Meissener Porzellans zu sehen.

✱
Friedenskirche

Die Friedenskirche, eine **spätklassizistische Säulenbasilika** (1845–1854, Persius), ist der letzte große Bau im Park von Sanssouci. Ihr wertvollster Schmuck ist das aus einer italienischen Kirche geholte Apsismosaik (frühes 12. Jh.); unter dem Altar befindet sich die Gruft mit den Sarkophagen von Friedrich Wilhelm IV. und seiner Frau Elisabeth; Kaiser Friedrich III., seine Frau Viktoria und König Friedrich Wilhelm I. sind im Mausoleum beigesetzt.

Weitere Sehenswürdigkeiten in Potsdam

Innere Stadt

Ausgangspunkt eines kleinen **Stadtrundgangs** ist das 1770 im Barockstil errichtete Brandenburger Tor. Über die Brandenburger Straße mit möglichen Abstechern zum Jägertor (1733) und zum Naue-

Beim Film wird manchmal dick aufgetragen: Defa-Garderobe im Filmmuseum im Marstall.

ner Tor (1755) gelangt man an der Peter-Paul-Kirche (1867–1870) vorbei ins Holländische Viertel mit seinen 128 hübschen Giebelhäusern (um 1740, J. Boumann).

★
◀ Holländisches Viertel

Die einstige Schönheit des Alten Markts ist nur noch auf alten Dokumenten zu erkennen; Pappelreihen markieren den Grundriss des Stadtschlosses. Erhalten ist die Nikolaikirche, ein **klassizistischer Zentralbau**, den L. Persius 1830–1837 nach Plänen von K. F. Schinkel ausführte. Das schräg gegenüber stehende Kulturhaus besteht eigentlich aus drei Gebäuden, dem Alten Rathaus, das 1753–1755 von J. Boumann im Stil des Klassizismus erbaut wurde und dessen Turm bis 1875 als **Stadtgefängnis** diente, einem modernen Zwischenbau sowie dem Knobelsdorffhaus, einem 1750 erbauten Bürgerhaus mit Rokokoverzierungen.

◀ Alter Markt

★
◀ Nikolaikirche

Der barocke Marstall ist der **einzige Überrest** des 1685 von Nehring errichteten und 1746 von Knobelsdorff umgestalteten Stadtschlosses. Es beherbergt seit 1981 das Filmmuseum, das u. a. einen Nachbau des Kinematografen der Gebrüder Lumière von 1885, eine Laterna magica, eine Wundertrommel u. v. m. ausstellt.

★
Marstall Filmmuseum

Das an der Havelbucht errichtete Wasserwerk für die Fontänen des Parkes Sanssouci ist ein bemerkenswertes technisches Denkmal in der Form einer Moschee (1841/1842, Persius).

★
Wasserwerk

Nördlich der Altstadt, am Heiligen See, erstreckt sich Potsdams zweite Parkanlage (1787–1791; 1817–1825 von Lenné erneuert). Das zweigeschossige frühklassizistische Marmorpalais aus rotem Ziegelstein und grauem Marmor (1787–1791, Gontard und Langhans) diente Friedrich Wilhelm II. als **Sommersitz**; heute ist hier eine Aus-

★
Neuer Garten

stellung über den Bauherrn zu sehen. Von der Terrasse des Marmorpalais sieht man die wieder aufgebaute Gotische Bibliothek (1792–1794, Langhans) Friedrich Wilhelms II.

✳
Schloss
Cecilienhof ▶

Am Rande des Neuen Gartens steht Schloss Cecilienhof, als letzter Schlossbau für den Kronprinzen Wilhelm im Stil eines englischen Landhauses erbaut (1913–1917; P. Schultze-Naumburg). Hier fand im Juli/August 1945 die **Potsdamer Konferenz** statt; heute ist es ein Hotel.

✳
Russische
Kolonie

Am jüdischen Friedhof und am Kapellenberg vorbei, wo die 1829 erbaute und reich ausgestattete russisch-orthodoxe Alexander-Newski-Kirche steht, gelangt man zur russischen Kolonie Alexandrowka. Die verzierten Blockhäuser waren 1826/1827 für einen **Chor aus russischen Gefangenen** errichtet worden, die in Potsdam blieben.

Telegrafenberg

✳
Einsteinturm ▶

Auf dem Telegrafenberg (94 m ü. d. M.) südlich des Bahnhofs Potsdam entstanden nach 1871 mehrere Forschungsanlagen, darunter der 1920/1921 nach Plänen von E. Mendelsohn erbaute, 16 m hohe Einsteinturm, eines der bedeutendsten Bauwerke des Expressionismus, heute ein **Observatorium**.

Potsdam Orientierung

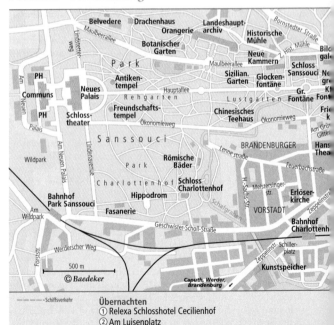

Übernachten
① Relexa Schlosshotel Cecilienhof
② Am Luisenplatz
③ Am Jägertor
④ Mark Brandenburg

Zwischen Potsdam und Berlin liegt Babelsberg, der **größte Stadtteil Potsdams**. Im Park, der dritten großen Grünanlage der Stadt (1832 von Lenné begonnen, 1843 von Pückler-Muskau ausgebaut), stehen das für Prinz Wilhelm, später Kaiser Wilhelm I., erbaute Schloss (1834–1849, Schinkel), das Kleine Schloss (1841/1842) und der 46 m hohe Flatowturm (1856). Die aus dem 13. Jh. stammende Gerichtslaube wurde 1871/1872 aufgestellt. Babelsberg ist eine der traditionsreichsten Produktionsstätten für Spielfilme. 1912 ließ sich hier die UFA nieder, 1946 wurde dann die DEFA gegründet, die Deutsche Film AG, aus der 1992 die Studio Babelsberg GmbH hervorging. Die Filmstadt Babelsberg lädt zu einem actionreichen **Besuch hinter die Kulissen** ein (August-Bebel-Straße 26–53). Darüber hinaus befindet sich auf dem Gelände ein modernes Medienzentrum.

Babelsberg
★
◄ Park und Schloss

★
◄ Filmstadt
Babelsberg

Die Berliner Vorstadt ist vor allem bekannt durch die **Glienicker Brücke** (1905), in deren Mitte die Stadtgrenze zwischen Potsdam und Berlin verläuft. Während des Kalten Krieges erlangte die Brücke durch Agentenaustausch-Aktionen Berühmtheit. Das klassizistische Schloss Glienicke (1826, Schinkel) befindet sich bereits auf Berliner Territorium.

Berliner Vorstadt

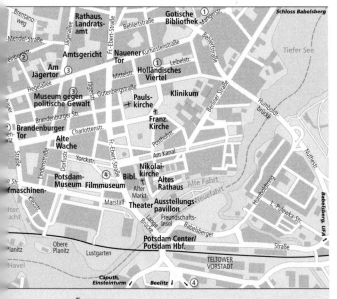

Essen
① Zum Fliegender Holländer
② Pino
③ Juliette
④ Specker's Gaststätte zur Ratswaage

▶ POTSDAM ERLEBEN

AUSKUNFT

Potsdam-Information
Friedrich-Ebert-Straße 5,
14467 Potsdam
Tel. (03 31) 27 55 80, Fax 2 75 58 99
www.potsdam.de

SHOPPING

Flaniermeile ist die Brandenburger
Straße; Boutiquen und Souvenirläden
finden sich im Holländischen Viertel.

ÖFFNUNGSZEITEN

Hauptschlösser Sanssouci und Neues
Palais: tgl. außer Fr. 9.00–17.00 (April
bis Okt.) bzw. bis 16.00 Uhr (Nov. bis
März). Übrige Gebäude einschließlich
Bildergalerie: Mitte Mai bis Mitte Okt.
tgl. außer Mo. 10.00–17.00 Uhr.
Sanssouci-Info: Tel. (03 31) 9 69 42 02

ESSEN

▶ Erschwinglich

③ *Juliette*
Jägerstraße 39, 14467 Potsdam
Tel. (03 31) 2 70 17 91
Restaurant im Fachwerkhaus-Stil am
Rande des Holländischen Viertels.
Serviert werden klassische französi-
sche und mediterrane Gerichte.

④ *Specker's Gaststätte*
Am Neuen Markt 10, 14467 Potsdam
Tel. (03 31) 2 80 43 11
Das historische Gebäude am Neuen
Markt (1752) beherbergt ein elegantes
Restaurant, das mit hervorragenden
internationalen Gerichten und eige-
nen Kreationen begeistert. Auch die
Weinkarte kann sich sehen lassen.

② *Pino*
Weinbergstraße 7, 14467 Potsdam
Tel. (03 31) 2 70 30 30
Reizende Trattoria mit besonders
schmackhafter italienische Küche.

▶ Preiswert

① *Zum Fliegenden Holländer*
Benkertstraße 5, 14467 Potsdam
Tel. (03 31) 27 50 30
Traditionsgaststätte im Holländischen
Viertel, seit 1869 bekannt für
bodenständige märkische Küche.

ÜBERNACHTEN

▶ Luxus

① *Relexa Schlosshotel Cecilienhof*
Neuer Garten, 14469 Potsdam
Tel. (03 31) 3 70 50, Fax 29 24 98
www.relexa-hotel.de
Seit 1917 befindet sich im Schlossbau
das im englischen Landhausstil eingerichtete, ruhige Hotel. Restaurant,
schöne Parkanlage, Sauna. Gehört
zum Weltkulturerbe der UNESCO.

③ *Am Jägertor*
Hegelallee 11, 14467 Potsdam
Tel. (03 31) 2 01 11 00, Fax 2 01 13 33
www.tc-hotels.de
Gediegenes, stilvolles Hotel in pracht-
vollem Stadtpalais (18. Jh.). Schönes
Restaurant, romantische Terrasse.

▶ Komfortabel

② *Am Luisenplatz*
Luisenplatz 5, 14471 Potsdam
Tel. (03 31) 79 19 00, Fax 7 91 90 19
www.hotel-luisenplatz.de
Stilvolles und technisch bestens ausgestattetes Hotel garni, im historischen Stadtpalais in der Innenstadt.

▶ Günstig

④ *Mark Brandenburg*
Heinrich-Mann-Allee 7,
14478 Potsdam
Tel. (03 31) 88 82 30, Fax 8 88 23 44
Kleines gepflegtes, zeitgemäßes Hotel,
funktionelle Zimmer und ein rustikales Kellerrestaurant.

Umgebung von Potsdam

Auf dem Friedhof des Potsdamer Stadtteils Bornstedt, einem bereits **Bornstedt**
1375 erwähnten Dorf am gleichnamigen See (3 km westlich), sind
viele bedeutende Potsdamer und andere Persönlichkeiten begraben,
u. a. Ludwig Persius († 1845) und Peter Joseph Lenné († 1866); die
Ortskirche geht auf einen Entwurf von Stüler zurück. Das Bornstedter Feld wurde für die Bundesgartenschau 2001 zu einer großen
Parkanlage umgestaltet; ihr Mittelpunkt, die Buga-Halle, besteht –
wie der Park – als **»Naturerlebnis Biosphäre Potsdam«** weiter.

Caputh (6 km südwestlich), laut Fontane das **»Chicago des Schwie-**   **Caputh**
lowsees«, lockt mit einem barocken Schloss (1662) mit reichen
Stuckdekorationen im Festsaal und einem mit Delfter Kacheln ausge-
legten Sommersaal im Kellergeschoss. Das **Landhaus Waldstraße 7**
war die letzte Wohnung Albert Einsteins vor seiner Emigration. Die
Kirche ist 1848–1852 nach Plänen Stülers in Form einer romanischen Pfeilerbasilika mit separatem Glockenturm errichtet worden.

Die Umgebung des ehem. Fischerdorfes Werder (8 km westlich) ist   **Werder**
ein geschlossenes **Obstanbaugebiet**; besonders während des alljährlich im Mai stattfindenden Baumblütenfests ist es ein beliebtes Ausflugsziel. Zum Stadtbild gehört der Turm der **Kirche Zum Hl. Geist**
(1856–1858, Stüler).

Im hübschen Sacrow (14 km nördlich) lohnt die auf einer Landzunge   **Sacrow**
zwischen Havel und Jungfernsee 1841–1844 nach Skizzen Friedrich
Wilhelms IV. entstandene **Heilandskirche** den Besuch.

◂ ✶ Quedlinburg

Atlasteil: S. 28 • A 4   **Bundesland:** Sachsen-Anhalt
Höhe: 123 m ü. d. M.   **Einwohnerzahl:** 26 000

**Auch wenn sie klein ist, kann man die alte Stadt Quedlinburg an
der Bode, am Nordrand des ▶ Harzes, unter die ersten Reiseziele
Deutschlands einreihen. Ihre historische Altstadt – innerhalb des
Befestigungsrings stehen über 1000 Fachwerkbauten aus dem 14.
bis 19. Jh. – ist einmalig gut erhalten. Zusammen mit der Stiftskirche und dem erst 1993 zurückgekehrten Domschatz steht Quedlinburg deshalb auf der Liste des Weltkulturerbes der UNESCO.**

Mit der Wahl des Sachsenherzogs Heinrich zum ersten deutschen   **Geschichte**
König im Jahr 919 beginnt die Entwicklung Quitilingaburgs zur
Reichspfalz. Sein Sohn und Nachfolger Otto I. gründete 936 auf dem

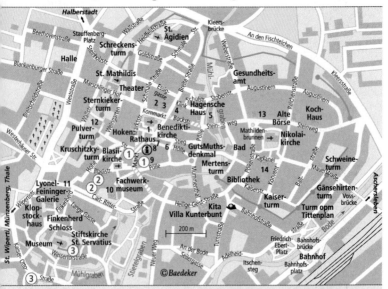

Quedlinburg Orientierung

1 Stadtpfeiferhaus
2 Salfeldsches Haus
3 Ehem. Ratswaage
4 Zur Rose
5 St. Annen
6 Stieg 28
7 Schuhhof
8 Haus Grünhagen ①
9 Zum Bär
10 Fleischhof
11 Weißer Engel
12 Villa Lindenbein
13 Zur Goldenen Sonne
14 Erxlebenhaus

Übernachten
① Romantik Hotel Theophano
② Zum Brauhaus
③ Romantik Hotel Am Brühl

Essen
① Zum Bär
② Zum Lüdde Brauhaus
③ Schlosskrug am Dom

Burgberg, an Stelle einer karolingischen Pfalz, ein reichsunmittelbares Frauenstift. Gleichzeitig entwickelte sich im Umfeld eine Kaufmannssiedlung, die 1426 sogar der Hanse beitrat.

Als Zeichen ihrer Eigenständigkeit – auch gegenüber dem Stift – stellte die Stadt auf dem Marktplatz einen steinernen Roland auf. Daraufhin rief die amtierende Äbtissin ihre Brüder, die Herzöge von Sachsen, zu Hilfe, die die Stadt besetzen ließen, den Roland stürzten (erst 1819 konnte er wieder aufgestellt werden) und die Bürger zum Verzicht auf alle Privilegien zwangen.

Quedlinburg kann einige bedeutende Töchter und Söhne aufweisen: Dorothea Erxleben (1715–1762), die erste promovierte Ärztin, den Geografen Carl Ritter (1779–1859) und vor allem **Friedrich Gottlieb Klopstock** (1724–1803), der vollendetste Odendichter der deutschen Literatur.

Sehenswertes in Quedlinburg

Auf dem vom Mühlengraben umgebenen Schlossberg steht das im 16.–18. Jh., zum Teil auf den Mauern romanischer Vorgängerbauten errichtete, heute Schloss genannte ehem. Damenstift. In den einstigen Wohn- und Repräsentationsräumen schildert das **Schlossmuseum** mit Ausstellungen die Ur- und Frühgeschichte sowie die Entwicklung des Burgbergs von der Königspfalz bis zum 1802 aufgelösten Damenstift.

Schlossberg

Um 1100 begann man an Stelle einer aus dem 9. Jh. stammenden Pfalzkapelle mit dem Bau der dreischiffigen Stifts- oder Schlosskirche. Sie gehört – trotz späterer An- und Umbauten – zu den **bedeutendsten Architekturdenkmälern der Hochromanik** in Deutschland. Die Kapitelle und Friese im Mittelschiff wurden von oberitalienischen Bildhauern gefertigt. Die Krypta unter dem Chor zeigt Reste romanischer Wandmalereien; hier befinden sich die Sarkophage König Heinrichs I. und seiner Frau Mathilde sowie die Grabsteine Quedlinburger Äbtissinnen aus dem 11. bis zum 13. Jh.

✹ ✹
◄ **Stiftskirche**

Die beiden Schatzkammern bewahren einen der **kostbarsten Kirchenschätze des Mittelalters**. Herausragend sind mehrere Reliquienschreine aus Gold, Edelsteinen und Elfenbein, das Quedlinburger Evangeliar, ein karolingischer Codex aus dem 9. Jh. mit einem um 1225 gefertigten Buchdeckel, das Adelheid-Evangeliar (10. Jh.), ein Kamm Heinrichs I. und der mit verzierten Goldblechen beschlagene Sevatiusstab. In der Teppichkammer wird ein um 1200 gestifteter Knüpfteppich ausgestellt; auf den fünf erhaltenen Teilen ist die Vermählung der Philologie, Königin der Wissenschaften, mit Merkur dargestellt. Die wertvollsten Teile des Domschatzes sind erst 1993 nach einer Zahlung von 6 Mio. Mark »Finderlohn« an ihren Ursprungsort zurückgekehrt. 1945 hatte sie ein amerikanischer Leutnant gestohlen und per Feldpost nach Texas geschickt. Als dessen Erben die unschätzbaren Stücke zu Geld machen wollten, waren sie 1991 in den USA wieder aufgetaucht.

✹ ✹
◄ **Domschatz**

? WUSSTEN SIE SCHON …?

■ Der Legende nach erreichte die Nachricht seiner Wahl zum ersten deutschen König den ahnungslosen Sachsenherzog Heinrich in Quedlinburg, wo er sich gerade zum Vogelbzw. Finkenfang aufhielt (allerdings beanspruchen auch andere Harzorte den so genannten Finkenfang für sich).

Am Fuß des Schlossbergs steht das Geburtshaus von Friedrich Gottlieb Klopstock (Schlossberg 12), heute eine Erinnerungsstätte für den **bedeutendsten deutschen Odendichter**. In einigen Räumen werden auch die übrigen Quedlinburger Berühmtheiten wie die Ärztin Dorothea Erxleben gewürdigt.

Klopstockhaus

»Herr Heinrich sitzt am Vogelherd recht froh und wohlgemut …« Dieser Vogel- bzw. Finkenherd, heute eine kleine Häuserzeile nörd-

Finkenherd

Schloss und Stiftskirche von Quedlinburg thronen über der zum UNESCO-Weltkulturerbe gehörenden Altstadt.

Lyonel-Feininger-Galerie ▶

lich unterhalb des Schlossbergs, soll der Legende nach die Stelle gewesen sein, an der Heinrich 919 die Reichsinsignien mit der Krone erhielt. Im Haus Finkenherd 5a werden Druckgrafiken, Radierungen und Aquarelle des Malers, Grafikers und Bauhaus-Lehrers Lyonel Feininger (1871–1956) gezeigt.

✳ Klosterkirche St. Wiperti

Südwestlich des Schlossberges steht die **romanische Klosterkirche St. Wiperti** aus dem 12. Jh., deren Chor und Krypta noch von einem Vorgängerbau aus dem 10. Jh. stammen. 1956/1957 wurde in die Langhaus-Südwand ein um 1220 entstandenes Säulenportal eingebaut, das aus der Klosterkirche St. Marien vom gegenüberliegenden Münzenberg stammt.

Innere Stadt

In Quedlinburg blieben vollständige Straßenzüge und Plätze mit über 1000 historischen Fachwerkhäusern erhalten. Bemerkenswerte Zeilen sind u. a. die Lange Gasse, die am Marktplatz beginnende Breite Straße, die Hölle (vermutlich von Helle, Sauberkeit), Am Schlossberg und der Steinweg.

✳ Fachwerkmuseum ▶

Das **älteste Fachwerkhaus** der Stadt und Deutschlands, ein Ständerbau aus der 1. Hälfte des 14. Jh.s, beherbergt ein Museum, in dem die Entwicklung und die Vielfalt der Fachwerkbaukunst geschildert wird (Wordgasse 3).

✳ Marktplatz

Der von Häusern aus dem 17. und 18. Jh. umgebene Marktplatz wird vom **Renaissance-Rathaus** beherrscht (Anfang 17. Jh.), über dessen Eingangsportal das Quedlinburger Wappen prangt, links davor der steinerne Roland. Schräg gegenüber vom Rathaus, an der Einmündung der Breiten Straße, stehen mit dem dreigeschossigen

Haus Grünhagen (1701 erbaut, 1780 verändert; Markt 2) und dem benachbarten ehem. Gildehaus der Tuchmacher (1545; Markt 5) zwei der auffallendsten Häuser der Innenstadt.

Hinter dem Rathaus erhebt sich die **gotische Marktkirche** St. Benedikti. Zu ihrer Ausstattung zählen zwei kostbare spätgotische Schnitzaltäre, die Holzkanzel (1595) und der Hochaltar von 1700.   ◀ St. Benedikti

Am von Fachwerkhäusern aus dem 15. bis zum 18. Jh. umgebenen Marktkirchhof, zwischen Kornmarkt und Rathaus, lässt sich **Fachwerkgeschichte** ablesen: Das stark vorspringende, grau-blau verputzte Gebäude stammt aus dem 15. Jh., das anschließende mit den rol-   **Marktkirchhof**

 ## QUEDLINBURG ERLEBEN

AUSKUNFT

Tourist-Information
Markt 2, 06484 Quedlinburg
Tel. (0 39 46) 90 56 24, Fax 90 56 29
www.quedlinburg.de

ESSEN
▶ **Erschwinglich**
① *Zum Bär*
Markt 8, 06484 Quedlinburg
Tel. (0 39 46) 77 70
In der historischen Altstadt liegt das traditionsreiche Gasthaus, in dessen Stube schon Johann Wolfgang von Goethe bewirtet wurde, mit regionaler Kost und Fischgerichten.

▶ **Preiswert**
② *Schlosskrug am Dom*
Schloßberg 1, 06484 Quedlinburg
Tel. (0 39 46) 28 38
Gutbürgerliches Gasthaus unmittelbar neben dem Dom, vom romantischen Biergarten aus bietet sich ein herrlicher Panoramablick über ganz Quedlinburg.

③ *Zum Lüdde Brauhaus*
Blasiistraße 14, 06484 Quedlinburg
Tel. (0 39 46) 70 52 06
Deftige Hausmannskost und frisch gebrautes Bier serviert man in der urig-rustikalen Brauereigaststätte.

ÜBERNACHTEN
▶ **Komfortabel**
③ *Romantik Hotel am Brühl*
Billungstraße 11, 06484 Quedlinburg
Tel. (0 39 46) 9 61 80, Fax 9 61 82 46
www.hotelambruehl.de
Ehemaliger Gutshof südlich des Schlossberges, nahe der historischen Innenstadt; Zimmer im italienischen Landhausstil, mediterrane Atmosphäre im Restaurant, schöne Gartenterrasse, Sauna im Haus.

① *Romantik Hotel Theophano*
Markt 13, 06484 Quedlinburg
Tel. (0 39 46) 9 63 00, Fax 96 30 36
www.hoteltheophano.de
Liebevoll eingerichtete Zimmer in einem prachtvollen Fachwerkhaus (17. Jh.). In der rustikalen Stube im Kellergewölbe werden internationale Gerichte und Harzer Spezialitäten serviert.

▶ **Günstig**
② *Zum Brauhaus*
Carl-Ritter-Straße 1,
06484 Quedlinburg
Tel. (0 39 46) 90 14 81, Fax 90 14 83
www.hotel-brauhaus-luedde.de
Funktionelle Zimmer im Landhausstil in einem liebevoll restaurierten historischen Gebäude.

lenförmigen Balkenköpfen aus dem 16. Jh.; das so genannte Stadtpfeiferhaus wurde 1688 errichtet. Hier lebte der Stadtpfeifer, dessen
Standessymbol, die Trompete, am Erker angebracht ist. Zuletzt folgen ein Haus aus dem 17. Jh. mit Diamantschnitt sowie ein für das
18. Jh. typisches, schmuckloses Fachwerkhaus.

St. Nikolai Die gotische St.-Nikolai-Kirche in der Neustadt südlich des Steinwegs erkennt man schon von weitem an ihren beiden schlanken,
72 m hohen Türmen. Die Reste ih-
res romanischen Vorgängerbaus
sind im Ostteil erhalten. Sehenswert sind ihr Säulenportal im Westen und als ältestes Stück ihrer
Ausstattung eine Sandsteintaufe
aus dem 13. Jh.

> ! **Baedeker** TIPP
>
> **Kaiserfrühling**
> Alljährlich an Pfingsten fällt Quedlinburg ins
> 10. Jh. zurück. Dann ist Kaiserfrühling: Man stellt
> den Einzug der Delegierten zum Reichstag, die
> Kaisertafel und den ottonischen Hof nach und es
> werden in verschiedenen Historienspielen Episo-
> den aus Quedlinburgs Geschichte als Kaiserpfalz
> lebendig. Dazu gibt es natürlich einen Jahrmarkt
> und allerlei Speis und Trank.

Die heute noch zu großen Teilen
erhaltene und teilweise mit Wehr-
gängen versehene **Stadtmauer** entstand ab 1310. Die Stadttore wurden zwar im 19. Jh. geschleift, erhalten blieben jedoch zahlreiche
Wachttürme und Bastionen, u. a.
der 40 m hohe **Schreckensturm**, der **Schweinehirten-** und **Gänsehir-
tenturm**. Vor der Stadt standen außerdem zwölf **Feldwarten**, von denen noch sieben vollständig oder teilweise erhalten sind.

✳ Ravensburg

Atlasteil: S. 61 • C 2	**Bundesland:** Baden-Württemberg
Höhe: 477 m ü. d. M.	**Einwohnerzahl:** 45 000

**Ravensburg bezeichnet sich gern als das Herz Oberschwabens, und
tatsächlich ist die Große Kreisstadt im Schussental der lebendige
Mittelpunkt eines weiten Einzugsgebiets, das vom Bodensee bis ins
Allgäu reicht. Die hübsche historische Altstadt, die guten Einkaufsmöglichkeiten (zu denen u. a. auch der viel besuchte samstägliche
Markt gehört), ein breites Kulturangebot und viele Gaststätten
machen den Charme der oberschwäbischen Metropole aus.**

Geschichte Ravensburg entstand unterhalb der gleichnamigen Burg, die in der
zweiten Hälfte des 11. Jh.s von den **Welfen als Stammsitz** erbaut
worden war. 1276 wurde der Ort zur freien Reichsstadt erhoben. Die
von 1380 bis 1530 existierende Große Ravensburger Handelsgesellschaft ließ die Stadt wirtschaftlich aufblühen. Ab etwa 1395 spielte

die Papierherstellung eine wichtige Rolle; neben Nürnberg gab es hier die älteste Papiermühle. 1802 kam Ravensburg zu Bayern und 1810 zu Württemberg.

Sehenswertes in Ravensburg

Die Hauptachse der Altstadt, früher die Grenze zwischen Ober- und Unterstadt, ist der lang gestreckte Marienplatz. Rundum versammeln sich **bedeutende historische Gebäude**, so das spätgotische Rathaus aus dem 14./15. Jh. mit einem Renaissance-Erker und zwei gotischen Ratssälen. Auf derselben Platzseite steht das vom Blaserturm mit seiner polygonalen Turmspitze überragte Waaghaus (1498) und diesem gegenüber das so genannte Lederhaus, das 1513/1514 als Haus der Lederhandwerker erbaut und später barock verändert wurde (heute Post). Nur wenige Schritte vom Rathaus entfernt ragt das lang gestreckte Kornhaus in den Marienplatz (14.–16. Jh.; heute Stadtbücherei). Ihm schräg gegenüber erhebt sich die Stadtkirche, die zu einem 1350 errichteten Karmeliterkloster gehörte und noch Fresken aus dem 14. und 15. Jh. enthält. In der Bachstraße, die beim Lederhaus vom Marienplatz abzweigt und zum Untertor (14. Jh.) führt, ist das erste Gebäude links (hinter dem Lederhaus) das Seelhaus, das 1408 für Pilger und Kranke errichtet und ebenfalls barock verändert wurde.

★ Marienplatz

Vom Blaserturm gelangt man durch die Kirchstraße zur **Liebfrauenkirche** aus dem 14. Jh., die farbenprächtige Chorfenster und eine Kopie der berühmten Ravensburger Schutzmantelmadonna von Michel Erhart (15. Jh.) besitzt.

Besonders malerisch zeigt sich Ravensburg in der Marktstraße, die vom Marienplatz zum Obertor (1490, 1525 erhöht) hinaufführt und mit schönen **alten Patrizierhäusern** aufwartet. In ihrem unteren Teil öffnen sich links die beiden hohen Durchgänge der Brotlaube (1625); darüber befindet sich das Alte Theater, heute die Städtische Galerie. Das Haus Marktstraße 59 ist das älteste Gebäude in der Altstadt (ab 1179). Das Haus direkt daneben (Nr. 61; Gasthof Mohren) hatte 1446 die Große Ravensburger Handelsgesellschaft errichtet. Der weiß getünchte, 51 m hohe Rundturm, zu dem man von der oberen Marktstraße hinaufblickt, ist der Mehlsack, das **Wahrzeichen** der Stadt (erbaut 1425–1429).

★ Marktstraße

◄ Mehlsack

Intaktes Stadtbild einer freien Reichsstadt: Marktstraße mit Blaserturm

▶ RAVENSBURG ERLEBEN

AUSKUNFT

Tourist Information
Kirchstraße 16,
88212 Ravensburg
Tel. (07 51) 8 23 24, Fax 8 24 66
www.ravensburg.de

ESSEN

▶ Preiswert

Weinstube zum Muke
Herrenstraße 16 (im Hotel Residenz),
88212 Ravensburg
Tel. (07 51) 3 69 80
Urgemütliche historische Weinstube,
traditionelle schwäbische Küche und
asiatisch angehauchte Gaumenfreuden werden geboten.

Engel
Marienplatz 71, 88212 Ravensburg
Tel. (07 51) 3 63 61 30
In dem behaglich eingerichteten Restaurant bietet die Karte ein breitgefä-
chertes Angebot an internationalen
und regionalen Spezialitäten.

ÜBERNACHTEN

▶ Komfortabel

Romantik Hotel Waldhorn
Marienplatz 15, 88212 Ravensburg
Tel. (07 51) 3 61 20, Fax 3 61 21 00
www.romantikhotels.com
Denkmalgeschütztes Haus in der Fußgängerzone, über einen Steg mit dem
neueren Anbau verbunden. Moderne,
gemütliche Zimmer und Appartements. Das Gourmetrestaurant
»Waldhorn«, mit asiatisch inspirierter,
klassischer Küche, wird von den
einschlägigen Restaurantführern
hochgelobt. Lohnenswert: die zünftige
Weinstube »Rebleutehaus«.

Obertor
Marktstraße 67, 88212 Ravensburg
Tel. (07 51) 3 66 70, Fax 3 66 72 00
www.hotelobertor.de
Nettes Hotel in einem alten Haus
(13. Jh.), mit zum Teil mit Antiquitäten eingerichteten Zimmern. Charmantes Restaurant, Sauna.

Veitsburg Wegen der guten Aussicht über die Stadt lohnt sich ein Aufstieg zur
Veitsburg oberhalb der Altstadt. An der Stelle der 1647 abgebrannten
welfischen Stammburg wurde 1750 ein **Barockschlösschen** errichtet,
in dem heute ein Restaurant untergebracht ist.

Umgebung von Ravensburg

✳
Klosterkirche
Weißenau
Etwa 3 km südlich der Stadtmitte lohnt die ehemalige **Prämonstra-
tenserabtei** Weißenau mit der 1717–1724 von Franz II. Beer erbau-
ten Klosterkirche einen Besuch. Herausragend sind das frühbarocke
Chorgestühl von 1635 sowie die Weißenauer Madonna von Michel
Erhart (1495–1500).

Ravensburger
Spieleland
Mit Kindern sollte man nicht das Ravensburger Spieleland an der
B 467 zwischen Ravensburg und Tettnang verpassen, denn hier laden
u. a. Käpt'n Blaubär mit Hein Blöd zur Kutterfahrt ein. Neuer Nach-
bar ist **Minimundus**: Bauten der Welt im Maßstab 1 : 25.

Nach Norden geht Ravensburg beinahe nahtlos über in die benachbarte Hochschulstadt Weingarten, dank ihrer großartigen Abteikirche eine **wichtige Station an der Oberschwäbischen Barockstraße**. Das weithin sichtbare, auf einer Anhöhe thronende Gotteshaus ließ Abt Sebastian Hyller zwischen 1715 und 1724 von Vorarlberger, bayerischen und italienischen Baumeistern errichten. Die Deckenfresken schuf Cosmas Damian Asam, den Stuck Franz Schmuzer; die berühmte Orgel mit 79 Registern und 6890 Pfeifen ist das Meisterwerk des Joseph Gabler aus Ochsenhausen.

Weingarten

★ ★

◀ Klosterkirche

Die im Hauptaltar aufbewahrte Heilig-Blut-Reliquie mit Blutstropfen aus der Seitenwunde Christi wird im alljährlichen »Blutritt« durch die Stadt getragen. Der Bau der barocken Konventsgebäude des Klosters kam nur im nördlichen Teil zur Ausführung; im Süden wurde ein Flügel realisiert. Einige ältere Klosterbauten blieben erhalten.

> **!** *Baedeker* TIPP
>
> **Blutritt**
> Der Freitag nach Christi Himmelfahrt gehört zu den wichtigsten Tagen im Jahreslauf der oberschwäbischen Katholiken. Dann brechen ca. 3000 Reiter aus ganz Oberschwaben – in Frack und Zylinder auf geschmückten Pferden – zum Blutritt um Weingarten auf, angeführt von der Heilig-Blut-Reliquie, deren Segen sie für Haus und Hof erbitten. Ein eindrucksvolles Erlebnis auch für Nichtkatholiken.

Die auf einer 770 m hohen Hügelkuppe thronende Waldburg, die dem Ort 10 km östlich von Ravensburg den Namen gab, Sitz der Fürsten Waldburg zu Wolfegg und Waldsee, gehört zu den **besterhaltenen Burgen Oberschwabens**. Die Geschichte des Geschlechts und der Burg stellt das Burgmuseum vor. An klaren Tagen bietet sich von hier oben ein herrlicher Panoramablick über den Bodensee.

Waldburg

◀ ★ Regensburg

55 • D 1

Atlasteil: S. 55 • D 1
Höhe: 333 m ü. d. M.

Bundesland: Bayern
Einwohnerzahl: 135 000

Kirchen, Geschlechtertürme und Patrizierhäuser aus dem 13. und 14. Jh., wie man sie in dieser Form sonst nirgends nördlich der Alpen findet, prägen das Bild der einstigen Freien Reichsstadt Regensburg. Die quirlige Donaumetropole hat ein reges Kulturleben und leicht südländisches Flair.

An der Stelle des heutigen Regensburg befand sich einst die keltische Siedlung Radasbona. Um 70 n. Chr. wurde hier ein römisches Kohortenlager angelegt, 179 von Kaiser Marc Aurel dann das große Legionslager Castra Regina gegründet. Zu Beginn des 6. Jh.s erkoren die agilolfischen Herzöge Bayerns Regensburg zu ihrer Residenz, 739

Geschichte

stiftete der hl. Bonifatius das Bistum. Karl der Große machte 788 der Herrschaft der Agilolfinger ein Ende, und die Stadt wurde Residenz der Karolinger. Im 12. und 13. Jh. schwang sich Regensburg, seit 1245 Freie Reichsstadt, zur **wohlhabendsten und bevölkerungsreichsten Stadt Süddeutschlands** auf; der ausgedehnte Handel kam von Venedig über den Brenner. Bereits im 14. Jh. begann allerdings ein langsamer Abstieg durch das Aufblühen von Augsburg und Nürnberg. Zwischen 1663 und 1806 tagte in Regensburg der »Immerwährende Reichstag« als Vorform eines Parlaments. Als weltliches Fürstentum kam Regensburg 1802 an den bisherigen Kurfürsten von Mainz, Karl von Dalberg. 1809 stürmten die Franzosen die Stadt; nach der 1810 erfolgten Vereinigung mit Bayern sank Regensburg zur Provinzstadt herab. Dies änderte sich erst allmählich ab Mitte des 20. Jh.s durch die Gründung der Universität 1967 und die Ansiedlung neuer Industrien.

? WUSSTEN SIE SCHON ...?

■ dass die Schottenkirche eigentlich Irenkirche heißen müsste? Sie wurde in der 2. Hälfte des 12. Jh.s von irischen Mönchen, im Volksmund »Schotten« genannt, erbaut.

Sehenswertes in Regensburg

Bismarckplatz
Geeigneter Ausgangspunkt für einen Stadtrundgang ist der Bismarckplatz am Westrand der Altstadt. Ihn bestimmen **zwei klassizistische Bauten**, das Präsidialpalais (1805) und das ursprünglich 1803 errichtete Stadttheater.

✱ Schottenkirche St. Jakob
Westlich des Bismarckplatzes ragt die Schottenkirche St. Jakob auf. Das Nordportal zeigt ungewöhnlichen, von nordischer Vorstellungswelt beeinflussten Skulpturenschmuck.

✱ Haidplatz
Besonders malerisch präsentiert sich der Haidplatz. In der Neuen Waage befand sich im 15. Jh. die Stadtwaage. Der ehemalige Gasthof Zum Goldenen Kreuz (13. Jh.) war jahrhundertelang **Herberge berühmter Gäste**, selbst Kaiser und Könige logierten hier. Der prominenteste unter ihnen war wohl Karl V., der 1547 hier eine Affäre mit der Bürgerstochter Barbara Blomberg hatte – daraus ging Don Juan d'Austria hervor, der Sieger der Seeschlacht von Lepanto 1571.

Keplerhaus
Nördlich, in der Keplerstraße 5, steht das **Sterbehaus des Astronomen Johannes Kepler** (1571–1630), das zu einem Museum umgestaltet wurde (zeitgenössisches Mobiliar, Originalinstrumente, Funktionsmodelle usw.).

✱ Altes Rathaus
Der Haidplatz geht über in den Rathausplatz zum zwischen dem 13. und 18. Jh. entstandenen Alten Rathaus. An den ältesten Teil mit dem hohen Rathausturm schließt sich das Reichssaalgebäude an. Im Reichssaal hielt der »Immerwährende Reichstag« seit 1663 seine Sit-

zungen ab; die historischen Räume, eine Schausammlung und eine mittelalterliche Gerichtsstätte können als **Reichstagsmuseum** besichtigt werden.

Den schönsten Blick auf Regensburg hat man von der 310 m langen Steinernen Brücke (12. Jh.) über die Donau, einem **Meisterwerk hochmittelalterlicher Ingenieurkunst**. Die Geschichte der Brücke und der Donauschifffahrt dokumentiert das Brückturmmuseum in der Türmerwohnung des altstadtseitigen Brückenturms.

★
Steinerne Brücke

Östlich neben dem Brücktor steht der 1616–1620 errichtete Regensburger Salzstadel mit fünfgeschossigem Dachstuhl und gleich daneben die **Historische Wurstküche**, eine Regensburger Institution. Vermutlich bestand sie bereits im 12. Jh., als die Steinerne Brücke errichtet wurde. Auf jeden Fall – da sind sich die Regensburger einig – gibt es hier die besten Bratwürste.

Durch die Brückstraße gelangt man zur Goliathstraße mit mehreren prächtigen Patrizierhäusern. Das Goliathhaus aus dem 13. Jh. ist an seiner Fassadenmalerei sofort zu erkennen. Der Baumburger Turm am Westende (etwas zurückversetzt im Watmarkt) gilt als einer der **schönsten mittelalterlichen Patriziertürme**.

Goliathstraße

Regensburg Orientierung

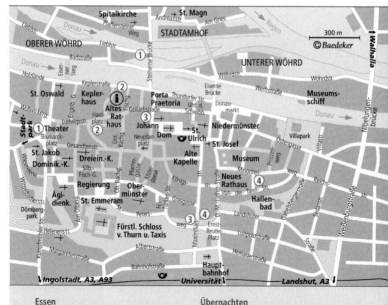

Essen
① Brauerei Kneitinger   ③ David
② Alte Münz   ④ Rosenpalais

Übernachten
① Sorat Insel-Hotel   ③ Park-Hotel Maximilian
② Altstadthotel Arch   ④ Weidenhof

Im Brückturmmuseum auf der Steinernen Brücke erfährt man Interessantes über die Donauschifffahrt.

Porta Praetoria ▶ In der östlichen Verlängerung der Goliathstraße, Unter den Schwibbögen, befindet sich die Porta Praetoria, ein Überbleibsel des römischen Legionslagers Castra Regina) aus dem 2. Jh.

Niedermünsterkirche Die nach rechts abzweigende Niedermünstergasse führt zur gleichnamigen Kirche (12. und 17./18. Jh.), die ehemals zu einem Damenstift gehörte; seit 1825 beherbergen die Stiftsgebäude die **bischöfliche Verwaltung**. Im Untergeschoss können Überreste von Vorgängerbauten aus merowingischer, karolingischer und ottonischer Zeit sowie Reste von römischen Gebäuden besichtigt werden.

Alter Kornmarkt Am Alten Kornmarkt, südlich der Niedermünsterkirche, stehen der so genannte Römerturm, ein Rest der karolingischen Kaiserpfalz, und der 988 erwähnte Herzogshof, ehemals Residenz der bayerischen Herzöge. Die Alte Kapelle an der Südseite (ursprünglich um 1000 errichtet) besitzt eine wertvolle Rokoko-Ausstattung.

Städtisches Museum Südöstlich von hier, außerhalb des eigentlichen Stadtrundgangs, gelangt man am Dachauplatz (56 m lange Römermauer) zum Städtischen Museum im ehemaligen Minoritenkloster.

✳
Dom Westlich schließt an den Alten Kornmarkt der Domplatz an, beherrscht vom Dom St. Peter. Mit dem heutigen Bau, der als das **Hauptwerk gotischer Baukunst in Bayern** gilt, wurde in der zweiten Hälfte des 13. Jh.s begonnen, 1525 konnten die Bauarbeiten abgeschlossen werden. Die beiden 105 m hohen Türme wurden jedoch

▶ REGENSBURG ERLEBEN

AUSKUNFT

Tourist-Information
Altes Rathaus,
93047 Regensburg
Tel. (09 41) 5 07 44 10, Fax 5 07 44 19
www.regensburg.de

ESSEN
► Fein & Teuer
④ *Rosenpalais*
Minoritenweg 20,
93047 Regensburg
Tel. (09 41)5 99 75 79
Stilvolles Barockambiente mit Wandmalereien, Intarsientüren und edlem
Parkett bietet das prachtvolle Stadtpalais aus dem 18. Jh. Genießen Sie
ebenso anspruchsvolle wie kreative
französische Gourmetküche und
erlesene Weine.

► Erschwinglich
③ *David*
Watmarkt 5 (im Hotel Bischofshof),
93047 Regensburg
Tel. (09 41) 56 18 58
Auf dem Dach des historischen Go-
liathhauses werden Sie mit edler,
italienisch und französisch inspirierter
Küche verwöhnt.

► Preiswert
② *Alte Münz*
Fischmarkt 8, 93047 Regensburg
Tel. (09 41) 5 48 86
Im Herzen der Altstadt werden in der
rustikalen Wirtshausstube typische
Oberpfälzer Schmankerl aufgetragen.

① *Brauerei Kneitinger*
Arnulfsplatz 3,
93047 Regensburg
Tel. (09 41) 5 24 55
Zünftige Brauereigaststätte mit re-
gionalen Spezialitäten und herzhaften
Brotzeiten.

ÜBERNACHTEN
► Luxus
① *Sorat Insel-Hotel*
Müllerstraße 7, 93059 Regensburg
Tel. (09 41) 8 10 40, Fax 8 10 44 44
www.sorat-hotels.com
Gediegen und modern eingerichtete
Zimmer mit allem Komfort hält
dieses reizvoll über einem Donauarm
gelegene, denkmalgeschützte Hotel
bereit, das Ihnen darüber hinaus auch
noch einen Panoramablick auf den
Dom bietet. Elegantes Restaurant,
schöne Terrasse, Sauna im Haus.

► Komfortabel
③ *Park-Hotel Maximilian*
Maximilianstraße 28,
93047 Regensburg
Tel. (09 41) 5 68 50, Fax 5 29 42
www.maximilian-hotel.com
Traditionsreiches Hotel in einem
prachtvollen Bau von 1891, ganz
unterschiedliche, teils sehr geräumige
Zimmer. Feine italienische Küche
bietet das rustikale Restaurant.

② *Altstadthotel Arch*
Haidplatz 4, 93047 Regensburg
Tel. (09 41) 5 86 60, Fax 5 86 61 68
www.regensburg-ringhotels.de
Herrliches, liebevoll restauriertes Pat-
rizierhaus (12. Jh.), in zentraler Lage.
Besonders empfehlenswert sind die
wohnlichen Dachbalkenzimmer.

► Günstig
④ *Weidenhof*
Maximilianstraße 23,
93047 Regensburg
Tel. (09 41) 5 30 31, Fax 56 51 66
www.hotel-weidenhof.de
Seit rund 100 Jahren glänzt der
zentral gelegene Weidenhof mit preis-
werten, geschmackvoll eingerichteten
Zimmern.

! *Baedeker* TIPP

Regensburger Domspatzen

Wenn Sie sich einen besonderen Ohrenschmaus in Regensburg gönnen möchten, sollten Sie sonntags um 10.00 Uhr in den Dom gehen, denn da treten regelmäßig die weltberühmten Regensburger Domspatzen auf. Der Knabenchor besteht schon seit dem Jahr 975.

erst 1859–1869 auf Initiative König Ludwigs I. von Bayern angefügt. Besonders eindrucksvoll geben sich die farbenprächtigen Glasfenster im Hochchor, im südlichen Querhaus und in der Südwand (14. Jh.). Von den zahlreichen Kunstwerken sind an den westlichen Vierungspfeilern die Verkündigungsgruppe des Erminoldmeisters (um 1280) hervorzuheben. Eine Besichtigung lohnt der schöne Kreuzgang (14.–16. Jh.) mit der romanischen Allerheiligenkapelle und der vielleicht noch aus karolingischer Zeit stammenden Stephanskapelle. Das Domschatzmuseum zeigt Goldschmiedekunst und Textilien vom 11. bis zum 20. Jh.

St. Ulrich ▶ Die frühgotische Kirche St. Ulrich (um 1250) östlich gegenüber dem Dom beherbergt das Diözesanmuseum.

Neupfarrplatz Auf der Fläche des Neupfarrplatzes südwestlich vom Dom stand einst das seit 981 belegte Judenviertel, das nach der Vertreibung der großen Regensburger Gemeinde im Jahr 1519 zerstört wurde. Hier hat man u. a. die Fundamente der **romanisch-gotischen Synagoge** freigelegt.

✱
St. Emmeram Die ehemalige Klosterkirche St. Emmeram gehörte zu einem bereits im 8. Jh. gegründeten **Benediktinerstift**. In der romanischen Vorhalle (um 1170) beeindruckt das von drei Kalksteinreliefs aus dem 11. Jh. geschmückte Portal der St.-Emmeram-Kirche. Der 1731–1733 von den Brüdern Asam barockisierte Innenraum birgt hervorragende Grabmäler aus dem 12.–15. Jh. Die um 740 erbaute Emmeramskrypta ist der älteste Teil der Kirche.

✱
Fürstliches Thurn und Taxis'sches Schloss Im Laufe des 19. Jh.s bauten die Fürsten von Thurn und Taxis, die seit 1748 als Prinzipalkommissäre beim Reichstag ihren Sitz in Regensburg hatten, die Stiftsgebäude von St. Emmeram zur Residenz um. Nach wie vor befindet sich das Schloss im Familienbesitz. Die Prunkräume und der frühgotische Kreuzgang können besichtigt werden.

Im Marstall werden über 70 Kutschen und Schlitten sowie prächtiges Zaumzeug und Pferdegeschirr ausgestellt. Als Zweigstelle des Bayerischen Nationalmuseums zeigt das **Thurn und Taxis-Museum** die bedeutendsten Schätze aus der fürstlichen Sammlung. Der Park mit Gartenausstellung ist zugänglich.

Dominikanerkirche Auf dem Rückweg zum Bismarckplatz kommt man an der frühgotischen Dominikanerkirche (13. Jh.) vorbei, einem dreischiffigen Bau im asketischen Stil der Bettelordenarchitektur.

Rheinsberg

Atlasteil: S. 19 • D 3   **Bundesland:** Brandenburg
Höhe: 55 m ü. d. M.   **Einwohnerzahl:** 5500

**Die 1368 erstmals erwähnte märkische Kleinstadt liegt rund 75 km
nordwestlich von Berlin in einer wald- und seenreichen Erholungslandschaft. Sie ist bekannt dank Schloss Rheinsberg, von 1736 bis
1740 Lieblingsaufenthalt des Kronprinzen Friedrich, später Friedrich
der Große, und durch Tucholskys »Bilderbuch für Verliebte«.**

Sehenswertes in Rheinsberg

Dieses Schloss haben der kurmärkische Baudirektor J. G. Kemmeter   ★
und der Architekt G. W. von Knobelsdorff 1734–1740 unter maßgeb-   Schloss
licher Beteiligung des Kronprinzen Friedrich erbaut. 1744 schenkte Rheinsberg
Friedrich II. es seinem Bruder Heinrich, der es 1753 bezog und bis
zu seinem Tod 1802 dort lebte. Der Rundgang führt u. a. durch den
Spiegelsaal mit schönen Deckengemälden, den Rittersaal und durch
den Marmor- oder Muschelsaal mit vergoldetem Stuck an Decken
und Wänden. Das Turmkabinett war einst das Studierzimmer des
Kronprinzen Friedrich. Die **Kurt-Tucholsky-Gedenkstätte** im Erdgeschoss erinnert an den Schriftsteller Kurt Tucholsky, der in Rheinsberg 1912 ein verliebtes Wochenende erlebte und in der Erzählung
»Rheinsberg – ein Bilderbuch für Verliebte« literarisch verewigte.

*Schloss Rheinsberg hatte prominente Bewohner: den späteren preußischen
König Friedrich II., dessen Bruder Heinrich und schließlich Kurt Tucholsky.*

✳
Schlosspark ▶

Der Park, ursprünglich in spätbarocken Formen angelegt, beeindruckt durch die ausgewogene Harmonie zwischen Bau- und Gartenkunst. Ende des 18. Jh.s wurde er erweitert und in einen **englischen Landschaftspark** umgewandelt; kleine Kunstbauten, z. B. Grotten und künstliche Ruinen, kamen hinzu. Den Obelisken auf der Terrasse gegenüber vom Schloss ließ im Juli 1791 Prinz Heinrich für die Gefallenen des Siebenjährigen Kriegs enthüllen. Der Prinz selbst ist in einer Backsteinpyramide an der Hauptallee begraben.

! **Baedeker TIPP**

Junge Talente auf Friedrichs Spuren

Der junge, musisch begabte Friedrich, der selbst sehr gut Querflöte spielte, machte Rheinsberg zu einem künstlerischen Treffpunkt. In dieser Tradition sieht sich das Opernfestival Kammeroper Schloss Rheinsberg, das alljährlich im Februar junge Sängerinnen und Sänger zu einem Wettbewerb einlädt und den besten von ihnen eine Rolle für die sommerlichen Opernaufführungen im herrlichen Schlosspark gibt (Informationen: Tel. 03 39 31/725-0).

Stadt Rheinsberg

Die Stadt wurde nach dem Brand von 1740 nach Plänen von Knobelsdorff mit regelmäßigem Straßennetz wieder aufgebaut. Aus dieser Zeit sind noch Straßenzüge mit Häusern der **friderizianischen Bauordnung** erhalten. Die Pfarrkirche (14. Jh.) ist ein frühgotischer Bau aus Feldsteinen und bewahrt u. a. Epitaphien der Schlossherren von Bredow. Auf dem Triangelplatz steht eine Postmeilensäule mit modernen Mosaiken. Reste der Stadtmauer sind am Ende der Mühlenstraße erhalten.

Umgebung von Rheinsberg

Zechlinerhütte

In Zechlinerhütte, 7 km nördlich der Stadt, erinnert eine Gedenkstätte an den Geophysiker, Meteorologen und Entdecker der Kontinentaldrift **Alfred Wegener** (1880–1930), der 1929 und 1930 an Expeditionen zum grönländischen Inlandeis teilnahm und 1930 beim Rückmarsch den Tod fand. In der »Weißen Hütte«, die von 1736 bis 1890 bestand, wurden prächtige Pokale und Gläser hergestellt.

✳
Neuruppin

Das im 13. Jh. gegründete Neuruppin, Geburtsort von Theodor Fontane (1819–1898) und Karl Friedrich Schinkel (1781–1841), liegt am Ruppiner See südlich von Rheinsberg. Der See, Teil des Ruppiner Seenkette, ist dank seiner Rad- und Wanderwege ein beliebtes Ausflugsziel. Das älteste Gebäude der Stadt und ihr **Wahrzeichen** ist die frühgotische Klosterkirche am Ruppiner See. Sie gehörte zu dem 1246 gegründeten Dominikanerkloster, das im 19. Jh. nach Schinkels Plänen restauriert wurde. Neben der Kirche steht die 650 Jahre alte Wichmannlinde, benannt nach Wichmann von Arnstein, dem Gründer des Klosters. Nach dem großen Stadtbrand von 1787 wurde die Innenstadt einheitlich im Stil des Frühklassizismus wieder aufgebaut. Das Heimatmuseum in der August-Bebel-Straße 14/15 besitzt die größte Sammlung »Neuruppiner Bilderbogen«, die den Namen der

Stadt zwischen 1825 und 1900 bekannt machten. Zwei Räume sind Karl Friedrich Schinkel bzw. Theodor Fontane gewidmet. Fontane wurde in der heutigen Löwenapotheke an der Hauptstraße Neuruppins geboren. Der Tempelgarten (auch Amaltheagarten) am westlichen Stadtrand erhielt sein jetziges Aussehen im 19. Jh.; der Rundtempel, das Erstlingswerk von Georg Wenzeslaus von Knobelsdorff, ist 1735 als offener Säulentempel im Auftrag des Kronprinzen Friedrich erbaut worden.

Zur Ruppiner Schweiz gehört nur das Gebiet der Rinnenseen nördlich von Neuruppin: der vom Rhin durchflossene Zermützelsee, der Teetzensee und der Molchowsee, ferner der Kalksee und der Tornowsee, die der Binenbach entwässert. Der Reiz dieser Landschaft entspringt dem hier **auf kleinem Raum stark bewegten Relief**. Dadurch unterscheidet sich die Ruppiner Schweiz von der nahe gelegenen, gleichförmigen und mit Kiefernwäldern bestandenen Wittstocker Heide. In die hügelige, von Buchen-Kiefern-Mischwäldern bedeckte Endmoräne der letzten Vereisung haben die Wasserläufe tiefe und steilwandige Täler gesägt. In den Wäldern stößt man auf weitere kleine Seen, auf Quellmoore und lichte Wiesen. An manchen Stellen wirkt die Landschaft wie ein Mittelgebirgstal, sodass es wohl berechtigt ist, von einer »Schweiz« zu sprechen. Ein hübscher Ort hier ist die Boltenmühle, eine 1718 auf Geheiß Friedrich Wilhelms I. am Tornowsee 15 km nördlich von Neuruppin errichtete Mühle und seit 1932 beliebte Ausflugsgaststätte. Von Neuruppin kann man mit dem Ausflugsschiff der Fahrgastschifffahrt Neuruppin hierher fahren.

✳
Ruppiner Schweiz

Ein Dorado für Paddler: die Seen, Kanäle und Flüsse im Ruppiner Land

Kyritz Via B 167 und B 5 erreicht man 30 km westlich von Neuruppin die Kreisstadt Kyritz an der Jäglitz. Eingebürgert hat sich allerdings die Bezeichnung **»Kyritz an der Knatter«**, obwohl eine Knatter nie existierte. Doch als noch Postkutschen von Berlin nach Hamburg hier vorbeifuhren, wurden die beiden Kyritzer Mühlen von den Reisenden spöttisch als »Knattermühlen« bezeichnet. Der Ort erhielt 1237 das Stendaler Stadtrecht und wurde 1417 als Hansestadt erwähnt: »Exportschlager« waren seinerzeit Tuche und Kyritzer Bier mit dem viel sagenden Namen »Mord und Totschlag«.

Schön sind die **Fachwerkhäuser mit Balkeninschriften und Schnitzwerk** aus dem 17. Jh., so in der Johann-Sebastian-Bach-Straße die Nr. 36 von 1682 und Ecke Bahnhofstraße Nr. 44 von 1663, ferner mehrere Traufenhäuser aus dem 18. Jh. Von der mittelalterlichen Stadtmauer existieren Reste an der Ostseite der Stadt; in der Straße An der Mauer steht z. B. ein halbrundes Wiekhaus. In der Pfarrkirche St. Marien, ursprünglich in der zweiten Hälfte des 15. Jh.s errichtet, sind u. a. ein Taufstein (16. Jh.) und die Kanzel (1714) sehenswert.

Kyritzer Seenkette Die über 20 km lange Seenkette östlich der Stadt ist nur für Wasserwanderer, Ruderer, Segler und Angler zugelassen. Die Insel im Untersee wird als beliebtes Ausflugsziel geschätzt.

Neustadt In Neustadt an der Dosse sind die Pfarrkirche, ein barocker Zentralbau in Form eines griechischen Kreuzes (1673–1696), und das

 RHEINSBERG ERLEBEN

AUSKUNFT

Tourist-Information
Kavalierhaus, 16831 Rheinsberg
Tel. (03 39 31) 20 59, Fax 3 47 04
www.rheinsberg.de

ESSEN

▶ **Preiswert**
Zum alten Brauhaus
Rhinhöher Weg 1, 16831 Rheinsberg
Tel. (03 39 31) 7 20 88
Kleinste Brauerei Brandenburgs:
Leckeres Bier und regionale Gerichte.

Zum Jungen Fritz
Schlossstraße 8, 16831 Rheinsberg
Tel. (03 39 31) 40 90
Gediegenes Lokal, mit altdeutschen
Speisen, Fisch- u. Wildgerichten.

ÜBERNACHTEN

▶ **Komfortabel**
Der Seehof
Seestraße 18, 16831 Rheinsberg
Tel. (03 39 31) 40 30, Fax 4 03 99
www.seehof-rheinsberg.de
Modernen Komfort in historischem
Ambiente bietet das charmante Hotel
im ehemaligen Ackerbürgerhaus
(1750). Empfehlenswertes Restaurant.

Schlosshotel Deutsches Haus
Seestraße 13, 16831 Rheinsberg
Tel. (03 39 31) 3 90 59, Fax 3 90 63
www.schlosshotel-rheinsberg.de
Angenehmes Hotel in Seenähe mit
bequemen, gut ausgestatteten Zimmern, schönem Bistro und gediegenem Restaurant.

Brandenburgische Landesgestüt sehenswert. Seine Hengstparaden im September locken zahlreiche Schaulustige an.

Etwas außerhalb Neustadts liegt das Dorf **Kampehl**. In der Gruftkapelle der frühgotischen Kirche ruht der mumifizierte Leichnam des **Ritters von Kahlbutz** († 1703), um dessen Leben und Sterben sich viele Legenden ranken: Er soll nach einer blutigen Freveltat einen falschen Eid geschworen haben und nun keine Ruhe finden.

> **!** *Baedeker* TIPP
>
> **Alles Lüge**
>
> Menschen mit Sinn für Skurriles dürfen das Lügenmuseum in Schloss Gantikow, begründet von der Urenkelin des Barons von Münchhausen, nicht auslassen. Sonst kommen sie nicht in den Genuss von Prof. Gigantikows »Psychodelika Maschinka«, der Wundertagesstätte mit Labor für Tourismusmagnetismus oder des »Vittoriale der Ostdeutschen« (Öffnungszeiten: Mo. bis Fr. 10.00–17.00 Uhr, Sa. und So. bis 18.00 Uhr).

Wittstock
In der alten Grenzfeste und Bischofsresidenz Wittstock 27 km nördlich von Kyritz umschließen Wallanlagen und die 2,5 km lange Stadtmauer mit Wiekhäusern, Gröpertor und den Resten einer Bischofsburg den historischen Stadtkern mit seinen engen Gassen und kleinen Fachwerkhäusern. Den Mittelpunkt bildet der Marktplatz mit Rathaus, dicht dabei die gotische St. Marienkirche (13. Jh.) mit einem prächtigen Backsteingiebel. Im Turm der alten Bischofsburg wurde 1998 das **Museum des Dreißigjährigen Krieges** eröffnet.

◄ Heiligengrabe
Nur wenige Kilometer westlich von Wittstock liegt das Klosterstift zum Heiligengrabe. Blutkapelle, Klosterkirche und das Damenstift sind in eine Parkanlage eingebettet.

✶ ✶ Rheintal

Atlasteil: S. 34 • A/B 3/4 und 43 • C/D 1/2

Bundesländer: Baden-Württemberg, Hessen, Rheinland-Pfalz, Nordrhein-Westfalen

Der Rhein ist die bedeutendste Wasserstraße und einer der landschaftlich schönsten Ströme Europas. Kaum eine Burg, kaum ein Felsen ist nicht mit einer Sage oder Legende verbunden. Am berühmtesten ist die Loreley mit ihrem Gesang. Auch das bekannteste deutsche Heldenepos, das »Nibelungenlied«, ist untrennbar mit dem Rheintal verbunden. 2002 hat die UNESCO das Obere Mittelrheintal zwischen Koblenz und Bingen zum Weltkulturerbe erklärt.

Verlauf
Der 1320 km lange Fluss entsteht im ostschweizerischen Graubünden aus Vorderrhein und Hinterrhein, die sich zum Alpenrhein vereinen. Er durchfließt den ► Bodensee, bildet danach den Rheinfall bei Schaffhausen und fließt als Hochrhein nach Basel. Dort wendet er sich nach Norden und durchzieht als Oberrhein die Oberrheinische

Tiefebene. Zwischen Mainz und Bingen fließt er nach Westen und durchströmt dann nordwestwärts als Mittelrhein das Rheinische Schiefergebirge; unterhalb von Bonn heißt er dann Niederrhein. Auf niederländischem Gebiet verzweigt sich der Rhein in mehrere Mündungsarme, die in die Nordsee fließen.

✶✶
»Vater Rhein«

Die Senke der Oberrheinischen Tiefebene begrenzen im Osten ▶ Schwarzwald, Kraichgau und ▶ Odenwald, im Westen Vogesen, Haardt und das Nordpfälzer Bergland. Ihre Lössablagerungen bilden ein **fruchtbares Obst- und Weinbaugebiet** (Markgräflerland, Kaiserstuhl, Ortenau, Deutsche Weinstraße, Bergstraße).

Der 100 km lange Mittellauf des Rheins trennt Rheingau (rechts) und Rheinhessen (links), die einst überflutet waren. Wie weit das Wasser früher reichte, zeigen noch heute die fossilienreichen Ablagerungen in den Sand- und Mergelgruben bei Gau-Algesheim, Sprendlingen, Messel und Weinheim. Der Strom, der bei Mainz dem Taunus nach Westen ausweicht, ändert bei Bingen wieder seine Richtung und durchbricht das Rheinische Schiefergebirge, das er unterhalb von Bingen in Hunsrück und Taunus teilt. In diesem widerstandsfähigen Gestein konnte er nur ein schluchtartig enges Tal bilden. Der Durchbruch ist auch wegen seines wechselnden Gefälles für die Schifffahrt sehr hinderlich; dies gilt vor allem im Binger Loch, dann wieder beim sagenumwobenen Loreleyfelsen und bei St. Goar. In den dazwischen liegenden offeneren Talsenken liegen schmucke Städtchen, Rebfluren und Obstbaugebiete, was zusammen mit den auf den steilen Talrändern thronenden Burgen und einer Reihe von Strominseln ein überaus abwechslungsreiches Landschaftsbild, das **klassische Rheintal**, ergibt. Unterhalb der Moselmündung bei Koblenz verbreitert sich das Tal zum kleinen Neuwieder Becken.

Kurz vor dem Eintritt des Stroms in die Niederrheinische Ebene erhebt sich auf dem rechten Ufer als Ausläufer des Westerwaldes das Siebengebirge, der prächtige Abschluss des Mittelrheins. Dann erreicht der Rhein die flachwellige Kölner oder Niederrheinische Tieflandsbucht. Bei Bonn beginnt der

Rheintal Orientierung

Burgen und Schlösser
am Mittelrhein

Altwied
Neuwied
Neuwied
Engers
Sayn
Bendorf
Vallendar
Weißen-thurm
Koblenz
Kurfürstl. Schloss
Ehrenbreitstein

Ehrenfels
Plixholz
Brömserburg
Boosenburg
Vorderburg
Schwarzenstein
Johannisberg
Vollrads
Reichardshausen
Hattenheim
Reinhartshausen
Eberbach
Kurfürstliche Burg
Scharfenstein
Crass
Walluf

Stolzenfels
Lahneck
Lahnstein
Martinsburg
Braubach
Marksburg
Alte Burg
Philippsburg
Sterrenberg
Liebenstein
Reichenberg

Kurfürstl. Burg
Liebeneck
Maus
St. Goarshausen Katz

Rhineck
Gutenfels
Kaub
Sareck
Nollig

Wiesbaden
Sonnenberg

St. Goar
Oberwesel
Pfalz

Frauenstein

Bacharach
Lorch
Biebrich
Walluf
Eltville
Oestrich-Winkel
Kurfürstl. Schloss

Trechtingshausen
Rüdesheim
Geisenheim
Mäuse-turm
Heidesheim
Winterech
Mainz

Bingerbrück
Klopp
Kaiserpfalz
Bingen
Ardeck Ingelheim
Trutz-bingen

Nierstein

© *Baedeker*

Rheinfels
Schönburg
Stahlberg
Stahleck
Fürstenberg
Heimburg
Sooneck
Rheinstein
Reichenstein

Burg/Schloss
Ruine
Kloster

eigentliche Niederrhein. Am Fuß des von einem Kloster bekrönten Eltener Berges passiert der Rhein dann die niederländische Grenze.

Tausendfach besungen wurde der **Wein vom Rhein**. Drei Regionen führen »Vater Rhein« im Namen. Der rechtsrheinische Rheingau an den Hängen des Rheingaugebirges zwischen Eltville und Lorch – hier liegt auch Rüdesheim – ist die bekannteste. Sie liefert zu fast 80% Rieslinge und etwas mehr als 10% Spätburgunder. Linksrheinisch folgt die Region Rheinhessen, die allerdings nur zu einem geringen Teil direkt am Rheinufer liegt und sich weit nach Süden weg vom Strom ausdehnt; von hier kommen hauptsächlich Müller-Thurgau, Silvaner und Riesling. Nordwärts, auf beiden Ufern, schließt sich das sehr kleine Gebiet Mittelrhein an, wo wieder überwiegend Riesling gekeltert wird.

> ! **Baedeker** TIPP
>
> **Rhein in Flammen**
>
> Alljährlich in fünf Nächten zwischen Mai und September steht der »Rhein in Flammen«. Dann steigen zwischen Rüdesheim und Bonn Feuerwerksraketen in die Höhe, bengalische Feuer beleuchten die Uferhänge und die Burgen, Feuerkaskaden ergießen sich ins Tal, und dazu paradieren die erleuchteten Rheindampfer. Genaue Termine erfährt man unter www.rhein-in-flammen.com oder u. a. bei den Tourismusinformationen in Bonn, Koblenz und Mainz.

Rheinschifffahrt

Den regelmäßigen Personenverkehr auf dem Rhein organisiert die Köln-Düsseldorfer Deutsche Rheinschifffahrt AG (KD). Der Schifffahrtsdienst beginnt alljährlich zu Ostern und endet Mitte Oktober (Auskunft: Tel. 02 21/20 88-318, Fax 20 88-345).

✶ Rheinhöhenweg

Der seit 1907 bestehende Rheinhöhenweg verläuft linksrheinisch von Oppenheim bis Bonn (240 km), rechtsrheinisch von Wiesbaden bis Bonn-Beuel (272 km).

✶ ✶ Linke Rheinuferstraße (von Mainz nach Köln)

Mainz

►dort

Ingelheim

Das **alte Winzerstädtchen** Ingelheim ist bekannt für seinen Rotwein. In Niederingelheim fand man bei der Saalkirche (12. Jh.) die Reste einer Kaiserpfalz Karls des Großen und Ludwigs des Frommen, in Oberingelheim sind die romanisch-gotische Burgkirche und eine alte Ortsbefestigung sehenswert.

Bingen

Bingen liegt an der Mündung der Nahe und oberhalb des Binger Lochs, wo der Strom das Rheinische Schiefergebirge durchbricht. In der Altstadt erhebt sich unweit oberhalb der Nahe die spätgotische Pfarrkirche (15./16. Jh.) mit karolingischer und romanischer Krypta. Über der Stadt liegt die **Burg Klopp** (13. Jh.; 1711 von den Franzosen gesprengt, im 19. Jh. erneuert) mit dem Heimatmuseum.

Beeindruckender Blick über eine Natursehenswürdigkeit: Auf halbem Weg von der Quelle zur Nordsee liegt die Rheinschleife von Boppard.

Mäuseturm ▶ Jenseits der Nahebrücke steht im Rhein der Mäuseturm, eine Zollstätte aus dem 13. Jh., bekannt durch die Sage vom grausamen Mainzer Erzbischof Hatto: Er soll während der Zeit einer Missernte alles Getreide für sich behalten haben. Deshalb wurde er als Strafe für seine Hartherzigkeit in seinem Turm von Mäusen aufgefressen.

Bacharach Bacharach, ein **altbekannter Weinhandelsplatz**, ist von einer turmreichen Ringmauer (16. Jh.) umgeben und wird von der Ruine Stahleck (Jugendherberge) beherrscht. Am Marktplatz stehen einige Fachwerkhäuser (16. Jh.) und die spätromanische Peterskirche (13. Jh.); der Münzturm beherbergt ein Wein- und Heimatmuseum. Am Weg zur Burg Stahleck trifft man auf die Ruine der Wernerkapelle (13.–15. Jh.).

Oberwesel In dem ummauerten Städtchen Oberwesel lohnt die Frauenkirche (1308–1331) mit ihrer wertvollen Barockorgel und dem Flügelaltar einen Besuch. Am unteren Stadtrand befindet sich auf der Stadtmauer die gotische Wernerkapelle (um 1300). Über der Stadt liegt die **Schönburg**, von der sich eine wunderbare Aussicht auf Kaub, die Pfalz und die Burg Gutenfels bietet.

St. Goar Am Fuß der mächtigen Burgruine Rheinfels liegt St. Goar. Bis zur Sprengung durch die Franzosen im Jahr 1797 war Rheinfels die

▶ RHEINTAL ERLEBEN

AUSKUNFT

Landesverkehrsverband Rheinland
Ottoplatz 2, 50649 Köln
Tel. (02 21) 8 09 76 67, Fax 8 09 76 68
www.rheinlandinfo.de

ESSEN

► Fein & Teuer
Vaux
Freygässchen 1,
65343 Eltville am Rhein
Tel. (0 61 23) 6 90 60
Zur altehrwürdigen Burg Crass am
Rheinufer (wunderschöne Terrasse!)
mit modernem Hotel gehört das
klassische Gourmetrestaurant.

► Erschwinglich
Zum Turm
Zollstraße 50, 56349 Kaub
Tel. (0 67 74) 9 22 00
Gemütlich-rustikal eingerichtetes
Restaurant in einem 300 Jahre alten
Gebäude. Verfeinerte regionale Spei-
sen und edle Gourmetgerichte.

Gasthaus Hirsch
Rheinstraße 17,
56154 Boppard-Hirzenach
Tel. (0 67 41) 26 01
Liebevoll eingerichtetes Restaurant
mit nur fünf Tischen (Reservierung!).
Frisches marktorientiertes Speisenan-
gebot und gepflegte Tischkultur.

Rolandsbogen
Am Rolandsbogen,
53424 Remagen-Rolandswerth
Tel. (0 22 28) 3 72
Die Ruine von Burg Rolandseck beherbergt ein traditionsreiches, liebevoll
eingerichtetes Restaurant, in dem
schon Konrad Adenauer, Bill Clinton
und Gerhard Schröder speisten.
Feinschmeckerküche mit einmaligem
Blick über Rhein und Siebengebirge.

► Preiswert
Millennium
Bleichstraße 1,
55218 Ingelheim am Rhein
Tel. (0 61 32) 8 89 00
Modernes Restaurant, Innenhofter-
rasse, mediterran beeinflusste Küche.

ÜBERNACHTEN

► Luxus
Krone Assmannshausen
Rheinuferstraße 10,
65385 Rüdesheim-Assmannshausen
Tel. (0 67 22) 40 30, Fax 30 49
www.hotel-krone.com
Edles Hotel am Rheinufer, Gourmet-
restaurant und geheiztes Freibad.

► Komfortabel
Bellevue
Rheinallee 41, 56154 Boppard
Tel. (0 67 41) 10 20, Fax 10 26 02
www.bellevue-boppard.de
Altehrwürdiges Jugendstil-Hotel
(1887) in reizvoller Aussichtslage.
Klassisch-elegante Einrichtung, ge-
diegenes Restaurant, Schwimmbad,
Sauna, Fitnessstudio und Massage.

Gästehaus Kloster Eberbach
65346 Eltville-Kloster Eberbach
Tel. (0 67 23) 99 30
Fax 99 31 00
www.klostereberbach.com
Historisches Gästehaus neben mittelalterlicher Klosteranlage. Schlichte, wohnliche und ruhige Zimmer.
Modernes Restaurant mit Biergarten.

► Günstig
Martinskeller
Martinstraße 1, 55411 Bingen
Tel. (0 67 21) 1 34 75, Fax 25 08
Ruhiges kleines Haus garni im ehe-
maligen Weinhandlungshof (1884);
schöne Zimmer mit Fachwerk.

mächtigste Feste des Rheintals. Vom Uhrturm kann man die gesamte Anlage übersehen und auf die Burgen Katz und Maus am anderen Rheinufer blicken. Am gegenüberliegenden Flussufer ragt der Lore-ley-Felsen in das Tal hinein. Steile und bewaldete Ufer kennzeichnen das Rheintal.

Boppard ✳ An der Stromschleife Bopparder Hamm liegt das ehemalige Reichs-städtchen Boppard. Am Burggraben und in der Karmeliterstraße wurden beachtliche Reste eines **Rö-merkastells** gefunden, das wohl am besten erhaltene Deutschlands. Im archäologischen Park Boppards ist zudem die 55 m lange Mauer-front des Kastells aus dem 4. Jh. mit zwei Türmen zu sehen, die einst die Rheingrenze gegen die Germanen sichern sollte. Sehens-wert ist auch die zweitürmige Se-veruskirche (12./13. Jh.) mit roma-nischen Wandmalereien.

Der Turm der ehemaligen kur-fürstlichen Burg birgt heute das Heimatmuseum, das u. a. Möbel des in Boppard geborenen Michael Thonet (1796–1871) zeigt. Nörd-lich von Boppard kann man per Sessellift auf den **Aussichtspunkt Gedeonseck** fahren, von dem sich ein schöner Blick auf die Rhein-schleife bietet.

> **! Baedeker TIPP**
>
> ### Villa Rolandseck
>
> Gegenüber der Insel Nonnenwerth, unterhalb des Rolandsbogens, lädt eine schöne Rheinvilla mit Café zu bemerkenswerten Ausstellungen ein. Heute Künstlergalerie, diente die Villa einst als Hotel, als Privatresidenz des sowjetischen Botschafters und später als Quartier der Bot-schaft von Zaire (die Galerie ist Di. bis Fr. 14.00–18.00 Uhr und So. 12.00–17.00 Uhr, das Künstlercafé Fr. und Sa. 18.00–22.00 Uhr und So. 12.00–22.00 Uhr geöffnet).

Andernach Bei Andernach erreicht man wieder den Rhein. Die Stadt geht auf das **Römerkastell** Autunnacum zurück. Gut erhalten ist die Stadt-mauer (14./15. Jh.) mit ihren Toren. Neben dem Koblenzer Tor (um 1450) liegen die Reste des 1689 zerstörten kurkölnischen Schlosses. Beachtenswert sind zudem das spätgotische Rathaus (1572) mit einer ursprünglich zur Hochstraße hin offenen Markthalle und die spätro-manische Liebfrauenkirche (Mariendom; 13. Jh.). Andernach ist Ausgangspunkt der Rundfahrt durch die nördliche ►Eifel.

Bad Breisig Der beliebte **Thermalkurort** Bad Breisig besitzt drei Quellen. Im Ortsteil Oberbreisig besticht die Pfarrkirche St. Viktor (13. Jh.), in Niederbreisig sind die barocke Pfarrkirche Mariä Himmelfahrt (1718) und schöne Bürgerhäuser (17.–18. Jh.) zu bewundern.

Sinzig Sinzig, das römische Sentiacum, liegt etwa 2 km vom Rheinufer ent-fernt in der fruchtbaren **»Goldenen Meile«** unweit der Ahrmündung. Die alte Barbarossapfalz (Heimatmuseum) und Reste der Stadtmauer sind erhalten; auf einer Anhöhe steht die spätromanische Pfarrkirche St. Peter (13. Jh.). Bei Sinzig zweigt die Straße in das ►Ahrtal ab.

Remagen ist keltischen Ursprungs; der Name geht aber auf das **Rö-** | **Remagen**
merkastell Ricomagus zurück. Am unteren Ortsende liegt die neuromanische Pfarrkirche St. Peter und Paul, der als Vorhalle das Langhaus einer alten romanischen Kirche (11. Jh.) dient. Unterhalb der
Kirchenterrasse und beim Rathaus findet man Reste des Römerkastells; mehr darüber erfährt man im Römischen Museum in der
ehemaligen **Knechtstedener Kapelle**. Als kirchenbauliches Schmuckstück offenbart sich die **Apollinariskirche**, denn sie wurde 1839–
1842 vom Kölner Dombaumeister Zwirner gebaut und von Mitgliedern der Künstlergruppe der Nazarener ausgemalt. Die Remagener
Eisenbahnbrücke schrieb Geschichte: US-Truppen besetzten sie als
einzige intakte Rheinbrücke am 7. März 1945; 10 Tage und zahllose
Truppentransporte später stürzte sie ein. Im linksrheinischen Turm
ist heute ein Friedensmuseum eingerichtet.

Im Ortsteil Rolandseck ist der sehr schöne spätklassizistische ehema- | **Arp Museum**
lige Bahnhof zum **»Künstlerbahnhof«** umgewandelt worden, wo die | **Rolandseck**
Hans Arp Stiftung mit Museum untergebracht ist. Der 105 m über | ✳
dem Rhein stehende Rolandsbogen ist der Rest der 1475 zerstörten | ◄ Rolandsbogen
Burg Rolandseck; von hier bzw. von der Restaurantterrasse bietet
sich ein prachtvoller Blick auf das Siebengebirge.

Über die Co-Bundeshauptstadt ►Bonn gelangt man schließlich zur | **Bonn**
Domstadt ►Köln. | **Köln**

✳ Rechte Rheinuferstraße (von Wiesbaden nach Köln)

►dort | **Wiesbaden**

Eltville liegt malerisch zwischen Weinbergen. Die Burg, die zwischen | ✳
1330 und 1345 erbaut wurde und lange Zeit die Residenz der Main- | **Eltville**
zer Kurfürsten war, beherbergt heute eine **Gutenberg-Gedenkstätte**.
Sehenswert ist zudem die gotische Kirche St. Peter und Paul aus dem
14. Jh. Ein lohnender Abstecher führt zu der 3,5 km nordwestlich gelegenen ehemaligen Zisterzienserabtei Eberbach, das bedeutendste
mittelalterliche Kunstdenkmal in Hessen. Heute befindet sich in den
Konventsgebäuden ein staatliches Weingut. Seit 850 Jahren wird hier
Wein gekeltert.

Seit dem ausgehenden 19. Jh. hat sich Rüdesheim, bekannt für seine | ✳
Drosselgasse, zu einem der **meistbesuchten Fremdenverkehrsorte** | **Rüdesheim**
am Mittelrhein entwickelt. In der Brömserburg (10. Jh.) wurde das
Rheingauer Weinbaumuseum eingerichtet; erhalten sind auch Teile
der Boosenburg (urspr. 10. Jh.) und der Vorderburg. Rüdesheim besitzt außerdem ein Rechtskundemuseum, das sich bezeichnenderwei-
se auch Mittelalterliches Foltermuseum nennt. Sehenswert sind zahl-
reiche Bürger- und Adelshöfe aus dem 16.–18. Jh., besonders der | ✳
Brömserhof mit einer Sammlung mechanischer Musikinstrumente. | ◄ Nieder-
walddenkmal

Das zünftige Ritteressen ist vor allem für große Gruppen ein Spaß.

WO KELLNER UND KÖCHE THEATER MACHEN

Die Stars der deutschen Kochszene heißen Eckart Witzigmann, Harald Wohlfahrt oder Alfons Schuhbeck. Wenn die kühlen Monate anbrechen, laden sie zu glitzernden Gastro-Varieté-Shows ein. Nicht nur auf den Tellern soll es bunter zugehen, sondern vor allem drumherum. Diesem Motto haben sich viele professionelle Gastgeber auf sehr verschiedene Art verschrieben.

Derbes Rittermahl

Historische Rittergelage erfreuen sich höchster Beliebtheit, auch wenn hier eher **Freunde der deftigen Küche und derben Sitten** zum Zug kommen. Auf der Trendelburg nördlich von Kassel geht es nach »Pfotenwaschung«, Begrüßungstrunk aus dem Ochsenhorn und Anlegen der schützenden Tappert in den historischen Gewölbekeller zur »Trendelburger Tafeley«. Beim **Rittergelage auf der Reichsburg Cochem**, einer der schönsten deutschen Burgen, gibt es neben »deftig Speys und fürtrefflichen Humpen Wein« eine gründliche Einführung in mittelalterliche Tischsitten – dabei darf, nein, muss bei Tische geschmatzt und sogar gerülpst werden (www.rittertafel.de oder www.rittermahl.de).

Dinner im Dunkeln

Diese Idee kommt aus Hamburg, von den Machern der Ausstellung »Dialog im Dunkeln«: Ein Abendessen in einem komplett abgedunkelten Raum, serviert von sehbehinderten Hilfskräften als »**Herausforderung für Gaumen und Tischkultur**«, aber auch als Hochleistungstest für Geruchs- und Geschmackssinn (Tel. 07 00/44 33 20 00, www.dialog-im-dunkeln.de). Es gibt auch schon die ersten **Dunkelrestaurants**: Zum Gaumen- kommt noch ein ausgesuchter Ohrenschmaus hinzu – spezielle sanfte Musik. Verona Feldbusch war nach Besuch der Unsicht-Bar in Köln genauso angetan wie Herbert Feuerstein. Um Unfälle zu vermeiden, wird Gästen ein »Dunkelknigge« ans Herz gelegt: das Aufstehen und Anzünden von Zigaretten ist verboten (Tel. 02 21/2 00 59 10, www.unsichtbar.com).

Varieté bei Tisch

Im Herbst zelebrieren unter dem Namen »**Palazzo**« die Gourmet-Varietéshows der Starköche eine atemberaubende Verbindung von Show, Magie, Witz und höchster Kochkunst (www.schuhbeck.de oder www.witzig-

Genüsse für alle Sinne im Spiegelzelt: Zum edlen Menü wird eine unterhaltsame Show geboten.

mann-palazzo.de). Daneben gibt es zahlreiche Restaurant-Theater, in Berlin etwa **Pomp Duck & Circumstance**, die die neue Show »Köche, Krone, Kritiker« gestartet haben (Tel. 0 30/26 94 92 00, www.pompduck.de). Das Berliner »Ente-im-Rausch« Comedy-Ensemble trägt zur witzigen Unterhaltung der Gäste bei – da machen die Kellner schon mal richtig Theater (Tel. 0 30/20 94 57 92, www.die-ente-im-rausch.de).

Eine spektakuläre Dinnershow ist **»Ganymée on Water«**, die seit Oktober 2004 auf dem Eventschiff »MS Rhein-Energie« aufgeführt wird. Varieté- und Zirkuskunst, Clowns, Comedians, Ballett und Gesang – die Show spricht alle Sinne an. Gäste können sich auf eine romantische Fahrt auf dem Rhein freuen und von der prickelnden Moulin-Rouge-Atmosphäre verzaubern lassen. Der Katamaran verkehrt täglich, angesteuert werden Köln, Düsseldorf, Bonn, Duisburg, Koblenz, Mainz und Rotterdam. Für die kulinarischen Genüsse an Bord sorgt 3-Sterne-Koch Dieter Müller (Tel. 01 80/5 28 01, www.ganymee.com).

Im marokkanischen Königszelt

Ungewöhnliche Locations sind gefragt: In Berlin-Tegel gastiert auf dem Bernhard-Lichtenberg-Platz das marokkanische **»Zelt der Sinne«**. Der geheimnisvolle Duft von Wasserpfeifen und Minzetee durchströmt die Luft, man lauscht orientalischen Klängen, und der Gaumen wird bei einem köstlichen Viergang-Menü rundum verwöhnt (Tel. 0 18 05/57 00 00, www.madi-zeltderSinne.de).

Im Münchener Liegerestaurant **»Nektar«** in den Gewölben des alten Preysingkellers nehmen die Gäste auf einer bequemen Liegefläche Platz und bekommen gleich hier ein Prix Fixe Menue vom Küchenchef Markus Huschka serviert (Tel. 0 89/45 91 13 11, www.nektar.de). Den Komfort, den schon die Römer zu schätzen wussten, gibt es auch im Bed-Restaurant **»Silk«** des Frankfurter Nobelclubs Cocoon. Hier essen die Gäste im orientalischen Stil auf weißen Leder-Couchen, was 3-Sterne-Koch Mario Lohninger kreiert (Tel. 0 69/90 02 00, www.cocoonclub.net).

Seemannsfrühstück oder New Orleans Jazz

Wem das nicht erdig genug ist, der kann sich auf das **»Feuerschiff«** im Hamburger Hafen begeben, das zu einem »Bar-Pub-Restaurant-Hotel-Veranstaltungs-Schiff« umgebaut wurde und das ganze Jahr über viele Menschen mit Jazz, toller Hafen-Aussicht und kulinarischen Fisch-Genüssen erfreut (Tel. 0 40/36 25 53, www.das-feuerschiff.de).

Über Rüdesheim thront das weithin sichtbare Niederwalddenkmal, eine 10,5 m hohe Statue der Germania, die zum Gedenken an die Gründung des Deutschen Reichs (1871) aufgestellt wurde. Von hier aus bietet sich eine prächtige Aussicht auf das Tal, Bingen und die Nahemündung.

Kaub

Kaub, einst Zollstätte und Lotsenort, ist noch heute eine der **bedeutendsten Weinbaugemeinden** am Mittelrhein. Die mittelalterliche Stadtmauer ist gut erhalten. Ein Standbild des Feldmarschalls Blücher erinnert an den Rheinübergang der schlesischen Armee in der Neujahrsnacht 1813/1814. Kaub wird überragt von Burg Gutenfels

✳

Pfalz ►

(13. Jh.). Im Rhein liegt der Pfalzgrafenstein (meist kurz »die Pfalz bei Kaub« genannt), eine 1326 zur Sicherung des Rheinzolls erbaute **Flussfeste**.

St. Goarshausen

Die Loreleystadt St. Goarshausen liegt zu Füßen der Burg Katz (14. Jh.; im 19. Jh. wieder hergestellt). Am oberen Ende des in seinem mittelalterlichen Kern wohl erhaltenen Orts stehen zwei Wachttürme (14. Jh.) der ehemaligen Stadtbefestigung.

✳ ✳

Loreley ►

Die Loreley (132 m hoch) ist ein mächtiger, am hier nur 113 m breiten Rhein aufragender Schieferfelsen. Berühmt wurde sie durch die im beginnenden 19. Jh. aufkommende Sage von der schönen Jungfrau Loreley, die mit ihrem Gesang vorüberfahrende Schiffer ins Verderben lockte. Rheindampfer lassen hier das Lied »Ich weiß nicht, was soll es bedeuten« erklingen, dessen Text von Heinrich Heine stammt und das von Friedrich Silcher vertont wurde. Auf dem Felsplateau werden im Sommer oft härtere Töne angeschlagen, wenn auf der Freilichtbühne Rockkonzerte stattfinden. Als Expo-Projekt ist

Vom Ausflugsschiff sieht man gut den Zollturm Pfalzgrafenstein auf einer Insel mitten im Rhein und Burg Gutenfels über dem Städtchen Kaub.

der **Landschaftspark Loreley** entstanden. Im Besucherzentrum gibt es eine Ausstellung zur Natur des Felsens und zur Rheinschifffahrt sowie einen »Mythosraum«.

Am oberen Ende des alten Städtchens Braubach sind noch Teile des 1568 erbauten Schlosses Philippsburg erhalten. Ansonsten verfügt der Ort über die romanische Friedhofskapelle St. Martin (um 1000) und schöne Fachwerkhäuser. Über Braubach thront die Marksburg, die **einzige unzerstörte Höhenburg am Rhein**. Neben ihrer schönen Lage bestechen die mittelalterliche Gartenanlage und das Burgmuseum, das eine große Sammlung von Rüstungen besitzt.

Braubach

✱

◄ Marksburg

►dort

Koblenz

Linz, gegenüber der Ahrmündung am Rand des Westerwalds gelegen, besitzt hübsche bunte Fachwerkhäuser, vor allem am Marktplatz und am Burgplatz. Die Burg Linz (14. Jh.) war **Sommersitz der Kölner Erzbischöfe**. In der erhöht gelegenen spätromanischen Pfarrkirche St. Martin sind Wandmalereien aus dem 13. Jh. zu sehen.

Linz

Über Bad Honnef, Königswinter, das Siebengebirge (►Bonn, Umgebung) und ►Bonn gelangt man schließlich nach ►Köln.

Bonn
Köln

Rhön

Atlasteil:	**Bundesländer:**
S. 37 • C 4 und 45 • C/D 1	Bayern, Hessen und Thüringen

Während früher viele Menschen die Rhön verließen, lebt die Region heute zumindest teilweise vom Fremdenverkehr, vor allem die Kurorte. Dem Auge bieten sich sanfte Bergkuppen mit dichtem Laubwald und hübsche Täler mit vielen Streuobstwiesen und Rhönschafen dar. Die Kammlagen der Rhön sind kühl und windig.

Die Höhen der Rhön steigen fast genau in der Mitte Deutschlands auf und werden im Norden begrenzt von der Fulda und der Werra, im Süden von den Flüssen Sinn und Fränkische Saale. Der südliche und östliche Teil des Gebiets gehört zu Bayern, der Nordwesten zu Hessen und der nordöstliche Zipfel zu Thüringen. Zahlreiche Einzelberge und Bergmassive verdanken ihre Entstehung **vulkanischen Durchbrüchen und Deckenergüssen**. Je nach örtlicher Gegebenheit sind dadurch teils kegel-, teils plateauförmige Berge entstanden.

Mittelgebirge im Dreiländereck

In der Rhön sind zwei Naturparks eingerichtet: im Nordwesten der »Naturpark Hessische Rhön« und im Südosten der »Naturpark Bayerische Rhön«. Rund um das Dreiländereck – Bayern, Thüringen und

Naturparks

! *Baedeker* TIPP

Point Alpha

Wäre der Dritte Weltkrieg ausgebrochen, es wäre wahrscheinlich hier passiert. Denn ein Angriff des Warschauer Pakts wurde im »Fulda Gap« erwartet, wo das Territorium der DDR am weitesten in bundesdeutsches Gebiet hineinragte. Die US-Army richtete hier, bei Rasdorf, 25 km nordöstlich von Fulda, in den 1950er-Jahren ihren Beobachtungsposten Point Alpha ein. Der Beobachtungsturm, die Unterkünfte und die z. T. gerade 5 m davon entfernten DDR-Grenzanlagen sind heute Museum, Mahn- und Gedenkstätte (Information: Tel. 0 66 51/91 90 30; Öffnungszeiten: tgl. 10.00–17.00 Uhr).

Hessen – ist 1991 ein größeres Gebiet als **UNESCO-Biosphärenreservat** ausgewiesen worden. Über den Naturraum Rhön informiert man sich am besten im Haus der Schwarzen Berge in Wildflecken-Oberbach.

Die Rhön besteht im Grunde genommen nur aus einem zusammenhängenden Gebirgsstrang: die Hohe Rhön, eine mit Gras und Mooren bedeckte Hochfläche von 700–900 m. Höchste Erhebung ist mit 950 m die Wasserkuppe, deren Hänge überwiegend kahl sind. Die sanft abfallenden, unbewaldeten Hänge der Wasserkuppe sind ein **Dorado für Flugsportler**. Ob Segel-,

✱ Wasserkuppe

Motor-, Drachen- oder Gleitschirmflieger – alle treffen sich hier oben. Bereits 1911 unternahmen wagemutige Pioniere mit einfachen Fluggeräten die ersten Gleitflüge, 1924 wurde auf der Wasserkuppe die erste Segelflugschule der Welt eröffnet. Darüber informiert das Segelflugmuseum Wasserkuppe. Nördlich und westlich der Hohen Rhön erstreckt sich die Kuppenrhön, eine Region mit einzeln stehenden Basaltbergen in Kegel- oder Sargform.

Reiseziele in der Rhön

Bad Brückenau

Bad Brückenau am südwestlichen Rand der Rhön im Tal der Sinn gliedert sich in das 1747 gegründete Staatsbad mit seinen drei Heilquellen und das östlich jenseits des Kurparks gelegene Städtische Heilbad. Das **Heimatmuseum** dokumentiert die bäuerliche Kultur der Rhön, vor allem Flachsgewinnung und -verarbeitung.

Bad Neustadt

Weiter östlich an der Fränkischen Saale liegt Bad Neustadt. Beachtenswert sind die Salzburg und der zu ihren Füßen liegende Kurpark mit Wandelhalle im Stadtteil Neuhaus. Besonders bemerkenswert ist das historische Bad Neustadt mit seiner **fast vollständig erhaltenen Stadtmauer**, die in Herzform den Stadtkern umschließt. Die »Herzspitze« markiert das **Wahrzeichen** der Stadt, das Hohntor (um 1578). Zu den kunsthistorischen Kostbarkeiten Frankens zählt die Karmelitenkirche mit ihrem barocken Hauptaltar (um 1650), genauso wie einer der ältesten Kirchenbauten Deutschlands, die romanische Pfarrkirche im Ortsteil Brendlorenzen mit ihren Grundmauern von 741/742 und den wertvollen Fresken.

Streutal ►

Bei Bad Neustadt mündet von Norden die Streu in die Fränkische Saale. Entlang des Streutals trifft man auf die typisch fränkische

► RHÖN ERLEBEN

AUSKUNFT

Tourist-Information Rhön
Spörleinstraße 11,
97616 Bad Neustadt
Tel. (0 97 71) 9 41 18, Fax 9 43 00
www.rhoen.de

Rhön Info-Zentrum
Wasserkuppe 1,
36129 Gersfeld
Tel. (0 66 54) 91 83 40, Fax 9 18 34 20
www.rhoen.de

ESSEN

► Fein & Teuer
**Gourmetrestaurant
im Parkhotel Laudensack**
Kurhausstraße 28,
97688 Bad Kissingen
Tel. (0 9 71) 7 22 40
Schickes Hotelrestaurant mit sehr
vornehmer Tischkultur, genießen Sie
vorzüglich zubereitete französisch-
mediterrane Gourmetküche und
einen ebenso aufmerksamen wie
freundlichen Service.

► Erschwinglich
Schloss Saaleck
Saaleckstraße 1,
97762 Hammelburg
Tel. (0 97 32) 20 20
Gehobene saisonal orientierte Küche
im gediegenen historischen Ambiente
von Schloss Saaleck, freundlicher
Service.

Restaurant Café Silberdistel
Frankenstraße 7,
Bad Bocklet
Tel. (0 97 08) 9 19 00
Saisonregionale Küche mit Spezialitä-
ten aus der Region. Wildspezialitäten
und hausgemachter Kuchen.

► Preiswert

Fränkischer Hof
Spörleinstraße 3,
97616 Bad Neustadt an der Saale
Tel. (0 97 71) 6 10 70
Mitten in der historischen Altstadt
gelegenes Fachwerkhaus aus dem
16. Jh., rustikales Ambiente, schöne
Innenhofterrasse, bodenständige
regionale Küche.

ÜBERNACHTEN

► Luxus
Steigenberger Kurhaushotel
Am Kurgarten 3,
97688 Bad Kissingen
Tel. (09 71) 8 04 10, Fax 8 04 15 97
www.bad-kissingen.steigenberger.de
Traditionsreiches Haus am Rand des
Kurgartens, elegant, zeitgemäß eingerichtete Zimmer, direkter Zugang
zum Kurhausbad, klassisches Restaurant mit internationaler Küche.

► Komfortabel
Kur-und Schlosshotel
Kurhausstraße 37,
Bad Neustadt an der Saale
Tel. (0 97 71) 6 16 10, Fax 25 33
www.hotel-schloss-neuhaus.de
Stilvolles Ambiente im Barockschloss
am Kurpark, mit großzügigen Zim-
mern, moderne Ausstattung.
Restaurant im Landhausstil, schöne
Gartenterrasse, kreative neue Küche.

► Günstig
Stadtcafé
Am Marktplatz 8,
97762 Hammelburg
Tel. (0 97 32) 9 11 90, Fax 16 79
www.stadtcafé-hammelburg.de
Hotel direkt am historischen Markt-
platz, das seinen Namen dem Café im
Erdgeschoss verdankt.

Kleinstadt Mellrichstadt mit doppeltem Stadtmauerring, auf den Luftkurort Ostheim mit einem Orgelbaumuseum und auf Fladungen mit Rhönmuseum und Fränkischem Freilandmuseum.

Kloster Kreuzberg ✳

Über Bischofsheim – auch dies eine mauerumgürtete fränkische Kleinstadt – erreicht man von Bad Neustadt aus den Kreuzberg, einen **jahrhundertealten Wallfahrtsort**. Das Kloster wurde im 17. Jh. gegründet; die Franziskaner verstehen sich auf das Brauen eines sehr guten Dunkelbiers, das nur hier oben ausgeschenkt wird.

Bad Bocklet

Auf dem Weg von Bad Neustadt nach Bad Kissingen passiert man im Tal der Fränkischen Saale Bad Bocklet. Nicht nur der herrliche Kurgarten mit den umstehenden Gebäuden, auch die vierspännige Postkutsche, die im Sommer nach Bad Kissingen fährt, ist im **Biedermeierstil** gehalten. Im nahen Aschach lohnt das **Graf-Luxburg-Museum** einen Besuch. Die Kunstsammlungen umfassen Barockschränke, Schreibtische des Rokoko, altdeutsche Tafelbilder, Silber, Porzellan, Zinn und altchinesische Keramik.

Aschach ►

Bad Kissingen ✳

Mittelpunkt des Kurbetriebs im bayerischen Staatsbad Bad Kissingen ist das **Kurgastzentrum**. An der Westseite des Kurgartens steht der Regentenbau mit Festsaal und Gesellschaftsräumen, an der Südseite die große Wandel- und Brunnenhalle, in deren Querbau die beiden wichtigsten Trinkquellen: Rakoczy und Pandur sprudeln. Gegenüber der Wandel- und Brunnenhalle erstreckt sich auf dem linken Ufer der Saale der Luitpoldpark mit dem Luitpoldbad und dem Luitpold-Casino (Spielbank), südöstlich davon kommt man zum Ballinghain mit einem Terrassenfreibad. In der Nähe bietet die Ruine Botenlauben, Überrest der Burg des Minnesängers Otto von Botenlauben († 1245) eine schöne Aussicht über die Umgebung.

Auf der Wasserkuppe eröffnete 1924 die erste Segelflugschule der Welt.

Immer noch im Tal der Fränkischen Saale erreicht man schließlich Hammelburg, für das der

Hammelburg

Weinbau schon seit dem 8. Jh. bezeugt ist: Südlich von Hammelburg verläuft die **Bocksbeutelstraße**. Beachtenswerte Bauten sind Schloss Saaleck, das Kellereischloss und die katholische Pfarrkirche St. Johannes Baptist, eine dreischiffige Basilika mit alter Ausstattung, das Rathaus am Marktplatz und das Stadtmuseum Herrenmühle.

Meiningen   ►dort

✳ Rostock

Atlasteil: S. 9 • D 3
Höhe: 13 m ü. d. M.

Bundesland: Mecklenburg-Vorpommern
Einwohnerzahl: 240 000

Rostock ist eine der bedeutendsten Hafenstädte an der deutschen Ostseeküste und die dichteste Wirtschaftsregion Mecklenburg-Vorpommerns. Die Fußgängerzonen und Einkaufspassagen im Zentrum, die Universität und kulturelle Einrichtungen verleihen der einstigen Hansestadt einen Hauch von Großstadt. Keine 15 km vom Herzen der Hafenstadt entfernt lockt das ungetrübte Badevergnügen am Strand von Warnemünde.

Am Ort einer slawischen Handelsniederlassung entstand um 1200 eine **Ansiedlung deutscher Kaufleute**. Mit der Bestätigung des lübischen Stadtrechts im Jahr 1218 begann die Entwicklung der Handelsstadt. Zwischen 1270 und 1300 wurde eine Stadtbefestigung angelegt. Als Mitglied der Hanse erlebte Rostock im 14. und 15. Jh. eine wirtschaftliche Blütezeit und unterhielt weitreichende Handelsbeziehungen. Die 1419 gegründete Universität, die erste Nordeuropas, machte die Stadt auch zu einem Zentrum des geistigen Lebens an der Ostsee. Auf eine Phase des ökonomischen Niedergangs, die durch den Dreißigjährigen Krieg und die Auflösung der Hanse 1669 herbeigeführt wurde, folgte ein erneuter Aufschwung durch die aufkommende **Segelschifffahrt** in der zweiten Hälfte des 18. Jh.s. Im Zweiten Weltkrieg wurde Rostock durch Luftangriffe schwer getroffen. Zwischen 1957 und 1960 wurde der Überseehafen gebaut. Durch die Internationale Gartenbauausstellung 2003 hat Rostock ein paar Farbtupfer hinzubekommen.

Geschichte

Sehenswertes in Rostock

Das **Zentrum der wieder aufgebauten Altstadt** ist der weitläufige Neue Markt mit seinen Bürgerhäusern und der Marienkirche. Aus dem Zusammenschluss von drei mittelalterlichen Giebelhäusern entstand im 13. Jh. das Rathaus an der Ostseite mit seinem an Stelle der früheren »Ratslaube« 1727–1729 errichteten barocken Vorbau. In den schmalen Straßen hinter dem Rathaus stehen noch zwei schöne gotische Giebelhäuser, u. a. das Kerkhoffhaus mit Fassadenschmuck aus glasierten Ziegelsteinen.

✳
Neuer Markt

◄ Rathaus

Der **mächtige Backsteinbau** der Marienkirche (1260 bis ca. 1450) stößt mit dem Chor an den Marktplatz. Das Spitzenstück ihrer Ausstattung ist der knapp 3 m hohe Bronzetaufkessel (1290), einer der bedeutendsten im norddeutschen Küstengebiet. Sehenswert sind auch die astronomische Uhr (1472; mit Kalendarium bis 2017), der so genannte Rochusaltar (1530), Kanzel (1574) und die Barockorgel.

✳
◄ Marienkirche

Rostock Orientierung

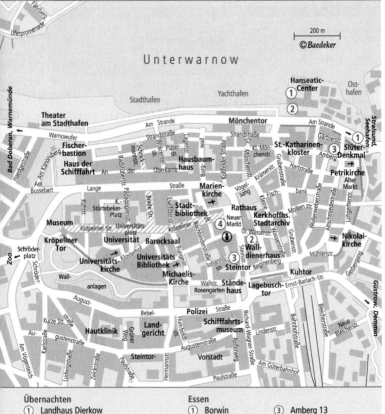

Übernachten
① Landhaus Dierkow
② Steigenberger Hotel Sonne
③ Die kleine Sonne

Essen
① Borwin
   Hafenrestaurant
② Silo 4
③ Amberg 13
④ Ratskeller

Rostocker Münze
Am Ziegenmarkt an der Südseite der Marienkirche stehen zwei spätgotische Giebelhäuser, früher Sitz der Rostocker Münze. Die südlich vom Neuen Markt wegführende Steinstraße endet vor dem 1577 erbauten Steintor.

Schifffahrtsmuseum
Im Schifffahrtsmuseum in der August-Bebel-Straße dreht sich alles um die Seefahrerei von einfachsten Fahrzeugen der Frühzeit bis zur Seeverkehrswirtschaft der ehemaligen DDR.

Lange Straße
In der Langen Straße begann der Wiederaufbau Rostocks als Mischung aus norddeutscher Backsteingotik und **Repräsentationsarchi-**

*Stadtsilhouette von Rostock mit der Marienkirche und
dem Wohnhochhaus in der Langen Straße*

tektur stalinistischer Prägung. Das ehemalige Hafenviertel zwischen
Langer Straße und Warnowufer wurde in den Achtzigerjahren saniert. Zwischen Giebelhäusern in Plattenbauweise blieb nur wenig
historische Bausubstanz erhalten, dazu gehört z. B. das Hausbaum-
haus in der Wokrenterstraße 40.

Südlich, parallel zur Langen Straße, verläuft die Kröpeliner Straße,
heute eine als Fußgängerzone gestaltete, belebte Einkaufsmeile mit
Giebelhäusern aus verschiedenen Stilepochen (v. a. 17.–19. Jh.),
darunter **Haus Ratschow** in feinster Backsteingotik (heute Stadtbibliothek). Auf dem dreieckigen Universitätsplatz mit dem »Brunnen der Lebensfreude« (1978) treffen sich vor allem im Sommer viele Studenten. Um den Platz stehen das Hauptgebäude der Universität
(1867–1870) im Stil der Neorenaissance, das ehemalige Palais mit
dem Barocksaal und die klassizistische Hauptwache von 1823.

✳ **Kröpeliner Straße**

◄ Universitätsplatz

Sehenswert im ehemaligen **Zisterzienserinnenkloster** sind sowohl
die Kirche als auch die Sammlungen des Kulturhistorischen Museums in den Klausurgebäuden um den malerischen Kreuzgang. Am
westlichen Ende der Kröpeliner Straße, im Kröpeliner Tor (13./
14. Jh.), ist eine Außenstelle des Museums untergebracht.

✳ **Kulturhistorisches Museum**

Der Stadthafen am Ufer der Warnow hat sich zu einer **Spaziermeile**
entwickelt, an der Hochseejachten, Großsegler und Museumsschiffe
zu sehen sind. Neben den imposanten, teilweise schon neu genutzten
Speichern sind einige Theaterspielstätten und Gaststätten entstanden.

Stadthafen

● ROSTOCK ERLEBEN

AUSKUNFT

Tourist-Information
Neuer Markt 3,
18055 Rostock
Tel. (03 81) 3 81 22 22,
Fax 3 81 26 02
www.rostock.de

VERANSTALTUNG

Jedes Jahr im August zieht die Hanse
Sail Rostock als eines der größten
Windjammertreffen im Ostseeraum
Hunderttausende Besucher an.

HAFENRUNDFAHRT

Unbedingt zu empfehlen ist eine
Rundfahrt durch den Hafen von
Rostock. Schiffe starten in Warne-
münde (Anlegestelle Am Alten
Strom) sowie im Stadthafen von
Rostock, am Kabutzenhof (dort nur
bei ausreichender Beteiligung).

ESSEN

► Erschwinglich

② **Silo 4**
Am Strande 3d,
18055 Rostock
Tel. (03 81) 4 58 58 00
Modernes Restaurant (7. Etage) im
Gebäude der Deutschen Seerederei
am Hafen mit grandioser Aussicht.
Asiatische Küche: Sie suchen am
Markt-Buffett die Zutaten für Ihr
Essen selbst aus, die Köche bereiten es
dann nach Ihren Wünschen zu.

► Preiswert

③ **Amberg 13**
Amberg 13,
18055 Rostock
Tel. (03 81) 4 90 62 62
Unweit der Petrikirche liegt das in
einem Innenhof versteckte Restaurant
mit kreativer, regionaler Küche.

④ **Ratskeller**
Neuer Markt 1, 18055 Rostock
Tel. (03 81) 5 10 84 60
Deftige, bodenständige deutsche
Küche wird im rustikalen Gewölbe
des historischen Ratskellers serviert.

① **Borwin Hafenrestaurant**
Am Strande 2, 18055 Rostock
Tel. (03 81) 4 90 75 25
Urig eingerichtetes Fischrestaurant
am Stadthafen, bekannt für seine
schmackhaften Fischgerichte.

ÜBERNACHTEN

► Luxus

② **Steigenberger Hotel Sonne**
Neuer Markt 2, 18055 Rostock
Tel. (03 81) 4 97 30, Fax 4 97 33 51
www.hotel-sonne-rostock.de
Attraktives, sehr komfortables Hotel
in zentraler Lage, mit stilvollen, technisch modernen Zimmern, klassischem Restaurant und gemütlicher
Weinstube, Sauna.

► Komfortabel

③ **Die kleine Sonne**
Steinstraße 7, 18055 Rostock
Tel. (03 81) 4 61 20, Fax 46 12 12 34
www.die-kleine-sonne.de
Schickes Hotel am historischen Ra-
thaus-Markt, mit vielen Grafiken und
Gemälden des Künstlers Nil Auslän-
der geschmückt. Zeitgemäße Zimmer.

► Günstig

① **Landhaus Dierkow**
Gutenbergstraße 5, 18146 Rostock
Tel. (03 81) 6 58 00, Fax 6 58 01 00
www.landhaus-dierkow.de
Hübsches Hotel im Landhausstil
mit freundlicher Atmosphäre und
modernen Zimmern. Rustikales
Restaurant und gediegener Salon im
englischen Stil.

Deutsche und nordeuropäische Kunst seit 1945 wird in der Kunsthalle am Schwanenteich nordwestlich außerhalb der Altstadt (an der B 105) gezeigt.

Kunsthalle

Zur IGA 2003 gehörte auch der 1957 vom Stapel gelaufene Frachter »Frieden«, der als Museumsschiff die Geschichte des Schiffbaus zeigt.

Ehemaliges IGA-Gelände

Das ehemalige Fischerdorf Warnemünde, das der Rostocker Rat 1323 dem Fürsten von Mecklenburg abkaufte, ist heute Rostocks beliebtestes **Naherholungsziel** und eines der meistbesuchten Seebäder an der Ostsee mit einem breiten Sandstrand und zahlreichen Unterkünften von der einfachen Pension bis zum Luxushotel. Vor allem am Alten Strom, dem einstigen Warnowausfluss, und in den benachbarten Straßenzügen zeigt Warnemünde noch den Charme des ehemaligen Fischerstädtchens. Typisch sind aber auch die vielen Pensionshäuser mit ihren breiten Veranden und Wintergärten. Einen weiten Blick verspricht ein Aufstieg auf den 37 m hohen Leuchtturm an der Seepromenade (1898). In einer ehemaligen Fischerkate aus dem 18. Jh. (Alexandrinenstraße 31) ist das Heimatmuseum untergebracht, das die Geschichte Warnemündes als Fischerort und Seebad mit z. T. kuriosen Exponaten dokumentiert.

★ Seebad Warnemünde

Warnemünde mit Fischerhafen und Seebad ist beliebtes Ausflugsziel nicht nur der Rostocker.

! _Baedeker_ TIPP

Gruselig

... kann einem schon werden im Gespensterwald von Nienhagen, westlich von Warnemünde. Durch den Küstenwind geformt, ragen die filigranen Äste der Buchen wie Skelette in die Höhe – ein Anblick, der unheimliche Fantasien beflügelt, besonders im Abendlicht.

Umgebung von Rostock

Rostocker Heide

Östlich der Warnowmündung erstreckt sich bis zur Halbinsel Fischland die Rostocker Heide, ein etwa 6000 ha großes **Gebiet mit Torfstichen, Mooren und Wäldern**. Am Südrand der Heide, in Wiethagen, kann man eine rekonstruierte Teerschwelerei besichtigen.

Seeheilbad Graal-Müritz

Das von Wäldern umgebene Seeheilbad 25 km nordöstlich von Rostock ist bekannt für sein **vorzügliches Heilklima** und seinen herrlichen, 6 km langen Badestrand mit Seebrücke. Im Mai und Juni wird der Kurort vor allem wegen des Rhododendronparks besucht.

Ribnitz-Damgarten

Die Hauptsehenswürdigkeit von Ribnitz-Damgarten (27 km nordöstlich) ist zweifelsohne das **Deutsche Bernsteinmuseum** im ehemaligen Klarissinnenkloster. Die Sammlung reicht von frühgeschichtlichen Bernsteinstücken mit eingeschlossenen Insekten bis zu barockem Kunstgewerbe.

Im Museumsladen wird moderner Bernsteinschmuck angeboten. Sehenswert ist auch die Klosterkirche (um 1400) mit Grabmälern und spätgotischen Holzplastiken, den so genannten »Ribnitzer Madonnen«.

✳ Freilichtmuseum Klockenhagen ►

In Klockenhagen, 5 km westlich von Ribnitz-Damgarten, wurden um ein einheimisches Gehöft aus dem Jahr 1700 weitere Bauernhäuser, Katen und andere ländliche Gebäudetypen aus Mecklenburg zum Freilichtmuseum zusammengetragen.

Bad Doberan

Bad Doberan, die ehemalige **Sommerresidenz** des Mecklenburger Hofes, entwickelte sich Anfang des 19. Jh.s zu einem Erholungsort der vornehmen Gesellschaft. Aus dieser Zeit stammen die klassizistischen Gebäude um den Kamp, darunter das Großherzogliche Palais von 1809 und das Salongebäude von 1802. Es gab ferner ein Eisenmoorbad (1825 gegründet) und eine Pferderennbahn (seit 1807), die erste auf dem europäischen Kontinent.

✳ ✳ Klosterkirche ►

Die schmucke Kleinstadt wird heute vor allem wegen der ehemaligen Klosterkirche besucht. Inmitten eines im 19. Jh. angelegten englischen Landschaftsgartens steht die zwischen 1295 und 1368 errichtete Zisterzienserklosterkirche, eines der **schönsten Beispiele für die Backsteingotik** im Ostseeraum. Der an französische Kathedralarchitektur angelehnte Kirchenbau beeindruckt durch seine ungewöhnlich reiche Ausstattung, darunter der Hochaltar von 1310, ein 12 m hohes Sakramentshaus und ein bemalter Kelchschrank um 1280. Beachtenswert sind die zahlreichen Grabmäler, insbesondere das des mecklenburgischen Herzogs Adolf Friedrich und seiner Gemahlin in der Chorkapelle (1664 vollendet). Neben der Kirche steht noch das achteckige, mit glasierten Backsteinen verzierte Beinhaus (13. Jh.).

Kühlungsborn

Wer mit »Molli« fahren will, muss die gleichnamige Schmalspurbahn nutzen. Sie verbindet Bad Doberan mit dem Seebad Kühlungsborn 8 km weiter westlich im Waldgebiet Kühlung. Geradezu ideal sind dort die **Bade- und Wassersportmöglichkeiten**, denn man kann zwischen einem kilometerlangen, gepflegten Sandstrand und einem Meerwasserschwimmbad wählen.

✱ Heiligendamm

Das älteste Seebad an der deutschen Ostseeküste, 1793 gegründet, liegt 6 km nordwestlich von Bad Doberan. Die weiß verputzten klassizistischen Häuser am zentralen Kurplatz trugen Heiligendamm den Namen **»weiße Stadt am Meer«** ein. Investoren wollen Heiligendamm zum Luxus-Seebad ummodeln.

◄ ✱ Rothenburg ob der Tauber

Atlasteil: S. 45 • D 4
Höhe: 425 m ü. d. M.

Bundesland: Bayern
Einwohnerzahl: 12 000

Das in seinem Kern seit dem Dreißigjährigen Krieg nahezu unverändert gebliebene Rothenburg ob der Tauber ist für viele der Inbegriff einer mittelalterlichen deutschen Stadt. Enge gepflasterte Gassen, Giebelhäuser, Kirchen und Stadttürme verbinden sich zu einem überaus romantischen Stadtbild.

Am besten im Frühjahr anreisen

Wen wundert's, dass man das nicht für sich alleine hat: Die alte fränkische Reichsstadt, malerisch auf dem Steilrand der Tauber an der Romantischen Straße, lockt jedes Jahr mehr als 400 000 Übernachtungsgäste und etwa 2,5 Mio. Tagesbesucher an. Davon sind 50% ausländische Touristen; vor allem Japaner und Amerikaner mögen sich Rothenburg auf ihrem Europatrip nicht entgehen lassen. In den **Sommermonaten und im Dezember** können die Besuchermassen, die sich durch das Städtchen drängen, leicht erdrückend wirken. Der Innenstadtkern ist für Kraftfahrzeuge weitgehend gesperrt, an den Stadttoren im Norden, Osten und Südosten Rothenburgs stehen aber genügend Parkplätze für die Besucher zur Verfügung.

Geschichte Rothenburg entstand im 12. Jh. im Schutz einer Hohenstaufenburg. Die um 1274 reichsunmittelbar gewordene Stadt erreichte um 1400 unter dem tatkräftigen Bürgermeister Heinrich Toppler ihre höchste Blüte. Im Dreißigjährigen Krieg wurde Rothenburg, das auf der Seite Gustav Adolfs stand, von den kaiserlichen Truppen unter Graf Tilly erstürmt (1631).

> ! **Baedeker TIPP**
>
> **Mauerperspektiven**
>
> Einen schönen ersten Eindruck von Rothenburg bekommt man bei einem Spaziergang auf dem Wehrgang der im 13. und 14. Jh. errichteten Stadtmauer. Begehbar ist der Abschnitt zwischen Klingentor über Rödertor bis Plönlein. Wer nur eine Teilstrecke absolvieren möchte, sollte sich den südlichen Abschnitt der Stadtmauer vornehmen.

Das Rathaus am Marktplatz, das als eines der **schönsten in Süddeutschland** gilt, ist ein Doppelbau. Es besteht aus einem gotischen Gebäudeteil aus dem 13./14. Jh. und einem dem Marktplatz zugewandten, 1572–1578 errichteten Renaissancebau. Vom 60 m hohen Turm bietet sich eine schöne

✳ Rathaus Aussicht über die Altstadt. Zum so genannten Historiengewölbe, in dem die Zeit des Dreißigjährigen Krieges wieder lebendig wird, gelangt man über den Lichthof.

Ratstrinkstube An der Nordseite des Marktes wurde 1446 die Ratstrinkstube errichtet (heute ist hier die Touristeninformation zu finden) und 1683 um eine Kunstuhr bereichert. Sie zeigt jeden Tag um 11.00, 12.00, 13.00, 14.00, 15.00, 21.00 und 22.00 Uhr eine Darstellung des Meistertrunks. Damit wird an eine legendäre Begebenheit des Jahres 1631 erinnert: Im 30-jährigen Krieg kam der kaiserliche General Tilly in das protestantische Städtchen. Um ihn gnädig zu stimmen, reichte man ihm einen Humpen Wein mit über 3 Litern. Der General erbarmte sich und sagte: »Wenn einer von euch im Stande ist, diesen Humpen in einem Zug zu leeren, will ich Gnade üben.« Diesen Meistertrunk soll nach der Überlieferung Altbürgermeister Nusch vollbracht haben.

✳ St. Jakob Unweit nördlich vom Rathaus steht die 1311–1471 erbaute Stadtpfarrkirche St. Jakob. Der Hochaltar (1466) ist in Aufbau und Gesamteindruck einer der **bedeutendsten in Deutschland**, den Heiligblutaltar im Westchor schuf um 1500 Tilman Riemenschneider.

Klingentor Wolfgangskirche Durch die Klingengasse kommt man von hier zum gleichnamigen, um 1400 vollendeten Stadttor (Aufgang zur Stadtmauer). In den äußeren Befestigungsgürtel des Tores ist die spätgotische Wolfgangskirche einbezogen (unterirdische Kasematten).

Reichsstadtmuseum Südwestlich befindet sich unmittelbar an der Stadtmauer im ehemaligen Dominikanerinnenkloster das Reichsstadtmuseum (Klosterküche, Möbel, Skulpturen, Waffen u. a.).

Durch das Burgtor betritt man den **Burggarten** mit herrlichem Ausblick. Hier stand einst die 1356 durch ein Erdbeben zerstörte **Hohenstaufenburg**.

Außerhalb der Stadtmauer steht jenseits der Tauber das **Topplerschlösschen**, ein turmartiges Gebäude, das 1388 im Auftrag von Bürgermeister Toppler errichtet wurde.

Vorbei an der um 1285 erbauten Franziskanerkirche gelangt man durch die breite **Herrngasse**, mit herrschaftlichen Wohnhäusern aus Gotik und Renaissance, zurück zum Marktplatz.

Kurz vor dem Markt liegen das **Weihnachtsmuseum** und wenige Schritte südlich in der Hofbronnengasse das **Puppen- und Spielzeugmuseum**.

Direkt hinter der St.-Johannis-Kirche (1390–1410) gibt das **Kriminalmuseum**, das bedeutendste deutsche Rechtskundemuseum, einen Einblick in das Rechtsgeschehen der vergangenen 1000 Jahre. Natürlich gehören zu den ausgestellten Stücken auch Folterinstrumente, Halsgeigen und Schandmasken.

Die Straßengabelung am Plönlein, am Ende der Unteren Schmiedegasse, ist einer der **malerischsten Punkte** der Stadt. Man geht weiter durch den Sieberstturm in die Spitalgasse. Der Weg führt an der frühgotischen Spitalkirche (rechts) sowie am 1574–1578 erbauten Spital vorüber. Im Spitalhof verdient das »Hegereiterhäuschen« von 1591 Beachtung. Die Straße wird von der mächtigen Spitalbastei aus dem 16. Jh. abgeschlossen.

* Plönlein Spitalgasse

Im Handwerkerhaus, östlich vom Marktplatz (Alter Stadtgraben 26), wird in elf komplett eingerichteten Räumen gezeigt, wie Handwerkerfamilien einst in Rothenburg lebten.

Handwerkerhaus

Rothenburg o. d. T. *Orientierung*

STADTBEFESTIGUNG
1 Sieberstturm
2 Markusturm mit Röderbogen
3 Weißer Turm
4 Spitalbastei
5 Sauturm
6 Stöberleinsturm
7 Kalkturm
8 Fischturm
9 Kohlturm
10 Kobolzeller Bastei
11 Johanniterturm
12 Burgturm mit Bastei
13 Bettelvogtsturm
14 Klosterturm
15 Strafturm
16 Klingentor
17 Pulverturm
18 Henkersturm
19 Kummerecksturm/ Ganserturm
20 Galgentor
21 Thomasturm
22 Weiberturm
23 Rödertor
24 Hohennersturm
25 Schwefelturm
26 Faulturm
27 Großer Stern
28 Kleiner Stern

Übernachten
① Burg-Hotel
② Eisenhut
③ Gerberhaus

Essen
① Mittermeier
② Baumeisterhaus
③ Zum Greifen

Detwang Detwang, nordwestlicher Stadtteil von Rothenburg, ist bekannt wegen seiner spätromanischen, später mehrfach veränderten Kirche **St. Peter und Paul**. Sie birgt eine höchst beachtenswerte Kreuzigungsgruppe (um 1512/1513) von Riemenschneider.

**Herrgotts-
kirche
Creglingen**
Eines der bedeutendsten Werke Riemenschneiders, den Marienaltar, findet man in der Herrgottskirche (14. Jh.) von Creglingen, das 17 km von Rothenburg im Tal der Tauber liegt. Das originelle **Fingerhutmuseum** gegenüber der Kirche zeigt Fingerhüte von der Römerzeit bis zur Neuzeit.

ROTHENBURG OB DER TAUBER ERLEBEN

AUSKUNFT

Tourismus Service
Marktplatz 2,
91541 Rothenburg o.d. Tauber
Tel. (0 98 61) 40 48 00, Fax 40 45 29
www.rothenburg.de

ESSEN

► Fein & Teuer

① *Mittermeier*
Vorm Würzburger Tor 7,
91541 Rothenburg o.d. Tauber
Tel. (0 98 61) 9 45 40
Charmanter Gourmettempel im Landhausstil, die Küche weiß fränkische Tradition mit moderner Kochkunst zu verbinden.

► Preiswert

② *Baumeisterhaus*
Obere Schmiedgasse 3,
91541 Rothenburg o.d. Tauber
Tel. (0 98 61) 9 47 00
Köstliche fränkische und bayerische Küche genießen Sie in dem historischen Kleinod aus dem 16. Jh.

③ *Zum Greifen*
Oberere Schmiedgasse 5,
91541 Rothenburg o.d. Tauber
Tel. (0 98 61) 22 81
Traditionsreiches Gasthaus mit bodenständiger Küche, netter Biergarten im Hof.

ÜBERNACHTEN

► Luxus

② *Eisenhut*
Herrngasse,
91541 Rothenburg o.d. Tauber
Tel. (0 98 61) 70 50, Fax 7 05 45
www.eisenhut.com
Das Hotel besteht aus vier Patrizierhäusern (15./16. Jh.) und bietet seinen Gästen historisches Flair gepaart mit moderner Ausstattung. Prachtvolles Restaurant mit Holzvertäfelung und Natursteinbögen.

► Komfortabel

① *Burg-Hotel*
Klostergasse 1,
91541 Rothenburg o.d. Tauber
Tel. (0 98 61) 9 48 90, Fax 94 89 40
www.burghotel.rothenburg.de
Eingebettet in den Klostergarten am Rande der Stadt thront dieses Hotel garni über dem Taubertal, genießen sie ruhige Nächte und eine grandiose Aussicht. Elegante Zimmer.

► Günstig

③ *Gerberhaus*
Spitalgasse 25,
91541 Rothenburg o.d. Tauber
Tel. (0 98 61) 9 49 00, Fax 8 65 55
Charmantes, kleines Haus garni, behagliche Zimmer, schöner Frühstücksraum, prachtvoller Garten.

✳ Rottweil

Atlasteil: S. 52 • A 4
Höhe: 507–745 m ü. d. M.

Bundesland: Baden-Württemberg
Einwohnerzahl: 24 000

Die älteste Stadt Baden-Württembergs und ehemalige Freie Reichsstadt breitet sich über dem oberen Neckartal aus. Schon von weitem sieht man die mächtigen Türme der Stadt, deren alter, malerischer Kern die Besucher anzieht, besonders zur Fasnet, wenn die Hästräger der Rottweiler Narrenzunft zum Narrensprung antreten.

Im Jahr 73 n. Chr. gründeten die Römer hier ihren Militärstützpunkt **Geschichte**
Arae Flaviae, in dessen Umkreis bald eine Siedlung wuchs. Zur Zeit
der Stauferkaiser entstanden die ersten Gebäude des heutigen Stadtkerns. 1463 verbündete sich Rottweil mit der Schweizer Eidgenossenschaft; 1802 schlug man die Stadt dem Königreich Württemberg zu.

Sehenswertes in Rottweil

Wichtigster Sakralbau der Stadt ist das Heilig-Kreuz-Münster, eine ✳
ursprünglich spätromanische, auf das 13. Jh. zurückgehende Pfeiler- **Heilig-Kreuz-**
basilika, die im 15. Jh. spätgotisch umgestaltet wurde. Als kunsthisto- **Münster**
rischer Schatz von Rang gelten das große Kruzifix, das wohl der berühmte Veit Stoß geschaffen hat, sowie der prächtige Apostelaltar
von Cord Bogentrik.

*Wer einmal beim Rottweiler Narrensprung dabei war, weiß, warum die Stadt
als Hochburg der schwäbisch-alemannischen Fasnet gilt.*

Hauptstraße

Die steile Hauptstraße mit ihren malerischen alten Häusern ist die **»gute Stube«** von Rottweil. Sie wird beherrscht vom mächtigen, im 13. Jh. aus staufischen Buckelquadern errichteten Schwarzen Tor. Ein weiteres beachtliches Bauwerk, das Alte Rathaus, besitzt eine spätgotische Schauseite und einen kostbar ausgestatteten Ratssaal. Das Stadtmuseum gegenüber illustriert u. a. auch die Geschichte der Rottweiler Fasnetsmasken und -kostüme.

Dominikaner-kirche

✳

Dominikaner-museum ▶

Nordöstlich unterhalb des Münsters steht die Kirche des ehemaligen Dominikanerklosters (ab 1266), seit dem »Wunder der Augenwende« **Wallfahrtsziel**: 1643 soll die Marienstatue des Rosenkranzaltars geweint haben. Im benachbarten modernen Gebäude zeigt das Dominikanermuseum als Glanzstück seiner römischen Abteilung ein im 2. Jh. n. Chr. entstandenes **Orpheus-Mosaik**. Außerdem besitzt das Museum eine hervorragende Sammlung spätgotischer Bildwerke – darunter Arbeiten so berühmter Meister wie Hans Multscher, Michel Erhart und Jörg Syrlin.

✳

Lorenzkapelle

Das hohe Niveau der Rottweiler Steinmetzkunst des 14.–18. Jh.s wird in der 1580 als Friedhofskapelle erbauten Lorenzkapelle deutlich, die heute als Museum für Steinmetzkunst fungiert.

 ROTTWEIL ERLEBEN

AUSKUNFT

Tourist-Information
Hauptstraße 21, 78628 Rottweil
Tel. (07 41) 49 42 80, Fax 49 43 73
www.rottweil.de

ESSEN

▶ **Erschwinglich**
Villa Duttenhofer
Königstraße 1, 78628 Rottweil
Tel. (07 41) 4 31 05
Die schöne Jugendstilvilla beherbergt das elegante Restaurant L'Etoile (vorzügliche Fischgerichte) und eine gemütliche Weinstube. Reservierung!

▶ **Preiswert**
Weinstube Grimm
Oberamteigasse 5, 78628 Rottweil
Tel. (07 41) 68 30
Urgemütliche Stube mit schwäbischer Küche und schwäbischen Weinen.

ÜBERNACHTEN

▶ **Komfortabel**
Johanniterbad
Johannsergasse 12
78628 Rottweil
Tel. (07 41) 53 07 00, Fax 2 37 90
www.johanniterbad.de
Ehemalige mittelalterliche Badestube hoch über dem Festungsgraben mit modern eingerichteten Zimmern. Regionale und mediterran angehauchte Gerichte im Restaurant oder im herrlichen Garten.

▶ **Günstig**
Bären
Hochmaurenstraße 1, 78628 Rottweil
Tel. (07 41) 17 46 00, Fax 1 74 60 40
www.baeren-rottweil.de
Rustikale Zimmer mit zweckmäßiger Einrichtung und einige zeitgemäß ausgestattete Räume, gutbürgerliches Restaurant, Sauna im Haus.

Ein markanter Sakralbau im Südosten ist die ursprünglich gotische Kapellenkirche, die 1727 barockisiert und von Joseph Firtmair ausgemalt wurde. Ihr 70 m hoher Turm gehört mit seinem figürlichen Schmuck zu den **schönsten gotischen Bauzeugnissen** seiner Art.

Kapellenkirche

Südöstlich außerhalb des Stadtkerns hat man die Reste einer vermutlich unter Kaiser Trajan errichteten Thermenanlage der Römersiedlung freigelegt, eine der größten ihrer Art in Süddeutschland.

Römerbad

Umgebung von Rottweil

In der Saline Wilhelmshall, im Primtal etwa 2 km südöstlich des Stadtzentrums gelegen, wurde 1824–1969 Salz gewonnen. Im »Unteren Bohrhaus« ist ein Salinemuseum eingerichtet. Die Rottweiler Sole wird heute im viel besuchten **Erlebnisbad »Aquasol«** verwendet.

Ehem. Saline Wilhelmshall

Nördlich von Rottweil windet sich der Neckar durch ein reizvolles, steilwandiges Tal. Nach 20 km erreicht man Oberndorf, wo 1811 die **Königlich Württembergische Waffenfabrik** gegründet wurde. Das Waffenmuseum informiert über diesen bis heute wichtigen Zweig der Oberndorfer Industrie. Sehenswert ist außerdem die ehemalige Augustinerklosterkirche (18. Jh.) mit ihrer Rokoko-Ausstattung.

★
Oberes Neckartal
◀ Oberndorf

Weitere 27 km flussabwärts blickt das Städtchen Horb von einem schmalen Felssporn auf den Neckar hinab. Historische Gebäude, darunter auch das farbenprächtig bemalte Rathaus (1765), prägen das Stadtbild. Die Heilig-Kreuz-Kirche bewahrt eine sehenswerte Kalksteinplastik aus dem frühen 15. Jh., die »Horber Madonna«.

◀ Horb

★ Rügen · Hiddensee

Atlasteil: S. 9/10 • B/C 1/2   **Bundesland:** Mecklenburg-Vorpommern

Die viel gerühmte Schönheit Rügens resultiert aus ihrer außerordentlichen landschaftlichen Vielfalt. Sanfte bewaldete Hügel gehen in flachere, leicht wellige Ebenen mit Wiesen und sumpfigen Mooren über, Steilküstenkliffe mit schmalen Steinstränden wechseln ab mit breiten, feinen Sandstränden an lang gezogenen Buchten. Bei nur 50 km Durchmesser hat die Insel mehrere Hundert Kilometer Küste aufzuweisen.

Die Insel Rügen, nur durch eine weniger als 1 km breite Wasserfläche vom Festland getrennt, ist mit ihren 926 km² die größte Insel Deutschlands und die **landschaftlich schönste an der Ostseeküste**. Sie war schon zur Altsteinzeit besiedelt, die beeindruckenden Hünengräber stammen aus der Jungsteinzeit (3000–1800 v. Chr.). Aus

Ausführlich beschrieben im Baedeker Allianz Reiseführer »Rügen«

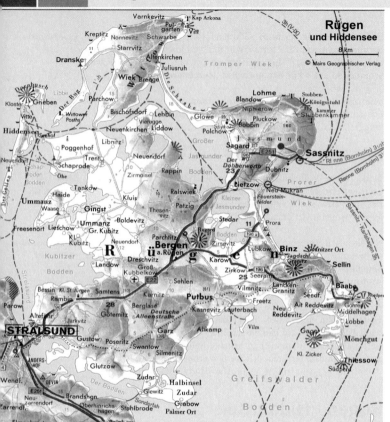

der Slawenzeit (8.–12. Jh.), die mit der Christianisierung endete, sind Burgwälle erhalten. Nach dänischer und schwedischer Herrschaft kam Rügen 1815 zu Preußen. Seit 1936 verbindet der **Rügendamm** die Insel mit der Hafenstadt ►Stralsund.

Rundfahrt auf Rügen

Rügendamm, Dänholm

Bei der Fahrt über den 1936 gebauten Rügendamm, der einzigen Verbindung zum Festland, passiert man das Inselchen Dänholm mit einem Museum, das die Marinegeschichte Stralsunds und Dänholms dokumentiert, sowie dem Nautineum, einer Außenstelle des Marinemuseums Stralsund.

✱
Putbus

Die »weiße Stadt« Putbus ist eine planmäßig angelegte, ehemalige **fürstliche Residenz** mit einem riesigen Schlosspark und zahlreichen weiß getünchten klassizistischen Gebäuden, vor allem um den kreisrunden, »Circus« genannten Platz im Nordosten der Stadt. Im Schlosspark liegen die Orangerie mit Galerien, das liebevoll eingerichtete Puppen- und Spielzeugmuseum in einem ehemaligen Affenhaus, der Marstall und ein Wildgehege. Das klassizistische Theater an der Alleestraße ist das einzige auf Rügen. Zu Beginn des 19. Jh.s richteten die Fürsten von Putbus bei Lauterbach unweit ihrer Residenzstadt eines der ersten öffentlichen Bäder ein. Das klassizistische Badehaus steht noch heute dort.

Besonders zu erwähnen sind die zahlreichen vor- und frühgeschichtlichen Zeugnisse auf der Insel Rügen, wie die vielen Großsteingräber (Hünengräber) und die bronzezeitlichen Hügelgräber. Sie belegen, dass die Insel schon seit Jahrtausenden besiedelt ist. Fünf der eindrucksvollsten Hünengräber liegen südlich von Lancken-Granitz (in Richtung Dummertevitz) nah beieinander in einer Wiese. **Hünen- und Hügelgräber**

Entlang der Küste zwischen Binz und Thiessow auf dem Mönchgut laden die schönsten Sandstrände der Insel zum – etwas kühlen – Bad in der Ostsee ein, während die Westküste des Mönchguts stark zerlappt ist, dafür aber gute Wandermöglichkeiten bietet. **✳ Mönchgut**

Der größte und **attraktivste Badeort** auf Rügen ist Binz mit seinem langen, feinsandigen Strand und den vielen hübschen Häusern im Stil der Bäderarchitektur. Diese alten Villen zeichnen sich durch ihre weiß gestrichenen und reich verzierten Holzfassaden mit Balkonen, Veranden und Erkern aus. Sehenswert ist hier auch das imposante **✳✳ Binz**

Die leuchtend weiße Kreideküste ist Rügens Wahrzeichen.

> **!** *Baedeker* TIPP

Kleine Fälscher

Den Großen ist's verboten, doch den Kleinen wird gezeigt, wie's geht – während der Saison darf in der Kinder-Fälscherwerkstatt hemmungslos gefälscht werden: Mi. 14.00–16.00 Uhr in Deutschlands erstem Fälschermuseum in Binz, mit über 70 Kopien der weltberühmtesten Gemälde (Öffnungszeiten: Di. bis So. 10.00–18.00 Uhr).

dreiflügelige Kurhaus am Strand bei der 370 m langen Seebrücke, an der die Ausflugsschiffe anlegen, mit denen man Rundfahrten um Rügen unternehmen oder zum Festland fahren kann.

Zu den reizvollsten Ausflugszielen gehört das klassizistische Jagdschloss Granitz (1P837–1852) südlich von Binz auf dem Tempelberg. Die historischen Räume des mittelalterlich anmutenden Schlosses ge-

✳ Jagdschloss Granitz

ben einen Einblick in den **fürstlichen Lebensstil** des 19. Jh.s. Vom Turm des Schlosses, auf den eine kostbare gusseiserne Wendeltreppe hinaufführt, hat man eine wunderbare Aussicht über die Insel bis nach Stralsund auf dem Festland.

Sellin und Baabe

Östlich von Binz liegen dicht beieinander die **Badeorte** Sellin und Baabe. Sellin mit seinen hübschen Villen im Stil der Bäderarchitektur liegt oberhalb einer 40 m hohen Steilküste. Eine breite Holztreppe und ein Aufzug führen hinab zum Strand und der wieder hergestellten historischen Seebrücke. Der feinsandige Strand zieht sich südwärts bis Baabe, das sich ursprünglich am Selliner See entwickelte und erst im Zuge des Badetourismus zum Strand hin ausdehnte.

✳ Göhren

Die weit ins Meer vorspringende, bewaldete Landzunge, auf der das Ostseebad Göhren liegt, teilt die Küste des Ortes in einen Hauptstrand im Norden und einen Südstrand. **Vier hübsche Museen**, die alle in denkmalgeschützten Gebäuden, z. B. in alten Fischer- und Bauernhäusern, untergebracht sind, dokumentieren jedes auf seine Weise anschaulich Alltag und Arbeitswelt der Bauern, Handwerker, Fischer und Schiffer des Mönchguts während der letzten Jahrhunderte: der Museumshof Ecke Strandstraße/Nordperdstraße, das Heimatmuseum, das liebevoll restaurierte Rookhuus (Rauchhaus) und das Museumsschiff am Südstrand.

Middelhagen Groß Zicker

Im Süden des Mönchguts sind vor allem das Schulmuseum in Middelhagen und der abgelegene Ort Groß Zicker mit dem Pfarrwitwenhaus aus dem 18. Jh. sehenswert. Von hier aus bieten sich schöne **Wandermöglichkeiten** über die sanft geschwungenen Zickerschen Berge zur Westspitze der Landzunge an.

Prora auf der Schmalen Heide

Nördlich von Binz stellt die Schmale Heide die Verbindung zur Halbinsel Jasmund dar. An der Ostküste der Schmalen Heide dehnt sich ein breiter Sandstrand aus. Hier liegt auch ein gigantischer, 4,5 km langer Betonbau, der als **Ferienanlage von den Nationalsozialisten** geplant, aber nur zum Teil fertig gestellt wurde.

DER KOLOSS VON RÜGEN

✶ ✶ Im Mai 1936 erfolgte der erste Spatenstich des von Clemens Klotz für die nationalsozialistische Ferienorganisation »Kraft durch Freude« entworfenen Seebades an einem der schönsten Strände Rügens. Drei Jahre später stand der Rohbau der etwa 4,5 km langen Anlage, die 20 000 urlaubende »Volksgenossen« aufnehmen sollte. Doch der Betonkoloss wurde nie fertig gestellt. Lange Jahre als Kaserne genutzt, haben sich heute in einigen Teilen der Bauruine zahlreiche Museen eingerichtet.

Dokumentationszentrum Prora
Objektstraße, Gebäude 1, Tel. 038393/13991
⏲ Öffnungszeiten:
April bis Okt. tgl. 10.00–18.00, Juli und August
bis 19.00, Nov. bis März tgl. 10.00–16.00

① Dokumentationszentrum
Das im Jahr 2000 eröffnete Dokumentationszentrum informiert über Entstehung und Nutzung
des Monumentalbaus.

② Bettenhäuser
Fünf der geplanten acht Bettenhäuser sind noch
erhalten und werden zum Teil genutzt.

③ Gemeinschaftshäuser
In den Gebäuden sollten u. a. Läden, Restaurants
und Kegelbahnen untergebracht werden.

④ Schwimmhalle
Der nördliche und südliche Teil des durch Festhalle
und -platz unterbrochenen Baus sollten jeweils eine
Schwimmhalle erhalten.

⑤ Seebrücken
Die beiden Seebrücken sollten als Landungsstege
für Kreuzfahrtschiffe dienen.

⑥ Festhalle
Hinter der Festhalle: Fest- und Aufmarschplatz.

⑦ »Tonfilmhalle«
Auch ein Kino durfte im »Seebad der 20 000« nicht
fehlen.

⑧ Museumsmeile
Seit etwa Mitte der 1990er-Jahre etablierte sich der
so genannte Block III als attraktive Museumsmeile
und Touristenmagnet mit Galerien, Cafés und
interessanten Museen. Seit der Entscheidung, Prora
in Teilen zu verkaufen, ist der Fortbestand der
Museumsmeile ungewiss.

© Baedeker

Über 10 000 einheitlich möblierte, 12,5 m² große »KdF-Urlauber-Zimmer« sollten in Prora eingerichtet werden. Eines davon ist in Block III zu sehen.

Jeder der Blöcke ist 500 m lang, unterteilt durch landseitig vorragende Treppenhäuser.

Mittlerweile haben sich Hotels und Pensionen, Museen, Galerien und Kunstwerkstätten hier angesiedelt.

①
⑥
④
⑤
⑧
⑤

An den Resten der wuchtigen Kaimauer vorbei geht es zum breiten feinsandigen Strand der Schmalen Heide.

▶ RÜGEN ERLEBEN

AUSKUNFT

Tourismusverband Rügen
Am Markt 4, 18528 Bergen
Tel. (0 38 38) 8 07 70, Fax 2 54 40
www.ruegen.de

HISTORISCHE ZUGFAHRT

Eine Fahrt mit dem historischen
Dampfzug »Rasender Roland«, der
mehrmals täglich zwischen Putbus,
Binz, Sellin, Baabe und Göhren hin-
und herschnauft, ist eine der Hauptattraktionen auf Rügen.

ESSEN
▶ Erschwinglich
Restaurant Meeresblick
Friedrichstraße 2, 18586 Göhren
Tel. (03 83 08) 56 55 14
Verfeinerte regionale Küche können
Sie hier auf eigens getöpfertem Ge-
schirr genießen. Gutes Weinangebot!

▶ Preiswert
Strandhalle
Strandpromenade 5, 18609 Binz
Tel. (03 83 93) 3 15 64
Ehemaliges Strandhaus (19. Jh.) am
Ende der Promenade mit gemütli-
chem, nostalgischem Restaurant.

Kliesow's Reuse
Dorfstraße 23 a, 18586 Middelhagen
Tel. (03 83 08) 21 71
Zünftige Gaststube in einer reetgedeckten Scheune, bekannt für
schmackhafte regionale Küche und
leckeres Bier, das im Haus selbst
gebraut wird.

Gastmahl des Meeres
Strandpromenade 2, 18546 Sassnitz
Tel. (03 83 92) 51 70
In der Nähe des Hafens bietet das
maritim dekorierte Restaurant Fisch
in allen Variationen.

ÜBERNACHTEN
▶ Luxus
Kurhaus Binz
Strandpromenade 27, 18609 Binz
Tel. (03 83 93) 66 50, Fax 66 55 55
www.tc-hotels.de
Imposanter Hotelbau (Ende 19. Jh.),
2001 wiedereröffnet, besticht durch
Eleganz, Komfort und professionellen
Service. Gediegenes Restaurant und
sagenhafter Freizeitbereich.

▶ Komfortabel
Hanseatic
Nordperdstraße 2, 18586 Göhren
Tel. (03 83 08) 5 15, Fax 5 16 00
www.hotel-hanseatic.de
Ruhiges, großzügiges Hotel mit einem
Turmbau, der tolle Aussicht ver-
spricht. Bestens ausgestattete Zimmer,
vielfältige Gastronomie, ansprechende
Badelandschaft.

Wreecher Hof
Kastanienallee
18581 Putbus-Wreechen
Tel. (03 83 01) 8 50, Fax 8 51 00
www.wreecher-hof.de
In malerischer, von Wiesen umge-
bener Gartenanlage liegt diese ruhige
Hotelanlage aus sieben reetgedeckten
Landhäusern. Einmalige naturnahe
Atmosphäre mit vorzüglichem
Restaurant. Wellnessbereich mit
Schwimmbad, Sauna und Massage.

▶ Günstig
Zur Linde
Dorfstraße 20, 18586 Middelhagen
Tel. (03 83 08) 55 40, Fax 5 54 90
www.zur-linde-ruegen.de
Charmanter Gasthof aus dem 15 Jh.,
der durch einen neuzeitlichen Anbau
erweitert wurde, schöne Zimmer mit
kleiner Kochnische, uriges Restaurant
mit Terrasse, Sauna im Haus.

Kurz vor Neu-Mukran beginnt ein Wanderweg, der in westlicher Richtung zu den Feuersteinfeldern führt. Aus den Feuersteinen stellten die Menschen der Steinzeit Werkzeuge her und erzeugten Funken zum Feuermachen.

Feuersteinfelder

Die zum Nationalpark erklärte Halbinsel Jasmund besteht aus mächtigen Kreideschichten, die ihren höchsten Punkt am Piekberg (161 m ü. d. M.) haben und an der Ostküste steil zum Meer hin abfallen. 2005 sind die berühmtesten Kreidefelsen, die Wissower Klinken, die angeblich schon **Caspar David Friedrich** in einem berühmt gewordenen Ölgemälde (nach 1818) verewigt haben soll, abgebrochen. Der Schönheit der Kreidefelsenküste hat das allerdings kaum geschadet, zumal es wahrscheinlich gar nicht die Wissower Klinken waren, die den Maler inspirierten, sondern vielmehr die Viktoria-Sicht nahe dem Königsstuhl. Schöne Wanderwege führen zum einen durch den Buchenwald der Stubnitz (Hochuferweg) und zum anderen unten an der Kreideküste entlang.

Halbinsel Jasmund
★ ★
◀ Kreidefelsen

Die zweitgrößte Stadt auf Rügen, **Sassnitz**, hat einen hübschen Fischereihafen, von dem aus die Strandpromenade zum alten Kern von Sassnitz am östlichen Stadtrand führt. An interessanten Museen gibt es das Fischerei- und Hafenmuseum sowie das Museum für Unterwasserarchäologie. Südlich von Sassnitz liegt **Mukran**, Fährhafen nach Schweden und ins Baltikum. An der Nordwestspitze der Halbinsel Jasmund liegt der **Fischer- und Badeort** Glowe. Der wunderbare lange Sandstrand von Glowe zieht sich entlang der schmalen Landbrücke (Schaabe), die die Verbindung zwischen den Halbinseln Jasmund und Wittow herstellt. 4 km südöstlich von Glowe liegt auf der Strecke nach Sagard Schloss Spyker, ein dunkelrot getünchter, dreigeschossiger Backsteinbau mit vier runden Ecktürmen (16. Jh.), in dem heute ein Hotel und zwei Restaurants untergebracht sind.

◀ Glowe und Schloss Spyker

Die nördlichste Halbinsel Rügens ist Wittow. Sie trägt auf ihrer nordöstlichen Spitze den Leuchtturm von Kap Arkona (46 m) und unmittelbar daneben den kleineren Schinkelturm, in dem ein Museum u. a. über die Geschichte des Leuchtfeuers seit der Antike informiert. Von der Aussichtsplattform des Schinkelturms hat man eine weite Sicht über die Insel. Der **Marinepeilturm** hundert Meter weiter östlich beherbergt ebenfalls ein kleines Museum und ein Aussichtsplateau. Der Hügel hinter dem Turm ist der Rest des Walls der slawischen Jaromarsburg, in der sich bis zu ihrer Eroberung und Zerstörung durch die Dänen (1168) das Hauptheiligtum der hier ansässigen Westslawen befand. Wandert man vom Kap Arkona die Küste entlang nach Süden, stößt man auf das denkmalgeschützte **Bilderbuchdörfchen** Vitt, ein altertümliches Fischerdorf in einer windgeschützten Bucht.

Halbinsel Wittow
★
◀ Kap Arkona

★
◀ Vitt

An der schmalsten Stelle zwischen Wittow und Zentralrügen verkehrt eine Autofähre. Südlich davon lohnt in Gingst der Besuch der

Gingst

Historischen Handwerkerstuben, ein liebevoll gestaltetes Museum zur Geschichte des Dorfhandwerks. Bei Gingst findet man auch die jüngste Attraktion von Rügen, den **Rügen-Park**: einen Nachbau der Insel und 80 weitere Modelle berühmter Bauten, Parkbahn, Wildwasserrondell u. a.

? WUSSTEN SIE SCHON ...?

■ dass während der jungsteinzeitlichen Lietzow-Kultur offenbar weite Teile Mitteleuropas mit Werkzeugen aus rügenschem Feuerstein beliefert wurden?

Bergen

In der Kreisstadt Bergen lohnt die im 14. Jh. zur gotischen Hallenkirche ausgebaute Kirche St. Marien (um 1180 begonnen) einen Besuch. Nach dem Vorbild des Lübecker Domes errichtet, zählt sie zu den **herausragendsten Beispielen norddeutschen Backsteinbaus**. Besonders eindrucksvoll ist der Wandgemäldezyklus (13. Jh.) in Chor und Querschiff, der Szenen aus dem Alten und Neuen Testament zeigt. Ein lohnenswerter Spaziergang führt zum Ernst-Moritz-Arndt-Turm auf dem Rugard (90 m), von dem man eine schöne Aussicht über die Insel hat.

Hiddensee

✷ **Autofreie naturgeschützte Landschaft**

Die kleine, lang gestreckte Ostseeinsel Hiddensee ist der Insel Rügen westlich vorgelagert und nur mit dem Schiff von Stralsund oder Rügen selbst aus erreichbar. Die rund 1300 Einwohner der 17 km langen und an manchen Stellen lediglich 130 m breiten Insel leben in den vier Orten Kloster, Grieben, Vitte und Neuendorf-Plogshagen. Bekannt ist die autofreie Insel für ihre reizvolle naturgeschützte Landschaft mit einzigartiger Flora und Fauna, für ihre **schönen Sandstrände** entlang der Westküste und für ihre hübschen Dörfer. Wer von einem Ort zum anderen gelangen will, muss sich auf ein Fahrrad schwingen – Fahrradverleihe gibt es zuhauf – oder eine Kutsche besteigen. Seit die Insel, beginnend um das Jahr 1880, von Künstlern, z. B. von Gerhart Hauptmann, Käthe Kruse, Bertolt Brecht und Franz Kafka entdeckt wurde, wurde sie zu einem beliebten Erholungsgebiet.

✷ **Kloster**

In Kloster, dem ältesten Ort der Insel, befindet sich Gerhart Hauptmanns ehemaliger Sommersitz, der zum **Hauptmann-Museum** umgestaltet wurde; auf dem Friedhof bei der hübschen Inselkirche hat der Dichter (1862–1946) seine letzte Ruhestätte gefunden. Nördlich von Kloster steigt das Gelände zum sanft-hügeligen Dornbusch an, mit einem schönen Rundblick auf die Bodden und Hügelzüge Rügens.

Naturschutzgebiet Dünenheide

Südlich von Vitte, dem größten Ort auf Hiddensee, beginnt das Naturschutzgebiet Dünenheide, eine schöne Heidelandschaft, deren Dünen bis zu vier Meter hoch aufsteigen. Mit ihrem Schutz wird ein Stück der **einzigartigen Küstenheidevegetation** der Insel vor den Eingriffen des Menschen bewahrt; Wanderwege sind bezeichnet.

● HIDDENSEE ERLEBEN

AUSKUNFT

Insel Information Hiddensee GmbH
Norderende 162, 18565 Vitte
Tel. (03 83 00) 6 42 26, Fax 6 42 25
www.seebad-insel-hiddensee.de

ESSEN

► Erschwinglich
Zum Hiddenseer
Wiesenweg 22, 18565 Vitte
Tel. (03 83 00) 4 19
Hübsches, rustikales Restaurant mit
blanken Holztischen. Gutbürgerliche
Küche und viele Fischgerichte.

► Preiswert
Gasthus up Westend
Plogshagen 7, Neuendorf
Tel. (03 83 00) 5 01 25
In der Saison gibt es Heringsgerichte
und andere regionale Spezialitäten.

ÜBERNACHTEN

► Komfortabel
Hotel Post
Wiesenweg 26, 18565 Vitte
Tel. (03 83 00) 64 30, Fax 6 43 33
250 Meter vom Bootsanleger in Vitte
entfernt hält das gediegene Haus
Appartements im Landhaustil auf
einem herrlichen Grundstück für Sie
bereit.

Heiderose
In den Dünen 27, 18565 Vitte
Tel. (03 83 00) 6 30, Fax 6 31 24
www.heiderose-hiddensee.de
Hier können Sie die Seele baumeln
lassen! Idyllisch in der Dünenheide
gelegen, ruhiges Hotel, Zimmer teils
mit Blick auf den Bodden. Ausgezeichnetes Restaurant im Bistro-Stil
mit schöner Terrasse.

✳ Ruhrgebiet

Atlasteil: S. 33 • C/D 1/2 und
S. 34 • A/B 1/2

Bundesland: Nordrhein-Westfalen

**Das Ruhrgebiet ist der größte deutsche und europäische Industrie-
bezirk: Hier leben auf rund 4400 km² über 5 Mio. Menschen. Für Besucher ist es vor allem wegen seiner – in der Zwischenzeit meist
musealen – technischen Sehenswürdigkeiten attraktiv.**

Nach wie vor schlägt das Herz der deutschen Schwerindustrie in dieser Region, die in etwa im Süden von der Ruhr, im Norden von der
Lippe und im Westen vom Rhein begrenzt wird; im Osten markiert
die Stadt Hamm den äußersten Rand. Seine wirtschaftliche Bedeutung leitete sich ursprünglich vom Steinkohlenbergbau und den damit verknüpften Industrien, besonders der Eisen- und Stahlindustrie,
her. »Stahlbarone« wie Krupp und Thyssen bauten sich hier ihre Fir-
menimperien auf. Heute allerdings ist der zitierte Herzschlag der
Schwerindustrie deutlich langsamer geworden – im Revier vollzog

**Region im
Wandel**

Rauchende Schlote und sattes Grün: Am Rhein-Herne-Kanal bei Oberhausen trotzt die Realität dem ehemals schlechten Ruf des Ruhrgebiets.

sich ein **Strukturwandel**, der Handel und Dienstleistungen neben die alten Industrien treten und z. B. große alteingesessene Unternehmen zu neuen Betätigungsfeldern aufbrechen lässt: Telekommunikation statt Eisen und Stahl, Energiewirtschaft statt Bergbau. Ein dichtes Netz von Straßen, Bahnlinien und Wasserwegen durchzieht das Revier, in dem die Siedlungen und Industrieanlagen weithin ohne deutliche Grenzen ineinander übergehen. Dennoch bietet das Ruhrgebiet zahlreiche Erholungsmöglichkeiten an Stauseen und Revierparks.

Route der Industriekultur ✳

Auf einem 400 km langen Rundkurs zwischen Duisburg und Kamen kann man die baulichen und technischen Denkmäler des Industriezeitalters im Ruhrgebiet neu entdecken. An 19 sog. Ankerpunkten, den industriekulturellen Highlights der Region, informieren Museen, Arbeitersiedlungen, ehemalige Zechen usw. über die Region im Wandel (**www.route-industriekultur.de**).

Reiseziele im Ruhrgebiet

Witten

Die Ruhrzone bei Witten hat sich zu einer **Wohn- und Erholungslandschaft** entwickelt. Neben dem Ruhrtal (das man vom Bergerdenkmal schön überblickt) mit der Burgruine Hardenstein und dem Freizeitpark Hohenstein – dort steht ein Wasserkraftwerk von 1925 – lohnt besonders das Muttental südlich der Ruhr einen Besuch, wo es

✳ **Bergbaurundweg Muttental** ▶

einen bergbaugeschichtlichen Rundweg gibt. Wer den Stationen dieses Weges folgt, sieht Besucherbergwerke wie die Zechen Nachtigall und Theresia, Abraumhalden, ein Steigerhaus, Gruben- und Feldbahnen und andere für den frühen Bergbau typische Erscheinungen aus nächster Nähe – heute allesamt technische Denkmäler.

Am Übergang vom Rheinischen Schiefergebirge zur Niederrheinischen Tiefebene liegt Mülheim an der Ruhr. In der Altstadt, deren Mittelpunkt der Kirchenhügel mit der katholischen Kirche St. Mariä Geburt und der evangelischen Petrikirche bildet, sind noch einige Fachwerkhäuser erhalten. Im Rathausturm kann man im **Büromuseum** eine Sammlung funktionstüchtiger Büromaschinen aus der vorcomputerischen Zeit bewundern, aber auch moderne Bürotechnik studieren. Die Geschichte von **Schloss Broich** in Mülheim-Broich lässt sich bis in die Karolingerzeit zurückverfolgen: 1965–1969 wurden bei Ausgrabungen innerhalb der Ringmauer Fundamente und Mauerreste einer ausgedehnten Befestigungsanlage entdeckt.

Mülheim an der Ruhr

> ! **Baedeker TIPP**
>
> **Umwerfendes Echo**
>
> Auch wenn keine Ausstellung stattfindet, sollte man den Gasometer Oberhausen besuchen. Erstens hat man von der Plattform (zu erreichen im gläsernen Innenaufzug oder über die Außentreppe mit 592 Stufen) eine tolle Aussicht, zweitens erlebt man im Gasometer selbst ein umwerfendes Echo (Öffnungszeiten: Inneres: Sa. und So. 10.00–17.00 Uhr; Aussichtsplattform Di. und Do. 10.00–17.00 Uhr, Mi. bis 15.00 Uhr).

Im **MüGA-Park** verbirgt sich im Broicher Wasserturm am Ringlokschuppen eine »Camera Obscura«. Das »Haus Ruhrnatur«, das in einem Nebengebäude des Wasserkraftwerks auf der Schleuseninsel untergebracht ist, informiert anschaulich über das Flussbett der Ruhr sowie über Flora und Fauna des Ruhrtals. Und noch eine **Attraktion** in einem Wasserturm hat Mülheim zu bieten: Das Aquarius Wassermuseum bei Schloss Styrum durchleuchtet auf acht Wissensebenen die Welt der Wassergewinnung und -aufbereitung, selbstverständlich multimedial und mit viel Gelegenheit zum Selbstausprobieren.

 ◄ Aquarius Wassermuseum

Oberhausen wird auch als **»Wiege der Ruhrindustrie«** bezeichnet. Die »Internationalen Kurzfilmtage« ziehen jährlich im Frühjahr Filmfreunde aus aller Welt nach Oberhausen. Mittelpunkt der Stadt ist der Altmarkt mit der neugotischen **Herz-Jesu-Kirche**. Für den kulturell Interessierten lohnt ein Besuch der **Ludwig Galerie** in Schloss Oberhausen; Industriegeschichte seit 1850 zeigt in der denkmalgeschützten ehemaligen Zinkfabrik Altenberg gegenüber dem Westausgang des Hauptbahnhofs das Rheinische Industriemuseum. Dessen Filiale Museum Eisenheim dokumentiert die Geschichte der ältesten Arbeitersiedlung des Ruhrgebiets, mit deren Bau 1846 begonnen wurde. Bundesweite Berühmtheit hat inzwischen der als Veranstaltungsort genutzte, im Jahr 1929 auf 117 m Höhe gebaute Gasometer erreicht. Er steht im CentrO, das als **Europas größter Einkaufspark** gilt, wo es außer zahllosen Geschäften und Restaurants auch ein Multiplexkino gibt. Im Oberhausener Stadtteil Osterfeld steht die Wasserburg Vondern aus dem 15. Jh., die heute als Bürgerzentrum genutzt wird. Nordwestlich vom Zentrum Oberhausens erstreckt sich der Revierpark Vonderort mit zahlreichen Freizeiteinrichtungen wie Schwimmbad und Saunalandschaft.

Oberhausen

◄ Rheinisches Industriemuseum

▶ RUHRGEBIET ERLEBEN

AUSKUNFT

Ruhrgebiet Tourismus GmbH
Königswall 21, 44137 Dortmund
Tel. (02 31) 1 81 61 86, Fax 1 81 61 88
www.ruhrgebiet-touristik.de

ESSEN

▶ Erschwinglich

Hackbarth's Restaurant
Im Lipperfeld 44, 46047 Oberhausen
Tel. (02 08) 2 21 88
Schickes, modernes Restaurant mit
ungezwungener Atmosphäre, täglich
wechselnde Speisekarte mit kreativen
Kompositionen. Lassen Sie sich über-
raschen!

Am Kamin
Striepensweg 62,
45473 Mülheim an der Ruhr
Tel. (02 08) 76 00 36
Gediegen-rustikales Restaurant in einem wunderschönen Fachwerkhaus
aus dem Jahr 1732, charmante Gartenterrasse mit offenen Kamin, ambitionierte deutsche Küche.

Altes Brauhaus
Dortmunder Straße 16,
45665 Recklinghausen
Tel. (0 23 61) 4 63 23
Hübsch eingerichtetes, rustikales
Restaurant mit internationalem Spei-
senangebot, freundlicher Service.

▶ Preiswert

Gasthof Berger
Schlossgasse 35,
46244 Kichhellen-Feldhausen
(bei Bottrop)
Tel. (0 20 45) 26 68
In dem rustikalen Landgasthof wird
gutbürgerliche, regional orientierte
Küche serviert – und zum Nachtisch
Leckereien aus der eigenen Hauskon-
ditorei.

ÜBERNACHTEN

▶ Komfortabel

Residenz Oberhausen
Hermann-Albertz-Straße 69,
46045 Oberhausen
Tel. (02 08) 8 20 80, Fax 8 20 81 50
www.residenz-oberhausen.de
Wohnliche Zimmer und Suiten mit
funktioneller Einrichtung, alle mit
Kochgelegenheit und Arbeitsplatz,
bietet dieses gut geführte Stadthotel,
Restaurant im Haus.

Parkhotel Engelsburg
Augustinessenstraße 10,
45657 Recklinghausen
Tel. (0 23 61) 20 10, Fax 20 11 20
www.engelsburg.bestwestern.de
Historisches Flair und moderner
Komfort gehen in dem ansprechenden Hotel, das im kurfürstlichen
Palais von 1701 untergebracht ist, eine
harmonische Liaison ein. Elegante im
klassischen englischen Stil eingerichtete Zimmer, Restaurant mit Gartenterrasse, Sauna.

▶ Günstig

Brauhaus
Gladbecker Straße 78,
46236 Bottrop
Tel. (0 20 41) 77 44 60, Fax 7 74 46 39
www.brauhaus-bottrop.de
Schlichte, solide Zimmer in einer
hübschen Villa. In der angegliederten
Hausbrauerei offeriert man Ihnen
frisches Bier und westfälische Spezialitäten.

Am Schloss Broich
Am Schloss Broich 27,
45479 Mülheim an der Ruhr
Tel. (02 08) 99 30 80, Fax 9 93 08 50
www.hotel-broich.de
Sehr gepflegtes Haus in zentraler Lage,
zweckmäßige Zimmer.

Europas größter Einkaufspark CentrO, der zugleich ein Freizeitzentrum ist, wurde 1996 in Oberhausen eröffnet.

Bottrop, am Nordrand des Reviers zwischen Oberhausen und Gelsenkirchen gelegen, gilt als die Revierstadt mit dem größten Anteil an **Grünflächen**. Andererseits ist Bottrop Standort einer der größten und modernsten Kokereien der Welt: In den 146 Öfen der Kokerei Prosper werden jährlich 2 Mio. Tonnen Koks erzeugt. Im Mai und September ist ganz Bottrop auf den Beinen: In diesen Monaten findet der auf das 15. Jh. zurückgehende Pferdemarkt statt. **Bottrop**

Im Zentrum von Bottrop liegt der ruhige Stadtgarten. In diesen eingebettet ist das Museumszentrum Quadrat. Es beherbergt das Museum für Ur- und Ortsgeschichte sowie die Moderne Galerie (Ausstellungen) und das Josef-Albers-Museum mit Werken des Bottroper Malers Josef Albers (1888–1976). Ihm verdankt es auch seinen Namen, denn sein Lieblingsmotiv waren ineinander verschachtelte Quadrate. 1996 wurde in Bottrop Deutschlands bislang **teuerster Freizeitpark – Warner Bros. Movie World** – eröffnet. Unter den mehr als 25 Attraktionen sind auch ein Flugsimulator, Multimedia-Spektakel und eine Wildwasserbahn. Wem mehr nach Wintersport zumute ist, kann dies seit 2001 im Alpincenter tun – mit 640 m Piste **die längste Indoor-Skianlage der Welt**. Nur Schwindelfreie sollten auf den Tetraeder nahebei wagen, denn das 50 m hohe Gebilde ist nur aus Stahlrohren zusammengeschweißt und bietet freien Blick nach allen Seiten. Dagegen nimmt sich der Freizeitpark im Wasserschloss Haus Beck in Kirchhellen-Feldhausen fast schon bescheiden aus: »nur« Riesenrad, Wasserskooter, Streichelzoo etc. ◀ Museumszentrum Quadrat

✶
◀ Tetraeder

Gelsenkirchen, am Rhein-Herne-Kanal, ist Mittelpunkt des Emscher-Lippe-Raums. Einst Inbegriff für rußgeschwärztes Kumpeldasein, gehört Gelsenkirchen heute zu den führenden **»Solarstädten«** der Republik, steht hier doch das größte dachintegrierte Solarkraft- **Gelsenkirchen** werk der Welt: Auf dem Dach der Shell-Solarzellenfabrik erzeugt es auf 14 000 m² Fläche 750 000 kWh Strom. Viel besuchte Freizeiteinrichtungen sind das Sport-Paradies und der Nordsternpark mit der größten Dreileiter-Modellbahnanlage der Welt. Und natürlich **Schalke 04**: Der Traditionsklub hat sich mit der »Arena Auf Schalke« ein nagelneues Stadion gegönnt und dazu gleich ein neues Vereinsmuseum zwischen Arena und Vereinsgeschäftsstelle. Was man aus einer öden Industriebrache machen kann, zeigt der **Skulpturenwald Rheinelbe**, dessen Wahrzeichen die »Himmelstreppe« ist. Weil man heutzutage offenbar niemand mehr mit einem normalen Zoo locken kann, wird aus dem Ruhrzoo die »Zoom«-Erlebniswelt. In Gelsenkirchen-Buer befinden sich die Wasserburg Schloss Berge und das Städtische Museum mit Werken deutscher und französischer Impressionisten und deutscher Expressionisten. Im Stadtteil Horst steht Schloss Horst, das 1552–1578 im Renaissancestil errichtet wurde. Von der ursprünglichen Vierflügelanlage blieben nur der Dienerflügel und das Erdgeschoss des Herrenflügels erhalten; dort sind Plastiken aus früheren Bauperioden aufgestellt.

Herne In Herne, zwischen Gelsenkirchen und ▶ Dortmund, kann man die Zechensiedlung Teutoburgia, das Wasserschloss Strünkede und vor allem das neue Westfälische Museum für Archäologie besichtigen.

Recklinghausen Mit einem Einzugsgebiet von rund 650 000 Menschen ist Recklinghausen der wirtschaftliche und kulturelle Mittelpunkt des nördlichen Ruhrgebiets an der Schwelle zum südlichen Münsterland. Es ist bekannt für die alljährlich stattfindenden **Ruhrfestspiele**, die 1948 gemeinsam von der Stadt und dem Deutschen Gewerkschaftsbund ins Leben gerufen wurden. Ihr Hauptspielort ist das Ruhrfestspielhaus, das 1998 nach großen Umbauten neu eröffnet wurde. Mittelpunkt Recklinghausens ist der von schönen Giebelhäusern umstandene Altstadtmarkt; dahinter sieht man die Propsteikirche St. Peter. Hier befindet sich auch die Hauptsehenswürdigkeit der Stadt, das Ikonen-

✳
Ikonenmuseum ▶ museum, die **größte Sammlung dieser Art außerhalb Russlands**. Mehr als 600 Ausstellungsstücke – Ikonen, Miniaturen, Holz- und Metallarbeiten – veranschaulichen die stilistische und thematische Vielfalt. Die Malschulen Russlands sind mit Meisterwerken vom 13.–19. Jh. vertreten, aus Griechenland und den Balkanstaaten werden charakteristische Bildgruppen gezeigt. Östlich davon kommt man zum schönsten Profanbau der Stadt, der 1701 als Richterdomizil erbauten Engelsburg. Selbstverständlich hat auch Recklinghausen ein technisches Denkmal: das Umspannwerk der VEW von 1928 mit dem **Museum Strom und Leben**, das erzählt, wie der Strom in die Steckdose kommt.

Marl Nordwestlich von Recklinghausen liegt Marl. Hier besucht man das
✳ außergewöhnliche Skulpturenmuseum »Glaskasten«: In einer Grün-
Glaskasten ▶ anlage sind rund 60 Großplastiken zu bewundern – darunter Werke

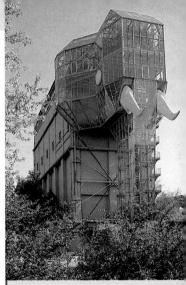

moderner Klassiker wie Max Ernst und Hans Arp und Arbeiten zeitgenössischer Künstler wie Richard Serra und Alf Lechner. Vor dem Stadttheater befindet sich **Europas größte Skulptur**: »La Tortuga«, geschaffen von dem Fluxuskünstler Wolf Vostell (1932–1998), ist eine auf den Kopf gestellte Lokomotive in einer begehbaren Betongruft. Das Kontrastprogramm dazu bietet das Heimat- und Stadtmuseum rund um die alte Wassermühle im Volkspark. Für Industriesüchtige: Im **Chemiepark Marl** wird erklärt, was man alles aus Kunststoff machen kann.

Hamm, im Nordosten des Ruhrgebiets gelegen, wurde durch die kommunale Neugliederung 1975 zu einer der flächengrößten deutschen Städte.

Neben einigen restaurierten Bürgerhäusern in der Altstadt bildet besonders das nach dem Kunsthändler Gustav Lübcke benannte

Glaselefant im Maximilianpark in Hamm

Museum eine Attraktion. Die Kunstsammlung ist in einem Neubau (Neue Bahnhofstraße 9) untergebracht, der von Jørgen Bo und Vilhelm Wohlert entworfen wurde. Zu den Schwerpunkten gehören **altägyptische und zeitgenössische Kunst**.

✳
◄ Gustav-Lübcke-Museum

Für die erste nordrhein-westfälische Landesgartenschau (1984) wurde auf dem Gelände der ehemaligen Zeche Maximilian ein **Freizeitpark** mit Veranstaltungs- und Kongresszentrum angelegt. Wo früher Bergleute arbeiteten, zeigen sich heute Teiche, Blumenareale, ein ökologischer Schulgarten sowie diverse Spiel- und Sportstätten. Aus der einstigen Waschkaue machte der Hammer Künstler Horst Rellecke mittels einer Stahl-Glas-Konstruktion einen riesigen begehbaren »Elefanten«. Im Park gibt es außerdem ein großes **Schmetterlingshaus** und ein regionales Eisenbahnmuseum mit einer Simulationsanlage eines Lokführerstandes.

✳
◄ Maximilianpark

An einem Nebenarm der Lippe liegt im Stadtteil Heessen die dreieckige Wasserburg Heessen (jetzt Internat). Am heutigen Standort erbauten die Ritter von der Recke eine gotische, später barock und klassizistisch veränderte Anlage. Die neugotische Kapelle entwarf der englische Architekt Sidney Tugwell. Das Haupthaus des barocken Wasserschlosses (um 1690) im Stadtteil Hamm-Werries wurde durch den Baumeister Ambrosius von Oelde errichtet.

◄ Wasserburg Heessen

Noch einige andere Ruhrgebietsorte lohnen einen Abstecher: Hattingen mit der 1854 gegründeten, nun zum Westfälischen Industriemuseum gehörenden Henrichshütte, Waltrop mit dem Schiffshebewerk Henrichenburg, schließlich Unna mit dem Zentrum für internationale Lichtkunst in der ehemaligen Lindenbrauerei.

Weitere Sehenswürdigkeiten

✳ Saaletal

Atlasteil:
S. 38/39 • A–C 1–4 und S. 47 • C/D 1/2

Bundesländer:
Thüringen und Sachsen-Anhalt

Das Saaletal gliedert sich in drei Abschnitte: den Oberlauf von der Quelle bis Saalfeld, den Mittellauf durch das Randgebiet des Thüringer Beckens und den Unterlauf ab Weißenfels bis zur Mündung in die Elbe. Besonders Ober- und Mittellauf sind landschaftlich sehr abwechslungsreich.

Verlauf der Saale

Die Saale entspringt im Fichtelgebirge, folgt zunächst in einem tiefen, gewundenen Tal der Abdachung des Frankenwaldes und des Thüringischen Schiefergebirges nach Nordwesten, verlässt das Gebirge bei Saalfeld und biegt dann im Vorland in nordöstliche Richtung ab. Bei Weißenfels erreicht die Saale die Leipziger Tieflandsbucht und mündet nach 427 km bei Barby – unterhalb von Calbe – in die Elbe. Ihr Einzugsgebiet umfasst nicht nur das Thüringische Schiefergebirge und den nordöstlichen Teil des ► Thüringer Waldes, sondern auch das Thüringer Becken, den östlichen ► Harz und sein Vorland sowie das ► Vogtland und einen Teil der Leipziger Tieflandsbucht.

Saalburg mit seinen Stauseen bietet nicht nur idyllische Landschaften, sondern auch viel für Wassersportler.

Oberes Saaletal

Das Tal der oberen Saale windet sich durch das Thüringische Schiefergebirge, das 500–650 m aufragt. So entstanden die **gegensätzlichen Landschaftsbilder**, die dieser Region ihren besonderen Reiz verleihen. Heute bildet die Obere Saale zwischen Blankenstein und Saalfeld eine Kette von Stauseen. Nur wenige Kilometer des oberen Saaletals lassen allerdings noch jene Urtümlichkeit erkennen, die für die Saale jahrhundertelang kennzeichnend war, als auf ihr das Holz aus dem Mittelgebirge zu den Umschlagplätzen hinabgeflößt wurde. Das Gebiet der Oberen Saale wurde wegen seiner landschaftlichen Vielfalt zum Naturpark »Thüringer Schiefergebirge/Obere Saale« erklärt.

> ! *Baedeker* TIPP
>
> **Es waren einmal ...**
>
> ... ein sprechender Wolf, ein Mädchen mit roter Mütze und eine Prinzessin mit sieben Zwergen-Freunden – bei der Begegnung mit den lebensgroßen Figuren im »Märchenwald Saalburg« schlagen Kinderherzen höher, zumal man hier von Mitte März bis Ende Oktober den ganzen Tag auch schaukeln, rutschen, toben und Tiere streicheln kann. (Anfahrt über A 9 Abfahrt Schleiz bis Saalburg. Dort ist der Märchenwald ausgeschildert. Zudem kennt den Weg jedes Kind.)

✶ Bleiloch-Stausee

Der erste der fünf Saalestauseen, der Bleiloch-Stausee, ist die **größte Talsperre Deutschlands**. Ihre mächtige Staumauer bei Saalburg ist fast 60 m hoch. Unterhalb der Staumauer liegt das Ausgleichsbecken Burgkammer, dann folgt das Ausgleichsbecken Grochwitz, das als Unterbecken für das Speicherkraftwerk Wisenta entstand.

Lobenstein

Die **ehemalige Residenzstadt** Lobenstein, die 1557–1918 zum Fürstentum Reuß gehörte, liegt im Thüringer Schiefergebirge nahe dem Bleiloch-Stausee. Von der Burg auf dem Burgberg blieb der als Aussichtsturm besteigbare Bergfried erhalten. Im Mittelpunkt der Altstadt liegt der historische Marktplatz mit dem Rathaus. In der Nähe steht das Barockschloss. Beachtenswert ist die 1976 in Enkaustik-Technik gearbeitete Altarwand von Friedrich Popp in der Stadtkirche St. Michaelis.

Saaldorf

Eine Bootsfahrt saaleabwärts führt nach Saaldorf, zum Aussichtspunkt »Heinrichstein« und zur Staumauer der Bleichloch-Talsperre. In Saaldorf steht das Jagdschlösschen »Waidmannsheil« mit Parkanlage.

Schleiz

Die ehemalige Residenzstadt Schleiz liegt 35 km südlich von ►Gera in einer Talmulde der Wisenta, einem Nebenfluss der Saale. Die Stadt im Thüringischen Schiefergebirge, die sich im 12. Jh. aus einem slawischen Dorf entwickelte, gilt als **Tor zur Schleizer Seenplatte**. Bekannt wurde sie besonders durch die Motorradrennstrecke »Schleizer Dreieck«. In Schleiz wurde Johann Friedrich Böttger (1682–1719), der Mit-Erfinder des europäischen Porzellans, geboren, von 1869 bis 1876 war hier Konrad Duden (1829–1911) Direktor des Städtischen

Gymnasiums. Das Stadtbild wird von der Pfarrkirche St. Georg dominiert. In der Alten Münze am Neumarkt, dem ältesten Profanbau der Stadt (16. Jh.), befindet sich eine Gedenkstätte für Johann Friedrich Böttger. Etwas außerhalb von Schleiz steht die 1359 erstmals urkundlich erwähnte Bergkirche St. Marien, die Begräbniskirche des Fürstenhauses Reuß.

Schloss Burgk In Burgk, westlich von Schleiz, erhebt sich auf einem Bergrücken über der Saale das Anfang des 15. Jh.s erbaute Schloss Burgk, das ehemalige Jagd- und Sommerschloss der Fürsten Reuß ä. L. Zu sehen sind Reste der mittelalterlichen Wehranlagen mit Zwinger und Hungerturm, der Rittersaal mit bemalter Decke, die Schlosskapelle mit einer Silbermann-Orgel aus dem Jahr 1743, ein Jagdzimmer und mehrere Prunkzimmer mit kostbarem Inventar. In der Schlossküche (um 1600) steht der **größte Kamin Deutschlands**.

Zeulenroda In Zeulenroda, 15 km nordöstlich von Schleiz, ist das klassizistische Rathaus sehenswert, dessen 38 m hoher Turm eine Figur der Göttin Themis krönt. Die Pfarrkirche zur Heiligen Dreieinigkeit hat dreigeschossige Emporen, das Altarbild stammt von E. Gründler (1820). Beeindruckend ist die **einheitlich klassizistische Bebauung** am Markt. Im Kunstgewerbe- und Heimatmuseum (Aumaische Straße 30) werden Exponate zur Strumpfwirkerei sowie Keramik- und Kunstschmiedearbeiten gezeigt.

✳
Hohenwarte-Stausee Dem gewundenen Flusslauf folgend, erreicht man den Hohenwarte-Stausee; in der Nähe liegt 60 m über der Saale die Wisentatalsperre. Die Felswände stürzen steil in die Tiefe, während sich die von Booten belebten Wasserflächen weit ausdehnen. Es gibt idyllische Winkel und Ausbuchtungen von oft fjordartigem Charakter.

Mittleres Saaletal

Tal der Burgen und Schlösser Auch der Mittellauf der Saale zeigt sich landschaftlich außerordentlich reizvoll. Das mittlere Saaletal, in dem u. a. die Städte ▶Jena und ▶ Naumburg liegen, erstreckt sich von Saalfeld bis Weißenfels. Es wird auch als **»Tal der Burgen und Schlösser«** bezeichnet, zu dem Schloss Heidecksburg in Rudolstadt, die Leuchtenburg bei Kahla, die Dornburger Schlösser bei Jena wie auch die Ruinen der Burg Saaleck und der Rudelsburg (▶Naumburg) gehören.

✳
Saalfeld
Altstadt ▶ Saalfeld, die Stadt der märchenhaften Feengrotten, erstreckt sich am Nordostrand des Thüringischen Schiefergebirges. Zahlreiche Baudenkmäler verschiedener Epochen prägen das Bild der Altstadt. Dieser Vielfalt wegen wird Saalfeld auch als **»Steinerne Chronik Thüringens«** bezeichnet. So bietet der Markt ein außergewöhnlich geschlossenes Ensemble historischer Bauten mit der auf das Jahr 1180 zurückgehenden Hofapotheke und dem 1529–1537 entstandenen

stattlichen Rathaus, ein frühes Beispiel thüringisch-sächsischer Renaissancebaukunst. Die **Stadtkirche St. Johannis**, eine der schönsten Hallenkirchen Thüringens, bewahrt u. a. die lebensgroße Figur »Johannes der Täufer« von Hans Gottwald und den Mittelschrein eines Flügelaltars aus dem Jahr 1480.

Den Außenbau schmücken gotische Sandsteinfiguren. Wenige Schritte von der alten Stadtbefestigung entfernt steht am Münzplatz ein ehemaliges Franziskanerkloster, in dem heute das **Thüringer Heimatmuseum** untergebracht ist; es dokumentiert die mittelalterliche Stadtgeschichte und zeigt Exponate der spätmittelalterlichen Saalfelder Bildschnitzkunst. Auf dem Schlossberg im Norden der Stadt steht das frühere **Schloss der Herzöge von Sachsen-Saalfeld**. Am 10. Oktober 1806 wurde nach der Schlacht bei

Faszinierende Unterwelt in den Feengrotten

Saalfeld der Leichnam des Prinzen Louis Ferdinand von Preußen in der Schlosskapelle aufgebahrt. Das **Wahrzeichen** der Stadt, der »Hohe Schwarm« nahe der Saale mit seinen schlanken Türmen, ist der Rest eines viertürmigen Kastells der Grafen von Schwarzburg.

Hauptattraktion von Saalfeld sind die »Feengrotten«, die etwa einen Kilometer südwestlich der Stadt gelegenen **Tropfsteinhöhlen** mit bunt schillernden Mineralien: eine faszinierende unterirdische Welt, die in einstigen mittelalterlichen Alaunschieferbergwerken entstanden ist.

✳ ◄ Feengrotten

In dem kleinen Städtchen Ranis, 16 km östlich von Saalfeld, erhebt sich auf einer Anhöhe **Burg Ranis**. Im Burgmuseum werden Natur und Geschichte der Region sowie die Geschichte der Burg und ihrer Besitzer vorgestellt; höchst interessant ist das dazugehörige **seismologische Kabinett**, in dem man u. a. anhand von Originalseismografen vieles über Erdbeben und deren Erforschung erfährt.

Ranis

Den Eingang des anmutigen Schwarzatals bildet der Erholungsort Bad Blankenburg, umgeben von Bergen und Wäldern. Am Markt steht das Rathaus mit einem eingemauerten Gedenkstein, dem so genannten **»Hungermännchen«** und einer Gedenktafel für den im nahen Oberweißbach geborenen Pädagogen Friedrich Fröbel (1782–1852), der 1840 den ersten deutschen Kindergarten gründete. In der Stadt gibt es noch weitere Fröbel-Gedenkstätten wie das Fröbel-Memorial-Museum.

Bad Blankenburg

Die restaurierte Burgruine Greifenstein bei Bad Blankenburg, eine der **größten Burganlagen in Deutschland**, war bis ins 14. Jh. hinein die Residenz der Grafen von Schwarzburg.

✳ ◄ Burgruine Greifenstein

▶ SAALETAL ERLEBEN

AUSKUNFT

Landesmarketing Sachsen-Anhalt
Am Alten Theater 6
39104 Magdeburg
Tel. (03 91) 5 67 70 80, Fax 5 67 70 81
www.lmg-sachsen-anhalt.de

Thüringer Tourismus GmbH
Postfach 100519, 99005 Erfurt
Tel. (03 61) 3 74 20, Fax 3 74 23 88
www.thueringen-tourismus.de

ESSEN
▶ Erschwinglich
Ratskeller Saalfeld
Markt 1, 07318 Saalfeld
Tel. (0 36 71) 51 75 10
Gediegenes Restaurant hinter den
Mauern des historischen Rathauses.
Lassen Sie sich unter dem schönen
Kreuzgewölbe mit regionalen Spezia-
litäten verwöhnen.

▶ Preiswert
Schwarzer Adler
Wurzbacher Straße 1
07356 Lobenstein
Tel. (0 36 51) 8 89 29
Mit feiner bürgerlicher Küche werden
Sie in dem ansprechenden traditions-
reichen Gasthof bewirtet.

Goldener Löwe
Kirchstraße 15, 07937 Zeulenroda
Tel. (0 36 628) 6 01 44
Bürgerliches Hotelrestaurant mit
breitgefächertem Speiseangebot;
viele thüringische Spezialitäten.

Villa Altenburg
Straße des Friedens 49
07381 Pössneck
Tel. (0 36 47) 42 20 01
www.villa-altenburg.de
Die prachtvolle Villa beherbergt ein
kleines komfortables Hotel und ein
wunderschönes Restaurant. Hier genießen Sie feine klassische Küche.

ÜBERNACHTEN
▶ Komfortabel
Seehotel
Flur Leize 4, 07937 Zeulenroda
Tel. (0 36 28) 9 80, Fax 9 81 00
www.seehotel-zeulenroda.de
Eingebettet in malerische Landschaft
liegt das Hotel direkt am See. Schickes
Design in den technisch hervorragend
ausgestatteten Zimmern und Suiten,
vielfältige Gastronomieangebote, ansprechender Freizeitbereich.

Panoramahotel Marienturm
Marienturm 1, 07407 Rudolstadt
Tel. (0 36 72) 4 32 70, Fax 43 27 85
www.hotel-marienturm.de
Hoch über dem Saaletal mit sagenhaftem Blick auf die Heidecksburg
und das historische Rudolstadt liegt
das beliebte Ausflugsziel Marienturm.
Der Hotelanbau bietet behagliche
Zimmer; gediegenes Restaurant mit
rustikalem Kaminzimmer.

▶ Günstig
Anker
Markt 25, 07318 Saalfeld
Tel. (0 36 71) 59 90, Fax 51 29 24
www.hotel-anker-saalfeld.de
Das traditionsreiche Haus aus dem
15. Jh. beherbergt heute ein neuzeitliches Hotel mit wohnlichen, schön
möblierten Zimmern.

Oberland
Topfmarkt 2, 07356 Lobenstein
Tel. (0 36 51) 6 59 90, Fax 6 59 91
www.hoteloberland.de
Kleines Hotel in einer ruhigen Ne-
benstraße, zeitgemäß eingerichtete
Zimmer, gutbürgerliches Restaurant
und netter Biergarten.

Am Mittellauf der Schwarza liegt im schönsten Abschnitt des Schwarzatals der Ort Schwarzburg, einst Sitz des thüringischen Geschlechts der Grafen von Schwarzburg. Deren Schloss erhebt sich auf einem zum Fluss steil abfallenden Bergvorsprung. Gleichfalls im Schwarzatal liegt Sitzendorf, wo 1760 der Theologe Georg Heinrich Macheleid unabhängig von Johann Friedrich Böttger Versuche zur Porzellanherstellung machte.

✳ Schwarzburg

◄ Sitzendorf

Am Mittellauf der Saale ist das ehemalige Residenzstädtchen Rudolstadt umgeben von bewaldeten Bergen. Die ursprünglich karolingische Grenzstation, 776 erstmals erwähnt, erhielt 1326 Stadtrecht. Die

Rudolstadt

Fürsten von Schwarzburg-Rudolstadt zogen im 18. und 19. Jh. mit ihrem Ehrgeiz, die Residenz in ein **»Klein Weimar«** zu verwandeln, Dichter und Gelehrte an ihren Hof. Die Weimarer Theatertruppe wirkte unter Goethes Leitung am 1792/1793 eröffneten Rudolstädter Theater. 1762 entstand im heutigen Ortsteil Volkstedt eine Porzellanmanufaktur.

In der Altstadt steht das 1735 erbaute **Schloss Ludwigsburg**, eine barocke Dreiflügelanlage mit prächtigem Rokokosaal, in dem heute der Landesrechnungshof Thüringens untergebracht ist. Das Alte Rathaus ist ein barockisierter gotischer Bau, das Neue Rathaus ein Renaissancebau, der später umgestaltet wurde. An die mehrfachen Aufenthalte von Friedrich Schiller erinnert das ehemalige Lengefeldsche Haus (Schillerstraße 25), wo er am 6. Dezember 1787 erstmals seiner späteren Frau Charlotte begegnete und am 7. September 1788 zum ersten Mal mit Goethe zusammentraf.

Der barocke Festsaal von Schloss Heidecksburg

Das Freilichtmuseum »Thüringer Bauernhäuser« im Heinrich-Heine-Park zeigt in Gebäuden, die aus der Umgebung von Rudolstadt stammen, die bäuerliche Arbeits- und Wohnkultur des 17.–20. Jh.s.

◄ Freilichtmuseum

Stadt und Fluss werden überragt vom 1737 begonnenen Schloss Heidecksburg. Festräume und Gemächer sind mit der Gemäldegalerie als **Kunstmuseum** den Staatlichen Museen Heidecksburg angegliedert. Im Nordflügel des Schlosses befinden sich natur- und kulturgeschichtliche Sammlungen, außerdem die Waffensammlung »Schwarzburger Zeughaus« mit seltenen Stücken wie Steinschlossbüchsen, Degen aus Toledo und perlmuttverzierten Radschlosspistolen.

✳ ◄ Schloss Heidecksburg

Unteres Saaletal

Burg Wettin

Wenngleich im unteren Saaletal **Industrie und Landwirtschaft** das Bild der Landschaft stärker geprägt haben als im oberen und mittleren Saaletal, lohnen alte Städte wie ►Merseburg, ►Halle, Wettin und Bernburg einen Besuch. Burg Wettin war Stammsitz der Wettiner, die im sächsisch-thüringischen Raum lange Zeit eine bedeutende Machtstellung innehatten.

Saarbrücken · Saarland

Atlasteil: 42/43 • A–C 3/4
Bundesland: Hauptstadt des Bundeslandes Saarland

Höhe: 230 m ü. d. M.
Einwohnerzahl: 190 000

Saarbrücken, im waldumrahmten Tal der Saar inmitten des Saarkohlebeckens gelegen, ist die Hauptstadt des Saarlands und wirtschaftlicher sowie kultureller Mittelpunkt dieser Region. Die Stadt ist Sitz einer Universität und einer Musikhochschule. Als Messe- und Tagungsort hat der Ort an der deutsch-französischen Grenze gleichfalls Bedeutung.

Geschichte

Ursprung Saarbrückens war eine keltische Siedlung. Nach der Eroberung Galliens errichteten hier die Römer eine Steinbrücke über die Saar und sicherten sie durch ein Kastell. Im frühen Mittelalter entstand der fränkische Königshof »Sarabrucca«. Ihre Blütezeit als Residenz der Grafen und späteren Fürsten von Nassau-Saarbrücken erlebte die Stadt im 18. Jh. unter Fürst Heinrich (1741–1788), dessen Hofbaumeister Friedrich Joachim Stengel mehrere repräsentative Barockbauten erstellte. **Eisenerz- und Kohlevorkommen** machten Stadt und Umland im 19. und 20. Jh. zum bedeutenden Wirtschaftszentrum, auf das nach dem 2. Weltkrieg Frankreich Anspruch erhob. 1947–1956 war das Saarland ein halbautonomer Staat, der in Zollunion mit Frankreich verbunden war. Die Stahlkrise in den 1980er-Jahren hat zur Schließung der Hüttenanlagen in Völklingen und Neunkirchen geführt, auch die meisten Zechen im Saarland sind inzwischen stillgelegt. Anfang des 20. Jh.s schlossen sich das westlich der Saar gelegene Alt-Saarbrücken, die Siedlung St. Johann östlich der Saar sowie das außerhalb des heutigen Stadtkerns gelegene Malstatt-Burbach zusammen.

! *Baedeker* TIPP

Kino, Kino, Kino ...

Nicht nur für eingefleischte Cineasten: Im Januar gibt es auf dem »Filmfestival Max Ophüls Preis«, dem einzigen Festival des jungen deutschsprachigen Films in Deutschland, eine Woche lang von morgens um zehn bis weit nach Mitternacht die aktuellsten Filme von Nachwuchsregisseuren.

Saarbrücken Orientierung

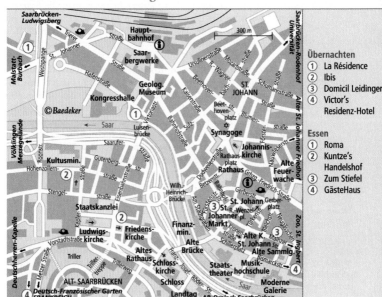

Übernachten
① La Résidence
② Ibis
③ Domicil Leidinger
④ Victor's Residenz-Hotel

Essen
① Roma
② Kuntze's Handelshof
③ Zum Stiefel
④ GästeHaus

Sehenswertes in Saarbrücken

Der St. Johanner Markt mit barockem Marktbrunnen und gesäumt von restaurierten Barockbauten bildet das Zentrum einer hübschen Fußgängerzone.

St. Johanner Markt

Vom St. Johanner Markt sind es nur wenige Schritte bis zum Rathaus, das 1897–1900 nach Plänen von Georg J. Hauberisser entstand, der auch das Münchener Rathaus entwarf. Unweit südlich ragt der **Zwiebelturm** der zwischen 1754 und 1758 von Friedrich Joachim Stengel errichteten Basilika St. Johann auf. Die während der Französischen Revolution großenteils zerstörte Innenausstattung wurde im 19. und 20. Jh. mehrmals erneuert.

Rathaus St. Johann

Die Sammlungen des Saarland-Museums verteilen sich auf zwei Gebäude: Die **Moderne Galerie** an der Bismarckstraße besitzt eine internationale Sammlung von bedeutenden Werken des 20. Jh.s (Sammelschwerpunkte sind Impressionismus, Expressionismus, Kubismus, Neue Sachlichkeit, Surrealismus, Informel sowie Foto-Videokunst). Die **Alte Sammlung**, untergebracht in der ehemaligen Schillerschule (Karlstraße 1), präsentiert u. a. Regionalgeschichte, mittelalterliche Skulpturen, ein Porzellan- und Silberkabinett sowie eine Gemäldegalerie mit Landschaftsmalerei und Stillleben.

Saarland-Museum

Alte Brücke

Vorbei am 1938 erbauten Staatstheater überquert man die Saar auf der Alten Brücke, der ersten Verbindung zwischen Saarbrücken und St. Johann, deren älteste Bauteile von einem 1546–1549 errichteten Vorgängermodell stammen.

✱
Schlossplatz

Den Mittelpunkt von Alt-Saarbrücken bildet der Schlossplatz mit seinen prächtigen Barockbauten. Als gelungene Kombination von Barock, Klassizismus und Moderne präsentiert sich das Schloss. Im Mittelalter stand hier, errichtet auf den Fundamenten der »Burg Sarabrucca«, eine wehrhafte Burg, dann eine weitläufige Renaissanceresidenz und schließlich ein von Stengel errichtetes Barockschloss. Der vom Freiherrn von Knigge als **»eine der schönsten Fürstenwohnungen in Teutschland«** bezeichnete Bau brannte 1793 aus und wurde im 19. Jh. neu errichtet. Ein gläserner Mittelpavillon verbindet die beiden Flügel des heute als Kulturzentrum genutzten Schlosses. Vom Schlossgarten bietet sich ein schöner Blick auf Saarbrücken.

Abenteuer-
museum ▶

Im Alten Rathaus gegenüber dem Schloss bringt das Abenteuermuseum dem Besucher fremde Kulturen und Völker auf abwechslungsreiche Weise näher. Das Alte Rathaus wurde ebenso wie das benachbarte **Erbprinzenpalais** von dem Barockbaumeister Friedrich Joachim Stengel errichtet. In einem neobarocken Bau präsentiert sich das Museum für Vor- und Frühgeschichte als **»archäologisches Schaufenster des Saarlandes«**. Im Mittelpunkt der Ausstellung steht das berühmte keltische Fürstinnengrab von Reinheim (um 400 v. Chr.).

Museum für
Vor- und Früh-
geschichte ▶

Die Alte Brücke verbindet die Stadtteile Alt-Saarbrücken und St. Johann –
im Hintergrund rechts ragt die Kirche auf, die dem Viertel den Namen gab.

▶ SAARBRÜCKEN ERLEBEN

AUSKUNFT

Kongress- und Touristik Service
Region Saarbrücken
Reichsstraße 1, 66111 Saarbrücken
Tel. (06 81) 93 80 90, Fax 9 38 09 38
www.die-region-saarbruecken.de

ESSEN
▶ Fein & Teuer
④ *GästeHaus*
Mainzer Straße 95, 66121 Saarbrücken
Tel. (06 81) 9 58 26 82
In einem Park liegt die schöne Villa
mit ihrem weit über das Saarland
hinaus bekannten, hochdekorierten
Gourmetrestaurant. Genießen Sie erlesene Gaumenfreuden aus Küche
und Keller im modern-eleganten
Ambiente.

▶ Erschwinglich
② *Kuntze's Handelshof*
Wilhelm-Heinrich-Straße 17
66117 Saarbrücken
Tel. (06 81) 5 69 20
Elegantes Stadthaus aus dem 18. Jh.,
2003 restauriert, ganz in weiß gehaltenes Restaurant. Kreative französische Küche, umfangreiche Weinkarte
mit seltenen Raritäten.

① *Roma*
Klausener Straße 25
66115 Saarbrücken
Tel. (06 81) 4 54 70
In gediegenem Ambiente werden Sie
am Rande der Innenstadt mit fantastischer italienischer Küche bewirtet.

▶ Preiswert
③ *Zum Stiefel*
Am Stiefel 2, 66111 Saarbrücken
Tel. (06 81) 96 64 50
In einer Gasse der Fußgängerzone
befindet sich dieses urige Gasthaus, zu
dem eine kleine Hausbauerei gehört.

ÜBERNACHTEN
▶ Luxus
④ *Victor's Residenz-Hotel*
Deutschmühlental, 66117 Saarbrücken
Tel. (06 81) 58 82 10, Fax 58 82 11 99
www.victors.de
Direkt am Deutsch-Französischen
Garten liegt das Hotel mit eleganten
Zimmern und luxuriösen Suiten.
Hervorragendes gastronomisches
Angebot.

▶ Komfortabel
① *La Résidence*
Faktoreistraße 2, 66111 Saarbrücken
Tel. (06 81) 3 88 20, Fax 3 88 21 85
www.la-residence.net
Nahe beim Bahnhof und der
Fußgängerzone liegt das moderne,
sehr persönlich geführte Haus.
Zimmer mit moderner Kommuni-
kationstechnik und elegante Suiten,
moderne kreative Küche im schicken
Restaurant, schöner Sauna- und
Wellnessbereich.

③ *Domicil Leidinger*
Mainzer Straße 10, 66111 Saarbrücken
Tel. (06 81) 9 32 70, Fax 3 80 13
www.domicil-leidinger.de
Anspruchsvoll renoviertes Haus aus
dem Jahre 1812 in der Altstadt, das
mit viel Kunst und Bildern dekoriert
ist. Die komfortablen, individuell
eingerichteten Themenzimmer vermitteln eine behagliche Atmosphäre.
Vorzügliche Küche im Bistro!

② *Ibis*
Hohenzollernstraße 41,
66117 Saarbrücken
Tel. (06 81) 9 95 70, Fax 99 57-2 00
www.ibis-saarbruecken.de
Modernes Hotel in zentraler ruhiger
Lage, freundliche Zimmer, Früh-
stücksbuffet, Bar.

Historisches Museum Saar	Die Glas-Stahl-Konstruktion neben dem Südflügel des Schlosses beherbergt das Historische Museum Saar. Etwas unterhalb steht die spätgotische Schlosskirche (1956–1958 wieder errichtet; Glasgemälde von G. Meistermann; Fürstengräber).

✳ Ludwigsplatz Ludwigskirche

Nordwestlich vom Schloss liegt der von prächtigen Palais gesäumte Ludwigsplatz, in dessen Zentrum die gleichnamige Kirche aufragt. Das 1775 fertig gestellte Barockensemble gilt als **Meisterwerk des fürstlichen Baumeisters Stengel**.

✳ Stiftskirche St. Arnual

In dem 3 km südwestlich gelegenen Stadtteil St. Arnual steht die gleichnamige ehemalige Stiftskirche aus dem 13./14. Jh., seit dem 15. Jh. Grablege des Hauses Nassau-Saarbrücken.

Deutsch-Französischer Garten

»Gulliver-Welt« ►

Im Südwesten von Saarbrücken wurde auf den einstigen Festungsanlagen des Westwalls 1960 der Deutsch-Französische Garten angelegt. Ein Rosengarten, das Tal der Blumen, eine Wasserorgel und vieles mehr laden zum Flanieren ein. Von dem Parkgelände aus hat man Zugang zur »Gulliver-Welt« mit maßstabgetreuen Nachbauten berühmter Bauwerke.

Unterwegs im Saarland

Rundwanderweg, Schiffsfahrten

Man kann das Saarland zu Fuß erkunden: Ein etwa 300 km langer Rundwanderweg erschließt das Gebiet. Oder aber per Schiff: Von der **Anlegestelle am Staatstheater** in Saarbrücken werden regelmäßig Ausflugsfahrten unternommen.

✳✳ Alte Völklinger Hütte

Die 1873 gegründete Völklinger Hütte, 10 km westlich von Saarbrücken, wurde als **einzigartiges Zeugnis der Technikgeschichte** und Industriekultur des 19. und frühen 20. Jh.s von der UNESCO 1994 zum Weltkulturerbe erklärt. Die 1873 gegründete Eisenhütte war bis 1986 in Betrieb und steht seitdem unter Denkmalschutz. Spannend erzählt im »Science Center Ferrodrom« lässt sich hier der komplette Prozess der Roheisenerzeugung nachvollziehen. Kernstück der Anlage sind die zwischen 1882 und 1916 errichteten sechs Hochöfen. Führungen werden für Gruppen angeboten (März bis Nov. tgl. 10.00 bis 19.00 Uhr).

Saarlouis

Die nach Plänen von Vauban sternförmig angelegte **Festung** in Saarlouis ist noch teilweise erhalten; in den restaurierten Gewölben der Kasematten kann man heute in verschiedenen Restaurants speisen. Prächtige Wandteppiche und Barockmöbel sind im Rathaus am Großen Markt zu besichtigen.

Mettlach

Weiter der Saar folgend, erreicht man nach 26 km das Städtchen Mettlach. In der ehemaligen Benediktinerabtei St. Peter hat heute Villeroy & Boch seinen Sitz. Im Hauptgebäude des Unternehmens

Vom Aussichtspunkt Cloef bietet sich ein beeindruckender Anblick: die Große Saarschleife bei Orscholz.

erlauben die »**Keravision**« und das **Keramikmuseum** einen Blick hinter die Kulissen der traditionsreichen Keramikfirma. Im Park der einstigen Abtei steht der sog. Alte Turm, ein achteckiger Zentralbau aus dem 10. Jh.; interessant ist ferner ein Besuch im Schloss Ziegelberg, der 1878 erbauten Villa von Edmund von Boch.

★ ★
Saarschleife

Wald umgibt die große Saarschleife, wenige Kilometer westlich von Mettlach bei Orscholz. Den besten Blick über die Flusswindung hat man vom **Aussichtspunkt Cloef** oder der **Burgruine Montclair**.

Saarburg

Nach weiteren 20 km Fahrt entlang der Saar erreicht man – bereits in Rheinland-Pfalz – Saarburg, das Zentrum des Saarweinhandels. Mitten in dem Städtchen bildet der Leukbach, der hier in die Saar mündet, einen 20 m hohen **Wasserfall.** Von einer Burgruine aus dem 10. Jh. oberhalb von Saarburg bietet sich ein schöner Ausblick.

St. Wendel,
St. Wendeler
Land

Das waldreiche St. Wendeler Land mit zwei Seen und 400–600 m hohen Hügelketten gehört zum **Naturpark Saar-Hunsrück.** St. Wendel selbst wird von der spätgotischen Pfarr- und Wallfahrtskirche beherrscht. Sie bewahrt die Gebeine des 617 verstorbenen Wandermönches und Stadtpatrons, des hl. Wendalinus. Zu den besonderen Kunstschätzen der Kirche gehören eine Grablegungsgruppe vom Ende des 15. Jh.s sowie die Mitte des 15. Jh.s geschaffene achteckige Steinkanzel.

Neunkirchen

Ebenso wie Völklingen war Neunkirchen, das knapp 20 km nordöstlich von Saarbrücken liegt, einer der wichtigsten Hüttenstandorte des Saarlandes mit einem großem Eisen- und Stahlwerk, das bis 1982 in Betrieb war. Daran erinnert noch der **Neunkircher Hüttenweg,** der durch die allerdings nicht vollständig erhaltenen Werksanlagen führt.

Bexbach In Neunkirchens Nachbarortschaft Bexbach dokumentiert das Saarländische **Bergbaumuseum mit Besucherbergwerk** eindrucksvoll zwei Jahrhunderte Grubengeschichte.

✳
Homburg, Schlossberg-höhlen Südöstlich an Bexbach grenzt Homburg. Hier sind die **größten von Menschenhand geschaffenen Buntsandsteinhöhlen Europas** zu besichtigen. Die Schlossberghöhlen wurden vorrangig zu Verteidigungszwecken zwischen dem 11. und 17. Jh. in mehreren Stockwerken über viele Kilometer in das Gestein gegraben. Der gelbrote, quarzhaltige Sandstein diente daneben zur Glasherstellung. Auf einer Strecke von etwa 2 km kann man die Schlossberghöhlen begehen (das ganze Jahr über beträgt die Temperatur hier 10 °C).

▶ SAARLAND ERLEBEN

AUSKUNFT

Tourismus-Zentrale Saarland GmbH
Franz-Josef-Röder-Straße 9,
66119 Saarbrücken
Tel. (06 81) 92 72 00, Fax 9 27 20 40
www.tourismus.saarland.de

ESSEN

▶ Erschwinglich

Escargot
Handwerkerstraße 5, 66740 Saarlouis
Tel. (0 68 31) 4 13 33
Restaurant im Bistro-Stil mit schöner Terrasse, klassische französische Küche.

Hostellerie Bacher
Limbacher Straße 2,
66539 Neunkirchen
Tel. (0 68 21) 3 13 14
Feine klassische Küche genießen Sie in dem Restaurant, das sich auch durch aufwändige Tischkultur auszeichnet.

▶ Preiswert

Gutsschänke
Im Staden 53, 54439 Saarburg
Tel. (0 65 81) 99 53 49
Gemütliche Gutsschänke aus dem Jahr 1821. Genießen Sie gehobene gutbürgerliche Kost und saisonale Spezialitäten.

ÜBERNACHTEN

▶ Komfortabel

Posthof
Ludwigstraße 23,
66740 Saarlouis
Tel. (0 68 31) 9 49 60, Fax 9 49 61 11
www.hotel-saarlouis.de
Gediegenes Haus an der Fußgängerzone, zeitgemäßer Komfort, Restaurant und Sauna im Haus.

Hochwiesmühle
Hochwiesmühle 50,
66450 Bexbach
Tel. (0 68 26) 81 90, Fax 81 91 47
www.hochwiesmuehle.de
Neuzeitliches Hotel in einem Wohngebiet am Waldrand, das aus mehreren Gebäuden besteht. Ruhige Zimmer, gediegenes Restaurant, Biergarten, Schwimmbad und Sauna.

▶ Günstig

Zunftstube
Am Markt 11,
54439 Saarburg
Tel. (0 65 81) 99 53 49, Fax 91 87 20
Schlichte, gemütliche Zimmer in zentraler Lage am Markt bietet dieses freundliche, familiengeführte Haus. Rustikales Restaurant mit Wohlfühlambiente.

Einige rekonstruierte Häuser und ein Museum in der Freilichtanlage Schwarzenacker vermitteln ein imposantes Bild einer einst mächtigen Römerstadt, die hier 275 n. Chr. von den Alemannen zerstört wurde.

◄ Freilichtmuseum Schwarzenacker

In dem 23 km östlich von Saarbrücken gelegenen **Kneippkurort** Blieskastel haben sich prächtige Renaissance- und Barockbauten erhalten: die 1665–1670 entstandene Orangerie, das Rathaus (1773 bis 1775) und die Schlosskirche von 1776–1778, die bereits klassizistische Anklänge zeigt.

Blieskastel

? WUSSTEN SIE SCHON …?

- dass der Gollenstein (ca. 2000 v. Chr.) nordwestlich von Blieskastel mit 7 m der höchste Menhir (Hünenstein) Deutschlands ist?

Der **Europäische Kulturpark** Bliesbruck-Reinheim, ca. 25 km südöstlich von Saarbrücken, ist ein deutsch-französisches Gemeinschaftsprojekt. Zu sehen sind u. a. ein keltisches Fürstengrab sowie die »Villa Rustica« und gut erhaltene Thermen aus römischer Zeit.

✳ Sächsische Schweiz

Atlasteil: S. 41 • C 2/3   **Bundesland:** Sachsen

Der von der Elbe und ihren Nebenflüssen tief zerschnittene, rund 360 km² umfassende sächsische Teil des Elbsandsteingebirges bietet ein faszinierendes, vielfältiges Landschaftsbild: Cañonartige Täler, landwirtschaftlich genutzte Ebenen, tafelbergartige »Steine« wie Lilienstein oder Pfaffenstein sowie markante Felsformationen bilden die Lebensgrundlage für eine reiche Flora und Fauna.

Die Sächsische Schweiz liegt etwa 30 km südöstlich von ► Dresden und reicht bis hinüber in die Böhmische Schweiz in der Tschechischen Republik. Die **»Entdeckung«** der Sächsischen Schweiz geht maßgeblich auf den Schweizer Porträtmaler Anton Graff und den Kupferstecher Adrian Zingg zurück, die als Professoren an der Dresdner Kunstakademie seit 1766 das Elbsandsteingebirge durchwanderten, so wie nach ihnen viele andere Künstler, darunter Ludwig Richter und Caspar David Friedrich, der sich die Anregung für sein berühmtes Gemälde »Wanderer über dem Nebelmeer« in der Sächsischen Schweiz holte. Den Künstlern folgten bald die ersten Touristen per Dampfschiff und Eisenbahn. Damit änderte sich auch die Lebensgrundlage der Waldarbeiter

Eine Landschaft wird Urlaubsziel

! *Baedeker* TIPP

Dampfschiff
Eine Tour durch die Sächsische Schweiz ist am schönsten mit einem der Schaufelraddampfer der Elbschifffahrt von Dresden aus. Oder aber Sie schwingen sich aufs Rad und fahren die gut ausgebauten Radwege im Elbtal entlang.

und Flößer – sie wurden Gastwirte und Hoteliers. Heute ist die Sächsische Schweiz eine der attraktivsten touristischen Regionen in Sachsen.

✳ Nationalpark Sächsische Schweiz

Noch vor der Vereinigung von DDR und Bundesrepublik Deutschland hat die letzte amtierende Regierung der DDR am 12. September 1990 den »Nationalpark Sächsische Schweiz« geschaffen und damit den einmaligen Naturraum des Elbsandsteingebirges auf einer Fläche von 93 km² unter strengsten Natur- und Landschaftsschutz gestellt. Der Nationalpark umschließt **zwei räumlich getrennte Gebiete**: im Westen zwischen Stadt Wehlen und Prossen einschließlich Bastei und Hohnstein, im Osten zwischen den Schrammsteinen und der deutsch-tschechischen Grenze.

Reiseziele in der Sächsischen Schweiz

✳ Pirna

Pirna, das **»Tor zur Sächsischen Schweiz«**, liegt ca. 20 km südöstlich von ▶Dresden auf beiden Ufern der Elbe. Im Jahr 1233 erstmals urkundlich erwähnt, gehörte Pirna von 1294 bis 1405 zu Böhmen. In dieser Zeit begann sich die Stadt zur wichtigsten Ansiedlung im oberelbischen Gebiet zu entwickeln. Mit der Eröffnung der Dampfschifffahrt auf der Elbe 1837 und dem Anschluss an den Eisenbahnverkehr 1848 erlebte die Stadt einen Aufschwung.

Sächsische Schweiz: vom Ferdinandstein über die Basteibrücke bis zum Lilienstein am Horizont

Malerischer Mittelpunkt von Pirna ist der **Marktplatz** mit dem Rathaus in seiner Mitte, das 1485 erbaut und 1555 und 1581 umgestaltet wurde. Unter den umstehenden Bürgerhäusern ragen besonders die Stadtapotheke »Zum Löwen« von 1578 mit einem ungewöhnlichen Sitznischenportal (Am Markt 17/18), gleich daneben das ehemalige Wirtshaus »Weißer Schwan« sowie mit der Hausnummer 7 das hochgiebelige, um 1520 erbaute so genannte »Canalettohaus« heraus.

Hinter dem Canalettohaus erheben sich der Turm und das mächtige Dach der Stadtkirche **St. Marien** (1502–1546) mit ihren beeindruckenden Gewölbeverzierungen sowie dem 10 m hohen manieristischen Altar aus Pirnaer Sandstein, einem der **bedeutendsten Werke der deutschen Spätrenaissance**. Schon Goethe lobte den 1561 wohl von Hans Walther II. gefertigten

Markt unter dem Rathausturm von Pirna

Taufstein, auf dem 26 Figuren den Tagesablauf eines Kindes darstellen. Unter den vielen Renaissance- und Barockhäusern Pirnas sind das im 16. Jh. erbaute Blechschmidthaus mit seinem auffallenden Sitznischenportal (Niedere Burgstraße 1), das so genannte Teufelserkerhaus (Obere Burgstraße 1) oder das Geburtshaus des Ablasspredigers und Luther-Widersachers Johannes Tetzel (Schmiedestraße 19) besonders schöne Beispiele. Im Kapitelgebäude des um das Jahr 1300 erbauten ehemaligen Dominikanerklosters St. Heinrich zeigt das Stadtmuseum (Klosterhof 2/3) neben kulturhistorischen Exponaten v. a. umfassende Grafik-, Foto- und Münzsammlungen. ◄ Renaissance- und Barockhäuser

◄ Stadtmuseum

Überragt wird Pirna von Schloss Sonnenstein, in dem 1811 die erste Pflegeanstalt für geistig Behinderte in Deutschland eingerichtet wurde. Nachdem 1939 die Anstalt geschlossen wurde, ermordeten die Nationalsozialisten hier 13 720 psychisch kranke und geistig behinderte Menschen als »lebensunwertes Leben«. Heute erinnert eine Gedenkstätte an die Opfer der NS-Euthanasie. Vom Biergarten des Schlosses hat man einen herrlichen Ausblick auf Altstadt und Elbe. ◄ Schloss Sonnenstein

Nur wenige Kilometer nördlich von Pirna liegt der **Richard-Wagner-Ort** Graupa. Um an seinem »Lohengrin« zu arbeiten, hatte sich Wagner im Sommer 1846 hierher auf ein Gehöft zurückgezogen, in dem heute ein dem Komponisten gewidmetes Museum untergebracht ist (Richard-Wagner-Straße 6). Graupa

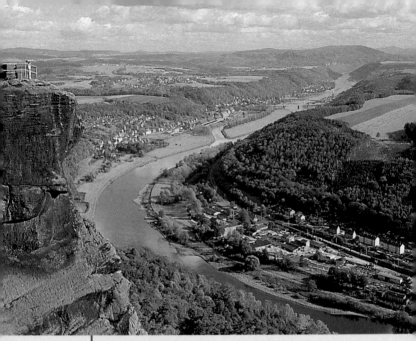

Lohnender Blick auf Königstein und bis nach Tschechien

Barockgarten Großsedlitz

✳ Oberhalb von Pirna erreicht man den Barockgarten Großsedlitz, eine der **vollkommensten barocken Gartenschöpfungen** Sachsens, zwischen 1719 und 1732 von den damals besten Baumeistern am Dresdner Hof – Johann Christoph Knöffel, Matthäus Daniel Pöppelmann und Zacharias Longuelune – geplant und angelegt. Seinen Ruhm verdankt Großsedlitz den einst 360 Skulpturen im Garten, von denen 52 erhalten sind, die meisten fielen 1756 den Preußen zum Opfer. Besonders harmonisch ist die »Stille Musik«, eine barocke Treppenanlage mit geschwungenen Balustraden und Puttengruppen in lebhaft bewegter Formensprache.

Hohnstein

Das Städtchen Hohnstein am Nordrand der Sächsischen Schweiz verströmt noch einen Hauch von Mittelalter. Es war einer der wichtigsten Ausgangspunkte für geführte Bergtouren; nicht umsonst stammen namhafte Alpinisten, unter ihnen Otto Ufer, der Erstbezwinger des Mönch, aus diesem Ort. Hohnsteins Namen verbreiteten vor allem aber die **Hohnsteiner Puppenspiele** von Max Jacob.

Das Rathaus wurde 1688 als Brauereimalzhaus erbaut, auch das Gebäude der Stadtapotheke von 1721 hatte ursprünglich einen anderen Zweck – bis 1846 war es Sitz der Oberförsterei. Die Stadtkirche aus dem Jahr 1728 ist ein schlichter Entwurf von George Bähr. Im Haus Markt Nr. 4 wurde Christoph Gottlieb Schroeter (1699–1782) geboren, der Erfinder des Hammerklaviers.

140 m hoch über dem Polenztal klebt Burg Hohnstein am Fels, im Lauf seiner Geschichte Grenzfeste, Justizamt, Zuchthaus und seit 1925 Jugendherberge, zwischen 1933 und 1934 aber »Schutzhaftlager« der Nationalsozialisten. Darüber informiert das **Burgmuseum**, in dem es außerdem eine naturkundliche Ausstellung gibt. Vom Burggarten genießt man einen herrlichen Blick ins Polenztal.

✹
◄ Burg Hohnstein

Der kleine, malerische Kurort Rathen am Fuße der Bastei (115 m) ist ein **touristisches Zentrum** der Sächsischen Schweiz; er teilt sich in Oberrathen am linkselbischen und in Niederrathen am rechtselbischen Ufer. Dorthin gelangt man mit einer Gierseilfähre, die sich der Stromkraft der Elbe bedient. Rathen ist ein guter Ausgangsort für Wanderungen, u. a. zur Bastei und zur Felsenbühne.

✹
Kurort Rathen

Besonderer Anziehungspunkt Rathens ist die Bastei, ein Schluchtenlabyrinth, dessen 200 m hoch aufragender Felsrücken zu den **schönsten natürlichen Aussichtspunkten Europas** zählt. Von Rathen führt ein gekennzeichneter und gut gesicherter Wanderweg hinauf. Oben begeht man die steinerne Basteibrücke (1881) und die aus dem 13. Jh. stammende Felsenburg Neurathen, mit überwältigendem Blick auf die Bastei. Burg Altrathen zwischen Rathen und Bastei ist heute eine Pension und Gaststätte.

✹ ✹
◄ Bastei

Die Felsenbühne Rathen wurde 1936 erbaut und ist mit ihren 2000 Plätzen die **größte Naturbühne Sachsens**. Die Landschaft am Wehlgrund beeindruckte schon Ludwig Richter und inspirierte Carl Maria von Weber zu seiner berühmten Wolfsschlucht-Szene im »Freischütz«. So gehört diese Oper zum ständigen Repertoire der Felsenbühne, aber auch die Karl-May-Spiele mit verschiedenen »Winnetou«-Inszenierungen werden hier aufgeführt.

◄ Felsenbühne
Rathen

Stadt Königstein duckt sich am linken Ufer der Elbe unter dem 361 m aufragenden Königstein. Zu sehen gibt es die Kirche St. Marien, 1720–1724 nach Plänen George Bährs erbaut, und eine Postmeilensäule von 1727. Der wahre Grund aber, Königstein zu besuchen, ist die hoch über der Stadt das Elbtal beherrschende Festung. Diese wahrscheinlich um 1200 angelegte und 1241 erstmals erwähnte **böhmische Königsburg** kam 1459 zur Mark Meißen und wurde von 1589 bis zum Ende des 19. Jh.s ständig ausgebaut; sie konnte nie erobert werden. Prominente Gefangene auf Burg Königstein waren Johann Friedrich Böttger, August Bebel (1874), Frank Wedekind (1899) und Thomas Theodor Heine (1899). Außer als Gefängnis diente der Königstein

Königstein

✹
◄ Festung

dem Dresdner Hof in Krisenzeiten als Zufluchtsstätte und zur Unterbringung der Staatsschätze. Heute sind hier mehrere Museen eingerichtet: In den beiden Zeughäusern befinden sich Ausstellungen des Militärhistorischen Museums Dresden zu Festungsbau und sächsischer Militärgeschichte, im Torhaus und im Schatzhaus sind Sonderausstellungen zu sehen und im Georgenbau eine Schau zur Geschichte des Staatsgefängnisses. Auch das Brunnenhaus mit dem über 150 m tiefen Brunnen und den Fasskeller sollte man sich anschauen.

Bad Schandau

Bad Schandau ist der **bedeutendste Kur- und Ferienort in der Sächsischen Schweiz** sowie Ausgangspunkt für herrliche Ausflüge in die felsenreiche Umgebung. Die 1430 erstmals genannte Stadt lebte lange vom Handel auf der Elbe, bis nach Entdeckung einer eisenhaltigen

▶ SÄCHSISCHE SCHWEIZ ERLEBEN

AUSKUNFT

Tourismusverband
Sächsische Schweiz
Am Bahnhof 6, 01814 Bad Schandau
Tel. (3 50 22) 49 50, Fax 4 95 33
www.saechsische-schweiz.de

ESSEN

▶ Preiswert

Brauhaus Pirna
Basteistraße 60, 01796 Pirna-Copitz
Tel. (0 35 01) 46 46 46
Sächsisches Krautfleisch, Schwarzbiergulasch und andere regionale Spezialitäten werden hier serviert.

Zum Schwarzbachtal
Niederdorfstraße 3,
01848 Hohnstein-Lohsdorf
Tel. (0 35 975) 8 03 45
Abseits im romantischen Schwarzbachtal finden Sie dieses reizend eingerichtete Gasthaus. Kreative saisonale Küche und ausgesuchte Weine.

Landgasthof Ziegelscheune
Elbweg 22,
01814 Bad Schandau-Krippen
Tel. (03 50 28) 8 04 37
Netter Landgasthof direkt am Elberadweg, in der historischen Stube werden regionale Speisen aufgetragen, Terrasse mit herrlicher Aussicht.

ÜBERNACHTEN

▶ Komfortabel

Romantik Hotel Deutsches Haus
Niedere Burgstraße 1, 01796 Pirna
Tel. (0 35 01) 4 68 80, Fax 46 88 20
www.romantikhotels.com
Mitten in der Altstadt bietet der altehrwürdige Renaissance-Bau behagliche Zimmer mit schönen Bauernmöbeln. In der gediegenen »Blechschmidt-Klause« gibt's gutbürgerliche Küche und eine ausgezeichnete Auswahl sächsischer Weine.

Ambiente
Waldstraße 26, 01848 Hohnstein
Tel. (03 59 75) 86 20, Fax 86 21 13
www.hotelambiente.com
Das Hotel liegt ganz ruhig oberhalb des Polenztales am Rande des Nationalparks Sächsische Schweiz, behagliche und funktionelle Zimmer, regionale Küche im Restaurant, ansprechender Wellnessbereich.

▶ Günstig

Zum Roten Haus
Marktstraße 10, 01814 Bad Schandau
Tel. (03 50 22) 4 23 43, Fax 4 06 66
Gemütliche schlichte Zimmer in zentraler Lage bietet dieses kleine Hotel in einem geschichtsträchtigen Haus. Rustikale Gaststube.

Bizarre Felsformationen – hier die Schrammsteine und der Falkenstein – erinnern an das Monument Valley in den USA.

Quelle ab 1730 der Badebetrieb begann. Am Marktplatz stehen der ehemalige Brauhof, ein Renaissancebau mit schönem Portal, und die spätgotische Kirche St. Johannis, deren Altar von Hans Walther II. 1572 ursprünglich für die Dresdner Kreuzkirche geschaffen wurde. Mit einem 1904 erbauten, 50 m hohen Aufzug erreicht man den Stadtteil Ostrau mit seinen Villen, Umgebinde- und Fachwerkhäusern.

3 km elbaufwärts von Bad Schandau beginnt das ausgedehnte **Wander- und Klettergebiet** der Schrammsteine, die zu den markantesten Felsformationen der Sächsischen Schweiz gehören. Bereits im 19. Jh. kam man hier auf den Gedanken, Haken nur zur Sicherung vor einem Absturz und nicht zum Hochziehen einzuschlagen und die eigentliche Kletterei der Kraft der Arme und Finger zu überlassen – heute nennt man das »freeclimbing«.

★
Schrammsteine

! *Baedeker* TIPP

Zum »Kuhstall«
mit der Kirnitzschtalbahn: Von Bad Schandau aus bringt die 1898 erbaute Bahn Ausflügler durch das idyllische Kirnitzschtal bis zum Lichtenhainer Wasserfall. Von hier geht's zu Fuß weiter zum Wildenstein, zur »Himmelsleiter« oder zum Felsentor des »Kuhstall«.

Bad Schandau ist auch der Ausgangspunkt für eine Wanderung zum **Großen Zschirnstein**, der mit 561 m ü. d. M. der höchste Gipfel der Sächsischen Schweiz ist. Den Marsch selbst beginnt man am besten in Kleingießhübel 5 km jenseits der Elbe, von wo aus man in eine urtümliche Waldlandschaft gelangt.

Unbedingt lohnend ist auch ein Abstecher in die Böhmische Schweiz zu **Europas größter natürlicher Sandsteinbrücke**, dem Prebischtor (Pravcická braná).

✱ Sauerland

Atlasteil: S. 34/35 • B/C 1/2   **Bundesland:** Nordrhein-Westfalen

Das Sauerland, auch »Süderland« genannt, ist ein bewaldetes Bergland östlich und südöstlich des ►Ruhrgebiets. Neben alten Städten sind die vielen Tropfsteinhöhlen, z. B. die Attahöhle und die Dechenhöhle, attraktive Ausflugsziele. Im Sommer stehen Wandern und Wassersport im Vordergrund, im Winter lockt das Sauerland als Wintersportgebiet.

Arnsberg und Umgebung

Arnsberg Arnsbergs Altstadt, von deren früherer Stadtbefestigung noch Reste erhalten sind, erstreckt sich auf einem von der Ruhr umflossenen Bergrücken und wird von einer Schlossruine überragt. Sehenswert sind das **Sauerland-Museum** und die Klosterkirche im Stadtteil Oelinghausen. Auch ein Ausflug zur nördlich gelegenen Möhnetalsperre bietet sich an.

Meschede 21 km östlich von Arnsberg kommt man an der Mündung der Henne in die obere Ruhr nach Meschede. Hier sollte man sich die Reste einer **karolingischen Krypta** in der Pfarrkirche St. Walburga anschauen. Im Norden erstreckt sich der Naturpark Arnsberger Wald, an dessen Ostrand Warstein liegt, das jedem Bierkenner ein Begriff ist.

Unter den historischen Werkstätten im Westfälischen Freilichtmuseum von Hagen befindet sich auch ein Messingstampfhammerwerk, dessen Betrieb vorgeführt wird.

Etwa 22 km östlich von Meschede erreicht man den **Wintersportort** Brilon. Wer nicht Ski laufen will, kann sich das Rathaus mit Barockfassade, die Propstei- und die Nikolaikirche sowie die alten Fachwerkhäuser anschauen.

Hagen und Umgebung

Hagen, am nordwestlichen Rand des Sauerlands, stößt südwärts in die von bewaldeten Höhen umgebenen Täler von Ruhr, Ennepe, Lenne und Volme vor. Mitte der 1970er-Jahre wurde hier die bislang **einzige Fernuniversität Deutschlands** als erfolgreiche Alternative zu den traditionellen Universitäten und Hochschulen gegründet.

Am Friedrich-Ebert-Platz im Stadtzentrum steht das Rathaus, auf dessen Turm als Symbol der Sonne eine vergoldete Kugel aus Edelstahl angebracht ist. Südlich vom Rathaus, in der Hochstraße 73, befindet sich das Karl-Ernst-Osthaus-Museum, ein von Henry van de Velde errichteter, monumentaler Jugendstilbau; auch im weiteren Stadtgebiet begegnet man noch etlichen Jugendstilhäusern. Das Museum ist auf die **Kunst des 20. Jh.s** spezialisiert: Neben wichtigen Gemälden des Expressionismus, u. a. von Kirchner, Macke, Marc, Mueller und Heckel, gibt es dort z. B. Arbeiten von Feininger und Christian Rohlfs.

✱ ◀ Karl-Ernst-Osthaus-Museum

Im südlichen Stadtteil Selbecke befindet sich das Westfälische Freilichtmuseum Hagen, das aus rund 60 historischen, teils noch funktionsfähigen Werkstätten und Fabrikbetrieben besteht, u. a. sind eine Papier- und eine Sägemühle, eine Holzschuhmacherei und eine Goldschmiede zu sehen.

✱ ◀ Westfälisches Freilichtmuseum

Im Stadtteil Hohenlimburg lohnt sich ein Besuch im Schloss mit seinem **Museum für Wohnkultur und Volkskunde, Stadt- und Frühgeschichte**. Einen Blickfang besonderer Art bieten die Drahtgemälde als charakteristische Produkte der Hohenlimburger Industrie des 19. Jahrhunderts.

◀ Schloss Hohenlimburg

Iserlohn und Umgebung

Die Stadt Iserlohn, östlich von Hagen auf einer von bewaldeten Bergen umgebenen Hochfläche gelegen, besitzt noch Reste der alten Ummauerung. Zur Ausstattung der evangelischen Obersten Stadtkirche gehören ein flandrischer Schnitzaltar (um 1400) und ein gotisches Chorgestühl. Das Stadtmuseum am Fritz-Kühn-Platz ist in einem der **schönsten Barockgebäude** Iserlohns untergebracht. Auf drei Etagen gibt es dort Abteilungen zur Geologie, zur Ur- und Frühgeschichte, zum Iserlohner Bergbau sowie zu Stadtgeschichte und In-

Iserlohn

◀ Stadtmuseum

Mächtige Stalagmiten und Stalaktiten wachsen in der Dechenhöhle aufeinander zu.

dustrialisierung. So werden z. B. Messing- und Bronzewaren, darunter die berühmten Iserlohner Tabakdosen aus dem 18. Jh., ausgestellt. In der historischen Fabrikanlage Barendorf lohnt der Besuch des Drahtmuseums.

＊ Dechenhöhle
An der Straße nach Letmathe, 4 km westlich, befindet sich der Zugang zur 1868 entdeckten Dechenhöhle, einer **Tropfsteinhöhle mit einem Höhlenkundemuseum**, in dem sich alles um den Steinzeitmenschen dreht. Farbige Grafiken und seltene Ausstellungsstücke veranschaulichen die Entstehung der Dechenhöhle in einem ehemaligen Korallenriff, das sich hier vor ca. 370 Mio. Jahren in einem tropischen Meer bildete. Auch auf die Tierwelt der Höhlen wird hingewiesen: Hauptattraktion des Museums ist die Nachbildung eines eiszeitlichen Höhlenbären.

! *Baedeker* TIPP

Höhlenklänge

Ein außergewöhnliches Erlebnis ist der Besuch eines Konzerts oder einer Oper in der Balver Höhle, die seit einigen Jahren als Konzerthalle genutzt wird (Festspiele Balver Höhle, Tel. 0 23 75/10 30, ticketservice@festspiele-balver-hoehle.de).

Östlich von Iserlohn, in Hemer, befindet sich eine weitere Höhle, die **Heinrichshöhle**. Sie wurde 1812 von Heinrich von der Becke entdeckt, dem sie ihren Namen verdankt. In der Nähe liegt das durch den Eisenerzbergbau entstandene »Felsenmeer«.

Balve
Die älteste vollständig erhaltene Hochofenanlage Deutschlands kann man sich im Museum Luisenhütte in Balve-Wockum anschauen. In der Pfarrkirche St. Blasius sind Wandgemälde aus dem 13. Jh. besonders sehenswert. Die in der Eiszeit bewohnte **Balver Höhle** ist eine der **größten Höhlen Mitteleuropas**.

Über Altena, südlich von Iserlohn, ragt die im 12. Jh. begonnene **Altena** Burg auf. Hier wurde 1912 die erste ständige Jugendherberge der Welt eingeweiht; Hauptattraktion ist das **Museum der Grafschaft Mark**. Unterhalb der Burg liegt das **Deutsche Drahtmuseum**.

Attendorn und Umgebung

Die einst zur Hanse gehörende Stadt Attendorn liegt im südlichen **Attendorn** Sauerland zwischen Rothaar- und Ebbegebirge am Biggesee. Reste der alten Stadtbefestigung haben sich am Nordrand des Stadtkerns erhalten. Am Alten Markt steht das Historische Rathaus, der einzige gotische Profanbau im südlichen Westfalen. Es beherbergt das **Kreisheimatmuseum**, das Exponate zur Stadtgeschichte zeigt, außerdem wunderschöne Mineralien aus der Gegend und prähistorische Höhlenfunde, aber auch Zinnfiguren, alte Handwerkserzeugnisse und Jagdutensilien. Wahrzeichen von Attendorn ist die Pfarrkirche St. Johannes Baptist, auch **»Sauerländer Dom«** genannt.

Ein traumhafter Blick über die Stadt bietet sich von Burg Schnellenberg aus, südöstlich der Stadt inmitten ausgedehnter Wälder. Die **Burg** Burg, Stammsitz der Freiherren von Fürstenberg, beherbergt heute **Schnellenberg** neben dem **Burgmuseum** ein Hotel.

✶

Auf dem Biggesee, dem größten See des Sauerlandes, tummeln sich allerhand Freizeitkapitäne.

＊ **Attahöhle** Auf der Finnentroper Straße gelangt man zur Attahöhle, eine der **schönsten Tropfsteinhöhlen Deutschlands**, 1907 bei Sprengungen in einem Kalksteinbruch entdeckt. Durch einen 80 m langen Stollen geht es in eine faszinierende »Unterwelt«. Über mehrere Stationen mit fantastischen Namen wie Alhambragrotte, Ruhmeshalle oder Kristallpalast kommt man zum prächtigen Thronsaal der Fürstin Atta, der sagenhaften Gründerin Attendorns.

＊ **Biggesee** Die reizvolle Landschaft um Westfalens größten Wasserspeicher, den Biggesee, und den angrenzenden Listersee ist ein beliebtes **Naherholungsgebiet**. Die Seen laden im Sommer zum Baden, Tretbootfah-

 SAUERLAND ERLEBEN

AUSKUNFT

Sauerland-Tourismus
Johannes-Hummel-Weg 1
57392 Schmallenberg
Tel. (0 29 74) 9 69 80, Fax 96 98 33
www.sauerland-touristik.de

ESSEN

► **Erschwinglich**
Von Korff
Le-Puy-Straße 19, 59872 Meschede
Tel. (02 91) 9 91 40
Geschmackvoll eingerichtetes, elegantes Restaurant, ambitionierte Küche mit mediterranen Einflüssen, auf der Weinkarte finden sich seltene Bordeaux-Raritäten.

Carsten's Restaurant
Gartenstraße 5, 58636 Iserlohn
Tel. (0 23 71) 2 69 83
Ansprechendes Restaurant im mediterranen Stil, gehobene internationale Küche.

► **Preiswert**
Gasthof Spelsberg
Großendrescheid 17, 58762 Altena
Tel. (0 23 52) 9 58 00
Das alteingesessene, traditionelle Gasthaus bietet Ihnen gutbürgerliche Küche und einen tollen Blick auf das Märkische Sauerland.

ÜBERNACHTEN

► **Luxus**
Vier Jahreszeiten
Seilerwaldstraße 10, 58636 Iserlohn
Tel. (0 23 71) 92 20, Fax 97 21 11
www.vierjahreszeiten-iserlohn.de
Direkt am Seilersee erwarten Sie stilvoll eingerichtete Zimmer, vorzügliches gastronomisches Angebot, schöner Garten mit Seeblick, Sauna und vielfältige Wellnessangebote.

► **Komfortabel**
Hennendamm
Am Stadtpark 6, 59872 Meschede
Tel. (02 91) 9 96 00, Fax 99 60 60
www.hennendamm-hotel.de
In reizvoller Lage am Hennensee bietet das Haus modernen Komfort gepaart mit dem Charme der 50er-Jahre. Elegante Zimmer, rustikales Restaurant mit mediterraner Küche.

Burghotel Schnellenberg
Burg Schnellenberg, 57439 Attendorn
Tel. (0 27 22) 69 40, Fax 69 41 69
www.burg-schnellenberg.de
Viel historisches Flair und moderner Komfort erwarten Sie in der beeindruckenden Burganlage aus dem 13. Jh. Wahrhaft ritterlich speisen Sie im großen Saal unter herrlichem Kreuzgewölbe.

ren, Surfen, Segeln und Angeln ein. Von Ostern bis Oktober verkehren Personenschiffe zwischen Attendorn und Olpe am südlichen Ende des Sees. Die mitten im Biggesee liegende Insel »Gilberg« ist zusammen mit den angrenzenden Wasserflächen und nahen Uferbereichen Naturschutzgebiet – ein Eldorado für viele Tiere.

Winterberg im Sauerland und Umgebung

Die Stadt Winterberg, auf einer aussichtsreichen Hochfläche gelegen, hat sich zum beliebtesten **Wintersportgebiet** des Hochsauerlands entwickelt, denn der Kahle Asten (841 m ü. d. M.) im nördlichen Rothaargebirge zählt zu den schneereichsten Gebieten Deutschlands. Vom Astenturm auf dem Kahlen Asten bietet sich ein herrlicher Blick über das »Land der tausend Berge«.

»Land der tausend Berge«

Das waldreiche Rothaargebirge erstreckt sich vom östlichen Sauerland bis nach Hessen. Zum Naturpark gehört auch ein großer Teil des Wittgensteiner Landes. Einen Besuch lohnt das von der Odeborn durchflossene Bad Berleburg mit seinem schönen Schlosspark mit Teichen und altem Baumbestand.

★
Naturpark
Rothaargebirge

◄ Bad Berleburg

Im Naturschutzgebiet Neuer Hagen, einem großen Hochheidegebiet, konnten sich völlig verschiedenartige Biotope entwickeln, denn das Gelände ist im Unterschied zu anderen Hochheiden von **Sumpf-oder Moorstellen** unterbrochen. Im östlichen Bereich der Heide liegt ein Hochmoor über wasserundurchlässigem Schiefer; dort wachsen Enzian, Arnika und andere seltene Pflanzen.

Naturschutz-gebiet Neuer Hagen

✳ Schleswig

Atlasteil: S. 7 • C 2
Höhe: 0–56 m ü. d. M.

Bundesland: Schleswig-Holstein
Einwohnerzahl: 26 000

Schleswig, berühmt wegen der Wikingerstadt Haithabu, liegt reizvoll an dem von sanften Höhen umgebenen Ende der Schlei, einer schmalen, flussartigen Bucht der Ostsee. Die hochkarätigen kulturhistorischen Sehenswürdigkeiten der Stadt und ihrer Umgebung machen Schleswig zu einem attraktiven Städtchen.

Schon im Jahr 804 wird »Sliaswic« am Haddebyer Moor erwähnt. Die weitere Geschichte von Schleswig ist eng mit jener der benachbarten Siedlung Haithabu verbunden, einem der **wichtigsten Handelsplätze der Wikingerzeit** in Nordeuropa. Nach der Zerstörung Haithabus im Jahr 1066 wanderten die Überlebenden in eine um 1000 als Nachfolgerin von Sliaswic gegründete Siedlung, die um 1200 zur Stadt erhoben wurde. Von 1544 bis 1713 residierten die

Geschichte

Wertvollstes Stück im Dom ist der Bordesholmer Schnitzaltar mit 392 Figuren.

Herzöge von Schleswig-Holstein-Gottorf, einer Nebenlinie des dänischen Königshauses, in Schloss Gottorf. 1711 entstand aus Friedrichsberg, Lollfuß, Hesterberg und Holm die heutige Stadt.

Sehenswertes in Schleswig

Dom St. Petri   **Bedeutendstes Bauwerk** der Altstadt ist der gotische, im Wesentlichen im 12.–15. Jh. entstandene Dom St. Petri, der von einem 112 m hohen, 1894 errichteten Westturm überragt wird. Im reich ausgestatteten Inneren des Gotteshauses beachte man das mächtige Marmorgrabmal des Dänenkönigs Friedrich I. († 1533), das spätgotische Chorgitter, ein Taufbecken von 1480 und Wandmalereien aus dem 12./13. bzw. aus dem 14. Jh. (im Kreuzgang). Glanzstück der Ausstattung ist der kostbare, 1514–1521 von Hans Brüggemann für das Augustiner-Chorherrenstift in Bordesholm geschnitzte und 1666 hierher überführte Altar. Der über 12 m hohe Flügelaltar mit seinen 392 Figuren gilt als **Hauptwerk mittelalterlicher niederdeutscher Schnitzkunst**.

✱ **Bordesholmer Altar** ▶

Markt   Mittelpunkt der Altstadt ist der von hübschen Bürgerhäusern umrahmte Markt mit dem 1794 in klassizistischem Stil erbauten Rathaus, das bei einem Brand im Mai 2005 allerdings beschädigt wurde. Das so genannte Graukloster ist aus einem 1234 gegründeten Franziskanerkonvent hervorgegangen.

Präsidenten-kloster   Weiter nördlich, am Stadtweg, steht das 1656 als Armenstift errichtete so genannte Präsidentenkloster. Es beherbergt heute die Ostdeutsche Heimatstube und das Museum für Outsiderkunst.

Direkt an der Schlei liegt die malerische **alte Fischersiedlung** Holm. ✱
Der dänische Name dieses Stadtteils bedeutet so viel wie »vom Was-   **Holm**
ser umgeben«. An einigen Häusern sieht man noch die typischen
»Klöndören« (Plaudertüren) und die »Utluchten« genannten Erker.
Ein besonders hübsches Bild bietet der von Linden gesäumte Fischer-
friedhof mit der kleinen Kapelle in seiner Mitte. Wer sich für die Geschichte Holms interessiert, besuche das Holm-Museum nordwestlich des Friedhofs.

Südöstlich des Friedhofs steht das im 12. Jh. am Ufer der Schlei ge-   ◀ St.-Johannis-
gründete Benediktinerkloster St. Johannis, die am besten erhaltene   Kloster
mittelalterliche Klosteranlage Schleswig-Holsteins. Bemerkenswert
sind die spätbarocke Klosterkirche und der Kapitelsaal mit seinem
bereits im 13. Jh. geschaffenen Gestühl.

Im Stadtteil Friedrichsberg liegt auf einer Insel in der abgetrennten   **Friedrichsberg**
Schlei die mächtige Vierflügelanlage von Schloss Gottorf, der größte   ✱ ✱
und **bedeutendste Profanbau Schleswig-Holsteins.** Die einstige Resi-   ◀ Schloss
denz der Herzöge von Schleswig-Holstein erhielt im Wesentlichen   Gottorf
zwischen dem 16. und 18. Jh. ihr heutiges Aussehen; mit der Vollendung des barocken Südflügels 1703 war der Bau abgeschlossen. Nach   ◀ Schleswig-
dem Zweiten Weltkrieg wurde das Schloss Heimstatt des Schleswig-   Holsteinisches
Holsteinischen Landesmuseums. Zu seinen herausragenden Schätzen   Landesmuseum
gehören u. a. Werke gotischer Sakralkunst, Gemälde altdeutscher
Meister sowie Kunst des 16. und 17. Jh.s. Besichtigt werden können
auch die mittelalterliche Schatzkammer, eine Barockgalerie, die
Schlosskapelle, der Hirschsaal, eine Galerie des 19. Jh.s sowie eine Ju-
gendstil-Ausstellung. In den historischen Nebengebäuden wird Kunst
des 20. Jh.s, insbesondere Werke des deutschen Expressionismus,
ausgestellt. In einer modernen Halle in der Nähe des Schlosses werden Kutschen und diverse historische Reiseutensilien gezeigt.

Die umfangreichen Sammlungen des Archäologischen Landes-   ✱ ✱
museums, das zu den **wichtigsten Einrichtungen seiner Art** in Nord-   ◀ Archäologisches
europa gehört, sind ebenfalls in Schloss Gottorf untergebracht. Ein   Landesmuseum
Ausstellungsschwerpunkt ist die Lebensweise der steinzeitlichen
Rentierjäger. Besonders eindrucksvolle Exponate sind Moorfunde
aus der Eisenzeit sowie Moorlei-
chen aus der Zeit um Christi Geburt (Öffnungszeiten März bis
Okt. tgl. 9.00–17.00, Nov. bis Feb.
Di. bis So. 9.00–16.00 Uhr).

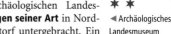

NICHT VERSÄUMEN

■ das »Nydamboot« aus dem 4. Jh. n. Chr.,
eines der ältesten noch seegängigen Schiffe
im nordeuropäischen Raum
■ die größte Sammlung von Gemälden des
deutschen Expressionismus

Im vornehmen Günderothschen
Hof (Friedrichstraße 7–11), einem
1834–1836 erbauten herzoglichen
Gästehaus, ist das **Städtische Mu-
seum** untergebracht. Hier sind nicht nur wichtige archäologische
Funde, sondern auch wertvolle Schleswiger Fayencen und eine Spielzeugsammlung zu sehen. In einem Nebengebäude findet man eine

Ausstellung zum Thema **Buchdruck**, der in Schleswig eine lange Tradition hat, sowie die Hoëjsche Bibliothek mit 17 000 Bänden aus dem 17.–19. Jahrhundert.

Haithabu: erste stadtähnliche Siedlung Nordeuropas Ungefähr 2 km östlich vom Stadtteil Friedrichsberg liegt Haithabu, der im 11. Jh. zerstörte Hafen und **Handelsplatz der Wikinger** am Haddebyer Moor. Haithabu, an das heute nur noch eine halbkreisförmige Wallanlage erinnert, war die erste größere, stadtähnliche Siedlung im gesamten Ostseeraum. Zu ihrer Blütezeit im 10. Jh. zählte sie etwa 1000 Einwohner, die Handelsbeziehungen mit skandinavischen Küstenorten, aber auch mit Siedlungen an der von Slawen bewohnten Ostseeküste pflegten.

✳ Wikingermuseum ► Im Wikinger Museum Haithabu ist die Geschichte des Siedlungsplatzes hervorragend dokumentiert, wobei kein wichtiger Lebensbereich der damaligen Zeit ausgelassen wird. In der Schiffshalle ist ein Langboot der Wikinger zu sehen, dessen Wrack man 1979 aus dem Schlick des ehemaligen Hafens von Haithabu geborgen hat.

Danewerk Von der seit dem 7. Jh. ausgebauten, riesigen **Verteidigungsanlage** Danewerk sind heute noch rund 20 km Wallanlagen und Mauerreste vorhanden. Die 3,5 km lange, 7 m hohe und 2 m starke Backsteinmauer, die so genannte Waldemarsmauer, entstand um 1180.

Museum Danevirkegården ► An der Waldemarsmauer im Ortsteil Kleindannewerk unterhält die dänische Minderheit Schleswig-Holsteins das Museum Danevirkegården, das die Vor- und Frühgeschichte dieser Gegend erhellt.

Dieses Langboot der Wikinger hat man 1979 aus dem Schlick des ehemaligen Hafens von Haithabu geborgen.

● SCHLESWIG ERLEBEN

AUSKUNFT

Touristinformation
Plessenstraße 7, 24837 Schleswig
Tel. (0 18 05) 88 00 07, Fax 98 16 19
www.schleswig.de

ESSEN

► Erschwinglich
Zollhaus
Lollfuss 110, 24837 Schleswig
Tel. (0 46 21) 9 03 40
Klassisches, in hellen Farben gehaltenes Restaurant im historischen Zollhaus aus dem 18. Jh., vorzügliche regionale und internationale Küche, einladende Terrasse im Innenhof.

Olschewski's
Hafenstraße 40, 24837 Schleswig
Tel. (0 46 21) 2 55 77
Am Rand der Altstadt in der Nähe des Hafens werden Sie in dem gastlichen Haus mit feinen Fischgerichten und internationalen Klassikern bewirtet.

ÜBERNACHTEN

► Komfortabel
Waldschlösschen
Kolonnenweg 152,
24837 Schleswig-Pulverholz
Tel. (0 46 21) 38 30, Fax 38 31 05
www.hotel-waldschloesschen.de
Engagiert geführtes Tagungs- und Urlaubshotel am Rand eines lauschigen Wäldchens gelegen, schöne wohnliche Zimmer, prachtvolle Gartenanlage mit Teichen und Brücken, gepflegtes Restaurant, Schwimmbad und Sauna im Haus.

Strandhalle
Strandweg 2, 24837 Schleswig
Tel. (0 46 21) 90 90, Fax 90 91 00
www.hotel-strandhalle.de
Am Ufer der Schlei empfiehlt sich dieses freundliche, traditionsreiche Haus aus dem Jahre 1905 mit modernem Komfort, einem kleinen Schwimmbad und angenehmer Ruhe. Im Restaurant werden vor allem Fischgerichte aufgetragen.

Umgebung von Schleswig

Schlei — Wie ein Fluss schlängelt sich die rund 40 km lange Schlei von Schleswig in nordöstlicher Richtung zur Ostsee. Sie ist zwar die **längste aller Ostseeförden**, hat aber, da sie relativ schmal und flach ist, als Wasserstraße nur in der Zeit der Wikinger eine größere Rolle gespielt. Im Mittelalter bildete die Schlei die Grenze zwischen den im Norden lebenden Angeln und Jüten sowie den weiter südlich wohnenden Sachsen und Holsten. Heute ist die Schlei von kleinen Fischerbooten und den Booten von Freizeitkapitänen belebt. In dem fischreichen Gewässer kann man Aale, Lachse, Barsche, Hechte und Heringe angeln.

Freizeitpark Tolk-Schau — Der knapp 10 km nordöstlich von Schleswig gelegene Freizeitpark Tolk-Schau begeistert vor allem die Kleinen mit Märchenwelt, Ministadt, Grillhütten, Wildpark und Streichelzoo.

! *Baedeker* TIPP

Amanda klappert

Technikfreaks können die wahlweise durch Wind oder Dampf betriebene Windmühle Amanda in Kappeln wieder klappern hören und sich die Funktionsweise des über 100 Jahre alten, 30 m hohen technischen Denkmals erklären lassen. (Schleswiger Straße, Tel. 0 46 42/40 27, Mo. bis Fr. 10.00–12.00 Uhr und 15.00–17.00 Uhr).

In **Kappeln**, 35 km nordöstlich von Schleswig an der Schlei gelegen, wird noch – einzigartig in Europa – mit den Heringszäunen aus dem 15. Jh. Fischfang betrieben. Bei den jährlichen Kappelner Heringstagen (um Christi Himmelfahrt) steht der leckere Fisch natürlich im Mittelpunkt. Besichtigen sollte man in Kappeln die spätbarocke Nikolaikirche (1789–1793) und den Museumshafen (Schiffsausflüge).

Knapp 15 km nordöstlich von Kappeln, an der Mündung der Schlei, erreicht man den **hübschen Fischerort** Maasholm mit seinen historischen Fachwerkhäusern.

✳ Naturpark Hüttener Berge

Im Dreieck Schleswig, Rendsburg und Kiel erstreckt sich der 22 000 ha große Naturpark – eine abwechslungsreiche Landschaft mit welligen Hügelketten, Äckern, Wiesen und Seen. Bei Wassersportlern sehr beliebt ist der 10 km² große **Wittensee**, der zwischen Rendsburg und Eckernförde direkt an der B 203 liegt. Die schilfgesäumten Ufer im Südwesten des fischreichen Sees sind Vogelschutzgebiet.

In Kappeln sind die Heringszäune eine traditionelle Fangeinrichtung.

✳ Schwäbische Alb

Atlasteil:
S. 52/53 • B/C 2–4

Bundesländer:
Baden-Württemberg, Bayern

Ihren besonderen Reiz verdankt die Schwäbische Alb den abwechslungsreichen Landschaftsformen mit obstreichen Tälern, hübschen Dörfern und Städtchen, märchenhaften Quelltöpfen, Grotten und Höhlen sowie felsigen Hängen mit lichten Buchenwäldern und Hochflächen mit Wacholderheiden und Magerwiesen.

Die Schwäbische Alb, ein Mittelgebirgszug von etwa 700 m Höhe, erstreckt sich in einem ca. 220 km langen und bis zu 40 km weiten Bogen vom Hochrhein bei Schaffhausen nordostwärts bis zum Ries an der Landesgrenze von Baden-Württemberg und Bayern. Höchste Erhebung ist der Lemberg (1015 m ü. d. M.) auf der Südwestalb. An seiner Nordwestflanke bildet das jäh abfallende Gebirge eine ca. 400 m hohe Mauer, die durch tief in das Gebirge eingreifende Täler reich gegliedert ist. Etliche der vorspringenden Bergbastionen tragen **berühmte Burgruinen**. Nach Südosten flacht die Alb ganz allmählich zum Donautal hin ab.

Ausführlich beschrieben im Baedeker Allianz Reiseführer »Schwäbische Alb«

Die Kalksteinschichten der Alb sind von Rissen und Spalten durchzogen, in die Regen- und Schmelzwasser einsickern kann. Das Sickerwasser löst den Kalk, und schließlich werden ganze Höhlensysteme ausgewaschen. Bei der Verdunstung des Wassers an der Höhlendecke wird der Kalk wieder ausgeschieden, und es entstehen Tropfsteine, die nach unten wachsen, so genannte Stalaktiten. Durch die auf den Höhlenboden platschenden Wassertropfen bauen sich von unten nach oben Bodentropfsteine auf, so genannte Stalagmiten. Oft verwachsen Decken- und Bodentropfsteine miteinander zu Tropfsteinsäulen. Die bekanntesten Tropfstein-Schauhöhlen der Alb sind die **Nebel- und die Bärenhöhle** südlich von Reutlingen sowie die **Charlottenhöhle** südlich von Heidenheim (die ausführliche Darstellung der Bärenhöhle finden Sie auf S. 987).

 SCHWÄBISCHE ALB

AUSKUNFT

Touristikgemeinschaft Schwäbische Alb
Marktplatz 1, 72574 Bad Urach
Tel. (0 71 25) 94 81 06, Fax 94 81 08
www.schwaebischealb.de

SCHWÄBISCHE UNTERWELT

Neben den Schauhöhlen können auch unerschlossene Höhlen der Alb in Begleitung eines ausgebildeten Höhlenführeres besichtigt werden. Unabhängig von den verschiedenen Schwierigkeitsgraden bieten alle Touren ein einzigartiges Naturerlebnis und einen Hauch von Abenteuer. Ein erfahrener Veranstalter von Höhlentouren ist die Firma Felsduell (Tel. 0 74 22/24 06 93, www.felsduell.de).

Ries · Ostalb

Ries Ganz im Nordosten der Alb ist das Ries als nahezu kreisrunder, etwa 80–100 m tiefer Kessel mit einem Durchmesser von ca. 25 km in den Schwäbischen Jura eingesenkt. Es entstand vor ca. 15 Mio. Jahren, als hier ein mächtiger Steinmeteorit einschlug.

Nicht zuletzt wegen seiner hervorragenden Ackerböden gehört das Ries zu den am **längsten besiedelten Landschaften** Deutschlands. Der größte Teil des Rieses ist heute bayerisch, lediglich die nordwestliche Ecke des Rieskessels gehört zu Baden-Württemberg.

✱
Nördlingen

Die über 1100 Jahre alte bayerische Stadt Nördlingen ist neben ▶ Rothenburg ob der Tauber und ▶Dinkelsbühl die dritte der berühmten, an der alten Reichsstraße von Würzburg nach Augsburg gelegenen mittelalterlichen Städte. Um den **kreisrunden Stadtkern** legen sich zwei ringförmige Erweiterungen mit Häusern aus dem 16. und 17. Jh. sowie eine vollständig erhaltene Stadtmauer mit 15 Türmen und einem heute noch begehbaren Wehrgang. Vom 90 m hohen, »Daniel« genannten Turm der spätgotischen Georgskirche kann man einen großartigen Rundblick genießen. Nördlich des Gotteshauses steht das spätgotische Rathaus mit einer Renaissancefreitreppe. Gegenüber befindet sich das historische Tanzhaus von 1444. Im ehemaligen Heilig-Geist-Spital ist das Stadtmuseum untergebracht. Das Rieskrater-Museum (Hintere Gerbergasse 3) informiert ausführlich über den Meteoriteneinschlag nahe dem heutigen Nördlingen vor etwa 15 Mio. Jahren.

Bei Bopfingen bietet die Ostalb den Schafen einen »gut gedeckten Tisch«.

⏵ DIE OSTALB ERLEBEN

ESSEN

▶ Erschwinglich

Meyer's Keller
Marienhöhe 8, 86720 Nördlingen
Tel. (0 90 81) 44 93
Hübsches Jugendstilambiente und ein
Garten mit alten Linden und Kasta-
nien sprechen für das schöne Restau-
rant, das ambitionierte regionale und
mediterrane Küche anzubieten hat.

Weinstube zum Pfauen
Schlossstraße 26, 89518 Heidenheim
Tel. (0 73 21) 4 52 95
Im rustikalen Ambiente serviert man
Ihnen schmackhafte regionale und
internationale Gerichte.

▶ Preiswert

Landgasthof Läuterhäusle
Waldhäuser Straße 109,
73432 Aalen-Unterkochen
Tel. (0 73 61) 9 88 90
Der schwäbische Sauerbraten mit
hausgemachten Spätzle schmeckt in
dem ländlichen Gasthof ganz besonders gut.

ÜBERNACHTEN

▶ Komfortabel

Kaiserhof Hotel Sonne
Marktplatz 3, 86720 Nördlingen
Tel. (0 90 81) 50 67, Fax 2 39 99
www.kaiserhof-hotel-sonne.de
Individuell eingerichtete Zimmer hält
der historische Gasthof von 1477 mit
seinen schiefen Gängen für Sie bereit.

NH Heidenheim
Friedrich-Pfennig-Straße 30,
89518 Heidenheim
Tel. (0 73 21) 98 00, Fax 98 01 00
www.nh-hotels.com
Hotel in schöner Aussichtslage,
schönes Restaurant, direkter Zugang
zum großen »Freizeitbad Aquarena«.

▶ Günstig

Vogthof
Bergbaustraße 28,
73432 Aalen-Röthardt
Tel. (0 73 61) 7 36 88, Fax 7 78 82
In ruhiger Lage überzeugt der gemütliche Landgasthof mit geräumigen,
nett eingerichteten Zimmern.

Das altertümliche Städtchen Harburg wird von der gleichnamigen, bereits 1093 erwähnten **Burg des Fürstenhauses Oettingen-Waller-stein** beherrscht, einer vollständig erhaltenen, sehenswerten Anlage.

✳ **Harburg**

Hauptsehenswürdigkeit von Neresheim, auf dem Härtsfeld südwest-lich von Bopfingen gelegen, ist die 1745–1792 nach Vorlagen des be-rühmten Barockbaumeisters Balthasar Neumann errichtete **Abteikir-che** mit ihren großartigen, von Martin Knoller geschaffenen Kuppel-gemälden des bereits im Jahre 1095 gegründeten und ab 1694 großzügig ausgebauten Klosters.

✳ **Neresheim**

Sehenswert in Heidenheim ist das **Renaissanceschloss Hellenstein**, in dem vor- und frühgeschichtliche Funde sowie Exponate aus römi-scher und alemannischer Zeit ausgestellt sind. Im mächtigen Fach-werkfruchtkasten aus dem 17. Jh. kann man Kutschen und Karren

Heidenheim an der Brenz

aus alter Zeit bewundern. Eine der größten römischen Bauruinen Süddeutschlands ist heute als Museum im Römerbad zugänglich. In dem zum Kunstmuseum umfunktionierten alten **Jugendstil-Stadtbad** kann man Künstlerplakate – u. a. von Picasso, Chagall und HAP Grieshaber – bewundern.

✳ Eselsburger Tal, Lonetal ►

Südlich von Heidenheim sind das Eselsburger Tal mit bizarren Felsnadeln sowie das Lonetal mit geschichtsträchtigen Höhlen **beliebte Wanderziele**. In den steinzeitlichen Höhlenwohnplätzen hat man einige der ältesten bislang bekannten Kunstwerke gefunden, die man heute in ►Ulm bzw. in ►Tübingen besichtigen kann.

Giengen an der Brenz

Wenige Kilometer südlich von Heidenheim erreicht man die Industriestadt Giengen an der Brenz, wo Margarete Steiff Ende des 19. Jh.s mit ihrer Plüschtierproduktion begann. Im **Museum der Firma Steiff** kann man natürlich einen originalen »Teddy« bewundern. Die **Charlottenhöhle**, etwas außerhalb der Stadt, lohnt mit ihren wunderschönen Tropfsteinbildungen einen Besuch.

✳ Aalen

In der ehemaligen Freien Reichsstadt Aalen, am Übergang des Kochertals ins Vorland der Ostalb gelegen, stieß man 1979 auf mineralhaltiges Thermalwasser, das heute in einem **modernen Kurbad** zur Anwendung kommt. Am Türmchen des Alten Rathauses sieht man den »Spion«, das Wahrzeichen der Stadt; in dem Gebäude befindet sich ein Urweltmuseum mit zahlreichen Fossilienfunden aus dem Schwäbischen Jura. Im nahen Heimatmuseum wird an den Dichter Christian Friedrich Daniel Schubart erinnert, der seine Kindheit und Jugend in Aalen verbracht hat.

! Baedeker TIPP

In den Berg

Eine Attraktion besonderer Art ist das Besucherbergwerk Tiefer Stollen am Braunenberg, in dem einst Eisenerz abgebaut worden ist. Zur Anlage gehört auch ein Asthma-Therapiestollen. Bei der »Erlebnisführung« wird ein Hauch von Abenteuer geboten: Mit Grubenlampe, Overall, Helm und Gummistiefeln ausgestattet, geht es ca. 3 Stunden durch den Berg (Termine nach Absprache, Tel. 0 73 61/97 02 69).

Etwa 8 km südlich von Aalen liegt das Städtchen Oberkochen am Fuß des aussichtsreichen Volkmarsberges. Kurz nach dem Zweiten Weltkrieg siedelte sich hier das weltberühmte **Optikunternehmen Carl Zeiss** (►Jena) an, dessen Werksmuseum Beachtung verdient.

Ellwangen

Die Stadt Ellwangen, etwa 17 km nördlich von Aalen, zeigt mit ihren Kirchen und Stiftshäusern noch heute das Gepräge einer **geistlichen Barockresidenz**. Beachtenswert ist die romanische Stiftskirche **St. Veit** (13. Jh.) am Marktplatz. Über der Stadt thront das ehemalige **Schloss** (17./18. Jh.) der Fürstpröpste auf einer Anhöhe, das ein interessantes Museum – u. a. mit wertvollen Fayencen, Krippen und Ofenplatten – beherbergt. Auf dem Schönenberg steht die weithin sichtbare, prachtvoll ausgestattete **Wallfahrtskirche St. Maria**.

Stauferland · Mittlere Alb

Die im Remstal gelegene alte Stauferstadt Schwäbisch Gmünd, Geburtsstadt des Baumeisters Peter Parler sowie der Maler Hans Baldung (genannt Grien) und Jerg Ratgeb, ist durch ihre **Gold- und Silberwarenindustrie** bekannt geworden. An dem von barocken Bürgerhäusern umrahmten Marktplatz stehen die spätromanische **Johanniskirche** (13. Jh.) sowie das 1783 erbaute **Rathaus**. In einem ehemaligen Dominikanerkloster ist das Kulturzentrum sowie das Museum für Natur und Stadtkultur untergebracht. Hauptsehenswürdigkeit der Stadt ist das **Heilig-Kreuz-Münster**, mit dessen Errichtung im frühen 14. Jh. begonnen wurde. Baumeister waren Heinrich Parler und sein Sohn Peter, der später als Prager Dombaumeister berühmt geworden ist. Südwestlich davon lädt die ehemalige **Augustinerkirche** (15. u. 18. Jh.) mit ihren meisterhaften Deckengemälden und Stuckaturen zur Besichtigung ein.

✳ **Schwäbisch Gmünd**

 DIE MITTLERE ALB ERLEBEN

ESSEN

► Erschwinglich

Fuggerei
Münstergasse 2,
73525 Schwäbisch Gmünd
Tel. (0 71 71) 3 00 03
Vornehmes Restaurant unter eindrucksvollem Kreuzgewölbe in einem Gebäude aus dem 14. Jh. Verfeinerte regionale Küche und gelungene Eigenkreationen.

Alte Mühle
Frankonenweg 8, 72764 Reutlingen
Tel. (0 71 21) 30 02 74
Eine Mühle aus dem 15. Jh. beherbergt dieses gediegene Restaurant, in dem vorzügliche internationale Küche serviert wird. Spezialitäten sind Wild und Fisch.

► Preiswert

Forellen-Fischer
Aachtalstraße 6, 89143 Blaubeuren-Weiler, Tel. (0 73 44) 65 45
Rustikales Restaurant in malerischer Lage. Fangfrische Forellen werden hier besonders lecker zubereitet.

ÜBERNACHTEN

► Komfortabel

Graf Eberhard
Bei den Thermen 2, 72574 Bad Urach
Tel. (0 71 25) 14 80, Fax 82 14
www.hotel-graf-eberhard.de
Ruhig im Kurpark neben den Alb-Thermen gelegen. Gemütliche Stube mit Wintergarten und umfangreiches Wellnessangebot.

► Günstig

Gelbes Haus
Hauptstraße 83,
73525 Schwäbisch Gmünd
Tel. (0 71 71) 98 70 50, Fax 8 83 68
www.hotel-gelbes-haus.de
Traditionsreicher Gasthof aus dem Jahre 1714, schlichte, zweckmäßige Zimmer, nettes Restaurant.

Ochsen
Marktstraße 4, 89143 Blaubeuren
Tel. (0 73 44) 96 98 90, Fax 84 30
www.ochsen-blaubeuren.de
Das wunderschöne Hotel aus dem 16. Jh. überzeugt mit praktischen, zeitgemäß ausgestatteten Zimmern.

Göppingen Die alte württembergische Amtsstadt Göppingen, am Fuß des Hohenstaufen gelegen, wurde durch ihre reichen, als besonders heilkräf-
tig geschätzten **Mineralwasservorkommen** berühmt. Sehenswert sind
die 1618/1619 errichtete Stadtkirche und das herzoglich-württembergische Schloss (16. Jh.). Im »Storchen«, einem Fachwerkschlöss-
chen aus dem 16. Jh., ist das Städtische Museum mit seinen reichen
Funden aus der Stauferzeit untergebracht. Das Werksmuseum der
Modelleisenbahnfirma **Märklin** zieht junge und ältere Besucher in
seinen Bann. Im Vorort Jebenhausen sind das Jüdische Museum sowie das Naturkundliche Museum mit seiner einmaligen Fossiliensammlung beachtenswert. Im Stadtteil Faurndau ist die im 9. Jh. erbaute romanische Stiftskirche mit ihren Fresken aus dem frühen
13. Jh. ein kunsthistorisches Kleinod.

Drei Kaiserberge ► Nordöstlich von Göppingen erheben sich die »Drei Kaiserberge« Hohenstaufen (684 m ü. d. M.), Rechberg (707 m ü. d. M.) und Stuifen
(757 m ü. d. M.). Auf dem Hohenstaufen sind noch spärliche Reste
der **Staufer-Stammburg** zu sehen.

Geislingen Die **»Fünftälerstadt«** Geislingen ist bekannt geworden durch den
an der Steige 1850 fertig gestellten Albaufstieg der Eisenbahnstrecke Stuttgart–Ulm.
Im Mittelalter bewachten die Grafen von Helfenstein hier die Reichsstraße zwischen dem Neckartal und Augsburg. Die Ruine ihrer Burg
kann heute besichtigt werden. Im alten Stadtkern sind einige stattli-

*Residenzschloss der Grafen von Württemberg
und Turm der Amanduskirche in Bad Urach*

che Fachwerkbauten sowie die mit Kunstwerken Ulmer Meister ausgestattete Stadtkirche bemerkenswert. Östlich der Stadt erstreckt sich das viel besuchte **Naturschutzgebiet** Eybtal mit seinen weiß leuchtenden Felsbastionen.   ◄ Eybtal

Das malerische Städtchen Blaubeuren, am Südrand der Mittleren Alb im Blautal gelegen, ging aus dem im 11. Jh. gegründeten Benediktinerkloster hervor. In der Klosterkirche ist ein 1493 entstandener Hochaltar sehenswert. Im Urgeschichtlichen Museum sind Artefakte aus Mammutelfenbein zu sehen, die prähistorische Jäger und Sammler vor 30 000 Jahren in Höhlen der Umgebung geschnitzt haben.   ✱ **Blaubeuren**

Das Wasser des **Blautopfs**, einer über 20 m tiefen trichterförmigen Quelle, kommt aus einem weit verzweigten Höhlensystem. Am Rand dieses Quelltopfs kann man eine mit Wasserkraft betriebene historische Hammerschmiede besichtigen.

? WUSSTEN SIE SCHON ...?

■ dass der Dichter Eduard Mörike vom Anblick des blaugrün schimmernden Wassers im Blautopf inspiriert wurde? Seine »Historie von der schönen Lau« erzählt von der verstoßenen Fürstentocher, die unter der Quelle lebte.

In der **malerischen Altstadt** von Kirchheim unter Teck fällt das schmucke Fachwerkrathaus von 1724 ins Auge. In der mächtigen Martinskirche, deren Ursprünge bis ins 7. Jh. zurückreichen, sind Freskenreste aus dem 15. Jh. beachtenswert. In dem Mitte des 16. Jh.s erbauten Kornhaus befinden sich das städtische Museum und eine Galerie. Das Renaissanceschloss am Rand der Altstadt war Witwensitz des Hauses Württemberg.   **Kirchheim unter Teck**

Südlich von Kirchheim ragt die Teck als schmaler, 775 m hoher Bergsporn ins Vorland. Auf dem von Wanderern und Segelfliegern gleichermaßen geschätzten Berg sind noch Reste einer mittelalterlichen Burg zu sehen. Vom Aussichtsturm des Wanderheimes bietet sich ein großartiger Panoramarundblick.   ◄ Teck

Südwestlich von Kirchheim u. T. thront die **größte Burgruine der Schwäbischen Alb** auf einer 743 m hohen und felsigen Bergkuppe. Am Ortsrand von Beuren, zu Füßen der geschichtsträchtigen Feste, lädt ein bäuerliches **Freilichtmuseum** zum Besuch ein.   ✱ **Burgruine Hohenneuffen**

Holzmaden hat durch reiche, über 150 Mio. Jahre alte **Fossilienfunde** aus der Jurazeit Weltruhm erlangt. Sie sind im **Museum Hauff**, dem größten privaten Naturkundemuseum Deutschlands, zu besichtigen. Im Schieferbruch auf dem Freigelände kann man werktags selbst auf Fossilienjagd gehen (Voranmeldung unter 0 70 23/47 03).   Holzmaden

Im Herzen der Mittleren Alb liegt das alte württembergische Residenzstädtchen Urach. Fachwerkbauten prägen den Stadtkern. Besonders imposant sind das Rathaus, das **Residenzschloss** (beide 15. Jh.) und das **Haus am Gorisbrunnen**, in dem einstmals Graf Eberhard im   ✱ **Bad Urach**

Bart gewohnt hat. In der alten **Klostermühle** ist heute das Stadtmuseum untergebracht. Seit Anfang der Siebzigerjahre gibt es hier ein **Kurzentrum** mit dem Thermalbad »Albthermen«. Lohnende Ausflugsziele in der näheren Umgebung sind die **Burgruine Hohenurach** (11. u. 16. Jh.), der 37 m hohe Uracher Wasserfall, die Gütersteiner Wasserfälle sowie die Falkensteiner Höhle.

Münsingen
✳
Großes Lautertal ►

Von Bad Urach gelangt man durch das tief eingeschnittene Seeburger Tal hinauf nach Münsingen und weiter ins romantische Große Lautertal. Am Oberlauf der Lauter laden das **Haupt- und Landesgestüt Marbach** sowie das Gestütsmuseum Offenhausen zum Besuch ein.

Reutlingen

Die einstige Freie Reichsstadt Reutlingen wird oft als **»Tor zur Schwäbischen Alb«** bezeichnet. Die Geburtsstadt des Ökonomen Friedrich List (1789–1846) ist ein wichtiger Industrieort. Der hübsche Gerber- und Färberbrunnen vor der Nikolaikirche (14. Jh.) erinnert an zwei für die Stadt bedeutende Handwerkerzünfte. Vor der Kulisse renovierter Fassaden alter Zunft- und Geschäftshäuser bietet sich der große Marktplatz an Markttagen besonders fotogen dar. Den Marktbrunnen ziert ein Standbild von Kaiser Maximilian II. An der Nordseite des Platzes steht das Spital (14./16. Jh.), das Raum für kulturelle Veranstaltungen bietet. Wenige Schritte vom Marktplatz entfernt erhebt sich die **Marienkirche** (12.–15. Jh.), die zu den schönsten Beispielen gotischer Sakralbaukunst in Schwaben zählt. Im benachbarten »Alten Lyzeum« wurde ein Naturkundemuseum eingerichtet. Wenige Schritte südlich der Marienkirche, vorbei am hübschen Zunftbrunnen von 1983, erreicht man das im ehemaligen Königsbronner Klosterhof (14./16. Jh.) untergebrachte Heimatmuseum. Das 1518 erbaute **Spendhaus**, wenige Gehminuten weiter, beherbergt die städtischen Kunstsammlungen, u. a. eine umfangreiche HAP-Grieshaber-Sammlung. Nordwestlich vom Spendhaus, vorbei am mächtigen Tübinger Tor aus dem 13. Jh., kommt man zum Wandelknoten. In den ehemaligen Fabrikhallen sind die Sammlungen der Reutlinger Stiftung für Konkrete Kunst zu sehen, darunter Werke von Willy Baumeister, Adolf Fleischmann und Max Bense. Gleich nebenan sind diverse Zeugnisse der Reutlinger Industriekultur, u. a. Textilmaschinen, ausgestellt. Östlich der Stadt erhebt sich die 707 m hohe Achalm mit Resten einer mittelalterlichen Burg, von deren Turm man einen schönen Ausblick genießen kann.

Achalm ►

BÄRENHÖHLE

✶✶ Ihren besonderen Reiz verdankt die Schwäbische Alb auch den Grotten und Höhlen, die über viele Jahrhunderte lang ausgewaschen wurden. Die bekanntesten Tropfstein-Schauhöhlen der Alb sind die Nebel- und die Bärenhöhle südlich von Reutlingen. Regen- und Schmelzwasser sickern durch die Kalksteinschichten der Alb und lösen den Kalk, wodurch ganze Höhlensysteme ausgewaschen werden. Bei der Verdunstung des Wassers an der Höhlendecke wird der Kalk wieder ausgeschieden und es entstehen Tropfsteine.

⊙ Öffnungszeiten:
März, Nov. Sa., So. und Fei. 9.00–17.00;
April bis Nov. tgl. 9.00–17.30 Uhr;
Dez. bis Febr. Winterpause

Ein Schullehrer namens Fauth entdeckte den ersten Teil des Höhlensystems, die so genannte Karlshöhle, 1834 durch Zufall: Ihm fiel beim Kräutersammeln die Tabaksdose in einen Felsspalt. Hundert Jahre später verfolgte der Hobby-Höhlenforscher Karl Bez Fledermäuse, die durch einen Spalt verschwanden. Er kroch hinterher und entdeckte weitere Räume. Hier fand man 30 Bärenskelette, die bis zu 20 000 Jahre alt waren und dem Höhlensystem seinen Namen gaben.
Beide, Karlshöhle und Bärenhöhle, ziehen sich über 292 m durch die Schwäbische Alb.

① **Fauth-Loch**
Das Loch leitet von oben Tageslicht in die Höhle, die hier eine hohe Halle bildet. Von der Hallstattzeit (7. Jh. v. Chr.) bis ins 7. Jh. n. Chr. diente das Fauth-Loch als Eingang, die Höhle nutzte man als Bestattungsplatz. Im Mittelalter diente das Loch quasi als Müllschlucker: Bei der Entdeckung der Höhle

fand man zuoberst etwa 50 Menschenskelette, wohl Pestleichen, und diverse Tierkadaver, die man hier reingeworfen hatte.

② **Prähistorische Feuerstelle**
Ein Beweis dafür, dass die Höhle zeitweise von Menschen bewohnt war, ist die prähistorische Feuerstelle in Halle 5. Hier fand man Holzkohlen und angebrannte Knochen von Hirschen und Schweinen.

③ **Bärenloch**
Die wohl schönste Halle der Höhle, bis 16 m hoch und bis 20 m breit. Hier fanden sich die meisten Bärenskelette.

④ **Anstieg**
Hier, bei der stärksten Einengung der Höhle, hat man einen besonders schönen Überblick auf die durchlaufenen Hallen und kann die Hohlkehle mit den Bohnerzen zu beiden Seiten erkennen.

⑤ **Neue Bärenhöhle**
Die Bärenknochen sind oft in die Sinterablagerungen eingebettet. Ein besonders interessantes Beispiel dafür ist ein Beckenknochen, auf dem ein dicker Bodentropfstein sitzt, der zu seinem Gegenstück an der Decke emporreicht. Der Beckenknochen bildet also den Sockel für die über einen Meter hohe Tropfsteinsäule.

⑥ **Freizeitpark Traumland**
Direkt über den Höhlen lockt der Freizeitpark vor allem Kinder an: Nach der Entdeckung der Unterwelt können sie sich im Märchenwald, in verschiedenen Fahrgeschäften oder im Streichelzoo vergnügen.

Rekonstruktionen der Knochenfunde zeigen heute anschaulich, welch beeindruckende Exemplare der Höhlenbären einst hier lebten.

Grundriss

*Geschichte zum An-
fassen. Keine Sorge,
der Bär beißt nicht
mehr, immerhin hat er
schon 20 000 Jahre
auf dem Buckel.*

*Oberirdisch rollt der Wagen im
Freizeitpark »Traumland«.*

*Im Gegensatz zu den Touren durch
die unerschlossenen Höhlen auf der
Schwäbischen Alb ist der Weg durch
die Bärenhöhle ein Spaziergang.
Dennoch vermittelt das unterirdische
Wegelabyrinth einen Hauch von
Abenteuer.*

Querschnitt

Das kalkreiche Sickerwasser, das in die Höhle gelangt, verdunstet an der Höhlendecke; dort wo es heruntertropft, wird der Kalk abgelagert und es entstehen Stalaktiten; dort, wo der Tropfen auf den Boden fällt, Stalagmiten.

Wachsen Stalaktit und Stalagmit säulenartig zusammen, werden sie als Stalagnat bezeichnet.

Einige tausend Jahre dauert es, bis Stalagmiten und Stalaktiten richtig groß werden.

©Baedeker

Die Klosterkirche in Zwiefalten entfaltet eine einzigartige barocke Pracht.

Pfullingen   Wenige Kilometer südlich von Reutlingen kommt man in das alte Städtchen Pfullingen, wo sich schon im 19. Jh. viele Industriebetriebe angesiedelt haben. Sehenswert sind die spätgotische Martinskirche, der mit Fachwerkbauten gezierte Marktplatz und die noch funktionstüchtige **Baumannsche Getreidemühle**, in der auch ein **Trachtenmuseum** untergebracht ist. Im **Schlössle**, einem schmucken Fachwerkbau aus dem 15. Jh., und in der dazugehörigen Schlösslescheuer ist die Stadtgeschichte dokumentiert. Am südlichen Stadtrand stehen die sog. **Pfullinger Hallen**. Im Innern dieses Jugendstil-Festsaalbaus mit Turnhalle (1905) sind Wandgemälde zu sehen, die unter der Leitung von Adolf Hoelzel entstanden sind.

✳
Lichtenstein   Einige Kilometer weiter südlich thront das Schloss Lichtenstein auf hohem Fels über dem Echaztal. Das 1840/1841 erbaute **Wahrzeichen der Schwäbischen Alb**, das spätestens durch Wilhelm Hauffs gleichnamigen Roman bekannt geworden ist, gehört zu den schönsten Beispielen der deutschen Burgenromantik. Im Rahmen einer Schlossführung kann man großartige Gemälde des Meisters von Lichtenstein und von Jerg Ratgeb bewundern.

Nebelhöhle,   12 km südwestlich von Schloss Lichtenstein entfernt sind die Nebel-
Bärenhöhle   höhle mit ihren wunderbaren Tropfsteinbildungen und vor allem die Bärenhöhle mit ihren **Höhlenbärenskeletten** und dem »Freizeitpark Traumland« besonders starke Besuchermagneten.

✳
Zwiefalten   Am Südrand der Mittleren Alb liegt der Erholungsort Zwiefalten mit seinem imposanten doppeltürmigen **Barockmünster**, das 1744–1765 nach Plänen von Johann Michael Fischer erbaut worden ist und zu den schönsten Sakralbauten Süddeutschlands gehört.

Hohenzollern · Südwestalb · Obere Donau

Die ehemalige Residenzstadt Hechingen liegt zu Füßen der Burg Hohenzollern. Sehenswert ist die 1779–1783 im klassizistischen Zopfstil erbaute Stiftskirche St. Jakobus. Wenige Schritte nordöstlich befindet sich die restaurierte Synagoge. Hinter dem Rathaus liegt der Schlossplatz mit Neuem und Altem Schloss. In Letzterem befinden sich u. a. die Hohenzollerische Landessammlung und ein Bürgerwehrmuseum. Etwa 3 km nordwestlich Hechingens, bei der Siedlung Stein, befindet sich das **Römische Freilichtmuseum** Villa Rustica, die Reste eines römischen Gutshofs aus dem 1. bis 3. Jh., die seit 1976 freigelegt und teilweise rekonstruiert werden.

Hechingen

◄ Villa Rustica

Südlich von Hechingen thront die weithin sichtbare Burg Hohenzollern auf einem markanten Bergkegel. Die Burg ist Stammsitz eines der berühmtesten süddeutschen Grafengeschlechter, aus dem u. a. das Haus Preußen erwuchs. Die heutigen Gebäude wurden bis auf die im 15. Jh. entstandene Michaelskapelle 1850–1867 in historisierenden Formen errichtet. Bemerkenswert ist auch die **Schatzkammer**, in der die 1889 angefertigte preußische Königskrone aufbewahrt wird (Führungen: 16. März bis Okt. tgl. 9.00–17.30, Nov. bis 15. März 10.00–16.30 Uhr).

★ ★
Burg
Hohenzollern

? WUSSTEN SIE SCHON …?

■ dass eine Schnupftabaksdose Friedrich dem Großen in der Schlacht bei Kunersdorf das Leben rettete, indem sie eine Kugel abhielt? Besagte Dose ist in der Schatzkammer auf Burg Hohenzollern zu sehen.

Einige Kilometer nordwestlich von Hechingen liegt das malerische Städtchen **Haigerloch**. Im 1580–1585 erbauten Schloss residierte eine hohenzollerische Nebenlinie. Sehenswert ist die Rokoko-Schlosskirche mit einem Deckengemälde von Meinrad von Ow und einem wunderschönen Renaissancealtar. Im Felsenkeller unter der Schlosskirche ist das **Atomkellermuseum** eingerichtet. Hier beschäftigten sich die Professoren Bothe, Heisenberg, Weizsäcker und Wirtz in den letzten Monaten des Zweiten Weltkrieges mit Versuchen zur Energiegewinnung aus Kernspaltung.

Knapp 10 km südwestlich von Hechingen liegt Balingen, industriereicher Hauptort des Zollernalbkreises. Sehenswert ist das im 15. Jh. erbaute Zollernschlössle, das heute das **»Museum für Waage und Gewicht«** beherbergt. In der alten Zehntscheuer sind das Heimatmuseum und die Friedrich-Eckenfelder-Galerie untergebracht.
Südwestlich von Balingen grüßt der 963 m hohe Lochenstein, einer der **schönsten Aussichtsfelsen** der Schwäbischen Alb, von dem man einen überwältigenden Panoramablick genießen kann.

Balingen

★
◄ Lochenstein

Albstadt, 1975 durch Zusammenlegung der beiden Städte Ebingen und Tailfingen sowie einiger umliegender Dörfer entstanden, ist der

Albstadt

Baedeker TIPP

Mit Heißluft über die Alb

Der Traum von Freiheit und Abenteuer lockt immer mehr Montgolfier-Jünger auf die Alb, und einige von ihnen halten denjenigen einen Platz im Korb frei, die schon immer mal die Wacholderheiden und Felsbastionen der Alb aus der Vogelperspektive kennen lernen wollten (Verkehrsverein, An der Neckarbrücke, 72072 Tübingen, Tel. 0 70 71/9 13 60, www.tuebingen-info.de).

größte Ort auf der Südwestalb. Im Stadtteil Ebingen lohnt die Städtische Galerie (Grafik des 20. Jh.s, Klassische Moderne) einen Besuch. Das Maschenmuseum im Stadtteil Tailfingen dokumentiert die Geschichte der regionalen Textilindustrie. Im Stadtteil **Onstmettingen** informiert im alten Fruchtkasten eine Ausstellung über das Wirken des Pfarrers und Tüftlers Philipp Matthäus Hahn (1739–1790), der als einer der Begründer der feinmechanischen Industrie auf der Südwestalb gilt. Im Stadtteil Lautlingen steht das Schloss der Schenken von Stauffenberg (1850) mit einer musikhistorischen Sammlung und einem Gedenkraum für Claus und Berthold von Stauffenberg, die der Widerstandsbewegung gegen Hitler angehörten und 1944 hingerichtet wurden.

Raichberg ► Nördlich von Onstmettingen ist der 956 m hohe Raichberg mit seinem weithin sichtbaren Sendemast ein beliebtes Ausflugsziel. Vom Aussichtsturm kann man bei günstigem Wetter die Schweizer Alpen sehen.

Sigmaringen Die einstige hohenzollerische Residenzstadt Sigmaringen liegt am südlichen Albrand, der hier von der Donau durchbrochen wird. Hauptsehenswürdigkeit der Stadt ist das stattliche **Schloss der Fürsten von Sigmaringen-Hohenzollern**, das auf steilem Fels über der Donau thront. Beachtung verdienen die diversen Kunstsammlungen – u. a. werden Artefakte aus vor- und frühgeschichtlicher Zeit, Miniaturen und Kunstwerke süddeutscher Meister präsentiert –, die Waffenhalle und das Marstallmuseum. Die 1758 fertig gestellte Kirche St. Johannes Evangelist ist ein Musterbeispiel barocker Sakralbaukunst. Weiter südlich, im Runden Turm, ist das Sigmaringer Heimatmuseum untergebracht. Sigmaringen ist ein guter Ausgangspunkt für Ausflüge ins Obere ►Donautal.

Tuttlingen Südwestlicher Eckpunkt der Schwäbischen Alb ist die am Beginn des Donaudurchbruchs gelegene alte württembergische Amtsstadt Tuttlingen, die durch die hier beheimatete **medizintechnische Industrie** Weltruhm erlangt hat. Sehenswert sind die Stadtkirche mit ihrer Jugendstilfassade sowie das in Sachen Handwerk und Industriegeschichte besonders reichhaltige Heimatmuseum.

Trossingen Einige Kilometer westlich von Spaichingen, wo sich die höchsten Gipfel der Schwäbischen Alb erheben, liegt die als **Heimat der Hohner-Mundharmonika und -Akkordeons** bekannt gewordene Industriestadt Trossingen, die auch Standort einer Musikhochschule ist.

Die alten Gebäude der 1857 gegründeten Musikinstrumentenfabrik Hohner stehen unter Denkmalschutz. Im **Heimatmuseum** und im benachbarten **Harmonikamuseum** wird die Geschichte des Musikinstrumentenbaus beleuchtet. Ferner ist im Heimatmuseum das Skelett eines Sauriers aufgebaut, dessen 200 Mio. Jahre alte Überreste man im nahen Trosselbachtal gefunden hat.

 # DIE SÜDWESTALB ERLEBEN

ESSEN

► Erschwinglich

Kupferkanne
Schadenweilerstraße 41,
72379 Hechingen
Tel. (0 74 71) 54 00
Gemütliches Restaurant mit rustikaler Note, vorzügliche deutsche und regionale Küche.

Altes Schiff
Untere Hauptstraße 4,
78532 Tuttlingen
Tel. (0 74 61) 32 13
Genießen Sie moderne kreative Küche in einer behaglichen Weinstube.

► Preiswert

Krone
Oberstadtstraße, 72401 Haigerloch
Tel. (0 74 74) 9 54 40
Gemütlicher, familiengeführter Gasthof, gutbürgerliche Küche und regionale Spezialitäten.

ÜBERNACHTEN

► Luxus

Linde
Untere Vorstadt 1,
72458 Albstadt-Ebingen
Tel. (0 74 31) 13 41 40
Das alteingesessene Haus im Fachwerkstil wurde 2002 nach aufwändiger Sanierung wieder neu eröffnet. Hochwertig ausgestattete Gästezimmer; im eleganten Restaurant wird exquisite französische und regionale Küche serviert.

► Komfortabel

Brielhof
Auffahrt Burg-Hohenzollern/B27,
72379 Hechingen
Tel. (0 74 71) 9 88 60, Fax 1 69 08
www.brielhof.de
Am Fuß der Burg Hohenzollern befindet sich das 400 Jahre alte Lustschloss. Das traditionsreiche Hotel verfügt über komfortabel eingerichtete Zimmer. Im Restaurant genießen Sie regionale Leckerbissen, Fischgerichte und Wildspezialitäten.

Gastschloss Haigerloch
Schlossstraße 3, 72401 Haigerloch
Tel. (0 74 74) 69 30, Fax 6 93 82
www.schloss-haigerloch.de
In der ehemalige Obervogtei aus dem 16. Jh. oberhalb der Stadt ist ein stilvolles Hotel untergebracht, das neben viel historischem Flair wohnlich eingerichtete Zimmer und ein vorzügliches Restaurant zu bieten hat.

Burg Hohenzollern

✳ Schwäbisch Hall

Atlasteil: S. 53 • C 1
Höhe: 270 m ü. d. M.

Bundesland: Baden-Württemberg
Einwohnerzahl: 36 000

Die über dem Kocher ansteigende Altstadt von Schwäbisch Hall, überragt vom Turm der Michaelskirche, bietet ein überaus malerisches Stadtbild, an dem der einstige Reichtum der ehemaligen Freien Reichsstadt zu erahnen ist. Der Wohlstand kam durch die Salzgewinnung, die schon in keltischer Zeit bei der hier entspringenden Solequelle nachgewiesen ist.

✳ Freilichtspiele

Jeden Sommer finden die Schwäbisch Haller Freilichtspiele statt. Die »Bühne« ist einmalig, denn gespielt wird auf den **Stufen der Freitreppe** zur Kirche St. Michael und neuerdings im hölzernen, runden Globe-Theater auf der Kocherinsel Unterwöhrd, einem Nachbau des Londoner Shakespeare-Theaters »Globe«.

Sehenswertes in Schwäbisch Hall

✳✳ Marktplatz

Am Marktplatz, der in der architektonischen Geschlossenheit seiner Umrahmung zu den **eindrucksvollsten deutschen Marktplätzen** gehört, stehen das Rathaus, ein früher Rokokobau, und der gotische Pranger. Gegenüber führt eine Freitreppe mit 54 Stufen hinauf zur evangelischen Stadtkirche **St. Michael**, in der u. a. der Hochaltar von 1470 und der Hans Beuscher zugeschriebene Michaelsaltar (um 1510) sehenswert sind. Oberhalb der Kirche befinden sich das Crailsheimer Tor und der stattliche »Neubau«, der 1527 als Zeughaus erbaut wurde; heute finden dort Konzerte und Theateraufführungen statt.

Die im Mai 2001 eröffnete **Kunsthalle Adolf Würth** (Lange Straße 35), von dem Künzelsauer Industriellen Reinhold Würth als Dependance seines Museums in Künzelsau (► Hohenlohe · Taubertal) initiiert und entworfen vom dänischen Architekten Henning Larsen, bietet einen Überblick über die **Kunst des 20. Jh.s** bis hin zur internationalen Moderne.

Rathaus und Altstadt von Schwäbisch Hall

An der Unteren Herrengasse gibt im »Keckenhof«, einem Wohnturm aus staufischer Zeit, das **Hällisch-Fränkische Museum** Einblick in die Geschichte der Stadt und der Region.

Auf dem linken Kocherufer erhebt sich im Stadtteil St. Katharina die **Katharinenkirche** Katharinenkirche, deren älteste Fundamente aus dem 9. Jh. stammen sollen. Den Chor schmücken kunstvoll ausgeführte Glasfenster.

In der Vorstadt Unterlimpurg steht die Kirche St. Urban, die 1230 als **Unterlimpurg** flach gedecktes, einschiffiges Langhaus erbaut wurde. Von der reichen Ausstattung seien der Hochaltar, das Wandbild »Maria am Spinnrocken« und eine steinerne Stifterstatuette von etwa 1420 genannt. Von hier führt ein Fußweg zu den spärlichen Resten der **Burgruine Limpurg** (13. Jh.).

Umgebung von Schwäbisch Hall

Im 6 km nordwestlich gelegenen Stadtteil Wackershofen erhält man ✶ im Hohenloher Freilandmuseum einen Einblick in das bäuerliche **Hohenloher** Leben des nördlichen Württemberg; in einigen der über 50 Gebäude **Freilandmuseum**

 ## SCHWÄBISCH HALL ERLEBEN

AUSKUNFT

Touristik-Information
Am Markt 9, 74523 Schwäbisch Hall
Tel. (07 91) 75 12 46, Fax 75 13 75
www.schwaebischhall.de

ESSEN

► Fein & Teuer
Eisenbahn im Hotel Wolf
Karl-Kurtz-Straße 2,
74523 Schwäbisch Hall-Hessental
Tel. (07 91) 93 06 60
Charmantes Feinschmeckerrestaurant
in einem heimeligen Fachwerkhaus.
Erfreuen Sie sich an französischer
Gourmetküche und fantastischen
Bordeaux-Raritäten.

► Erschwinglich
Restaurant im Sudhaus
Lange Straße 35,
74523 Schwäbisch Hall
Tel. (07 91) 9 46 72 20
Im denkmalgeschützten Sudhaus bei
der Kunsthalle Würth befindet sich
das schicke, moderne Restaurant.

► Preiswert
Blauer Bock
Lange Straße 53,
74523 Schwäbisch Hall
Tel. (07 91) 8 94 62
Nettes, schlicht eingerichtetes Gasthaus mit leckerer regionaler Küche.
Probieren Sie den Krustenbraten vom
Hällischen Landschwein.

ÜBERNACHTEN

► Komfortabel
Hohenlohe
Weilertor 14, 74523 Schwäbisch Hall
Tel. (07 91) 7 58 70, Fax 75 87 84
www.hotel-hohenlohe.de
Reizvolle Lage an der Kocher, wohnliche Zimmer und Suiten. Solebad,
Sauna und Wellnessangebote.

Der Adelshof
Am Markt 12, 74523 Schwäbisch Hall
Tel. (07 91) 7 58 90, Fax 60 36
www.hotel-adelshof.de
Hotel mit historischem Ambiente in
einem über 500 Jahre alten Gebäude
am Markt, stilvolle Zimmer, vorzügliches Restaurant.

werden alte Handwerke vorgeführt und erklärt, und des Öfteren werden auch Aktionstage wie der herbstliche Schlachttag durchgeführt. Unbedingt einkehren sollte man auch im **Museumsgasthof**.

✳ Comburg

Östlich von Schwäbisch Hall erhebt sich im Ortsteil Steinbach – auf einem Bergkegel über dem rechten Kocherufer – das **ehemalige Benediktinerkloster** Comburg, das, 1078 gegründet, von 1488–1802 Chorherrenstift war. In der Stiftskirche St. Nikolaus, Mittelpunkt der ausgedehnten burgartigen Anlage, verdienen die Radleuchter aus romanischer Zeit besondere Beachtung.

Schwäbisch-Fränkischer Wald

Südlich von Schwäbisch Hall erstreckt sich der Schwäbisch-Fränkische Wald, ein beliebtes Ausflugs- und **Naherholungsgebiet**, zu dem die Löwensteiner Berge (586 m ü. d. M.), der Murrhardter Wald und die Limpurger Berge (495 m ü. d. M.) zählen.

✳ ✳ Schwarzwald

Atlasteil:	**Bundesland:**
S. 51 • D 2–4 und S. 52 • A 2–4	Baden-Württemberg

Der Schwarzwald mit seinen dunklen Wäldern, duftenden Bergwiesen, rauschenden Bächen und wildromantischen Tälern wird als Inbegriff einer heilen Welt verstanden. Bollenhüte, Kuckucksuhren, Rauchfleisch, Kirschwasser und Kirschtorte sind Markenzeichen einer Landschaft, die nicht nur Kulisse für die erfolgreiche TV-Serie »Schwarzwaldklinik« war, sondern schon seit Jahrzehnten ein ganzjähriges Urlaubsziel für Touristen aus dem In- und Ausland ist.

Ausführlich beschrieben im Baedeker Allianz Reiseführer »Schwarzwald«

Der Schwarzwald bildet den **südwestlichen Eckpfeiler Deutschlands** und ist von Pforzheim bis Waldshut am Hochrhein 160 km lang, im Norden etwa 20 km, im Süden 60 km breit. Nach Westen bildet das Gebirge zur Oberrheinebene hin einen von wasserreichen Tälern zerschnittenen Steilabfall, der dann in eine von Weinreben und Obstbäumen bestandene Vorbergzone übergeht. Nach Osten flacht es sanft zum oberen ► Neckartal und ► Donautal ab.

 SCHWARZWALD

AUSKUNFT

Schwarzwald Tourismusverband e. V.
Ludwigstraße 23, 79098 Freiburg i. Br.
Tel. (07 61) 89 79 79 79, Fax 2 92 15 81
www.schwarzwaldtourist-info.de

Schon Kelten und Römer schätzten die Heilkraft der hiesigen Therme. Heute gibt es im Schwarzwald **zahlreiche Heilbäder**, von denen die bekanntesten ► Baden-Baden, Badenweiler, Bad Wildbad, Bad Lie-

Schwarzwald aus dem Bilderbuch bei Titisee-Neustadt

benzell, Bad Teinach, Bad Peterstal und Bad Griesbach sind. Außerdem hat sich der Schwarzwald zu einem riesigen Sport- und Spielplatz für Freizeitaktivisten entwickelt, für Wintersportler, Wanderer, Mountainbiker, Wildwasserfahrer, Segler und Surfer ebenso wie für Gleitschirm-, Drachen- und Segelflieger.

Die berühmteste Touristikstraße ist die **Schwarzwald-Hochstraße** (▶ Routenvorschläge, S. 142), die in die Schwarzwald-Tälerstraße übergeht. Die etwa 50 km lange Schwarzwald-Panoramastraße windet sich von Waldkirch auf den Kandel hinauf und zieht dann über St. Peter und St. Märgen zum Thurner, wo sie in die B 500 einmündet und über Breitnau bis nach Hinterzarten weiterführt. Die **Deutsche Uhrenstraße**, eine ca. 320 km lange Rundstrecke, erschließt von Villingen-Schwenningen aus all jene Orte im mittleren Schwarzwald, in denen Uhrmacherhandwerk bzw. Uhrenindustrie eine lange Tradition haben – die Heimat der Kuckucksuhren.

Touristikstraßen

Nordschwarzwald

In dem von Tannenwäldern umkränzten Tal der oberen Alb südlich von ▶Karlsruhe liegt der freundliche Kurort Bad Herrenalb, der aus einem mittelalterlichen Zisterzienserkloster hervorgegangen ist. Eine Attraktion ist das in einem Jugendstilgebäude untergebrachte **Spielzeugmuseum**. Der Bahnhof ist an etlichen Wochenenden im Jahr Endstation nostalgischer Albtal-Dampfzugfahrten.

✷
Bad Herrenalb

✳ Nagold Das alte Städtchen Nagold, am gleichnamigen Flüsschen gelegen und beherrscht von der Burgruine Hohennagold, bietet sich mit seinem von hübschen Fachwerkbauten geprägten Altstadtkern malerisch dar. Bemerkenswerte Bauzeugnisse sind das Rathaus mit seiner Barockfassade, das mittelalterliche Steinhaus, in dem das Heimatmuseum untergebracht ist, die seit dem 14. Jh. nachgewiesene Badstube, der aus dem 15. Jh. stammende Fachwerkbau der Oberamtei und der Alte Turm, der als **Wahrzeichen** der Stadt gilt. Das wohl bekannteste Gebäude der Stadt ist der Gasthof »Sonne-Post«, in dem sich schon Napoleon und der württembergische König Friedrich wohl gefühlt haben. An der Straße zum Friedhof steht die romanische Remigiuskirche auf römischen Grundfesten.

✳ Calw Die alte **Tuchmacher-, Holz- und Salzhandelsstadt** Calw liegt im mittleren Nagoldtal. Die vielen schön herausgeputzten Fachwerkhäuser im alten Stadtkern erinnern an die Zeit, als Calw eine der reichsten Städte Württembergs war. Besonders malerisch präsentiert sich der Marktplatz. Hier steht gegenüber dem Rathaus das Geburtshaus des Schriftstellers Hermann Hesse (1877–1962). Dem bedeutendsten Sohn der Stadt ist ein Museum gewidmet (am Nordende des Marktplatzes gegenüber der Stadtkirche). Aus gotischer Zeit blieb einzig die Nikolauskapelle, zu Ehren des Schutzpatrons der Flößer gebaut, auf der Nagoldbrücke erhalten. Jenseits der Nagold lädt das Stadtmuseum zum Besuch ein, das in einem repräsentativen Rokokopalais von 1791 untergebracht ist.

✳ Hirsau Etwa 3 km weiter nördlich erreicht man den **Luftkurort** Hirsau mit den malerischen Ruinen des gleichnamigen 1059 gegründeten und 1692 verwüsteten Benediktinerklosters. Im Mauergeviert des im 16. Jh. an der Südseite des Kreuzgangs erbauten und ebenfalls 1692 zerstörten Jagdschlosses stand bis 1988 jene mächtige Ulme, die Ludwig Uhland zu seinem Gedicht »Die Ulme zu Hirsau« anregte.

✳ Bad Liebenzell 7 km nördlich von Calw liegt der bereits 1526 von Paracelsus gerühmte Kurort Bad Liebenzell mit den nach dem Arzt und Naturforscher benannten Thermen. Den Ort beherrscht die um 1200 von den Calwer Grafen erbaute Burg mit einer mächtigen Schildmauer, von deren 34 m hohem Turm sich eine schöne Aussicht bietet.

❓ WUSSTEN SIE SCHON …?

■ dass der Goldschmied und Feinmechaniker Ferdinand Oechsle aus Pforzheim eine Weinwaage erfunden hat, mit der teilweise noch heute das Mostgewicht in °Öchsle gemessen wird?

In der **»Goldstadt« Pforzheim** am Zusammenfluss von Enz, Nagold und Würm werden 70% der in Deutschland gefertigten Schmuckprodukte hergestellt. Die Tradition der Gold-, Silber- und Schmuckindustrie begründete 1767 der badische Markgraf Karl Friedrich. In der am Ende des Zweiten Welt-

⏵ DEN NORDSCHWARZWALD ERLEBEN

ESSEN

▶ Fein & Teuer

Schwarzwaldstube
Tonbachstraße 237
72270 Baiersbronn-Tonbach
Tel. (0 74 42) 49 26 65
Das berühmte Restaurant führt seit
Jahren die Rangliste der deutschen
Gourmettempel an. Wer sich von der
einmaligen Kochkunst Harald Wohl-
fahrts verzaubern lassen will, muss
allerdings einige Monate im Voraus
reservieren.

▶ Erschwinglich

Engel
Talstraße 14, 77887 Sasbachwalden
Tel. (0 78 41) 30 00
Feine regionale Küche wird in der
heimeligen Gaststube serviert.

▶ Preiswert

Jägerstüble
Marktplatz 12, 72250 Freudenstadt
Tel. (0 74 41) 23 87
Sehr einladendes, gemütlich-rusti-
kales Restaurant, regionale Küche.

ÜBERNACHTEN

▶ Luxus

Bareiss
Gartenbühlweg 14
72270 Baiersbronn-Mitteltal
Tel. (0 74 42) 4 70, Fax 4 73 20
www.bareiss.com
Gediegener Luxus und modernste
Ausstattung in allen Bereichen, zahl-
reiche gastronomische Angebote.

▶ Komfortabel

Waldblick
Eichelbachstraße 47
72250 Freudenstadt-Kniebis
Tel. (0 74 42) 83 40, Fax 8 34 15
www.waldblick-kniebis.de
Gemütlicher Gasthof in herrlich
ruhiger Lage.

Kloster Hirsau
Wildbader Straße 2, 75365 Hirsau
Tel. (0 70 51) 9 67 40, Fax 96 74 69
www.hotel-kloster-hirsau.de
Hinter den dicken Mauern der ehe-
maligen Klosterschänke sind ruhige
Nächte garantiert.

---

kriegs fast ganz zerstörten Stadt dominiert kühle, moderne Sachlichkeit in der Architektur. Als eines der ganz wenigen Zeugnisse des alten Pforzheim wurde südlich des Hauptbahnhofs, wo einst das
Schloss der Markgrafen von Baden stand, die Schlosskirche (urspr.
11. Jh.) restauriert. Im Stiftschor befindet sich die Grablege der
Markgrafen von Baden.

Natürlich dreht sich in der Goldstadt alles um Schmuck und Edel-
metall. Das Schmuckmuseum, am Südrand der Innenstadt im 1961   ✴
fertig gestellten Reuchlinhaus (benannt nach dem in Pforzheim ge-   ◀ Schmuck-
borenen Humanisten Johannes Reuchlin; 1455 – 1525) präsentiert   museum
originale Schmuckstücke aus fünf Jahrtausenden. Im **Technischen
Museum der Schmuck- und Uhrenindustrie** (Bleichstraße 81) südlich
des Reuchlinhauses kann man Schmuck- und Uhrenproduktion mit-
erleben. Ganz neu: die **Schmuckwelten** (Westl. Karl-Friedrich-Str.),
eine Kombination aus interaktivem Museum und Verkaufsschau.

✶✶
Kloster
Maulbronn

Maulbronn ist berühmt für seine ehemalige Zisterzienserabtei. Diese 1138 begonnene, **schönste aller erhaltenen deutschen Klosteranlagen**, nahm die UNESCO 1993 in die Liste des Weltkulturerbes auf. Die Anlage zeigt trotz mancher baulicher Veränderungen noch heute im Wesentlichen ihr mittelalterliches Gesicht. Das **Klostermuseum** besitzt u. a. ein Modell der Anlage.

✶
Bad Wildbad

Die kleine Kurstadt Bad Wildbad im tief eingeschnittenen Tal der Großen Enz ist neben ▶ Baden-Baden das zweite »Weltbad« im nördlichen Schwarzwald. Seit dem 13. Jh. werden die 35–41 °C warmen Quellen zu Kurzwecken genutzt. Das 1839–1847 errichtete klassizistische **Graf-Eberhard-Bad** mit seinem maurischen Interieur und der Jugendstildekoration wurde 1995 nach umfangreichen Renovierungsarbeiten als luxuriöses »Palais Thermal« wieder eröffnet. Westlich gegenüber spiegelt das 1882–1892 erbaute König-Karls-Bad (heute »Haus des Gastes«) gründerzeitliche Monumentalität wider. Entlang der Enz lädt der Kurpark mit seinem prächtigen alten Baumbestand zum Flanieren ein. Westlich der Stadt erhebt sich der aussichtsreiche Sommerberg (731 m ü. d. M.; Standseilbahn).

✶
Freudenstadt

Freudenstadt, 1599 auf Geheiß Herzog Friedrichs I. gegründet, gehört zu den am **stärksten frequentierten Zielen des Kur- und Naherholungsfremdenverkehrs** in dieser Landschaft. Die regelmäßige Stadtanlage entwarf der herzoglich-württembergische Baumeister Heinrich Schickhardt. Gegen Ende des Zweiten Weltkrieges wurde der alte Stadtkern fast vollständig zerstört. Der bis 1954 erfolgte Wiederaufbau hielt sich im Wesentlichen an die historischen Architekturformen. Die Stadtmitte bildet ein fast 5 ha großer, von Häuserzeilen mit Laubengängen umrahmter Marktplatz, in dessen Mitte das Stadthaus mit dem Heimatmuseum steht. In der nördlichen Ecke des Marktplatzes fällt das im Stil der Nachkriegszeit errichtete moderne Rathaus mit seiner markanten Turmhaube ins Auge. Die südliche Marktplatzecke wird von der 1601 im Stil der Renaissance errichteten evangelischen Stadtkirche eingefasst. Wenige Gehminuten südlich vom Marktplatz erreicht man das Kurviertel mit dem parkartigen Tannenhochwald »Palmenwald« und dem gleichnamigen Kurhaus. Am nördlichen Stadtrand ist das als Spaßbad konzipierte »**Panoramabad**« ein Publikumsmagnet.

Bad Peterstal-
Griesbach

Am Schluss des Renchtales liegen die beiden Heilbäder Bad Peterstal und Bad Griesbach, die inzwischen zu einer Kurgemeinde zusammengewachsen sind. Schon Matthäus Merian schätzte die Heilwässer der Kniebisbäder, die heute auch mit **modernen Thermalbädern und Kneippkureinrichtungen** aufwarten.

Baiersbronn

Um den Kernort von Baiersbronn gruppieren sich elf Ortsteile und über 100 Höfe. Besonderen Ruhm hat Baiersbronn in den letzten Jahren als **Standort der Spitzengastronomie** (»Traube« in Tonbach

KLOSTER MAULBRONN

✳ ✳ Was Zisterziensermönche in der Abgeschiedenheit des Salzachtales schufen, ist einmalig und scheint für die Ewigkeit geschaffen – kein mittelalterliches Kloster nördlich der Alpen ist vollständiger erhalten. Diese schönste aller erhaltenen deutschen Klosteranlagen gehört zum UNESCO-Weltkulturerbe und zieht als harmonisches Gesamtkunstwerk unzählige Besucher an.

🕐 Öffnungszeiten:
März bis Okt. tgl. 9.00–17.30 Uhr,
Nov. bis Febr. Di. bis So. 9.30–17.00 Uhr

Die Geschichte der Abtei beginnt 1138, als Ritter Walter von Lomersheim beschloss, in mönchischer Abgeschiedenheit Gott sein Leben weihen. Maulbronn erfüllte die Grundsätze des Zisterzienserordens für eine Klostergründung: Im Gegensatz zu den Benediktinern, die ihre Klöster auf der Höhe anlegten, bauten die Zisterzienser stets im Tal, wo sie fern der Welt nach der ursprünglichen Form benediktinischen Mönchtums in Armut lebten.

① Klosterkirche
Deutlich voneinander geschieden sind die um den Kreuzgang angeordneten Klausurgebäude mit der Klosterkirche im Osten und die im Westen um einen Hof gruppierten Wirtschaftsgebäude.

② Kreuzgang
An die Klosterkirche schließt sich der Kreuzgang an, dessen Ost- und Südflügel um 1210/1220, der Nord- und Westflügel um 1300 entstanden.

③ Klostergarten
Die Regel der Mönche sieht für ihre Behausung einen abgeschlossenen Raum vor, der sich nach innen, auf einen zur Außenwelt hin abgeschirmten Garten öffnet und somit nur zum Himmel Verbindung hat.

④ Paradies
Man betritt die schlichte, zwischen 1147 und 1178 errichtete Klosterkirche durch eine Vorhalle, das so genannte Paradies (um 1220). Ein auffälliges Kennzeichen des Übergangs von der Romanik zur Gotik ist vor allem hier zu sehen: Tragende Teile der Architektur werden aufgelöst in Säulenbündel. Die so genannten »Dienste« werden eingeführt: dünne Stützen, die vor die Wand gelegt werden können oder auf die Säulenbündel – so als ob der Paradiesbaumeister mit »Kraftlinien« zeigen wollte, wie die Konstruktion eines Gewölbes funktioniert.

! *Baedeker* TIPP

Musica sacra

Liebhaber geistlicher Musik schätzen die im Kloster Maulbronn veranstalteten »Klosterkonzerte«. Jedes Jahr von Mai bis Ende September führen hier bekannte und auch unbekanntere Künstler Oratorien, Orgel-, Chor- und Kammermusik auf. (Information: Tel. 0 70 43/1 03 12, www.klosterkonzerte.de).

⑤ Laienrefektorium
Im Speisesaal der Mönche standen des öfteren auch Maultauschen, auf gut schwäbisch »Herrgottsbscheisserle«, auf dem Speiseplan.

⑥ Herrenrefektorium
Der Speisesaal der Herrnmönche ist im Unterschied zum Laienrefektorium nicht so gedrungen und wuchtig. Laienmönche hatten keinen Zugang zum Herrenrefektorium.

⑦ Kapitelsaal
Im Kapitelsaal wurden Versammlungen abgehalten, die Ordenskapitel verlesen, Strafen ausgesprochen.

⑧ Großer Keller
In Maulbronn hatten die Mönche bereits im 12. Jh. landwirtschaftliche Mustergüter angelegt, von deren Ertrag ein Abt selbstbewusst behauptete: »Unsere Weinfässer sind größer als die Wohnungen der ägyptischen Mönche und unsere Fruchtspeicher geräumiger als ihre Klöster.«

⑨ Cellarium
Im Cellarium, dem ehemaligen Kellergewölbe des Klosters, wurde ein Lapidarium mit originalen Steinsammlungen eingerichtet.

Sie sollten ruhig auch mal einen Blick nach oben riskieren, sonst verpassen Sie die schönen Gewölbeverzierungen.

Den großen Klosterhof umrahmen stattliche, spätgotische Fachwerk-häuser, in denen Lädchen und eine Buchhandlung untergebracht sind.

Am Gewölbe der Brunnenkapelle findet man die legendäre Entstehungs-geschichte des Klosters: Auf der Suche nach einem Siedlungsplatz hatten Mönche ein Maultier einfach lostrotten lassen. An jenem Platz, an dem heute der Eselsbrunnen steht, blieb das Maultier stehen und stillte an einer Quelle seinen Durst. Die Mönche sahen darin ein Zeichen des Himmels und beschlossen, an dieser Stelle ihr Kloster zu errichten.

Die Maßwerkfenster des
Kreuzganges scheinen die
unbegrenzten Ausdrucks-
formen der Steinmetzkunst
festgehalten zu haben.

① ② ③ ④ ⑨

© Baedeker

und »Bareiss« in Mitteltal) erworben. Kunsthistorisch bemerkenswert ist die romanische Kirche der ehemaligen Benediktinerabtei im Ortsteil Klosterreichenbach. Rund um Baiersbronn gibt es viele Wintersporteinrichtungen und sind über 1100 km Wanderwege markiert, über die man die beliebten Ziele Kniebis, Schliffkopf, Zuflucht, Alexanderschanze, Seekopf und Wildsee erreichen kann.

Im mittleren Murgtal liegt das schmucke Flößerstädtchen **Forbach**, dessen Wahrzeichen die 1778 fertig gestellte freitragende und überdachte Holzbrücke ist; mit etwa 40 m Länge ist sie die größte ihrer Art in Europa.

Schwarzenbachtalsperre Wer gerne Wassersport treibt, ist am Stausee hinter der Schwarzenbachtalsperre gut aufgehoben. Das Wasser des Sees betreibt das Murg-Schwarzenbach-Kraftwerk.

Rastatt ▶Baden-Baden, Umgebung

Hornisgrinde Nördlich von Seebach, an der Schwarzwaldhochstraße, erhebt sich die Hornisgrinde (1164 m ü. d. M.), der **höchste Berg des Nordschwarzwalds**. Von hier oben hat man an schönen Tagen eine wundervolle Aussicht.

✳ Sasbachwalden Einer der schönsten Orte des Nordschwarzwalds, im Südosten von der Hornisgrinde überragt, ist Sasbachwalden, dessen Ortskern mit seinen prächtigen Fachwerkhäusern unter **Denkmalschutz** steht. Das von Weinbergen umrahmte Dorf wird von der Ruine des sog. Brigittenschlosses beherrscht, das eine der ersten Steinburgen im Schwarzwald gewesen ist.

Bühl ▶Baden-Baden, Umgebung

Mittlerer Schwarzwald

✳ Alpirsbach Durch die im Jahre 1095 gegründete **Klostersiedlung** Alpirsbach fließt die Kinzig. Die Klosteranlage mit ihrer romanischen, um das Jahr 1130 geweihten Säulenbasilika und ihrem spätgotischen Kreuzgang (15. Jh.) ist noch bestens erhalten. Die 1566 erbaute Fruchtschranne dient seit geraumer Zeit als Rathaus. Im klösterlichen Kameralamt, einem Fachwerkbau von 1698, ist das Museum für Stadtgeschichte untergebracht. Seit einigen Jahren wird an historischer Stätte wieder Glas geblasen, wie dies die Benediktinermönche einstmals taten; die Kunst des Bierbrauens hat man ebenfalls von den Mönchen übernommen.

Der um 1570 erbaute Vogtsbauernhof ist das Kernstück des gleichnamigen Freilichtmuseums bei Hausach.

Kinzigabwärts kommt man in den **Luftkurort** Schenkenzell mit seiner barocken Pfarrkirche. Südwestlich des Ortes wacht die Ruine der im 16. Jh. zerstörten Schenkenburg über das Kinzigtal. In einem Seitental findet man das ehem. Nonnenkloster Wittichen mit seiner hübsch ausgestatteten barocken Wallfahrtskirche.

★
Schenkenzell
Kloster
Wittichen

Der Marktplatz des **alten Flößer- und Gerberstädtchens** Schiltach mit dem schmucken Rathaus, dem stadtgeschichtlichen Museum und dem Apothekenmuseum zeigt die »Handschrift« des Renaissancebaumeisters Heinrich Schickhardt. Im alten Gerberviertel kann man das Schüttesägenmuseum, eine Flößerstube und eine seit 300 Jahren bestehende Weißgerberei besichtigen.

Schiltach

Wenig weiter folgt das als Fastnachtshochburg bekannte Wolfach mit einem fürstenbergischen Schloss, in dem das Heimatmuseum untergebracht ist, und einem mit Fassadenmalerei versehenen Rathaus. Am westlichen Stadtausgang kann man eine der letzten Glashütten des Schwarzwalds, die **Dorotheenhütte**, besichtigen.

Wolfach

Wenige Kilometer südlich des ehemals fürstenbergischen Städtchens Hausach erwartet das Schwarzwälder Freilichtmuseum »Vogtsbauernhof« von April bis Oktober viele Besucher. Um den alten Hof gruppieren sich historische Bauernhöfe samt Nebengebäuden.

★ ★
Vogts-
bauernhof

Die im 13. Jh. erstmals urkundlich erwähnte **»Fünftälerstadt«** Schramberg ist im 19. Jh. für ihre Uhrenindustrie bekannt geworden. Die Stadt wird von drei Burgruinen bewacht. Dazu gehört eine der größten Wehranlagen im Schwarzwald, die 1457 erbaute und 1689 zerstörte Nippenburg.

Schramberg

Haslach Der malerische Stadtkern von Haslach steht unter **Denkmalschutz**. Beachtenswert sind das im ehemaligen Kapuzinerkloster untergebrachte Schwarzwälder Trachtenmuseum sowie das dem Schriftsteller Heinrich Hansjakob gewidmete Museum im Freihof.

✱ Gengenbach Wohl das schönste Städtchen im Kinzigtal ist die ehemalige Freie Reichsstadt Gengenbach, die wenige Kilometer südlich von Offenburg liegt. Von den einst drei, heute noch zwei Stadttoren laufen von Fachwerkbauten gesäumte Straßen auf den Marktplatz zu. Beachtenswert dort sind das klassizistische Rathaus, das steinerne Giebelhaus Pfaff sowie das Löwenbergpalais mit dem Städtischen Museum. Im Osten der Stadt steht eine im 8. Jh. gegründete und 1803 aufgehobene Benediktinerabtei (heute Fachhochschule). Beachtenswert sind das im Niggelturm untergebrachte **Fastnachtsmuseum** und das Flößerei- und Verkehrsmuseum.

> **! Baedeker TIPP**
>
> **Da Bach na ...**
> Eine besondere Narretei ist die alljährlich am Rosenmontag in Schramberg stattfindende »Bach-na-Fahrt«: Wagemutige Narren lassen sich mit selbst gebauten Booten auf der »reißenden« Schiltach zu Tal treiben. Havarien und Stürze ins eiskalte Nass sind dabei kaum zu vermeiden und werden vom Publikum mit Johlen und Gelächter quittiert. Ein Heidenspaß!

Die ehemalige Reichsstadt Offenburg ist **Hauptstadt der Ortenau**. Als ihr wertvollstes Kunstdenkmal gilt der Ölberg, ein Nischenbau in Form einer gotischen Kapelle mit der Darstellung der Gefangennahme Jesu. Zahlreiche Fachwerkhäuser sowie schöne barocke und klassizistische Bauten wie z.B das Rathaus und der Königshof prägen das Stadtzentrum. Nach Osten

✱ Offenburg öffnet sich der malerische Fischmarkt mit Hirschapotheke (1698) und Löwenbrunnen (1599). In der Glaserstraße findet man eine Mikwe, ein seit dem 14. Jh. bestehendes rituelles Tauchbad der Juden. Im Süden der Altstadt lohnt das regional- und stadthistorisch orientierte Museum im Ritterhaus einen Besuch, ebenso das im 17. Jh. erbaute Kapuzinerkloster mit dem wunderschönen Kreuzgang.

Villingen-Schwenningen Die am Neckarursprung gelegene **Doppelstadt** Villingen-Schwenningen entstand 1972 durch den Zusammenschluss der ehemaligen Freien Reichsstadt und späteren badischen Stadt Villingen mit der württembergischen Stadt Schwenningen. Der von Mauern und Türmen umgebene alte Stadtkern von Villingen ist noch gut erhalten. Mittelpunkt ist das Münster Unserer Lieben Frau (um 1130).
Zentrum der Industriestadt Schwenningen ist der Muslenplatz. Der Turm der aus dem 15. Jh. stammenden Stadtkirche sowie das Pfarr- und das Lehrerhaus, zwei im 18. Jh. errichtete Fachwerkbauten, bilden ein hübsches Ensemble. Beachtung verdienen das Heimat- und Uhrenmuseum im Lehrerhaus, das Uhrenindustriemuseum in der ehemaligen Württembergischen Uhrenfabrik sowie das Museum der einst renommierten Uhrenfabrik Mauthe.

Am südlichen Stadtrand von Schwenningen erstreckt sich das **Natur-schutzgebiet** Schwenninger Moos, in dem man die im 16. Jh. gefasste Hauptquelle des Neckars findet. Auf dem Flugplatz am östlichen Stadtrand von Schwenningen sind über zwei Dutzend imposante Flugzeug-Oldtimer zu bestaunen, darunter auch eine russische »An-tonow 2«, der größte Doppeldecker der Welt.

Wenige Kilometer südlich von Villingen-Schwenningen kommt man nach Bad Dürrheim, dem am **höchsten gelegenen Solebad Europas**. Neben klassischen Kureinrichtungen lockt das Erlebnisbad »Solemar«. Im alten Salzspeicher ist heute das volkskundliche Museum »Narren-schopf«, das sich mit der schwäbisch-alemannischen Fasnet befasst.

✳ Bad Dürrheim

Etwa 15 km nordwestlich von Villingen liegt der Erholungsort St. Georgen. Im 18. Jh. wurde der Ort zu einem **Zentrum des Uhrma-cherhandwerks**, dessen Geschichte man im hiesigen Phono- und Uhrenmuseum nachvollziehen kann. Beliebte Wanderziele in der Umgebung sind die Brigachquelle, der Stöcklewaldturm und die alte Reichenauer Mönchsniederlassung Peterzell.

St. Georgen

Ca. 8 km östlich von St. Georgen erreicht man den **heilklimatischen Kurort** Königsfeld. Der alte Siedlungskern mit seinen gründerzeitli-chen Villen steht unter Denkmalschutz. Ausflugsziele in der Nähe sind das St.-Nikolaus-Kirchlein (13. Jh.) in Buchenberg sowie die Ruine der mittelalterlichen Burg Waldau.

Königsfeld

Am Marktplatz in Gengenbach spürt man noch die Pracht der ehemaligen freien Reichstadt.

Eine Schwarzwaldidylle, wie man sie sich vorstellt:
Um die Hexenlochmühle bei St. Märgen rauscht ein klarer Gebirgsbach.

✳ Triberg

Besonders stolz ist man in Triberg im tief eingekerbten Tal der oberen Gutach auf den **höchsten Wasserfall Deutschlands**: Über sieben insgesamt 162 m hohe Kaskaden stürzt die Gutach zu Tal. Außer dem Wasserfall verdienen auch das hiesige Schwarzwaldmuseum und die spätbarocke Wallfahrtskirche Maria an der Tanne einen Besuch. Außerdem kann man im Ortsteil Schonachbach im **Eble Uhrenpark** die weltgrößte Kuckucksuhr bewundern.

Schonach

Der Luftkurort Schonach ist bekannt als Austragungsort von Skisprungmeisterschaften: Schon von weitem sieht man die große Schanze. Als reizvolle Wanderziele in Schonachs Umgebung bieten sich das Naturschutzgebiet Blindensee und der 1159 m hohe Rohrhardsberg an.

✳ Furtwangen

Das alte **Uhrmacherstädtchen** Furtwangen, 17 km südlich von Schönwald, ist Sitz einer Fachhochschule für Feinwerktechnik, Elektrotechnik, Elektronik und Informatik. Ein Muss für jeden Besucher des Schwarzwalds ist eine Visite im Deutschen Uhrenmuseum, in dem technische Wunderwerke zu sehen sind: von der gotischen Stuhluhr über die berühmte astronomische Weltzeituhr des Benediktinermönchs Thaddäus Rinderle von 1787 bis zu neuesten Entwicklungen der Schwarzwälder Uhrenindustrie.

✳ Bregquelle Martinskapelle

Ca. 6 km nordwestlich von Furtwangen sprudelt der Donauquellfluss Breg in 1078 m aus dem Schoß des Schwarzwalds. Seit dem 16. Jh. streiten sich Furtwangen und Donaueschingen (▶ Donau) um den Besitz der **»richtigen« Donauquelle**. Oberhalb der Bregquelle steht die Martinskapelle.

Von Furtwangen gelangt man westwärts in das Simonswälder Tal, mit seinen verstreuten Weilern und Höfen ein besonders **typisches Schwarzwaldtal**. Im Kerbtal versteckt sich die Hexenlochmühle, mit ihren beiden Wasserrädern Inbegriff der Schwarzwaldmühle.

✶ Simonswälder Tal

Auf einer aussichtsreichen Hochfläche zwischen ►Freiburg und Furtwangen thront der Ferienort St. Märgen.Sehenswert ist die barocke Klosterkirche, in der man einige Arbeiten von Matthias Faller, der als **»Herrgottschnitzer des Schwarzwalds«** Berühmtheit erlangt hat, bewundern kann. Religiöse Volkskunst und eine Kollektion alter Schwarzwalduhren sind im Rathaus ausgestellt.

✶ St. Märgen

Alle drei Jahre im September feiert man den »Tag des Schwarzwälder Pferdes« (nächster Termin: 2007). Denn in dem traditionsreichen Ort hat man den »Schwarzwälder Fuchs« gezüchtet, eine Rasse, die sich besonders für die schwere Waldarbeit eignet. Daran wird mit Festumzug, Prämierungen, Reit- und Fahrvorführungen sowie Tanz und Unterhaltung erinnert.

◄ »Tag des Schwarzwälder Pferdes«

Das liebliche Glottertal erfüllt so gut wie alle Klischeevorstellungen eines Schwarzwaldurlaubers: sonnige Rebenhänge, blühende Kirschbaumwiesen, darüber dunkle Tannenwälder und das Ganze durchsetzt von stattlichen Schwarzwaldhöfen. Wahrscheinlich war es diese Kombination, die das Glottertal zum Hauptschauplatz der Fernsehserie **»Die Schwarzwaldklinik«** machte.

✶ Glottertal

> **? WUSSTEN SIE SCHON …?**
>
> ▪ dass aus dem Gutachtal der weltberühmte Ausspruch: »Es geht aus wie das Hornberger Schießen« kommt? Die Hornberger wollten ihren Herzog mit Salut empfangen, verschossen aber schon vor seiner Ankunft alles Pulver.

Der Orgelbau, die Konstruktion mechanischer Musikinstrumente sowie der Bau von Fahrgeschäften für Schausteller verhalfen Waldkirch im Elztal schon im 19. Jh. zu Weltruf. Die Altstadt am Fuß des von einer Burgruine gekrönten Kastelberges hat viel von ihrem alten Charme bewahrt. Dies gilt vor allem für den von hübschen Bürgerhäusern umrahmten Marktplatz. Sehenswert ist die prachtvoll ausgestattete Kirche St. Margaretha (1734). Im ehemaligen Propsteigebäude befindet sich das **Elztalmuseum**. Am südlichen Stadtrand zieht der Schwarzwaldzoo vor allem Familien an.

Waldkirch

Vom mattenbedeckten Gipfel des 1243 m hohen Kandel, zu dem die Schwarzwald-Panoramastraße hinaufführt, bietet sich an klaren Tagen eine überwältigende Fernsicht bis zu den Schweizer Alpen.

✶ ◄ Kandel

Das Städtchen Emmendingen zwischen Schwarzwald und ► Kaiserstuhl war Ende des 16. Jh.s **Residenz des Markgrafen von Baden**. Hier lebte Goethes Schwester Cornelia (1750–1777). Ein hübsches Ensemble bildet der Marktplatz mit den schönen alten Bürgerhäusern. Bemerkenswerte Bauten sind das Rathaus von 1729, die in Tei-

Emmendingen

len noch spätgotische ev. Stadtkirche sowie das 1585 im Stil der Renaissance fertig gestellte Markgrafenschloss, das heute eine stadtgeschichtliche Ausstellung beherbergt. Am südwestlichen Altstadtrand gefällt das im 17. Jh. errichtete Stadttor. Lohnende **Ausflugsziele** in der Umgebung von Emmendingen sind die 5 km nördlich gelegene Burgruine Landeck, die weiter nordöstlich gelegene frühgotische Klosterkapelle Tennenbach (13. Jh.) und die östlich gelegene malerische Ruine der 1689 von den Franzosen zerstörten Hochburg.

✳ **Kenzingen**

Etwa 15 km nördlich von Emmendingen erreicht man Kenzingen mit seiner **denkmalgeschützten Altstadt**. Sie wird beherrscht von der ursprünglich gotischen, im 18. Jh. umgestalteten Kirche St. Laurentius. Das Rathaus wurde um 1520 erbaut. Einblicke in die alemannische Fasnet vermittelt die Oberrheinische Narrenschau

▶ **DEN MITTLEREN SCHWARZWALD ERLEBEN**

ESSEN

▶ **Erschwinglich**

Scheidels Restaurant zum Kranz
Offenburger Straße 18,
79341 Kenzingen, Tel. (0 76 44) 68 55
Traditionsreicher badischer Gasthof aus dem Jahr 1800 mit einem herrlichem Biergarten unter alten Bäumen.

Reichsstadt
Engelgasse 33, 77723 Gengenbach
Tel. (0 78 03) 9 66 30
Mitten in der Altstadt liegt das gediegene Restaurant, das mit vorzüglicher Küche zu überzeugen weiß.

▶ **Preiswert**

Zwickel & Kaps
Marktstraße 3, 72275 Alpirsbach
Tel. (0 74 44) 5 17 27
In dem rustikalen Restaurant mit kleinem Biergarten werden regionale und mediterrane Gerichte angeboten.

ÜBERNACHTEN

▶ **Komfortabel**

Romantik Parkhotel Wehrle
Gartenstraße 24, 78089 Triberg
Tel. (0 77 22) 8 60 20, Fax 86 02 90
www.parkhotel-wehrle.de

Ein herrlicher Park, moderner Komfort und stilvolle, individuell eingerichtete Zimmer sorgen für Wohlfühl-Atmosphäre. Zwei Restaurants, Schwimmbad und Sauna im Haus.

▶ **Günstig**

Kohlenbacher Hof
Kohlenbach 8
79183 Waldkirch-Kollnau
Tel. (0 76 81) 88 28, Fax 52 37
www.kohlenbacherhof.de
In idyllischer Lage finden Sie diesen traditionellen Schwarzwaldhof, der seit über zehn Generationen im Familienbesitz ist. Angenehme Zimmer mit zeitgemäßem Komfort und eine schmackhafte Regionalküche im Restaurant sprechen für dieses ruhige Haus.

Benz
Mattenhofweg 3, 77723 Gengenbach
Tel. (0 78 03) 9 34 80, Fax 93 48 40
www.hotel-benz.de
In ruhiger Lage am Waldesrand finden Sie diese charmante Unterkunft, die nette Zimmer mit Balkon und ein ausgezeichnetes Restaurant vorzuweisen hat.

*Wer Geschwindigkeit liebt, sollte die Achterbahn »Euro-Mir«
im Europa-Park Rust nicht verpassen.*

Auch in Ettenheim steht der historische Stadtkern unter **Denkmal-schutz**. Zwei alte Stadttore, schmucke Fachwerkbauten aus dem 17. und 18. Jh. sowie repräsentative Barockbauten prägen das Stadtbild. Im 4 km südöstlich gelegenen Ortsteil Ettenheimmünster beachte man die barocke ehem. Wallfahrtskirche St. Landolin. Sie ist das Relikt eines im 8. Jh. gegründeten und im 19. Jh. abgetragenen Benediktinerklosters und besitzt eine **wunderschöne Silbermannorgel**.

✶
Ettenheim

Ca. 7 km westlich von Ettenheim schlagen Kinderherzen höher und bekommen elterliche Geldbörsen Beklemmnungen: Der Europa-Park Rust bietet Fahrgeschäfte, Show-Attraktionen, Gastronomie und vieles andere mehr.

✶
Europa-Park Rust

Südschwarzwald

Knapp 20 km südlich von ▶Freiburg, am Ausgang des Münstertales, liegt das malerische alte Städtchen Staufen im Breisgau, das für seine guten Weine und edlen Brände bekannt ist. In die Literatur eingegangen ist Staufen als Sterbeort des Arztes und Alchimisten Doktor Faust: Im Gasthaus zum Löwen soll ihn 1539 der Teufel geholt haben. Über der Stadt thront die Ruine der mittelalterlichen Burg Staufen auf einem rebenbestandenen Berg.

**Staufen
im Breisgau**

Von Staufen lohnt ein Ausflug ins Münstertal, das sich am Westfuß des mächtigen Belchenmassivs erstreckt. In dem bei der Ortschaft Untermünstertal gelegenen **Besucherbergwerk Teufelsgrund** kann man sich über den mittelalterlichen Münstertaler Silberbergbau informieren.

Münstertal

Der am Ende des Münstertals aufragende, 1414 m hohe Belchen ist einer der **schönsten Aussichtsberge Deutschlands**. Von seinem Gipfel reicht der Blick nach Süden bis zu den Schweizer Alpen und im Westen zu den Vogesen.

✶ ✶
◀ Belchen

DER DEUTSCHEN LIEBSTE TORTE

Obstgarten des Reiches hat man den Südwesten Deutschlands vor 100 Jahren genannt. Das Klima und der fruchtbare Boden lassen Himbeeren, Brombeeren, Mirabellen, Birnen, Zwetschgen, Aprikosen und natürlich Kirschen gedeihen. Aus all diesen Früchten stellt man Obstbrände her, doch der Kirsch – das berühmte Schwarzwälder Kirschwasser – ist mengenmäßig die Nummer eins.

Nur wenn es im Schwarzwald hergestellt ist, darf es sich »Echt Schwarzwälder Kirschwasser« nennen. Wer es richtig genießen möchte, trinkt es nicht eiskalt – das **feine Aroma** geht dabei verloren! Es eignet sich auch zum Mixen von Getränken, als Zusatz zu Fruchtsalaten, Eis oder für Kirschwassersalami, zu Gebäck, zu Kuchen und Torten – und natürlich ist das Wässerchen **wichtigste Zutat** zur echten Schwarzwälder Kirschtorte.

Erfunden in Bad Godesberg

Die Schwarzwälder Kirschtorte wurde allerdings gar nicht im Schwarzwald erfunden, sondern in Bad Godesberg.

Ihr Schöpfer hieß **Josef Keller**, der 1981 im Alter von 94 Jahren in Radolfzell am Bodensee gestorben ist. Über die Entstehung der beliebtesten Torte Deutschlands weiß man erst seit 1982 Bescheid – dank jahrelanger Recherchen eines Schweizer Journalisten. Josef Keller arbeitete 1915 vor seiner Meisterprüfung im damaligen Prominentencafé Agner in Bad Godesberg, wo man **Schlagsahne mit Kirschen** servierte. Er kam nun auf die Idee, einen Mürbeteigboden darunter zu schieben und die Sahne mit Kirschwasser zu aromatisieren. Anlass hierzu waren die Studenten aus Bonn, die immer unvorhergesehen und in

Nur wenn das Kirschwasser in der Sahne »geschmacklich deutlich wahrzunehmen« sei, ist sie echt: Eine süße Verführung ist die Schwarzwälder Kirschtorte aber nach jedem Rezept.

großer Zahl das Café Agner aufsuchten, um nach gewaltigen Mengen süßer Sachen zu verlangen. Im Bad Godesberg von heute findet man allerdings keinen Hinweis auf die erste Schwarzwälder Kirschtorte, und das Café Agner besteht seit Ende der 60er-Jahre nicht mehr. Keller aber arbeitete nach seiner Meisterprüfung 1919 an der von ihm kreierten Komposition in Radolfzell weiter. Ende 1927 schrieb er zum ersten Mal **ein Rezept** seiner »Schwarzwälder Kirschtorte« auf.

So geht's

Wer sie einmal selbst herstellen möchte, benötigt dafür 100 g Butter, 100 g Zucker, 1 Päckchen Vanillezucker, 4 Eier, 75 g Mandeln, 100 g Schokolade, 50 g Mehl, 50 g Mondamin, 2 gestrichene Teelöffel Backpulver sowie für die Füllung 6–7 Löffel Kirschwasser, 500 g saure Kirschen, 50 g Johannisbeer- oder Himbeermarmelade und 0,5 l Schlagsahne. Garniert wird die **Kalorienbombe** mit geraspelter Schokolade und Kirschen. Die einzelnen Rezepte für die Kirschtorte variieren natürlich. Wichtig ist aber grundsätzlich das Schwarzwälder Kirschwasser, das der Torte das besondere Aroma verleiht. Die Bundesfachschule für das Konditorenhandwerk in Wolfenbüttel schreibt vor, dass das Kirschwasser in der verarbeiteten Sahne »geschmacklich deutlich wahrzunehmen« sei. Und das Kirschwasser ist denn auch das Einzige, was die Kirschtorte mit dem Schwarzwald gemeinsam hat. Das soll uns aber auf keinen Fall den Appetit verderben!

In luftiger Höhe schwebt die Sesselbahn vom 1158 m hohen Hasenhorn hinunter nach Todtnau.

Markgräflerland ✳ Weithin bekannt ist das Markgräflerland für seine ausgezeichneten Weine und reichen Obstgärten. Die liebliche Landschaft wird im Osten vom Blauen (1156 m ü. d. M.) und vom Belchenmassiv (1414 m ü. d. M.) geschützt.

Sulzburg ✳ Ausgesprochen malerisch ist in dem ehemaligen **Bergbaustädtchen** Sulzburg der historische Kern mit dem hübschen Marktplatz. In der Nähe steht die 1823 errichtete Synagoge. Nordöstlich des Marktplatzes erhebt sich mit der romanischen St.-Cyriak-Kirche eines der ältesten Denkmäler christlicher Sakralbaukunst in Deutschland. In der ehem. Stadtkirche befindet sich heute das sehenswerte Landesbergbaumuseum, von dem aus ein Lehrpfad zu alten Stollen im Sulzbachtal führt.

Müllheim Hauptort des Markgräflerlandes und **größte Weinbaugemeinde** der Region ist die Stadt Müllheim. Sehenswert ist die heute als Konzertsaal genutzte Martinskirche, in deren gotischem Turm man einen Freskenzyklus aus dem 14. Jh. bewundern kann. Das Markgräfler Museum am Marktplatz befasst sich in erster Linie mit der Geschichte des Weinbaus in dieser Gegend.

Badenweiler ✳ Die heilenden Quellen in Badenweiler wurden schon von den Römern genutzt, wie die im Osten des Kurparks gelegene Ruine eines im 1. Jh. n. Chr. errichteten Badehauses beweist. Gleich nebenan lädt das **Markgrafenbad** mit seinem klassizistischen Marmorbad und der Cassiopeia-Therme zu einem Besuch ein. Den schönsten Blick über den Ort genießt man von der Ruine einer im 11. Jh. von den Zähringern erbauten Burg. Weiter nördlich steht das 1811 nach Plänen von Friedrich Weinbrenner erbaute Belvedere. Südwestlich des Kurparks fällt das Großherzogliche Palais ins Auge, das ursprünglich im 16. Jh. erbaut und 1888 im Stil der Neorenaissance umgestaltet worden ist.

Südöstlich von Badenweiler erhebt sich der 1165 m hohe Blauen, von ◄ Blauen
dessen Aussichtsturm sich ein **überwältigender Blick** über die Oberrheinebene hinweg bis zu den Vogesen und über die Höhen des Südschwarzwalds bis zu den Schweizer Alpen eröffnet.

Das Städtchen Kandern liegt etwa 12 km nördlich von Lörrach in ei Kandern
nem geschützten Tal, in dem seit der Römerzeit hochwertiger Ton abgebaut und verarbeitet wird. **Klassizistische Architektur** prägt das Bild jener Stadt, in der Johann August Sutter (1803–1880), der Gründer der kalifornischen Hauptstadt Sacramento, das Licht der Welt erblickt hat. Hauptsehenswürdigkeit von Kandern ist das Heimat- und Keramikmuseum.

Der sehr beliebte **Museumsdampfzug** »Chanderli« pendelt an einigen ◄ »Chanderli«
Sommerwochenenden zwischen Kandern und dem 13 km weiter südlich gelegenen Ort Haltingen.

Das 1762 nach Plänen des berühmten Baumeisters Franz Anton Bag ✱
nato errichtete Barockschloss Bürgeln kann nur im Rahmen einer **Schloss**
Führung besichtigt werden. Von der Terrasse des Schlossrestaurants **Bürgeln**
genießt man eine wunderschöne Aussicht.

Auf einer weiten Hochfläche oberhalb des Höllentals liegt der **Kur-** Hinterzarten
und Wintersportort Hinterzarten. Auf der berühmten Adlerschanze können Skiflieger das ganze Jahr über trainieren – im Sommer auf Grasmatten. Sehenswert sind das Schwarzwälder Skimuseum und die restaurierte alte Sägemühle des Kingenhofs.

In dem von herrlichen Wäldern umrahmten Titisee können Sie ba ✱
den, angeln, rudern, segeln oder surfen. Oder Sie umrunden das **Titisee**
2 km lange und 700 m breite Gewässer entlang des schönen Uferwegs.

Südwestlich des Titisees erhebt sich der 1493 m hohe Feldberg, des ✱
sen Gipfelzone als **Naturschutzgebiet** ausgewiesen ist. An schönen **Feldberg**
Sommer- und schneereichen Winterwochenenden tummeln sich auf dem höchsten Berg des Schwarzwalds Tausende von Erholungssuchenden und Freizeitsportlern. Im gesamten Feldberggebiet gibt es etwa zwei Dutzend Liftanlagen, über 30 verschiedene Skiabfahrten und jede Menge Langlaufloipen.

Das einstmals bedeutsame Silberbergbaustädtchen Todtnau mit sei ✱
ner imposanten doppeltürmigen Pfarrkirche ist ein bei Wanderern, **Todtnau**
Mountainbikern, Gleitschirmfliegern und Skisportlern gleichermaßen beliebter Erholungsort. Lohnende **Ausflugsziele** sind das 1158 m hohe Hasenhorn, die Todtnauer Wasserfälle, der Luftkurort Todtnauberg sowie die Notschrei-Passhöhe als Ausgangspunkt für Wanderungen zum Schauinsland (► Freiburg), zum Belchen und hinüber zum Feldberg.

Schopfheim Im unteren Wiesental liegt das einstige badische Markgrafenstädtchen Schopfheim mit seinem **liebevoll restaurierten Ortskern**. Beachtenswert sind die spätgotische Michaelskirche, das im gegenüber liegenden Krafftschen Haus (15./16. Jh.) untergebrachte Stadtmuseum und das spätgotische Hirtenhaus. Lohnende Ausflugsziele sind das überaus reizvolle Kleine Wiesental, das Weitnauer Bergland und der Vogelpark Wiesental.

✳ **Schluchsee** Der fast 7,5 km lange und bis zu 1,5 km breite Schluchsee (930 m ü. d. M.) wird von den sanft gerundeten Kuppen des Hochschwarzwaldes eingefasst. 1932 wurde bei Seebrugg eine Talsperre fertig gestellt. Der **Erholungsort Schluchsee**, an einem sonnigen Hang über dem östlichen Seeufer gelegen, kann mit noblen Herbergen und vielerlei Kur-, Sport- und Freizeiteinrichtungen aufwarten.

▶ DEN SÜDSCHWARZWALD ERLEBEN

ESSEN

▶ Erschwinglich
Alte Stadtmühle
Entegaststraße 9, 79650 Schopfheim
Tel. (0 76 22) 24 46
Fachwerk und freigelegtes Mauerwerk sorgen für eine behagliche Atmosphäre, die vorzügliche internationale und regionale Küche für ganz besondere Gaumenfreuden.

▶ Preiswert
Zum Löwen
Langenordnach 4,
79822 Titisee-Langenordnach
Tel. (0 76 51) 10 64
Traditionsreicher Schwarzwaldhof, seit über 400 Jahren im Familienbesitz, urgemütliche Gaststube mit Kachelofen und Holzbänken.

Landgasthof Schwanen
Ernst-Scheffelt-Straße 5,
79410 Badenweiler-Lipburg
Tel. (0 76 32) 8 20 90
In der typisch Schwarzwälder Gaststube werden Sie mit bodenständiger badischer Küche bewirtet.

ÜBERNACHTEN

▶ Luxus
Schwarzmatt
Schwarzmattstraße 6 a,
79410 Badenweiler
Tel. (0 76 32) 8 20 10, Fax 82 01 20
www.schwarzmatt.de
Das Hotel im Landhausstil verwöhnt mit behaglichen Räumlichkeiten, im mediterran gehaltenen Restaurant serviert man ambitionierte Küche.

▶ Komfortabel
Seehotel Wiesler
Strandbadstraße 5,
79822 Titisee-Neustadt
Tel. (0 76 51) 9 80 90, Fax 98 09 80
www.seehotel-wiesler.de
Geräumige Zimmer mit zeitgemäßem Komfort und schönem Blick auf den See. Rustikales Restaurant.

▶ Günstig
Zum Waldhüter
Gässle 7, 79650 Schopfheim-Gersbach
Tel. (0 76 20) 98 89 00, Fax 98 89 01
www.zumwaldhueter.de
Liebevoll restauriertes Schwarzwaldhaus aus dem 16. Jh., hübsche Zimmer mit historischem Ambiente.

Seit dem 19. Jh. schätzt man hier in St. Blasien die heilende Wirkung ✳
des hiesigen Klimas. Das Stadtbild von St. Blasien wird von der ge- **St. Blasien**
waltigen Kuppel der 1783 fertig gestellten Abteikirche beherrscht, die
als der **drittgrößte Kuppelbau Eu-**
ropas gilt. Das älteste Gebäude der
Klosteranlage, der Marstall, dient
heute als Haus des Gastes und beherbergt ein regionalgeschichtli-
ches Museum. Beliebte Luftkurorte
in der Umgebung von St. Blasien
sind der in einem Hochtal gelegene
Ort Menzenschwand, der Wintersportort Bernau mit einem Museum zu Ehren des hier geborenen
Malers Hans Thoma (1839–1924)
und der heilklimatische Kurort
Höchenschwand.

Südlich und südöstlich von St. Blasien breitet sich der von tiefen
Waldschluchten zerschnittene **Hot-**
zenwald aus (»Hotzen« = grobes
Tuch aus Schafwolle), der wunderschöne Fernblicke auf die Schweizer Alpen bietet.

Faszinierende Eisenbahntechnik:
Eppenhofer Viadukt der Sauschwänzlebahn

Ins wildromantische Wehratal ist der **Kurort** Todtmoos eingebettet. ✳
Beachtenswert sind hier die prachtvoll ausgestattete barocke Pfarr- **Todtmoos**
und Wallfahrtskirche Mariä Himmelfahrt, das ebenfalls barocke ehemalige Superiorat, heute Pfarrhaus, und das »Heimethus« mit seiner
lokalhistorischen Ausstellung.

Die vom Hochschwarzwald zum Hochrhein fließende Wutach hat ✳ ✳
die naturgeschichtlich interessanteste Flusslandschaft in Südwest- **Wutachschlucht**
deutschland geschaffen. Da die streckenweise cañonartige Wutachschlucht nur schwer zugänglich ist,
hat sich hier eine artenreiche Flora
und Fauna halten können. Ein besonderes Erlebnis ist die Begehung
der mittleren Wutachschlucht
auf dem gesicherten **Ludwig-Neu-**
mann-Weg. Eine Attraktion besonderer Art ist eine Fahrt mit der
über 100 Jahre alten **Museumsbahn**
Wutachtal, auch »Sauschwänzlebahn« oder »Kanonenbähnle« genannt, von Blumberg ins knapp
26 km entfernte Weizen.

> **!** *Baedeker* TIPP
>
> **Torten, Speck und Huskies**
> Alljährlich am letzten Januarwochenende treffen
> sich in Todtmoos die »Musher«, Schlittenhunde-
> führer, mit ihren Huskies zum Internationalen
> Schlittenhunderennen. Fürs Publikum gibt's ne-
> ben dem Renngeschehen einen Schwarzwälder
> »Kirschtortenkurs« und einen »Specklehrgang«
> (Information: Tel. 0 76 74/9 06 00).

✳ Schwerin

Atlasteil: S. 18 • B 1/2
Bundesland: Hauptstadt des Bundeslandes Mecklenburg-Vorpommern

Höhe: 40 m ü. d. M.
Einwohnerzahl: 100 000

In Schwerin dreht sich buchstäblich alles ums Wasser. Zehn Seen breiten sich direkt vor den Toren der Stadt bzw. innerhalb des Stadtgebiets aus, und auch das Zentrum ist von Gewässern umgeben. Diese herrliche Lage inmitten einer idyllischen Seenlandschaft und auch ihre hübsch renovierte Altstadt mit dem herzoglichen Schloss sind die Pluspunkte der Landeshauptstadt.

Geschichte Bereits in slawischer Zeit stand auf der Schlossinsel eine Burg, von der im Jahr 1018 erstmals berichtet wird. Nach der Niederwerfung der Obotriten im Jahre 1160 gründete der Sachsenherzog Heinrich der Löwe neben der Insel eine Siedlung und erhob sie zur Stadt – nach Lübeck die **zweite deutsche Stadtgründung östlich der Elbe**. Mit der Erhebung zum Bischofssitz (1167) und der Gründung der Grafschaft Schwerin (1358) begann Schwerins Aufstieg zum kulturellen und politischen Mittelpunkt Mecklenburgs. Bis auf die Jahre zwischen 1756 und 1837, als die Herzöge nach Ludwigslust auswichen, residierte der mecklenburgische Hof in Schwerin. Nachdem Großherzog Paul Friedrich in der zweiten Hälfte des 19. Jh.s seine Residenz wieder nach Schwerin verlegt hatte, erhielt die Stadt unter Hofarchitekt Gustav Adolf Demmler zahlreiche Repräsentationsbauten.

Sehenswertes in Schwerin

✳✳
Schloss Das **Wahrzeichen** von Schwerin und zugleich das bedeutendste Baudenkmal aus dem 19. Jh. in Mecklenburg-Vorpommern ist die ehemalige Residenz der mecklenburgischen Herzöge. Sein heutiges Erscheinungsbild erhielt der Schlossbau 1843–1857 nach dem Vorbild des französischen Schlosses Chambord bei Orléans. Die malerische Lage auf der kleinen Insel sowie die vielen Türme und Giebel verleihen dem Schlossbau ein geradezu märchenhaftes Aussehen. Nach umfassender Renovierung sind die Prunkräume in der Beletage und in der Festetage wieder hergestellt (Öffnungszeiten: Mitte April bis Mitte Okt. Di. bis So. 10.00–18.00, sonst bis 17.00 Uhr). Besonders eindrucksvoll wegen der herrlichen Intarsienböden aus Edelholzfurnieren und des überreichen, zum Teil vergoldeten Stucks sind die Ahnengalerie und der Thronsaal. In den ehemaligen herzoglichen Kinderzimmern ist heute die Dauerausstellung **»Europäische Porzellane und höfische Malerei«** untergebracht.

✳
Schlossgarten ▶ Vom Burggarten mit seinem alten Baumbestand führt eine Brücke hinüber in den Schlossgarten, der 1748–1756 als barocker Park mit Kreuzkanal und Arkaden angelegt wurde. Den Kanal säumen 14

Wer denkt beim Anblick des Schweriner Schlosses nicht an Dornröschen oder Aschenputtel?

Sandsteinplastiken (allerdings Kopien) aus der Werkstatt von Balthasar Permoser. Das Reiterstandbild von Großherzog Friedrich Franz II., dem Bauherrn der Residenz, wurde 1883 hier aufgestellt. Von der höchsten Stelle des Schlossgartens bietet sich ein herrlicher Blick auf das Schloss. Die alte **Schleifmühle** aus dem 18. Jh. am Südostrand der Anlage wurde zu Vorführzwecken wieder in Betrieb genommen.

Zum Schlossgarten gehörte ursprünglich auch der »Alte Garten«, heute ein weitläufiger, von repräsentativen Bauten gerahmter Platz. Das spätklassizistische Gebäude mit der ausladenden Freitreppe, 1882 vollendet, ist heute Sitz des Staatlichen Museums. Die von Herzog Christian Ludwig II. begründete **Kunstsammlung** umfasst Tausende von Gemälden, Grafiken und Zeichnungen, mittelalterliche Plastik aus Mecklenburg und Kunsthandwerk. **Alter Garten** ★ ◀ **Staatliches Museum**

Links neben dem Museum steht das nicht weniger repräsentative, mit einer Portikusfassade geschmückte Mecklenburgische Staatstheater (1883–1886). ◀ **Staatstheater**

Der zweigeschossige Fachwerkbau etwas weiter links, das Alte Palais (1799), war einst Witwensitz der Mecklenburger. ◀ **Altes Palais**

Das gegenüber liegende Kollegiengebäude (1883–1886) ist eines der vielen Bauwerke, die Hofbaumeister Georg Adolph Demmler in Schwerin entwarf. Die auf dem Gelände eines Klosters errichtete Dreiflügelanlage ist mit dem benachbarten Regierungsgebäude (Nr. 4–8; 1890 erbaut) verbunden. ◀ **Kollegiengebäude**

Schwerin Orientierung

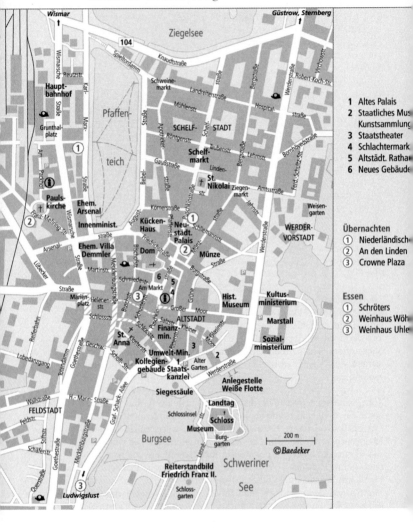

1 Altes Palais
2 Staatliches Mus
Kunstsammlung
3 Staatstheater
4 Schlachtermark
5 Altstädt. Ratha
6 Neues Gebäude

Übernachten
① Niederländisch
② An den Linden
③ Crowne Plaza

Essen
① Schröters
② Weinhaus Wöh
③ Weinhaus Uhle

Puschkinstraße In der Altstadt von Schwerin sind – bedingt durch mehrere Stadt-
bände im 17. Jh. – zwar kaum Gebäude aus dem Mittelalter, aber
noch viele Wohnhäuser und **Adelspalais aus dem 18. und 19. Jh.** erhalten, beispielsweise in der Puschkinstraße das Brandensteinsche
Palais (Nr. 13) und das 1776 erbaute Neustädtische Palais
(Nr. 19–21), eine zweigeschossige Dreiflügelanlage, die 1878 im Neorenaissancestil umgebaut wurde.

Durch die autofreie Schloss- bzw. Puschkinstraße geht es hinauf ins **Herz der Schweriner Altstadt**, zum Marktplatz, den hübsch renovierte Bürgerhäuser einfassen. Die ältesten Teile des Rathauses stammen aus dem 14. Jahrhundert. Hinter der Fassade im Stil der Tudorgotik verbergen sich vier Fachwerkgiebelhäuser aus dem 17. Jahrhundert. Für den markanten Bau an der Nordseite des Platzes mit seiner mächtigen Säulenhalle, 1783–1785 als Markthalle errichtet, hat sich der Name »Neues Gebäude« eingebürgert. Hinter dem Rathaus (Durchgang) liegt der **Schlachtermarkt**, auf dem heute wieder Markt gehalten wird. Im Haus Nr. 5 befindet sich die Gedenkstätte der jüdischen Landesgemeinde; im Hof des Hauses stand die 1938 zerstörte Synagoge.

Am Markt

> ## ! Baedeker TIPP
>
> ### Kiek mal rein!
> Auf der Suche nach einem schönen, landestypischen Mitbringsel? Im »Kiek ins Land«, einem gemütlichen Geschäft am Markt (Nr. 2), gibt es in großer Auswahl gewebte Decken, Korbwaren, Porzellan, Kunsthandwerk und vieles mehr.

Zu den herausragenden Sehenswürdigkeiten der Stadt zählt der gotische Dom St. Maria und St. Johannes (1280–um 1420), einer der schönsten Bauten der **norddeutschen Backsteingotik**. Bedeutende Ausstattungsstücke der Bischofskirche sind der gotische Kreuzaltar (um 1440), zwei in Flandern gefertigte Grabplatten aus Messing (14. Jh.), die herzoglichen Renaissancegrabmäler im Chor (16. Jh.) und das gotische Taufbecken.

✶✶
Dom

Vom Dom ist es nicht weit zum Pfaffenteich, dem **idyllischen Binnensee** im Nordwesten der Altstadt. Bis heute ist das Erscheinungsbild dieses Stadtteils von Wohnhäusern aus dem 19. Jh. geprägt. Der kastellartige, lang gestreckte Bau des Arsenals am Südufer des Pfaffenteichs wurde 1840–1844 als Waffenlager und Kaserne erbaut.

Am Pfaffenteich

Die Puschkinstraße mündet in den hübschen Schelfmarkt mit barocker Pfarrkirche und Neustädtischem Rathaus. Die Schelfstadt wurde erst 1832 mit der Schweriner Altstadt vereinigt.

Schelfmarkt

Das Viertel südlich der Schelfstadt um den Großen Moor ist eines der ältesten der Stadt. Im Fachwerkgebäude Nr. 38 informiert das Historische Museum Schwerin über die **Kultur- und Stadtgeschichte**.

Historisches Museum

Umgebung von Schwerin

Der 21 km lange und bis 5 km breite Schweriner See ist mit rund 65 km² nach der Müritz das zweitgrößte Gewässer in Mecklenburg-Vorpommern und für die Bewohner von Schwerin ein **Naherholungsgebiet mit vielfältigen Freizeitmöglichkeiten**. Fahrgastschiffe der Weißen Flotte verbinden Schwerin mit den eingemeindeten Dör-

✶
Schweriner See

fern Zippendorf und Mueß am Südufer des Sees (Anlegestelle zwischen Schlossinsel und Marstall). Der 1842 aufgeschüttete Paulsdamm durchzieht den Schweriner See und trennt den Schweriner Binnensee vom Außensee. Über den Paulsdamm führt die B 104 nach Güstrow und Neubrandenburg. Im Schweriner Binnensee liegen zwei **größere Inseln**: der unter Naturschutz stehende Kaninchenwerder (0,5 km²; Aussichtsturm) und der Ziegelwerder (0,4 km²). Unter den Inseln des Außensees ist die schmale, 2 km lange Lieps die größte.

Franzosenweg

Am Grünhausgarten, im Ostteil des Schlossparks, beginnt der ausgesprochen schöne Wanderweg, der am südlichen Ufer des Schweriner Sees entlangführt.

▶ SCHWERIN ERLEBEN

AUSKUNFT

Tourist-Information
Am Markt 10, 19055 Schwerin
Tel. (03 85) 5 92 52 12, Fax 55 50 94
www.schwerin.de

ESSEN

► Erschwinglich

① *Schröters*
Schliemannstraße 2, 19055 Schwerin
Tel. (03 85) 56 29 56
Ambitionierte regionale Küche und internationale Klassiker genießen Sie in diesem geschmackvoll eingerichteten Restaurant.

③ *Weinhaus Uhle*
Schusterstraße 15, 19055 Schwerin
Tel. (03 85) 56 29 56
Gewölbedecken und viel Stuck sorgen für wohliges Ambiente, die gehobene regionale Küche und der vorzügliche Weinkeller tun ihr Übriges.

► Preiswert

② *Historisches Weinhaus Wöhler*
Puschkinstraße 26, 19055 Schwerin
Tel. (03 85) 55 58 30
Uriges Restaurant samt Weinhandlung im geschichtsträchtigen Haus; saisonal orientierte Regionalküche.

ÜBERNACHTEN

► Luxus

③ *Crowne Plaza*
Bleicher Ufer, 19053 Schwerin
Tel. (03 85) 5 75 50, Fax 5 75 57 77
www.crowne-plaza.m-vp.de
Reizvolle Lage am Ostorfer See, erstklassiger Komfort, elegante Zimmer, gehobene Küche im schicken Restaurant, ansprechender Freizeitbereich, Sauna, Fitnessstudio.

► Komfortabel

① *Niederländischer Hof*
Karl-Marx-Straße 12, 19055 Schwerin
Tel. (03 85) 59 11 00, Fax 5 91 09 99
www.niederländischer-hof.de
Traditionsreiches Hotel in zentraler Lage am Pfaffenteich. Stilvolle, komfortable Zimmer mit geschmackvoller Einrichtung. Vornehmes Restaurant mit vorzüglicher regionaler Küche.

► Günstig

② *An den Linden*
Franz-Mehring-Straße 26,
19053 Schwerin
Tel. (03 85) 51 20 84, Fax 51 22 81
Gemütliches, kleines Haus mit funktionellen Zimmern in der Nähe des Stadtzentrums.

Nicht nur die ländliche Architektur des 17./18. Jh.s – dazu gehören u. a. ein Hallenhaus und ein Spritzenhaus), sondern auch die Arbeits- und Lebensweise der mecklenburgischen Bevölkerung werden im Freilichtmuseum im Schweriner Stadtteil Mueß recht anschaulich vermittelt.

Freilichtmuseum Mueß

In Raben-Steinfeld gab es im 19. Jh. ein **herzogliches Gestüt**, von dem Marstall und Wärterhäuschen erhalten sind. An der Brücke über die Stör, direkt bei der B 321, wurde eine Gedenkstätte errichtet, die an den zehntägigen Todesmarsch der KZ-Häftlinge aus dem Lager Sachsenhausen erinnert.

Raben-Steinfeld

Gadebusch, 24 km nordwestlich von Schwerin, besitzt mit der spätromanischen Pfarrkirche (12.–15. Jh.) eine der **frühesten Backstein-hallenkirchen** in Mecklenburg. Von dem ehemaligen Renaissanceschloss der mecklenburgischen Herzöge (1571) steht noch das mit Terrakottareliefs verzierte Hauptgebäude. Das gotische Rathaus (1340) hat an der Marktseite eine Gerichtslaube (1618).

Gadebusch

In Vietlübbe steht eine der ältesten und **schönsten Dorfkirchen** Mecklenburgs, ein spätromanischer Backsteinbau (um 1300) mit zeittypischer Bauornamentik.

Vietlübbe

Ludwigslust und Umgebung

Als ehemalige Residenzstadt mit barock-klassizistischer Bebauung gehört Ludwigslust zu den **besterhaltenen Stadtanlagen** aus dem 18./19. Jh. Mittelpunkt der Residenz ist das spätbarocke, außen mit Elbsandstein verkleidete Schloss (1772–1776). Die dem weiten Schlossplatz zugewandte Hauptfassade schmücken 16 Prunkvasen und 40 überlebensgroße Sandsteinfiguren, Personifikationen von Tugenden, Künsten und Wissenschaften. Hinter dem vorspringenden Mitteltrakt liegt der über zwei Geschosse reichende, prunkvolle »Goldene Saal« mit Teilen der originalen Ausstattung und reicher, z. T. aus Pappmaché gefertigter Dekoration. Der Saal sowie einige herzogliche Gemächer können besichtigt werden.

✷ Ludwigslust
✷
◄ Schloss

In der Achse des Schlosses verläuft der 20 km lange Kanal, der vor der Eingangsseite der Residenz effektvoll über steinerne Kaskaden geführt wird. An den Schlossplatz schließt sich ein weiterer Platz an, der von hübschen zweigeschossigen Backsteinhäusern, ehemals Wohnungen der Hofbediensteten, gerahmt wird. Dann folgt die **klassizistische Stadtkirche** mit einer 1765–1770 errichteten Tempelfassade und dem Steinsarkophag Herzog Friedrichs († 1785). Die ehemalige Hofloge an der Westseite schmückt üppiges Pappmaché-Dekor aus der Ludwigsluster Manufaktur.

Mit seinen stillen Kanälen, romantischen Brücken und kleinen Teichen, den seltenen alten Bäumen und den verstreuten Parkbauten, Mausoleen und einer künstlichen Ruine ist der etwa 130 ha große

✷ ✷
◄ Schlosspark

Schlosspark einer der **schönsten Landschaftsgärten** im Norden Deutschlands. Ursprünglich als barocke Anlage begonnen, verwandelte sie sich, u. a. durch die Mitwirkung des berühmten Gartenarchitekten Peter Joseph Lenné, in einen Landschaftspark nach englischem Vorbild.

Redefin
Pferdeliebhaber kennen diesen Ort 21 km westlich von Ludwigslust wegen des dortigen Gestüts: 1810 wurde hier das **mecklenburgische Hauptgestüt** gegründet. Die 1820 im Stil des Klassizismus erbaute Gestütsanlage ist erhalten. Im Herbst werden in Redefin Hengstparaden abgehalten.

✳
Dömitz
Hauptattraktion in Dömitz, 30 km südwestlich von Ludwigslust, ist die am rechten Elbufer errichtete Burg, die 1559–1565 zu einer **bedeutenden Festung** ausgebaut wurde. Die bestens erhaltene Anlage beherbergt u. a. ein Heimatmuseum und eine Ausstellung zu dem niederdeutschen Schriftsteller Fritz Reuter, der hier in der Zitadelle 1839/1840 einen Teil einer Haftstrafe verbüßte.

Neustadt-Glewe
Die ruhige, 12 km nordöstlich an der Elde gelegene Kleinstadt ist bekannt für ihre **Giebelfachwerkhäuser** aus dem 18. und 19. Jh., von denen viele kunstvoll geschnitzte Eingänge aufweisen. Die gotische Stadtkirche aus dem 14. Jh. besitzt eine prächtige, in Lübeck gefertigte Kanzel (1587). Direkt an der Elde liegt die gut erhaltene Burg aus dem 14./15. Jh.; das 1720 fertig gestellte Barockschloss dient heute als Hotel.

Uneinnehmbar und martialisch scheint die Zitadelle von Dömitz, in der Fritz Reuter einsaß.

Siegen · Siegerland

Atlasteil: S. 34 • C 3   **Bundesland:** Nordrhein-Westfalen
Höhe: 350 m ü. d. M.   **Einwohnerzahl:** 107 000

Siegen, das lange Zeit eine der Residenzen des Hauses Nassau-Oranien war, liegt hübsch zu beiden Seiten der Sieg, einem rechten Nebenfluss des Rheins. Südwestlich der Stadt schließt sich das Siegerland an, ein bis zu 800 m hohes kuppiges Bergland, von Wäldern bedeckt. Vielerorts finden sich noch Relikte des über zweitausendjährigen Bergbaus, der erst 1962 endgültig eingestellt wurde.

Sehenswertes in Siegen

Die Altstadt steigt an einem Hügel über dem linken Ufer der Sieg an. Das Untere Schloss, eine große dreiflügelige Barockanlage, wurde 1695–1720 als Residenz der Fürsten von Nassau-Siegen errichtet. Unmittelbar westlich des Schlosses liegt auf dem Sporn des Siegberges die Martinikirche, der **älteste Sakralbau** in Siegen. Ein Fußbodenmosaik im nördlichen Seitenschiff geht auf das 10. Jh. zurück.

★
Unteres Schloss

Zum Bummeln lädt die Alte Poststraße ein, eine von drei Fußgängerzonen in der Innenstadt. Der Hirtenbrunnen, ein Figurenensemble des Siegerländer Künstlers Wolfgang Kreutter, erinnert an frühere »Hudegemeinschaften« innerhalb der Siegener Stadtmauern.

? WUSSTEN SIE SCHON …?

■ dass Johann Moritz von Nassau-Siegen anlässlich seiner Erhebung in den Fürstenstand im Jahre 1652 den Siegenern die Spitze der Nikolaikirche schenkte? Das »Krönchen« genannte, vergoldete Kleinod hat einen Durchmesser von 2,35 m und wiegt mehrere Tonnen.

Nördlich der Fußgängerzone liegt im **historischen Zentrum** der Markt mit dem Rathaus und der im 13. Jh. über einem sechseckigen Grundriss erbauten Nikolaikirche, ehemals Stadtkirche und Gruftkapelle der Grafen von Nassau-Siegen. Kostbarster Besitz ist eine von peruanischen Silberschmieden gefertigte Taufschale aus dem 17. Jh.

★
Nikolaikirche

Vom Markt führt die Burggasse zum Oberen Schloss hinauf, das auf eine Höhenburg des 13. Jh.s zurückgeht. Hier hatten die katholischen Grafen des Hauses Nassau-Oranien ihren Sitz. Heute beherbergt das Obere Schloss die Sammlungen des **Siegerland-Museums**. Eine besondere Attraktion ist der Rubenssaal, in dem acht Gemälde des in Siegen geborenen Malers zu sehen sind.

★
Oberes Schloss

Am 16. Dezember 1944 wurde das Zentrum von Siegen durch einen Bombenangriff nahezu vollständig zerstört. Dort, wo einst die Zünfte der Fleischer (Obere Metzgergasse) und Lohgerber gelebt hatten,

Obere Metzgergasse

blieben einige **schiefergedeckte Fachwerkhäuser** erhalten. Sorgfältig restauriert, sind sie heute als geschlossenes Gebäudeensemble ein besonders anziehender Punkt der Siegener Altstadt.

Museum für Gegenwartskunst
Im alten Siegener Telegrafenamt zeigt das noch junge Museum für Gegenwartskunst den »Dialog der Medien«. Sammelschwerpunkt ist die Kunst der Sechzigerjahre, darunter Werke von Joseph Beuys.

Siegen-Eiserfeld
Durch ein prachtvolles Stollenportal mit reichem Ornamentschmuck betritt man im Stadtteil Eiserfeld den Reinhold-Forster-Erbstollen, eine Anfang des 19. Jh.s erschlossene **Eisengrube**; benannt wurde der Stollen nach dem 1729 geborenen Naturforscher Reinhold Forster.

Umgebung von Siegen

✳ Freudenberg
Etwa 15 km nordwestlich der Stadt liegt die ehemalige Bergmannssiedlung Freudenberg, geprägt von vielen schönen Fachwerkhäusern. Im **»Alten Flecken«** befindet sich das Stadtmuseum.

Bad Berleburg
Bad Berleburg wird als **Kneippheilbad und Wintersportort** besucht. Aus der Zeit, als die Grafen von Sayn-Wittgenstein-Berleburg hier ih-

▶ SIEGEN ERLEBEN

AUSKUNFT
Gesellschaft für Stadtmarketing
Markt 2, 57072 Siegen
Tel. (02 71) 4 04 13 16, Fax 2 26 87
www.siegen.de

ESSEN
▶ **Erschwinglich**
Piazza im Museum
Unteres Schloss 1, 57072 Siegen
Tel. (02 71) 3 03 08 56
Elegantes, geradlinig eingerichtetes Bistro im Museum für Gegenwartskunst, kreative mediterrane und asiatische Küche, schöne Terrasse.

Schwarzbrenner
Untere Metzgerstraße, 57072 Siegen
Tel. (02 71) 5 12 21
In einem historischen Stadthaus aus dem 17. Jh. ist dieses behagliche Restaurant untergebracht, das sich ganz mediterran gibt.

ÜBERNACHTEN
▶ **Komfortabel**
Park Hotel
Koblenzerstraße 135, 57072 Siegen
Tel. (02 71) 3 38 10, Fax 3 38 14 50
www.parkhotel-siegen.bestwestern.de
Neben der Siegerlandhalle gelegen, bietet das moderne Hotel seinen Gästen recht geräumige, komfortabel eingerichtete Zimmer mit sehr guter technischer Ausstattung. Schickes Restaurant, Sauna im Haus.

▶ **Günstig**
Pfeffermühle
Frankfurter Straße 261, 57072 Siegen
Tel. (02 71) 23 05 20, Fax 5 10 19
www.pfeffermuehle-siegen.de
Oberhalb der Universitätsstadt hält das Hotel großzügige Zimmer mit funktioneller Ausstattung bereit, gediegenes Restaurant mit regionaler Küche, gemütliche Gartenterrasse.

Wie ein Ei dem anderen scheinen sich die zahlreichen Fachwerkhäuser von Freudenberg im Ortsteil »Alter Flecken« zu gleichen.

re Residenz hatten, stammt das mächtige Renaissanceschloss, in dem heute ein Museum mit heimatgeschichtlicher Sammlung, Rüstungen und Uniformen untergebracht ist. Im Stadtteil Arfeld gibt es ein Schmiedemuseum, im Stadtteil Girkhausen eine alte Drechslerwerkstatt und in Raumland ein Schiefer-Schaubergwerk.

✴ Soest

Atlasteil: S. 25 • C 4
Höhe: 98 m ü. d. M.

Bundesland: Nordrhein-Westfalen
Einwohnerzahl: 50 000

Die alte westfälische Hansestadt Soest (sprich »Soost«) liegt in der fruchtbaren Soester Börde am Nordrand des ►Sauerlands. Das Bild des Stadtkerns wird von bemerkenswerten Kirchen, Fachwerkhäusern und einem fast vollständig erhaltenen Stadtwall geprägt.

Archäologische Funde bezeugen, dass die Soester Börde schon im 7. Jh. v. Chr. besiedelt war; die erste urkundliche Erwähnung der Siedlung datiert aus dem Jahr 836. Parallel zum wirtschaftlichen Aufschwung im 11. und 12. Jh. erfolgte die Entwicklung eines eigenen Stadtrechts, das um 1200 niedergeschrieben und in den nächsten 200 Jahren auf insgesamt 65 Städte übertragen wurde. In der sog. **Soester Fehde** (1444–1449) sagte sich die Stadt vom Erzbistum Köln los. Durch die Folgen des Dreißigjährigen und des Siebenjährigen Kriegs büßte Soest seinen einstigen Wohlstand ein. Im Jahr 1817 wurde die Stadt zum Sitz des neu geschaffenen Kreises Soest.

Geschichte

● SOEST ERLEBEN

AUSKUNFT

Tourist-Information
Teichmühlgasse 3, 59494 Soest
Tel. (0 29 21) 63 35 00 50
Fax 66 35 00 99
www.soest.de

ESSEN

► Erschwinglich

Am Kattenturm
Dasselwall 1, 59494 Soest
Tel. (0 29 21) 1 39 62
Elegantes Restaurant in der Stadthalle
mit nettem Biergarten, regionale und
internationale Küche.

► Preiswert

Pilgrim-Haus
Jakobistraße 75, 59494 Soest
Tel. (0 29 21) 18 28
In der gemütlichen Stube des ältesten
Gasthofs von Westfalen sollten Sie
unbedingt einkehren: 1304 wurde er
erstmals als Pilgerherberge erwähnt.

ÜBERNACHTEN

► Günstig

Hanse
Siegmund-Schultze-Weg 100,
59494 Soest
Tel. (0 29 21) 7 09 00, Fax 70 90 75
www.hanse-hotel-soest.de
Familiär geleitetes Haus in Stadt-
randlage, wohnliche Zimmer, kleines
Restaurant im Haus.

Baedeker-Empfehlung

Im wilden Mann
Am Markt 11, 59494 Soest
Tel. (0 29 21) 1 50 71, Fax 1 72 80
www.im-wilden-mann.de
In dem schmucken Fachwerkhaus
am Marktplatz stehen Ihnen nette
Gästezimmer zur Verfügung und ein
sehr gemütliches, rustikales Restaurant.

Sehenswertes in Soest

✳ **Dom**
Im Zentrum der Stadt erhebt sich am Domplatz das wuchtige Münster St. Patrokli (12. Jh.), eine der bedeutendsten **frühromanischen
Kirchen** Westfalens. Im Marienchor sind mittelalterliche Wandmalereien und Glasgemälde zu sehen.

Petrikirche

Nikolaikapelle ►
Nur die Fußgängerzone trennt den Dom von der Petrikirche im Westen, der ältesten Kirche der Stadt (um 1150), einst »Alde Kerke« genannt. In der Nähe des Doms steht auch die Nikolaikapelle aus dem
12. Jh., die dem Schutzpatron der Seefahrer und Reisenden gewidmet
ist. Beachtung verdienen die Wand- und Deckenmalereien, ferner eine kostbare Altartafel, die Meister Konrad von Soest schuf.

**Wilhelm-
Morgner-
Haus**
Südlich vom Dom befindet sich das Wilhelm-Morgner-Haus. Es be-
herbergt städtischen Kunstbesitz und eine ständige Ausstellung mit
Werken des in Soest geborenen **expressionistischen Malers** Wilhelm
Morgner (1891–1917), der während des ersten Weltkriegs fiel.

Das Rathaus (18. Jh.) an der Nordseite des Domplatzes ist einer der wenigen erhaltenen **Barockbauten** der Stadt. Das Stadtarchiv besitzt zwei Exemplare des »Sachsenspiegels«, der als ältestes und bedeutendstes Rechtsbuch des deutschen Mittelalters gilt, um 1224/1225 von dem sächsischen Ritter Eike von Repgow verfasst.

Rathaus

Im Nordosten der Altstadt befindet sich die im 14./15. Jh. erbaute Wiesenkirche (St. Maria zur Wiese), die als **Hauptwerk der Gotik** in Soest angesehen wird. Auf einem Fenster über dem Nordportal ist das **»Westfälische Abendmahl«** dargestellt: Das berühmte Werk eines unbekannten Meisters zeigt Jesus mit seinen Jüngern in einem westfälischen Wirtshaus mit Schinken und Bier.

★
Wiesenkirche

Nahe der Wiesenkirche steht die Hohnekirche (St. Maria zur Höhe) mit ihren prächtigen mittelalterlichen Decken- und Wandmalereien und einem einzigartigen, um 1230 geschaffenen Scheibenkreuz.

Hohnekirche

Von den beiden Kirchen aus erreicht man in kurzer Zeit das Osthofentor am Rand der Altstadt, das einzige noch vorhandene von ursprünglich zehn Stadttoren, in dem ein Museum zur Stadtgeschichte mit einer Sammlung von 25 000 mittelalterlichen **Armbrustbolzen** untergebracht ist.

Osthofentor

Im Süden der Innenstadt befindet sich das Burghofmuseum. Es beherbergt eine reichhaltige Sammlung von Möbelstücken, Schmuckgegenständen, erlesenem Porzellan verschiedener Stilepochen und ca. 60 Exponate des Kupferstechers Heinrich Aldegrever (1500–1555), der in Soest lebte und wirkte.

Burghofmuseum

Der Soester Marktplatz ist von Fachwerk gesäumt.

Umgebung von Soest

Möhnetalsperre

Die Möhnetalsperre, rund 10 km südlich der Stadt gelegen, ist ein beliebtes **Wassersportrevier**. Die Talsperre liegt im Norden des Naturparks Arnsberger Wald, der einen Teil des Sauerlands umfasst und südlich in den Naturpark Homert übergeht. Das Gebiet wird vom Plackweg, einer alten Handelsroute, durchquert, heute eine schöne Wanderstrecke.

Lippstad

Das 1185 gegründete **»Venedig Westfalens«**, nordöstlich von Soest an der Lippe gelegen, ist die größte Stadt in der Hellweg-Region zwischen Münsterland und Sauerland. Die Marienkirche am Marktplatz gilt als das Wahrzeichen von Lippstadt; sehenswert sind ihre Wand- und Gewölbemalereien aus Gotik und Renaissance, ferner ein Sakramentshaus von 1523 und ein barocker Hochaltar. An der Rathausstraße ist in einem verputzten Fachwerkbau von 1656 das Städtische Museum untergebracht, in dem u. a. eine Spielzeugsammlung gezeigt wird. Im Westen der Altstadt, wo einst das Augustinerinnenkloster stand, kann man noch die Ruine der Stiftskirche sehen. Südlich der Ruine gelangt man zur Nicolaikirche, deren Turm das älteste Bauwerk von Lippstadt ist. Südwestlich der Altstadt liegen die Stadtteile Overhagen und Herringhausen, beide mit einem Wasserschloss. Südöstlich lohnt das barocke Wasserschloss Schwarzenraben einen Besuch.

✳ Speyer

Atlasteil: S. 44 • A 4	**Bundesland:** Rheinland-Pfalz
Höhe: 104 m ü. d. M.	**Einwohnerzahl:** 50 000

Die beiden Hauptattraktionen der alten Kaiser- und Bischofsstadt Speyer könnten unterschiedlicher kaum sein: Bedeutendstes Bauwerk des Städtchens am Rhein ist der Dom, eine der wichtigsten hochromanischen Kathedralen Deutschlands, der seit 1980 auf der UNESCO-Liste des Weltkulturerbes steht. Weltlicher orientierte Besucher sind dagegen eher im weithin bekannten Technik-Museum zu finden.

Geschichte

Seit dem 7. Jh. ist Speyer Bischofssitz. Von 1294 bis 1797 war es Freie Reichsstadt, in der fünfzig Reichstage stattfanden, darunter der berühmte von 1529, an dessen Ende die Spaltung der römischen Kirche stand. Damals brachten die evangelischen Fürsten und Stände eine Protestation ein, weshalb man sie fortan Protestanten nannte. Im Pfälzer Erbfolgekrieg wurde die Stadt 1689 von den Truppen Ludwigs XIV. in Schutt und Asche gelegt.

Sehenswertes in Speyer

Der sechstürmige, dreischiffige, ungewöhnlich hohe Dom St. Maria und St. Stephan trägt den Beinamen **Kaiserdom** zu Recht. Seine Entstehung verdankt er der Salierdynastie, die 1024–1125 die Könige und Kaiser im Reich hervorbrachte, von denen acht in der 1041 geweihten Krypta bestattet wurden. Mit dem Bau des Doms hatte Konrad II. um 1030 begonnen; bei seiner Weihung 1061 war er das größte Gotteshaus des christlichen Abendlandes. Bereits um 1080 setzte unter Heinrich IV. ein Umbau ein, der bescheiden begann, aber bei der Vollendung um 1106 einem Neubau gleichkam, u. a. wurde der Dom als eine der ersten Kirchen des Mittelalters eingewölbt und die unter der Dachtraufe verlaufende Zwerggalerie ausgeführt. Die große Steinschüssel auf dem Domplatz, der sog. Domnapf (1490), wurde früher bei der Einführung eines neuen Bischofs für das Volk mit Wein gefüllt. Einen schönen Blick auf die Ostseite des Doms hat man vom Heidentürmchen aus, einem **Überrest der Stadtmauer** aus dem 13. Jh.

✸ ✸
Dom

Dominierendes Gebäude in Speyer: der Kaiserdom

Im **Historischen Museum** (1906–1909), das südlich vom Dom zu finden ist, wird die Geschichte der Stadt und der Pfalz dargestellt; eines der wertvollsten Exponate ist der **»Goldene Hut von Schifferstadt«**, vermutlich ein keltischer Kultgegenstand aus dem 14. Jh. v. Chr.; ferner sind hier ein Diözesan- und Dommuseum mit den Beigaben aus den Saliergräbern und ein interessantes Weinmuseum eingerichtet.

Das Zentrum der seit 1084 urkundlich verbürgten jüdischen Siedlung in Speyer war der Judenhof, nur wenige Gehminuten vom Dom entfernt. Von dem Ensemble sind die Mikwe (das rituelle Bad), Teile der Synagoge (1104) und des Frauen-Betraumes erhalten.

✸
Judenhof

Vom Dom führt die breite Maximilianstraße, die Hauptstraße der Stadt, zum Altpörtel, einem sehr schönen **Torturm** aus dem 13. und 16. Jh., mit 55 m eines der höchsten Stadttore Deutschlands. Die Mühen des Aufstiegs werden mit einem herrlichen Rundblick über die Stadt belohnt. Im ersten Obergeschoss kann man sich über die Geschichte der Speyerer Stadtbefestigung informieren.

Altpörtel

Die 1701–1707 erbaute Dreifaltigkeitskirche in der Großen Himmelsgasse gilt als spätbarockes Gesamtkunstwerk.

Dreifaltigkeits-kirche

Zwischen Dom und Rheinufer liegt Speyers jüngste Attraktion: Im Sea Life folgt man – aquariumstechnisch und audiovisuell auf dem neuesten Stand – dem **Rhein von der Quelle bis zur Mündung**.

Sea Life Speyer

✱ **Technik-Museum Speyer** Südlich der B 39 stellt das Technik-Museum Speyer eine Vielzahl von Flugzeugen, Lokomotiven, Feuerwehrautos, Oldtimern und selbst ein U-Boot aus. Größte Attraktion ist eine **Boeing 747**. Zwei IMAX-Filmtheater laden zum Kinoerlebnis der besonderen Art ein. Im Wilhelmsbau sind mechanische Musikinstrumente, altes Blechspielzeug, Dampfmaschinen, historische Uniformen und Waffen sowie über 2500 Künstlerpuppen ausgestellt.

Purrmann-Haus Im Geburtshaus des Malers Hans Purrmann (1880–1966) in der Kleinen Greifengasse 14 wird das Leben dieses **außergewöhnlichen Künstlers** und dessen Werk vorgestellt.

✱ **Holiday-Park** Der Holiday-Freizeitpark Hassloch, 14 km nordwestlich von Speyer, lockt Groß und Klein mit Märchenpark, Liliputanerstadt, Delphinarium, Varieté, Großkino und anderen Attraktionen.

 SPEYER ERLEBEN

AUSKUNFT

Tourist-Information
Maximilianstraße 13, 67346 Speyer
Tel. (0 62 32) 14 23 92, Fax 14 23 32
www.speyer.de

ESSEN

▶ **Erschwinglich**
Backmulde
Karmeliterstraße 11–13, 67346 Speyer
Tel. (0 62 32) 7 15 77
Nostalgisch angehauchtes Restaurant. Genießen Sie gehobene Küche und ausgezeichnete Weine.

▶ **Preiswert**
Wirtschaft zum Alten Engel
Mühlturmstraße 7, 67346 Speyer
Tel. (0 62 32) 7 09 14
Rustikales Kellerlokal mit Backsteingewölbe, schmackhafte regionale Küche.

Pfalzgraf
Gilgenstraße 26 b, 67346 Speyer
Tel. (0 62 32) 7 47 55
Klassisch bürgerliches Restaurant in einem schönen alten Stadthaus mit Buntsandsteinfassade.

ÜBERNACHTEN

▶ **Luxus**
Lindner Hotel & Spa Binshof
Binshof 1, 67346 Speyer-Binshof
Tel. (0 62 32) 64 74, Fax 64 71 99
www.lindner.de
Ein Haus mit Wohlfühlatmosphäre in ruhiger Lage, sehr komfortable Zimmer. Im stilvollen Restaurant geht's mediterran zu.

▶ **Komfortabel**
Domhof
Im Bauhof 3, 67346 Speyer
Tel. (0 62 32) 1 32 90, Fax 13 29 90
www.domhof.de
Attraktives Hotel in einem denkmalgeschützten Gebäudeensemble nahe dem Dom. Komfortable Zimmer, die rund um den mediterran wirkenden Innenhof gelegen sind.

▶ **Günstig**
Am Technik-Museum
Am Technik Museum 1, 67346 Speyer
Tel. (0 62 32) 6 71 00, Fax 67 10 20
www.technik-museum.de
Hotel in einer ehemaligen Kaserne nahe der Altstadt.

Während die Fährleute gemächlich durch das Wasserlabyrinth im Spreewald staken, genießen die Passagiere urwüchsige Natur.

✳ Spreewald

Atlasteil: S. 31 • C3   **Bundesland:** Brandenburg

Der Spreewald, eine von zahlreichen Wasserläufen durchzogene Niederung mit Sandflächen und Dünen, ist eine überaus reizvolle Landschaft, die sich rund 100 km südöstlich von ▶Berlin erstreckt. Auf den kleinen Sandinseln, den Kaupen, haben sich die für den Spreewald charakteristischen Streusiedlungen entwickelt.

Die Region gliedert sich in Ober- und Unterspreewald. Beim Städtchen Burg beginnt der Oberspreewald. In diesem Gebiet verzweigen sich die Spree und die ihr zufließende Malxe in zahlreiche kleine und große Bäche. Die Baumreihen an den Flüsschen ziehen durch weite offene Wiesen sowie kleine Acker- und Gartenflächen. Im Unterspreewald nordöstlich von Lübben teilt sich die Spree erneut in mehrere Flussläufe. Dauergrünland, Bruchwald und Äcker nehmen diese Beckenlandschaft ein. Die hochwasserfreien Gebiete im Spreewald sind altes Siedlungsland. Hier wohnen seit jeher die slawischen Sorben. **Ober- und Unterspreewald**

Reiseziele im Spreewald

Die alte Stadt Lübben (Sorbisch: Lubin) liegt rund 80 km südöstlich von Berlin an der engsten Stelle des Spreetals. Im 7. Jh. ließen sich slawische Siedler an dem Ort nieder. Im Jahre 1220 mit Stadtrecht belehnt, entwickelte sich Lübben schnell zum beherrschenden Zentrum der Niederlausitz. Teile der alten Stadtbefestigung sind noch erhalten, u. a. der runde Hexenturm, der viereckige »Trutzer« und das **Lübben**

Wiekhaus mit Spitzbogenblenden. Das Schloss, vermutlich im 14. Jh. als Wasserburg errichtet, wurde mehrmals um- und ausgebaut und erhielt um 1680 sein heutiges Aussehen. Im Wappensaal finden während der Sommermonate Konzerte und Ausstellungen statt. Die Paul-Gerhardt-Kirche, eine spätgotische Hallenkirche am historischen Marktplatz, ist das **Wahrzeichen** von Lübben. Der Kirchenliederdichter Paul Gerhardt wirkte hier von 1668 bis zu seinem Tod 1676 als Prediger.

Luckau In Luckau, 18 km südwestlich von Lübben, ist fast die **gesamte alte Stadtmauer** mit zwei Wiekhäusern und dem »Roten Turm« erhalten. Der achteckige »Hausmannsturm« mit Georgenkapelle, der schöne Netzgewölbe hat, wird heute zu feierlichen Anlässen genutzt. Am Markt sind barocke Bürgerhäuser mit Volutengiebeln und Stuckdekorationen sehenswert.

SPREEWALD ERLEBEN

AUSKUNFT

Tourismusverband Spreewald
Lindenstraße 1, 03226 Vetschau
Tel. (03 54 33) 7 22 99, Fax 7 22 28
www.spreewald-tourismuszentrale.de

PER KAHN UND PER FUSS …

… können Sie den Spreewald erkunden. Der Lübbenauer Fährmannsverein stakt Sie in bestimmten Bahnen durch die zahlreichen Wasserwege. Als bekanntester Wanderweg im Spreewald gilt der bereits 1911 angelegte Fußweg vom Hafen in Lübbenau zu der eine Stunde entfernten Gaststätte »Wotschowska«. Lohnend ist ferner der in Lehde hinter dem Hafen beginnende Fußweg nach Leipe.

ESSEN

▶ Erschwinglich
Schlossrestaurant Lübben
Ernst-von-Houwald-Damm 14
15907 Lübben
Tel. (0 35 46) 40 78
Modernes Restaurant hinter dicken alten Schlossmauern, marktfrische regionale und internationale Küche, herrliche Terrasse.

▶ Preiswert
Brauhaus Babben
Brauhausgasse 2, 03222 Lübbenau
Tel. (0 35 42) 21 26
In der urigen Braustube mitten in der Altstadt erwarten Sie leckere Bierspezialitäten und bodenständige Spreewälder Küche.

ÜBERNACHTEN

▶ Komfortabel
Schloss Lübbenau
Schlossbezirk 6, 03222 Lübbenau
Tel. (0 35 42) 87 30, Fax 87 36 66
www.schloss-luebbenau.de
In dem klassizistischen Schloss aus dem Jahr 1839 mit märchenhaftem Charme kommen Romantiker voll auf ihre Kosten. Elegante Zimmer, vornehmes Restaurant, herrlicher Park.

▶ Günstig
Spreeufer
Hinter der Mauer 4, 03222 Lübbenau
Tel. (0 35 42) 2 72 60, Fax 27 26 34
www.hotel-spreeufer.de
Reizvolle Lage direkt an der Spree, funktionelle Zimmer, Restaurant im Haus.

Am südlichen Rand des Oberspreewalds liegt die kleine Stadt Lübbe- **Lübbenau**
nau (Sorbisch: Lubnjow). Am Markt steht die Stadtkirche St. Nikolai,
ein schlichter Barockbau mit bemerkenswerter Ausstattung, darunter
ein Wandgrab aus dem Jahr 1765. Im architektonisch auffälligen früheren Gerichtsgebäude ist das **Spreewaldmuseum** untergebracht, in
dem für den Spreewald typische
Trachten und Exponate zur Geschichte der Region gezeigt werden. Der Schlossbezirk als ältester
Teil der Stadt entstand an Stelle der
einstigen Wasserburg als klassizistische Schlossanlage; die frühere
Orangerie wird heute für kulturelle
Veranstaltungen genutzt. Ältestes
Haus der Stadt ist das zweistöckige
Fachwerkhaus am Eingang des Ge-
ländes. Gegenüber befinden sich in
einer Ausstellungshalle Original-

> **Baedeker TIPP**
>
> **Tropical Island**
> Erholung à la Südsee wird im Freizeitpark Tropi-
> cal Island in der ehemaligen Cargolifter-Halle in
> Krausnick-Brand (20 km nordwestlich von
> Lübben) geboten. Ein 300-Meter-Sandstrand, ein
> Regenwald und viel Wasser vertreiben den
> Gästen die Langeweile (www.tropicalisland.de).

waggons der ehemaligen Schmalspurbahn Cottbus–Lübben und eine
Schmalspurlokomotive mit kombiniertem Pack- und Personenwagen. Das **»Haus für Mensch und Natur«** unterrichtet den Besucher
über die Entwicklung und Bedeutung des Spreewalds.

Empfehlenswert ist ein Abstecher zum romantisch gelegenen Dörf- **✶**
chen Lehde, das unter Künstlern als **»Klein Venedig«** galt. Im Spree- **Lehde**
wald-Freilandmuseum sind zahlreiche Gehöfte versammelt, die – oft **◄ Spreewald-**
mit Originaleinrichtung ausgestattet – zeigen, wie sorbische Bauern **Freilandmuseum**
im 19. Jh. lebten; auch sind ein Gehöft mit Ziehbrunnen, ein Backhaus, ein Kahnschuppen und ein Kräutergarten zu besichtigen.

✶ Stade

Atlasteil: S. 16 • B 2   **Bundesland:** Niedersachsen
Höhe: 7 m ü. d. M.   **Einwohnerzahl:** 47 000

Der Hafen- und Hanseort Stade war während des ganzen Mittelal-
ters neben Hamburg die mächtigste Stadt an der Unterelbe. Zwei
mittelalterliche Kirchen überragen die 1000 x 500 m große, noch
vollständig von Wassergräben und Festungswällen der Schweden-
zeit (1648–1712) umschlossene Altstadt. Die engen Gassen der In-
nenstadt säumen viele hübsche Fachwerkbauten.

Besonders malerisch präsentiert sich Stade an seinem Alten Hafen. **✶**
Zu den schönsten Bauten hier gehört der 1692–1705 errichtete **Alter Hafen**
Schwedenspeicher. Der mächtige Bau beherbergt heute ein Museum
mit einer vor- und frühgeschichtlichen Abteilung sowie Exponaten

● STADE ERLEBEN

AUSKUNFT

Stade Tourismus GmbH
Schiffertorstraße 6, 21682 Stade
Tel. (0 41 41) 40 91 70, Fax 40 91 10
www.stade.de

ESSEN

▶ Erschwinglich
Knechthausen
Bungenstraße 20, 21682 Stade
Tel. (0 41 41) 4 53 00
Aufwändig restauriertes Altstadt-Gebäude. Mediterrane Küche.

▶ Preiswert
Insel-Restaurant
Auf der Insel, 21680 Stade
Tel. (0 41 41) 20 31
Hübsches reetgedecktes Bauernhaus in einem Museumsdorf, wo Sie im landestypischen Ambiente speisen. Viele Fisch- und Wildgerichte.

ÜBERNACHTEN

▶ Komfortabel
Parkhotel Stader Hof
Schiffertorstraße 8,
21680 Stade
Tel. (0 41 41) 49 90, Fax 49 91 00
www.staderhof.de
Sehr ansprechendes Haus in günstiger Lage zur Altstadt, moderner Komfort auf den Zimmern, Restaurant im englischen Stil, Sauna.

▶ Günstig
Ramada-Treff Hotel Stade
Kommandantenteich 1,
21680 Stade
Tel. (0 41 41) 9 99 70, Fax 99 97 11
www.ramada-treff.de
Moderner Klinkerbau am historischen Hafen, funktionelle und komfortable Einrichtung, Restaurant im amerikanischen Stil.

---

zur Stadtgeschichte. Gleich nebenan präsentiert das Kunsthaus eine ständige Ausstellung von Worpsweder Malern der älteren Generation, darunter Werke von Mackensen, Vogeler und Modersohn-Becker. Das Bürgermeister-Hintze-Haus (Alter Hafen Nr. 23) ist ein reich verzierter Sandsteinbau aus dem Jahr 1621. Der rekonstruierte Holzkran am Südwestrand des Hafenbeckens wurde ursprünglich 1661 errichtet.

Rathaus Die Hökerstraße, Hauptgeschäftsstraße der Stadt, führt zum Rathaus, einem **barocken Backsteinbau** von 1667/1668. Über dem prächtigen Portal halten zwei Löwen das schwedische Staatswappen (1648–1712 war Stade unter schwedischer Herrschaft). Nördlich erhebt sich

St. Cosmae ▶ die Kirche St. Cosmae, deren Bau 1137 begonnen wurde, mit schöner Barockausstattung; besondere Beachtung verdienen die **Orgel von Arp Schnitger** aus dem 17. Jh. sowie der um 1500 entstandene Flügelaltar und der Gertrudenaltar.

St. Wilhadi Unweit südöstlich steht die Wilhadikirche, ein Backsteinbau aus dem 13./14. Jh., im späten 19. Jh. jedoch weitgehend erneuert. Die sehenswerte **Barockorgel** entstand zwischen 1731 und 1734.

Im Freilichtmuseum auf der Insel im Burggraben geben eine Windmühle von 1632, ein Altländer Haus von 1733, ein Geestbauernhaus von 1841 und andere Nutzbauten Einblick in frühere Lebensweisen.

Freilichtmuseum

Das Technik- und Verkehrsmuseum (Freiburger Straße 60) nördlich der Altstadt dokumentiert die Geschichte der **Technik der vergangenen 150 Jahre.**

Technik- und Verkehrsmuseum

✳ Stralsund

Atlasteil: S. 10 • B 2 **Bundesland:** Mecklenburg-Vorpommern
Höhe: 9 m ü. d. M.   **Einwohnerzahl:** 62 000

Die ehemalige Hansestadt besitzt mit seinem berühmten Rathaus, mächtigen Backsteinkirchen, Klosteranlagen, Befestigungswerken und Bürgerhäusern eine historische Bausubstanz von unschätzbarem Wert. Nicht ohne Grund wird die von reizvollen Teichen und Parks umschlossene Altstadt »Venedig des Nordens« genannt.

Neben dem slawischen Fischerdorf Stralow entwickelte sich Anfang des 13. Jh.s eine deutsche **Kaufmannssiedlung**, die 1234 das lübische Stadtrecht erhielt und 1293 der Hanse beitrat. Im Dreißigjährigen Krieg belagerte Wallenstein die Stadt vergeblich; sie kam nach dem Westfälischen Frieden zu Schweden. 1815 wurde die Stadt preußisch.

Geschichte

Sehenswertes in Stralsund

Die auf einem Inselkern zwischen Strelasund, Franken- und Knieperteich gelegene Altstadt mit ihrem einmaligen Ensemble von Bauwerken der Spätgotik, der Renaissance, des Barocks und des Klassizismus ist 2002 von der UNESCO zum **Weltkulturerbe** erklärt worden. Die charakteristische Bebauung mit Giebelhäusern ist z. T. noch in der Mönch-, Ossenreyerstraße und Mühlenstraße vorhanden. Sehenswert sind in der Badenstraße das Schwedenpalais (Nr. 17; 1726–1730), das ehemalige schwedische Regierungsgebäude, und das Doppelhaus in der Fährstraße (Nr. 23/24), das Geburtshaus des Chemikers C. W. Scheele (1742–1786).

✳
Altstadt

Von der mittelalterlichen Stadtbefestigung sind das Küter- (1446) und das Kniepertor (Anfang 14. Jh.) sowie wesentliche Abschnitte der Stadtmauer mit einigen Wiekhäusern am Knieperwall und in der Nähe des Johannisklosters noch vorhanden.

◄ Stadtbefestigung

Im Norden der Altstadt gruppieren sich um den Alten Markt eine Reihe bedeutender Sehenswürdigkeiten: das Rathaus, die Nikolaikirche, das mittelalterliche Wulflamhaus (Nr. 5) von 1380, der dreigeschossige Barockbau der ehemaligen schwedischen Kommandantur (Nr. 14) und das Dielenhaus in der angrenzenden Mühlenstraße.

◄ Alter Markt

Aus der prächtigen Altstadt von Stralsund ragen Nikolaikirche und Jakobikirche auf.

✳✳ Rathaus Das Rathaus, um 1400 errichtet und **Wahrzeichen** Stralsunds, zählt mit seiner prächtigen Fassade zu den schönsten Profanbauten der norddeutschen Backsteingotik.

✳ Nikolaikirche Östlich hinter dem Rathaus steht die gotische Nikolaikirche, der **älteste Sakralbau** der Stadt (1270–1350). Hochgotische Architektur und eine überreiche Ausstattung aus der Zeit der Gotik bis zum Barock verbinden sich in der Nikolaikirche zu einem großartigen Gesamteindruck. Ein wichtiges Element der Innenraumwirkung sind die ausgemalten Gewölbe und Arkadenzonen in Langhaus und Chor (14./15. Jh.). Kostbar sind außerdem die Anna-Selbdritt-Skulptur (um 1290), die Astronomische Uhr (1394), der Hochaltar und die vielen mittelalterlichen Wandaltäre.

Johanniskloster Nordöstlich vom Alten Markt liegt an der Schillstraße das 1254 gegründete ehemalige Franziskanerkloster St. Johannis. Die Ruine der ehemaligen kleinen Klosterkirche mit einer Kopie von Ernst Barlachs »Pietà« ist ein **Mahnmal** für die Zerstörung der Kirche im Oktober 1944.

Hafen Wenig weiter östlich kommt man an den Hafen Stralsunds, wo u. a. die **Fähren der Weißen Flotte** zur kleinen Insel Hiddensee (▶Rügen, Umgebung) auslaufen.

Kampischer Hof Südwestlich des Alten Marktes liegt die Dreiflügelanlage des Kampischen Hofs (Mühlenstraße 23), eine Gebäudegruppe, die einst dem Zisterzienserkloster Neuenkamp gehörte und seit 1319 bezeugt ist.

Katharinen-kloster Sehr beliebt unter den Museen Mecklenburg-Vorpommerns sind die beiden Museen in der Mönchstraße im ehemaligen, 1251 von Dominikanern gegründeten Katharinenkloster.

Das Deutsche Meeresmuseum verfügt über eines der europaweit **größten Aquarien für tropische Fische**. Ferner werden Flora und Fauna des Meeres, Fischfangtechniken, die Entwicklung der Hochsee- und Küstenfischerei und der Naturraum Ostsee vorgestellt.

◄ Deutsches Meeresmuseum

Gleich nebenan präsentiert das Kulturhistorische Museum in den ehemaligen Klausurgebäuden und dem Kreuzgang des Klosters neben regionalen **ur- und frühgeschichtlichen Funden** auch Zeugnisse der Besiedlung der Region vom 8. vorchristlichen Jahrtausend bis zum 12. Jh. n. Chr., die Stralsunder Stadtgeschichte, Exponate zur bürgerlichen Wohnkultur des 19. und beginnenden 20. Jh.s, sakrale Kunst des Mittelalters und den prächtigen »Hiddenseer Goldschmuck« aus dem 10. Jh., der 1874 vor der Küste Hiddensees (► Rügen, Umgebung) gefunden wurde.

◄ Kulturhistorisches Museum

Stralsund Orientierung

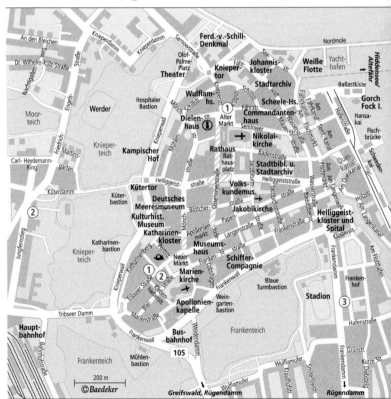

Museumshaus   Das Museumshaus in der Mönchstraße 38 ist das größte Exponat des Kulturhistorischen Museums. Ausstellungsthema ist die jahrhundertelange Nutzung des um 1320 erbauten Giebelhauses vom Mittelalter bis in die DDR-Zeit, in dem alle Um- und Einbauten, Veränderungen und Vernachlässigungen sichtbar sind, bis hin zu den 20 Tapetenschichten in den Wohnstuben – ein einzigartiges kulturhistorisches Zeugnis.

Neuer Markt   Den **lebendigen Mittelpunkt** der südlichen Altstadt bildet der Neue Markt, der von dem mächtigen gotischen Backsteinbau der Marienkirche (um 1380) überragt wird. Besonders beeindruckend ist die Architektur mit ihren enormen Ausmaßen: ein gewaltiges Westwerk mit einem herrlichen Netz- bzw. Sterngewölbe und das lange, 32 m hohe Langhaus.

Marienkirche ►

▶ STRALSUND ERLEBEN

AUSKUNFT
Tourismuszentrale
Alter Markt 9, 18439 Stralsund
Tel. (0 38 31) 2 46 90, Fax 24 69 49
www.stralsund.de

ESSEN
► Erschwinglich
② *Tafelfreuden im Sommerhaus*
Jungfernstieg 5 a, 18437 Stralsund
Tel. (0 38 31) 29 92 60
Hübsches Restaurant im schwedischen Landhausstil, mediterrane Küche.

► Preiswert
① *Goldener Löwe*
Alter Markt 1, 18439 Stralsund
Tel. (0 38 31) 30 63 90
Bodenständige Küche mit Panoramablick auf Rathaus und Nikolaikirche bietet Ihnen dieses geschichtsträchtige Lokal.

ÜBERNACHTEN
► Komfortabel
③ *Steigenberger Baltic*
Frankendamm 22, 18439 Stralsund
Tel. (0 38 31) 20 40, Fax 20 49 99
www.stralsund.steigenberger.de

Modernes Hotel in einer ehemaligen Kaserne mit maritimem Flair, elegante Zimmer und zeitgemäßer Komfort sorgen für einen bequemen Aufenthalt, gehobene Küche im Restaurant, Sauna im Haus.

① *Zur Post*
Tribseer Straße 22,
18439 Stralsund
Tel. (0 38 31) 20 05 00, Fax 20 05 10
www.hotel-zur-post-stralsund.de
Mitten in der Altstadt präsentiert sich das attraktive Haus mit einer liebevoll zusammengestellten Einrichtung. Wohnliche Zimmer mit gutem Komfort, regionale und internationale Küche im stilvollen Restaurant.

► Günstig
② *Pension Ziegler*
Tribseer Straße 15,
18439 Stralsund
Tel. (0 38 31) 70 08 30, Fax 7 00 83 29
www.pension-ziegler.de
Freundliche, kleine Pension am Neuen Markt, nett eingerichtete Zimmer, teils mit Blick auf die Marienkirche.

Vergnügen rund ums Wasser verspricht der **Freizeit- und Erholungspark** HanseDom (Grünhufer Bogen). Vom palmengesäumten Wellenbecken mit Strömungskanal, Wasserfall und Wildwasserbach über nachgebaute Tempelruinen bis zur Wellness-Abteilung mit zehn verschiedenen Badehäusern ist alles geboten, was Entspannung verspricht.

Über den Rügendamm gelangt man per Auto oder Bahn zum Inselchen Dänholm und nach ►Rügen. Auf Dänholm befinden sich das Marinemuseum und mit dem **Nautineum** eine Außenstelle des Deutschen Meeresmuseums, wo u. a. das Unterwasserlabor »Helgoland« und Deutschlands größter Eisbrecher, die »Stephan Jantzen«, zu besichtigen sind.

> ## ! *Baedeker* TIPP
>
> ### Ungewöhnliche Ansichten
>
> ... verschafft eine Führung, bei der man über die Gewölbe der Marienkirche spaziert und die Dachkonstruktion des gewaltigen Kirchenbaus aus der Nähe inspizieren kann. Zum Abschluss geht's über »schlappe« 345 Stufen hinauf auf den Westturm, doch dafür wird man mit einem herrlichen Ausblick über die Dächer der Stadt belohnt (Anmeldung und Information unter Tel. 01 72/3 12 54 91).

Straubing

Atlasteil: S. 56 • A 2   **Bundesland:** Bayern
Höhe: 331 m ü. d. M.   **Einwohnerzahl:** 44 000

Die niederbayerische Stadt Straubing liegt am rechten Ufer der Donau am Fuß des ►Bayerischen Waldes in einer fruchtbaren Ebene, dem Gäuboden. Sie ist ein bedeutendes Landwirtschaftszentrum innerhalb der Kornkammer Bayerns.

Die Altstadt Straubings entstand in der Gegend der heutigen Peterskirche an der Stelle der Römersiedlung »Sorviodurum«. Die 1218 gegründete befestigte Neustadt war in den Jahren 1353–1425 Hauptstadt des selbständigen **Herzogtums Straubing-Holland**, das dann an Herzog Ernst von Bayern fiel. Dessen Sohn Albrecht III. vermählte sich 1432 – nicht standesgemäß – mit der schönen Augsburger Baderstochter Agnes Bernauer. Auf Betreiben ihres Schwiegervaters, der diese Liaison auf keinen Fall duldete, wurde Agnes 1435 der Zauberei angeklagt und in der Donau ertränkt. Friedrich Hebbel setzte ihr mit seinem Trauerspiel »Agnes Bernauer« ein literarisches Denkmal.

Agnes-Bernauer-Stadt

Sehenswertes in Straubing

Der geschwungene Stadtplatz im Zentrum Straubings wird durch den Stadtturm in den Ludwigs- und den Theresienplatz geteilt. Das Erscheinungsbild des Platzes mit seinen schmucken Bauwerken von

★ Stadtplatz

Wochenmarkt in Straubing

der Spätgotik und dem Barock über den Klassizismus bis zum Jugendstil zeugt vom ausgeprägten Repräsentationswillen des Adels und vom Selbstbewusstsein des Bürgertums. Der achtstöckige, 68 m hohe Stadtturm aus dem 14. Jh. ist das nicht zu übersehende **Wahrzeichen** der Stadt. Von seiner Plattform hat man einen herrlichen Blick auf die mittelalterliche Stadtanlage Straubings, über den Gäuboden und die Baumwipfel des Bayerischen Walds in der Ferne.

Am Theresienplatz steht das dreigeschossige, gotische **Rathaus** (1382), etwas weiter westlich der Tiburtiusbrunnen (1685) und die 1709 nach einer Belagerung aufgestellte Dreifaltigkeitssäule. Nördlich des Theresienplatzes erhebt sich die mächtige, zwischen 1400 und 1590 gebaute Kirche **St. Jakob**, eine der schönsten Kirchen der Backsteingotik in Altbayern. Sehenswert sind vor allem die wertvollen spätgotischen Glasgemälde, die Kanzel von 1752 und mehrere Grabdenkmäler.

Ludwigsplatz   Auf dem Ludwigsplatz steht der 1644 gebaute Jakobsbrunnen; in der Löwenapotheke (Nr. 11) war der Maler Carl Spitzweg zwischen 1828 und 1830 Lehrling.

Gäubodenmuseum   An der von der Mitte des Ludwigsplatzes nach Norden führenden Fraunhoferstraße passiert man zunächst das Geburtshaus des Physikers Joseph von Fraunhofer (1787–1826), bevor man das Gäubodenmuseum (Nr. 9) erreicht. Neben archäologischen Fundstücken werden vor allem **sakrale Kunst und Volkskunde** präsentiert; herausragend ist der 1950 entdeckte Straubinger Römerschatz.

Karmelitenkirche Ursulinenkirche   In der spätgotischen, im 15. Jh. erbauten und um 1700 barockisierten Kirche des Karmelitenklosters ist Herzog Albrecht II. († 1397) in einem **prächtigen Hochgrab** bestattet. Weiter östlich erkennt man an der mit bedeutenden Fresken und Gemälden der Brüder Asam prunkvoll ausgestatteten Ursulinenkirche (1736–1741) den Übergang vom Barock zum Rokoko.

Schloss   Der Bau des ehemaligen Herzogsschlosses an der Donau wurde 1356 begonnen. Teile der unregelmäßigen, um einen Hof geordneten Anlage sind der ehemalige Fürstenbau mit Rittersaal, die spätgotische Kapelle im Hof und der »Agnes-Bernauer-Turm« am Nordwesteck. Im Ostturm ist ein Zweigmuseum des Bayerischen Nationalmuseums München untergebracht. Im Schlosshof finden alle vier Jahre die **Agnes-Bernauer-Festspiele** zur Erinnerung an das Schicksal der Unglücklichen statt (nächster Termin: 2007).

Östlich der Neustadt lohnt der Besuch der **Peterskirche** (ca. 1180) in der ländlichen Altstadt Straubings. Die romanische Pfeilerbasilika mit Türmen von 1886 und zwei prächtigen Portalen liegt in einem alten Friedhof. Beachtenswert sind vor allem das Kruzifix (um 1200) über dem Hochaltar und die Pietà im nördlichen Seitenschiff. Auf dem stimmungsvollen Kirchhof steht u. a. die Agnes-Bernauer-Kapelle (1436) mit dem Grabstein der mit Herzog Albrecht III. vermählten Augsburger Baderstochter; nahebei befindet sich die Seelenkapelle mit Totentanzfresken von 1763.

Westlich der Neustadt erstreckt sich der 1905 angelegte Stadtpark **Stadtpark** und der Tiergarten, der **einzige Zoo Ostbayerns**, in dem über 1000 Tiere in ca. 200 Arten gehalten werden.

! *Baedeker* TIPP

Gaudi mit Maß

Trotz seiner jeweils über 1 Mio. Besucher hat sich das Straubinger »Gäubodenvolksfest«, das elf Tage lang alljährlich im August Festzelt und Vergnügungspark bereithält, in der deutschen Festöffentlichkeit noch nicht herumgesprochen. Das zweitälteste und zweitgrößte Volksfest Bayerns lohnt nicht nur als Einstimmung aufs Münchner Oktoberfest einen Besuch.

 ## STRAUBING ERLEBEN

AUSKUNFT

Tourist-Information
Theresienplatz 20, 94315 Straubing
Tel. (0 94 21) 94 43 07, Fax 94 41 03
www.straubing.de

ESSEN

▶ **Erschwinglich**
Zum Geiss
Theresienplatz 40, 94315 Straubing
Tel. (0 94 21) 96 39 22
Heimelige Atmosphäre, altbayerische Gastlichkeit und gehobene Küche.

▶ **Preiswert**
Seethaler
Theresienplatz 25, 94315 Straubing
Tel. (0 94 21) 9 39 50
In der volkstümlichen Stube des Gasthofes aus dem 16. Jh. werden feine bayerische Schmankerl serviert.

ÜBERNACHTEN

▶ **Günstig**
Römerhof
Ittlinger Straße 136, 94315 Straubing
Tel. (0 94 21) 9 98 20, Fax 99 82 29
www.roemerhof-straubing.de
Am östlichen Stadtrand gelegenes, zeitgemäßes Hotel, funktionelle Zimmer, im gediegen-rustikalen Restaurant wird Gutbürgerliches aufgetischt.

Villa
Bahnhofsplatz 2, 94315 Straubing
Tel. (0 94 21) 96 36 70, Fax 9 63 67 33
www.hotelvilla-straubing.de
In einer alten Villa unweit des Zentrums liegt dieses Hotel sehr ruhig in einer kleinen parkähnlichen Anlage. Gepflegte, zweckmäßig eingerichtete Zimmer, feine italienische Küche im gemütlichen Restaurant.

✶✶ Stuttgart

Atlasteil: S. 52 • B 2
Bundesland: Hauptstadt des
Bundeslandes Baden-Württemberg

Höhe: 207 m ü. d. M.
Einwohnerzahl: 587 000

Die baden-württembergische Landeshauptstadt liegt überaus reizvoll in einem von Wald, Obstgärten und Weinbergen umrahmten Talkessel, der sich zum Neckar hin öffnet. Aus der Talsohle, in der sich der Stadtkern mit den meisten historischen Bauten befindet, klettern die Häuserzeilen der Stadt die Hänge hinauf.

Ausführlich beschrieben im Baedeker Allianz Reiseführer »Stuttgart«

Laut einer Untersuchung des Nachrichtenmagazins »Focus« vom Dezember 2000 besitzt Stuttgart dank seiner Wirtschaftskraft und seiner sozialen Ausgewogenheit, vor allem aber wegen seines hochkarätigen Kulturangebots die **beste Lebensqualität unter den Großstädten Deutschlands**. Die Staatsoper wurde bereits viermal zum »Opernhaus des Jahres« gekürt, und das überaus erfolgreiche Stuttgarter Ballett mit dazugehöriger John-Cranko-Schule ist eine der anerkanntesten Ballettschulen der Welt. Auf über 40 Bühnen und in zahlreichen Veranstaltungssälen zeigt sich reges Theater- und Konzertleben. Internationalen Ruf genießen das Stuttgarter Kammerorchester und die Internationale Bachakademie unter der Leitung des Grammy-Preisträgers Helmuth Rilling. Stuttgart ist Sitz zweier Universitäten, einer Akademie der Bildenden Künste, einer Hochschule für Musik und Darstellende Kunst sowie zahlreicher Fachhochschulen. Fahrzeugbau (Mercedes-Benz, Porsche), Elektroindustrie (Bosch), Maschinenbau, feinmechanische und optische Werke, Hightech-, Textil- und Papierindustrie und über 120 Verlage bestimmen das Wirtschaftsbild. Überdies ist Stuttgart ein großer Weinbauort. In den Stadtteilen Berg und Bad Cannstatt besitzt die Stadt ergiebige Mineralquellen, deren Wasser für Trinkkuren genutzt wird und Mineralbäder speist.

950	Ein Stutengarten (Gestütshof) wird angelegt.
13. Jh.	Die Markgrafen von Baden erheben den Ort zur Stadt.
1495	Stuttgart wird Herzogsresidenz.
1781	Die Hohe Karlsschule wird zur Universität erhoben.
1806	Stuttgart wird königliche Residenzstadt.
2. Weltkrieg	Stuttgart wird stark zerstört.
1958	Einweihung des Neckarhafens
1975	Mit dem Baader-Meinhof-Prozess beginnen die Prozesse gegen RAF-Terroristen in Stuttgart-Stammheim.
1993	Leichtathletik-Weltmeisterschaft im Daimlerstadion
2005	Baubeginn der Neuen Messe

Im Herzen Stuttgarts, auf dem Schlossplatz, genießt man Sommer und Sonne vor Neuem Schloss und Jubiläumssäule.

Der Name Stuttgart und das schwarze Pferd im Stadtwappen leiten sich vom Ursprung der Stadt her: Im Jahr 950 wurde ein Gestütshof, ein so genannter Stutengarten angelegt. Neben einer von Ulrich I. (1241–1265) errichteten Wasserburg entwickelte sich die Stadt im ausgehenden Mittelalter zum bedeutenden Marktort und später zur Residenz der württembergischen Herzöge, bzw. ab 1806 Könige. Anfang des 16. Jh.s erhielt die Stadt eine neue äußere Ummauerung, die auch die Obere und Untere Vorstadt einbezog. Nach dem Zweiten Weltkrieg wurde Stuttgart Hauptstadt des 1952 gegründeten Bundeslandes Baden-Württemberg.

Sehenswertes in Stuttgart

Der mit seinem 58 m hohen Turm und dem darauf rotierenden Mercedes-Stern weithin sichtbare Hauptbahnhof wurde als Kopfbahnhof 1914–1927 im Stil der **Neuen Sachlichkeit** errichtet. Im Zuge des Projektes »Stuttgart 21« wird die bisherige Anlage in einen unterirdischen Durchgangsbahnhof mit Anschluss an das ICE-Hochgeschwindigkeitsnetz umgewandelt und die riesigen, brach liegenden Frei- und Gleisflächen mit Wohn- und Bürohäusern bebaut.

★ **Hauptbahnhof**

◄ **»Stuttgart 21«**

Vom Hauptbahnhof führt die Königstraße, Stuttgarts schönste Geschäftsstraße und Fußgängerzone, an der Domkirche St. Eberhard vorbei, zum Schlossplatz und weiter zum Wilhelmsbau.

Königstraße

Den Schlossplatz umgeben Bauten aus Stuttgarts Residenzzeit. In der Mitte der weiten Anlage steht die **Jubiläumssäule**, 1841 zum Gedächtnis an das 25. Regierungsjahr König Wilhelms I. errichtet; ferner schmücken ein Musikpavillon (1871) und einige moderne Plastiken den Platz. An seiner Ostseite steht das 1746–1807 unter Herzog

★ **Schlossplatz**

◄ **Neues Schloss**

Highlights Stuttgart

Karl Eugen erbaute dreiflügelige Neue Schloss. Nachdem es im Zweiten Weltkrieg stark beschädigt worden war, erfolgte sein Wiederaufbau in den Jahren 1959–1962. Heute werden die Räume für staatliche Repräsentations- und Verwaltungszwecke genutzt. Dem Schloss gegenüber liegt der **Königsbau**, ein klassizistisches Bauwerk (1856–1860) mit Säulenhalle und Ladenpassage, in dem auch die Stuttgarter Börse untergebracht ist.

Kleiner Schlossplatz ▶ Dem Königsbau schließt sich der Kleine Schlossplatz an. Hier fällt das Gebäude des im März 2005 eröffneten **Kunstmuseums** ins Auge. In dem gläsernen Würfel ist die städtische Kunstsammlung mit Schwerpunkten der klassischen Moderne und zeitgenössischen Kunst untergebracht. Unter den 15 000 Werken befindet sich auch der weltweit größte Bestand an Gemälden, Grafiken und Zeichnungen von Otto Dix (Öffnungszeiten: Di., Do. bis So. 10.00–18.00 Uhr, Mi., Fr. 10.00–21.00 Uhr).

Schlossgarten
Staatstheater ▶
Planetarium ▶ Im Oberen Schlossgarten haben das Landtagsgebäude und die beiden Häuser des Württembergischen Staatstheaters Platz gefunden. Jenseits des Hauptbahnhofs lohnt das Carl-Zeiss-Planetarium mit seiner Multi-Media-Astro-Show einen Besuch. Der Schlossgarten mit hübsch angelegten Teichen und Rabatten erstreckt sich weiter bis zu den Unteren Anlagen im Stadtteil Berg.

✶ ✶
Staatsgalerie Die Staatsgalerie beherbergt eine der **bedeutendsten Kunstsammlungen Deutschlands**. Sie besteht aus einem klassizistischen Altbau (1838–1842), dem nach Entwürfen des Briten James Stirling 1977–1983 errichteten Neubau und einem Anbau für die Grafik. Sie besitzt Werke der älteren europäischen Malerei, eine weltbekannte

Abteilung der Malerei des 20. Jh.s sowie eine ausgezeichnete grafische Sammlung (Öffnungszeiten: Di. bis So. 10.00–18.00, Do. bis 21.00, jeden 1. Samstag im Monat bis 24.00 Uhr). ☉

Haus der Geschichte

Rechts der Staatsgalerie wird im neuen Haus der Geschichte Baden-Württemberg die Chronologie des deutschen Südwestens seit 1790 dargestellt.

Altes Schloss ✱

◀ Württembergisches Landesmuseum

Am Schlossplatz steht das 1553–1578 erbaute Alte Schloss mit einem malerischen Arkadenhof, der für kulturelle Veranstaltungen genutzt wird. Das Schloss birgt die Sammlungen des Württembergischen Landesmuseums, darunter der Kronschatz der württembergischen Könige, mittelalterliche Sakralkunst, Uhren, Musikinstrumente, Kostüme verschiedener Epochen und archäologische Funde. Die Schlosskirche (1560–1562) im Südflügel war die **erste protestantische Kirche Württembergs**.

Schillerplatz ✱

Hinter dem Alten Schloss soll am heutigen Schillerplatz der **Ursprung Stuttgarts**, das Gestüt, gelegen haben. In den 1950er-Jahren wurde der Renaissanceplatz mit dem Schillerdenkmal von Thorvaldsen sorgfältig restauriert. Die »Alte Kanzlei« an der Nordostseite, um 1500 als Sitz der herzoglichen Kanzleien erbaut, dient heute als Restaurant. Im ehemaligen Prinzenbau – 1604 nach Plänen von Heinrich Schickhardt begonnen, aber erst 1685 fertig gestellt – hat jetzt das Justizministerium seinen Sitz. Der 1390 erbaute Fruchtkasten,

Der gläserne Würfel des neuen Kunstmuseums ist ein faszinierender Blickfang.

⊙ STUTTGART ERLEBEN

AUSKUNFT

Tourist Info
Königstraße 1 a, 70173 Stuttgart
Tel. (07 11) 2 22 82 40, Fax 2 22 82 16
www.stuttgart-tourist.de

SHOPPING

Die Königsstraße (Fußgängerzone) und ihre Nebenstraßen sind die Haupteinkaufsareal. Nicht versäumen: die herrliche Markthalle und das Kaufhaus Breuninger.

ESSEN

► Fein & Teuer

⑥ Speisemeisterei
Am Schloss Hohenheim,
70599 Stuttgart
Tel. (07 11) 4 56 00 37
So hochherrschaftlich wie die Lage ist auch das Ambiente im Gourmettempel, der mit Kochkunst und edler Weinkarte jeden Feinschmecker zum Schwärmen bringt.

⑤ Wielandshöhe
Alte Weinsteige 71, 70597 Stuttgart
Tel. (07 11) 6 40 88 48
Modern eingerichtetes Restaurant mit sagenhaftem Blick. Vincnet Klink bietet Gourmetküche mit regionalem Einschlag.

► Erschwinglich

① La Fenice
Rotebühlplatz 29, 70178 Stuttgart
Tel. (0711) 6 15 11 44
Im stimmungsvollen Ambiente wird gehobene italienische Küche serviert.

③ Der Zauberlehrling
Rosenstraße 38, 70182 Stuttgart
Tel. (0711) 2 37 77 70
Hübsches Restaurant in der Altstadt mit blanken Holztischen und international ausgelegter Küche.

► Preiswert

② Kachelofen
Eberhardstraße 10, 70173 Stuttgart
Tel. (07 11) 24 23 78
Direkt am Hans-im-Glück-Brunnen finden Sie dieses urgemütliche Lokal, wo Sie mit Württemberger Weinen und feiner schwäbischer Küche bewirtet werden.

④ Weinstube Schellenturm
Weberstraße 72, 70182 Stuttgart
Tel. (07 11) 46 54 28
Ein Wehrturm aus dem 16. Jh. beherbergt die urige Weinstube, eine der ältesten Stuttgarts, die mit typisch schwäbischer Gastlichkeit aufwartet.

ÜBERNACHTEN

► Luxus

② Steigenberger Graf Zeppelin
Arnulf-Klett-Platz 7, 70173 Stuttgart
Tel. (07 11) 2 04 80, Fax 2 04 85 42
www.stuttgart.steigenberger.de
Im Herzen Stuttgarts direkt am Hauptbahnhof liegt dieses luxuriöse Haus. Verschiedene Zimmervarianten sind im Angebot: klassisch elegante Einrichtung oder lieber avantgardistisches Design? Drei Restaurants und ein ansprechender Spa-Bereich sorgen für einen angenehmen Aufenthalt.

③ Am Schlossgarten
Schillerstraße 23, 70173 Stuttgart
Tel. (07 11) 2 02 60, Fax 2 02 68 88
www.hotelschlossgarten.com
Elegante Residenz in reizvoller zentraler Lage am Stadtgarten, herrliche Zimmer mit luxuriösem Ambiente, erlesene Gaumenfreuden bietet das Gourmetrestaurant Zirbelstube, das Schlossgarten-Restaurant mit seiner herrlichen Terrasse zum Park und die gemütliche Vinothek.

▶ Komfortabel

① Kronen-Hotel

Kronenstraße 48, 70174 Stuttgart
Tel. (07 11) 2 25 10, Fax 2 25 14 04
www.kronen-hotel.stuttgart.de
Nahe bei Bahnhof und Einkaufsmeile
bietet das ruhige Haus liebevoll eingerichtete Zimmer.

⑤ Royal

Sophienstraße 35, 70178 Stuttgart
Tel. (07 11) 6 25 05 00, Fax 62 88 09
www.royalstuttgart.de
Behagliche Atmosphäre strahlt dieses
Haus in einer ruhigen Seitenstraße
mitten in der City aus, elegante
Zimmer, vorzügliches Restaurant.

④ Wartburg

Lange Straße 49, 70174 Stuttgart
Tel. (07 11) 2 04 50, Fax 2 04 54 50
www.hotel-wartburg-stuttgart.de
Komfortables Haus mit geräumigen
Zimmern in zentraler Lage.

▶ Günstig

⑥ Bellevue

Schurwaldstraße 45, 70186 Stuttgart
Tel. (07 11) 48 07 60, Fax 4 80 76 31
www.bellevue-stuttgart.de
Gepflegter Familienbetrieb im Stuttgarter Osten, der für ruhige Zimmer
und ein gediegenes Restaurant mit
schwäbischer Küche bekannt ist.

---

ein spätgotischer Steinbau mit spitzgiebeliger Fassade, an der Südwestseite des Platzes war einst Kornspeicher und ist heute Sitz der
Musikaliensammlung des Württembergischen Landesmuseums.

✱ **Stiftskirche**

Die zweitürmige Stiftskirche wurde im 12. Jh. gegründet und im
15. Jh. durch Aberlin Jörg und andere spätgotisch umgebaut. Interessant ist die großartige Reihe von elf Grafenstandbildern (1576–1608)
im Chor, eine reiche Renaissancearbeit von Simon Schlör. Unweit
südöstlich liegt der Marktplatz mit dem Rathaus.

Hegel-Haus

Über die Eberhardstraße gelangt man in westlicher Richtung – vorbei am Schwabenzentrum – zum **Geburtshaus Georg Wilhelm Friedrich Hegels**, in dem eine Gedenkstätte für den Philosophen eingerichtet wurde.

Tagblatt-Turm

Direkt gegenüber ragt der 61 m hohe Tagblatt-Turm (1927/1928)
empor, das erste in Sichtbetonbauweise erstellte Hochhaus Deutschlands. Daneben befindet sich das Kulturzentrum »Kultur unterm
Turm« mit zwei Theatern und einer Galerie.

Haus der Wirtschaft

Im nordwestlichen Teil der Innenstadt steht das imposante kuppelgekrönte Haus der Wirtschaft, ein überregionales Kongress- und Ausstellungszentrum, in dem auch das Landesgewerbeamt und das Design Center Stuttgart ihren Sitz haben.

Liederhalle

Unweit südwestlich, am Berliner Platz, liegt die 1955/1956 gebaute,
unter **Denkmalschutz** stehende Liederhalle, deren fünf Säle große
und kleinere Veranstaltungen aller Art ermöglichen.

Stuttgart *Orientierung*

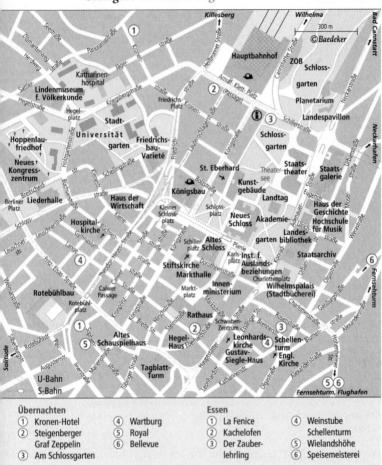

Übernachten

① Kronen-Hotel
② Steigenberger Graf Zeppelin
③ Am Schlossgarten
④ Wartburg
⑤ Royal
⑥ Bellevue

Essen

① La Fenice
② Kachelofen
③ Der Zauberlehrling
④ Weinstube Schellenturm
⑤ Wielandshöhe
⑥ Speisemeisterei

✴ **Hoppenlau-Friedhof**

Zwischen Liederhalle und Linden-Museum befindet sich der 1626 angelegte Hoppenlau-Friedhof, der älteste noch erhaltene und unter Denkmalschutz stehende Friedhof der Stadt, auf dem Wilhelm Hauff, Gustav Schwab und C. F. D. Schubart ihre letzte Ruhestätte fanden.

✴ **Linden-Museum**

Eine der bedeutendsten **völkerkundlichen Sammlungen** Deutschlands ist im Linden-Museum am Hegelplatz zu bewundern. Sechs Dauerausstellungen bieten einen Überblick über die Kulturgeschichte der Großräume Amerika, Südsee, Afrika, Orient, Ostasien und Südostasien. Besonders beeindruckend sind die Sammlungen der Ozeanien-Abteilung, der Indianer Nordamerikas und eine rekonstruierte orientalische Bazar-Straße.

Nördlich über der Stadt liegt bei der Akademie der Bildenden Künste die einst bahnbrechende Weißenhofsiedlung, die 1927 anlässlich einer Ausstellung des Werkbundes von **international führenden Architekten** konzipiert wurde. Mies van der Rohe, Le Corbusier, Hans Scharoun und Walter Gropius waren an Entwurf und Planung beteiligt. Obwohl ein großer Teil der Gebäude im Zweiten Weltkrieg zerstört wurde, ist das Gesamtkonzept der Anlage noch gut zu erkennen (Am Weißenhof 20, Tel. 0711/2 57 91 87, Di. bis Sa. 10.00–14.00 Uhr).

✶✶
Weißenhof-siedlung

Der Höhenpark Killesberg mit Messehallen (im Frühjahr 2007 ist der Umzug der Messe auf die Fildern geplant), Kongresszentrum, Sommertheater und Kleinbahn wurde ab 1937 in mehreren Etappen zu einer **reizvollen Landschaft** gestaltet.

Killesberg

Im Stadtteil Berg, über dem linken Ufer des Neckars, befindet sich auf einer Anhöhe das **Schloss Rosenstein** (1824–1829), das zusammen mit dem Museum am Löwentor (1984) das Staatliche Museum für Naturkunde beherbergt. In dem nach dem Zweiten Weltkrieg wieder aufgebauten Schloss Rosenstein ist die biologische Sammlung untergebracht. Durch den Rosensteinpark kann man zum Museum am Löwentor spazieren, das die weithin berühmten Fossilienfunde aus der Urzeit Baden-Württembergs zeigt.

✶
Naturkunde-museum

Auf dem rechten Neckarufer liegt der alte Stadtteil Bad Cannstatt mit Kursaal und Kurpark, in dem die **Gottlieb-Daimler-Gedenkstätte** an Leben und Werk des schwäbischen Erfinders erinnert. Beim Festplatz »Cannstatter Wasen« – jedes Jahr Schauplatz des Frühlings- und des Volksfestes – befinden sich das große Gottlieb-Daimler-Stadion und die Hanns-Martin-Schleyer-Halle.

Bad Cannstatt

! *Baedeker* TIPP

Basar der Lichter, Düfte und Geschenke
In der Vorweihnachtszeit steht Stuttgart ganz im Zeichen von Deutschlands größtem Weihnachtsmarkt. Mehr als 200 herrlich dekorierte Stände, umringt von Altem Schloss, Stiftskirche, Rathaus und Markthalle verleihen der Stadt eine unvergleichliche Atmosphäre. Hinzu kommen eine Eislaufbahn, der Sammler-Antikmarkt auf dem Karlsplatz, für die kleinen Besucher ein Märchenland sowie täglich ab 18.00 Uhr weihnachtliche Konzerte im Alten Schloss und auf der Rathaustreppe.

** **
Wilhelma

Unterhalb von Schloss Rosenstein erstreckt sich der 1842–1853 im maurischen Stil erbaute **Zoologisch-Botanische Garten** »Wilhelma« mit schönen Gartenanlagen, Gewächshäusern, Schaubauernhof, Tierhäusern und Freigehegen sowie Aquarium und Amazonas-Haus. Besonders eindrucksvoll ist der Maurische Garten, das Herz der historischen Anlage, mit seinem Seerosenteich und dem Magnolienhain. Weltberühmt ist die Wilhelma für ihr Menschenaffen-Haus, in dem die Tiere im Familienverband leben. Wer mehr über die Pflanzen und Tiere erfahren möchte, als in den Infobroschüren steht, nimmt am besten an einer kostenlosen Führung teil, die von April bis Oktober jeden Samstag um 14.00 Uhr und sonntags um 10.00 Uhr stattfinden. Treffpunkt ist jeweils der Haupteingang.

Der Maurische Garten ist der älteste und vielleicht auch schönste Teil der Wilhelma.

** **
Mercedes-Benz-Museum

Die Ausstellung des international bekannten **Mercedes-Benz-Museums** im Stadtteil Untertürkheim bietet eine nahezu lückenlose Dokumentation der Entwicklung des Auto- und Motorenbaus der Firma. Die Sammlung der **ältesten Automobilfabrik der Welt** reicht von den beiden ersten jemals gebauten Automobilen – dem Benz-Dreirad und dem Daimler-Reitwagen von 1886 – bis zu neuesten Entwicklungen.

** **
Grabkapelle auf dem Württemberg

Im Stadtteil Rotenberg, oberhalb Untertürkheims gelegen, ragt auf dem Württemberg die 1820–1824 von Giovanni Salucci erbaute Grabkapelle für die 1819 verstorbene Königin Katharina empor. Von dem **kuppelgekrönten klassizistischen Rundbau** bietet sich ein wunderbarer Blick auf das Neckartal und die Weinberge.

** **
Fernsehturm

Der 217 m hohe Stuttgarter Fernsehturm (1954–1956) auf der im Süden aufragenden Waldhöhe Hoher Bopser (481 m ü. d. M.) war der **erste Fernsehturm der Welt aus Stahlbeton**. Von der zweigeschossigen Aussichtsplattform in 152 m Höhe bietet sich ein außergewöhnlicher Rundblick. Man kann nicht nur den Trauf der Schwäbischen Alb im Süden und Südosten, die Silhouette des Schwarzwaldes im Westen und Südwesten sowie das Schwäbisch-Fränkische Keuperbergland im Osten und Nordosten erkennen, sondern gelegentlich auch die Alpen am südlichen Horizont.

FERNSEHTURM

✳ ✳ **Aus dem Wald des sich am Südrand des Stuttgarter Talkessels erhebenden Hohen Bopsers (483 m ü. d. M.) ragt der Stuttgarter Fernsehturm als ein Wahrzeichen der Stadt Stuttgart heraus. Er gilt als ästhetisches und architektonisches Meisterwerk.**

Der 217 m hohe Stuttgarter Fernsehturm war der erste Fernsehturm der Welt aus Stahlbeton. 1954 wollte der Stuttgarter Radiosender seine Antennen auf einen 200 m hohen Gittermasten stellen. Dieses monströse Projekt rief den als Brückenbauer und Statiker bekannt gewordenen Stuttgarter Ingenieur Prof. Fritz Leonhardt auf den Plan. Seine Idee war es, statt eines hässlichen Gittermastes eine elegante Betonnadel aus dem Wald von Degerloch wachsen zu lassen und diese mit einem Turmkorb mit Aussichtsplattformen zu versehen. So entstand das Ur-Modell für Fernsehtürme in aller Welt.

Baumaterial
u. a. 1430 Tonnen Zement, 5250 m³ Kies und Sand, 340 Tonnen Beton-Spannstahl, 680 m³ Holz, 55 000 Stück Klinker und 85 000 Ziegelsteine

Lasten
Gesamtgewicht über der Erde: 3000 Tonnen
Gewicht des Fundaments: 1500 Tonnen

Höhen
Höhe des Turms inklusive Sendemast: 217 m
Große Plattform: 150 m
Fußboden der oberen Plattform: 153,5 m

① Fundament
Für das Fundament des Turms wurde eine Grube von 30 m Durchmesser und einer Tiefe von 8 m ausgehoben. In die Aushebung kam ein 3,5 m breiter Fundamentring mit 27 m Außendurchmesser, der von einer Spannbetonplatte zusammengehalten wird. Dieser untere Teil des Turmes trägt den 3000 Tonnen schweren Turm und gibt das Gewicht an den Erdboden weiter.

② Turmschaft
Der Turmschaft ist ein im Fundamentkörper eingespanntes, sich nach oben verjüngendes Stahlbetonrohr. Am Fuß des Turms beträgt der Außendurchmesser 10,80 m; unterhalb des Turmkopfes – in einer Höhe von 135,80 m – nur noch 5,04 m.

③ Turmkorb
Der Kopf des Turms ist im obersten Geschoss

zylindrisch, in den unteren Geschossen kegelförmig abgeschrägt, um günstige Strömungsverhältnisse für den Wind zu erhalten. Durch die Aluminiummummantelung der Fassade ist der Fernsehturm so windschlüpfrig wie ein Flugzeug, selbst Stürme können ihm nichts anhaben.

④ Technikgeschoss
Die unterste Etage ist der Technik vorbehalten: Haustechnik, verschiedene Richtfunkstrecken, Anlagen für Mobiltelefonanlagen und Sendeanlagen der Polizei. Früher war hier der Fernsehsender eingebaut, der mittlerweile ein eigenes Sendegebäude am Fuße des Turms hat.

⑤ Sendemast
Der genietete, quadratische Gittermast aus Winkelprofilen wiegt allein 48 t. Der untere UKW-Teil ist 32,10 m hoch, der obere Fernsehteil ragt nochmals 18,92 m in den Himmel.

⑥ Lifte
Mit 5 m pro Sekunde brausen Sie per Lift zu den Aussichtsplattformen, insgesamt dauert die Fahrt nur 36 sec.

⑦ Ristorante
Wer der Sache nicht traut oder gar Höhenangst hat, kann sich auch einfach am Fuß des Turmes im Restaurant mit schönem Biergarten verwöhnen lassen.

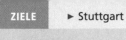

Für das leibliche Wohl der Fernsehturm-Besucher sorgt das Panorama-Café mit der höchsten Bar Stuttgarts in neu ausgestatteten Räumen im Turmkorb.

© *Baedeker*

Hoch über der Stadt im Talkessel ragt der Turm aus den Wäldern. Von der zweigeschossigen Aussichtsplattform in 152 m Höhe bietet sich ein außergewöhnlicher Rundblick über die Stadt, aber auch bis zur Silhoutte des Schwarzwaldes, zum Trauf der Schwäbischen Alb und gelegentlich sogar bis zu den Alpen.

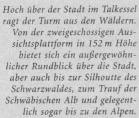

Lediglich acht Meter tief reicht das Fundament in die Erde. Wie ein Stehaufmännchen federt der Turm angreifende Winde ab, weil das Gewicht des Fundaments und der Erdlast auf dem Fundamentfuß ausreichend hoch sind.

Bescheidene Anfänge: Erst 15 Meter misst der Fernsehturm in dieser Bauphase. Der komplette Bau dauerte nur 20 Monate.

Der nördlich gelegene Stadtteil Zuffenhausen ist Standort des **Porsche-Automobilwerks**. Das Werksmuseum vermittelt einen Einblick in die Geschichte der weltberühmten Sportwagenfabrik. Ein kleines Kino zeigt Kurzfilme zur **Porsche-Geschichte**.

Etwa 10 km westlich vom Zentrum ließ Herzog Karl Eugen in den Jahren 1763 bis 1767 auf einer Anhöhe das Schloss Solitude errichten. Die Anlage umfasst einen Ballsaal, Kavaliershäuschen, einen Marstall, Wohnungen für Bedienstete und

✴
Schloss
Solitude
eine Kapelle. Seit 1990 ist ein Teil der Schlossanlage Sitz der Akademie Schloss Solitude, einer **»schwäbischen Villa Massimo«** für Kunststipendiaten aus aller Welt.

Umgebung von Stuttgart

Sindelfingen
Sindelfingen, einer der bedeutendsten Industriestandorte (Mercedes-Benz, IBM, Modeindustrie) im Mittleren Neckar-Raum, reizt vor allem wegen seines historischen Stadtkerns um den Stiftsbezirk, durch den ein **»Stadtgeschichtlicher Weg«** mit 38 Stationen führt. Sehenswert sind die Martinskirche, eine romanische Pfeilerbasilika (1083), und das Chorherrenhaus. Im Alten Rathaus (1478) ist das Stadtmuseum eingerichtet. Daneben befindet sich das Salzhaus (1592) und das Storchenhaus. Ausgesprochen idyllisch liegt die Kurze Gasse mit ihren sorgfältig restaurierten Fachwerkhäusern.

Böblingen
Auch die Kreisstadt Böblingen, am Nordrand des Schönbuchs gelegen, ist ein wichtiges Industrie- und Messezentrum. Am 12. Mai 1525 besiegte der Schwäbische Bund bei Böblingen aufständische Bauern. Genaueres über die Zeit der Bauernkriege erfährt man im **Bauernkriegsmuseum** in der Zehntscheuer (Pfarrgasse). Im **Deutschen Fleischermuseum** am Marktplatz ist die Entwicklung des Fleischerhandwerks seit dem 14. Jh. dokumentiert.

Herrenberg
Etwa 25 km südwestlich von Böblingen, am Westabfall des Naturparks Schönbuchs, liegt Herrenberg. Ihr **hübscher alter Stadtkern** mit vielen Fachwerkbauten wird vom weithin sichtbaren, wuchtigen Turm der Stiftskirche (13./14. Jh.; Glockenmuseum) beherrscht.

Leonberg
Leonberg gilt als **erste Stadtgründung der Württemberger Grafen** (1248). Der berühmte Astronom Johannes Kepler ging in dieser Stadt zur Schule, der Philosoph Friedrich Wilhelm Schelling wurde

hier geboren. Einen der wenigen noch erhaltenen Spätrenaissance-Terrassengärten, den Pomeranzengarten, findet man in der Schlossanlage über der Stadt. Gut erhalten ist der **alte Stadtkern** mit dem Marktplatz. Hier stehen hübsch herausgeputzte, geschichtsträchtige Fachwerkbauten wie das Steinhaus (13. Jh.), in dem 1457 erstmals ein württembergischer Landtag abgehalten wurde, das Alte Rathaus (heute Städtisches Museum) und das Elternhaus Johannes Keplers.

✷
Weil der Stadt

Weil der Stadt liegt inmitten des Heckengäus im Schwarzwaldvorland. Die ehemalige Freie Reichsstadt besitzt noch mittelalterliche Befestigungsanlagen. Vor allem aber ist die Stadt bekannt als **Geburtsort des Astronomen Johannes Kepler** (1571–1630); auch der Reformator Johannes Brenz (1499–1570) wurde hier geboren. Der Marktplatz, in dessen Mitte ein Denkmal zu Ehren Keplers steht, ist eingefasst von stattlichen Häusern, darunter das Alte Rathaus und das Stadtmuseum. Den 1669 aufgestellten Oberen Marktbrunnen schmückt ein Standbild Kaiser Karls V. Einen Besuch wert ist das **Kepler-Museum** (Keplergasse 2); von der Narrenzunft – Weil der Stadt ist einer der wichtigsten Orte der schwäbisch-alemannischen Fastnacht – wurde in der Stuttgarter Straße 60 ein **Narrenmuseum** eingerichtet.

Waiblingen

Die schon im 9. Jh. erwähnte Stauferstadt Waiblingen, 10 km nordöstlich von Stuttgart, besitzt einen **schönen Altstadtkern** und Reste der mittelalterlichen Stadtbefestigung wie den Hochwachtturm und den Beinsteiner Torturm.

◄ Remstal

Von Waiblingen bietet sich ein Ausflug ins Remstal an mit seinen hübschen Weinorten und Städtchen wie Schorndorf, dem Geburtsort Gottlieb Daimlers, das ebenfalls eine hübsche Altstadt besitzt.

Esslingen
►dort
Ludwigsburg
►dort

✷ Sylt · Nordfriesische Inseln

Atlasteil: S. 6 • A/B 1/2   **Bundesland:** Schleswig-Holstein

Vor der Westküste von Schleswig-Holstein gelten die Nordfriesischen Inseln, deren größte und nördlichste die lang gestreckte Insel Sylt ist, als Urlaubsparadiese. Besonders Sylt, aber auch Föhr und Amrum, sind Ziel vieler Wassersportler und Badelustiger. Für Tagesausflüge bieten sich die Halligen (►Husum, Umgebung) an.

Anreise

Nach Sylt gelangt man mit dem Autoreisezug von Niebüll über den durch das Wattenmeer führenden **Hindenburgdamm**. Nach Amrum und Föhr fährt man mit den Fähren von Dagebüll oder von Hörnum auf Sylt aus.

Sylt

Ausführlich
beschrieben im
Baedeker Allianz
Reiseführer
»Sylt«

Hauptort der Insel ist **Westerland**, ein fast schon mondän zu nennendes Nordseeheilbad. Sehenswert ist die Dorfkirche St. Niels. Neben den Kureinrichtungen gibt es das Freizeitbad »Sylter Welle« und weitere Vergnügungseinrichtungen, u. a. das Spielkasino.

Eine knapp 5 km lange Inselstraße führt von Westerland nordwärts über Wenningstedt zum Nordseebad **Kampen** mit seinen reetgedeckten Häusern; im Umkreis des Ortes findet man einige Hünengräber. Eine **besondere Attraktion** ist das Rote Kliff, das steil zum offenen

✳
Rotes Kliff ▶

Meer hin abfällt. Die Furcht, dass das Kliff eines Tages gänzlich in den Fluten verschwinden könnte, ist nicht unbegründet: Bei der schweren Sturmflut von 1976 wurde es stark unterspült, sodass Lehm und Sand nachsackten und das Kliff insgesamt deutlich an Substanz verlor.

Durch das Listland, ein **Naturschutzgebiet mit großen Dünen**, erreicht man den Ort List an der Südseite eines versandeten Hafens, der nördlich von der bogenförmigen Landzunge namens »Ellenbogen« umschlossen wird. Eine Autofähre legt hier zur dänischen Insel Rømø ab.

Von Westerland zieht sich die Inselstraße durch die schöne Dünenlandschaft der Hörnumer Halbinsel nach **Rantum**; nordöstlich hiervon liegt das **Vogelschutzgebiet »Rantumbecken«**.

Über die Häusergruppe Puan Klent gelangt man nach **Hörnum** an der Südspitze der Insel. Vom Hörnumer Hafen bestehen Schiffsverbindungen nach Amrum, Föhr und ▶ Helgoland.

Von Westerland nach Osten erstreckt sich die vorwiegend aus Marschland bestehende **Halbinsel Sylt-Ost**. Eine 3 km lange Straße führt über Tinnum – mit dem

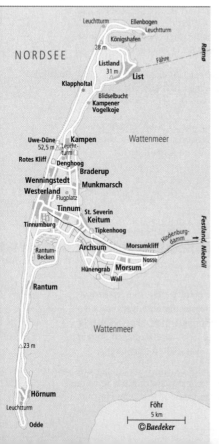

Sylt *Orientierung*

NORDSEE

Leuchtturm — Ellenbogen — Leuchtturm
Königshafen
28 m
Listland
31 m
List
Klapphotal
Blidselbucht
Kampener
Vogelkoje
Fähre
Rømø
Wattenmeer
Uwe-Düne
52,5 m — Kampen
Leuchtturm
Rotes Kliff — Denghoog
Braderup
Wenningstedt — Munkmarsch
Westerland
Flugplatz
Tinnum
St. Severin
Keitum
Tinnumburg
Tipkenhoog
Archsum — Morsumkliff
Rantum-
Becken
Nosse
Hünengrab — Morsum
Wall
Rantum
Hindenburgdamm
Festland Niebüll
Wattenmeer
23 m
Hörnum
Leuchtturm
Odde
Föhr
5 km
©Baedeker

▶ DIE NORDFRIESISCHEN INSELN ERLEBEN

AUSKUNFT

Sylt Marketing GmbH
Stephanstraße 6, 25980 Westerland
Tel. (0 46 51) 19 43 3, Fax 82 02 22
www.sylt.de

»… MAL WATT ANDERS …«

Eine sichere Möglichkeit, das Watt
kennen zu lernen, sind geführte
Wanderungen, etwa von der Nordspitze Amrums nach Dunsum auf
Föhr. Bei gutem Wetter marschiert
man am besten barfuß los – da quillt
dann der Schlick so richtig durch die
Zehen … Durchgeführt werden Watt-
wanderungen u. a. von der Schutz-
station Wattenmeer in Wittdün auf
Amrum (Tel. 0 46 82/27 18).

ESSEN

▶ Fein & Teuer
100 Jahre alter Gasthof
Alte Dorfstraße 5, 25992 List
Tel. 0 46 51 / 87 72 44
Spezialitätenrestaurant für Fisch,
Krustentiere und hochwertige Pro-
dukte der Region in der guten Stube
eines alten Sylter Walfangkapitäns.

▶ Erschwinglich
Salon 1900
Süderstraße 40, 25985 Keitum
Tel. 0 46 51 / 93 60 00
Angesagtes Restaurant, nachmittags
gibt es Kaffee und Kuchen, abends
eine abwechslungsreiche Speisekarte,
ab 22.00 Uhr kann man das Tanzbein
schwingen.

Spökenkieker
Hauptstraße 4,
25946 Wittdün (Amrum)
Tel. 0 46 82 / 8 66
Urige Bistro-Einrichtung, serviert
werden Meeresfrüchte, Steak vom
Grill und leckere Salate.

ÜBERNACHTEN

▶ Luxus
Rungholt Meeresblick
Kurhausstraße 35, 25999 Kampen
Tel. 0 46 51 / 44 80, Fax 448 40
www.hotel-rungholt.de
Landschaftlich wunderschön am
Ortsrand in Richtung See gelegen,
sehr komfortable Zimmer und Suiten,
familiäre Atmosphäre, erstklassiges
Restaurant für Hausgäste, Garten,
Sauna, Fitnessraum.

▶ Komfortabel
Hüs bi See
Frischwassertal 17b, 25992 List
Tel. 0 46 51 / 87 05 91, Fax 87 13 35
Reetgedecktes Friesenhaus in Top-
Lage direkt mit Blick aufs Watten-
meer, großzügig und liebevoll gestal-
tete Zimmer, viele mit eigener
Terrasse, Einzel-, Doppelzimmer,
Suiten und Appartements, hauseigene
Strandkörbe, Sauna.

▶ Günstig
Hotel Villa Kristina
Norderstraße 7, 25980 Westerland
Tel. 0 46 51 / 2 52 01
www.villa-kristina.de
Liebevoll modernisiertes Haus im
Stil der Bäderarchitektur, ideale Lage
knapp 400 m vom Westerländer
Strand und 200 m vom Zentrum
entfernt.

Haus Agge
Wohldsweg 1, 25938 Nieblum (Föhr)
Tel. 0 46 81 / 22 29, Fax 5 05 47
Kleines Haus mit angenehm
familiärer Atmosphäre, mitten
im alten Ortskern in ruhiger Lage,
geschmackvoll eingerichtete Zimmer, Garten mit Liegewiese.

Ringwall »Tinnumburg« – zum alten Inselhauptort Keitum. Hier gibt es noch schöne Friesenhäuser, u. a. das »Altfriesische Haus«, das **Sylter Heimatmuseum** und die romanische Severinkirche. Von Keitum sind es rund 7 km bis nach Morsum an der Ostspitze von Sylt, wo der Hindenburgdamm beginnt.

Föhr

Geest- und Marschland
Die Insel Föhr liegt südlich von Sylt, etwa 11 km vom Festland entfernt. Da sie durch Sylt, Amrum und die Halligen gegen das offene Meer abgeschirmt wird, ist sie **weitgehend vom Wattenmeer umgeben**. Für den Süden ist Geestland charakteristisch, für den Norden fruchtbares, durch Siele entwässertes Marschland.

Wyk auf Föhr
Wyk nimmt mit seinen kleinen Gassen, den restaurierten Friesenhäusern und seinen Restaurants den Besucher für sich ein. Im **Friesen-Museum** findet man neben naturkundlichen und kulturhistorischen Ausstellungsstücken Dokumente über die Auswanderung vieler Inselbewohner in die Vereinigten Staaten. Die Kieferknochen eines Wals am Eingang erinnern an die frühere Walfang-Tradition der Inselbewohner.

Kirchen
Beachtung verdienen auf Föhr auch einige Kirchen, beispielsweise der Friesendom St. Johannis in Nieblum. Auf den zugehörigen Friedhöfen berichten stelenartige Grabsteine ausführlich über das Leben des Verstorbenen.

Wer würde nicht gerne bei Westerland in einem Strandkorb dösen?

NORDFRIESISCHES STÄNDERHAUS

✳ ✳ Zum Landschaftsbild Nordfrieslands gehören reetgedeckte Friesenhäuser, von denen die ältesten noch erhaltenen Häuser aus dem 17. Jh. stammen.

Brandgefahr und der Kosten, die für ein Reetdach etwa dreimal so hoch sind, werden heute immer mehr Häuser mit Hartdächern ausgestattet. Erst seit der Walfängerzeit sind die Dachböden als Lagerraum bzw. als Fluchtort bei Sturmfluten ausgebaut, vorher war dies finanziell nicht möglich.

③ Wohnteil
Das Leben spielte sich, nicht zuletzt wegen Wind und Wetter, zumeist in den Innenräumen ab. Die Wohnräume für den Alltag bestanden aus Kööv (Alltagswohnraum), Kelerkammer (der Raum über dem einzigen Kellerraum des Hauses) und Kööken (Küche) mit Speisekammer, offener Feuerstelle und Herd.

① Ständerkonstruktion
Tragendes Element sind nicht die Mauern, sondern die Balken (mitunter ausgediente Schiffsmasten). So blieb bei Sturmfluten, wenn die Mauern bereits eingedrückt waren, das auf den Ständern ruhende Dach als erhöhter Zufluchtspunkt erhalten.

④ Schlafgelegenheit
In der Küche und im Wohnraum gab es in die Wand eingelassene Betten, so genannte Alkoven. Da mehrere Generationen unter einem Dach lebten, war der Raum knapp. In den Alkoven schliefen meist zwei Erwachsene mit bis zu vier Kindern.

② Reetdach
Traditionell wird dieses aus einer 35 cm dicken Schicht Reet gefertigt, das bis Mitte der 50er Jahre aus der Marsch der Inseln geholt wurde. Heute wird es aus Österreich, Polen und vor allem Ungarn importiert. Die Lebensdauer der Dächer liegt zwischen 50 und 70 Jahren. Wegen der

⑤ Pesel
Die »Gute Stube« wurde für besondere Anlässe benutzt. Reiche Kapitäne beispielsweise kleideten die Wände mit teuren Fliesen aus und brachten von ihren Fahrten Hausschmuck, Möbel, Delfter Keramik oder chinesisches Porzellan mit.

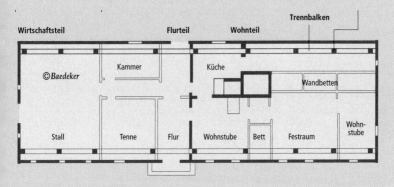

Wirtschaftsteil   Flurteil   Wohnteil   Trennbalken

©Baedeker

Kammer · Küche · Wandbetten

Stall · Tenne · Flur · Wohnstube · Bett · Festraum · Wohnstube

Charakteristisch sind die hohen, spitzen Giebel über der Eingangstür, die bei Feuer einen Ausgang ermöglichten.

Das Fundament wurde meist aus Feldsteinen aufgebaut, die Mauern aus Backstein.

①

Stall, Kammer und Dreschtenne lagen meist auf der Windseite im Westen, um die Wohnräume wärmer zu halten, und waren durch einen Flur vom Wohntrakt abgetrennt.

© Baedeker

Reetdächer sorgen für ein angenehmes Wohnklima und isolieren sehr gut gegen Kälte und Wärme.

Die Wände im Wohnbereich waren holzvertäfelt oder mit Fliesen ausgekleidet, die Holzdecken bemalt.

Zu den Einrichtungsgegenständen zählte als Erstes eine Truhe für Wäsche. Geschirr wurde in einem kleinen Wandschrank aufbewahrt.

Amrum

Amrum, die südlichste der drei Ferieninseln, ist die kleinste und stillste von ihnen, doch deswegen nicht weniger reizvoll. Hauptbadestrand ist der ca. 1 km breite, brandungsreiche **Kniepsand** im Westen der Insel. Vom Hafenort Wittdün, an der Südspitze der Insel gelegen, besteht über Föhr Schiffsverbindung nach Dagebüll. Von Wittdün aus führt eine Straße vorbei am weithin sichtbaren Leuchtturm nach Nebel, dem Hauptort der von Dünen und Kiefernwald geprägten Insel. Sehenswert ist ein Fries mit den zwölf Aposteln in der romanischen Clemenskirche. Die 1771 errichtete Holländerwindmühle dient heute als **Heimatmuseum**. Nördlich von Norddorf beginnt ein Seevogelschutzgebiet; von hier führt ein Wattenweg nach Föhr.

Taunus

Atlasteil: S. 43 • D 1 und S. 44 • A 1   **Bundesland:** Hessen

Der Taunus ist ein etwa 70 km langer Höhenrücken zwischen Rhein, Main, Lahn und Wetterau. Der vor rauen Nordwinden geschützte Südhang ist klimatisch sehr begünstigt und zählt zu den mildesten Gegenden Deutschlands, wo Obst, Mandeln und bei Kronberg sogar Edelkastanien reifen. Darüber hinaus ist der Taunus das an Mineralquellen reichste Gebiet in Deutschland.

Reiseziele im Taunus

Bad Schwalbach Schlangenbad Im nordwestlichen Teil des Taunus liegen unweit von Wiesbaden die hübschen Kurorte Bad Schwalbach und Schlangenbad, von denen die **Bäderstraße** (Bundesstraße 260) über die nordwestlichen Ausläufer des Gebirges zum ►Lahntal in den traditionsreichen Kurort Bad Ems führt.

Idstein Besonders sehenswert in Idstein sind die ehemalige Burg (12. Jh.) und das Schloss. Durch den imposanten Torbau (1497) neben dem Rathaus und dem Schiefen Haus gelangt man zum »Hexenturm« genannten Bergfried (um 1400) und weiter hinauf zu dem 1614–1634 erbauten Schloss. Außerdem zieren das kleine Städtchen hübsche Fachwerkhäuser und die beeindruckende Unionskirche.

Königstein Zu den **landschaftlich schönsten Punkten** des Taunus gehört das Städtchen Königstein, 20 km nordwestlich von Frankfurt am Main, mit der Ruine der gleichnamigen Burg aus dem 13. Jh., die 1796 von französischen Truppen gesprengt wurde. Vom Bergfried hat man eine schöne Aussicht auf die Stadt und das Umland. Von hier führt eine Straße auf den Großen Feldberg.

Der Hexenturm, das Rathaus und die ehemalige Burg des Städtchens Idstein im Taunus bilden ein reizvolles Ensemble.

Der Große Feldberg, mit 881 m ü. d. M. die **höchste Erhebung des Taunus**, ragt im südöstlichen Teil des Gebirges auf und bietet zahlreiche Wintersportmöglichkeiten. Er trägt einen 70 m hohen Fernmeldeturm, von dem man einen ausgezeichneten Blick auf den Westerwald und über die Mainebene genießen kann. Daneben liegt der Kleine Feldberg (827 m ü. d. M.), ebenfalls mit einem Aussichtsturm.

★ Großer Feldberg

Im von Bad Homburg ca. 15 km entfernten, nordwestlich der Saalburg gelegenen Neu-Anspach lohnt das Freilichtmuseum Hessenpark einen Besuch. Es zeigt regionaltypische historische Bauern- und Handwerkerhäuser, die zum Teil auch originalgetreu eingerichtet sind. Besonders interessant sind die **Vorführungen alter Handwerke** sowie Veranstaltungen zum Brauchtum. »Essen wie die Hessen« kann man im Hessenpark natürlich auch. Im Wirtshaus »Zum Adler«, das 1712 erstmals erwähnt wird und ursprünglich in Fürth im Odenwald stand, werden hessische Spezialitäten so zubereitet wie einstmals – und das bedeutet, dass man nebst dem Appetit auch Zeit mitbringen sollte.

Freilichtmuseum Hessenpark

Als Touristenziele und Luftkurorte werden neben den oben genannten Kurorten auch Kronberg, Falkenstein, Eppstein, Oberreifenberg und Schmitten sehr gerne besucht.

Badeorte

Die über 1200 Jahre alte Residenzstadt der Landgrafen von Hessen-Homburg, Bad Homburg am Fuß des Taunus, ist einer der bekanntesten deutschen Kurorte und ein wichtiges Kongresszentrum. In seinem prachtvollen **Kurpark, dem größten Deutschlands**, entspringen eisenhaltige Kochsalzquellen.

Bad Homburg

● DEN TAUNUS ERLEBEN

AUSKUNFT

Touristik-Service
Ludwig-Erhard-Anlage 1,
61352 Bad Homburg
Tel. (0 61 72) 9 99 41 40, Fax 9 99 98 07
www.taunus-info.de

ESSEN

▶ Fein & Teuer

Sängers Restaurant
Kaiser-Friedrich-Promenade 85,
61348 Bad Homburg
Tel. (0 61 72) 92 88 39
Beste Gourmetadresse der Stadt:
Genießen Sie im stilvollen Rahmen
klassische französische Küche.

▶ Erschwinglich

Limoncello da Luigi
Falkensteiner Straße 28 (im Sport-
park), 61462 Königstein im Taunus
Tel. (0 61 74) 36 09
Gehobene italienische und mediterrane Küche in einem eleganten Restaurant mit Panoramablick.

▶ Preiswert

Zur Pfeif
Himmelsgasse 2, 65510 Idstein
Tel. (0 61 26) 5 73 57
Im rustikalen Ambiente eines
schönen Fachwerkhauses kommt
Gutbürgerliches auf den Tisch.

Gasthaus Zum Wasserweibchen
Am Mühlberg 47,
61348 Bad Homburg
Tel. (0 61 72) 2 98 78
In dem lebendigen Altstadtlokal wird
seit 1876 nach alten Rezepten gekocht.
Unübertroffen: die meisterhaft zu-
bereitete »Frankfurter Grüne Soße«.

ÜBERNACHTEN

▶ Luxus

Sonnenhof
Falkensteiner Straße 9,
61462 Königstein im Taunus
Tel. (0 61 74) 2 90 80, Fax 29 08 75
www.sonnenhof-königstein.de
Nur eine halbe Stunde von Frankfurt
entfernt liegt das ehemalige Palais des
Barons Rothschild. Genießen Sie die
ruhige Lage und den stilvollen Komfort des traditionsreichen Hauses.
Restaurant mit kreativer Küche und
beeindruckender Weinkarte.

▶ Komfortabel

Romantik Hotel Eden-Parc
Goetheplatz 1, 65307 Bad Schwalbach
Tel. (0 61 24) 70 40, Fax 70 46 00
www.eden-parc.de
Ruhiges elegantes Ferienhotel, hoch-
wertig ausgestatte Zimmer und noble
Suiten, mediterranes Ambiente im
Restaurant.

Hardtwald
Philosophenweg 31,
61350 Bad Homburg
Tel. (0 61 72) 98 80, Fax 8 25 12
www.hardtwald-hotel.de
Ruhige Lage und gemütliche Zimmer
zeichnen das alte Fachwerkhaus aus,
das sorgfältig unter Berücksichtigung
baubiologischer Aspekte umgebaut
wurde. Schöne Gartenterrasse.

▶ Günstig

Goldenes Lamm
Himmelsgasse 7, 65510 Idstein
Tel. (0 61 26) 9 31 20, Fax 13 66
www.goldenes-lamm-idstein.de
In der Nähe zu den historischen
Sehenswürdigkeiten der Altstadt,
empfängt das freundliche Hotel seine
Gäste mit modern ausgestatteten
Zimmern.

> **!** *Baedeker* TIPP

Einmal Legionär sein

Wer schon immer mal ausprobieren wollte, wie ein römischer Legionär mit seinen Waffen hantieren musste: Im archäologischen Park des Saalburgmuseums kann man unter fachmännischer Anleitung Lanzenwerfen und Bogenschießen üben (nach Voranmeldung gegen Gebühr; Auskunft Tel. 0 61 75/93 74 20).

Auf den Grundmauern eines Römerkastells, 7 km nordwestlich von Bad Homburg, wurde die einzigartige Anlage der Saalburg in den Jahren 1898–1907 rekonstruiert. Sie ist ein anschauliches Beispiel eines römischen Kastells am Limes, der ehemaligen Grenze des Römischen Reichs. Die Ausgrabungsfunde, die einen interessanten Einblick in das tägliche Leben der römischen Legionäre gewähren, sind im Saalburgmuseum zu besichtigen.

✳
Saalburg

✳ Teutoburger Wald

Atlasteil:
S. 24/25 • C/D 2–4

Bundesländer:
Nordrhein-Westfalen und Niedersachsen

Viele Hundert Kilometer Wanderwege durchziehen die Bergketten des Teutoburger Waldes und des nordwestlich anschließenden Wiehengebirges. Die landschaftlich schönsten Punkte sind die Dörenther Klippen, der 331 m hohe Dörenberg bei Bad Iburg, die Ravensburg bei Borgholzhausen und die Externsteine.

Der Teutoburger Wald verläuft über etwa 110 km Länge von Osnabrück über Bielefeld bis in den Südosten von Paderborn. Er beginnt bei der Mündung des Mittellandkanals in den Dortmund-Ems-Kanal und endet – von Nordwesten nach Südosten ansteigend – in seiner höchsten Erhebung, dem 468 m hohen Preußischen Velmerstot. An den Teutoburger Wald schließt sich das etwa 35 km lange Eggegebirge an, das im Süden vom Diemeltal begrenzt wird. Im westlich vorgelagerten Heide-Sand-Gebiet der Senne liegt Bad Lippspringe; östlich des Gebirges befinden sich Bad Driburg und Willebadessen.

Lage

Durchstreifen Sie den Teutoburger Wald von Ibbenbüren bei Osnabrück bis Paderborn im Südosten, immer entlang der attraktivsten Reiseziele! Eigene Kapitel sind den Städten ►Osnabrück, ►Bielefeld und ►Paderborn gewidmet.

Fahrt durch den Teutoburger Wald

Reiseziele im Teutoburger Wald

Dörenther Klippen
Im äußersten Nordwesten des Teutoburger Waldes sind die **sagenumwobenen Felsen** der Dörenther Klippen zwischen Ibbenbüren und Tecklenburg ein viel besuchtes Ausflugs-, Kletter- und Wanderziel. Von den Felsformationen hat man einen weiten Blick ins Münsterland.

Tecklenburg
Über dem Bergstädtchen Tecklenburg erhebt sich eine **Burgruine**, der Rest eines Schlosses aus dem 12. Jh., von der aus man eine herrliche Aussicht genießt.

 DEN TEUTOBURGER WALD ERLEBEN

AUSKUNFT

Teutoburger Wald Tourismus
Jahnplatz 5, 33602 Bielefeld
Tel. (05 21) 3 29 77 00, Fax 32 97 70 10
www.teutoburgerwald.de

ESSEN

► **Erschwinglich**
Speisekeller im Rosental
Am Schlossplatz 7, 32756 Detmold
Tel. (0 52 31) 2 22 67
Wunderschönes Kellerrestaurant mit herrlicher Terrasse auf dem Schlossplatz, die ausgezeichnete Küche wartet mit mediterranen Gerichten auf.

► **Preiswert**
Krug zum grünen Kranze
Bielefelder Straße 42, 3276 Detmold
Tel. (0 52 31) 2 63 43
Gemütliches, rustikales Ambiente herrscht in dem traditionsreichen Gasthaus, wo Sie mit schmackhafter westfälischer Küche bewirtet werden.

Altes Backhaus
Echternstraße 92, 32657 Lemgo
Tel. (0 52 61) 1 43 00
Geschichtsträchtiges Lokal in einem schmucken Spätrenaissance-Bau aus dem Jahre 1591, genießen Sie bodenständige Küche und das schöne historische Ambiente.

ÜBERNACHTEN

► **Komfortabel**
Detmolder Hof
Lange Straße 19, 3276 Detmold
Tel. (0 52 31) 9 91 20, Fax 99 12 99
www.detmolder-hof.de
Architektonisches Kleinod der Weserrenaissance aus dem Jahr 1560. Zeitgemäß eingerichtete, sehr wohnliche Zimmer. Gediegen speisen können Sie im Restaurant Le Fonti, oder ganz leger im gemütlichen Bistro.

Zum Stern
Brunnenstraße 84
32805 Horn-Bad Meinberg
Tel. (0 52 34) 90 50, Fax 90 53 00
www.zum-stern.de
Ruhiges Hotel in einem schönen alten Fachwerkbau, funktionell eingerichtete Zimmer, vornehmes Restaurant.

► **Günstig**
Am Rosenberg
Hinter dem Rosenberg 22
33014 Bad Driburg
Tel. (0 52 53) 9 79 70, Fax 97 97 97
www.hotel-am-rosenberg.de
Kleines ruhiges Haus am Waldrand in den Kuranlagen, nette Zimmer, teils mit Balkon und schöner Aussicht, gemütliches Restaurant mit einladender Gartenterrasse.

Bischof Benno II. von Osnabrück ließ im heutigen Kneippheilbad Bad Iburg eine Doppelanlage von Benediktinerkloster und bischöflichem Schloss errichten, zu der man durch die engen Gassen der Stadt gelangt; Hauptanziehungspunkt darin ist heute der **Rittersaal**.

Bad Iburg

In der »Honigkuchenstadt« Borgholzhausen, 23 km südöstlich von Bad Iburg, ist das frühbarocke Haus Brincke, Sitz der Grafen Kerssenbrock, sehenswert. Im Süden der Stadt liegt das Spätrenaissanceschloss Holtfeld.

Borgholzhausen

▶Bielefeld, Umgebung

Herford

▶Bielefeld, Umgebung

Bad Salzuflen

Das archäologische Freilichtmuseum im 15 km südöstlich von Bielefeld gelegenen Oerlinghausen zeigt in Originalgröße Rekonstruktionen von **Behausungen vor- und frühgeschichtlicher Menschen**, anhand derer man den Wandel der Wohnformen von ca. 10 000 v. Chr. bis 1000 n. Chr. nachvollziehen kann.

Oerlinghausen

Die älteste Stadt des Lipper Landes, Lemgo, zeigt ein reizvolles, in weiten Teilen von der **Renaissance** geprägtes Bild. Der Ort wurde 1190 von Bernhard II. von Lippe gegründet. Die wohlhabende Handelsstadt war bereits im 13. Jh. Mitglied der Hanse; ihre größte kulturelle und wirtschaftliche Blüte erreichte sie im 15. und 16. Jh., wovon viele Bürgerhäuser noch heute künden.

✱ **Lemgo**

? WUSSTEN SIE SCHON ...?

■ woher das Hexenbürgermeisterhaus seinen Namen hat? Im 17. Jh. erwarb sich der Jurist und Bürgermeister Hermann Cothmann den Ruf eines unerbittlichen »Hexenjägers«.

An dem von schönen Giebelhäusern gesäumten Markt fällt das Rathaus (14.–17. Jh.) auf mit seinem gotischen Staffelgiebel, der Ratslaube und dem prachtvollen »Apothekenerker«, an dessen Fassade zehn Naturforscher, Ärzte und Philosophen dargestellt sind. Gegenüber steht das Ballhaus von 1609. Unweit östlich erheben sich die zwei Türme der St.-Nikolai-Kirche (13. Jh.) mit ihrem romanischen Retabel, einem frühbarocken Hochaltar, Renaissancegrabmälern und einem schönen Taufstein (1597). Reizvoll ist auch das Ensemble alter Fachwerkbauten am St.-Nikolai-Kirchhof. Die Mittelstraße (Fußgängerzone) wird von alten Stein- und Fachwerkhäusern gesäumt. Westlich und östlich der Straße stehen zwei alte Stadttürme: der Johannisturm und der Pulverturm. In der Echternstraße wird im Frenkel-Haus eine Ausstellung zur Geschichte der Lemgoer Juden gezeigt.

◀ St. Nikolai

Im Hexenbürgermeisterhaus an der Breiten Straße, einem schönen Renaissancebau von 1571, sind das Heimatmuseum und das **Engelbert-Kämpfer-Zimmer** mit Erinnerungsstücken an den 1561 in Lemgo geborenen Japanforscher untergebracht. Außerhalb der Altstadt

✱

◀ Hexenbürgermeisterhaus

lohnt der Besuch des von einem Graben umzogenen Schlosses Brake (13. Jh.), in dem das **Weserrenaissance-Museum** untergebracht ist; Turm und Nordflügel sind Zubauten der Renaissance.

Sternberg

Etwa 13 km nordöstlich von Lemgo war Burg Sternberg einst Sitz des gleichnamigen Grafengeschlechts. Heute beherbergt sie eine Sammlung alter Musikinstrumente und wird als **Veranstaltungsort** für Konzerte, Theateraufführungen und Ausstellungen genutzt.

> ! **Baedeker** TIPP
>
> **Klingendes Museum**
>
> Auf der »Musikburg« Sternberg kann man alte, seltene Musikinstrumente nicht nur anschauen, sondern auch hören. Bei der Führung werden die mit einer Saite bespannte »Nonnentrompete«, der »Rumpelpott«, die Radleier und Schleuderhörner für die Besucher zum Klingen gebracht (Information: Tel. 0 52 62/5 61 80 und 33 11).

Detmold, alte Residenz- und Garnisonstadt des ehemaligen Fürstentums Lippe-Detmold bettet sich am Nordabhang des Teutoburger Waldes in eine Talmulde der Werre. Das Gesicht der malerischen Altstadt prägen Fachwerkhäuser des 16. und 17. Jh.s.

Mittelpunkt der Altstadt ist der Markt mit dem klassizistischen Rathaus (1830), der Erlöserkirche (16. Jh.) und dem Donopbrunnen (1901). Zwischen Rathaus und Kirche führt ein Durchgang auf den Schlossplatz. Das ehemalige fürstliche Schloss, eine Vierflügelanlage im Stil der Weserrenaissance, wurde 1548–1557 als Wasserschloss erbaut; der ältere Rundturm stammt von 1470. An der Ameide am Detmolder Burggraben befindet sich das **Lippische Landesmuseum**. In der Gartenstraße, am Südrand der Stadt, wurde in dem 1708–1717 erbauten ehemaligen Neuen Palais die Hochschule für Musik untergebracht; dahinter erstreckt sich der hübsche Palaisgarten.

✷ Schloss ▶

✷ Westfälisches Freilichtmuseum ▶

Einen Besuch lohnt das im Süden Detmolds liegende Westfälische Freilichtmuseum. In dem **größten Freilichtmuseum Deutschlands** auf dem 80 ha großen Gelände am Königsberg stehen rund 95 vollständig eingerichtete alte Bauernhäuser verschiedener westfälischer Landschaften aus den vergangenen vier Jahrhunderten, eine Wassermühle und zwei Windmühlen. Alte Handwerkstechniken wie das Spinnen, Weben, Backen und Schmieden werden in den historischen Werkstätten vorgeführt.

Vogelpark ▶

Mehr als 2000 seltene exotische und heimische Vögel sind im Vogel- und Blumenpark im Ortsteil Heiligenkirchen, 4 km südlich von Detmold, zu Hause.

Adlerwarte Berlebeck ▶

Die größte und älteste Greifvogelwarte Europas, die Adlerwarte im Detmolder Ortsteil Berlebeck, 5 km südlich von Detmold, zeigt täglich Freiflugvorführungen mit Adlern, Geiern und Falken.

✷ Hermannsdenkmal

8 km südwestlich von Detmold steht das gewaltige, 53 m hohe Hermannsdenkmal auf der Grotenburg (386 m ü. d. M.). 1838–1875 wurde es von Ernst von Bandel zur Erinnerung an die **Schlacht im**

Früher heidnisches Heiligtum, sind die Externsteine bei Horn-Bad Meinberg heute auch ein christlicher Wallfahrtsort.

Teutoburger Wald im Jahre 9 n. Chr. errichtet, als der Cheruskerfürst Hermann (Arminius) das römische Heer vernichtend geschlagen hatte. Vom Denkmal aus hat man einen weiten Blick über Detmold und den Teutoburger Wald. Bei Kalkriese, 12 km nördlich von ►Osnabrück, ist ein Informationszentrum am vermuteten Ort der Schlacht eröffnet worden.

Rund 10 km südöstlich von Detmold liegt Horn-Bad Meinberg. Den Stadtteil Horn schmücken hübsche Fachwerkbauten; im **Burgmuseum** gewinnt man Einblicke in die Geschichte der Burg, der Stadt Horn sowie der Externsteine. Der Stadtteil Bad Meinberg weist trockene Kohlensäuregasquellen und Schwefelmoorbäder sowie vier Kurparks auf. Die Freilichtbühne Bellenberg, unweit des Bergdorfs Bellenburg, zeigt Volksstücke und Märchen. **Horn-Bad Meinberg**

Die beeindruckenden, wild zerklüfteten und bis zu 37 m hohen Sandsteinfelsen der Externsteine, 2 km westlich von Horn-Bad Meinberg, dienten ursprünglich als heidnisches Heiligtum, bevor sie zu einer christlichen **Wallfahrtsstätte** wurden. Ein monumentales Steinrelief der Kreuzabnahme Christi (um 1120), das dort in den Felsen gemeißelt ist, ist das größte seiner Art in Norddeutschland. **★ Externsteine**

Der viel besuchte Kurort Bad Driburg liegt 25 km östlich von Paderborn; von der Ruine Iburg im Westen Driburgs genießt man einen schönen Blick. **Bad Driburg**

✱ Thüringer Wald

Atlasteil: S. 37 • D 3/4   **Bundesland:** Thüringen
und S. 38 • A 3/4

Im geografischen Herzen Deutschlands erhebt sich der Thüringer Wald, ein Mittelgebirge mit vielen Tälern und Stauseen, deren bekanntester die Ohratalsperre ist. Eine lange Tradition hat im Thüringer Wald der Bergbau, der zur charakteristischen Verteilung vieler kleiner Industriestandorte über den gesamten Thüringer Wald beigetragen hat.

Eigene Kapitel sind folgenden größeren Städten im Thüringer Wald gewidmet: ► Eisenach, Waltershausen (► Gotha), ► Rudolstadt, ► Saalfeld und Sonneberg (►Coburg).

✱✱
Rennsteig

Zahlreiche gut markierte Wanderwege erschließen das waldreiche Gebirge. Am bekanntesten ist der rund 160 km lange Rennsteig, der über die Gebirgskämme von Thüringer Wald und Thüringischem Schiefergebirge führt. Der Wanderpfad beginnt bei Hörschel und zieht sich über die höchsten Erhebungen des Thüringer Waldes (Großer Inselsberg, 916 m ü. d. M.; Großer Beerberg, 982 m ü. d. M.)

Der Altmarkt von Schmalkalden

und des Thüringischen Schiefergebirges (Kieferle, 868 m ü. d. M.) bis Blankenstein westlich der oberen Saale. Der Name »Rennsteig« bedeutet so viel wie **»Grenzweg«**; er markiert die Grenze zwischen Thüringen und Franken.

Schmalkalden und Umgebung

Im landschaftlich reizvollen Westen des Thüringer Waldes liegt das alte Städtchen **Schmalkalden.** Im ausgehenden Mittelalter sorgte das Eisen verarbeitende Gewerbe für wirtschaftlichen Wohlstand. 1531 wurde hier der **Schmalkaldische Bund** als Schutzbündnis der protestantischen Reichsstände gegen den Habsburgerkaiser Karl V. ins Leben gerufen. Sechs Jahre später hat man die von Martin Luther verfassten Schmalkaldischen Artikel angenommen. Nach der Niederlage des Bundes im Schmalkaldischen Krieg von 1546/1547 bei Mühlberg besann man sich in der Stadt wieder auf die Tradition der Metallverarbeitung. Noch heute werden in Schmalkalden Werkzeuge, Messer und Bestecke hergestellt.

Hauptsehenswürdigkeit der Stadt ist das weithin sichtbare, in den Jahren 1585 bis 1589 im Stil der **Renaissance** erbaute Schloss Wilhelmsburg. Besonders beachtenswert sind die Schlosskapelle mit einer Orgel aus dem 16. Jh., der Bankettsaal mit seiner schönen Kassettendecke, der reich stuckierte Weiße Saal sowie das im Schloss eingerichtete regionalhistorische Museum.

◄ Schloss Wilhelmsburg

Die gesamte Altstadt von Schmalkalden steht unter **Denkmalschutz**. Blickfang am Altmarkt ist das im Kern spätgotische Rathaus. Über dem Ratskeller liegt der frühere Sitzungssaal des Schmalkaldischen Bundes. Ebenfalls am Altmarkt steht die 1437–1509 erbaute Stadtkirche St. Georg, die als eine der schönsten Hallenkirchen Thüringens gilt. Über der Sakristei befindet sich die sog. Lutherstube, in der wertvolle Sakralkunst ausgestellt ist. Die ebenfalls am Altmarkt gelegene Todenwarthsche Kemenate ist zu Beginn des 16. Jh.s errichtet worden. Am Neumarkt steht mit dem Hessenhof ein eindrucksvoller Fachwerkbau. In der »Trinkstube« im Keller ist eine der ältesten noch erhaltenen Profanmalereien des deutschen Mittelalters zu sehen. Im Stadtteil Weidebrunn kann man die Neue Hütte besichtigen, ein als technisches Denkmal restauriertes **Eisenhüttenwerk** mit einer Hochofenanlage von 1835.

✳

◄ Altstadt

Im 2 km östlich von Schmalkalden gelegenen Ort Asbach, wo man bereits im Mittelalter Eisenerz abgebaut hat, wurde das **Schaubergwerk »Finstertal«** eingerichtet.

Asbach

12 km nördlich von Schmalkalden erreicht man die aus mehreren Bergarbeiterdörfern zusammengewachsene Ortschaft Trusetal. Die Attraktion Trusetals ist ein 58 m hoher **künstlicher Wasserfall**, der 1865 am Ortsausgang Richtung Brotterode angelegt wurde.

Trusetal

Suhl und Umgebung

Die alte thüringische Stadt Suhl war einst die »Waffenschmiede Europas«. Zu der Waffenproduktion, die heute noch existiert, kam nach dem Ersten Weltkrieg der Kraftfahrzeugbau. Zu DDR-Zeiten fertigte man hier Motorräder und Motorroller.

Suhl

Suhl wurde in den Jahren 1590, 1634 und 1735 von Bränden heimgesucht und zu DDR-Zeiten **»sozialistisch« umgestaltet**, sodass das Bild der Kernstadt sich sehr gemischt darstellt. Mitten auf dem Marktplatz, der vom Rathaus und der barocken Marienkirche beherrscht wird, steht ein Brunnen mit dem Wahrzeichen der Stadt, dem 1903 enthüllten Suhler Waffenschmied. Der Steinweg, die Hauptgeschäftsstraße der Stadt, wird von schönen Bürgerhäusern wie dem Rokokohaus von 1755/1756 (Nr. 26) flankiert. Den Abschluss des Steinwegs bilden die 1739 geweihte Kreuzkirche und die 1642 errichtete ehemalige Kreuzkapelle. Im Malzhaus, 1663 am Herrenteich erbaut, ist heute das Suhler Waffenmuseum untergebracht. Das Fahrzeugmuseum in der Meininger Straße 222 befasst sich mit

◄ Altstadt

Märchenhafte Wintersportbedingungen auf Thüringens Loipen

der Geschichte des Suhler Fahrzeugbaus. Glanzstücke der Ausstellung sind ein BMW-Rennwagen, eine »Simson Supra« und natürlich der legendäre Motorroller »Schwalbe«.

Im **Stadtteil Heinrichs** mit seinem denkmalgeschützten Marktplatz kann man noch einige Fachwerkbauten bewundern, so etwa das im Jahr 1657 errichtete alte Rathaus, das zu den schönsten Fachwerkgebäuden Thüringens zu zählen ist. Am nördlichen Stadtrand von Suhl ist die Schillingsschmiede ein viel besuchtes technisches Denkmal.

Zella-Mehlis 7 km nördlich von Suhl erreicht man die Stadt Zella-Mehlis, die erst 1919 aus dem Zusammenschluss zweier Siedlungen hervorging. Die im 11. Jh. gegründete Ortschaft Mehlis wurde 1892 zur Stadt erhoben. Siedlungskern von Zella ist ein kleines, im Jahr 1112 gegründetes Kloster. Die in den Jahren 1768–1774 errichtete **Stadtkirche Zella St. Blasii** gehört zu den wichtigsten Baudenkmälern der Barockzeit in Thüringen. Beachtung verdient auch das Heimatmuseum. Ein imposanter hennebergischer Fachwerkbau ist das Bürgerhaus, dessen älteste Bauteile aus dem 9. Jh. stammen. Eine besondere Attraktion ist das Meeresaquarium in der Talstraße 50 mit mehreren Hundert Meerestieren – darunter auch Haie.

Gesenkschmiede Lubenbach ▶ Nördlich der Stadt lädt die alte, mit Wasserkraft betriebene Gesenkschmiede Lubenbach, in der die Herstellung von Werkzeugen gezeigt wird, zu einem Besuch ein.

★ **Oberhof** Nach dem Zweiten Weltkrieg wurde Oberhof zum **Wintersportzentrum der DDR** ausgebaut. Die erste Großschanze auf dem Wadeberg war schon 1925 errichtet worden.

Im rund 12 ha großen Rennsteiggarten auf dem Pfanntalskopf bei Oberhof werden mehrere Hundert Pflanzenarten aus verschiedenen Hochgebirgen der Erde kultiviert.

★
◄ Rennsteiggarten

Außerordentlich beliebte Ausflugsziele in der Umgebung von Oberhof sind die Lütschetalsperre und die Ohratalsperre. Auf den beiden Stauseen, um die schöne Wanderwege führen, kann man rudern und paddeln.

◄ Lütschetalsperre
Ohratalsperre

Südöstlich von Suhl erstreckt sich das von der UNESCO anerkannte Biosphärenreservat Vessertal, in dem viele seltene Pflanzen- und Tierarten beheimatet sind. Im **Naturschutzzentrum Breitenbach** kann man sich über das Schutzgebiet informieren. Der südlich der Ortschaft Vesser gelegene Kernbereich des Reservats steht unter strengstem Naturschutz: Hier darf man nicht einmal wandern!

**Biosphären-
reservat
Vessertal**

Rund 15 km südlich von Suhl liegt Schleusingen mit seiner hübschen Altstadt, die von dem Renaissanceschloss Bertholdsburg, in dem eine sehenswerte naturhistorische Ausstellung untergebracht ist, beherrscht wird.

Schleusingen

Besonders charmant in Hildburghausen ist der Marktplatz mit dem Renaissancerathaus und einigen schönen barocken Bürgerhäusern. Weitere beachtenswerte Barockbauten sind die Stadtkirche sowie das ehemalige Regierungsgebäude. Alljährlich im Oktober feiert man in Hildburghausen das Theresienfest.

Hildburghausen

? WUSSTEN SIE SCHON ...?

■ dass beim Theresienfest in Hildburghausen an die Vermählung der Prinzessin Therese von Sachsen-Hildburghausen mit dem späteren bayerischen König Ludwig I. erinnert wird? Beim Münchner Oktoberfest übrigens auch.

10 km südwestlich von Schleusingen kann man die noch vorhandenen Bauten des 1131 gegründeten **Prämonstratenserklosters** Veßra besichtigen. Beachtenswert ist das rekonstruierte Klostertor mit Torkirche; die Klosterkirche fiel 1939 einem Brand zum Opfer. Auf dem Gelände des Klosters befindet sich das Hennebergische Freilichtmuseum mit einigen alten Fachwerkbauernhäusern und Werkstätten.

◄ Freilichtmuseum

Ilmenau und Umgebung

Die Hochschul- und Industriestadt Ilmenau liegt am Nordostrand des Thüringer Waldes. Die Entwicklung des 1273 urkundlich erstmals erwähnten Ortes wurde bis ins 18. Jh. vom Silber- und Kupferbergbau bestimmt. Als für den Bergbau zuständiger Minister des Weimarer Hofes weilte Johann Wolfgang von Goethe wiederholt in Ilmenau. Im 18. und 19. Jh. entwickelten sich die Glasindustrie und die Porzellanmanufaktur zu wichtigen Wirtschaftszweigen. Nach 1830 machte sich Ilmenau auch als **Kurort** einen Namen. Im Amtshaus am Markt (1756) wird an das vielfältige Wirken Goethes in Il-

Ilmenau

menau erinnert. Ferner wird hier die Regionalgeschichte des Bergbaus und der Porzellanmanufaktur aufgezeigt. Beachtenswerte Baudenkmäler sind das Rathaus mit seinem schönen Renaissanceportal, die 1603 erbaute Stadtkirche sowie das Zechenhaus an der Sturmheide, das älteste Gebäude der Stadt.

Ein ca. 18 km langer Wanderweg führt von Ilmenau über Gabelbach nach Stützerbach und berührt dabei alle wesentlichen Goethe-Erinnerungsstätten. Im Jagdhaus Gabelbach, wo sich der Dichter besonders gern aufhielt, befasst sich eine kleine Ausstellung mit Goethes naturwissenschaftlichen Studien.

 ## THÜRINGER WALD ERLEBEN

AUSKUNFT

Fremdenverkehrsverband
Thüringer Wald
August-Bebel-Straße 16, 98527 Suhl
Tel. (0 36 81) 3 94 50, Fax 72 21 79
www.thueringer-wald.com

ESSEN

▶ **Erschwinglich**
Goldener Hirsch
An der Hasel 91, 98527 Suhl
Tel. (0 36 81) 7 95 90
Seit fast 400 Jahren werden in dem rustikalen Fachwerkhaus Gäste bewirtet, das für einen besonders gelungenen Gänsebraten und andere regionale Spezialitäten bekannt ist.

▶ **Preiswert**
Ratskeller
Altmarkt 2, 98574 Schmalkalden
Tel. (0 36 83) 40 27 42
Viel historisches Flair versprüht das aufwändig restaurierte Haus. Probieren Sie die Rouladen mit Apfelrotkohl und Thüringer Klößen!

Lutherhaus
Lutherhausweg 19,
96515 Sonneberg
Tel. (0 36 75) 70 39 58
Uriges Ausflugslokal mit deftiger Thüringer Küche im geschichtsträchtigen Blockhaus am Schönberg.

ÜBERNACHTEN

▶ **Komfortabel**
Romantik Berg- und Jagdhotel
Gabelbach
Waldstraße 23 a, 98693 Ilmenau
Tel. (0 36 77) 86 00, Fax 86 02 22
www.romatikhotel-gabelbach.de
Attraktives Kurhotel in reizvoller Lage, hübsche Zimmer und Suiten im Landhausstil, Restaurant mit offenem Kamin, moderner Freizeitbereich mit Schwimmbad und Sauna.

Ringhotel Ringberg
Ringberg 10, 98527 Suhl
Tel. (0 36 81) 38 90, Fax 38 98 90
www.ringberghotel.de
Auf dem Gipfel des Ringbergs liegt dieses ruhige Hotel direkt am Rennsteig, geräumige Zimmer mit herrlicher Aussicht auf Suhl und den Thüringer Wald. Restaurant mit heimischer und internationaler Küche, Schwimmbad, Sauna, Fitnessstudio.

▶ **Günstig**
Stadthotel Patrizier
Weidebrunner Gasse 9,
98574 Schmalkalden
Tel. (0 36 83) 60 45 14, Fax 60 45 18
Persönlich geführtes Haus mit schöner Fachwerkfassade, solide eingerichtete, sehr wohnliche Zimmer, kleines Restaurant.

Rund 20 km östlich von Ilmenau lohnt die Ruine der Klosterkirche in Paulinzella einen Besuch. Die romanische Säulenbasilika wurde im Jahre 1124 geweiht. Sie bezeugt den Einfluss der sog. **Hirsauer Schule**, die gegen Ende des 11. Jh.s vom nördlichen ► Schwarzwald ihren Ausgang nahm.

✱ Kloster Paulinzella

Das als Tor zum Thüringer Wald bekannte Arnstadt war einst **Warenumschlagplatz** an der Kreuzung zweier Handelswege. Am Markt stehen zwei schöne, im späten 16. Jh. errichtete Renaissancebaudenkmäler: das nach niederländischem Vorbild gestaltete Rathaus und die sog. Tuchgaden (Galeriegebäude). Bekanntester Sakralbau der Stadt ist die 1676–1683 erbaute Bachkirche, ehemals Neue Kirche genannt. Johann Sebastian Bach war hier von 1703 bis 1707 Organist. An sein Wirken wird in dem beim Rathaus gelegenen »Haus zum Palmbaum« erinnert. Die im Übergangsstil von der Romanik zur Gotik errichtete Liebfrauenkirche gilt als eines der wichtigsten Baudenkmäler des 13. Jh.s in Thüringen. Vor dem Gotteshaus steht die ehem. Papiermühle (16./17. Jh.), ein schöner Fachwerkbau. Der Neideckturm, heute **Wahrzeichen** von Arnstadt, gehörte ursprünglich zu einer Renaissance-Schlossanlage. Das Neue Palais, ein zwischen 1728 und 1732 errichteter Barockbau, beherbergt die berühmte Puppensammlung »Mon Plaisir«, die Einblicke in das höfische Leben des beginnenden 18. Jh.s und in die Wohn- und Arbeitswelt der einfachen Bevölkerung gewährt. Kostbarster Besitz des Neuen Palais sind aber elf Brüsseler Renaissancegobelins, eine Sammlung ostasiatischer und Meissener Porzellane aus der ersten Hälfte des 18. Jh.s sowie Dorotheenthaler Fayencen. Technikfans lockt es hingegen in das **Historische Bahnbetriebswerk** am Rehestädter Weg, wo zahlreiche alte Dampfloks besichtigt werden können.

Arnstadt

Nordwestlich von Arnstadt, beiderseits der Autobahn, sieht man das Ensemble der so genannten Drei Gleichen. Es umfasst die Ruine der im Jahre 704 erstmals erwähnten Mühlburg, die Ruine der sagenumwobenen mittelalterlichen Burg Gleichen sowie die Wachsenburg (heute Burghotel).

✱ Drei Gleichen

Von Sonneberg ins Schwarzatal

Die südlichste Stadt im Thüringer Wald ist Sonneberg, in der seit rund 400 Jahren Spielzeug produziert wird. Im reichhaltigen **Deutschen Spielzeugmuseum** (Beethovenstraße 10) kann man nicht nur Puppen aus aller Welt bestaunen, sondern auch Blechspielzeug, Modelleisenbahnen und die berühmte »Thüringer Kirmes«, die schon auf der Brüsseler Weltausstellung 1910 für großes Aufsehen sorgte.

Sonneberg

Von Sonneberg fährt man an der Steinach entlang in den Thüringer Wald hinein. Erste Station ist der alte Schieferbergbauort Steinach, wo man das kleine **Schiefermuseum** besichtigen kann.

Steinachtal

Lauscha

Nach ca. 15 km ist das **Glasbläserstädtchen** Lauscha erreicht. Kunstvoll geblasene Gläser und andere Exponate zeigt das Museum für Glaskunst.

Neuhaus am Rennweg

Direkt am Rennsteig liegt das schiefergraue Städtchen, das eine der schönsten Holzkirchen Thüringens besitzt. Im benachbarten Schmiedefeld ist das **Schaubergwerk Morassina** zu besichtigen. Sehenswert ist auch die dortige **Tropfsteinhöhle**.

✱

Schwarzatal

Nördlich von Neuhaus zweigt man von der B 281 ab ins Schwarzatal nach Katzhütte. Der Flusslauf der Schwarza ist mit einer Länge von 53 km und einem Gefälle von mehr als 500 m ausgesprochen kurz. Zunächst durchfließt die Schwarza ein liebliches Tal auf der Hochfläche des Schiefergebirges und windet sich dann durch ein Sohlental. Typisch für den Abschnitt zwischen Schwarzburg und Bad Blankenburg mit den bis zu 45° steilen Talhängen ist ein **kühlfeuchter Schluchtwald**, in dem man viele botanische Besonderheiten entdecken kann. Von der Rennsteigwarte auf dem 841 m hohen Eselsberg bei Masserberg, wenige Kilometer südwestlich von Katzhütte, hat man einen herrlichen Blick über den gesamten Lauf der Schwarza.

✱

Rennsteigwarte ►

✱

Oberweißbacher Bergbahn

11 km flussabwärts liegt die Talstation der Oberweißbacher Bergbahn. Als eine der steilsten Standseilbahnen der Welt bewältigt sie auf ihrer Fahrt hinauf zur 663 m hohen Bergstation Lichtenhain einen Höhenunterschied von 323 m. Von der Bergstation fährt ein Triebwagen auf der Hochfläche weiter bis Cursdorf.

✱

Schwarzburg

Der beliebte Luftkurort Schwarzburg, oft als **»Perle Thüringens«** bezeichnet, liegt weitere 7 km flussabwärts und wird beherrscht von einem hoch über der Schwarza errichteten Schloss. Das idyllische Städtchen ist Ausgangspunkt für erholsame Spaziergänge und Wanderungen. Historische Bedeutung erlangte der Ort, als 1919 Reichspräsident Friedrich Ebert im Hotel Schwarzaburg die Weimarer Verfassung unterzeichnete.

! *Baedeker* TIPP

Nuggets & digger

Etwa 4000 kg Gold wurden im Mittelalter aus der Schwarza gewonnen und meist zu Schmuck verarbeitet. Die schönsten Stücke sind im Thüringer Landesmuseum auf der Heidecksburg bei Rudolstadt zu bewundern. Oder man begibt sich selbst auf Goldsuche, zusammen mit dem Weimarer Goldschmied Christian Kreibich. Sein Goldwäscher-Lehrgang verspricht ein bisschen Abenteuer in fast unberührter Natur und das Recht, sich »digger« zu nennen (Information: Tel. 0 36 43/41 96 17).

Schloss Hartenfels in Torgau besitzt einen prachtvollen Erker.

Torgau

Atlasteil: S. 30 • A 4
Höhe: 83 m ü. d. M.

Bundesland: Sachsen
Einwohnerzahl: 21 000

Torgau ist ein geschichtsträchtiger Ort: Wie man die ▶Lutherstadt Wittenberg Wiege der Reformation nennt, so gilt Torgau als ihre »Amme«, denn hier ist der Verbreitung der Reformation entscheidend der Weg geebnet worden. Außerdem trafen sich hier – zumindest nach offizieller Lesart – kurz vor Ende des Zweiten Weltkriegs erstmals auf deutschem Boden US- und Sowjettruppen.

Auf einem steilen Fels über der Elbe entstand an der Stelle des heutigen Torgau zur Sicherung des Elbübergangs eine Befestigung und bald eine Siedlung, die Mitte des 13. Jh.s das Stadtrecht erhielt. Die Wettiner erhoben sie 1456 zu ihrer Residenz, und als die wettinischen Lande 1485 geteilt wurden, forcierten die Ernestiner den Ausbau der Burg. Unter Kurfürst Friedrich dem Weisen wurde Torgau zu einem **Brennpunkt der Reformation**: 1526 schlossen hier die protestantischen Reichsfürsten den Torgauer Bund, und 1530 erarbeiteten Martin Luther, Philipp Melanchthon, Justus Jonas und Bugenhagen die Torgauer Artikel als Grundlage des Augsburger Religionsfriedens. Nach der Besetzung Torgaus durch Napoleons Truppen entwickelte sich Torgau zur Garnisons- und Beamtenstadt.

Geschichte

Sehenswertes in Torgau

Altstadt
Zentrum der Torgauer Altstadt ist der **historische Marktplatz** mit dem lang gestreckten Rathaus (1563–1579), in dessen Hof die im 13. Jh. begonnene Nikolaikirche steht. Am Markt und in seinen Nebengassen haben sich etwa 100 historische Bürgerhäuser aus dem 16. und 17. Jh. mit schönen Renaissancegiebeln und Sitznischen erhalten, u. a. die Mohrenapotheke von 1503 (Markt Nr. 4) und in der Bäckerstraße Nr. 3 das **älteste deutsche Spielzeuggeschäft**. Historisch bedeutsam sind das Sterbehaus von Martin Luthers Ehefrau Katharina von Bora in der Katharinenstraße, das Kentmannhaus für den Stadtphysikus und Universalgelehrten Johannes Kentmann sowie die Kursächsische Kanzlei, in der sich 1711 Zar Peter I. und Gottfried Wilhelm Leibniz trafen. Die wichtigste Kirche ist die das Stadtpanorama dominierende Marienkirche (12.–16. Jh.), die als wertvollsten Schatz das 1507 von Lucas Cranach d. Ä. geschaffene Gemälde »Die vierzehn Nothelfer« besitzt.

> **! Baedeker TIPP**
>
> **Torgisch Bier**
>
> »Es ist von schwarzem Couleur, hat einen aromatischen Geruch und ... stärket alle prinzipalischen Glieder des menschlichen Leibes.« So wurde schon vor über 500 Jahren das berühmte »Torgisch Bier« gepriesen, das auch Luther gerne trank. Bierfreunde können sich durch das Brauhaus Torgau führen lassen und anschließend das eine oder andere Glas frisch Gebrautes genießen (Anmeldung über Torgau-Informations-Center, Schlossstraße 11, Tel. 0 34 21/71 25 71).

Dicht am Ufer der Elbe ragt weithin sichtbar Schloss Hartenfels auf, das **älteste Renaissanceschloss in Deutschland**. Es entstand ab Mitte des 15. Jh.s auf den Mauern der Burg aus dem 10. Jahrhundert. Betritt man den Hof, sieht man rechts den ältesten Schlossflügel, den Albrechtbau (1470–1485);

Schloss Hartenfels
am anschließenden Johann-Friedrich-Bau (1533–1536) prangt der einzigartige Große Wendelstein, ein spiralförmiges Treppenhaus aus Elbsandstein mit reicher Ornamentik. Im rechten Winkel zum Johann-Friedrich-Bau steht der Schlosskirchenflügel, den heute das **Stadtmuseum** belegt. In der Mitte des Schlosskirchenflügels sieht man den 1544 gesetzten Schönen Erker. Den gesamten Westteil dieses Flügels nimmt die Schlosskirche ein, 1543/1544 als erster protestantischer Kirchenbau in Deutschland erbaut.

Denkmal der Begegnung
Unterhalb des Schlosses am Elbufer erinnert ein Denkmal an das Zusammentreffen sowjetischer und amerikanischer Soldaten auf der Torgauer Elbebrücke am 25. April 1945, womit Deutschland militärisch geteilt war. Das Foto des Treffens ging um die Welt – allerdings ist es einige Tage später nachgestellt worden. Tatsächlich fand die erste Begegnung zwischen sowjetischen und US-Truppen einige Stunden vor der Torgauer Begegnung bei Strehla statt, doch das Denkmal ist zu einem alljährlichen Treffpunkt von amerikanischen und ehemals sowjetischen Kriegsveteranen am **»Elbe Day«** geworden.

Umgebung von Torgau

Auf dem östlichen Elbufer, etwa 7 km von Torgau entfernt, liegt das **Gestüt** Graditz, einst kurfürstlicher Landsitz, in dem schon 1630 eine »Stutterey« bestand. 1722 erbaute der Dresdener Zwingerbaumeister Matthäus Daniel Pöppelmann das Gutshaus, einen schlichten, lang gestreckten Bau mit hohem Mansarddach und betontem Balkonvorbau, umgeben von einem Park mit hübschem Teepavillon.

Graditz

Südlich von Torgau erstreckt sich mit der Dahlener Heide eines der **größten Waldgebiete Sachsens**. 200 km markierte Wanderwege führen durch diese hügelige, seenreiche Waldlandschaft. Eines der beliebtesten Ausflugsziele ist das Waldbad im Heidedorf Schmannewitz, das auch eine Bockwindmühle und ein bäuerliches Museum zu bieten hat.

✶ Dahlener Heide

Auf der Burg von Bad Düben, 31 km westlich von Torgau, fand im Mai 1532 der Prozess gegen Hans von Zaschwitz statt, der einem gewissen Michael Kohlhase zwei Pferde gestohlen hatte – historischer Hintergrund der berühmten **Novelle von Heinrich von Kleist**. Mit der Wald- und Seenlandschaft Dübener Heide beschäftigt sich das Landschaftsmuseum; im Burggraben steht eine seltene so genannte Schiffsmühle.

Bad Düben

 TORGAU ERLEBEN

AUSKUNFT

Torgau-Information-Center
Schlossstraße 11, 04860 Torgau
Tel. (0 34 21) 71 25 71, Fax 71 02 80
www.torgau.de

ESSEN

▶ Preiswert

Sanssouci
Dahlener Straße 15, 04860 Torgau
Tel. (0 34 21) 73 91 73
Beliebtes Ausflugsziel am Elbradweg im Naturschutzgebiet »Großer Teich«. Deftige bodenständige Küche und ein lauschiger Biergarten.

Ratskeller
Markt 1, 04680 Torgau
Tel. (0 34 21) 90 34 77
Im historischen Ambiente der Traditionsgaststätte, in der schon Luther und Napoleon einkehrten, werden Sie mit feiner regionaler Küche bewirtet.

ÜBERNACHTEN

▶ Günstig

Torgauer Brauhof
Warschauer Straße 7, 04860 Torgau
Tel. (0 34 21) 7 30 00, Fax 73 00 17
www.hotel-torgauer-brauhof.de
Neuzeitlicher Hotelbau am Rande der Altstadt, recht geräumige Zimmer mit zeitgemäßer Einrichtung, Restaurant und Bowlingbahn im Haus.

Central Hotel
Friedrichsplatz 8, 04860 Torgau
Tel. (0 34 21) 7 32 80, Fax 73 28 50
www.central-hotel-torgau.de
Haus mit zeitgemäß eingerichteten Zimmern, im rustikalen Restaurant wird regionale Küche serviert.

✱ Trier

Atlasteil: S. 42 • A/B 3
Höhe: 130–330 m ü. d. M.

Bundesland: Rheinland-Pfalz
Einwohnerzahl: 125 000

Trier gilt als die älteste Stadt Deutschlands. Von ihrer einstigen Bedeutung zeugen stattliche Römerbauten, zahlreiche Kirchen prägen das Stadtbild. Der Ort ist eingebettet in ein reizvolles Umland, umgeben von den Bergen und Wäldern von Hunsrück und Eifel sowie den Weinbauterrassen von Mosel, Saar und Ruwer.

Geschichte Trier wurde 16 v. Chr. von Kaiser Augustus an der Stelle einer Siedlung der von Caesar besiegten keltischen Treverer gegründet und »**Augusta Treverorum**« genannt. 117 n. Chr. wurde der römische Stützpunkt Hauptstadt der Provinz Belgica prima. Im 9. Jh. machte Karl der Große Trier zum Erzbistum. 1803 wurde das Erzbistum säkularisiert, 1815 fiel die Stadt an Preußen.

Sehenswertes in Trier

✱✱
Porta Nigra

Am Nordrand der Altstadt steht die Porta Nigra, ein mächtiges **Stadttor der römischen Stadtbefestigung**, die Ende des 2. Jh.s n. Chr. entstand. Der doppeltorige Mittelbau wird von zwei halbrunden Türmen begrenzt. Die schwarzen, verwitterten Quader aus

Eines der besterhaltenen römischen Bauwerke Deutschlands steht in Trier:
Die mächtige Porta Nigra entstand Ende des 2. Jh.s n. Chr.

Trier *Orientierung*

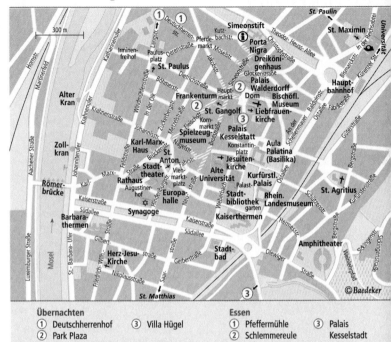

Übernachten		Essen	
① Deutschherrenhof	③ Villa Hügel	① Pfeffermühle	③ Palais
② Park Plaza		② Schlemmereule	Kesselstatt

Sandstein wurden ursprünglich ohne Mörtel aufeinander gesetzt und nur von eisernen Klammern zusammengehalten. Die Porta Nigra wurde um das Jahr 1040 in eine Basilika, die Simeonskirche, umgewandelt, im 19. Jh. jedoch versetzte man sie wieder in den alten Zustand. Erhalten geblieben ist ein Teil des ehemaligen Simeonstifts, der das Städtische Museum beherbergt.

★
St. Paulin

Nordöstlich der Porta Nigra steht an der Paulinstraße die St.-Paulin-Kirche, die in den Jahren 1732 bis 1754 nach Plänen des berühmten Barockbaumeisters Balthasar Neumann errichtet wurde und als einer der **bedeutendsten Barockbauten** des Rheinlands gilt.

★
Hauptmarkt

Von der Porta Nigra führt die Simeonstraße, an der das um 1230 erbaute Dreikönigenhaus auffällt, südwärts zum schönen Hauptmarkt, dem **Zentrum der Altstadt**, mit Marktkreuz und Marktbrunnen. An dessen Südseite steht die gotische Kirche St. Gangolf, im Westen die im 15. Jh. errichtete Steipe, ein Gebäude, in dessen von Pfeilern gebildeten offenen Lauben einst das Marktgericht tagte. In der nahen Dietrichstraße ragt der Frankenturm auf, ein Wohnbau des 11. Jhs.

⏵ TRIER ERLEBEN

AUSKUNFT

Tourist-Information
An der Porta Nigra, 54290 Trier
Tel. (06 51) 97 80 80, Fax 4 47 59
www.trier.de

BESICHTIGUNG

Möchte man während eines Stadt-rundgangs die römischen Bauten besichtigen, empfiehlt sich die güns-tige Sammelkarte für Porta Nigra, Kaiser- und Barbarathermen und das Amphitheater (Tourist-Information).

ESSEN

▶ Fein & Teuer

① *Pfeffermühle*
Zurlaubener Ufer 76, 54292 Trier
Tel. (06 51) 2 61 33
Gemütlicher Feinschmecker-Treff am Moselufer, feine klassische Küche und eine ausgezeichnete Weinkarte.

③ *Palais Kesselstadt*
Liebfrauenstraße 10, 54290 Trier
Tel. (06 51) 4 02 04
Vornehm geht es in dem stilvoll eingerichteten Barockpalais zu, die klassische Küche unterstreicht das fürstliche Ambiente.

▶ Erschwinglich

② *Schlemmereule*
Domfreihof 1 b, 54290 Trier
Tel. (06 51) 7 36 16

Historisches Flair und modernes Design gehen hier eine charmante Liaison ein, zu der die regionale Küche mit französischem Einschlag hervorragend passt.

ÜBERNACHTEN

▶ Komfortabel

② *Park Plaza*
Nikolaus-Koch-Platz 1, 54290 Trier
Tel. (06 51) 9 99 30, Fax 9 99 35 55
www.parkplaza-trier.de
Nahe bei der Fußgängerzone bietet das schick durchgestylte Hotel Zim-mer mit gutem Komfort, Restaurant im Bistrostil, schöne Gartenterrasse, attraktiver Wellnessbereich.

③ *Villa Hügel*
Bernhardstraße 14, 54295 Trier
Tel. (06 51) 3 30 66, Fax 3 79 65
www.hotel-villa-huegel.de
Beliebtes Privathotel in einer schmucken Jugendstilvilla, stilvolle Einrichtung und moderner Komfort auf den Zimmern, Restaurant, Schwimmbad und Sauna im Haus.

▶ Günstig

① *Deutschherrenhof*
Deutschherrenstraße 32, 54290 Trier
Tel. (06 51) 97 54 20, Fax 4 23 95
www.hotel-deutschherrenhof-trier.de
Gepflegtes Haus, gemütliche und zweckmäßig eingerichtete Zimmer.

✴ Dom Östlich vom Markt erhebt sich der im 11./12. Jh. entstandene Dom, dessen Vorgängerbau im 4. Jh. von Konstantin dem Großen errichtet wurde. Bemerkenswerte Teile der Ausstattung sind die romanische Chorschranke (12. Jh.) und die Kanzel, ferner diverse Grabdenkmä-ler, u. a. für Kardinal Ivo († 1144). Im so genannten Badischen Bau befindet sich der **Domschatz**, dessen bedeutendstes Stück der St.-Andreas-Tragaltar aus dem 10. Jh. ist.

Nahe des Doms zeigt das Bischöfliche Dom- und Diözesanmuseum (Windstraße 6–8) **sakrale Kunst** aus der Zeit des frühen Christentums, des Mittelalters und der Neuzeit. Hinzu kommen zahlreiche Funde von den frühchristlichen Gräberfeldern der Stadt Trier.

Bischöfliches Museum

Neben dem Dom steht die Liebfrauenkirche, um 1270 vollendet, eine der **ersten gotischen Kirchen in Deutschland**. Das Westportal ist als Figurenportal konzipiert. Im Inneren verdienen die Grabmäler Beachtung.

✱ **Liebfrauenkirche**

Etwa 500 m südwestlich vom Hauptmarkt, in der Brückenstraße 10, steht das Geburtshaus von Karl Marx. Zu sehen sind Dokumente zu Lebensgeschichte und Werk des Philosophen.

Karl-Marx-Haus

Südöstlich vom Hauptmarkt befindet sich am Konstantinplatz die heute als evangelische Kirche genutzte Aula Palatina (Palastaula), erbaut unter Kaiser Konstantin dem Großen, der 306–312 in Trier residierte und das Christentum den römischen Religionen gleichstellte.

✱ **Aula Palatina**

Im südlichen Teil der Stadt zeigt das Rheinische Landesmuseum Trier Sammlungen zur Vor- und Frühgeschichte, aus der römischen, frühchristlichen und fränkischen Zeit, ferner zur mittelalterlichen und neuzeitlichen Kunstgeschichte.

✱ **Rheinisches Landesmuseum**

Einen weiteren Höhepunkt des Stadtrundgangs bilden die Ruinen der römischen Kaiserthermen (4. Jh. n. Chr.) an der Ostallee, eine der **größten Bäderanlagen des Römischen Reichs**. Am Ende der Südallee sind Reste der Barbarathermen (2. Jh. n. Chr.) zu sehen. Die nahe Römerbrücke ruht noch auf römischen Fundamenten, die mächtigen Brückenbögen stammen aus den Jahren 1717/1718.

✱ **Kaiserthermen**

Von den Kaiserthermen gelangt man über die Olewiger Straße zum römischen **Amphitheater**, das um das Jahr 100 n. Chr. angelegt wurde und nur in Resten erhalten ist. Das Theater, in dem einst **Kampfspiele** stattfanden, bot Platz für etwa 20 000 Besucher.

Am südlichen Stadtrand steht die Wallfahrtskirche **St. Matthias** aus dem 12. Jh., in der die Gebeine des Apostels Matthias aufbewahrt werden. In der Krypta (um 980) sind die spätromanischen Sarkophage des hl. Eucharius und des hl. Valerius bemerkenswert.

Kontraste im Dom: gedrungene Frühgotik und barocke Altäre

Umgebung von Trier

Konz In dem Weinort Konz lockt besonders das »**Volkskunde- und Frei-lichtmuseum Roscheiderhof**« die Gäste an. Die Bauten des Mu-seums, alte Häuser aus Hunsrück und Eifel, gruppieren sich um die Gutsdomäne Roscheider Hof.

Am linken Moselufer erreicht man 8 km oberhalb von Trier das Dorf Igel. Hier steht die Igeler Säule, ein etwa 23 m hohes Grabdenkmal einer Tuchhändlerfamilie aus dem 3. Jh. n. Chr. Der Sandsteinpfeiler mit Reliefdarstellungen zeugt von der wirtschaftlichen Blüte des Trie-rer Landes in römischer Zeit.

Nennig Knapp 40 km südwestlich von Konz wurde bei Nennig 1852 der Rest einer römischen Prunkvilla freigelegt, deren etwa 10 x 15 m großer **Mosaikboden** zu den schönsten und größten nördlich der Alpen zählt.

Weitere Ziele ►Eifel, ►Moseltal

✴ Tübingen

Atlasteil: S. 52 • B 3   **Bundesland:** Baden-Württemberg
Höhe: 307–515 m ü. d. M.   **Einwohnerzahl:** 81 000

Stocherkähne auf dem Neckar, romantische Gassen und heimelige Plätze, ein repräsentativer Markt und ein stattliches Rathaus. Dut-zende von Kneipen, Erinnerungen an Hölderlin, Mörike und andere große Dichter und Denker – kaum eine deutsche Universitätsstadt verströmt so viel historischen Charme wie Tübingen.

Alte Uni-versitätsstadt Auf 81 000 Einwohner kommen rund 25 000 Studenten, die das Le-ben in der Stadt maßgeblich prägen. Nicht nur die Universitäten, auch mehrere Forschungsinstitute sowie zahlreiche kulturelle Institu-tionen sind in Tübingen angesiedelt. Vor den Toren der Stadt, die sich eine halbe Autostunde südwestlich von ► Stuttgart an den Ne-ckar schmiegt, liegen das **Naherholungsgebiet Schönbuch** und das landschaftlich reizvolle Neckartal.

Geschichte Die Stadt wurde 1078 erstmals urkundlich erwähnt. 1342 kam sie an Württemberg; 1477 gründete Graf Eberhard im Bart die Universität. Im 1514 ausgehandelten **Tübinger Vertrag** wurden erstmals auf dem europäischen Festland die Grund- und Menschenrechte verankert. Herzog Ulrich gründete 1536 das Evangelisch-Theologische Stift, das alsbald zu einer herausragenden Bildungsstätte des württembergi-schen Geisteslebens werden sollte.

Tübingen   *Orientierung*

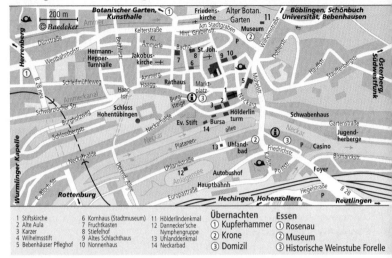

			Übernachten	Essen
1 Stiftskirche	6 Kornhaus (Stadtmuseum)	11 Hölderlindenkmal	① Kupferhammer	① Rosenau
2 Alte Aula	7 Fruchtkasten	12 Dannecker'sche	② Krone	② Museum
3 Karzer	8 Stiefelhof	Nymphengruppe	③ Domizil	③ Historische Weinstube Forelle
4 Wilhelmsstift	9 Altes Schlachthaus	13 Uhlanddenkmal		
5 Bebenhäuser Pfleghof	10 Nonnenhaus	14 Neckarbad		

Sehenswertes in Tübingen

Die malerische Altstadt baut sich stufenartig über dem Neckarufer auf. Sie wird im Westen vom Schlossberg und im Osten vom Österberg begrenzt. Den schönsten Blick auf die **einzigartige Neckarfront der Altstadt** hat man von der Platanenallee auf der Neckarinsel. Direkt am Neckar steht der Hölderlinturm, in dem der Dichter von 1807 bis zu seinem Tode 1843 lebte; heute wird der Turm für kleinere kulturelle Veranstaltungen genutzt. Dahinter beherrscht die **Burse** die Szenerie. In dem rosa getünchten und bereits über 500 Jahre alten Gebäude hielt Philipp Melanchthon 1514–1518 Vorlesungen. Am Fuß des Schlossberges befindet sich das berühmte 1536 gegründete Tübinger Stift, zu dessen Schülern Kepler, Schelling, Hegel, Hölderlin, Mörike und Hauff gehörten.

✱
Altstadt

◀ Hölderlinturm

Die Altstadt wird von der spätgotischen Stiftskirche (15. Jh.) dominiert, von deren Turm man einen schönen Ausblick genießen kann. Sie beherbergt u. a. eine spätgotische Kanzel und einige bemerkenswerte Grabdenkmäler von Angehörigen des württembergischen Fürstenhauses.

✱
◀ Stiftskirche

Neben dem Gotteshaus steht noch die Alte Aula der Universität. Nahebei liegt der eher unscheinbare alte Universitätskarzer, den man im Rahmen einer Führung besichtigen kann.

◀ Alte Aula
◀ Karzer

Wenige Schritte stadteinwärts erreicht man den schönen, von historischen Häusern umstandenen Marktplatz mit dem Neptunbrunnen. Das prächtige Gebäude mit der bemalten Fassade und der astronomischen Uhr (1511) im turmbekrönten Giebel ist das **Rathaus**, des-

✱
◀ Marktplatz

> **!** *Baedeker* TIPP
>
> **Tübingen romantisch**
>
> Was in Venedig die Gondeln und die singenden Gondoliere, sind in Tübingen die Stocherkähne und die Stocherer, die Gedichte von Hölderlin, Mörike und Sebastian Blau deklamieren. Eine romantisch-literarische Stocherkahntour – entlang der Neckarfront, vorbei am Hölderlinturm und einmal um die Neckarinsel – beginnt beim Verkehrsverein an der Neckarbrücke (Information: Tel. 0 70 71/9 13 60, www.tuebingen-info.de).

✷
Ammergasse ►
Stadtmuseum ►

sen älteste Teile aus dem 15. Jh. stammen. Unterhalb vom Marktplatz zieht sich die idyllische Ammergasse entlang des kleinen Ammerkanals durch die Unterstadt. Einen Besuch verdient das im alten Kornhaus untergebrachte Stadtmuseum.

✷
Schloss Hohentübingen

Oberhalb des Marktplatzes führt die aussichtsreiche Burgsteige steil hinauf zu dem im 16. Jh. auf den Resten einer alten Pfalzgrafenburg errichteten Schloss Hohentübingen mit schönem Renaissanceportal. In dem Schloss sind die kulturhistorisch bemerkenswerten Sammlungen der Universität untergebracht, u. a. Münzsammlungen, eine ägyptische Grabkammer, Funde aus Troja, die 40 000 Jahre alten Vogelherdfiguren und der berühmte »Tübinger Waffenläufer«.

»Boxenstopp«

In der Brunnenstraße 18 zeigt das **Auto- und Spielzeugmuseum** »Boxenstopp« klassische Renn- und Sportwagen, Oldtimer und Motorräder sowie zahlreiche Spielsachen.

✷
Neuer Botanischer Garten Kunsthalle

Auf der Morgenstelle, nördlich oberhalb der Kernstadt, erstreckt sich der wunderschöne Neue Botanische Garten. Einige Schritte abseits erreicht man die Kunsthalle, die durch Ausstellungen mit Werken berühmter Künstler von sich reden machte.

Umgebung von Tübingen

Naturpark Schönbuch

Nördlich von Tübingen dehnt sich der Schönbuch aus, das größte zusammenhängende Waldgebiet Württembergs und ein viel besuchtes **Naherholungsziel** vor den Toren der Stadt mit Wildgehege und Schönbuchmuseum.

✷✷
Bebenhausen

Etwa 5 km nördlich außerhalb der Stadt liegt die im 12. Jh. gegründete, weitläufige Klostersiedlung Bebenhausen im Schönbuch. Sie gehört zu den **schönsten und besterhaltenen Anlagen** ihrer Art in Deutschland.

Nur wenige Kilometer südwestlich von Tübingen thront die durch Ludwig Uhlands Gedicht bekannt gewordene Kapelle auf einem Bergkegel.

Wurmlinger Kapelle

Etwa 12 km südwestlich von Tübingen liegt die als **Hochburg der schwäbischen Fasnet** bekannte katholische Bischofsstadt Rottenburg am oberen Neckar. Besonders sehenswert sind hier der Dom St. Martin (12. Jh.), die Stiftskirche St. Moritz (14. Jh.) mit schönen Fresken, das Diözesanmuseum sowie das Römische Stadtmuseum (Sumelocenna-Museum).

* Rottenburg

 ## TÜBINGEN ERLEBEN

AUSKUNFT

Verkehrsverein Tübingen
An der Neckarbrücke 1
72072 Tübingen
Tel. (0 70 71) 9 13 60, Fax 3 50 70
www.tuebingen-info.de

ESSEN

► Erschwinglich

① *Rosenau*
Rosenau 15, 72076 Tübingen
Tel. (0 70 71) 6 88 66
Hoch über Tübingen beim Botanischen Garten liegt das geschmackvoll eingerichtete Restaurant. Gehobene regionale und internationale Küche.

② *Museum*
Wilhelmstraße 3, 72074 Tübingen
Tel. (0 70 71) 2 28 28
Kreative, mediterran inspirierte Küche bietet Ihnen das renommierte Restaurant.

► Preiswert

③ *Historische Weinstube Forelle*
Kronenstraße 8, 72070 Tübingen
Tel. (0 70 71) 2 40 94
Die schönste Weinstube Tübingens mit Wandbildern von Hofmaler Robert Haag aus dem 19. Jh. finden Sie zwischen Rathaus und Stiftskirche. Genießen Sie im urschwäbischen Ambiente feine regionale Küche.

ÜBERNACHTEN

► Komfortabel

② *Krone*
Uhlandstraße 1, 72072 Tübingen
Tel. (0 70 71) 1 33 10, Fax 13 31 32
www.krone-tuebingen.de
Traditionsreiches Haus, seit 1885 im Familienbesitz, mit zeitgemäßem, gediegenem Komfort, schöne stilvoll eingerichtete Zimmer, elegantes Restaurant und legeres Bistro.

③ *Domizil*
Wöhrdstraße 5, 72072 Tübingen
Tel. (0 70 71) 13 90, Fax 13 92 50
www.hotel-domizil.de
Modernes Stadthotel in reizvoller Lage am Neckar, das mit behaglichen Zimmern, guter technischer Ausstattung und zuvorkommendem Service zu überzeugen weiß. Im Restaurant genießen Sie internationale Küche bei herrlicher Aussicht. Sauna im Haus.

► Günstig

① *Kupferhammer*
Westbahnhofstraße 57
72072 Tübingen
Tel. (0 70 71) 41 80, Fax 41 82 99
www.hotel-kupferhammer.de
Wohnliche Zimmer mit zeitgemäßer Ausstattung und die günstige Lage sprechen für diese nette Haus.

✳ Uckermark

Atlasteil: S. 20/21 • B/C 1/2

Bundesländer: Brandenburg und Mecklenburg-Vorpommern

Die Uckermark ist ein seenreiches Hügelland mit ausgedehnten Kiefernwäldern und Heidelandschaften im äußersten Nordosten Deutschlands. Ackerbau und Forstwirtschaft sind traditionell die wichtigsten Erwerbszweige – seit dem 18. Jh. wurde die Uckermark als Kornkammer Berlins bezeichnet. Auch als Naherholungsziel war die ländliche Region für Berlin seit jeher von Bedeutung.

Zur Uckermark gehören die Gebiete um die Städte Prenzlau, Angermünde und Templin zwischen der oberen Havel und der unteren Oder beiderseits der Uecker. Nördlich schließt sich an die Uckermark die so genannte Ueckermünder Heide an, die bis ans Stettiner Haff heranreicht. Der Name Uckermark (= »**Grenzland**«) ist seit dem 15. Jh. gebräuchlich und charakterisiert die Lage dieses Gebietes zwischen den historischen Ländern Brandenburg, Mecklenburg und Pommern. Eine regionale Besonderheit ist die unterschiedliche Schreibweise des Namen gebenden Flusses, der im Brandenburgischen Ucker, im Pommerschen jedoch Uecker heißt.

Reiseziele in der Uckermark

Ueckermünde Die Hafenstadt an der Mündung der Uecker ins Stettiner Haff kann nicht mit großartigen Baudenkmälern aufwarten, doch sie bietet einige Möglichkeiten für einen **Erholungs- oder Aktivurlaub**, so z.B. Schiffsausflüge nach Polen oder ins Stettiner Haff, Radwanderungen in der flachen Wald- und Heidelandschaft der Ueckermünder Heide und Bademöglichkeiten am 800 m langen Sandstrand von Ueckermünde. Mit dem Ausbau eines neuen Yachthafens samt Marinapark mit Ferienwohnungen und Gastronomie setzt Ueckermünde künftig verstärkt auf den Tourismus.

Die Hauptsehenswürdigkeit der Stadt ist das ehemalige Renaissanceschloss von 1540, von dem nur noch der Südflügel mit spätmittelalterlichem Treppenturm und Bergfried steht. Er beherbergt heute

Haffmuseum ► das Haffmuseum. Im Sommer werden im Schloss Konzerte veranstaltet. Die Pfarrkirche St. Marien ist ein Barockbau aus dem Jahr 1766 mit einem neugotischen Turm, der 1863 hinzugefügt wurde.

Tierpark ► Der Tierpark von Ueckermünde ist mit seinem Streichelzoo und dem begehbaren Affenwald vor allem bei Kindern sehr beliebt.

Torgelow In Torgelow, 15 km südlich von Ueckermünde, gründete Friedrich der Große 1754 ein **Eisenhüttenwerk**, von dem noch ein Glockenstuhl und Wohngebäude erhalten sind. Die nur noch als Ruine existierende Burg bestand vermutlich schon im 12./13. Jh. Am Süd-

Das Ueckermünder Butterschiff läuft aus ins Stettiner Haff und nach Polen.

rand des Industriestädtchens kann man das »Ukranenland«, eine rekonstruierte **slawische Händler- und Handwerkersiedlung** aus dem 9./10. Jh., besichtigen.

◀ »Ukranenland«

Pasewalk liegt in der nördlichen Uckermark an der Uecker. Bei einer pommerschen Burg am Ueckerübergang entstand um 1150 eine Kaufmannssiedlung, die 1251 Stadtrecht erhielt. Pasewalk war Mitglied der Hanse und damit Ausgangspunkt für einen seit 1320 durch Zollfreiheiten geförderten Fernhandel. Zu den begehrtesten Exportgütern zählte lange Zeit das **Pasewalker Bier**, »Pasenelle« genannt. Von der Stadtbefestigung blieben zwei Backsteintürme, zwei Tortürme und Abschnitte der Ringmauer erhalten. Im Prenzlauer Tor, das um 1450 erbaut wurde, ist das städische Museum eingerichtet. Die Pfarrkirche St. Marien wurde im 14. Jh. auf Granitquadersockeln des 13. Jh.s errichtet und birgt eine Kopie der »Kreuztragung« von Raffael.

Pasewalk

Das Städtchen Strasburg ist ein idealer Ausgangspunkt für Ausflüge in das bewaldete **Landschaftsschutzgebiet** Brohmer Berge.

Strasburg
◀ Brohmer Berge

Prenzlau liegt am Nordufer des Unteruckersees. Die Altstadt erhebt sich auf einer Terrasse unmittelbar neben der Uckerniederung. Große Teile der Stadtbefestigung aus dem 13./14. Jh. mit drei Stadttortürmen (Blindower Torturm, Mitteltorturm und Steintorturm), dem Hexen- und Pulverturm sowie mehreren Wiekhäusern sind erhalten geblieben. Ein imposantes Zeugnis mittelalterlicher Backsteingotik ist die Marienkirche (13./14. Jh.) mit ihrem prächtigen Ostgiebel.

Prenzlau

● UCKERMARK ERLEBEN

AUSKUNFT

Tourismusverband Uckermark
Schinkelstraße 32, 17268 Templin
Tel. (0 39 87) 5 21 15, Fax 25 49
www.tourismus-uckermark.de

ESSEN

► Erschwinglich

Wintergarten
Fährkrug 1, 17268 Templin
Tel. (0 39 87) 4 80
Gutbürgerliche Küche, Fisch- und
Wildspezialitäten bietet das nette
Restaurant. Bei schönem Wetter lädt
die Terrasse zum Verweilen ein.

► Preiswert

Stadtkrug Ueckermünde
Markt 3/4, 17373 Ueckermünde
Tel. (03 97 71) 800
Gutbürgerliches Restaurant mit wunderschöner Marktterrasse, das für
seine vorpommerschen Spezialitäten
geschätzt wird.

Seerestaurant »Am Kap«
Uckerpromenade 84,
17291 Prenzlau
Tel. (0 39 84) 7 18 03 05
Südlich am Ostufer des Unteruckersees werden Sie in dem traditionsreichen Restaurant mit einer frischen
marktorientierten Küche bewirtet.
Der Weg lohnt sich vor allem im
Sommer, wenn die Außenterrasse
geöffnet ist!

ÜBERNACHTEN

► Komfortabel

Döllnsee-Schorfheide
Döllnkrug 2, 17268 Groß Dölln
Tel. (03 98 82) 6 30, Fax 6 34 02
www.doellnsee.de
Aus einem ehemaligen Jagdhaus hat
sich das schmucke Hotel entwickelt,
das eingebettet in eine große Parklandschaft am Großen Döllnsee liegt.
Wohnliche Zimmer im Landhaustil,
gediegenes Restaurant, grandioser
Wellnessbereich.

Pasewalk
Dargitzer Straße 26, 17309 Pasewalk
Tel. (0 39 73) 22 20, Fax 22 22 00
www.hotel-pasewalk.de
Außerhalb des Ortes in ruhiger Lage
überzeugt das moderne Haus mit
komfortablen Zimmern, einem
gemütlichen, rustikal angehauchten
Restaurant und vielfältigen Freizeit-
angeboten wie Bowling, Tennis,
Schwimmbad und Sauna.

► Günstig

Wendenkönig
Neubrandenburger Straße 66
17291 Prenzlau
Tel. (0 39 84) 86 00
Fax 86 01 51
www.hotel-wendenkönig.de
In ruhiger Ortsrandlage empfängt Sie
das familiär geführte Haus mit behaglichen, zweckmäßig eingerichteten
Zimmer. Spezialitäten aus der Uckermark werden im Restaurant aufgetischt, lauschige Gartenterrasse.

Baedeker-Empfehlung

Mühlenpension Salveymühle
Salveymühle 3, Freudenfeld,
16307 Geesow
Tel. (03 33 33) 3 03 35
www.salveymuehle.de
Verbringen Sie einen romantischen
Urlaub in der alten Salveymühle und
erleben Sie das letzte, über 100 Jahre
alte Horizontalsägegatter Deutschlands
in Aktion. Idyllisches Naturschutzgebiet
und Vogelparadies.

Südlich der Stadt breitet sich der 7 km lange und etwa 2,5 km breite **Unteruckersee**
Unteruckersee aus. Das **Landschaftsschutzgebiet** mit seltener Flora
und Fauna lädt an vielen Stellen zum Baden ein.

Die mittelalterliche Stadtbefestigung mit rund 50 Türmen, Toren **Templin**
und Wiekhäusern in Templin ist nahezu vollständig erhalten. Nach
einem verheerenden Stadtbrand im Jahr 1735 erhielt der Ort ein
rechtwinkliges Straßennetz. Reizvoll ist die Lage der Stadt am so ge- ✴
nannten Templiner Seenkreuz – mit Templiner See, Röddelinsee, ◄ Templiner Seen
Fährsee und Lübbesee –, dem östlichen Ausläufer der ► Mecklenburgischen Seenplatte.

An der Hohensaaten-Friedrichsthaler-Wasserstraße, einem Kanal pa- **Schwedt**
rallel zur Oder, liegt Schwedt, **Hauptort der Uckermark**. Als befestig-
ter Oderübergang ausgebaut, war die Stadt bis 1479 ständig Streitob-
jekt zwischen Pommern und Brandenburg und wurde nach einem
Brand von 1685 an mit regelmäßigem Grundriss neu angelegt. Das
Stadtmuseum am Markt informiert über die vorgeschichtliche Besiedlung der Region und beleuchtet die Markgrafenzeit. Ferner sind
dort Dokumente zum Tabakanbau und zur Tabakverarbeitung ausgestellt, was einst einen Haupterwerb in der Region darstellte. Der ehemalige Tabakspeicher der Handelsfirma Ermeler beherbergt heute
die Galerie der Stadt, in der Ausstellungen stattfinden.

Odertal

Nördlich von Schwedt erstreckt sich der »Nationalpark Unteres ✴
Odertal«, ein **deutsch-polnisches Naturschutzprojekt**. Auf deutscher **Nationalpark**
Seite gehören neben der 2–4 km breiten Flussaue, die von vielen Alt- **Unteres Odertal**
armen durchzogen ist, Wälder und Trockenrasen auf den Oder-
hängen dazu. Die natürlichen Ge-
gebenheiten und die Grenzlage zu
Polen bewirkten, dass das untere
Odertal nicht verbaut wurde und
so die überaus artenreiche Auenlandschaft weitgehend erhalten
blieb. Hier finden viele Pflanzen-
und Tierarten der Steppenzone ihre nordwestlichste Verbreitungs-
grenze. Darunter sind so interessante Pflanzen wie der blau blühende Kreuzenzian, das silbrige
Federgras und das gelbe Adonis-
röschen. Vor allem während der Zugzeiten sammeln sich hier Gänse,
Schwäne und Kraniche in großer Zahl. Mehr als 120 Vogelarten brüten im Nationalpark, u. a. See-, Fisch- und Schreiadler, Weißstörche,
der seltene Schwarzstorch und die vom Aussterben bedrohten Seg-
genrohrsänger und Wachtelkönige.

> ! *Baedeker* TIPP
>
> ### Gemächlich durch den Nationalpark
>
> Auf der »MS Uckermark« lernt man den Natio-
> nalpark vom Wasser aus kennen. Das Fahrgast-
> schiff startet von der Anlegestelle Bollwerk in
> Schwedt aus nach Stolpe, Friedrichsthal, Gartz,
> Mescherin und auch zum Schiffshebewerk Nie-
> derfinow (Information: Tel. 0 33 32/2 55 90).

✳ Ulm

Atlasteil: S. 53 • C/D 3	**Bundesland:** Baden-Württemberg
Höhe: 478 m ü. d. M.	**Einwohnerzahl:** 120 000

Die alte Reichsstadt Ulm am linken Ufer der Donau ist seit langem Standort namhafter Handels- und Industrieunternehmen, zudem Sitz einer Universität und einer bedeutenden Fachhochschule für Technik und Informatik. Stadtbildbeherrschend und gleichzeitig die größte Sehenswürdigkeit von Ulm ist das Münster mit dem höchsten Kirchturm der Erde.

Geschichte Die Anfänge der Stadtgründung liegen im 11. Jh. Dank der günstigen Verkehrslage an der Donau und am Schnittpunkt wichtiger Straßen entwickelte sich Ulm im Mittelalter zu einem **Handelszentrum**. 1810 kam die Stadt zu Württemberg. Der Wiederaufbau von Ulm infolge der Zerstörungen im Zweiten Weltkrieg hat das Gesicht der Stadt stark verändert.

Blick von Bayern nach Baden-Württemberg: Ulmer Münster von Neu-Ulm aus

Ulm *Orientierung*

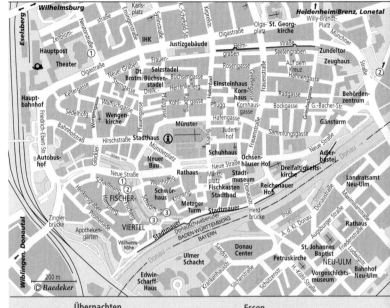

Übernachten
① Ibis
② Maritim
③ Schiefes Haus

Essen
① Lochmühle
② Gerberhaus
③ Zur Forelle

Sehenswertes in Ulm

Das im Stadtzentrum gelegene Münster (1377 begonnen, bis 1529 **Münster** fortgeführt, 1844–1890 ausgebaut) ist nach dem Kölner Dom die größte gotische Kirche in Deutschland, die mit dem 161 m hohen Turm den **höchsten Kirchturm der Erde** besitzt. Hervorzuheben ist besonders das prachtvolle Chorgestühl (1469–1474) von Jörg Syrlin d. Ä., das berühmte Dichter und Philosophen der Antike sowie Propheten und Apostel darstellt. Beachtenswert sind außerdem der aufwändig geschnitzte Schalldeckel (1510) der Kanzel und das Sakramentshaus (Öffnungszeiten außerhalb von Gottesdiensten und Konzerten: Jan./Feb. tgl. 9.00–16.45, März 9.00–17.45, April bis Juni, Sept. 8.00–18.45, Juli und Aug. 8.00–19.45, Okt. 8.00–17.45 Uhr).

 Baedeker TIPP

»Orgelmusik am Mittag«

Hat man keine Gelegenheit, eines der abendlichen Münsterkonzerte zu besuchen, möchte aber doch wenigstens einmal die Akustik der Kirche genießen, kann man zwischen Ostern und Ende Oktober montags bis samstags ab 11.30 Uhr der »Orgelmusik am Mittag« lauschen.

Stadthaus **Postmoderner Blickfang** am Münsterplatz ist das 1993 fertig gestellte Stadthaus des amerikanischen Architekten Richard Meier. Es beherbergt u. a. einen Konzert- und Vortragssaal sowie Ausstellungsräume und ein Café.

Marktplatz Am südlich vom Münster gelegenen Marktplatz steht das stattliche gotische Rathaus mit Fresken von 1540. Davor ist der Fischkasten, ein schöner Brunnen (1482) von J. Syrlin d. Ä.

▶ ULM ERLEBEN

AUSKUNFT

Tourist-Information
Münsterplatz 50, 89073 Ulm
Tel. (07 31) 1 61 28 30, Fax 1 61 16 41
www.ulm.de

ESSEN

▶ Erschwinglich

③ *Zur Forelle*
Fischergasse 25, 89073 Ulm
Tel. (07 31) 6 39 24
Alteingesessenes rustikales Restaurant im historischen Fischerviertel, regionale Gerichte und raffinierte Eigenkreationen stehen auf der Speisekarte.

▶ Preiswert

② *Gerberhaus*
Weinhofberg 9, 89073 Ulm
Tel. (07 31) 9 94 98
Urig-rustikales Ambiente herrscht in dem hübschen gepflegten Lokal, das Freunde schwäbischer Küche mit Kässpätzle, Maultaschen oder Rostbraten glücklich macht.

① *Lochmühle*
Gerbergasse 6, 89073 Ulm
Tel. (07 31) 6 73 05
Eine der ältesten Mühlen Ulms, anno 1356 erstmals urkundlich erwähnt, beherbergt diese urgemütliche Gaststube, die mit historischem Flair, einer wunderschönen Terrasse und herzhafter, regionaltypischer Küche ihre Gäste zu überzeugen weiß.

ÜBERNACHTEN

▶ Luxus

② *Maritim*
Basteistraße 40, 89073 Ulm
Tel. (07 31) 72 30, Fax 92 31 00 00
www.maritim.de
Erstklassiges Hotel mit einer außergewöhnlicher Architektur, direkt an der Donau gelegen, elegant und stilvoll möblierte Zimmer und Suiten mit allem Komfort und herrlicher Aussicht, Panoramarestaurant in der 16. Etage, ansprechender Spa-Bereich.

▶ Komfortabel

③ *Schiefes Haus*
Schwörhausgasse 6, 89073 Ulm
Tel. (07 31) 96 79 30, Fax 9 67 93 33
www.schiefeshausulm.de
Das aufwändig restaurierte (und dennoch schiefe) historische Fachwerkhaus aus dem 13. Jahrhundert verbindet alte Bausubstanz mit den Annehmlichkeiten des 21. Jahrhunderts, modernes Design, wohin man blickt, wohnliche Zimmer.

▶ Günstig

① *Ibis*
Neutorstraße 12, 89073 Ulm
Tel. (07 31) 9 64 70, Fax 9 64 71 23
www.accor.com
Praktische und preiswerte Übernachtungsadresse in der Innenstadt, zeitgemäß eingerichtete Zimmer, schlichter Frühstücksraum.

Üppiges Rokoko in der Bibliothek des Klosters Wiblingen

Das Ulmer Museum (Marktplatz 9) beherbergt u. a. die bedeutendste Sammlung von mittelalterlicher **oberschwäbischer Kunst und Kunsthandwerk**. Großartig ist die Prähistorische Abteilung, deren Exponate bis in die Altsteinzeit zurückreichen. Der neue Erweiterungsbau zeigt einen repräsentativen Querschnitt der europäischen und US-amerikanischen Kunst der Fünfziger- bis Achtzigerjahre des 20. Jh.s.

✱
◀ Ulmer Museum

Westlich vom Marktplatz erstreckt sich das überaus malerische Fischer- und Gerberviertel. An der Donau ist noch ein erheblicher Teil der alten Stadtmauer aus dem 15. Jh. mit dem schiefen Metzgerturm erhalten. Weiter westlich, am Ufer der kleinen Blau, liegt das sog. **Schiefe Haus**, ein hübsches Fachwerkhaus aus dem 16. Jh.

✱
Fischer- und
Gerberviertel

Im Salzstadel (Salzstadelgasse 10) im Norden der Stadt ist das originelle Museum der Brotkultur untergebracht.

✱
Brotmuseum

Die 1842–1867 um die Stadt erbaute Bundesfestung umfasst mehrere Forts und einen 9 km langen Festungsgürtel mit 41 Hauptwerken. Im Fort Oberer Kuhberg war während der Nazidiktatur ein Konzentrationslager eingerichtet; heute ist hier eine **Gedenkstätte**.

Bundesfestung

Das im Jahr 2000 eröffnete Museum in der Ulmer Weststadt (Schillerstraße 1) dokumentiert in seiner Dauerausstellung »Räume, Zeiten und Menschen« die Geschichte und Kultur der Donauschwaben.

Donau-
schwäbisches
Zentralmuseum

Im südlichen Ulmer Stadtteil Wiblingen steht das große ehemalige Benediktinerkloster, das im 11. Jh. gestiftet und 1806 aufgehoben wurde. Es verfügt über eine prachtvolle Klosterkirche (1780) mit Bildwerken von Januarius Zick und eine prunkvolle Bibliothek.

✱
Wiblingen
Kloster

Umgebung von Ulm

Neu-Ulm Die bayerische Kreisstadt Neu-Ulm liegt gegenüber von Ulm am rechten Ufer der Donau. Sie wurde erst 1811 angelegt und war bis zum Ersten Weltkrieg vor allem Garnisonstadt. Im Stadtzentrum findet man das Neu-Ulmer Heimatmuseum. Das Edwin-Scharff-Haus in einer Grünanlage an der Donau ist ein Kultur- und Kongresszentrum mit einer kleinen Galerie, die Werke des Bildhauers Edwin Scharff (1877–1955) zeigt. Davor sieht man die Nachbildung eines **»Ulmer Schachtel«** genannten Schiffes, mit dem früher Personen und Waren die Donau hinabtransportiert wurden.

Leipheim In Leipheim, 12 km nordöstlich von Oberelchingen, dessen Stadtbild vorwiegend von Häusern des 18. und 19. Jh.s geprägt ist, sind die Pfarrkirche St. Veit, eine spätromanische Anlage des 14. Jh.s, und das mittelalterliche Schloss sehenswert.

Weißenhorn Auch das 22 km südöstlich von Ulm gelegene Weißenhorn mit reizvollem Altstadtkern lohnt einen Besuch. Das ehemalige Schloss (Kirchplatz) umfasst das Alte (1460/1470) und das Neue Schloss (1513/1514). Die spätromanische Spitalkirche Hl. Geist geht auf eine Stiftung von 1470 zurück.

✴ Usedom

Atlasteil: S. 11 • C/D 2/3　　　　**Bundesland:** Mecklenburg-Vorpommern
Höhe: 0–59 m ü. d. M.

Usedom ist nach Rügen die zweitgrößte deutsche Ostseeinsel. Wegen ihrer heilsamen Seeluft und vor allem wegen ihrer kilometerlangen, feinsandigen Strände nannte man die Insel in den 1920er-Jahren die »Badewanne Berlins«.

Landschaftsbild Die 445 km² große Insel im Mündungsgebiet der Oder gehört heute überwiegend zu Mecklenburg-Vorpommern; nur der kleinere östliche Teil liegt seit 1945 auf polnischem Gebiet. An zwei Stellen ist Usedom mit dem Festland verbunden, bei Wolgast und bei Anklam (▶ Greifswald, Umgebung). Zwischen Wolgast und Ahlbeck sowie zwischen Peenemünde und Zinnowitz verkehrt im Stundentakt eine **Inselbahn** (im Sommer halbstündlich).

Usedom besitzt eine rund 40 km lange, fast auf ihrer gesamten Länge von einem breiten Sandstreifen und dahinter liegenden Misch- oder Nadelwäldern gesäumte Meeresküste. Im Hinterland der Küste, das im Norden eher flach, im Süden dagegen hügelig ist, finden sich idyllisch gelegene Seen wie der Gothensee oder der Schmollensee, Wälder und Moore wie der Mümmelkensee, ein Hochmoor bei Bansin.

Landschaftlich reizvoll ist auch die dem Festland zugewandte **Binnen-küste** mit ihren vielen großen, meist schilfbewachsenen Buchten. Um die artenreiche Natur der Insel zu schützen, wurde der 632 km² große »Naturpark Usedom« eingerichtet, der die Insel selbst, den Peenestrom und einen Streifen des Festlandes umfasst.

◄ Naturpark Usedom

Reiseziele auf Usedom

Der erste Ort, den man von Anklam kommend passiert, ist Usedom, die **älteste Siedlung** auf der gleichnamigen Insel. Aus der Blütezeit des Städtchens stammt das Anklamer Tor (um 1450), in dem heute das Heimatmuseum untergebracht ist. Die dreischiffige spätgotische Marienkirche (15. Jh.) verdankt einer grundlegenden Umgestaltung 1893 ihr heutiges Erscheinungsbild.

Usedom (Stadt)

Auf der Fahrt von Usedom an die Meeresküste lohnt sich ein Abstecher auf die ruhige, in das Achterwasser hinein ragende Halbinsel Lieper Winkel.

Lieper Winkel

Ahlbeck war vor seinem Aufstieg zum **berühmtesten Erholungsort** auf Usedom ein Fischerdorf. Das Wahrzeichen des Seebades mit seinen schönen Pensions- und Ferienhäusern ist die im Jahr 1898 erbaute Seebrücke mit der türmchenbekrönten, ganz in Weiß erstrahlenden Gaststätte am Kopfende. Eine Uferpromenade und der breite Sandstrand verbinden Ahlbeck mit dem westlich anschließenden Seebad Heringsdorf.

✳ **Seebad Ahlbeck**

Das Wahrzeichen von Ahlbeck auf Usedom ist die Seebrücke mit Restaurant.

Fast jeder Walker oder Jogger träumt insgeheim davon, einmal beim Marathon mitzulaufen – das »Matterhorn des kleinen Mannes« wird die sportliche Meisterleistung auch genannt.

IMMER IN BEWEGUNG

Für die meisten Experten gibt es keinen Zweifel: Die Deutschen wollen mehr denn je fit statt fett sein. Vor allem zwei Sportarten boomen: Laufen und Inline-Skaten. Der Grund liegt auf der Hand: Rollen oder Joggen kann man jederzeit und fast überall – kostengünstig und mit wenig Ausrüstung.

Trend aus dem Norden

Nordic Walker sind überall: Man sieht sie an Uferpromenaden in den Ostseebädern, auf Waldwegen, in Parks oder irgendwo im freien Gelände. Ihre Erkennungszeichen sind zwei überdimensionale Skistöcke aus Carbon, die so genannten Poles, die mit weiten Ausholbewegungen geschwungen werden, und der federnde, hüftbetonte Gang, der manchmal in einen schnellen Joggingschritt mit Doppelstock-Einsatz wechselt. Wer sich an Skilanglauf-Training ohne Schnee und Ski erinnert fühlt, liegt vollkommen richtig. **Nordic Walking**, Trendsportart des neuen Jahrtausends, wurde 1997 als Sommer-Trainingsmethode der Spitzenathleten aus den Bereichen Langlauf, Biathlon und der Nordischen Kombination einem breiten Publikum in Finnland vorgestellt. Mit Erfolg: Mehr als eine Million Finnen üben heute den Federschritt. Zehntausende deutsche Fans vereinbaren mittlerweile auf Internetseiten wie **www.nordic-walking-online.de** Treffs und tauschen sich über Erfahrungen aus. Nordic Walking ist ein optimales, leicht erlernbares Outdoortraining, bei dem enorm viel Fett verbrannt wird – ideal zur **Gewichtsreduzierung**. Durch den Stockeinsatz werden auch Arm- und Oberkörpermuskulatur gleichmäßig beansprucht. Dadurch erhöht sich die Herzfrequenz, der Stoffwechsel wird angeregt, die Stimmung steigt mit der Ausschüttung der Endorphine. Gesellig ist das Ganze ebenfalls, weil man sich selbst in voller Aktion noch unterhalten kann – Nordic Walking macht Laune! Es ist indes ratsam, die **richtige Technik** anzuwenden, sonst fügt man Gelenken, Muskeln und Fußknochen eher Schaden zu. Der Dachverband der Nordic Walking Schulen bietet eintägige Grundseminare an (Tel. 0 96 34/91 51 50, www.vdnowas.de).

Cool gelaufen

Einmal im Leben die 42,195 km zu laufen, möglichst unter vier Stunden – davon träumt insgeheim fast jeder Walker oder Jogger. Neben der Technik sind richtige Ernährung mit viel Eiweiß und Kohlenhydraten, ausgewogenes Training sowie die passende

Rasant geht es zu, wenn beim Hunsrück-Marathon die Radwege und Straßen den Skatern gehören.

Ausrüstung nötig. Die meisten Marathons finden im Frühherbst statt. Frühzeitige Anmeldung ist ratsam. Am **Berlin-Marathon** führt kein Weg vorbei. Deutschlands größte und internationale Laufveranstaltung führt mehr als 30 000 Teilnehmer vorbei am Potsdamer Platz und Brandenburger Tor (www.real-berlin-marathon.com). Beim **Marathon Hamburg** (www.marathon-hamburg.de) sollte man sich ein Jahr vorher anmelden, denn die Teilnehmerzahl ist strikt auf 18 000 begrenzt. Auf der Website des **Köln Marathon** (www.koeln-marathon.de) kann man sich, wie anderswo, gleich online registrieren. Als guter Einstieg ins Marathonlaufen gilt der **Frankfurt Eurocity Marathon** (www.frankfurt-marathon.com); der **München-Marathon** (www.medienmarathon.de) wird wegen seiner exzellenten Streckenführung gelobt – man läuft an allen wichtigen Sehenswürdigkeiten vorbei. Als schönster Lauf in freier Natur gilt der **Bodensee-Marathon** ab Kressbronn (www.bodensee-marathon.de).

Vergnügen auf Rollen

Inline-Skating lockt in lauen Sommernächten zehntausende Fans zu den so genannten »Blade Nights« auf die Straße. Das sind organisierte und gesicherte Nacht-Touren durch mehr als dreißig deutsche Großstädte wie etwa in München (zwischen Anfang Mai und September Mo., 20.30 Uhr), Dresden (Mitte April bis Mitte Oktober, Fr. 20.00 Uhr), Berlin (jeden ersten und dritten So. 15.00 Uhr) oder Frankfurt am Main (April bis Oktober, Di 20.00 Uhr). Ganz so einfach, wie es vom Straßenrand aus aussieht, ist der Rollen-Run jedoch nicht. Natürlich kann man sich notwendige Grundkenntnisse selbst beibringen – schneller geht's bei der **Inline-Schule**. Unter www.skate.de findet man die wichtigsten Events sowie viele Adressen von Schulen.

Skater mit Stöcken

Doch schon bald sollen die Skater mit Stöcken ausgerüstet werden und sich in einer Art Schlittschuhschritt voran bewegen wie Skilangläufer: **Nordic Blading** ist angesagt. Nach Meinung der Experten ist es sogar gesünder als Inline-Skating, denn durch den koordinierten Stockeinsatz wird die gesamte Rücken-, Brust-, Schulter- und hintere Armmuskulatur trainiert. Das Verletzungsrisiko sinkt, insbesondere bei Fahrten auf Gefällstrecken, denn mit den Stöcken kann man zusätzlich bremsen. Besonders für Anfänger sind die Stöcke außerdem ein willkommenes Hilfsmittel, um auf den Inline-Skates das Gleichgewicht zu halten, was den Trendsettern zufolge vielen den Umstieg auf die Rollen, die die Welt bedeuten, erleichtern wird.

✱ Viele hübsche alte Villen erinnern daran, dass sich auch in Herings-
Seebad dorf einst zahlreiche Prominente zur Sommerfrische einfanden. In
Heringsdorf der sog. Villa Irmgard (Maxim-Gorki-Straße) erholte sich der russische Dichter Gorki 1922 von seinem Lungenleiden (kleines Mu-
seum). Die große Seebrücke von Heringsdorf – mit 508 m die **längste kontinentale Seebrücke Europas** – wurde 1995 eingeweiht.

 USEDOM ERLEBEN

AUSKUNFT

Tourismusverband Usedom
Bäderstraße 4, 17459 Ückeritz
Tel. (0 18 05) 2 34 10, Fax 2 21 52
www.usedom.de

STRANDKOMFORT

Was schützt am besten vor Sonne und
Wind und ist außerdem sehr bequem?
Richtig, der Strandkorb – heute ein
unabdingbares Utensil an jedem Ost-
seestrand. Wer erfahren möchte, wie
solch ein Strandmöbel hergestellt
wird, dem bietet die Korb GmbH
Heringsdorf eine Führung durch ihr
Unternehmen an. Anmeldung:
Tel. (03 83 78) 46 50 50.

ESSEN

▶ **Fein & Teuer**
Käpt'n »N«
Seebrücke 1, 17424 Heringsdorf
Tel. (03 83 78) 2 88 17
Auf der beeindruckenden Seebrücke
liegt das gediegene Feinschmecker-
restaurant, das Sie mit kreativer
Küche verwöhnt. Im gleichen Haus
befindet sich auch das Lokal Nautilus,
wo es gutbürgerlich zur Sache geht.

▶ **Erschwinglich**
Ostende
Dünenstraße 24, 17419 Ahlbeck
Tel. (03 83 78) 5 10
Das schöne Hotelrestaurant mit seiner
großen Glasfront zum Meer hat vor
allem mediterran inspirierte Gerichte
im Speisenangebot.

Kulm-Eck
Kulmstraße 17, 17424 Heringsdorf
Tel. (03 83 78) 2 25 60
Beliebtes Restaurant im Bistro-Stil,
ungezwungene Atmosphäre, hervor-
ragende und sehr originelle Küche.

ÜBERNACHTEN

▶ **Luxus**
Romantik Seehotel Ahlbecker Hof
Dünenstraße 47, 17419 Ahlbeck
Tel. (03 83 78) 6 20, Fax 6 21 00
www.seetel.de
Eindrucksvoller Hotelbau aus der
wilhelminischen Ära, der traditionelle
Bäderarchitektur und modernen
Komfort harmonisch verbindet. Edel
eingerichtete Zimmer mit nostalgi-
schem Flair, elegantes Restaurant,
großzügiger Wellnessbereich.

▶ **Komfortabel**
Strandhotel Ostseeblick
Kulmstraße 28, 17424 Heringsdorf
Tel. (03 83 78) 5 40, Fax 5 42 99
www.strandhotel-ostseeblick.de
Herrlich gelegenes Haus mit Wohlfühlatmosphäre, Zimmer mit grandiosem Ostseeblick, charmantes Restaurant, Badelandschaft.

Asgard
Dünenstraße 20, 17454 Zinnowitz
Tel. (03 83 77) 46 70, Fax 46 71 24
www.hotelasgard.de
Direkt an der Strandpromenade,
Moderne Zimmer, gemütliches Res-
taurant, Schwimmbad, Sauna.

Zinnowitz ist der nordwestlichste Badeort auf Usedom. Neben dem **Zinnowitz**
Badevergnügen am Sandstrand gibt es die Möglichkeit, auf die Halbinsel Gnitz und ins **Naturschutzgebiet Möwenort** zu wandern.

Die Nordwestspitze von Usedom war bis 1989 militärisches Sperrge- **Peenemünde**
biet. In der 1936 hier gegründeten Raketenversuchsanstalt hatte
Wernher von Braun die berüchtigte V-2-Rakete entwickelt. Heute ist
das, was von der Anlage übrig blieb, ein großes Freilichtmuseum, genannt das **Historisch-Technische Informationszentrum**.

✶ Vogtland

Atlasteil:
S. 39 • C 4 und S. 47 • D 1

Bundesländer:
Bayern, Sachsen, Thüringen

**Unter der Bezeichnung Vogtland versteht man das Gebiet zwischen
► Thüringer Wald, ► Fichtelgebirge und ► Erzgebirge sowie das in
der Tschechischen Republik gelegene Ascher Ländchen. Die wellige,
durch tiefe Täler mit steilen Hängen und vielen Windungen geglie-
derte Hochfläche steigt vom thüringischen Greiz im Norden bis Bad
Brambach im Süden von 450 auf über 650 m an.**

Der Landstrich hat von alters her als Durchgangsland für den Ver- **Geschichte**
kehr von Norden nach Süden Bedeutung. Sein Name **»Land der Vög-
te«** geht darauf zurück, dass hier vom Ende des 12. bis ins 15. Jh. hinein kaiserliche Reichsvögte die Macht ausübten. Bereits im Mittelalter wurden im Vogtland Tuche und Leinwand hergestellt, und noch
heute ist die Textilindustrie vielerorts der wichtigste Industriezweig.

Greiz und Umgebung

Im thüringischen Vogtland liegt im Tal der Weißen Elster Greiz, von **Greiz**
waldreichen Höhen umrahmt, einst Sitz des Fürstentums Reuß und
im Volksmund **»Perle des Vogtlands«** genannt. Das Stadtbild wird
beherrscht vom Schlossberg mit dem Oberen Schloss. Rechts der Elster erstreckt sich die Altstadt mit dem klassizistischen Unteren
Schloss, in dem das Heimatmuseum untergekommen ist. Im ca.
1650 entstandenen und im 19. Jh. nach englischem Vorbild gestalteten Greizer Park steht das Sommerpalais (1779–1789), in dessen
Räumen sich die Staatliche Bücher- und Kupferstichsammlung mit
ihren berühmten englischen Schabkunstblättern und das Satiricum,
eine Sammlung von Karikaturen und satirischen Pressezeichnungen,
befinden.

Bereits in Sachsen, 8 km östlich von Greiz, liegt Reichenbach. Hier **Reichenbach**
wurde 1697 die Theaterprinzipalin Friederike Caroline Neuber, ge-

Die Göltzschtalbrücke ist die größte aus Ziegeln erbaute Brücke der Welt.

nannt die **»Neuberin«**, geboren; ihrem bewegten Leben widmet sich die Gedenkausstellung im Neuberin-Museum in ihrem Geburtshaus (Johannisplatz 3).

Mylau Mitten im 2 km westlich von Reichenbach liegenden Mylau erhebt sich die trutzige Burg (12.–16. Jh.), in der das **Kreismuseum** u. a. über die Vergangenheit der Stadt als Textilzentrum berichtet.

✳ ✳
Göltzschtal-
brücke
Auf halber Strecke zwischen Mylau und dem 2 km entfernten Nachbarort Netzschkau zweigt von der Bundesstraße die Zufahrt zu einer einmaligen Sehenswürdigkeit ab: zur Göltzschtalbrücke, mit 78 m Höhe die **größte Ziegelsteinbrücke der Welt**, die 1846–1851 erbaut wurde.

Plauen und Umgebung

Plauen Plauen, der Hauptort des sächsischen Teils des Vogtlands und allseits bekannte **»Stadt der Plauener Spitzen«**, liegt landschaftlich sehr schön eingebettet in den Tälern der Weißen Elster und deren Zuflüssen. Das schönste Gebäude der Stadt ist das spätgotische Alte Rathaus am Altmarkt, an dessen Renaissancegiebel von 1548 eine prachtvolle Nürnberger Uhr prangt. Im Alten Rathaus illustriert das einzige Spitzenmuseum Deutschlands Geschichte und Machart der Plauener Spitzen. Westlich vom Altmarkt, in der Nobelstraße 9, befindet sich das Vogtland-Museum; noch weiter im Westen überspannt die 1905 fertig gestellte, 90 m lange Friedensbrücke, die **längste Steinbogenbrücke Europas**, das Syratal. Östlich vom Altmarkt kommt man an der spätgotischen Hauptkirche St. Johannis vorbei

▶ VOGTLAND ERLEBEN

AUSKUNFT

Fremdenverkehrsverband Vogtland
Friedrich-Ebert-Straße 21a,
08209 Auerbach
Tel. (0 37 44) 18 88 60, Fax 1 88 86 59
www.vogtland.de

ESSEN

▶ Preiswert

Wirtshaus am Theater
Theaterstraße 7, 08523 Plauen
Tel. (0 37 41) 12 14 42
In rustikaler Atmosphäre werden
vogtländische Speisen und interna-
tionale Gerichte serviert.

Heinrichs im Alten Rathaus
Altmarkt 1 a, 08523 Plauen
Tel. (0 37 41) 14 92 99
Lassen Sie sich im urigen Gewölbekeller mit deftigen regionalen Spezialitäten wie Vogtländer Sauerbraten
oder Plauener Bierfleisch verwöhnen.

Hotelrestaurant Quellenpark
Ascher Straße 20, 08645 Bad Elster
Tel. (03 74 37) 56 00
Gediegenes Restaurant mit schönen
Jugendstillampen, feinem englischem
Silber und antikem Mobiliar.

Zur Alten Schule
Schulgasse 4, 08248 Klingenthal
Tel. (03 74 67) 2 68 72
Das historische Vogtländer Holzboh-
lenhaus, einst die Schule im Ort, liegt
zentral in der Stadt. Breites Speisenangebot.

Heiterer Blick
Oberer Berg 54,
08258 Markneukirchen
Tel. (03 74 22) 26 95
Urgemütliche, mit Musikinstrumen-
ten geschmückte Gaststube, vogtländische Gerichte stehen auf der Karte.

ÜBERNACHTEN

▶ Komfortabel

Alexandra
Bahnhofstraße 17, 08523 Plauen
Tel. (0 37 41) 22 14 14, Fax 22 67 47
www.hotel-alexandra-plauen.de
Auf eine 140-jährige Tradition kann
das reizende Hotel zurückblicken, das
seine Gäste mit großzügigen Zimmern und schönem Stilmobiliar
empfängt. Auch eine Hochzeits- und
eine Barocksuite stehen zur Verfügung. Im gediegenen Restaurant wird
vogtländische, sächsische und internationale Küche serviert.

Hotel Falkenstein
Amtsstraße 1, 08223 Falkenstein
Tel. (0 37 45) 7 42-0, Fax 7 42-4 44
www.hotelfalkenstein.de
Mitten im »grünen Herzen« des
Vogtlandes gelegen, bietet dieses Hotel
gut ausgestattete Zimmer, Sauna im
Haus. Gemütliches Bistrorestaurant
mit Bar und Wintergarten.

▶ Günstig

Parkhotel Helene
Parkstraße 33, 08645 Bad Elster
Tel. (03 74 37) 5 00, Fax 50 99
www.parkhotel.helene.de
Charmantes Hotel in einer liebevoll
restaurierten Villa, wohnliche Zimmer mit zeitgemäßem Komfort,
gemütliche Gaststube und klassisches
Restaurant, Sauna im Haus.

Schlossberg Hotel
Marienstraße 1, 07973 Greiz
Tel. (0 36 61) 62 21 23, Fax 62 21 66
www.schlossberghotel-greiz.de
In den Komplex der Altstadtgalerie
integriertes Etagenhotel direkt am
Fuße des Oberen Schlosses, helle,
zeitgemäß eingerichtete Zimmer,
Restaurant und Sauna im Gebäude.

? WUSSTEN SIE SCHON …?

■ dass in Falkenstein und in den umliegenden Wäldern die Moosmännchen zu Hause sind? Die kleinen sagenhafte Gestalten belohnen gute Menschen mit einer Hand voll Laub, das sich zu Hause in Gold verw0andelt. Die größte Sammlung hölzerner Moosmänner kann man im Falkensteiner Heimatmuseum bewundern.

zur seit 1244 belegten Alten Elsterbrücke, die somit die älteste Brücke Sachsens ist. Nördlich der Altstadt findet man in der Bahnhofstraße Nr. 36 die Galerie e. o. plauen, in der viele Originalblätter des Zeichners Erich Ohser (1903–1944) ausgestellt sind, der als Schöpfer der Bildgeschichten »Vater und Sohn« bekannt geworden ist.

Drachenhöhle Das 7 km nordwestlich von Plauen gelegene Syrau bietet mit der 550 m langen Drachenhöhle die einzige **Tropfsteinhöhle** Sachsens.

✳ Talsperren Pöhl und Pirk Die 1958–1964 erbaute Talsperre Pöhl, das »Vogtländische Meer«, 10 km nordöstlich von Plauen, ist die größte im Vogtland. 27 km Ufer bieten alle Möglichkeiten zum **Wassersport**. Auch die Talsperre Pirk, 7 km südlich von Plauen, ist beliebtes Naherholungsgebiet.

Rodewisch Rodewisch genoss zu DDR-Zeiten einen guten Ruf wegen seiner **Schulsternwarte**, die auch heute noch betrieben wird. Im Ortsteil Obergöltzsch zeigt das Museum Göltzsch Funde aus einer frühen deutschen Siedlung des 12. Jh.s und jedes Jahr an Weihnachten eine beliebte Ausstellung mit Vogtländer Weihnachtsfiguren.

In der Trompetenwerkstatt Voigt in Markneukirchen

Musikwinkel

Das südöstliche Vogtland entlang der tschechischen Grenze hat als »**Musikwinkel**« im wahren Sinne des Wortes einen besonderen Klang: Seit dem 17. Jh. ist hier der von Exilanten aus dem nahen Egerland mitgebrachte Musikinstrumentenbau zu Hause. Gefertigt werden Saiten-, Schlag- und Blechblasinstrumente.

Markneukirchen

✳

◀ Musik-
instrumenten-
museum

In Markneukirchen gründeten im Jahr 1677 zwölf Instrumentenbaumeister die erste Innung. Was sie und ihre Nachfolger in über drei Jahrhunderten geschaffen haben, kann im Musikinstrumentenmuseum im Paulusschlössel bestaunt werden, neben zahlreichen Instrumenten aus aller Welt. Eine private Sammlung von Musikautomaten bis hin zur Jahrmarktsorgel findet man im 2 km östlich gelegenen **Wohlhausen** in Hüttels Musikwerkausstellung.

Klingenthal

Klingenthal, 17 km nordöstlich von Markneukirchen, ist als **Zentrum des Mundharmonikabaus** bekannt, zugleich befindet sich in der Falkensteiner Straße 31 die älteste Geigenbauwerkstatt des Vogtlands. Sehenswert ist die Stadtkirche zum Friedefürsten, die größte auf achteckigem Grundriss erbaute Zentralkirche Sachsens. Außer für den Instrumentenbau ist Klingenthal auch als Wintersportort bekannt; beidem wird das Musik- und Wintersportmuseum gerecht.

Bäderwinkel

Im Bäderwinkel zwischen Adorf und Schönberg, das auch Oberes Vogtland genannt wird, zieht besonders das **größte Heilbad Sachsens**, Bad Elster, viele Gäste an, 1789 erschlossen und seit 1849

> ❗ *Baedeker* TIPP
>
> ### Mondschuhe und Sphärenklänge
>
> Im kleinen Ort Morgenröthe-Rauenkranz, 18 km nördlich von Klingenthal, wurde Sigmund Jähn geboren, der 1978 an Bord des sowjetischen Raumschiffs Sojus 29 startete und so der erste Deutsche im All war. Zu seinen Ehren wurde die »Deutsche Raumfahrtausstellung« eingerichtet, in der man fast alles über Weltraumforschung, Mondlandungen oder Voyager-Sonden erfährt (Bahnhofstraße 8, Tel. 03 74 65/25 38; geöffnet: Di. bis So. 10.00–17.00 Uhr).

Sächsisches Staatsbad. Noch heute atmen das 1895 erbaute Kurhaus, das Kurtheater von 1914 und das 1851–1927 erbaute Badehaus den Geist dieser Zeit. Mittelpunkt des Badebetriebs ist das 1910 fertig gestellte Albertbad, in dem es sogar noch – als Teil des Bademuseums – die »königliche Badezelle« gibt.

✳
Bad Elster

Ein sehr seltenes Handwerk ist in Adorf zu Hause: die **Perlmuttwarenherstellung**, die zugleich Thema des Heimatmuseums ist.

Adorf

Fährt man auf der B 92 weiter nach Süden, lohnt sich ein Abstecher nach Landwüst zum **Vogtländischen Freilichtmuseum**, wo man u. a. ein 1782 entstandenes Egerländer Wohnstallhaus besichtigen kann.

Landwüst

Waldecker Land

Atlasteil: S. 35 • C/D 2 und S. 36 • A 2   **Bundesland:** Hessen

Viele kleine Kurorte, Seen für alle Arten von Wassersport, Schlösser und Fachwerkstädtchen zeichnen das Waldecker Land westlich von Kassel aus. Zentrum der nordhessischen Region, die zunächst als Fürstentum und später als Freistaat eine gewisse Eigenständigkeit besaß, ist der Ederstausee.

Fahrt durch das Waldecker Land

Bad Wildungen   Ausgangspunkt für die etwa **140 km lange Tour** durch das Waldecker Land ist der Kurort Bad Wildungen. In der Altstadt sind noch einige Fachwerkhäuser erhalten, insbesondere in der Brunnen-, Hinter- und Lindenstraße. Die Stadtkirche aus dem 14. Jh. besitzt mit dem Wildunger Altar, den Konrad von Soest 1403 schuf, eines der Hauptwerke gotischer Malerei in Deutschland. Im Schloss Friedrichstein, Anfang des 18. Jh.s im barocken Stil eingerichtet, ist die Militär- und Jagdabteilung der Staatlichen Museen Kassel untergebracht.

✳
Edersee   Nordwestlich von Bad Wildungen ist die Eder zu einem 27 km langen See aufgestaut, der als **Naherholungsgebiet und Wassersportzentrum** besucht wird.

✳
Waldeck   Ein schöner Blick über den See bietet sich vom Schloss Waldeck am nördlichen Ufer. Die **zum Hotel ausgebaute Burg** – mit kleinem Burgmuseum – wurde im 12. Jh. angelegt, der Bergfried stammt aus

Architektonisches Spiel mit fremden Kulturen: das Alhambra-Zimmer im Schloss Arolsen

► WALDECKER LAND ERLEBEN

AUSKUNFT

Touristikservice
Waldeck-Ederbergland
Südring 2, 34497 Korbach
Tel. (0 56 31) 95 43 59, Fax 95 43 78
www.waldecker-land.de

ESSEN

► Erschwinglich
Sonne
Marktplatz 2, 35066 Frankenberg
Tel. (0 64 51) 75 00
Genießen Sie gutbürgerliche Küche,
die mit vielen Wildspezialitäten (aus
eigener Jagd) aufwarten kann.

► Preiswert
Cording
Brunnenallee 12,
34537 Bad Wildungen
Tel. (0 56 21) 23 23
In dem urgemütlichen Restaurant
werden Sie aufs Herzlichste mit einem
breitgefächerten Angebot bewirtet.

ÜBERNACHTEN

► Luxus
Maritim Badehotel
Dr.-Marc-Straße 4,
34537 Bad Wildungen
Tel. (0 56 21) 79 99, Fax 79 97 99
www.maritim.de

Im herrlichen Kurpark garantiert das
anspruchsvolle Domizil für einen
erholsamen Aufenthalt. Erstklassiger
Komfort und modern ausgestattete
Zimmer, sehr elegantes Restaurant,
attraktive Wellnessangebote.

► Komfortabel
Rats-Schänke
Marktplatz 7, 35066 Frankenberg
Tel. (0 64 51) 7 26 60, Fax 72 66 55
www.rats-schaenke.de
Das traditionsreiche Hotel steht direkt
neben dem Rathaus am Obermarkt.
Rustikale Bauernmöbel bestimmen
das Ambiente in den Zimmern,
gemütliches Restaurant mit schöner
Terrasse auf dem Marktplatz.

► Günstig
Luisen-Mühle
Luisenmühler Weg 1,
34454 Bad Arolsen-Mengeringhausen
Tel. (0 56 91) 80 66 90, Fax 25 78
www.luisen-muehle.de
Die ehemalige Getreidemühle in ruhiger Lage am Ortsrand beherbergt
heute ein ländliches Hotel, das gepflegte Zimmer, ein rustikales Restaurant, Schwimmbad und Sauna zu
bieten hat.

---

dem 13. Jh., die meisten anderen Bauteile aus dem 15./16. Jh. Der
unterhalb der Burg gelegene Ort Waldeck besitzt einige hübsche
Fachwerkbauten, vor allem aus dem 18. Jahrhundert.

Wichtigstes Bauwerk von Bad Arolsen ist das 1713–1728 nach dem   ✷
Vorbild von Versailles errichtete **Schloss**, eine dreiflügelige Barockan-   **Bad Arolsen**
lage, die im Rahmen von Führungen zugänglich ist. Hier residierten
einst die Fürsten zu Waldeck und Pyrmont. Jenseits der so genannten
Großen Allee – die Eichen wurden ab 1676 in sechs Reihen gepflanzt
– erreicht man das Neue Schloss, das 1764–1778 erbaut und 1853 in
spätklassizistischem Stil umgestaltet wurde.

In der Innenstadt sind vor allem die von Chr. D. Rauch geschaffenen Altarfiguren der evangelischen Kirche (1735–1787) beachtenswert. Das als Museum eingerichtete Geburtshaus des Künstlers befindet sich wenige Schritte entfernt in der Rauchstraße 6. Ein weiterer berühmter Sohn der Stadt ist der 1804 geborene Maler Wilhelm von Kaulbach; das Stammhaus seiner Familie (Kaulbachstraße 3) ist heute ebenfalls ein Museum. Das Schreibersche Haus ist eines der ältesten Wohnhäuser in der Schlossstraße (Nr. 24); es wurde 1717 erbaut und besitzt eine sehenswerte frühklassizistische Ausstattung.

> **❗ *Baedeker* TIPP**
>
> **Heinrich zum Anfassen**
>
> Heinrich, der Uhu, ist recht gleichmütig und lässt sich streicheln. Ernie und Bert dagegen können das gar nicht leiden, die Gänsegeier in der Greifenwarte des Wildparks Edersee berühren bei ihren Tiefflügen über die Zuschauer lieber selbst den einen oder anderen Scheitel (Flugvorführungen täglich außer montags um 11.00 und 15.00 Uhr, Information: Tel. 0 56 23/22 30).

Frankenberg Frankenberg mit seinen schönen Fachwerkhäusern betritt man durch eine mittelalterliche Stadtbefestigung. Auf dem höchsten Punkt erhebt sich die **gotische Liebfrauenkirche**, 1286–1360 nach dem Vorbild der Marburger Elisabethkirche errichtet. Zwischen Unter- und Obermarkt steht das Rathaus (1509), ein schieferverkleideter Fachwerkbau mit zehn Spitztürmchen. Das ehemalige Zisterzienserinnenkloster St. Georgenberg (13.–16. Jh.) birgt das Heimatmuseum.

Haina Wer sich für Bauten der deutschen Hochgotik interessiert, sollte auf keinen Fall die **Klosterkirche** des ehemaligen Zisterzienserklosters in Haina verpassen, ein grandioses Beispiel dieser Stilrichtung.

✶✶ Weimar

Atlasteil: S. 38 • B 3	**Bundesland:** Thüringen
Höhe: 240 m ü. d. M.	**Einwohnerzahl:** 62 000

Die Stadt der deutschen Klassik vermittelt trotz ihrer zahlreichen, berühmten Kulturdenkmäler das Flair einer Kleinstadt. 1997 wurden die Bauhaus-Gebäude Weimars in die Liste des Weltkulturerbes der UNESCO aufgenommen; 1999 war Weimar europäische Kulturhauptstadt. Zum geistigen Leben tragen heute die Musikhochschule Franz Liszt und die Bauhaus-Universität wesentlich bei.

Ausführlich beschrieben im Baedeker Allianz Reiseführer »Weimar« Als Siedlungsplatz der Altsteinzeit war Weimar schon früh Stätte menschlicher Ansiedlung. Ihren geschichtlichen Höhepunkt erfuhr die Stadt aber erst im 18. Jh., als die Herzogin Anna Amalia Christoph Martin Wieland als Prinzenerzieher hierher holte. Ihr Sohn Carl August lud 1775 Goethe an seinen Hof. Das Wirken von Johann

Im Deutschen Nationaltheater von Weimar tagte 1919 die Deutsche Nationalversammlung; im August desselben Jahres wurde hier die Weimarer Verfassung verabschiedet.

Gottfried Herder und Friedrich Schillers Freundschaft zu Goethe führten dann zu jenem schöpferischen Prozess, dem Weimar seinen Ruf verdankt. Auch im 20. Jh. schrieb die Stadt mehrfach Geschichte: Walter Gropius gründete hier das Bauhaus, und im Weimarer Nationaltheater wurde die Verfassung der Weimarer Republik verabschiedet. Außerhalb der Stadt errichteten die Nationalsozialisten 1937 das Konzentrationslager Buchenwald. 1999 war Weimar europäische Kulturhauptstadt.

		Geschichte
899	»Wimares« wird erstmals urkundlich genannt.	
1348	Weimar wird Stadtrecht verliehen.	
1547	Weimar wird Hauptstadt des Herzogtums Sachsen-Weimar.	
1758	Weimars klassische Periode beginnt mit dem Regierungsantritt der Herzogin Anna Amalia.	
1919	Walter Gropius gründet das Bauhaus.	
1919	Die Verfassung der Weimarer Republik wird verabschiedet.	
1920	Weimar wird Landeshauptstadt von Thüringen.	
1999	Weimar ist europäische Kulturhauptstadt.	

Sehenswertes in Weimar

Den Mittelpunkt der Altstadt bildet die Herderkirche (1498–1500); die ursprüngliche Stadtkirche St. Peter und Paul war lange Jahre **Wirkungsstätte des Hofpredigers J. G. Herder**. Beachtung verdient eine Altartafel, die von Lucas Cranach d. Ä. begonnen und von seinem Sohn fertig gestellt wurde. Vor der Kirche steht ein Herderdenkmal.

✶
Herderkirche

Kirms-Krackow-Haus

Im Kirms-Krackow-Haus (Jakobstraße 10), das zu den ältesten Häusern der Stadt zählt, wird die **bürgerliche Wohnkultur** der Jahre um 1825 dokumentiert.

✳

Deutsches Nationaltheater

✳

Goethe-Schiller-Denkmal ►

Am Theaterplatz erhebt sich das Deutsche Nationaltheater. 1779 als Barockbau errichtet, wurde es 1907 wegen Baufälligkeit abgebrochen und in der heutigen Gestalt wieder aufgebaut. In diesem Haus, in dem auch Goethe Intendant war, wird die **Weimarer Theatertradition** gepflegt. Auf dem Theaterplatz davor steht das berühmte Goethe-Schiller-Denkmal, von Ernst Rietschel 1857 geschaffen.

✳

Bauhaus-Museum

Im Bauhaus-Museum am Theaterplatz werden Bilder, Grafiken sowie Holz- und Metallarbeiten von Künstlern gezeigt, die in den Jahren 1919–1925 am Weimarer Bauhaus gearbeitet haben.

Wittumspalais

Das Wittumspalais (1767) der Herzogin Anna Amalia bildete in der Periode der frühen Klassik ein **Zentrum gesellschaftlichen und literarischen Lebens**. Bemerkenswert sind die Gegenstände, die an die Tafelrunde der Herzogin erinnern. Als besonderes Kleinod gilt der kleine Festsaal, in dem Goethe seine berühmte Trauerrede auf Wieland hielt.

Weimar *Orientierung*

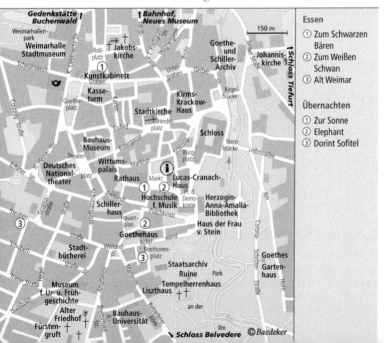

In der Schillerstraße (Nr. 12) steht das 1777 erbaute Haus, in dem ✳ Friedrich Schiller von 1802 bis zu seinem Tod im Jahr 1805 wohnte. **Schillerhaus** Schillers Arbeitszimmer und die Wohnräume sind nach historischem Vorbild eingerichtet. Das benachbarte, ehemals als Schillermuseum genutzte Gebäude dient nun Wechselausstellungen.

WEIMAR ERLEBEN

AUSKUNFT

Tourist-Information
Markt 10, 99421 Weimar
Tel. (0 36 43) 74 50, Fax 74 54 20
www.weimar.de

GESCHICHTE HAUTNAH

Im Weimarhaus wird die Geschichte und der Mythos Weimar zum Erlebnis für alle Sinne: Animierte Kulissen, special effects, Wachsfiguren und Multimediapräsentationen führen auf eine Zeitreise durch fünf Jahrtausende (www.weimarhaus.de; Schillerstraße 16–18, Tel. 0 36 43/90 18 90, Öffnungszeiten: tgl. 10.00–20.00 Uhr).

ESSEN

► Erschwinglich

③ **Alt Weimar**
Prellerstraße 2, 99423 Weimar
Tel. (0 36 43) 8 61 90
Behagliche Gaststube, regionale und internationale Küche, viele Eigenkreationen.

② **Zum Weißen Schwan**
Frauentorstraße 23, 99423 Weimar
Tel. (0 36 43) 90 87 51
Wandeln Sie in dem historischen Gasthaus auf den Spuren Goethes, der hier gern gesehener Stammgast war.

► Preiswert

① **Zum Schwarzen Bären**
Markt 20, 99423 Weimar
Tel. (0 36 43) 85 38 47
Im ältesten Gasthaus Weimars – 1540 erstmals urkundlich erwähnt – wer-

den Sie mit thüringischer Küche und internationalen Klassikern bewirtet.

ÜBERNACHTEN

► Luxus

② **Elephant**
Markt 19, 99423 Weimar
Tel. (0 36 43) 80 20, Fax 80 26 10
www.arabellasheraton.com
Weltbekanntes Haus mit stilvollen Zimmern (Art déco und Bauhaus). Im Gourmet-Restaurant »Anna Amalia«, einem der besten Thüringens, wird eine raffinierte Mischung aus deutscher und italienischer Küche angeboten, thüringische Spezialitäten genießen Sie im traditionellen »Elephantenkeller« unter Kreuzgewölbe.

► Komfortabel

③ **Dorint Sofitel Am Goethepark**
Bethovenplatz 1, 99423 Weimar
Tel. (0 36 43) 87 20, Fax 87 21 00
www.dorint.com
Erstklassiges Hotel in der Nachbarschaft des Goethehauses, gediegenes Ambiente in den Zimmern und Suiten, luxuriöse Badelandschaft über zwei Etagen, gemütliches Restaurant.

► Günstig

① **Zur Sonne**
Rollplatz 2, 99423 Weimar
Tel. (0 36 43) 8 62 90, Fax 86 29 39
Liebevoll restauriertes Hotel in der Altstadt. Hinter denkmalgeschützter Fassade erwarten Sie zeitgemäß eingerichtete Zimmer und ein gemütliches Restaurant im altdeutschen Stil.

Goethehaus ✶✶

Wenige Schritte vom Schillerhaus entfernt steht am Frauenplan das Goethehaus, ein schlichter Barockbau von 1709, in dem Goethe von 1782 bis zu seinem Tod im Jahr 1832 wohnte. Hier sind Goethes Kunstsammlungen ausgestellt sowie Teile seiner naturwissenschaftlichen, insbesondere mineralogischen Sammlungen. Neben dem Arbeitszimmer liegen das Sterbezimmer des Dichters sowie die Bibliothek mit 5400 Bänden (Öffnungszeiten: Nov. bis Feb. Di. bis So. 10.00–16.00, März bis Okt. Di. bis So. 9.00–18.00 Uhr).

Goethes Arbeitszimmer

Sinn und Zweck des **Goethemuseums** ist es, als **»Museum der Weimarer Klassik«** über Personen zu informieren, die mit Weimar verbunden sind, und das Phänomen »Weimarer Klassik« deutlich zu machen.

In der Nähe des Goethehauses befindet sich das **Haus der Frau von Stein**, in dem heute das Goethe-Institut Weimar untergebracht ist.

Lucas-Cranach-Haus ✶

Ein **Stück Alt-Weimar** hat sich in der Gegend um den Markt erhalten. Dort steht das Lucas-Cranach-Haus (1549), ein schöner Renaissancebau mit zwei Giebeln, in dem Lucas Cranach d. Ä. sein letztes Lebensjahr verbrachte.

Jakobskirche

Jakobsfriedhof ►

Beachtenswerte Bauten finden sich auch rings um die von einer Zwiebelhaube gekrönte barocke Jakobskirche (1712) im Nordwesten der Stadt. Auf dem Jakobsfriedhof sieht man das so genannte Kassengewölbe, die **erste Begräbnisstätte Schillers**. Ferner befinden sich dort die Grabstätten von Lucas Cranach d. Ä., Christiane von Goethe und Georg Melchior Kraus.

Bertuchhaus

Das Bertuchhaus an der Karl-Liebknecht-Straße, ein klassizistischer Bau aus dem 19. Jh., beherbergt heute das **Stadtmuseum**.

Kasseturm

Bemerkenswert am Goetheplatz, dem Verkehrszentrum und Ausgangspunkt zum Fußgängerboulevard Richtung Theaterplatz und Schillerstraße, ist der Kasseturm. Das Gebäude, ein im 18. Jh. **umgebauter Rundturm** der mittelalterlichen Stadtbefestigung, ist heute das Domizil eines Studentenklubs.

Schloss ✶

Das Schloss im Osten der Stadt zeigt sich als Dreiflügelanlage mit klassizistischer Säulenhalle. Südwestlich vom Schloss stehen der mittelalterliche Schlossturm mit einem Barockaufsatz und die so genannte Bastille.

Im Schloss haben die Kunstsammlungen zu Weimar ihren Sitz mit Abteilungen deutscher Kunst des Mittelalters und der Renaissance, italienischer und niederländischer Malerei des 16./17. Jh.s, Kunst der Goethezeit, deutsche Romantik, Weimarer Malerschule und deutsche Malerei des 19. und 20. Jh.s. Als Dependance der Kunstsammlungen ist 1999 das Neue Museum im ehemaligen Landesmuseum in der Carl-August-Allee eröffnet worden. Hier wird die **Avantgarde-Sammlung Paul Maenz** präsentiert.

✶ ◄ Kunst-sammlungen zu Weimar

◄ Neues Museum

Im ehemaligen Fürstenhaus, einem eindrucksvollen, dreigeschossigen Barockbau mit Säulenvorbau hat die **Hochschule für Musik** »Franz Liszt« ihren Sitz. Davor befindet sich das Reiterstandbild des Großherzogs Carl August (1875).

An der Ostseite des Platzes der Demokratie steht das 1570 errichtete Grüne Schloss. Es beherbergt die 1691 gegründete und 1991 nach

> **!** *Baedeker* TIPP
>
> **Spenden für die Anna Amalia Bibliothek**
> Ein Stück deutsche Kultur ist im September 2004 in Flammen aufgegangen. Wer sich am Wiederaufbau der bedeutenden Bibliothek in Weimar beteiligen möchte, kann sich darüber per Internet informieren. Sowohl finanziell kann man die Restaurierung der Buchbestände und des Gebäudes unterstützen als auch mit Originalbüchern, die bei dem verherenden Brand vernichtet wurden (www.anna-amalia-bibliothek.de).

Herzogin Anna Amalia benannte Bibliothek, die bis 1819 von Goethe betreut wurde. Große Teile des Bestandes sind bei einem **3-tägigen Brand** im September 2004 vernichtet oder beschädigt worden. Die geretteten Bücher und der Rokoko-Bibliothekssaal werden restauriert.

✶ Herzogin Anna Amalia Bibliothek

Sehr schön ist der Park an der Ilm mit seinen Bauten. Goethe selbst schuf in jahrzehntelanger Arbeit mit Gärtnern diesen Landschaftsgarten. Am Ostufer der Ilm steht Goethes Gartenhaus, ein Bau aus dem 17. Jh. Von 1776 bis 1782 war das Haus **ständiger Wohnsitz des Dichters**. Am Westufer der Ilm befindet sich das Borkenhäuschen, in dem sich Herzog Carl August zu erholen pflegte. Für Carl August entwarf Goethe auch den klassischen Bau des Römischen Hauses.

✶ Park an der Ilm

✶ ◄ Goethes Gartenhaus

An der Einmündung des Parks in die Belvederer Allee wohnte der Komponist Franz Liszt von 1869 bis 1886. Zu sehen sind seine ehemaligen Wohnräume und eine kleine Ausstellung zu Leben und Werk Liszts.

Wohnhaus von Franz Liszt

In der Humboldtstraße 11 zeigt das Museum für Ur- und Frühgeschichte jungsteinzeitliche Kulturen Thüringens und ein Hügelgrab.

Sehenswert ist auch der Historische Friedhof mit der **Fürstengruft**: Am Ende einer Allee erhebt sich die kuppelgekrönte Kapelle, in deren Gruftgewölbe sich der Sarkophag Großherzog Carl Augusts sowie die Särge von Goethe und Schiller befinden. An der Südseite der Fürstengruft steht die Russische Kapelle, in der die Großherzogin

✶ Historischer Friedhof

Heute Pilgerstätte für Literaturfreunde: Goethes Gartenhäuschen im Park an der Ilm

Maria Pawlowna beigesetzt wurde. Auf dem Friedhof befinden sich die Gräber der Familie von Goethe, von Charlotte von Stein und von Goethes Sekretär Eckermann.

Bauhaus-Universität
Auf dem Weg vom Friedhof zur Belvederer Allee kommt man in der Geschwister-Scholl-Straße am Hauptgebäude der Bauhaus-Universität vorbei. Es wurde 1904 nach Plänen des Architekten Henry van de Velde erbaut.

Umgebung von Weimar

✱ Schloss Tiefurt
Herzogin Anna Amalia wählte Schloss Tiefurt an der Ilm von 1781 bis 1806 als Sommersitz und pflegte es als eine **Stätte der Geselligkeit und des Gedankenaustausches führender Köpfe Weimars**.

✱ Landschaftspark ▶
Lohnend ist ein Gang durch den von der Ilm umflossenen Tiefurter Landschaftspark. Man sieht Denkmäler und Kleinarchitektur, z. B. den Musentempel, den Teesalon, den Herder-Gedenkstein und das Mozart-Denkmal.

Konzentrationslager Buchenwald
Nordwestlich von Weimar erhebt sich der Ettersberg (478 m ü. d. M.). Hier errichteten die Nationalsozialisten 1937 das Konzentrationslager Buchenwald, in dem bis zur Befreiung am 11. April 1945 mehr als 50 000 Menschen ermordet wurden. Auf dem ehemaligen Lagergelände informiert heute eine Ausstellung über das Konzentrationslager. Die **Gedenkstätte Buchenwald** wurde auf dem Gelände der Massengräber am Südhang des Ettersberges errichtet. Eine zusätzliche Dauerausstellung informiert über die Nutzung Buchenwalds als sowjetisches »Speziallager 2« von 1945 bis 1950.

✱ Schloss Belvedere
Schloss Belvedere, ein Barockbau, der als Jagd- und Lustschloss diente, ist heute als **Rokokomuseum** zugänglich. In der Nähe entstand in den 1990er-Jahren das moderne Musikgymnasium Schloss Belvedere. Im Schlosspark ist die Orangerie mit einer Sammlung historischer Wagen beachtenswert.

✳ Wernigerode

Atlasteil: S. 27 • D 4
Höhe: 240 m ü. d. M.

Bundesland: Sachsen-Anhalt
Einwohnerzahl: 36 000

Die fast tausendjährige »bunte Stadt am Harz« (Hermann Löns), schmückt sich mit vielen gut erhaltenen Kunst- und Kulturdenkmälern, mit einer großen Zahl schöner Fachwerkhäuser aus vier Jahrhunderten und mit dem malerischen, hoch gelegenen Schloss. Außerdem ist der Ort Standort der Fachhochschule Harz für Ingenieurs- und Wirtschaftswissenschaften.

Im Auftrag des Klosters Corvey entstand im 9. Jh. eine Missionssiedlung, die nach dem Abt Waringrode benannt wurde. Anfang des 12. Jh.s wird erstmals ein Graf von Wernigerode erwähnt, der seine Stammburg auf dem Agnesberg hatte. Aufgrund der Lage am Schnittpunkt wichtiger Handelsstraßen entwickelte sich eine Marktsiedlung, die 1229 das Goslarer Stadtrecht erhielt. Ihre **Blütezeit** lag im 14. und 15. Jh. und gründete auf dem Handel mit Tuch, Bier und Branntwein. Pestepidemien und der Dreißigjährige Krieg lösten den Niedergang aus, die einstige Hansestadt sank zu einer Ackerbürgerstadt herab. Erst Ende des 18. und im 19. Jh. kam es zu einem erneuten Aufschwung. Mit dem Anschluss an die Eisenbahnlinie (1872) sowie 1898/1899 an die Harzquer- und über diese an die Brockenbahn setzte der Fremdenverkehr ein.

Geschichte

Sehenswertes in Wernigerode

Der belebte Mittelpunkt der **autofreien Innenstadt** ist der von farbenprächtigen Häuserfassaden umgebene Marktplatz, um den die Straßen in konzentrischen Kreisen angeordnet sind. Seine Südseite schmückt das **Rathaus**, das 1277

> ### ❗ *Baedeker* TIPP
>
> **Harzer Schmalspurbahnen**
>
> Mit den drei Harzer Schmalspurbahnen können Sie gemütlich durch den Harz gondeln. Wernigerode ist Ausgangspunkt für die Harzquerbahn, in Drei Annen Hohne zweigt die Brockenbahn ab, die auf den berühmten Gipfel hinauffährt, und an der Station Eisfelder Talmühle kann man in die Seketalbahn umsteigen.

als sog. Spelhus erstmals erwähnt wurde. Ursprünglich war es gräfliche Gerichtsstätte. Der heutige Bau mit außergewöhnlichem Figurenschmuck entstand zwischen 1427 und 1450: Auf den Knaggen, den Stützbalken unter den Balkenköpfen, stellen 33 holzgeschnitzte Figuren Heilige, Narren, Gaukler, Spielleute oder Tänzer dar. Der südwestliche Anbau, der sich auf der rechten Seite hinter dem Rathaus erstreckt, entstand 1480 als Waaghaus; heute beherbergt er die Stadtverwaltung. Rechts neben dem Rathaus dient das bereits 1425 erwähnte Gothische Haus als Hotel. Der Marktbrunnen wurde 1848 in der Ilsenburger Eisenkunsthütte im neugotischen Stil gegossen.

✳ ✳
Marktplatz

Reich mit Figuren geschmückt: das Rathaus von Wernigerode

Durch die schmale Gasse westlich vom Rathaus gelangt man auf den **Klint**, den **ältesten Stadtteil** Wernigerodes. Das Haus in der Klintgasse 3 entstand um 1580; Haus Nr. 5 ist die 1680 erbaute ehemalige Teichmühle, heute das Schiefe Haus genannt (die Schieflage ist Folge der dauernden Unterspülung). Einen Besuch verdient das in einem klassizistischen Fachwerkhaus von 1840 untergebrachte Harzmuseum (Klint 10). Seine Ausstellungen führen in die Landschafts- und Siedlungsgeschichte des Harzes und in die Stadtgeschichte ein. In weiteren Räumen wird die Fachwerkbauweise erläutert und Harzer Folklore vorgeführt. Nicht weit von dem Museum entfernt steht die **Sylvestrikirche** (Oberer Pfarrkirchhof), eine dreischiffige gotische Basilika von 1230, die wenig später zur Klosterkirche und Grablege der Wernigeroder Grafen umgebaut und zuletzt 1833–1885 verändert wurde. Unter den Ausstattungsstücken befindet sich ein spätgotischer Brüsseler Schnitzaltar (1480). Die schmale Gasse um die Kirche herum ist von prächtigen alten Häusern aus dem 16. und 17. Jh. gesäumt. Über einen kleinen Durchgang gelangt man zur Johann-Sebastian-Bach-Straße, der man bis zur Kochstraße folgt. Hier steht das 1774 erbaute **kleinste Haus der Stadt** (Nr. 43), das bis zur Dachtraufe 4,20 m misst und nur 2,95 m breit ist. Einziger Raum ist die sog. Fuhrmannsstube. Nordöstlich hiervon erhebt sich die 1756–1762 auf einem romanischen Vorgängerbau errichtete, später barock umgestaltete Liebfrauenkirche.

Breite Straße

Einige der bedeutendsten Fachwerkhäuser der Stadt stehen in der Breiten Straße, die am Marktplatz beginnt. Zu den schönsten Beispielen gehören das 1583 erbaute Café Wien (Nr. 4) sowie das Haus Krummel (1674; Nr. 72) mit seiner reich verzierten holzgeschnitzten Fassade. Der Pferdekopf und die Hufeisen über der Tür weisen auf die Krellsche Schmiede (Nr. 95) von 1678, in dem ein kleines **Schmiedemuseum** eingerichtet wurde.

Stadtbefestigung

Von der alten Stadtbefestigung aus dem 13. und 14. Jh. sind noch Überbleibsel vorhanden, u. a. der Wallgraben, zwei Schalentürme und ein Torturm, das Westerntor.

Schloss

Auf der 350 m hohen Kuppe des Agnesbergs erhebt sich das Wernigeroder Schloss. Wer den kurzen, aber steilen Fußweg umgehen möchte, fährt mit der Bimmelbahn, die hinter dem Rathaus bei der

Blumenuhr startet. Bereits im 12. Jh. stand hier eine Burg, von der
außer einigen Kellergewölben und Mauerbruchstücken nichts erhalten geblieben ist. Sein heutiges Aussehen erhielt das Schloss im
19. Jh., als Graf Otto zu Stolberg-Wernigerode, Vizekanzler unter
Bismarck, 1862 eine umfassende Rekonstruktion im historisierenden
Stil der Neugotik veranlasste, daher auch sein Beiname **»Neuschwanstein des Harzes«**. Seit 1949 ist es ein Museum. Der Besucher erhält
einen Einblick in die Wohnkultur des Hochadels im 19. Jahrhundert.
Beachtung verdienen die zahlreichen Gemälde, Handzeichnungen
und Grafiken, die v. a. von Künstlern der Romantik stammen. Von
der Freiterrasse hat man einen schönen Blick auf die Stadt. Nördlich
unterhalb des Schlosses erstreckt sich der ehemalige Lustgarten, heute ein englischer Landschaftspark.

 # WERNINGERODE ERLEBEN

AUSKUNFT

Tourist Information
Nicolaiplatz 1, 38855 Wernigerode
Tel. (0 39 43) 63 30 35, Fax 63 20 40
www.wernigerode.de

HEXEN UND HÖHLEN

Um Wernigerode und Umgebung bei
einem Kurztrip kennen zu lernen,
bietet die Wernigerode Tourismus
GmbH von Mai bis Oktober preisgünstige Wochenend-Arrangements
an mit Stadtführung, Schlossbesuch,
Bimmelbahnfahrt und Besichtigung
des Hexentanzplatzes und der »Mutter aller Höhlen«, der Baumannshöhle
bei Rübeland (Tel. 0 39 43/63 30 35).

ESSEN

► Erschwinglich
Weißer Hirsch
Marktplatz 5, 38855 Wernigerode
Tel. (0 39 43) 60 20 20
Im ältesten Hotel der Stadt befindet
sich dieses elegante und behagliche
Restaurant: Freuen Sie sich auf ver-
feinerte regionale Küche und den
einmaligen Blick auf Marktplatz und
Rathaus.

► Preiswert
Ratskeller
Marktplatz 1, 38855 Wernigerode
Tel. (0 39 43) 63 27 04
Deftige Harzer Spezialitäten werden
in dem netten Gewölberestaurant, das
auf eine jahrhundertealte Tradition
zurückblickt, aufgetragen.

ÜBERNACHTEN

► Luxus
Gothisches Haus
Marktplatz 2, 38855 Wernigerode
Tel. (0 39 43) 67 50, Fax 67 55 55
www.tc-hotels.de
Ansprechendes Hotel mit historischem Flair. Hinter der denkmalgeschützten Renaissance-Fassade
erwarten Sie wohnliche, hochwertig
ausgestattete Zimmer; schöne Lobby
mit Kamin und Bar, Wellnessbereich.

► Günstig
Johannishof
Pfarrstraße 25, 38855 Wernigerode
Tel. (0 39 43) 9 49 40, Fax 94 94 49
www.hotel-johannishof.de
Elegant-gediegene und geräumige
Zimmer im Landhaustil hält dieses
sehr ruhig im Herzen der Stadt
gelegene Haus für Sie bereit.

Umgebung von Wernigerode

✳
Steinerne
Renne
Ottofelsen

Durch den Ortsteil Hasserode oder mit der Harzquerbahn erreicht man die Steinerne Renne, ein romantisches, von der Holtemme ausgewaschenes Flusstal, und den 548 m hohen Ottofels, von dem man einen **schönen Ausblick** genießt.

✳
Drübeck
Klosterkirche

6 km nordwestlich von Wernigerode liegt Drübeck mit seinem ehemaligen Kloster St. Viti (vor 960). Die heutige Klosterkirche entstand im 12. Jh.; unter der Ausstattung befindet sich ein schöner Schnitzaltar (um 1500).

Ilsenburg

In dem Ferienort Ilsenburg verdient besonders das hoch gelegene, 1862 in neoromanischem Stil erbaute kleine Schloss Beachtung. Auf halbem Weg zwischen Schloss und Ort kommt man an der romanischen Dorfkirche St. Marien vorbei. Im nahen Kreuzfriedhof befinden sich Grabsteine aus dem 17. und 18. Jh. sowie die Grabstätte des Malerehepaars Georg Heinrich und Elise Crola. Sie stifteten im 19. Jh. die Kreuzigungsgruppe aus Ilsenburger Kunstguss. Wer sich für Eisenkunstguss interessiert, dem sei ein Besuch des **Hüttenmuseums** in der Marienhöferstraße 9 sowie der Fürst-Stolberg-Hütte in der Schmiedestraße 16, nördlich vom Bahnhof, empfohlen.

Blankenburg ▶Harz

✳ Weserbergland

Atlasteil: S. 26 • A/B 2–4   **Bundesländer:** Hessen, Nordrhein-Westfalen und Niedersachsen

Das Weserbergland ist eine reizvolle Mittelgebirgslandschaft mit Laub- und Nadelwald und weiten Hochflächen. Wanderer und Naturfreunde finden in dieser Region noch Ruhe und Einsamkeit, doch kommen auch kunst- und kulturgeschichtlich Interessierte auf ihre Kosten. Im 16. und Anfang des 17. Jh.s entstanden hier prunkvolle Schlösser, reich verzierte Bürgerhäuser und repräsentative Rathäuser im so genannten Stil der Weserrenaissance.

Mehrere
Gebirgszüge

Das Weserbergland besteht aus mehreren Gebirgszügen, darunter Bramwald, Solling, Vogler, Ith, Süntel, Reinhardswald und Wesergebirge, zu beiden Seiten der Weser zwischen Hann. Münden und Minden. Im Norden grenzt es an die Norddeutsche Tiefebene; im Westen geht es in das Lippische Bergland, im Osten in das Leinebergland und im Süden in das Hessische Bergland über. **Höchste Erhebung** ist die Große Blöße (528 m ü. d. M.) im Solling.

Mehrere Touristikstraßen erschließen das Gebiet. Viele bekannte Stätten im Weserbergland sind mit deutschen Märchen und Sagen verbunden, die man auf der **Deutschen Märchenstraße** (► Routenvorschläge, S. 133) kennen lernen kann. Außerdem führt die **Straße der Weserrenaissance** durch das Weserbergland.

Fahrt entlang der Weser

Schöne Landschaftseindrücke vom Weserbergland vermittelt die Fahrt entlang der Weser. Reizvollster Abschnitt ist die Strecke zwischen Hann. Münden und Bad Karlshafen. Insgesamt hat die beschriebene Route – ohne die erwähnten Abstecher – eine Länge von etwa 170 km.

!
Baedeker TIPP

Dampfschiff oder Drahtesel

Eine beschauliche Art, das Weserbergland kennen zu lernen, ist eine Dampferfahrt auf der Weser. In den Sommermonaten verkehren regelmäßig Ausflugsschiffe zwischen den einzelnen Orten. Wichtigste Anlegestellen sind Bodenwerder, Hameln, Höxter, Bad Karlshafen und Polle. Oder Sie schwingen sich auf Ihren Drahtesel und fahren den Weserradweg meist in Ufernähe entlang.

★
Hann. Münden

Alexander von Humboldt zählte Münden, umgeben von Höhenzügen auf einer Landzunge zwischen Fulda und Werra, zu den **sieben schönstgelegenen Städten der Welt**. Einige Hundert Fachwerkhäuser aus sechs Jahrhunderten, Kirchen und alte Befestigungstürme bestimmen das malerische Stadtbild. Bedeutend für die Entwicklung der Stadt war das Stapelrecht, das Hann. Münden 1247 erhielt: Alle ankommenden Schiffe mussten hier ausgeladen und die Waren drei Tage lang zu Vorzugspreisen angeboten werden. Sie durften dann nur mit Mündener Schiffen oder Fuhrwerken weiter befördert werden – wirtschaftlicher Wohlstand war so garantiert. Das Zentrum der Fachwerkstadt bildet der Marktplatz mit dem stattlichen Rathaus. Dem ursprünglich gotischen Bau gab Georg Crossmann 1603–1613 eine prächtige Weserrenaissance-Fassade. Das Glockenspiel im Rathausgiebel erinnert an den Wanderarzt Doktor Eisenbart, der am 11. November 1727 in Hann. Münden starb. Gegenüber dem Rathaus ragt die St.-Blasii-Kirche (13.–16. Jh.) auf. Von ihren Kunstschätzen sind das Bronzetaufbecken von 1392, die Sandsteinkanzel von 1493 und ein Epitaph von Loy Hering für den Welfenherzog Erich I., der Münden im 16. Jh. zu seiner Residenz machte, besonders beachtenswert. Das **ehemalige Welfenschloss** (16./18. Jh.) im Nordosten der Altstadt, nahe der Werra, beherbergt u. a. das Städtische Museum. Von der um 1250 erbauten Werrabrücke bietet sich ein hübscher Blick auf die Fachwerkstadt.

Tillyschanze

Westlich der Stadt und jenseits der Fulda steht auf dem Rabanerkopf ein 25 m hoher **Aussichtsturm**. Der Heerführer der Kaiserlichen, Graf Tilly (1559–1632), der die Stadt im Dreißigjährigen Krieg eroberte, hatte eine seiner Schanzen am Fuß des Berges errichtet.

Die Weser setzt bei Polle zu einer malerischen Schleife an.

Erlebnispark Ziegenhagen

Bei Witzenhausen-Ziegenhagen, rund 10 km südöstlich von Hann. Münden, befindet sich der Erlebnispark Ziegenhagen. Ein Auto- und Motorradmuseum, Tiere, Irrgarten, Seilbahn, Funkboote und Flugsimulator sind nur einige der vielen Attraktionen, die hier geboten werden.

✳ Bad Karlshafen

Bad Karlshafen wurde 1699 von Landgraf Carl von Hessen an der Einmündung der Diemel in die Weser gegründet, um hugenottische Glaubensflüchtlinge anzusiedeln. Einige hübsche Barockbauten aus den Anfangstagen der Stadt haben sich in dem symmetrisch angelegten Straßennetz erhalten. Das **Hugenottenmuseum** nahe dem Rathaus informiert über die Situation dieser Glaubensgemeinschaft in Frankreich und Deutschland. Den Status »Bad« verdankt Karlshafen einer 1730 entdeckten Solquelle.

Fürstenberg

Bekannt ist der knapp 20 km nördlich von Bad Karlshafen gelegene Ort Fürstenberg wegen der hier ansässigen **Porzellanmanufaktur**, die bereits 1747 gegründet wurde. Im Schloss hat das Porzellanmuseum der Firma seinen Sitz.

✳ Höxter

Höxter am linken Weserufer wird reizvoll von bewaldeten Höhen umrahmt, die am rechten Ufer des Flusses zum Solling gehören. Die Altstadt besitzt zahlreiche **Renaissance-Fachwerkhäuser** aus dem 16. Jh.; hervorgehoben seien in der Marktstraße die 1561 erbaute Dechanei, einst Stadtsitz des Adelsgeschlechts von Amelunxen, und in der Westerbachstraße Nr. 33 das Tillyhaus von 1598; hier soll der kaiserliche Feldherr während des Dreißigjährigen Krieges mehrmals Quartier genommen haben. Das Rathaus mit einem Glockenspiel entstand 1610–1613 im Stil der Weserrenaissance. Nordöstlich vom Rathaus steht die romanische Kilianikirche aus dem 12./13. Jh. mit zwei weithin sichtbaren, ungleich hohen Westtürmen.

★★
Kloster
Corvey

Das ehemalige Kloster Corvey, 2 km nordöstlich von Höxter, wurde 822 von Ludwig dem Frommen gegründet und 1803 säkularisiert. Von der alten Klosterkirche steht noch das großartige Westwerk (873–885), **das älteste erhaltene Bauwerk des Frühmittelalters** in Westfalen. Die heutige Klosterkirche zeigt eine prachtvolle Barockausstattung. An der Südseite befindet sich das Grab von Hoffmann von Fallersleben, dem Dichter der deutschen Nationalhymne, der als Bibliothekar auf Kloster Corvey tätig war. Aus der Barockzeit stammen auch die schlichten ehemaligen Abteigebäude, das heutige Schloss (sehenswert die Äbtegalerie, der Kaisersaal, die fürstliche Bibliothek und das Museum mit Exponaten zur Klostergeschichte, zu Hoffmann von Fallersleben und zur Regionalgeschichte).

Neuhaus im
Solling

Einen kurzen Abstecher von der Wesertalroute lohnt der **heilklimatische Kurort und Wintersportplatz** Neuhaus im Solling, 16 km östlich von Höxter. Das ehemalige Jagdschloss der hannoverschen Könige wurde 1768–1791 erbaut.

Holzminden

Rund 10 km nordöstlich von Höxter liegt am rechten Weserufer Holzminden mit stattlichen Fachwerkhäusern aus dem 17. Jh. Der Dichter Wilhelm Raabe (1831–1910) verlebte hier einige Jugendjahre in der Straße Goldener Winkel. Das Schloss im nördlichen Nachbarort Bevern gilt als eines der **Hauptwerke der Weserrenaissance**. Die Vierflügelanlage mit zwei Treppentürmen entstand 1603–1612; von der ursprünglichen Inneneinrichtung ist nichts mehr erhalten.

◄ Bevern

Bodenwerder

Nächste Stationen der Tour entlang der Weser sind die »Münchhausenstadt« Bodenwerder (►Hameln, Umgebung) und die Rattenfängerstadt ►Hameln. Eine Fahrtunterbrechung lohnt auch die Stiftskirche in Fischbeck, 7 km nordwestlich von Hameln.

Folgt man dem Lauf der Weser von Fischbeck aus weitere 15 km, erreicht man das Städtchen **Rinteln**, das wie so viele andere Orte dieser Region mit schönen Fachwerkbauten aufwarten kann. Das Alte Rathaus am Markt besitzt zwei hübsche Giebel im Stil der Weserrenaissance.

! *Baedeker* TIPP

Draisinen-Fahrt

Fahrrad fahren auf Schienen können Sie auf der stillgelegten Strecke der historischen Extertalbahn bei Rinteln. Auf 18 km geht es durch die reizvolle Landschaft des Extertals, vorbei an Wiesen und Feldern, gemütlichen Bauernhöfen und kleinen Weilern. Halteplätze laden zur Rast ein (Information und Reservierung: Pro Rinteln e.V., Tel. 0 57 51/403-987, www.draisinen.de).

Porta Westfalica Die Porta Westfalica (►Minden, Umgebung), bei der die Weser in das Norddeutsche Tiefland eintritt, bildet ebenso wie die Domstadt
Minden ► ►Minden einen **Höhepunkt der Weserfahrt**.

 WESERBERGLAND ERLEBEN

AUSKUNFT

Tourismusverband Weserbergland
Deisterallee 1, 31753 Hameln
Tel. (0 51 51) 9 30 00, Fax 93 00 33
www.weserbergland.com

ESSEN

► Erschwinglich
Letzter Heller
Am letzten Heller 7 (an der B 80),
34346 Hann. Münden
Tel. (0 55 41) 64 46
Etwas außerhalb in östlicher Richtung finden Sie diesen empfehlenswerten Gasthof, wo frische saisonale Küche angeboten wird.

Hellers Krug
Altendorfer Straße 19,
37603 Holzminden
Tel. (0 53 31) 20 01
Ein schmuckes Fachwerkhaus beherbergt das nette Restaurant mit seinen vielen gemütlichen Nischen; klassische gutbürgerliche Küche.

► Preiswert
Die Reblaus
Ziegelstraße 32, 34346 Hann. Münden
Tel. (0 55 41) 95 46 10
Fachwerkhaus aus dem 17. Jh. am Kirchplatz. Marktorientierte Küche mit saisonalen Produkten, wöchentlich wechselnde Mittagsmenüs.

Zum Weserdampfschiff
Weserstraße 25, 34385 Bad Karlshafen
Tel. (0 56 72) 24 25
Traditionsreicher Gasthof an der Weser, hübsche Gaststube mit herrlicher Terrasse zum Fluss.

ÜBERNACHTEN

► Komfortabel
Alter Packhof
Bremer Schlagd 10,
34346 Hann. Münden
Tel. (0 55 41) 9 88 90, Fax 98 89 99
www.hotel-alter-packhof.de
Modernes Hotel im historischen Lagerhaus von 1837. In reizvoller Lage am Zusammenfluss von Fulda und Werra bietet das liebevoll restaurierte Haus komfortable Zimmer mit nostalgischem Flair und ein schönes Restaurant mit regionaler Küche.

Baedeker-Empfehlung

Rosenhof
Sollingstraße 85, 37603 Holzminden
Tel. (0 55 31) 99 59 00, Fax 99 59 15
www.hotel-rosenhof-holzminden.de
Bildhübsche Stadtvilla aus dem 19. Jh., stilvoll-elegante Ausstattung, viele Antiquitäten und moderne Kunst, komfortable Zimmer, schöner Garten.

► Günstig
Hessischer Hof
Carlsstraße 13, 34385 Bad Karlshafen
Tel. (0 56 72) 10 59, Fax 25 15
www.hess-hof.de
Alteingesessener Gasthof in reizvoller Lage nahe der Weser, zweckmäßig eingerichtete Zimmer, im Restaurant wird heimatliche Küche nach traditionellen Rezepten serviert.

Westerwald

Atlasteil: S. 34/35 • A–C 4   **Bundesländer:** Hessen, Nordrhein-Westfalen, Rheinland-Pfalz

Der Westerwald ist ein von Rhein, Sieg und Lahn umgrenztes wald-reiches Mittelgebirge, das in der 657 m hohen Fuchskaute gipfelt. Im südwestlichen Teil liegt das Kannenbäckerland. Seine Tonlager ließen eine bedeutende keramische Industrie entstehen. Südlich grenzt der ►Taunus an den Westerwald, nördlich das ►Siegerland, als westlicher Ausläufer das reizvolle Siebengebirge (►Bonn).

Reiseziele im Westerwald

✱ Hachenburg

Um den alten Marktplatz von Hachenburg, 45 km nordöstlich von ► Koblenz gelegen, gruppiert sich ein ganzes Ensemble prachtvoller Bauten, allen voran das im 18. Jh. barock umgestaltete Schloss, die evangelische Stadtkirche (15.–18. Jh.) und die katholische Pfarrkirche (1729–1739), eine ehemalige Franziskaner-Klosterkirche. Ein Gang durch die Straßen rings um den Marktplatz führt an zahlreichen schönen Fachwerk-Giebelhäusern vorbei. Einen guten Einblick in Geschichte und Kultur des Westerwalds gibt das Landschaftmuseum Westerwald. Nordwestlich liegt in der reizvollen Kroppacher Schweiz die Zisterzienserabtei Marienstatt (13. Jh.) mit frühgotischer Basilika und barockem Klostergebäude. 10 km südlich von Hachenburg erstreckt sich die **Westerwälder Seenplatte**, ein beliebtes Fremdenverkehrsgebiet.

Bad Marienberg

Von der einst wichtigen Basaltindustrie im Kneippkurort Bad Marienberg zeugt der »Basaltpark«, ein ehemaliger Steinbruch, der in ein Freilichtmuseum umgewandelt wurde: Dort kann man im Maschinenpark und einem Ausstellungsraum nachvollziehen, wie man das vulkanische Gestein abbaute und verarbeitete. Nahebei befindet sich ein Wildpark. Im Ort lockt ein großes Wanderwegenetz.

Westerburg

Überragt wird Westerburg, 12 km südlich von Bad Marienberg, vom Schloss der Grafen von Leiningen-Westerburg. Im Hang des Burgbergs stehen die Fachwerkhäuser des Oberfleckens mit der sehenswerten Schlosskirche aus dem 16. Jh. und dem Burgmannenhaus. Westerburg ist Ausgangspunkt für viele schöne **Wanderungen ins »Westerburger Land«** und zum nördlich gelegenen Wiesensee.

Montabaur

Wahrzeichen der Kreisstadt Montabaur ist das weithin sichtbare Schloss mit markanten Türmen. Der Trierer Erzbischof Dietrich, um 1217 von einem Kreuzzug aus dem Heiligen Land zurückgekehrt, nannte die Burg auf dem heutigen Gebiet von Montabaur wegen der Ähnlichkeit mit dem Berg Tabor in Israel »Mons Tabor«, woraus

⏵ WESTERWALD ERLEBEN

AUSKUNFT

Touristinformation Westerwald
Kirchstraße 48 a, 56410 Montabaur
Tel. (0 26 02) 3 00 10, Fax 94 73 25
www.westerwald-touristik.de

ESSEN

▶ Erschwinglich
Peter Hilger
Hardtweg 5
57629 Limbach bei Hachenburg
Tel. (0 26 62) 71 06
Reizendes Restaurant mit hervor-
ragender Küche. Raffinierte Fisch-
gerichte!

▶ Preiswert
Kristall
Goethestraße 21
56470 Bad Marienberg
Tel. (0 26 61) 9 57 60
Gasthof im alpenländischen Stil mit
gediegenem Restaurant, das für seine
liebevoll zubereitete, gutbürgerliche
Küche geschätzt wird.

Ströhmann
Gusternhainer Straße 11
35767 Gusternhain bei Herborn
Tel. (0 27 77) 3 04
Uriges Landgasthaus mit rustikaler
Stube, bodenständige Küche und vielen
Spezialitäten aus eigener Metzgerei.

ÜBERNACHTEN

▶ Komfortabel
Kur- und Tagungshotel Wildpark
Kurallee, 56470 Bad Marienberg
Tel. (0 26 61) 62 20, Fax 62 24 04
www.wildpark-hotel.de
Auf der Zinhainer Höhe, einem der
schönsten Aussichtspunkte des Wes-
terwaldes, thront das neuzeitliche
Haus am Waldrand, wohnliche Zim-
mer sorgen für Wohlfühlatmosphäre,
Restaurant, großzügige und modern
ausgestattete Kneipp-Bade-Abteilung.

Schlosshotel
Schlossstraße 4, 35745 Herborn
Tel. (0 27 72) 70 60, Fax 70 66 30
www.schlosshotel-herborn.de
Mitten im Zentrum liegt der freundliche Familienbetrieb, der zeitgemäßen Komfort bietet. Behagliche
und geräumige Zimmer, Restaurant,
schöne Saunalandschaft.

▶ Günstig
Landhotel am Rothenberg
Lessingstraße 20, 57627 Hachenburg
Tel. (0 26 62) 67 55, Fax 93 92 52
www.landhotel-amrothenberg.de
Ruhiges, kleines Hotel mit persönlicher Atmosphäre, hübsche zweckmäßige Zimmer, gutes Restaurant mit
attraktivem Wintergarten.

Montabaur wurde. Sehenswert ist die lebendige Altstadt mit gut erhaltenen Fachwerkgiebelhäusern. Zwischen Koblenz und Montabaur
liegt ein etwa 50 km² großes geschlossenes Waldgebiet, die **Monta-
baurer Höhe** mit einem bewirtschafteten Aussichtsturm auf dem
Klöppel (540 m ü. d. M.).

**Höhr-
Grenzhausen**
Die Kannenbäckerstadt Höhr-Grenzhausen, 20 km westlich von
Montabaur, ist das **Zentrum des regionalen Töpferhandwerks** und
Sitz des Keramikmuseums Westerwald mit einer international bedeu-

tenden Sammlung historischer und zeitgenössischer Keramik. 9 km nördlich von Höhr-Grenzhausen, zwischen Mogendorf und Siershahn (Tonbergbaumuseum), gibt es großflächige Tongruben. Einen guten Einblick in die Tonverarbeitung vermittelt eine Fahrt auf der »Kannenbäckerstraße«.

✶
Herborn

Zwischen ► Siegen und Wetzlar (►Gießen) liegt Herborn, schon im 11. Jh. ein wichtiger Verkehrsknotenpunkt und **Marktort**. Über dem Ort thront das im 13. Jh. erbaute malerische Schloss, heute Sitz des Ev.-Theolog. Seminars. Reste der Stadtbefestigung umgeben die sehenswerte Altstadt mit ihren von zahlreichen schönen Fachwerk-Giebelhäusern gesäumten Straßenzügen. Die ehemalige Hohe Schule in der Schulhofstraße 5, die bis 1588 als Rathaus diente, birgt das **Heimatmuseum**. 1589 begann man mit dem Bau des Renaissance-Rathauses am Marktplatz. Sehr hübsch ist auch der Kornmarkt.

Dillenburg

Etwa 10 km nördlich von Herborn erhob sich einst in Dillenburg, das über mehrere Jahrhunderte Residenzstadt der Fürsten von Nassau-Oranien war, die mächtige Befestigungsanlage des Schlosses Dillenburg. Reste des zerstörten Schlosses sind die »hohe Mauer«, die Stadt und Schloss voneinander trennen, und die unterirdischen **Kasematten**, die man während der Sommermonate im Rahmen von Führungen besichtigen kann. An Stelle des Schlosses wurde zur Erinnerung an Wilhelm I. von Oranien der sog. Wilhelmsturm errichtet, der heute das Nassau-Oranische Museum beherbergt.

✶ Wiesbaden

Atlasteil: S. 43 • D 2
Bundesland: Hauptstadt des Bundeslandes Hessen
Höhe: 117 m ü. d. M.
Einwohnerzahl: 270 000

Über 20 Thermalquellen, das milde Klima und die reizvolle Umgebung machen Wiesbaden zu einem beliebten Kurort. Die Stadt ist Sitz des Bundeskriminalamts, des Statistischen Bundesamts und verschiedener Bundesverbände. In der Umgebung gibt es mehrere große Sektkellereien.

Geschichte

Die Heilkraft der Quellen Wiesbadens waren schon den Römern bekannt, die den Ort nach dem hier beheimateten germanischen Stamm der Mattiaker Aquae Mattiacorum nannten. Wohl seit der Zeit des Kaisers Claudius (41–54 n. Chr.) gab es hier ein Kastell; römische Bäder befanden sich vermutlich an der Stelle des heutigen Kochbrunnens. Der Name Wisibada wurde zum ersten Mal 829 überliefert. Im 13. Jh. avancierte Wiesbaden zum Königshof und zur kaiserlichen Stadt, die allerdings 1242 vom Mainzer Erzbischof erobert und zerstört wurde. Es dauerte bis zum 18. Jh., bis die Stadt unter der Herrschaft der Nassauer wieder an Bedeutung gewann. Bald danach erlebte sie ihre **Blütezeit als biedermeierlich-schlichte Residenz- und Badestadt**. Nach dem Preußisch-Österreichischen Krieg 1866 wurde das Herzogtum Nassau preußisch und Wiesbaden zur Hauptstadt eines Regierungsbezirks. Bis zum Ersten Weltkrieg erlebte die Kurstadt eine Glanzzeit als sommerlicher Treffpunkt des Kaisers und des Hofes. Noch heute prägen die prachtvollen Gebäude dieser Epoche das Bild der Stadt. Auch verschiedene Künstler fühlten sich von der besonderen Atmosphäre inspiriert – in Wiesbaden komponierte Brahms seine Dritte Sinfonie, Richard Wagner arbeitete an den »Meistersingern«, und der Maler Alexej von Jawlensky vollendete hier sein Spätwerk »Meditationen«.

Sehenswertes in Wiesbaden

✱
Kurbezirk

Hauptverkehrsader der Stadt ist die breite Wilhelmstraße. An ihrem Nordende schließt sich in östlicher Richtung der Kurbezirk an. Das **Kurhaus**, ein stattlicher Festbau mit mächtiger ionischer Säulenvor-

Kaiser-Friedrich-Bad: Hier gleitet man stilvoll ins Wasser.

halle, wurde 1904–1907 von Friedrich von Thiersch errichtet. Der imposante Portikus trägt das Stadtwappen mit den drei Lilien und der Aufschrift »Aquis Mattiacis«. Heute dient das prachtvolle Gebäude als Veranstaltungsort für Tagungen, Kongresse und Konzerte. Im ehemaligen Weinsaal des Kurhauses befindet sich das Casino, in dem schon Dostojewski und Richard Wagner ihr Glück versuchten. Die benachbarte Kurhauskolonnade (1827) gilt mit 130 m als die **längste Säulenhalle Europas**. Ihr gegenüber liegt das Hessische Staatstheater, dazwischen der »Warme Damm« bzw. das »Bowling Green«, Wiesbadens Hauspark. Hinter dem Kurhaus breitet sich der gepflegte Kurpark aus, der 1810 als französischer und 1837/1838 als englischer Garten angelegt wurde. Um den Weiher, auf dem man bei schönem Wetter Tretboot fahren kann, wachsen Magnolien und Sumpfzypressen wie auch Azaleen- und Rhododendronsträucher. Am Nizzaplätzchen kann man Säulenreste des alten Kurhauses entdecken. Östlich schließt sich an den Kurpark der Kurbezirk Aukammtal an.

◀ Kurhaus-
kolonnade

✳

◀ Kurpark

Westlich des Kurbezirks findet man den Kochbrunnen, der allein 15 Quellen zusammenführt. Unter ihnen ist die 66 °C heiße Therme die **bekannteste Quelle** der Stadt.

Kochbrunnen

Etwas weiter südlich vom Kochbrunnen kommt man zum Kaiser-Friedrich- oder Römisch-Irischen Bad, das durch seine schöne Jugendstilausstattung besticht. Hier kann man stilvoll im Wasser der Adlerquelle baden.

✳
Kaiser-
Friedrich-Bad

Zwischen Webergasse, Langgasse, Kirchgasse, Friedrichstraße und Wilhelmstraße befinden sich die schmalen und verwinkelten Gässchen der Wiesbadener Altstadt. Ihren Kern bildet die **Häuserzeile »Schiffchen«** zwischen der Grabenstraße und der Wagemannstraße mit dem ältesten noch erhaltenen Stadthaus von 1728.

Altstadt

Am Schlossplatz im Zentrum Wiesbadens steht das **Stadtschloss** (1837–1841), seit 1946 Sitz des Hessischen Landtags. Nach dem Einzug der Preußen residierten hier zeitweise die preußischen Könige und deutschen Kaiser. Gegenüber steht das Alte Rathaus (1610), dessen Fachwerkgiebel 1829 durch einen steinernen Aufbau ersetzt wurde. Das Neue Rathaus (19. Jh.) an der Südostseite des Platzes wurde 1951 in schlichter Ausführung wieder aufgebaut. Beeindruckend ist die ziegelrote Marktkirche (1852–1862), eine neogotische dreischiffige Basilika. Vor dem Gotteshaus erinnert das Denkmal »Der Schweiger« an Wilhelm von Oranien.

✳
Schlossplatz

Nur wenige Meter weiter östlich gelangt man wieder auf die Wilhelmstraße, die **Promenierstraße Wiesbadens**. An ihrem südlichen Teil liegen mehrere kulturelle Einrichtungen wie die Villa Clementine, in der Ausstellungen und Konzerte veranstaltet werden, der Kunstverein, wo hauptsächlich Kunst des 20. Jh.s gezeigt wird, und

Wilhelmstraße

das Museum Wiesbaden mit einer Gemäldegalerie, naturwissenschaftlichen Ausstellungen und der Sammlung Nassauische Altertümer. Gegenüber steht das Kongress- und Ausstellungszentrum Rhein-Main-Halle.

Wiesbaden Orientierung

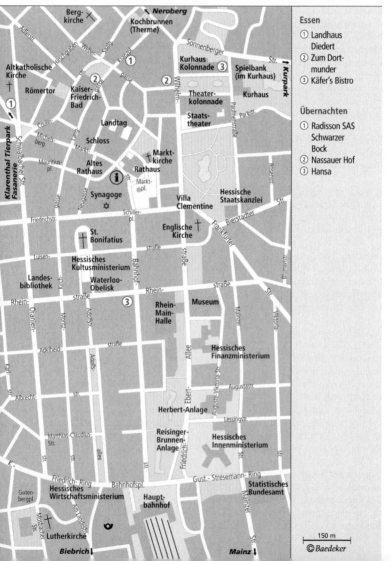

Essen
① Landhaus Diedert
② Zum Dortmunder
③ Käfer's Bistro

Übernachten
① Radisson SAS Schwarzer Bock
② Nassauer Hof
③ Hansa

150 m
© Baedeker

Von hier aus führt die Rheinstraße, an der sich die Hessische Landesbibliothek und das **erste Frauenmuseum Deutschlands** befinden, in
westlicher Richtung zum Inneren Ring der Stadt.

Rheinstraße

Nördlich über der Stadt erhebt sich der bewaldete Neroberg (245 m
ü. d. M.), auf den man am besten mit der wasserbetriebenen, 1888
eröffneten Zahnradbahn gelangt. Etwas fremdartig wirkt hier die so

✱
Neroberg

 ## WIESBADEN ERLEBEN

AUSKUNFT

Tourist-Information
Marktstraße 6, 65183 Wiesbaden
Tel. (06 11) 1 72 97 02, Fax 1 72 97 98
www.wiesbaden.de

ESSEN

► Erschwinglich
① *Landhaus Diedert*
Am Kloster Klarenthal 9,
65195 Wiesbaden-Alt Klarenthal
Tel. (06 11) 1 84 66 00
Wie im Urlaub in Südfrankreich
fühlen Sie sich in dem wunderschönen Landhaus-Restaurant mit provenzalischem Flair; kreative regionale
Küche.

③ *Käfer's Bistro*
Kurhausplatz 1 (im Kurhaus),
65189 Wiesbaden
Tel. (06 11) 53 62 00
Nostalgisch angehauchtes Restaurant
im Kurhaus von 1907, gehobene
internationale und regionale Küche.

► Preiswert
② *Zum Dortmunder*
Langgasse 34, 65183 Wiesbaden
Tel. (06 11) 30 20 96
Ein echter Klassiker in der Landes-
hauptstadt ist das urig eingerichtete
Gasthaus in der Altstadt, das sein
Publikum seit 50 Jahren mit boden-
ständiger deutscher Küche und einer
erstaunlichen Auswahl verschiedener
Biere bewirtet.

ÜBERNACHTEN

► Luxus
② *Nassauer Hof*
Kaiser-Friedrich-Platz 3,
65183 Wiesbaden
Tel. (06 11) 13 30, Fax 13 36 32
www.nassauer-hof.de
Beeindruckendes Grand-Hotel klassischen Stils mit einzigartiger Atmosphäre, luxuriöse Eleganz und höchster
Komfort, nobel eingerichtete Zimmer
und exquisite Suiten, gediegenes
Gourmetrestaurant, attraktiver Bade-
und Wellnessbereich.

① *Radisson SAS Schwarzer Bock*
Kranzplatz 12, 65183 Wiesbaden
Tel. (06 11) 15 50, Fax 15 51 11
www.wiesbaden.radissonsas.com
Anno 1468 erbaut, gehört der
Schwarze Bock zu den traditions-
reichsten Hotels Deutschlands. Sehr
stilvolle Zimmer und Suiten, elegantes
Restaurant, schöne Innenhofterrasse,
erstklassiger Bade- und Wellness-
bereich mit Blick über die Dächer
Wiesbadens.

► Komfortabel
③ *Hansa*
Bahnhofstraße 23, 65185 Wiesbaden
Tel. (06 11) 90 12 40, Fax 90 12 46 66
www.hansa.bestwestern.de
Stattliches Haus, Ende des 19. Jh.s
erbaut. Hinter der schmucken Fassade
können Sie moderne Zimmer mit
gutem Komfort beziehen.

✱
Griechische Kapelle ▶
genannte Griechische Kapelle mit goldenen Zwiebeltürmen. Sie wurde 1855 im russisch-byzantinischen Stil zu Ehren der Großfürstin und Herzogin von Nassau Elisabeth Michajlowska, einer Nichte des russischen Zaren, errichtet. Ganz in der Nähe steht ein Tempel, von dem sich ein wunderbarer Blick auf die Stadt bietet. Einen Besuch ist

Opelbad ▶
auch das Opelbad wert, das 1933/1934 im Bauhausstil angelegt wurde und als eine der **schönsten Badeanstalten Deutschlands** gilt.

Fasanerie
Im Nordwesten der Stadt liegt am Schützenhausweg der Tier- und Pflanzenpark Fasanerie mit vorwiegend einheimischen Tierarten.

✱
Schloss Biebrich
Im Stadtteil Biebrich befindet sich das gleichnamige Schloss, die 1698–1744 erbaute barocke Residenz der Nassauer Herzöge. Die Rotunde und die Galerien dienen heute als **Repräsentationsräume des hessischen Ministerpräsidenten**. Der Schlosspark ist ein Werk des Freiherrn Friedrich von Schell.

✱ Wismar

Atlasteil: S. 9 • C 4	**Bundesland:** Mecklenburg-Vorpommern
Höhe: 14 m ü. d. M.	**Einwohnerzahl:** 53 000

Die in der tief eingeschnittenen gleichnamigen Bucht gelegene alte Hansestadt Wismar gehört zu den Hauptanziehungspunkten an der mecklenburgischen Ostseeküste, denn trotz schwerer Zerstörungen im Zweiten Weltkrieg wurde die historische Altstadt 2002 zum Weltkulturerbe erklärt. Die moderne Industrie- und Hafenstadt erstreckt sich westlich und nordwestlich des Stadtkerns.

Geschichte
Wismar ging aus einer kurz vor 1200 gegründeten Siedlung hervor, die im Jahr 1229 das Stadtrecht erhielt. Dank ihrer Lage an einer alten Handelsstraße von Lübeck über Rostock bis ins Baltikum hinein entwickelte sich die Stadt bald zu einem **wichtigen Umschlagplatz und Hafen**. Der Niedergang der Hanse, der Wismar seit 1358 angehörte, und schließlich der Dreißigjährige Krieg setzten der Blütezeit ein Ende. Durch den Seehandel kam die Stadt im 19. Jh. wirtschaftlich wieder auf die Beine; im 20. Jh. vollzog sich dann der Ausbau zur Industriestadt.

Sehenswertes in Wismar

Stadtbefestigung
Von der Stadtbefestigung des Mittelalters sind das **spätgotische Wassertor** am Alten Hafen (15. Jh.) sowie einige Reste der Stadtmauer erhalten. Wehreinrichtungen aus der Schwedenzeit sind das barocke Provianthaus (1690), heute Poliklinik, und das ehemalige Zeughaus und jetzige Stadtarchiv (1699) in der Ulmenstraße.

Der weiträumige, mit einer Seitenlänge von etwa 100 m annähernd quadratische Marktplatz ist einer der größten und **schönsten Norddeutschlands**. Unter historischen Gebäuden, die die Fläche einrahmen, nimmt der »Alte Schwede« (um 1380) an der Ostseite einen besonderen Platz ein, da es das älteste profane Gebäude Wismars ist (seit 1878 Gaststätte). Der zierliche, von einer geschwungenen Kupferhaube bedeckte Pavillon, die sog. Wasserkunst, diente bis 1897 der **Wasserversorgung** Wismars. Baumeister Philipp Brandin lieferte die Pläne für das 1580–1602 an der südöstlichen Platzseite errichtete Schmuckstück. Beinahe die gesamte Nordseite beansprucht das 1817–1819 nach Plänen von Johann Georg Barca errichtete Rathaus. Vom ersten Rathausgebäude (14. Jh.) sind noch die Gerichtslaube im Westflügel und die Kellergewölbe vorhanden.

** Marktplatz

◄ »Alter Schwede«

◄ Wasserkunst

◄ Rathaus

Nur wenige Meter westlich des Marktes, am Marienkirchhof, ragt der mächtige Turm der 1945 zerstörten Marienkirche auf (1339). Das benachbarte Archidiakonat (15. Jh.) wurde wieder hergestellt und präsentiert sich heute wieder als Staffelgiebelhaus.

Marienkirche

Eine Straßenkreuzung weiter westlich kommt man zum ehemaligen **Stadtwohnsitz der mecklenburgischen Herzöge**. Interessant ist vor allem der dreigeschossige, an italienische Palazzi erinnernde Flügel (»Neues Langes Haus«; 1553–1556), der mit Fensterrahmungen aus

* Fürstenhof

Drei markante Gebäude am Wismarer Marktplatz: Staffelgiebelhaus (links),
»Alter Schwede« (Mitte) und die Gaststätte »Reuterhaus«

▶ WISMAR ERLEBEN

AUSKUNFT

Tourist-Information
Am Markt 11, 23966 Wismar
Tel. (0 38 41) 2 51 30 25, Fax 2 51 30 91
www.wismar.de

VERANSTALTUNG

Nicht verpassen sollte man eines der
größten Volksfeste in der Region, das
immer am ersten Juni-Wochenende
veranstaltet wird: die Wismarer
Hafentage mit Regatten, Jahrmarkt,
Artisten, Puppentheater, Feuerwerk
und vielem mehr (Auskunft bei der
Tourist-Information).

ESSEN

▶ Erschwinglich

Galerierestaurant To'n Ossen
Bohrstraße 12 (im Hotel Alter
Speicher), 23966 Wismar
Tel. (0 38 41) 21 47 61
Ein ehemaliger Speicher beherbergt
dieses wunderschöne Restaurant, in
dem Messing und dunkle Edelhölzer
den Ton angeben, gehobene Küche
mit regionalem Einschlag.

▶ Preiswert

Reuterhaus
Am Markt 19, 23966 Wismar
Tel. (0 38 41) 2 22 30
Das urige Restaurant im Hotel
Reuterhaus bietet gutbürgerliche
Küche (probieren Sie den Mecklen-
burger Rippenbraten!) und einmaliges
Ambiente – dafür garantiert die rund
300 Jahre alte Inneneinrichtung mit
wunderschönen Holzschnitzereien.

Zum Weinberg
Hinter dem Rathaus 3, 23966 Wismar
Tel. (0 38 41) 28 35 50
In einer Weinhandlung aus dem
17. Jh. befindet sich dieses liebens-
werte Restaurant mit gediegenem

historischen Flair, wo Sie mit traditioneller hanseatischer Küche bewirtet
werden.

ÜBERNACHTEN

▶ Komfortabel

Steigenberger Hotel Stadt Hamburg
Am Markt 24, 23966 Wismar
Tel. (0 38 41) 23 90, Fax 23 92 39
www.wismar.steigenberger.de
Wohnliche Zimmer hinter denkmalgeschützter Fassade hält das moderne
Hotel für Sie bereit, regionale und
internationale Küche im Restaurant,
urige Bierstube im historischen Kellergewölbe, Sauna im Haus.

Baedeker-Empfehlung

Seeblick
Ernst-Scheel-Straße 27,
23968 Wismar-Bad Wendorf
Tel. (0 38 41) 6 27 40, Fax 6 27 46 66
www.hotel-seeblick-wismar.de
Hübsches, umfassend renoviertes
Hotel aus dem Jahr 1866 direkt am
Strand, liebevoll eingerichtete Zimmer
im Landhausstil, Restaurant mit
schönem Blick auf die Ostsee.

▶ Günstig

Altes Brauhaus
Lübsche Straße 37, 23966 Wismar
Tel. (0 38 41) 21 14 16, Fax 21 14 18
Freundliches Hotel mit hübscher
grüner Fassade mitten in der Altstadt,
gepflegte, zweckmäßige Zimmer, imposante Barockdecke im Frühstücksraum. Im Restaurant »Zum kleinen
Mönch« kommt Gutbürgerliches auf
den Tisch.

Terrakotta, einem schönen Sandsteinportal und Relieffriesen ge-   ◄ Georgenkirche
schmückt ist. Die westlich benachbarte, monumentale Georgenkirche aus gotischer Zeit wird derzeit wieder aufgebaut.

Ein hübsches **mittelalterliches Ensemble** bilden Heilig-Geist-Spital   **Heilig-Geist-**
und dazugehörige Kirche an der Ecke Lübsche Straße/Neustadt. In   **Spital**
der schlichten Kirche beachte man vor allem die bemalte Holzdecke
aus dem 17. Jh., die Glasfenster (um 1400) und die geschnitzten Ge-
stühlswangen.

Die Lübsche Straße, überwiegend Fußgängerzone, ist die **Hauptachse**   **Lübsche Straße,**
der Wismarer Innenstadt. Schöne alte Häuser wie die Gaststätte   **Krämerstraße**
»Zum Weinberg« (Nr. 31) von 1575 findet man hier und in der Krämerstraße, die beim Rathaus auf die Lübsche Straße trifft.

Durch die Krämerstraße geht es in die nördliche Altstadt um die Ni-   ★ ★
kolaikirche, die nach dem Muster der Lübecker und der Wismarer   **Nikolaikirche**
Marienkirche im 14./15. Jh. entstanden war. Ihr 37 m hohes Mittelschiff ist eines der höchsten Deutschlands. Ergänzt wird der imposante Eindruck der Architektur durch die sehenswerte spätgotische
bis barocke Ausstattung, die auch einige Stücke aus den anderen großen Kirchen Wismars umfasst, z. B. den bronzenen Taufkessel aus
der Marienkirche (um 1335) oder den riesigen Hochaltar aus
St. Georg (um 1430).
An der Südseite der Nikolaikirche, getrennt durch die Frische Grube,   ◄ Schabbellhaus
lohnt das Schabbellhaus einen Besuch. Der 1569–1571 von Philipp
Brandin, dem Architekten der Wasserkunst, errichtete Renaissancebau beherbergt heute Sammlungen des Stadtgeschichtlichen Museums.

Im Nordwesten der Altstadt befindet sich der Alte Hafen, der seit   **Alter Hafen**
dem Bau des neuen Hafens nur noch als **Fischereihafen** (Abfahrtstel-
le zur Insel Poel; Fischmarkt) genutzt wird. An die lange schwedische
Herrschaft in Wismar erinnern die beiden gusseisernen Poller vor
dem Baumhaus (heute Sitz des Hafenamtes) in Form von zwei Köp-
fen, die so genannten Schwedenköpfe.

Umgebung von Wismar

Von Wismar fährt die Weiße Flotte in rund 1 Std. zur Insel Poel. Das   **Insel Poel**
37 km² große, flachwellige Eiland lockt vor allem Ruhe Suchende
und Badefans (Sandstrände). Über die Inselgeschichte informiert das
Heimatmuseum im Hauptort Kirchdorf.

Klützer Winkel heißt der hübsche Landstrich nordwestlich von Wismar, der nach dem gleichnamigen Hauptort benannt ist. Ein anderer
Name der Region ist **»Speckwinkel«**, denn hier wurden immer reiche Ernten eingefahren. In Klütz ist die dreischiffige gotische Hallen-

Die Seebrücke bei Boltenhagen wird auch schon mal als Sprungbrett genutzt.

kirche aus dem 14. Jh. sehenswert. Große Teile des Gebiets gehörten einst der Familie Bothmer, deren barockes Schloss, das 1726–1732 erbaut wurde, am südlichen Ortsausgang der Ortschaft Klütz erhalten blieb und von einem schönen englischen Park umgeben ist.

✳ Ostseebad Boltenhagen

Boltenhagen, 4 km nördlich von Klütz, ist nach Heiligendamm das **zweitälteste deutsche Ostseebad** mit vielen alten Ferienvillen und einer gut ausgebauten Infrastruktur. Seit 1992 besitzt der viel besuchte Badeort mit dem berühmten flachen Sandstrand auch wieder eine Seebrücke.

Grevesmühlen

Am Südrand des Klützer Winkels, etwa 20 km westlich von Wismar, liegt Grevesmühlen. Im benachbarten **Everstorfer Forst** ist ein Spazierweg zu den dortigen Megalithgräbern ausgeschildert. Zu den größten zählt der so genannte Teufelsbackofen, der sich aus 19 Monolithen zusammensetzt.

Neukloster

In Neukloster, 17 km weiter südöstlich, verdient die Klosterkirche des ehemaligen, um 1245 erbauten Zisterziensernonnenklosters Sonnenkamp Beachtung. Im Übergang von der Spätromanik zur Gotik entstanden, wurde sie Vorbild für viele mecklenburgische Kirchenbauten. Südlich von Neukloster erstreckt sich das **Landschaftsschutzgebiet** Neukloster-Warin, eine Wald- und Seenlandschaft mit hohem Erholungswert.

Seengebiet ▶

✶ Wolfenbüttel

Atlasteil: S. 27 • D 3
Höhe: 77 m ü. d. M.

Bundesland: Niedersachsen
Einwohnerzahl: 53 000

**Die von zwei Armen der Oker umflossene und von hübschen Wall-
anlagen umgebene alte Stadt war von 1308 bis 1753 Wohnsitz der
Herzöge von Braunschweig. Sie bietet mit ihren Fachwerkgebäuden noch heute das unversehrte Bild einer kleinen Fürstenresidenz.**

Keimzelle der Stadt war eine 1255 zerstörte Burg, an deren Stelle **Geschichte**
Herzog Heinrich Mirabilis 1283 ein Wasserschloss errichten ließ.
Während Wolfenbüttels Zeit als Residenz war es eine **Stadt der Wis-
senschaft und Künste.** Herzog Heinrich Julius (1589–1613), der
selbst Prosadramen schrieb, holte englische Komödianten, zugleich
die ersten Berufsschauspieler in Deutschland, an seinen Hof. Herzog
August (1635–1666) gründete die berühmte, nach ihm benannte
Bibliothek, an der später Leibniz und Lessing wirkten.

 ## WOLFENBÜTTEL ERLEBEN

AUSKUNFT

Tourist-Information
Stadtmarkt 7, 38300 Wolfenbüttel
Tel. (0 53 31) 8 62 80, Fax 86 77 08
www.wolfenbuettel-tourismus.de

ESSEN

► Preiswert

Ratskeller
Stadtmarkt 2, 38300 Wolfenbüttel
Tel. (0 53 31) 88 27 34
Gepflegte Gastlichkeit in gemütlich-
rustikalem Ambiente und traditionelle deutsche Küche mit leicht mediterranem Einschlag bietet das Lokal
im Zentrum der Stadt.

Bayerischer Hof
Brauergildenstraße 5,
38300 Wolfenbüttel
Tel. (0 53 31) 50 78
Ungewohntes im Norden: für deftige
bayerische Küche ist das Restaurant,
das auch internationale Küche anbietet, bekannt.

ÜBERNACHTEN

► Komfortabel

Parkhotel Altes Kaffeehaus
Harztorwall 18,
38300 Wolfenbüttel
Tel. (0 53 31) 88 80, Fax 88 81 00
www.parkhotel-wolfenbuettel.de
Wo früher das alte Kaffeehaus stand,
bietet ein modernes Hotel nun zeit-
gemäßen Komfort, helle zweckmäßige
Zimmer, Restaurant und Sauna.
Zünftig-gemütlich geht's in der his-
torischen Weingrotte im urigen
Gewölbekeller zu.

► Günstig

Landhaus Dürkop
Alter Weg 47,
38302 Wolfenbüttel
Tel. (0 53 31) 70 53, Fax 7 26 38
www.landhaus-duerkop.de
Freundliches, persönlich geführtes
Hotel im Landhausstil in ruhiger Lage
nahe der Altstadt. Gemütliche, rustikale Zimmer.

Sehenswertes in Wolfenbüttel

Schloss Am Schlossplatz erhebt sich das vom Hausmannsturm überragte Schloss – eine im 16. Jh. entstandene Anlage, die im frühen 18. Jh. barock umgestaltet wurde –, in dem das **Stadt- und Kreisheimatmuseum** mit Sammlungen zur Wohnkultur untergebracht ist.

Zeughaus
Lessinghaus An der Nordseite des Platzes steht das ehemalige Zeughaus (1613–1618), ein stattlicher Renaissancebau mit viergeschossigem Giebel, der heute Teile der Herzog-August-Bibliothek sowie ein Museum für Buchgeschichte beherbergt. Unweit westlich wohnte nach 1777 der Dichter Gotthold Ephraim Lessing und vollendete seinen »Nathan«. Heute birgt das Haus ein **Literaturmuseum**.

✷✷
Herzog-
August-
Bibliothek Hinter dem Lessinghaus liegt der **Neubau** der Herzog-August-Bibliothek (1882–1887); das alte Bibliotheksgebäude, in dem Leibniz und Lessing tätig waren, wurde 1887 abgerissen. Die Bibliothek besitzt rund 8000 Handschriften, u. a. das Reichenauer Evangeliar aus dem 10. Jh., das Evangeliar Heinrichs des Löwen aus dem 12. Jh. und den Sachsenspiegel aus dem 14. Jh. sowie 4000 Wiegendrucke und über 450 000 Bücher.

Fachwerk in Wolfenbüttel

Östlich vom Schlossplatz befindet sich der letzte Rest der **alten Grachten**, »Klein Venedig« genannt.

Das um 1600 errichtete **Rathaus** am östlich vom Schloss gelegenen Stadtmarkt ist ein schöner Fachwerkbau mit hölzernen Arkaden. Der unweit östlich gelegene Renaissancebau der Kanzlei war bis 1753 Sitz der Landesregierung, jetzt beherbergt er das **Museum für Vor- und Frühgeschichte**.

Südlich von hier, im Mittelpunkt der Stadt, erhebt sich die **Marienkirche**, 1607–1623 erbaut, eine eigenartige Verbindung von gotischer Anlage und Renaissanceformen, ein **Hauptwerk des frühen Protestantismus** in Deutschland. Sehenswert sind der barocke Hochaltar (1618) mit Kreuzigungsgruppe, eine geschnitzte Kanzel von 1623 und Chorgestühl von 1625 sowie Grabsteine aus dem 16. Jh. Die Kirche diente als Fürstengruft.

Umgebung von Wolfenbüttel

Westlich von Wolfenbüttel dehnt sich das Stadtgebiet von Salzgitter **Salzgitter** aus. Das über 210 km² große Industriegebiet entstand 1942 durch den **Zusammenschluss von 29 Dörfern.** Im Stadtteil Salzgitter-Bad gibt es ein Thermalsolbad, die Irenen-Heilquelle und ein Solewellenbad. Außerdem steht hier eine Wehrkirche von 1481 und das Tillyhaus, in dem sich nach 1626 der berühmte Feldherr des Dreißigjährigen Kriegs einquartierte. In Salzgitter-Salder entstand 1600 ein Schloss mit barocker Ausstattung, in dem heute ein Heimatmuseum untergebracht ist. Salzgitter-Lichtenberg wird von der Ruine einer 1552 zerstörten Burg Heinrichs des Löwen überragt. Die Wasserburg in Gebhardshagen ist mittelalterlichen Ursprungs, wurde allerdings mehrfach umgebaut und gehört heute zu einem landwirtschaftlichen Betrieb. Das schon im 10. Jh. gegründete adlige Damenstift in Salzgitter-Steterburg besitzt eine sehenswerte spätbarocke Kirche. In Flachstöckheim ist ein englischer Park mit einem schönen Gutshof aus dem 18. Jh. sehenswert. Die Klosterkirche in Ringelheim mit ihrem kostbaren ottonischen Kruzifix lohnt ebenfalls einen Besuch.

> ! *Baedeker* TIPP
>
> **Eulenspiegel lebt!**
> Einen quicklebendigen Eulenspiegel entdeckt man in Schöppenstedt, nur wenige Kilometer von Wolfenbüttel entfernt, wo sich im Eulenspiegelmuseum alles um den berühmtesten Schalk der Welt dreht (Nordstraße 4 a, Tel. 0 53 32/61 58; geöffnet Di. bis Fr. 14.00–17.00 Uhr, Sa. und So. 11.00–17.00 Uhr).

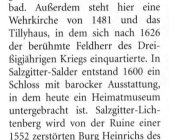

Wolfsburg

Atlasteil: S. 27 • D 2	**Bundesland:** Niedersachsen
Höhe: 60 m ü. d. M.	**Einwohnerzahl:** 128 000

Die Stadt Wolfsburg am Mittellandkanal wurde 1938 mit der Planung und Errichtung des Volkswagenwerks aus zwei Dörfern gegründet. Im Zentrum südlich des Mittellandkanals dominieren moderne Zweckbauten, um die sich weite Grünflächen ausdehnen. Nur wenige Gehminuten von der Stadtmitte entfernt liegt der Allerpark mit Strandbad und Freizeitzentrum »Badeland«.

Sehenswertes in Wolfsburg

An der Nordseite des Mittellandkanals erstreckt sich das Betriebsgelände des Volkswagenwerks. Dazu gehört auch die VW-Autostadt, eine **einzigartige Park- und Seenlandschaft**, die Freizeit- und Arbeitswelt kombiniert, denn auf dem 250 000 m² großen Gelände dreht sich alles ums Auto. Neben Luxushotel, Themenpavillons der **VW-Werk**

★ ◄ Autostadt

Wallfahrtsstätte aller Autobegeisterten: die Autostadt der Volkswagen AG

VW-Marken VW, Audi, Seat, Lamborghini, Bentley und Škoda bietet die Autostadt das »KonzernForum« mit 360°-Kino, Multimediashows, »KinderWelt« und dem interaktiven Museum »AutoLab« mit Überschlag-Simulator, Windkanal und Crash-Test. Hinter dem Gebäude befindet sich der Ausgangspunkt für eine Besichtigung des VW-Werks. Hier fahren **Panoramabahnen** die Besucher von der Autostadt zum Werksgelände. Dominiert wird die Autostadt von zwei Glastürmen, in denen Neufahrzeuge abgeholt werden.

Schloss Wolfsburg   Unweit nordöstlich vom VW-Werk, jenseits der Aller, beherbergt das Schloss Wolfsburg (16./17. Jh.) die Städtische Galerie und das Museum der Stadt. In der nahen **Scheune Alt-Wolfsburg** ist die Landwirtschaftsabteilung des Museums untergebracht.

Kunstmuseum   In der Innenstadt beherbergt der Stahl-Glas-Bau des Hamburger Architekten Peter Schweger das Kunstmuseum. Es birgt **zeitgenössische Kunst ab 1968**. Zu sehen sind Schlüsselwerke einzelner Künstler, u. a. von Anselm Kiefer, Panamarenko, Mario Merz, Tony Cragg, Rebecca Horn, Andy Warhol und Nam June Paik.

Planetarium   Wenige Gehminuten südwestlich von hier stehen am Klieversberg das 1973 nach Entwürfen von Hans Scharoun errichtete Theater und das **größte Planetarium Niedersachsens**, das in seinen Vorführungsprogrammen vielfältige Simulationsmöglichkeiten aus Astronomie und Raumfahrt bietet.

AutoMuseum   Das AutoMuseum im Osten der Stadt (Dieselstraße 35) liefert einen geschlossenen Überblick über die Entwicklung der Marken Volkswagen, Audi, DKW, Horch, Wanderer und NSU.

Umgebung von Wolfsburg

Bedeutung erlangte Gifhorn als Knotenpunkt der **Salzstraße** von Lü-   **Gifhorn**
neburg nach Braunschweig und der **Kornstraße** von Magdeburg nach
Celle. Im Bereich um den Marktplatz gibt es noch etliche Fachwerkbauten aus dem 16. und 17. Jh., darunter den Ratsweinkeller, das
ehemalige Rathaus. Unweit nordöstlich steht das ehemalige Welfen-

 WOLFSBURG ERLEBEN

AUSKUNFT

Tourist Information
Willy-Brandt-Platz 5,
38440 Wolfsburg
Tel. (0 53 61) 1 43 33, Fax 1 23 89
www.tourismus-wolfsburg.de

ESSEN

► Fein & Teuer
La Fontaine
Gifhorner Straße 25,
38442 Wolfsburg
Tel. (0 53 62) 94 00
Liebhaber klassischer französischer
Küche werden in dem stilvollen
Gourmetrestaurant mit kulinarischen
Meisterwerken verwöhnt.

► Erschwinglich
Bracksteder Mühle
Zum Kühlen Grunde 2,
38448 Wolfsburg-Brackstedt
Tel. (0 53 66) 90 0
Raffinierte regionale Küche wird in
dem hübschen, ansprechenden Landhaus-Restaurant, zu dem auch ein
komfortables Hotel gehört, serviert.

► Preiswert
Altes Brauhaus zu Fallersleben
Schlossplatz, 38442 Wolfsburg
Tel. (0 53 62) 31 40
Bei Fallersleber Schlossbräu, Schwei-
nekrustenbraten und hausgemachtem
Sauerkraut kommt in der stim-
mungsvollen Hausbrauerei keine
Langeweile auf.

ÜBERNACHTEN

► Luxus
The Ritz Carlton
Autostadt, 38440 Wolfsburg
Tel. (0 53 61) 60 70 00, Fax 60 80 00
www.ritzcarlton.com
Moderne Eleganz und schickes Design
bestimmen das Ambiente des Hotels.
Luxuriöser Komfort und hochwertige
Technik in den Zimmern und Suiten,
edler Wellnessbereich mit allen An-
nehmlichkeiten. Im Haus befindet
sich auch das vielfach ausgezeichnete
Gourmetrestaurant »Aqua«.

► Komfortabel
Tryp
Willy-Brandt-Platz 2,
38440 Wolfsburg
Tel. (0 53 1) 89 90 00, Fax 89 94 44
www.tryp-deutschland.de
Gleich beim Hauptbahnhof und in
Nähe zur »Autostadt« bietet das
moderne Hotel geschmackvoll eingerichtete Zimmer an. Im Restaurant
wird Mediterranes serviert.

► Günstig
Alter Wolf
Schlossstraße 21, 38448 Wolfsburg
Tel. (0 53 61) 8 65 60, Fax 6 42 64
www.alter-wolf.de
In einem denkmalgeschützten Fachwerkhaus neben dem Schloss hält das
nette Hotel gediegene Zimmer für Sie
bereit. Rustikale Gaststube mit gutbürgerlicher Küche.

schloss – mit einer beachtenswerten Schlosskapelle –, das um die Mitte des 16. Jh.s für Herzog Franz erbaut wurde; in ihm ist das Historische Museum untergebracht.

Internationaler Mühlenpark

✱ Nördlich des Welfenschlosses erstreckt sich zwischen Schlosssee und Mühlensee der sehenswerte Internationale Mühlenpark, auf dessen Freigelände derzeit neun historische Wind- und Wassermühlen sowie der Nachbau einer russisch-orthodoxen Kirche stehen. In einer Ausstellungshalle können maßstabsgerecht gebaute Modelle von **Mühlentypen aus aller Welt** besichtigt werden.

! *Baedeker* TIPP

Fallersleben-Museum

Wer sich einen autofreien Nachmittag gönnen möchte, dem sei ein Besuch des »Hoffmann-von-Fallersleben-Museum zur Geschichte deutscher Dichtung und Demokratie im 19. Jahrhundert« empfohlen, das im ehemaligen Wasserschloss Fallersleben, dem Geburtshaus des Dichters der Nationalhymne, eingerichtet wurde (geöffnet Di. bis Fr. 10.00–17.00 Uhr, Sa. 13.00–18.00 Uhr und So. 10.00–18.00 Uhr; Tel. 0 53 62/5 26 23).

Lohnend ist von Gifhorn die Fahrt in das 30 km entfernte **Hankensbüttel** am Südrand der ►Lüneburger Heide. Zu den Sehenswürdigkeiten gehören das Jagdmuseum Wulff im Ortsteil Oerrel, das ehemalige Kloster Isenhagen (14. Jh.) mit Klosterhofmuseum und Kräutergarten sowie das Otterzentrum am Isenhagener See. In naturnahen Gehegen werden auf dem 55 000 m² großen Freigelände Fischotter, Marder, Iltisse, Dachse und die seltenen, vom Aussterben bedrohten Otterhunde gehalten.

✱ Worms

Atlasteil: S. 44 • A 3	**Bundesland:** Rheinland-Pfalz
Höhe: 100 m ü. d. M.	**Einwohnerzahl:** 80 000

Die über 2000-jährige Stadt am linken Ufer des Oberrheins gehört zu den ältesten Deutschlands. Sie ist untrennbar verbunden mit den wichtigsten Episoden der Nibelungensage. 1945 wurde Worms durch Luftangriffe nahezu völlig zerstört, doch schon bald danach hat man die alten Denkmäler wieder neu errichtet.

Geschichte Im Gebiet des heutigen Worms siedelten sich im letzten vorchristlichen Jahrtausend Kelten an. Später errichteten die Römer das Kastell »Civitas Vangionum«. Im 4. Jh. wurde Worms Bischofssitz. Zur Zeit der Völkerwanderung war es Hauptstadt des Burgunderreichs, das 437 von den Hunnen vernichtet wurde. Diese Kämpfe bilden die geschichtliche Grundlage des Nibelungenlieds. Im Mittelalter war Worms Schauplatz von über hundert Reichstagen. Berühmt wurde der **Reichstag von 1521**, auf dem Martin Luther seine Thesen gegen-

Der geschichtsträchtige Dom zu Worms, einst ein Zentrum abendländischer Kultur.

über Kaiser Karl V. verteidigte, woraufhin die Reichsacht über Luther verhängt wurde. Während die Lederindustrie der Stadt bis zum Ende des Zweiten Weltkriegs ihr Gepräge gab, entwickelten sich in den folgenden Jahrzehnten die chemische und die Kunststoff verarbeitende Industrie zu wichtigen Wirtschaftszweigen.

Sehenswertes in Worms

Der Wormser Dom in der Altstadt (11./12. Jh.) zählt zu den bedeutendsten Zeugnissen des **hoch- und spätromanischen Baustils** in Deutschland. Besonders beachtenswert in der Kathedrale mit vier Türmen und zwei Kuppeln sind im nördlichen Seitenschiff fünf Sandsteinreliefs, die aus dem früheren gotischen Kreuzgang stammen. Der überwiegende Teil der heutigen Ausstattung wurde im 18. Jh. geschaffen, darunter der barocke Hochaltar, den Balthasar Neumann entwarf. Das prachtvolle Chorgestühl, um 1760 aufgestellt, ist die Arbeit eines unbekannt gebliebenen Meisters. Auffallend sind auch das zwölfteilige große Radfenster und die drei kleineren Radfenster des nördlichen Turms.

★ Dom St. Peter

In der Nähe des Doms liegt der Marktplatz mit dem Siegfriedbrunnen und dem Gerechtigkeitsbrunnen. Das Bild des Platzes prägen die barocke Dreifaltigkeitskirche, an der von 1709 bis 1725 gebaut wurde, und das moderne Rathaus. Nordöstlich vom Markt befinden sich die auf das 11. Jh. zurückgehende Pauluskirche, die reformierte Friedrichskirche (1743) und das Rote Haus, der **einzige erhaltene Renaissancebau der Stadt**.

Marktplatz

◄ Rote Haus

▶ WORMS ERLEBEN

AUSKUNFT

Tourist-Information
Neumarkt 14, 67547 Worms
Tel. (0 62 41) 2 50 45, Fax 2 63 28
www.worms.de

ESSEN

▶ Erschwinglich

Rôtisserie Dubs
Kirchstraße 6,
67550 Worms-Rheindürkheim
Tel. (0 62 41) 20 23
Elegantes Restaurant mit ambitionierter internationaler Küche, die einen hervorragenden Ruf genießt. Ausgezeichnete Weinkarte!

Weingewölbe
Alzeyer Straße 2, 67593 Bermersheim
Tel. (0 62 44) 52 42
Gemütliches Gewölberestaurant, das sich auf frische, schnörkellose Küche mit Pfiff und französischem Akzent spezialisiert hat.

▶ Preiswert

Tivoli
Adenauer-Ring 4 b, 67547 Worms
Tel. (0 62 41) 2 84 85
Feine italienische Küche je nach Saison wird in dem charmanten Restaurant aufgetragen.

ÜBERNACHTEN

▶ Komfortabel

Parkhotel Prinz Carl
Prinz-Carl-Anlage 10, 67547 Worms
Tel. (0 62 41) 30 80, Fax 30 83 09
www.parkhotel-prinzcarl.de
Hinter der historischen Fassade finden Sie ein modernes Hotel mit guter Ausstattung und freundlicher Atmosphäre, das über individuell eingerichtete, behagliche Zimmer verfügt.

Dom-Hotel
Obermarkt 10, 67547 Worms
Tel. (0 62 41) 90 70, Fax 2 35 15
www.dom-hotel.de
Mitten in der Fußgängerzone und trotzdem ruhig gelegen, bietet das Hotel zweckmäßige, solide ausgestattete Zimmer und ein neuzeitliches Restaurant.

▶ Günstig

Kriemhilde
Hofgasse 2, 67547 Worms
Tel. (0 62 41) 9 11 50, Fax 9 11 53 10
www.hotel-kriemhilde.de
In schöner Lage am Heylschen Schlossgarten finden Sie Ruhe und Erholung. Zweckmäßige Zimmer und ein liebevoll eingerichtetes Restaurant warten auf Sie.

Stadtmuseum Geht man vom Dom in südwestlicher Richtung, kommt man – vorbei an der spätromanischen Magnuskirche – zum Museum der Stadt Worms, das in der Stiftskirche St. Andreas (12. Jh.) untergebracht ist.

Jüdischer Friedhof Im Westen der Altstadt liegt am Andreasring der »Heilige Sand«, der **älteste jüdische Friedhof Europas**, dessen Grabsteine mit hebräischen Schriftzeichen z. T. aus dem 11. und 12. Jh. stammen.

Heylshof Einen Besuch lohnt das **Kunsthaus** Heylshof nördlich vom Dom. Das Gebäude wurde 1884 im Bereich der ehemaligen Kaiser- und Bischofspfalz, in der die Reichstage stattfanden, errichtet und 1945 zerstört. Das wieder aufgebaute Haus birgt Sammlungen deutscher, niederländischer und französischer Malerei, ferner Glas-, Porzellan- und Keramiksammlungen.

Auf dem Lutherplatz unweit nördlich vom Heylshof wurde 1868 ein **Lutherdenkmal** von Rietschel enthüllt. Es zeigt den Reformator im Kreise des Franzosen Waldes, des Engländers Wyclif, des Tschechen Hus und des Italieners Savonarola, die evangelischen Fürsten des Reiches, darunter Friedrich von Sachsen und Philipp von Hessen sowie Luthers Mitstreiter Reuchlin und Melanchthon.

> ⚠ *Baedeker* TIPP
>
> **»Der Mythos lebt!«**
> Unter diesem Motto steht das Nibelungenmuseum in der alten Stadtmauer, das den Besucher mit Multimediashow und Rauminszenierungen in die sagenhafte Nibelungenwelt entführt (Öffnungszeiten: Di.–So. 10.00–17.00 Uhr)).

Im Norden der Altstadt liegt das restaurierte ehemalige Judenviertel mit der Synagoge, die der »Reichskristallnacht« 1938 zum Opfer fiel und 1961 wieder aufgebaut wurde, dem unterirdischen rituellen Bad (Mikwe) und dem Raschi-Haus, das ein Museum beherbergt, in dem das **Leben der Juden am Oberrhein** vorgestellt wird. In der Nähe sind Reste der alten Stadtmauer zu sehen.

✴ **Ehemaliges jüdisches Viertel**

Bei der Schiffsanlegestelle am Rhein zeigt ein Standbild von 1906 Hagen von Tronje, wie er den Nibelungenschatz im Rhein versenkt. Hagen von Tronje war der Sage nach der treueste Gefolgsmann des Königs Gunther und der Mörder Siegfrieds.

Hagenstandbild

Wuppertal · Bergisches Land

Atlasteil: S. 34 • A 2
Höhe: 100–350 m ü. d. M.

Bundesland: Nordrhein-Westfalen
Einwohnerzahl: 386 000

Die Stadt Wuppertal ist kultureller und wirtschaftlicher Mittelpunkt des Bergischen Landes. Zahlreiche kulturelle Einrichtungen, darunter das weltberühmte Tanztheater von Pina Bausch, und die Universität sorgen für ein reges geistiges Leben. Die Stadt hat eine angenehme Atmosphäre: Die Bergische Kaffeetafel – »Koffedrenken mit allem Dröm on Dran« – sollte jeden Rundgang krönen. Zu bekommen in Gaststätten mit dem Schild »Bergische Gastlichkeit«

Der heutige Wuppertaler Stadtteil Elberfeld entstand im 10. Jh. bei einer Wasserburg der Herren von Elverfelde und erhielt 1610 Stadtrechte. Barmen dagegen, bereits 1070 als Besitz des Klosters Werden

Geschichte

Wuppertal *Orientierung*

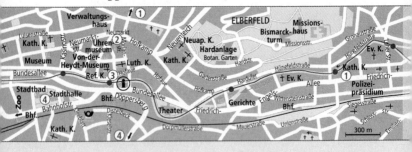

Essen
① Kornmühle
② Galerie Palette
③ Schmitz Jägerhaus
④ Scarpati

Übernachten
① Rubin
② Central
③ Astor
④ Mercure

genannt, wurde erst 1808 Stadt. Das Textilgewerbe in beiden Orten erlebte durch die 1806 von Napoleon verhängte Kontinentalsperre eine große Krise, von der es sich erst Mitte des 19. Jh.s wieder erholte. 1929 wurden Elberfeld, Barmen, Vohwinkel, Cronenberg und Ronsdorf sowie einige andere Gemeinden zur Stadt Wuppertal zusammengeschlossen.

✳ Schwebebahn

Die Stadtteile Barmen, Elberfeld und Vohwinkel sind durch die berühmte, denkmalgeschützte Schwebebahn miteinander verbunden, die zum **Wahrzeichen** Wuppertals geworden ist. Die 1898–1901 konstruierte Bahn ist 13,3 km lang und folgt in ihrem Streckenverlauf großenteils dem Lauf der Wupper. Eine besondere Attraktion ist der stilecht renovierte »Kaiserwagen«. In dem leuchtend roten Wagen, Baujahr 1900, fuhren zur Einweihung der Schwebebahn Kaiser Wilhelm II. und seine Gemahlin Auguste Viktoria über die Stadt.

Sehenswertes in Wuppertal

✳ Von-der-Heydt-Museum

Eine **Fundgrube für Kunstfreunde** ist das Von-der-Heydt-Museum im Stadtteil Elberfeld (Turmhof 8). Zu sehen sind bedeutende Werke der niederländischen Malerei, deutsche und französische Gemälde von der Romantik bis zum Impressionismus, Meisterwerke des 20. Jh.s sowie eine bedeutende Sammlung von Plastiken des 19. und 20. Jh.s. Von den Künstlern des 20. Jh.s sind u. a. Braque, Corinth, Dalí, Degas, Max Ernst, Feininger, Kokoschka, Marc, Macke, Monet und Picasso vertreten.

Uhrenmuseum

Die kostbare Sammlung des Wuppertaler Uhrenmuseums in der Poststraße 11 zeigt etwa 2000 Objekte zur Zeitmessung – von der Wasseruhr der Ägypter über die Sonnenuhr bis hin zum Hightech-Chronometer und den modernsten Armbanduhren.

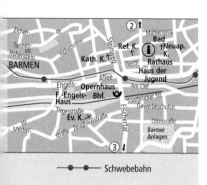

Stadthalle

Die Stadthalle auf dem Johannisberg ist eines der **akustisch besten Konzerthäuser Europas**, in dem klassische Konzerte ebenso wie Musicals auf dem Programm stehen.

Zoo

Am Westrand von Elberfeld in der Hubertusallee liegt der Wuppertaler Zoo mit Freigehegen für über 5000 Tiere. In der Freiflughalle lassen sich Kolibris aus nächster Nähe beobachten.

Fuhlrott-Museum

Nahe der Schwebebahnstation Ohligsmühle widmet sich das nach dem Entdecker des Neandertalers benannte Fuhlrott-Museum (Auer Schulstraße 20) der Naturgeschichte des Bergischen Landes.

✱
Wallfahrtskirche Neviges

Die 1670 gestiftete Kirche der Unbefleckten Empfängnis im wenig nördlich von Elberfeld liegenden Neviges ist aufgrund ihres Gnadenbildes – ein Kupferstich von 1661 in einer Monstranz – einer der **berühmtesten Wallfahrtsorte** des Rheinlands.

Stadtteil Barmen

Im Stadtteil Barmen befinden sich das Rathaus und die Oper, wo das weltweit bekannte **Tanztheater von Pina Bausch** zu Hause ist. Im Geburtshaus von Friedrich Engels (1820–1895) an der Friedrich-Engels-Allee informiert eine ständige Ausstellung über Leben und Werk des Industriellen, Freundes von Karl Marx und Mitautors des Kommunistischen Manifests. Das Museum für Frühindustrialisierung hinter dem Engelshaus hat die sozialen Verhältnisse und technischen Veränderungen der Zeit von 1780 bis 1850 im Wuppertaler Raum zum Thema.

Von Barmen aus lohnt sich ein Ausflug in den **Stadtteil Beyenburg**, dessen Bürgerhäuser mit ihrer schwarzen Schieferverkleidung typisch für das Bergische Land sind. Auf dem **Beyenburger Stau-**

Aus Wuppertal nicht wegzudenken: die Schwebebahn

▶ WUPPERTAL ERLEBEN

AUSKUNFT

Informationszentrum
Wuppertal-Elberfeld
Pavillon am Döppersberg
42103 Wuppertal
Tel. (02 02) 1 94 33, Fax 5 63 80 52
www.wuppertal.de

ESSEN

▶ Fein & Teuer

④ *Scarpati*
Scheffelstraße 41,
42327 Wuppertal-Vohwinkel
Tel. (02 02) 78 40 74
In Olivenöl pochierter Hummer mit
Sellerie-Oktopus-Cannelloni und andere italienisch inspirierte Gourmetgerichte werden im Anbau einer
schönen Jugendstilvilla serviert.

▶ Erschwinglich

③ *Schmitz Jägerhaus*
Jägerhaus 87, 42287 Wuppertal
Tel. (02 02) 46 46 02
Hervorragende klassische Küche und
schöne, gediegene Räumlichkeiten
erwarten Sie, wählen Sie zwischen
Restaurant, Kaminzimmer, Winter-
garten oder Terasse.

② *Galerie Palette*
Sedanstraße 68, 42281 Wuppertal
Tel. (02 02) 50 62 81
Stilvolles Haus, das tagsüber Kunst-
freunde in die Galerie und abends
Feinschmecker anlockt. Genießen Sie
mediterran angehauchte Küche zwi-
schen vielen schönen Antiquitäten.

① *Kornmühle*
Warndtstraße 7, 42285 Wuppertal
Tel. (02 02) 8 26 26
Im gediegenen Ambiente der historischen Mühle, 1682 zum ersten Mal
erwähnt, schmeckt die frische, saisonal orientierte Küche besonders gut.

ÜBERNACHTEN

▶ Luxus

④ *Mercure*
Auf dem Johannisberg 1,
42103 Wuppertal
Tel (02 02) 4 96 70, Fax 4 96 71 77
www.accor-hotels.com
Nur wenige Minuten vom Hauptbahnhof, der Schwebebahn und den
Museen entfernt, befindet sich dieser
großzügige neuzeitliche Hotelbau, der
seinen Gästen attraktive und technisch sehr gut ausgestattete Zimmer
anzubieten hat, aufwändig gestaltete
Suiten, geschmackvolles Restaurant
im Bistrostil mit schöner Bar.

▶ Komfortabel

② *Central*
Poststraße 4, 42103 Wuppertal
Tel (02 02) 69 82 30, Fax 69 82 33 33
www.bestwestern.de
Modernes, sehr gepflegtes Haus in der
Fußgängerzone, wohnliche Zimmer
mit zeitgemäßem Komfort.

▶ Günstig

③ *Astor*
Schlossbleiche 4, 42103 Wuppertal
Tel (02 02) 45 05 11, Fax 45 38 44
www.astor-wuppertal.de
Freundliches, sehr persönlich
geführtes Haus im Zentrum, behagliche Zimmer mit praktischer Ausstattung, hübscher Frühstücksraum.

① *Rubin*
Paradestraße 59, 42107 Wuppertal
Tel. (02 02) 24 83 80, Fax 2 48 38 10
www.hotel-rubin-online.de
Gepflegte und saubere Zimmer hält
dieses heimelige Stadthotel bereit, das
sehr urig dekoriert ist – eine Sammlung alter Waffen und Werkzeuge aller
Art geben dem Haus eine nostalgisch-
rustikale Note.

see werden Kanuregatten ausgetragen. Der malerische Ort bietet sich außerdem als Ausgangspunkt für Spaziergänge in die waldreiche Umgebung an.

In Ennepetal, 9 km östlich von Wuppertal, befindet sich die Kluterthöhle, mit 5,4 km Gesamtlänge und 360 Gängen die **größte Schauhöhle Deutschlands**.

✶ Kluterthöhle

Bergisches Land

Das südlich von Wuppertal liegende Remscheid ist ein **Zentrum der deutschen Werkzeugindustrie**. Holz, Eisenerz und Wasserkraft standen in der Umgebung reichlich zur Verfügung und bildeten die Grundlage für die Entwicklung von Handwerk und Industrie; bereits im 15. Jh. gab es mit Wasserkraft betriebene Schmieden und Schleifereien. Aus Remscheid stammt Reinhard **Mannesmann**, der zusammen mit seinem Bruder ein Verfahren zur Fertigung nahtloser Stahlrohre entwickelte und damit einen Weltkonzern begründete.

Remscheid

Im Stadtteil Hasten (Cleffstraße 2–6) sind in einem Patrizierhaus von 1779 zwei Museen untergebracht. Das **Heimatmuseum** besitzt eine umfangreiche Sammlung zur bergischen Wohnkultur. Zu sehen sind komplett eingerichtete Wohnräume des Barock, des Empire und des Biedermeier; ferner gibt es ein Zinnkabinett. Das **Deutsche Werkzeugmuseum** zeigt alte Werkstätten und Werkzeuge zur Eisenverhüttung. Es betreut auch die Hammerwerke am industriegeschichtlichen Lehrpfad im Geptal.

? WUSSTEN SIE SCHON ...?

■ dass der Nobelpreisträger Wilhelm Conrad Röntgen, der die nach ihm benannten Strahlen entdeckte, in Remscheid-Lennep geboren wurde? Das Deutsche Röntgenmuseum informiert über Leben und Werk des Physikers.

Wenige Kilometer östlich von Remscheid hat sich die aufgestaute Wupper zu einem beliebten **Freizeitgebiet** entwickelt. Am Südrand des Stausees steigt malerisch das Städtchen Hückeswagen mit seinen typischen schieferverkleideten Häusern an. Über dem Ort ragt das ehemalige gräfliche Schloss auf, heute Rathaus und Heimatmuseum.

✶ Wupper-Talsperre Hückeswagen

Die Stadt Solingen, westlich von Remscheid, ist berühmt für die hier produzierten Bestecke, Messer und Scheren. Im Stadtteil Gräfrath ist das Deutsche Klingenmuseum zu Hause (Klosterhof 4). Im Museum Baden (Werke Solinger Künstler, Grafiken, Münzen, Porzellan) kommt der Kunstinteressierte auf seine Kosten.

Solingen ✶
◄ Deutsches Klingenmuseum

Südöstlich der Innenstadt – jenseits der Wupper – steht Schloss Burg, einst Sitz der Grafen von Berg, nach denen das Bergische Land benannt ist. In dem Schloss ist das **Bergische Museum** untergebracht. Dokumentiert wird der mittelalterliche Alltag der Burgbewohner; Möbel und Tafelgerät veranschaulichen die damalige Wohnkultur.

◄ Schloss Burg

▶ DAS BERGISCHE LAND ERLEBEN

AUSKUNFT

Bergisches Land Touristik
Overather Straße 8,
51465 Bergisch Gladbach
Tel. (0 22 04) 9 76 30, Fax 97 63 99
www.bergisches-land.de

ESSEN

▶ Erschwinglich
Concordia
Brüderstraße 56, 42853 Remscheid
Tel. (0 21 91) 29 19 41
Die denkmalgeschützte Industriellen-
villa aus dem 19. Jh. beherbergt ein
elegant gestaltetes Restaurant mit viel
Stuck und Kristalllüstern, das für
seine gute Küche weit bekannt ist. Im
gleichen Haus ist auch ein kleines,
ungezwungenes Bistro untergebracht.

Globusmann
Konrad-Adenauer-Straße 72–74,
42651 Solingen
Tel. (02 12) 28 01 74
Geschmackvoll eingerichtetes Restaurant im historischen Gewölbekeller
der Christiansvillen, unverputzte
Backsteinwände und viele Nischen
sorgen für eine ganz persönliche Note.

ÜBERNACHTEN

▶ Komfortabel
Gräfrather Hof
In der Freiheit 48,
42653 Solingen-Gräfrath
Tel. (02 12) 25 80 00, Fax 25 80 08 00
www.hotel-graefratherhof.de
Denkmalgeschütztes Haus am
Marktplatz. Den Gast erwartet ein
modernes Hotel, das Wert auf
Design legt, individuell gestaltete
Zimmer mit angenehmem Komfort,
im Restaurant wird regionale Küche
geboten.

▶ Günstig
Kromberg
Kreuzbergstraße 24,
42899 Remscheid-Lüttringhausen
Tel. (0 21 91) 59 00 31
Gasthof im regionaltypischen Stil mit
schieferverkleideter Fassade und
grünen Fensterläden, gepflegte und
zweckmäßige Zimmer, rustikales
Restaurant.

*Beliebtes Freizeit- und Erholungs-
gebiet rund um die Wupper-Talsperre
mit viel Wasser*

Weiter westlich liegt an der Wupper der Balkhauser Kotten, ein Fachwerkhaus mit alter Werkzeugschleiferei.

Im westlichen Stadtteil Ohligs-Merscheid wurde im Gebäude der
ehemaligen Gesenkschmiede Hendrichs, einem wertvollen Industriedenkmal, das Rheinische Industriemuseum eingerichtet. Die in ihrem ursprünglichen Charakter erhaltenen Produktionsräume stehen
im Mittelpunkt der Museumspräsentation.

◄ Rheinisches Industriemuseum

Am Ostrand der Stadt überspannt die Müngstener Brücke, **Deutschlands höchste, 500 m lange Eisenbahnbrücke**, eine eindrucksvolle
Stahlgitter-Bogenkonstruktion, in 107 m Höhe das Tal der Wupper.

✶
◄ Müngstener Brücke

✶ Würzburg

Atlasteil: S. 45 • C/D 3	**Bundesland:** Bayern
Höhe: 182 m ü. d. M.	**Einwohnerzahl:** 130 000

**Das Gesamtbild der alten Bischofsstadt wird von der mittelalter-
lichen Festung Marienberg beherrscht; ihr zu Füßen steht die in die
UNESCO-Liste des Weltkulturerbes aufgenommene fürstbischöfliche Residenz. Nach dem Kunstgenuss laden zahlreiche traditionelle
Weinstuben ein, in denen der weithin bekannte fränkische Wein
angeboten wird.**

Mit zahlreichen Bildungseinrichtungen, darunter einer Universität,
bedeutenden Industriebetrieben und dem Zentrum des fränkischen
Weinbaus und -handels ist sie wirtschaftlicher und kultureller Mittelpunkt Unterfrankens. Einen guten Überblick über die Anbaugebiete
verschafft das Haus des Frankenweins am Alten Kranen. Ferner spielt
der Binnenhafen am Rhein-Main-Donau-Großschifffahrtsweg eine
bedeutende Rolle.

Mittelpunkt Unterfrankens

um 650	Würzburg wird Sitz eines fränkischen Herzogshofes.	Geschichte
742	Das Bistum Würzburg wird gegründet.	
1030	Würzburg erhält Münz-, Zoll- und Marktrecht.	
1156	Friedrich Barbarossa feiert in Würzburg seine Hochzeit mit Beatrix von Burgund.	
1815	Würzburg fällt endgültig an Bayern.	
1945	Das Stadtzentrum wird von Bomben zerstört.	
1991	Anschluss an das ICE-Netz	
2004	1300-jähriges Stadtjubiläum	

Die Entwicklung des fränkischen Herzogshofes auf dem Gebiet des
heutigen Würzburg erhielt Auftrieb durch die Missionstätigkeit der

Würzburg Orientierung

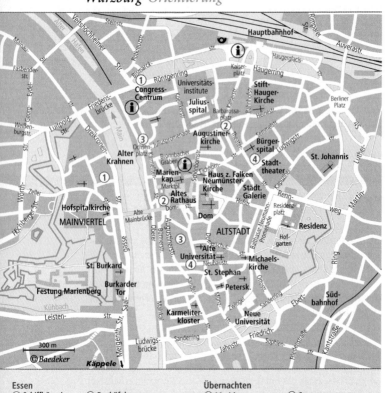

Essen
① Schiffbäuerin
② Ratskeller
③ Backöfele
④ Bürgerspital

Übernachten
① Maritim
② Würzburger Hof
③ Strauss
④ Rebstock

irischen Mönche Kilian, Kolonat und Totnan, die 686 an den Hof kamen. Obwohl sie nur drei Jahre später im Auftrag der Herzogsgattin Gailina ermordet wurden, setzte sich der neue Glaube durch. Unter den Staufern erlebte Würzburg eine **erste Blütezeit**. Mehrere Reichstage wurden in der Stadt abgehalten. Die Würzburger Bischöfe wurden zu Herzögen von Franken erhoben. Ihre **zweite Blütezeit** erlebte die Stadt im 17. und 18. Jh. unter den drei Fürstbischöfen aus dem Hause Schönborn. Damals erhielt Würzburg sein barockes Aussehen. Die Namen dreier herausragender Künstler sind mit der Stadt verbunden: Tilman Riemenschneider, der 1483 aus dem Harz nach Würzburg zugewanderte Bildhauer und Holzschnitzer († 1531), Balthasar Neumann (1678–1753), der geniale Barockbaumeister, und der venezianische Maler Tiepolo (1696–1770).

▶ WÜRZBURG ERLEBEN

AUSKUNFT

Touristeninformation
Marktplatz 10, 97070 Würzburg
Tel. (09 31) 37 23 98, Fax 37 39 52
www.wuerzburg.de

ESSEN

▶ Erschwinglich

① *Schiffbäuerin*
Katzengasse 7, 97082 Würzburg
Tel. (09 31) 4 24 87
In dem rustikal eingerichteten Gasthaus werden vor allem Fischgerichte aufgetischt. Lassen Sie sich die Roulade von der Spessart-Forelle auf Nudeln an Krebsrahmsauce nicht entgehen!

③ *Backöfele*
Ursulinengasse 2, 97070 Würzburg
Tel. (09 31) 5 90 59
Dank seiner urig-gemütlicher Atmosphäre und der schmackhaften fränkischen Küche gehört dieses Lokal zu den beliebtesten der Stadt.

▶ Preiswert

② *Ratskeller*
Langgasse 1, 97070 Würzburg
Tel. (09 31) 1 30 21
In den gemütlichen Stuben im historischen Rathaus werden Sie mit regionalen Gerichten bewirtet.

④ *Bürgerspital*
Theaterstraße 19, 97070 Würzburg
Tel. (09 31) 35 28 80
Nicht weit entfernt von Residenz, Marktplatz, Dom und Theater liegt das Weingut Bürgerspital zum Hl. Geist, eines der bedeutendsten in Deutschland, mit urgemütlichen Stuben. Kosten Sie in den romantischen Gewölben oder im barocken Innenhof herrliche Weine und köstliche Spezialitäten aus Franken.

ÜBERNACHTEN

▶ Luxus

① *Maritim*
Pleichertorstraße 5, 97070 Würzburg
Tel. (09 31) 3 05 30, Fax 3 05 39 00
www.maritim.de
In reizvoller Lage am Main, nur wenige Minuten von der Innenstadt entfernt, befindet sich das erstklassige Haus, das elegant-luxuriös eingerichtete Zimmer und Suiten bietet. Im schicken »Viaggio« geht's mediterran zu, fränkische Küche und eine große Weinauswahl werden in der rustikal gehaltenen »Weinstube« serviert.

▶ Komfortabel

④ *Rebstock*
Neubaustraße 7, 97070 Würzburg
Tel. (09 31) 3 09 30, Fax 3 09 31 00
www.rebstock.com
Das alteingesessene Haus empfängt seine Gäste hinter der hübschen Rokokofassade von 1737 mit modernem Design. Komfortable und wohnliche Zimmer, holzvertäfeltes Restaurant und Wintergarten mit Bistro.

② *Würzburger Hof*
Barbarossaplatz 2, 97070 Würzburg
Tel. (09 31) 5 38 14, Fax 5 83 24
www.hotel-wuerzburgerhof.de
Traditionsreiches Haus mit persönlicher Note, seit 1908 in Familienbesitz, großzügige und geschmackvoll eingerichtete Zimmer.

▶ Günstig

③ *Strauss*
Juliuspromenade, 97070 Würzburg
Tel. (09 31) 3 05 70, Fax 3 05 75 55
www.hotel-strauss.de
In Altstadtnähe hält dieses Haus modern eingerichtete Zimmer bereit, rustikales Ambiente im Restaurant.

Sehenswertes in Würzburg

★★
Residenz

Am weiten Residenzplatz steht die 1720–1744 unter dem **Barockbaumeister** Balthasar Neumann (1678–1753) errichtete fürstbischöfliche Residenz, die die alte Festung Marienberg ersetzte. Zu den eindrucksvollsten Räumen gehört das monumentale Treppenhaus, dessen Deckengewölbe von einem Freskengemälde des Venezianers Tiepolo eingenommen wird, der 1752/1753 dieses bis heute **größte Deckengemälde der Welt** malte. Die Residenz dient heute v. a. repräsentativen Zwecken; auch findet hier alljährlich das **Mozart-Fest** statt. Hinter der Residenz erstreckt sich der Hofgarten mit zahlreichen Steinplastiken des Bildhauers Johann Peter Wagner.

★
Dom St. Kilian

Über die Hofstraße erreicht man den zwischen 1045 und 1188 erbauten Dom, den nach den Domen von ▶Mainz und ▶Speyer **drittgrößten romanischen Sakralbau Deutschlands**. Heute kontrastieren das flachgedeckte romanische Mittelschiff mit dem Barockstuck des Chores und seiner erst in den 1980er-Jahren abgeschlossenen Ausschmückung; der Altar stammt von Albert Schilling (1966). Beachtenswert sind die Bischofsgrabmäler (12.–17. Jh.) an den Pfeilern des Langhauses, darunter am 7. und 8. Pfeiler zwei Arbeiten von Riemenschneider für Rudolf von Scherenberg und Lorenz von Bibra. 1721–1736 fügte Balthasar Neumann am nördlichen Querschiff die Schönbornkapelle als Grablege für die Fürstbischöfe an. An die Südseite des Doms schließt sich der gotische Kreuzgang an.

Kinderumzug beim Kilianifest, einem der größten deutschen Volksfeste

Neumünster

Über der Grabstätte der irischen Mönche Kilian, Kolonat und Totnan wurde im 11. Jh. eine Basilika erbaut, die im Barock ihre mächtige, achtseitige Kuppel und die schwungvoll gestaltete Westfassade erhielt. Unter der Ausstattung sind Riemenschneiders Sandsteinmadonna – unter der Kuppel zu finden –, die Büsten der Frankenapostel auf dem Hauptaltar und die Darstellung Christi mit unter der Brust verschränkten Armen, ein Werk aus der Mitte 14. Jh.s besonders beachtenswert. Im so

Lusamgärtlein ▶

genannten Lusamgärtlein hinter dem Neumünster befindet sich der Flügel eines Kreuzganges aus der Stauferzeit und ein Gedenkstein für den **berühmten Minnesänger Walther von der Vogelweide** (geb. um 1170), der vermutlich 1230 in Würzburg starb.

FÜRSTBISCHÖFLICHE RESIDENZ

✱✱ Die fürstbischöfliche Residenz in Würzburg gilt als Hauptwerk des süddeutschen Barock und ist eines der bedeutendsten Schlösser Europas. Die UNESCO nahm sie 1981 in die Liste der zum Weltkulturerbe gehörenden Objekte auf. Bei der Ausstattung wirkte eine große Zahl hervorragender Künstler mit, darunter der bedeutendste Freskenmaler der Zeit, Giovanni Battista Tiepolo, der im Treppenhaus das größte zusammenhängende Fresko der Welt schuf.

🕐 Öffnungszeiten:
April bis Mitte Okt. tgl. 9.00–18.00, Do. bis 20.00;
Mitte Okt. bis März tgl. 10.00–16.00 Uhr

Erbaut wurde die Residenz, das »Schloss aller Schlösser«, 1720–1744 nach Plänen Balthasar Neumanns für den Fürstbischof Johann Philipp Franz von Schönborn und seine Nachfolger. Bis 1801 war sie Bischofsresidenz. Im März 1945 wurde die Residenz durch einen britischen Luftangriff beschädigt, bis 1987 erfolgten Restaurierungsarbeiten. Seit 2003 wird an der Konservierung und Restaurierung der Tiepolo-Fresken gearbeitet.

① Vestibül
Das Vestibül liegt im zentralen Eingangsbereich der Residenz. Den Raumeindruck bestimmt hier der Gegensatz zwischen der außerordentlichen Weite und der geringen Höhe der Wölbung.

② Gartensaal
Vom Vestibül aus gelangt man weiter in den Gartensaal, im Erdgeschoss unter dem Kaisersaal gelegen. Hier fällt als erstes das Deckenfresko von Johann Zick (um 1750) ins Auge. Beeindruckend ist auch die besondere Gliederung des Saals, eine Idee des Baumeisters Balthasar Neumann: die Deckenwölbung des ovalen Raums wird nicht nur von den Wänden, sondern auch von einem Kranz an Säulen getragen.

③ Treppenhaus
Das berühmte Treppenhaus – eine stützenfrei überwölbte Muldenkonstruktion – offenbart das Genie Neumanns, der damals noch am Anfang seiner Karriere stand. 1752/53 gestaltete der Venezianer Giovanni Battista Tiepolo (1696–1770) das Deckengemälde »Die Verherrlichung des Fürstbischofs als Mäzen der Künste«, mit über 600 m² das größte Deckenfresko der Welt. Dargestellt sind die damals bekannten vier Erdteile Europra, Asien, Afrika und Amerika sowie antike Gottheiten, die dem fränkischen Herrscher huldigen.

④ Weißer Saal
Einen Höhepunkt in der Würzburger Residenz stellen die kunstvollen Stuckarbeiten von Antonio Bossi im Weißen Saal dar. Sie wurden als bewusster Gegensatz zum Treppenhaus mit seinem farbenprächtigen Fresko und zum blattgoldglänzenden Kaisersaal gesetzt.

⑤ Kaisersaal
Der 1753 vollendete Kaisersaal ist ein Raumkunstwerk, geschaffen von drei kongenialen Künstlern: dem Architekten Balthasar Neumann, dem Freskomaler Giovanni Battista Tiepolo und dem Stuckator Antonio Bossi.

⑥ Fürstensaal
Der Fürstensaal wurde 1772 fertiggestellt. Er wurde vielseitig genutzt und diente u. a. der Hofgesellschaft als Speisesaal am Mittag, als Gesellschaftsraum oder als Konzertsaal.

⑦ Hofkirche
Die Hofkirche der Residenz wurde geplant von Balthasar Neumann und dekoriert von Lucas von Hildebrandt 1735–1743. Sie ist eine der vollkommensten Sakralbauten des 18. Jh.s in Deutschland.

⑧ Hofgarten
1765–1780 wurden die barocken Gärten angelegt. Die besondere Herausforderung bei der Gestaltung waren die Bastionen, die den Garten nach hinten begrenzten und mit einbezogen werden mussten. Ausgestattet ist der Hofgarten mit zahlreichen Gartenplastiken sowie schmiedeeisernen Toren von J. Georg Oegg in reichsten Rokokoformen.

⑨ Spiegelkabinett
Der Stuckateur Antonio Bossi und der Bildhauer van der Auvera schufen 1742–1745 das Spiegelkabinett der Residenz, es ist das vollkommenste Raumkunstwerk des Rokoko. Bei einem Luftangriff im März 1945 zerstört, wurde es 1981–1987 restauriert und wiedereröffnet.

Am schönen Brunnen Walthers von der Vogelweide auf dem Vorplatz der Residenz geht's vorbei zur Fassade des Hauptbaus.

Der leicht gewölbte Kaisersaal trägt ebenfalls die Handschrift Tiepolos, dessen Fresken hier Ereignisse aus der Würzburger Geschichte darstellen.

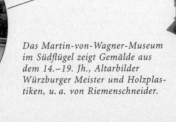

Das Martin-von-Wagner-Museum im Südflügel zeigt Gemälde aus dem 14.–19. Jh., Altarbilder Würzburger Meister und Holzplastiken, u. a. von Riemenschneider.

Das Treppenhaus offenbart das Genie Neumanns. Die Wände tragen Stuckaturen Bossis, an das Gewölbe malte Tiepolo das größte Deckenfresko der Welt.

Die Alte Mainbrücke und hoch über ihr die Festung Marienberg

✳ Marienkapelle   Am Markt steht die Ende des 14. Jh.s erbaute Marienkapelle, **Würzburgs Bürgerkirche**. In ihr befinden sich Grabmäler fränkischer Ritter und bedeutender Würzburger Bewohner, darunter das von Riemenschneider gestaltete Grabmal für Konrad von Schaumberg sowie das Grab von Balthasar Neumann. Die beiden Sandsteinfiguren Adam und Eva am Kirchenportal sind ebenfalls von Riemenschneider (die Originale befinden sich im Mainfränkischen Museum).

Haus zum Falken ►   Das Haus zum Falken, östlich der Marienkapelle, besitzt die **schönste Rokokostuckfassade** der Stadt (1752).

Rathaus Grafeneckart   Das Würzburger Rathaus, südwestlich vom Marktplatz kurz vor Beginn der Alten Mainbrücke, entstand im 13. Jh. als **Sitz des bischöflichen Burggrafen**. Im Laufe der Jahrhunderte wurde es ständig erweitert sowie der nach dem Burggrafen Eckart benannte Steinturm

Roter Bau ►   auf 55 m erhöht. Etwas zurückversetzt schließt sich der Rote Bau (1659/1660) mit seiner reich gegliederten Renaissancefassade an. Der sog. Vierröhrenbrunnen vor dem Rathaus ist von 1765.

✳ Alte Mainbrücke   Über die mit barocken Heiligenstandbildern geschmückte Alte Mainbrücke gelangt man in den linksmainischen Stadtteil. Die Brückenpfeiler, die zunächst nur durch hölzerne Konstruktionen verbunden waren, wurden im 15. Jh. in den Fluss gebaut; erst 1703 wurde das letzte Joch eingewölbt. Von der Brücke sieht man die zwei ausladenden Arme des **Alten Kranen** (1767–1775) sowie das Congress Centrum der Stadt.

Festung Marienberg   Das beherrschende **Wahrzeichen** Würzburgs ist die mächtige Festung Marienberg, die sich über dem linken Flussufer erhebt. An der Stelle einer keltischen Fliehburg entstand um 706 eine erste Marienkirche. 1201 wurde mit dem Bau der Festung begonnen, die bis 1719 Sitz der Fürstbischöfe blieb und im Laufe der Jahrhunderte, vor allem während der Renaissance und des Barock, mehrfach umgebaut und erweitert wurde. Besonders hervorzuhebende Bauteile sind der 30 m hohe Bergfried (13. Jh.) im innersten Burghof, die daneben stehende, 706 geweihte und mehrfach veränderte Marienkirche sowie das zierliche Renaissance-Brunnenhaus über dem 102 m tiefen Brunnen. Vom Fürstengarten hat man einen schönen Blick über Würzburg. In der Festung befinden sich **zwei Museen**: Das ehemalige Zeughaus der Festung beherbergt das Mainfränkische Museum. Es birgt eine Fülle bedeutender Kunstwerke der Region, darunter viele Meisterwerke Tilman Riemenschneiders und Originalfiguren von Ferdinand Tietz; sehenswert sind auch die vorgeschichtliche Sammlung, Zeugnisse fränkischer Weinkultur und die Volkskundeabteilung. Im Fürstenbau-Museum erhält der Besucher einen Einblick in die 1200-jährige Stadtgeschichte sowie in die Wohnwelt der Würzburger Fürstbischöfe (Öffnungszeiten: April bis Okt. Di. bis So. 10.00–18.00, Nov. bis März Di. bis So. 10.00–16.00 Uhr).

✳ ✳
◄ Mainfränkisches Museum

◄ Fürstenbau-Museum

◷

Die Wallfahrtskirche Käppele, etwas flussaufwärts auf dem Nikolausberg, entstand 1747–1750 als **letztes Bauwerk von Balthasar Neumann**. Man erreicht sie zu Fuß über einen steilen Treppenweg mit Kreuzwegbildern. Der herrliche Stuck ist von J. M. Feuchtmayer und Materno Bossi, die Fresken malte Matthäus Günther.

✳
Käppele

Umgebung von Würzburg

Rund 7 km nordwestlich von Würzburg liegt Schloss Veitshöchheim, die ehemalige **Sommerresidenz** der Würzburger Fürstbischöfe. Sie wurde 1682 errichtet, um 1750 von Balthasar Neumann erweitert und dient heute vorwiegend Repräsentationszwecken. Der Schlossgarten, 1703–1774 nach französischem Vorbild angelegt, ist der **besterhaltene Rokokogarten** Deutschlands. Mittelpunkt ist ein großer künstlicher See mit Fontänen und der Parnassgruppe, einer von einem Pegasus bekrönten Skulpturengruppe; im weitläufigen Garten sind viele Barockplastiken aufgestellt.

Schloss Veitshöchheim

✳
◄ Schlossgarten

In der Umgebung von Würzburg laden zahlreiche Winzerorte zum Besuch ein. Einige von ihnen liegen an der sog. Bocksbeutelstraße, die es in verschieden langen Varianten gibt (Informationen bei den örtlichen Fremdenverkehrsämtern). Vermutlich brachten Mönche im frühen Mittelalter den 799 erstmals urkundlich erwähnten Weinbau nach Würzburg. Heute umfasst der Weinanbau eine Fläche von rund 5000 ha. Die **besten Weine** werden in flache, bauchige Bocksbeutel abgefüllt; Qualitätsstufen sind Kabinett, Spätlese, Auslese, Beerenauslese und Trockenbeerenauslese.

✳
Bocksbeutelstraße

✶ Xanten

Atlasteil: S. 23 • D 4   **Bundesland:** Nordrhein-Westfalen
Höhe: 24 m ü. d. M.   **Einwohnerzahl:** 18 000

Die meisten werden mit der Stadt Xanten die Heimat von Siegfried aus dem Nibelungenlied verbinden. Von größerer Bedeutung sind allerdings die Zeugnisse aus römischer Zeit in Xanten, die man im archäologischen Park bestaunen kann.

Die alte Stadt Xanten am Niederrhein ist aus einer römischen Garnison hervorgegangen. Um 15 v. Chr. gründeten die Römer auf dem Fürstenberg südlich der heutigen Stadt ihr »Castra Vetera«. Von hier zog Varus mit drei Legionen zur Schlacht im Teutoburger Wald. Im Jahr 100 n. Chr. gründete Kaiser Ulpius Traianus weiter nördlich die Bürgerstadt »Colonia Ulpia Traiana«. Das heutige Xanten entwickelte sich südlich über dem Grab des Märtyrers Viktor und seiner Gefährten. Im 8. Jh. bestand bereits ein Stift, um das sich eine **Kaufmannssiedlung** bildete. 1228 erhielt Xanten die Stadtrechte.

Sehenswertes in Xanten

✶
Dom
Der Dom St. Viktor am Markt, der um 1200 als romanische Anlage errichtet und ab 1263 durch einen gotischen Neubau ersetzt wurde, ist nächst dem Kölner Dom der **bedeutendste gotische Kirchenbau** am Niederrhein. Beachtenswert sind der Hochaltar aus dem 16. Jh. mit Reliquienbüsten und Schnitzarbeiten von Heinrich Douvermann und Flügelgemälden von Barthel Bruyn d. Ä., ferner der Marienaltar von Douverman (um 1535), der aus Eichenholz gearbeitete Szenen des Marienlebens zeigt.

Südlich vom Dom befindet sich in der Kurfürstenstraße 7–9 das **Regionalmuseum**. In seiner ständigen Ausstellung präsentiert das Museum neben der **Geschichte des Xantener Raumes** auch Exponate, die man bei archäologischen Grabungen fand: Waffen aus römischen Militärlagern, Geschirr, Schmuck und diverse Kunstwerke aus der römischen Zivilstadt.

Gotisches Haus
Klever Tor
Unter den mittelalterlichen Bauten der Altstadt sind das Gotische Haus am Markt, ein schönes Beispiel spätgotischer Architektur, und das Klever Tor zu nennen. Das 1393 erbaute Doppeltor ist ein ein-

drucksvoller Rest der mittelalterlichen Stadtbefestigung, zwei Rundtürme flankieren die Toröffnung auf der Feldseite, eine brückenartige Zufahrt führt zum Haupttor.

Das Freizeitzentrum Xanten am Niederrhein bietet Gelegenheit zu **Erholung und Wassersport**: Die »Xantener Nordsee« ist ein ideales Segel- und Surfrevier, das Nibelungenbad bietet ein Wellenfreibecken und die Strandbadelandschaft »Xantener Südsee«.

Freizeitzentrum Xanten

Nördlich der Stadt, jenseits der Bundesstraße 57, liegt der Archäologische Park Xanten. Hier kann man auf dem Areal der Römersiedlung »Colonia Ulpia Traiana« **Rekonstruktionen römischer Bauten** sehen. Ein Rundweg innerhalb der Stadtmauer führt zu 30 Stationen, darunter ein Amphitheater, das Stadtbad, eine Jupitergigantensäule und ein Altar des Mars Cicollvis. Auf dem östlichen Gebiet der Rö-

✴
Archäologischer Park Xanten

 ## XANTEN ERLEBEN

AUSKUNFT

Tourist Information
Kurfürstenstraße 9, 46509 Xanten
Tel. (0 28 01) 9 83 00, Fax 7 16 64
www.xanten.de

ESSEN

► Fein & Teuer
Landhaus Köpp
Husenweg 147,
46509 Obermörmter bei Xanten
Tel. (0 28 04) 16 26
Den Weg zum kleinen, etwas abseits liegenden Landhaus nehmen Feinschmecker gern auf sich, denn der Küchenchef bereitet hier besonders feine Kreationen der klassischen französischen Gourmetküche zu.

► Erschwinglich
Gotisches Haus
Markt 6, 46509 Xanten
Tel. (28 01) 70 64 00
Im Gotischen Haus, einem der ältesten Bauwerke Xantens, lässt es sich im gemütlichen historischen Ambiente hervorragend speisen, verschiedene Räumlichkeiten und gastronomische Angebote stehen zur Auswahl.

ÜBERNACHTEN

► Komfortabel
Van Bebber
Kleve Straße 12,
46509 Xanten
Tel. (28 01) 66 23, Fax 59 14
www.hotelvanbebber.de
Schon Königin Victoria und Winston Churchill haben sich hier wohl gefühlt. Kein Wunder, schöne Stuckdecken, wertvolle Antiquitäten und eine elegante Ausstattung verleihen dem traditionsreichen Haus eine ganz besondere Atmosphäre. Geräumige und sehr wohnliche Gästezimmer, stilvolles Restaurant.

► Günstig
Neumaier
Orkstraße 19,
46509 Xanten
Tel. (28 01) 7 15 70, Fax 71 57 36
www.minexa.de
In zentraler Lage bietet der charmante Familienbetrieb liebevoll eingerichtete Gästezimmer mit Wohlfühlatmosphäre und ein rustikales Restaurant, das unter anderem Spezialitäten aus der eigenen Metzgerei anbieten kann.

merstadt finden an verschiedenen Stellen Grabungen statt, bei denen der Besucher unmittelbaren Einblick in die Arbeit der Archäologen nehmen kann. Ein Ackerfeld mitten in der Stadt ist mit »römischem« Getreide wie Dinkel, Emmer, Einkorn, Weizen und Gerste bestellt; auch einen Backofen hat man nachgebaut. Im Informationszentrum gibt es ein Modell der Colonia Ulpia Traiana, dort kann sich der Besucher über Grabungsmethoden und Auswertung der archäologischen Untersuchungen informieren. In einer Dia-Multivisionsschau werden Themen wie »Bauen und Wohnen zur Römerzeit« dargestellt. In der Herberge am Hafentor genießt man **römisches Wirtshausleben** mit Speisen nach Rezepten von Marcus Gavius Apicius.

Umgebung von Xanten

Kevelaer Der staatlich anerkannte Erholungsort Kevelaer, südwestlich von Xanten gelegen, ist neben dem bayerischen Altötting der **größte Wallfahrtsort Deutschlands.** Die malerische Altstadt mit über 200 denkmalgeschützten Häusern wird beherrscht von der im neogotischen Stil erbauten dreischiffigen **Marienbasilika** mit 95 m hohem Kirchturm. Bedingt durch die Wallfahrten haben sich hier im Lauf der Zeit zahlreiche Werkstätten von Bronzegießern, Fahnenstickern, Gold- und Silberschmieden, Orgel- und Krippenbauern sowie Seiden- und Glasmalern niedergelassen und machten Kevelaer zur **»Stadt des Kunsthandwerks«.** Überregionale Bedeutung erlangte das »Niederrheinische Museum für Volkskunde« insbesondere für seine umfangreiche Spielzeugsammlung. Im Ortsteil Twisteden wurde mit dem »NiederRheinPark Plantaria« eine reizvolle Gartenlandschaft geschaffen, in der Groß-Volieren einer Vogelwelt aus fünf Kontinenten Lebensraum bieten.

✱ Zittau

Atlasteil: S. 41 • D 3	**Bundesland:** Sachsen
Höhe: 250 m ü. d. M.	**Einwohnerzahl:** 30 000

Im »hintersten Winkel« Deutschlands, im Dreiländereck mit Polen und der Tschechischen Republik, liegt Zittau. Einst durch die Lage an Fernstraßen für den Handel bedeutend, ist es heute Hochschulstadt und wichtiges Kultur- und Industriezentrum, vor allem aber besitzt Zittau eine schöne Altstadt und ist günstiger Ausgangspunkt für Ausflüge in das versteckt liegende Zittauer Gebirge.

Geschichte Urkundlich erstmals 1238 erwähnt, erreichte Zittau unter dem Schutz der böhmischen Könige sehr schnell eine bedeutende Stellung, die die Mitgliedschaft im 1346 gegründeten Oberlausitzer Sechsstädtebund sichern sollte. Im Siebenjährigen Krieg wurde Zittau am 23. Juli 1757 von den Österreichern zerstört. Nach der Neugliederung des Gebietes durch den Wiener Kongress hemmte die neue preußisch-sächsische Grenze im Norden die Entfaltung; die zunehmende Industrialisierung und der Anschluss an das Eisenbahnnetz machten dann jedoch eine wirtschaftliche Entwicklung wieder möglich. Nach dem Zweiten Weltkrieg war man jedoch durch die Abschottung des Ostblocks wieder einigermaßen isoliert. Die **Wiederbelebung des Dreiländerecks** als Drehscheibe zwischen West- und Osteuropa verschafft Zittau vielleicht wieder seine alte Bedeutung als Stadt an wichtigen Verkehrswegen. In Zittau wurde Christian Weise (1644–1708) geboren, Rektor des Gymnasiums und Verfasser der sog. Zittauer Schuldramen.

Sehenswertes in Zittau

Der Markt, Zittaus Mittelpunkt, besitzt mit dem 1840–1845 nach Plänen von Karl Friedrich Schinkel im **Stil der italienischen Renaissance** erbauten Rathaus eine städtebauliche Besonderheit. Weitere herausragende Gebäude sind der Barockbau des ehemaligen Gast-

✳ **Markt, Rathaus**

Der markante Bau des Neorenaissance-Rathauses trennt Markt und Rathausplatz.

⏵ ZITTAU ERLEBEN

AUSKUNFT

Tourist-Information
Markt 1, 02763 Zittau
Tel. (0 35 83) 75 21 37
Fax 75 21 61
www.zittau.de

ESSEN

▶ Preiswert

Schwarzer Bär
Ottokarplatz 12, 02763 Zittau
Tel. (0 35 83) 55 10
Auf eine über dreihundertjährige
Tradition blickt dieses rustikale
Gasthaus zurück. Genießen Sie gut-
bürgerliche Küche in gemütlicher
Atmosphäre.

Burgteich
Weststraße 35, 02763 Zittau
Tel. (0 35 83) 512 385
Mit bodenständiger regionaler Küche
werden die Gäste dieses schön am See
gelegenen Lokals bewirtet. Nette
Gartenterrasse.

ÜBERNACHTEN

▶ Komfortabel

Schlosshotel Althörnitz
Zittauer Straße 9,
02763 Bertsdorf-Hörnitz bei Zittau
Tel. (0 35 83) 55 00, Fax 55 02 00
www.schlosshotel-althoernitz.de
Eingebettet in einer wunderschönen
Parklandschaft liegt das restaurierte
Schlösschen aus dem 17. Jh. Historisch eingerichtete Zimmer und Suiten im Hauptgebäude, zeitgemäß
ausgestattete im modernen Anbau.
Im Restaurant mit Kaminzimmer
werden feine Oberlausitzer Spezialitäten angeboten.

Dreiländereck
Bautzener Straße 9, 02763 Zittau
Tel. (0 35 83) 55 50, Fax 55 52 22
www.hotel-dle.de
In dem hübsch restaurierten Stadt-
haus stehen geschmackvoll eingerich-
tete Zimmer mit zeitgemäßem
Komfort zur Verfügung.

---

hofes »Zur Sonne« (um 1710), die Fürstenherberge (1767) im Rokokostil und das Noacksche Haus (1689), eines der schönsten erhaltenen barocken Patrizierhäuser der Stadt. An der Westseite des Platzes
steht der Rolandbrunnen von 1585, auch Marsbrunnen genannt,
denn die Brunnenfigur stellt den Kriegsgott Mars dar. Das Dorns-
pachhaus an der Ecke zur Bautzener Straße ist 1553 errichtet worden
und besitzt einen schönen Arkadenhof.

Johanniskirche ✳ Von hier blickt man auf die klassizistische Johanniskirche (1837), erbaut nach Entwürfen von Karl Friedrich Schinkel; die **Türmerwoh-
nung** kann besichtigt werden. Am Johannisplatz befindet sich das
Alte Gymnasium mit dem Grabmal des Bürgermeisters Nikolaus
Dornspach.

Weberkirche Vom Johannisplatz geht die Innere Weberstraße ab, wo die **prunkvollen Handelshöfe** Beachtung verdienen. Am Ende, außerhalb der ehemaligen Stadtbefestigung, steht die um 1500 erbaute Weberkirche.

Vom Johannisplatz ist es nicht weit zum Klosterplatz. Hier befindet sich das im Jahr 1268 gegründete und 1522 säkularisierte **Franziskanerkloster** mit der spätgotischen Klosterkirche St. Petri und Pauli. Der bedeutendste Teil der Klosteranlage ist der so genannte Heffterbau (1622) mit herrlichem Volutengiebel, in dem das Stadt- und Kreismuseum sowie das Dr.-Curt-Heinke-Museum für Mineralogie und Geologie untergebracht sind.

Unweit des Heffterbaus erinnert vor dem spätklassizistischen Johanneum die **Konstitutionssäule** an die 1831 verkündete sächsische Verfassung.

Franziskaner kloster

Vom Klosterplatz geht man zum August-Bebel-Platz, der beherrscht wird vom Marstall mit seinem mächtigen Mansardendach, erbaut 1511 als Salzhaus. Auffällig sind auch der Samariterinnen-, der Schwanen- und der Herkulesbrunnen, allesamt schöne Beispiele **barocker Bildhauerkunst**.

Marstall

Östlich vom Platz liegt die **Fleischerbastei**, geschmückt von einer Blumenuhr mit einem Glockenspiel aus Meissener Porzellan.

Blumenuhr

Auf dem Kreuzfriedhof steht die unter böhmischem Einfluss entstandene **Kirche zum Heiligen Kreuz**, ein zweischiffiger spätgotischer Bau (15. Jh.). In der ehemaligen Kirche ist das Städtische Museum untergebracht; hier wird auch das »Große Zittauer Fastentuch« von 1472 ausgestellt, mit 8,20 m Länge und 6,80 m Breite das **größte seiner Art in Europa**. Ein weiteres, 15 m² großes Fastentuch wird restauriert und soll ab September 2005 ebenfalls zu sehen sein..

Städtisches Museum

✴
◄ Zittauer Fastentuch

Umgebung von Zittau

Über Bertsdorf gelangt man nach Großschönau, ein **Oberlausitzer Idyll** mit wunderschönen Umgebindehäusern. Dass Großschönau einst eines der größten Damastweberdörfer Europas war, belegt das Heimat- und Damastmuseum. Auch ein Motorradmuseum gibt es.

✴
Großschönau

Das kleine Zittauer Gebirge liegt zwischen der oberen Neiße und dem Lausitzer Bergland südlich von Zittau. Sein Nordabfall ist steil und zeigt aufgelöste Felsformen ähnlich denen der ► Sächsischen Schweiz, während es nach Süden hin abflacht. Im Zittauer Gebirge wechseln sich malerische Wälder mit wilden Klammen und vulkanischen Kegeln ab – ein ideales Wandergebiet, wie geschaffen für Kur und Erholung.

✴
Zittauer Gebirge

Hauptort des Zittauer Gebirges ist der **Kurort** Oybin am Fuße des gleichnamigen kegelförmigen Sandsteinberges. Berg und Burg, von der heute nur noch Ruinen erhalten sind, waren ein viel besuchtes Ziel romantischer Maler, allen voran Caspar David Friedrich. Die Ruinen von Kloster, Kirche und Burg geben heute die Kulisse ab für den Bergfriedhof, das **Bergmuseum** und natürlich den Berggasthof.

✴
◄ Oybin

Baedeker TIPP

Zittauer Bimmelbahn

Wer Zeit hat, sollte vom Zittauer Bahnhof aus mit der »Zittauer Bimmelbahn« nach Oybin oder Jonsdorf fahren. Die dampfbetriebene Schmalspurbahn zuckelt im regelmäßigen Verkehr durch ein idyllisches Waldgebiet.

Von der Burg führt ein Ringweg zu den schönsten Aussichtspunkten des Bergplateaus. Am Fuße des Berges steht die barocke Dorfkirche (1709) mit herrlichen bemalten Emporen. Am Bahnhof wurde ein Museum über die Bimmelbahn eingerichtet.

Zwickau

Atlasteil: S. 39 • D 3
Höhe: 263 m ü. d. M.

Bundesland: Sachsen
Einwohnerzahl: 107 000

Zwei Namen sind mit Zwickau verbunden, die gegensätzlicher nicht sein könnten: Zum einen erblickte hier der Komponist Robert Schumann (1810–1856) das Licht der Welt, zum anderen wurden in Zwickau zu DDR-Zeiten die berühmt-berüchtigten Trabis hergestellt. Außerdem gilt die Stadt als das »Tor zum westlichen Erzgebirge«, beginnt hier doch die Sächsische Silberstraße (►Erzgebirge).

Geschichte Das 1118 erstmals urkundlich erwähnte Zwickau hatte sich bereits um 1200 als Fernhandelsstützpunkt an der Handelsstraße Altenburg–Prag eine herausragende Position erworben. Tuchfertigung und Schmiedehandwerk, dazu Gewinnanteile aus dem erzgebirgischen Bergbau führten dann im 15./16. Jh. zu wirtschaftlicher und kultureller Blüte. Zwickau war zu dieser Zeit die größte Stadt Kursachsens. Wachsende Bedeutung erlangte die Stadt dann durch den Aufschwung des Steinkohlenbergbaus im 19. Jh. und durch das Entstehen zahlreicher Industriebetriebe (Horch, Auto-Union und später Trabant).

Sehenswertes in Zwickau

Markt Am Markt steht das 1403 erbaute, 1862 neugotisch umgestaltete Rathaus. Aus der Anfangszeit stammen noch der Rats- und Empfangssaal, die einstige Jakobskapelle und spätere Ratstrinkstube.

Das Gewandhaus (1522–1525), ein spätgotischer Bau mit Renaissanceelementen, ist das **schönste Gebäude** am Markt dank seines ungewöhnlichen Staffelgiebels. Seit 1823 ist es Stadttheater.

Im Geburtshaus von Robert Schumann (Hauptmarkt 5) erinnert eine Ausstellung an den Komponisten und seine Frau, die Pianistin Clara Schumann-Wieck, deren Flügel eines der Hauptschaustücke ist. Am Markt und in der Altstadt findet man bemerkenswerte Bürgerhäuser, so das Kräutergewölbe (Hauptmarkt 17/18; frühes 16. Jh.), das Dünnebierhaus (1480) mit schönem Staffelgiebel (Innere Dresdner Straße 1) und das Schiffchen (um 1485; Münzstraße 12).

✱
◄ Gewandhaus

✱
◄ Robert-
Schumann-
Haus

Der auf das Jahr 1206 zurückgehende spätgotische **Dom St. Marien**, nach mehreren Bränden ab 1453 neu erbaut, birgt zahlreiche Kunstschätze, darunter einen spätgotischen Hochaltar (1479) mit vier Marienbildern des Nürnbergers Michael Wolgemut, ein Heiliges Grab (1507), die Pietà des Zwickauers Peter Breuer und eine Frührenaissancekanzel von 1538.

Im Nordosten der Altstadt erhebt sich das düstere **Schloss Osterstein**. Es ist 1590 an Stelle eines um 1215 errichteten Baues vollendet worden und diente lange Zeit als **Haftanstalt**, in der u. a. auch Karl May einsaß.

Die Pfarrkirche **St. Katharinen** befindet sich südlich des Schlosses. Sie wurde zwischen 1206 und 1219 gegründet und nach einem Brand im 14. Jh. neu erbaut. Ihr wertvollstes Stück ist ein 1517 entstandener Flügelaltar aus der Cranach-Werkstatt.

Im **Städtischen Museum** (Lessingstraße 1) sind neben Zeugnissen der Stadtgeschichte und des Steinkohlenbergbaus kunst- und kulturgeschichtliche Exponate sowie eine Mineralien- und Fossiliensammlung zu sehen. Auch Gemälde des gebürtigen Zwickauers Max Pechstein sind ausgestellt.

Nördlich außerhalb der Altstadt beleuchtet das **Automobilmuseum »August Horch«** auf dem ehemaligen

Das Zwickauer Gewandhaus mit seinem »schwungvollen« Staffelgiebel

► ZWICKAU ERLEBEN

AUSKUNFT

Tourist-Information
Hauptstraße 6,
08056 Zwickau
Tel. (03 75) 2 71 32 40,
Fax 2 71 32 49
www.zwickau.de

RENNPAPPE INTERNATIONAL

Alljährlich im Juni versammeln sich
Trabi-Fans aller Länder beim »Internationalen Trabantfahrer-Treffen«
in Zwickau. Neben der obligatorischen
Trabi-Ralley gibt's drei Tage lang
Sehens- und Wissenswertes, Spaß
und Party rund um die »Legende
auf Rädern« (Information: Tel.
03 75/3 91 00 95, www.supertrabi.de).

ESSEN

► Erschwinglich
Drei Schwäne
Tonstraße 1,
08056 Zwickau-Schedewitz
Tel. (03 75) 2 04 76 50
Französische Lebensart par exellence
wird in dem hübschen Landhaus
gepflegt, das für freundlichen Service
und ausgezeichnete Küche bekannt ist.

► Preiswert
Brasserie Kloster's
Klosterstraße 1,
08056 Zwickau
Tel. (03 75) 2 71 48 95
Lauschiger Biergarten, eleganter
Wintergarten, romantischer Weinkeller und gediegen-rustikale Stube
mit altem unverputzten Mauerwerk –
im reizenden Kloster's finden Sie viele
gemütliche Räume und ein breitgefä-
chertes Speisenangebot vor.

Zur Waldschänke
Königswalderstraße 12, 08060 Zwickau
Tel. (03 75) 52 37 98
Traditionsreiches Lokal auf dem
Windberg mit Biergarten, gutbürger-
liche Küche.

ÜBERNACHTEN

► Komfortabel
Holiday Inn
Kornmarkt 9,
08056 Zwickau
Tel. (03 75) 2 79 20,
Fax 2 79 26 66
www.zwickau-holiday-inn.com
Neuzeitlicher Hotelbau in der historischen Altstadt, behagliche und
funktionelle Gästezimmer mit hohem
Komfort, elegante Suiten. Extravagantes Flair versprüht das edle Restaurant »Pavillon«, Sauna und
Wellness im Haus.

Airport Hotel
Olzmannstraße 57,
08060 Zwickau
Tel. (03 75) 5 60 20,
Fax 5 60 21 51
www.airport-zwickau.bestwestern.de
Modernes Hotel am Stadtrand, geschmackvoll und großzügig eingerichtete Zimmer mit sehr guter
technischer Ausstattung, hervorragendes italienisches Restaurant und
gemütliches Bistro, Sauna im Haus.

► Günstig
Merkur
Bahnhofstraße 58,
08056 Zwickau
Tel. (03 75) 29 42 86,
Fax 29 42 88
www.merkur-hotel-zwickau.de
Alteingesessenes, sehr gepflegtes Haus
in zentraler Lage, zeitgemäß eingerichtete Zimmer.

Fabrikgelände von Horch und Auto-Union die lange Geschichte der Autoproduktion in Zwickau. Highlights der Ausstellung sind u. a. **nie in Serie gebaute Prototypen** aus dem Fundus der Trabantwerke.

Der Stadtteil Planitz besitzt ein hübsches barockes Schloss. Es ist umgeben von einem Park, dessen Anziehungspunkt ein 1769 errichtetes, sehr schönes **Teehaus** darstellt.

Barockschloss Planitz

Umgebung von Zwickau

Die größte Sehenswürdigkeit von Glauchau ist das aus **zwei Teilen bestehende Schloss**: Schloss Hinterglauchau (1460–1470) mit dem »Steinernen Saal« beherbergt das Städtische Museum mit einer feinen Gemälde- und Möbelsammlung, Ausstellungen zum Leben der Glauchauer Weber und über den in Glauchau geborenen Bergbauwissenschaftler Georgius Agricola (1494–1555) sowie Teile des so genannten Callenberger Altars (1513) von Peter Breuer; im Schloss Forderglauchau (1527–1534) ist die Stadtbibliothek untergebracht. Sehenswert sind auch die barocke Kirche St. Georg (1726–1728) mit ihrem gotischen Flügelaltar (um 1510) und einer Silbermann-Orgel (1730) sowie die wunderbar nostalgische Schalterhalle des Postamts.

Glauchau

20 km nordwestlich von Zwickau kommt man zum ehemaligen Wasserschloss Blankenhain, heute Mittelpunkt eines großzügigen **Agrar- und Freilichtmuseums**, in dem es u. a. eine Dorfschule, eine Bäckerei und eine Brauerei gibt.

Schloss Blankenhain

In Hartenstein gibt es eine ursprünglich romanische Burg mit gut erhaltenen Wehranlagen und einem Heimatmuseum, in dem Leben und Werk des in Hartenstein geborenen Barockdichters Paul Fleming (1609–1640) dokumentiert werden.

Hartenstein

Eine Legende auf Rädern und heute Kult: der Trabant aus Zwickau

BILDNACHWEIS

(oben), 17 (Mitte), 155, 496, 713, 792, 859, 880 (oben rechts; Mitte rechts), 970, 1150 • Lange: S. 132 (unten links), 320, 428, 1167 • Linde: S. 794 • Löber: S. 130 (oben links), 447 • look/ Johaentges: S. 32 • Maier, Gabriele: S. 255 (oben), 880 (oben links), 881 (rechts) • Mauritius Bildagentur: S. 3 (oben), 141 (unten rechts), 481, 668, 775, 933, 1002 (unten), 1054, 1094 • Müller, Kai Ulrich: S. 263 • Nahm: S. 1088 • Otto: S. 13, 23, 141 (Mitte rechts), 146/147, 180, 188, 191, 216, 309, 312, 347, 371, 486, 511, 517, 542, 555, 584, 586, 616, 633, 643, 678, 715, 746, 770, 772, 806, 833, 853, 868, 923, 945, 947, 956, 959, 1008, 1027, 1042, 1045, 1047, 1065, 1071, 1072, 1078, 1082, 1111 • Oster: S. 281, 282 (oben), 1051 • picture alliance / dpa: S. 65 (rechts), 256 (oben), 257 (rechts), 937 (Mitte rechts) • Regio Augsburg Tourismus GmbH: S. 196 • RSPS: S. 105, 987, 988 (oben; Mitte), 989 • Schenk-Kern: S. 128 (oben rechts), 134 (unten links), 1060 • Schinner: S. 14/15, 162, 221, 477, 810 • Schirmer: S. 1183 • Schlemmer: S. 233, 247, 257 (links), 261, 879 • Schliebitz: S. 561, 1031 • Schöner: S. 388 (links oben), 389 (oben) •

Staatliche Museen Preußischer Kulturbesitz: S. 250, 258 • Staatliche Kunstsammlungen Dresden: S. 385 (Mitte) • Staatliche Porzellanmanufaktur Meißen: S. 759 • Staatliche Schlösser, Burgen und Gärten Sachsen, Burg Kriebstein: U 4, S. 327, 328, 329 • Steffens: S. 20, 37, 135 (unten links), 137 (oben rechts), 150, 278, 286, 449, 483 (unten), 699, 838, 845, 872, 914, 953, 968, 993, 1003 (unten), 1067 • Stelzer: S. 116 • Stetter: S. 796 • Stuttgart-Marketing GmbH: S. 1053, 1055 (oben) • Sylt Marketing GmbH: S. 87 • Szerelmy: S. 439, 1052, 1061, 1062 (Mitte; unten), 1063 (Mitte; unten) • Tourist-Information Meißen: S. 760 • Tourististgemeinschaft Schramberg / Tennenbronn: S. 7 (oben) • transit/Hirth: S. 17 (oben), 819, 1019 • transit/Klose: S. 1024 • Wandmacher (Archiv Wais & Partner): S. 7 (unten), 90 (unten), 93 (unten), 316, 365, 604, 611 • Wirths PR: S. 520 • WMF: S. 154, 160, 243 • Wurth: S. 893 • ZEFA Bildagentur: S. 139 (unten Mitte), 1079 • Zeppelin Luftschifftechnik GmbH Friedrichshafen: S. 145 (Mitte links)

Titelbild: Fotex / Mark

IMPRESSUM

Ausstattung:
615 Abbildungen, 92 Karten und grafische Darstellungen, 66 Seiten Atlasteil

Text:
Baedeker-Redaktion; mit Beiträgen von Dieter Bornhardt, Achim Bourmer, Dr. Helmut Eck, Dorothee Kaltenbacher, Wolfgang Kellner, Wolfgang Liebermann, Bettina Lutterbeck, Dr. Eva Missler, Wolfgang Veit, Holger Zwink

Bearbeitung:
Verlagsbüro Wais & Partner
(Eva Schürg, Dina Stahn, Martina Ueberschaar, Rainer Maucher, Isabelle D. Oster)

Kartografie:
Christoph Gallus, Hohberg; Franz Huber, München; Franz Kaiser, Sindelfingen; MAIRDUMONT (Atlasteil)

3D-Illustrationen:
jangled nerves, Stuttgart

Gestalterisches Konzept:
independent Medien-Design, München (Kathrin Schemel)

Chefredaktion:
Rainer Eisenschmid, Baedeker Ostfildern

8. Auflage 2005
Völlig überarbeitet und neu gestaltet

Urheberschaft:
Karl Baedeker Verlag, Ostfildern

Nutzungsrecht:
MAIRDUMONT GmbH & Co KG; Ostfildern
Der Name Baedeker ist als Warenzeichen geschützt. Alle Rechte im In- und Ausland sind vorbehalten. Jegliche – auch auszugsweise – Verwertung, Wiedergabe, Vervielfältigung, Übersetzung, Adaption, Mikroverfilmung, Einspeicherung oder Verarbeitung in EDV-Systemen ausnahmslos aller Teile des Werkes bedarf der ausdrücklichen Genehmigung durch den Verlag Karl Baedeker GmbH.

Printed in Germany
ISBN 3-8297-1079-8
Gedruckt auf 100% chlorfrei gebleichtem Papier

Atlas

DEUTSCHLAND
IM MASSSTAB 1 : 750 000

Zeichenerklärung · Legend

Deutschland   1:750.000

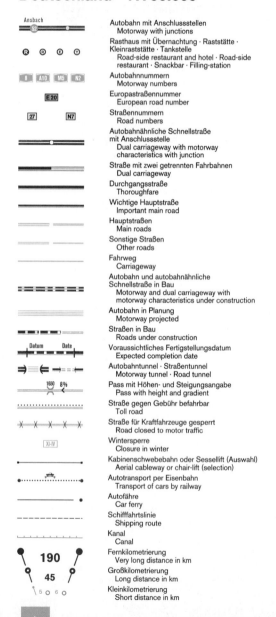

Autobahn mit Anschlussstellen
  Motorway with junctions

Rasthaus mit Übernachtung · Raststätte ·
Kleinraststätte · Tankstelle
  Road-side restaurant and hotel · Road-side
  restaurant · Snackbar · Filling-station

Autobahnnummern
  Motorway numbers

Europastraßennummer
  European road number

Straßennummern
  Road numbers

Autobahnähnliche Schnellstraße
mit Anschlussstelle
  Dual carriageway with motorway
  characteristics with junction

Straße mit zwei getrennten Fahrbahnen
  Dual carriageway

Durchgangsstraße
  Thoroughfare

Wichtige Hauptstraße
  Important main road

Hauptstraßen
  Main roads

Sonstige Straßen
  Other roads

Fahrweg
  Carriageway

Autobahn und autobahnähnliche
Schnellstraße in Bau
  Motorway and dual carriageway with
  motorway characteristics under construction

Autobahn in Planung
  Motorway projected

Straßen in Bau
  Roads under construction

Voraussichtliches Fertigstellungsdatum
  Expected completion date

Autobahntunnel · Straßentunnel
  Motorway tunnel · Road tunnel

Pass mit Höhen- und Steigungsangabe
  Pass with height and gradient

Straße gegen Gebühr befahrbar
  Toll road

Straße für Kraftfahrzeuge gesperrt
  Road closed to motor traffic

Wintersperre
  Closure in winter

Kabinenschwebebahn oder Sessellift (Auswahl)
  Aerial cableway or chair-lift (selection)

Autotransport per Eisenbahn
  Transport of cars by railway

Autofähre
  Car ferry

Schifffahrtslinie
  Shipping route

Kanal
  Canal

Fernkilometrierung
  Very long distance in km

Großkilometrierung
  Long distance in km

Kleinkilometrierung
  Short distance in km

Kleinkilometrierung zwischen den Anschlussstellen der Autobahnen und der autobahnähnlichen Schnellstraßen
Short distances in km between junctions along the motorway and dual carriageway with motorway characteristics

Kultur
Culture

BERLIN *Wartburg* ★★
Eine Reise wert
Worth a journey

Weimar *Linderhof* ★
Lohnt einen Umweg
Worth a detour

Landschaft
Landscape

Dachstein Bastei ★★
Eine Reise wert
Worth a journey

Hegau *Teufelshöhle* ★
Lohnt einen Umweg
Worth a detour

Burgenstraße
Touristenstraße
Tourist route

Landschaftlich besonders schöne Strecke
Route with beautiful scenery

Schöner Ausblick · Rundblick
Scenic view · Panoramic view

(630)
Ortshöhe in Metern
Height of settlement in metres

2962
Bergspitze mit Höhe in Metern
Mountain top with height in metres

Nationalpark, Naturpark, Naturschutzgebiet
National park, nature park, nature reserve

Sperrgebiet
Prohibited area

Staatsgrenze
National boundary

Grenzkontrollstelle
Check-point

Jugendherberge · Campingplatz
Youth hostel · Camping site

Kirche · Kirchenruine
Church · Church ruin

Kloster · Klosterruine
Monastery · Monastery ruin

Schloss, Burg · Schlossruine, Burgruine
Palace, castle · Palace ruin, castle ruin

Turm · Denkmal
Tower · Monument

Funkturm, Fernsehturm · Leuchtturm
Radio or TV tower · Lighthouse

Wasserfall · Höhle
Waterfall · Cave

Ruinenstätte · Sonstiges Objekt
Ruins · Other object

Verkehrsflughafen
Airport

Regionalflughafen
Regional airport

Flugplatz
Airfield

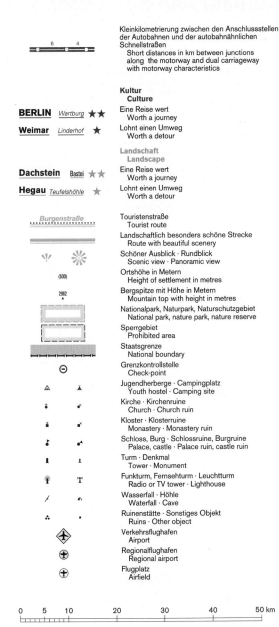

0   5   10   20   30   40   50 km

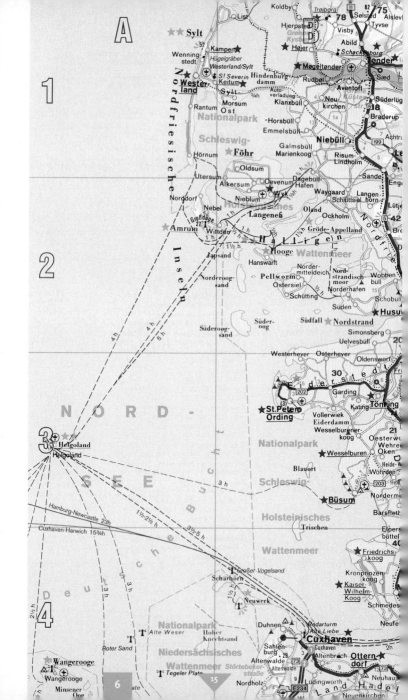

A

1

Koldby
List
Trøjborg 11 62 75
Hjerpsted D 78 Sølsted Tyvse
★ Sylt
Visby Abild Alslev
52 Kampen ★ Hojer ★ Schackenborg
Wenning- Hügelgräber
stedt Westerland/Sylt ★ Megeltønder Tønder
Hindenburg- Rudbøl Sæd
St Severin Keitum damm
Morsum verladung ¾h Aventoft Süder-
Ost Klanxbüll Neu- wich
Rantum kirchen 518
Nationalpark Horsbüll 13 14 Braderup
Schleswig- Emmelsbüll 199 Le
Galmsbüll Niebüll
Hörnum ★ Föhr Marienkoog Risum- 5 45
Oldsum Lindholm Sande
Utersum Alkersum Dagebüll- Waygaard Enge
Nordorf Nieblum Oevenum Hafen Langen-
★ Wyk ¾h Schlüttsiel horn Lüt
Holsteinisches Oland
Nebel Langeneß Oland Gröde-Appelland 5 42
★ Amrum Wittdün Ockholm Bre
1h Halligen
1½h Hooge Wattenmeer
Japsand
Hanswarft Norder- Nord-
Pellworm mitteldeich strandisch- Wobben-
Norderoogs- moor büll
sand Ostersiel Norderhafen 15 Schobüll
Schütting ½
Suden Husu
Süder- Südfall ★ Nordstrand
oog Simonsberg
Süderoogs- Uelvesbüll 20
sand Westerhever Osterhever Oldenswort

2

3

N O R D - Eiderstedt 30 Fr
202 Garding 6
(3) Tönning
St Peter Kating
Ording Vollerwiek
Eiderdamm 21
Wesselburener-
koog Oesterw
Nationalpark Wehre
Oken
★ Helgoland Wesselburen Heide-W
Helgoland Wöhrden
Blauort 203 Hei
Schleswig Norder
★ Büsum

S E E
Holsteinisches
Barsflet

Hamburg-Newcastle 23h
3h

Cuxhaven-Harwich 15¾h 1½-2½h Trischen Wattenmeer Elpers-
3½-5h büttel
Friedrichs- 40
★ koog

Großer Vogelsand Kronprinzen-
Scharhörn koog
★ Kaiser-
Neuwerk Wilhelm-
Koog
Schmedes
4 Nationalpark Neufe
Alte Weser Duhnen Radarturm
Holler Alte Liebe
Knechtsand ★ Cuxhaven
★ Wangerooge Sahlen- Cuxhaven Otter-
burg 29 Altenbruch dorf 73
Roter Sand Niedersächsisches Altenwalde
Wangerooge Wattenmeer Störtebeker- Neuhaus
straße 9 73
Minsener Nordholz E234 Lüdingworth Land Hadel
Oog Tegeler Plate Nordholz Neuenkirchen

6 15

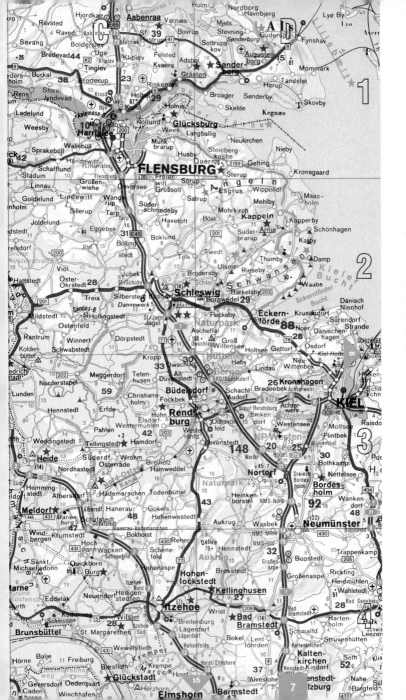

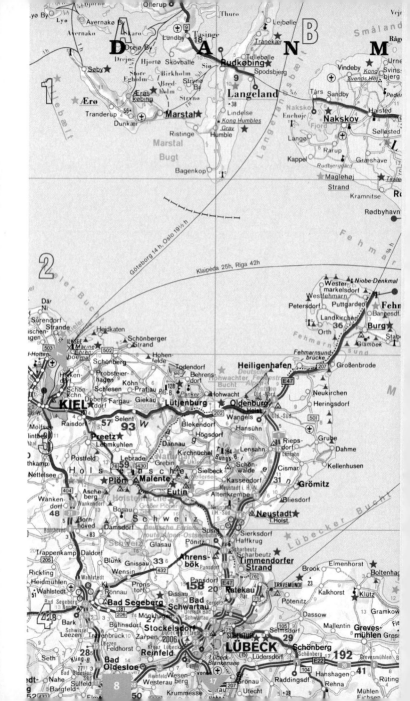

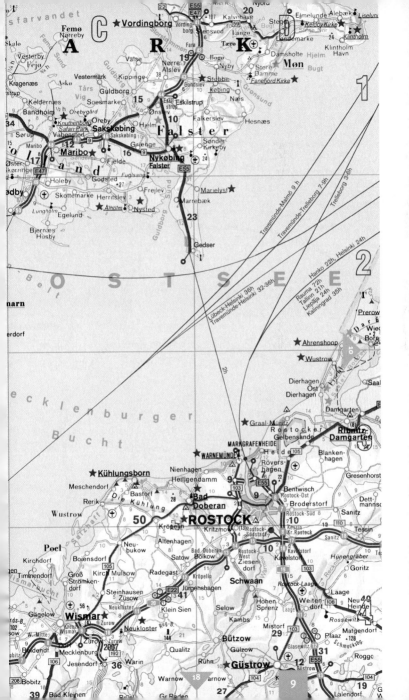

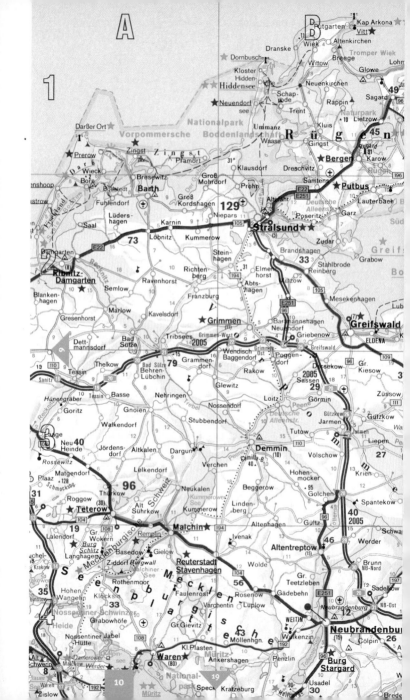

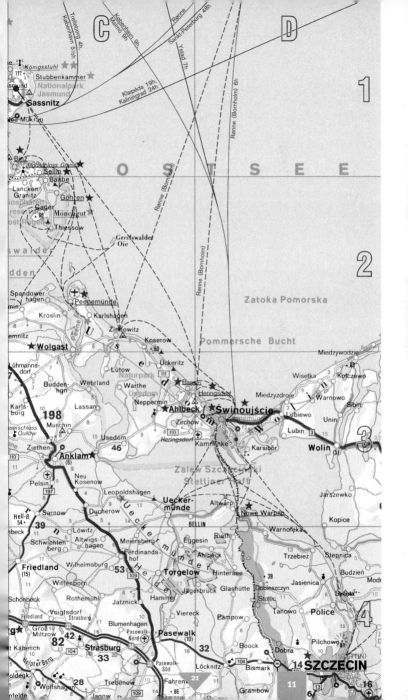

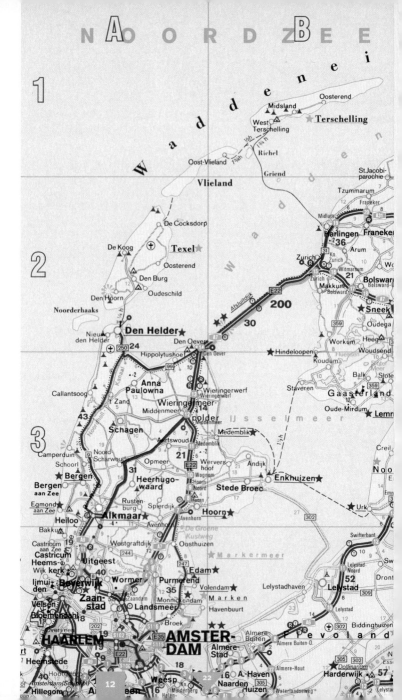

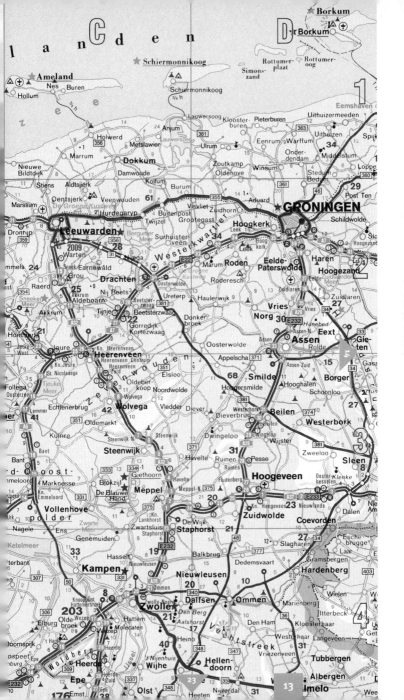

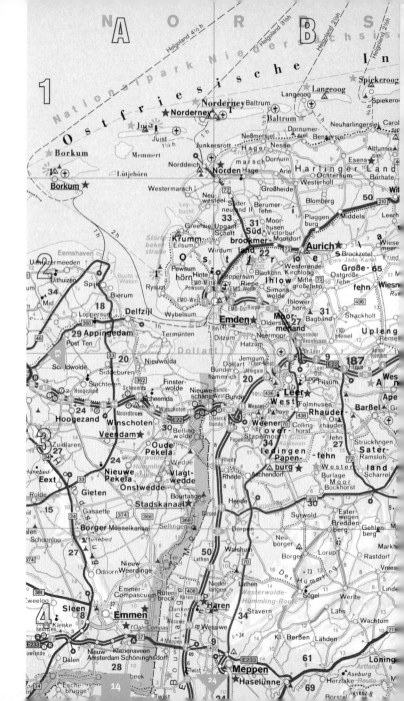

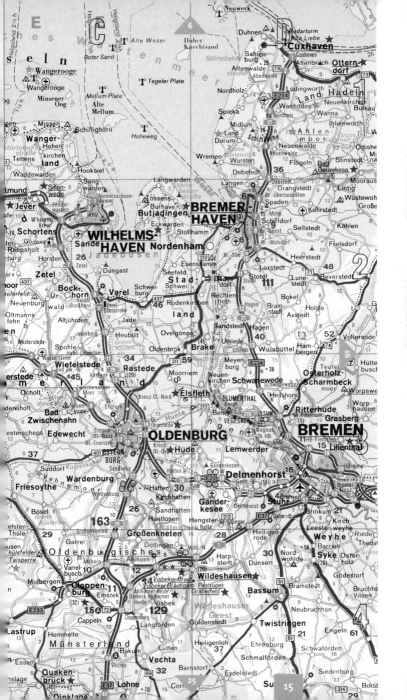

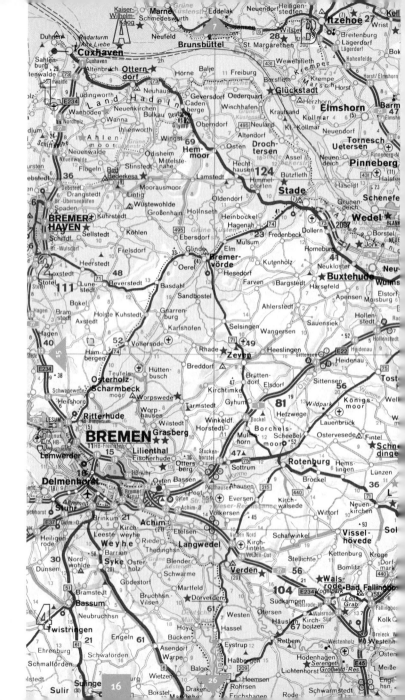

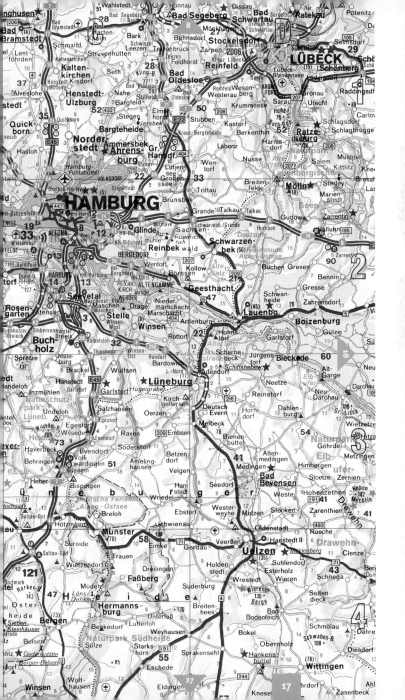

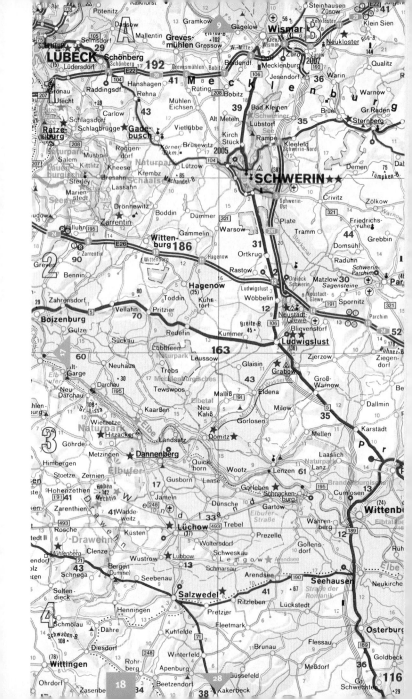

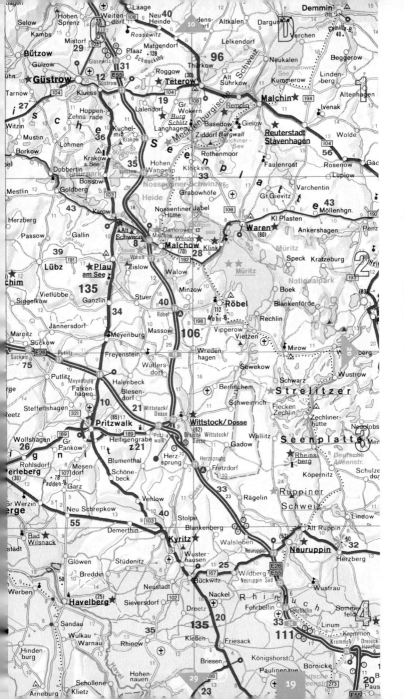

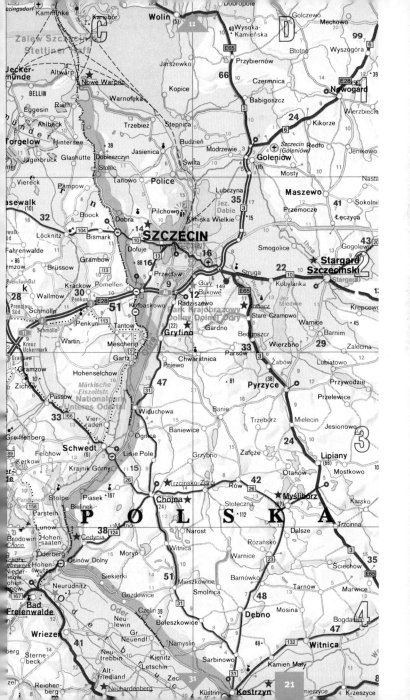

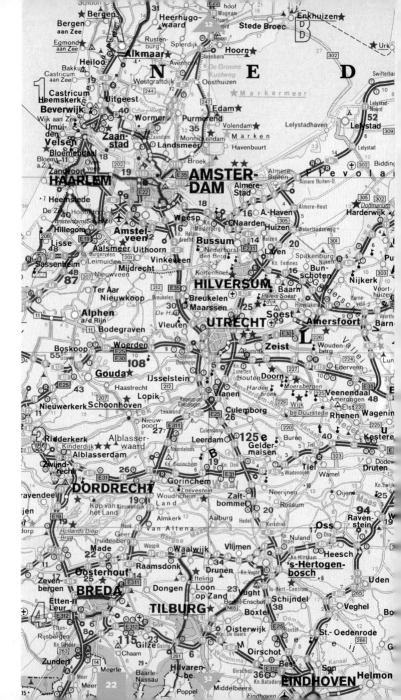

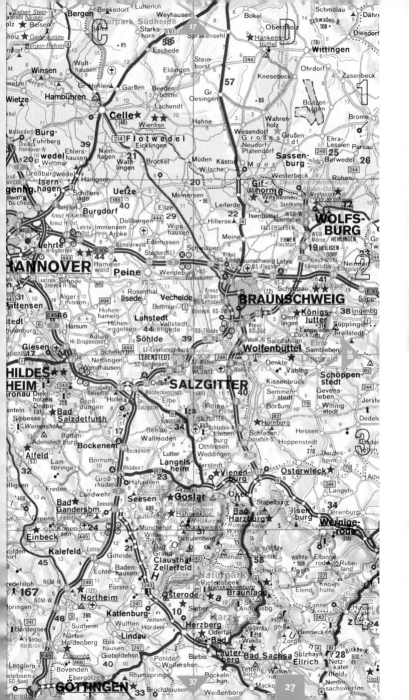

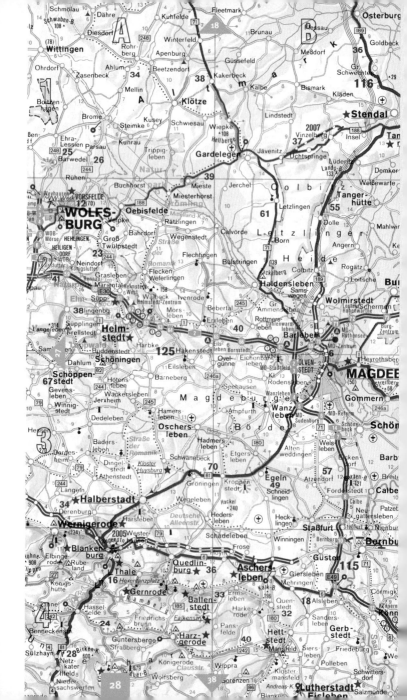

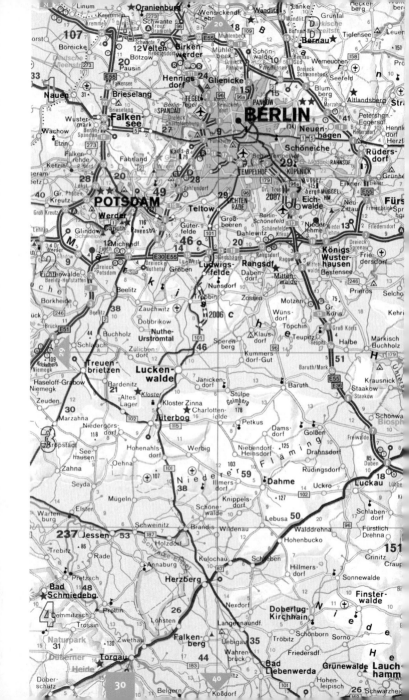

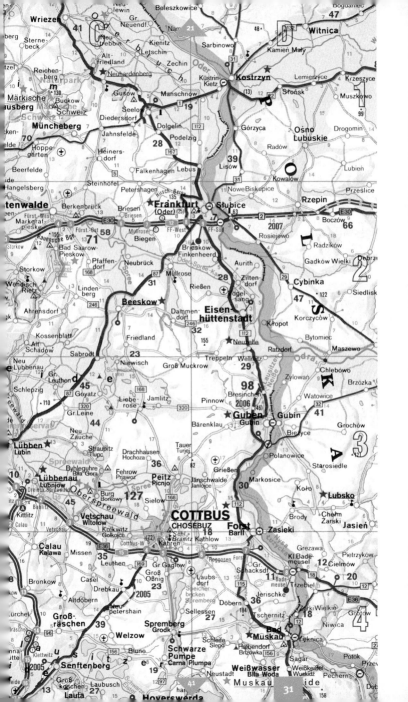

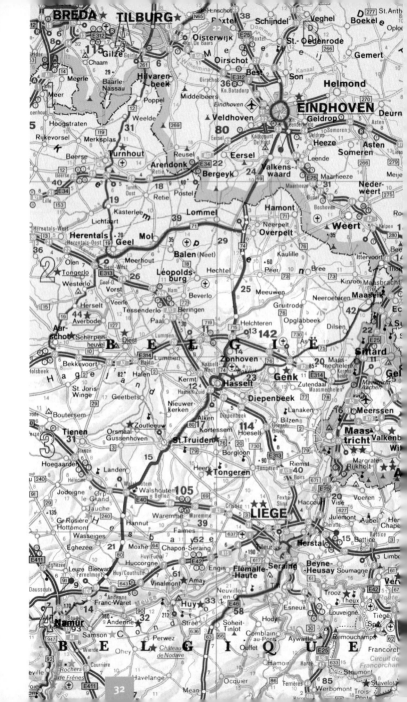

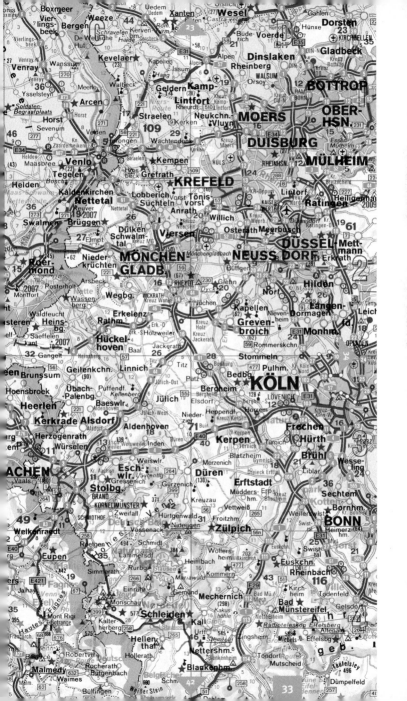

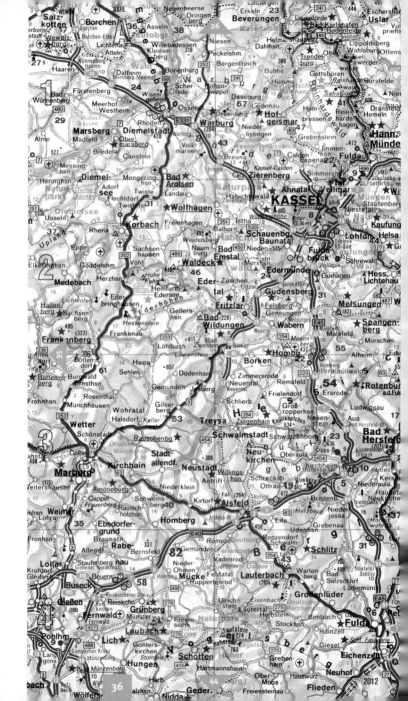

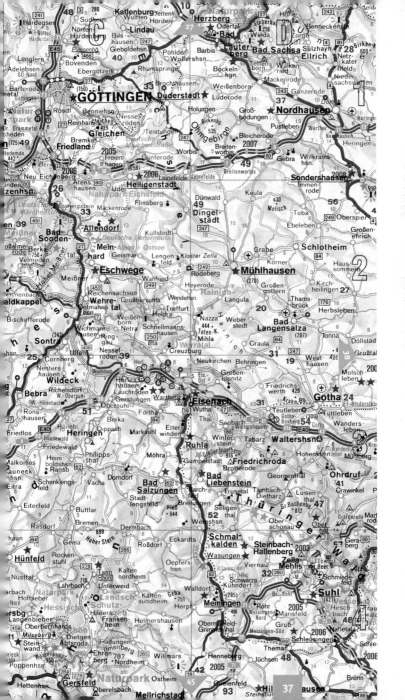

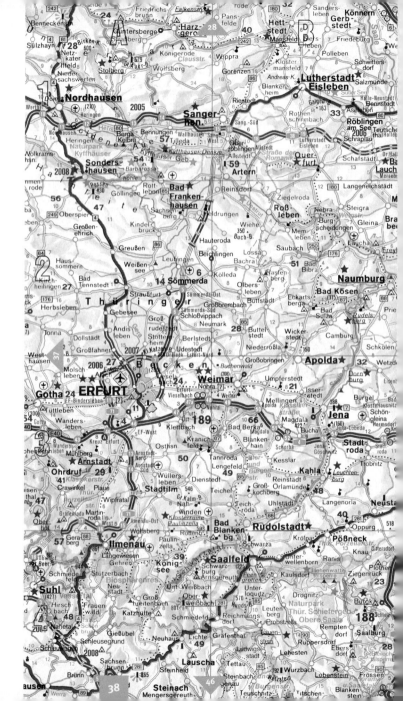

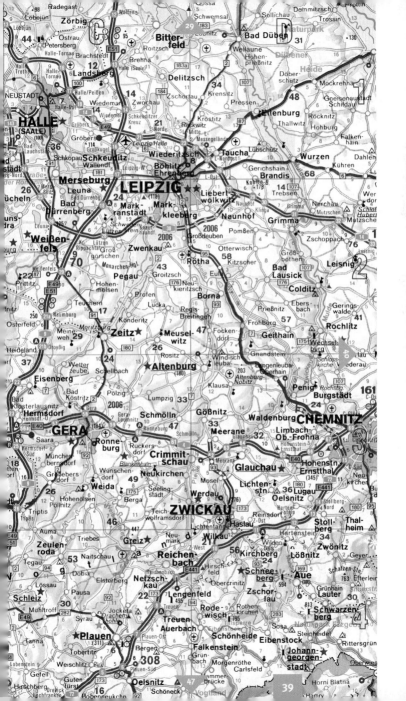

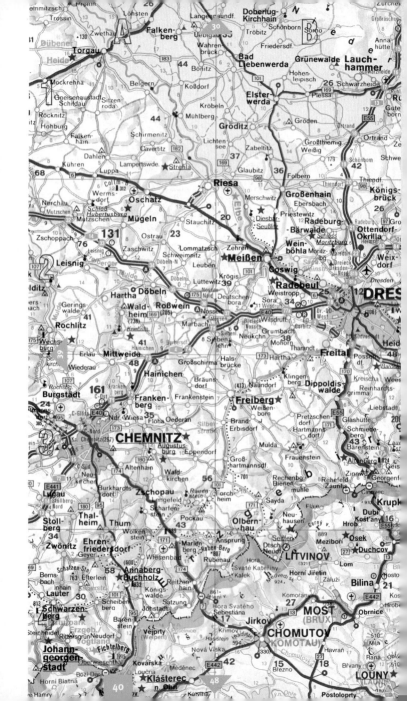

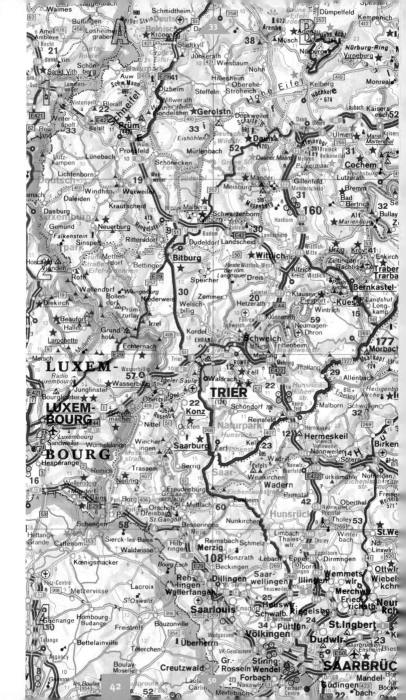

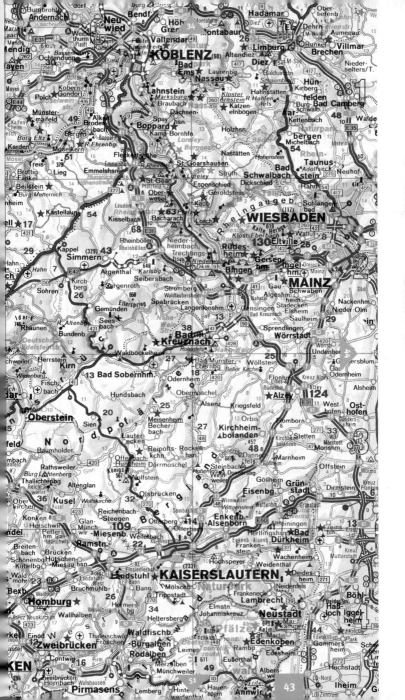

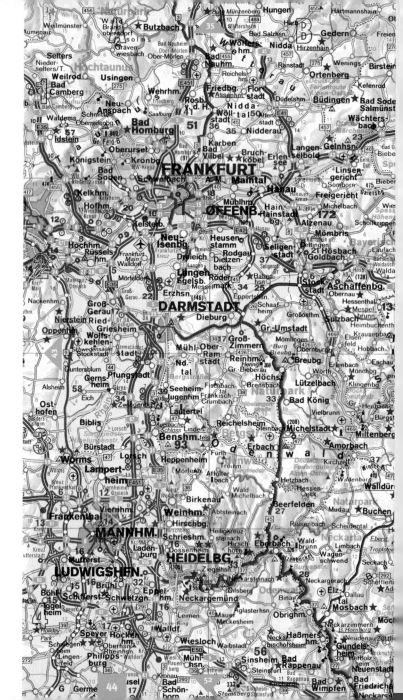

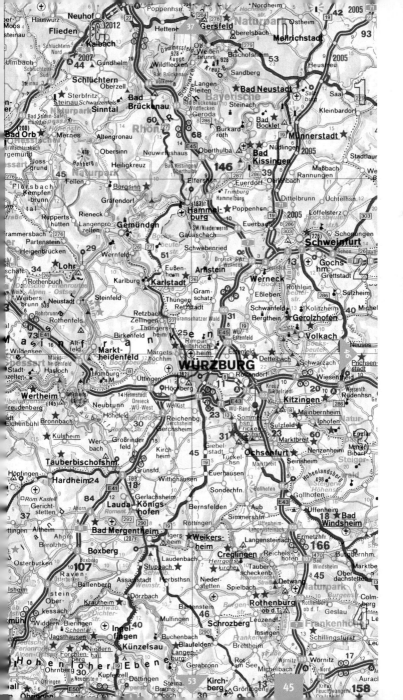

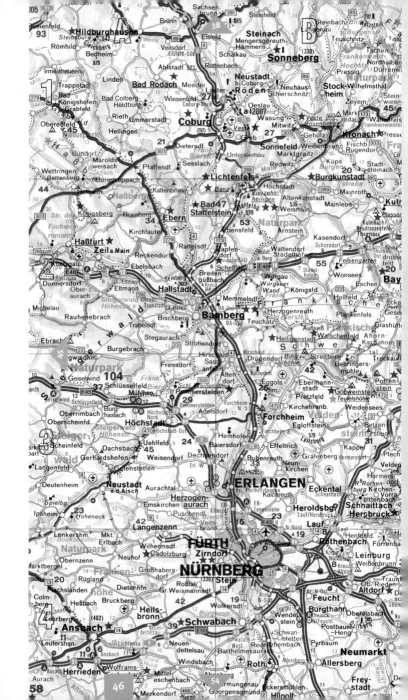

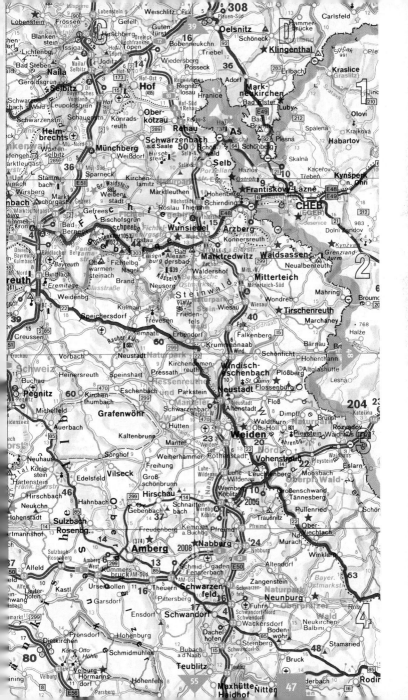

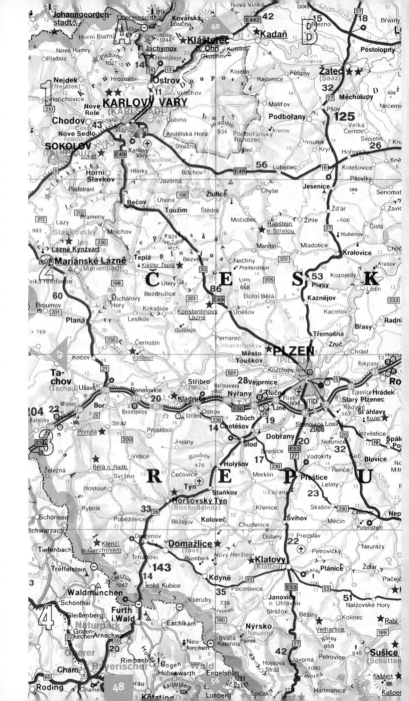

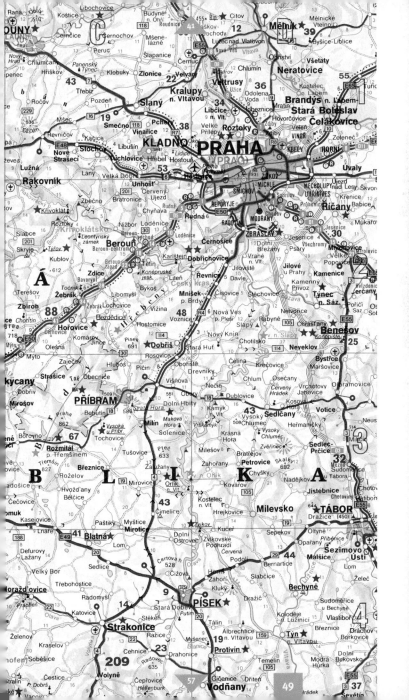

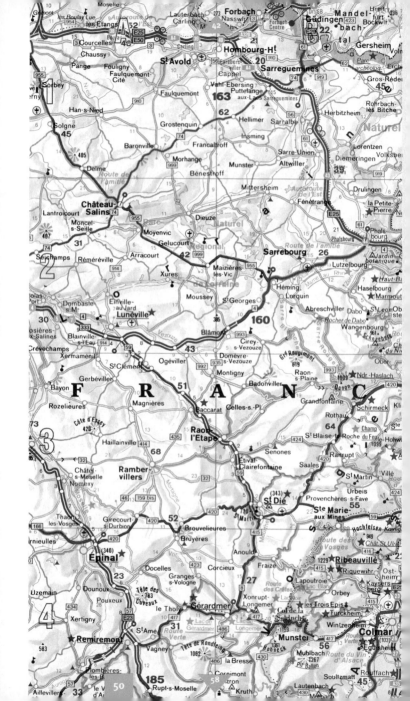

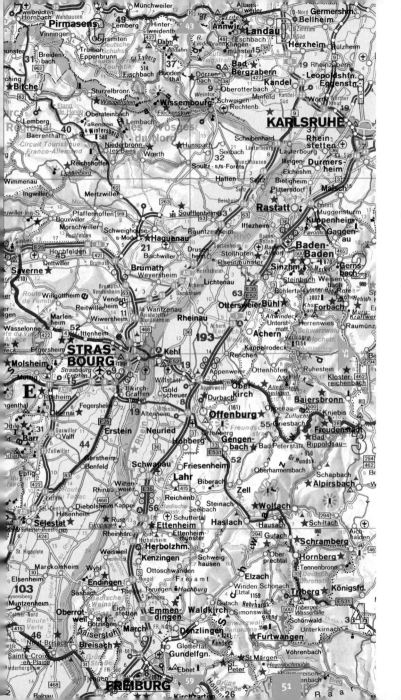

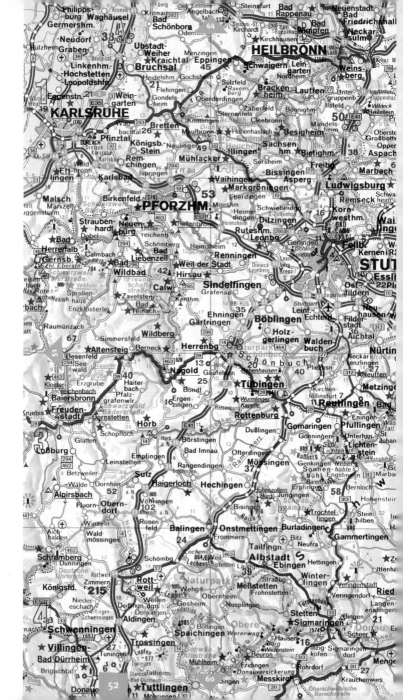

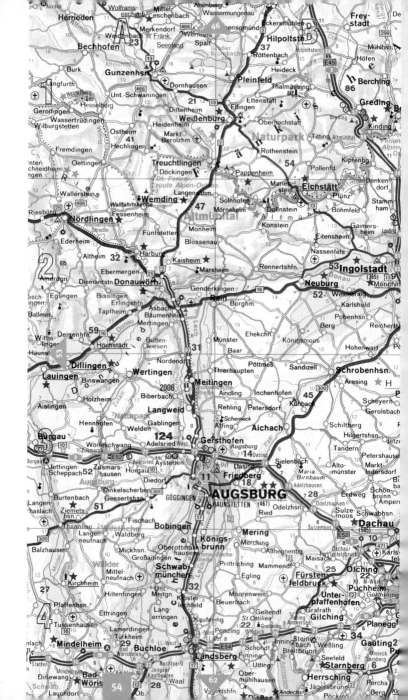

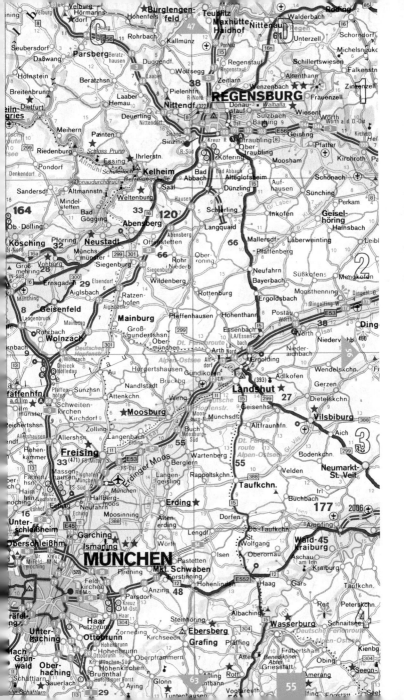

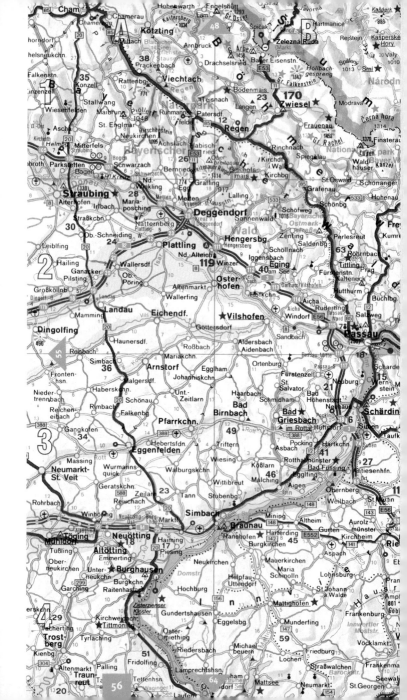

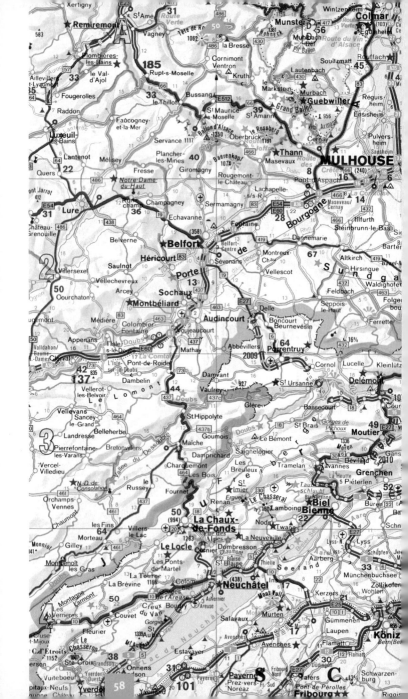

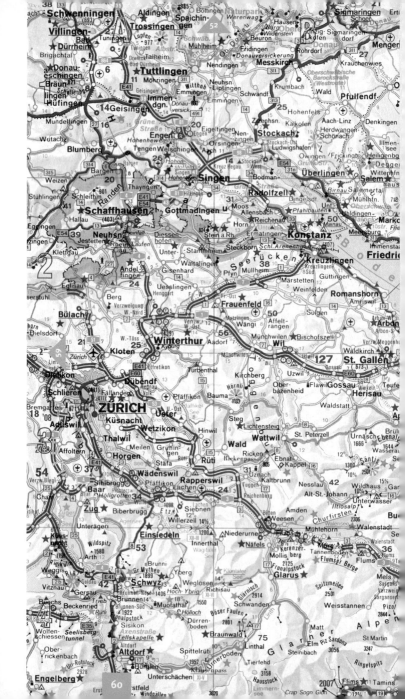

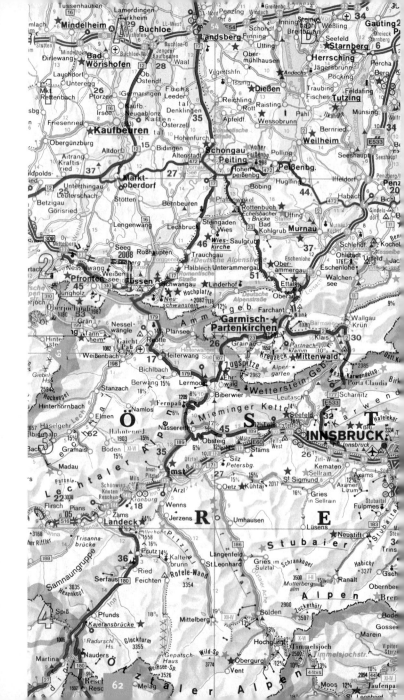

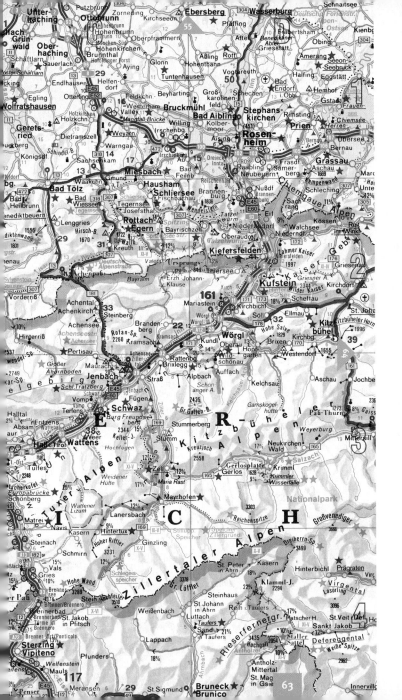

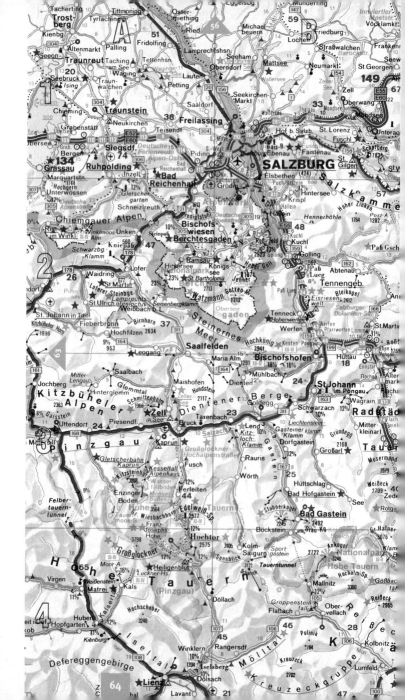

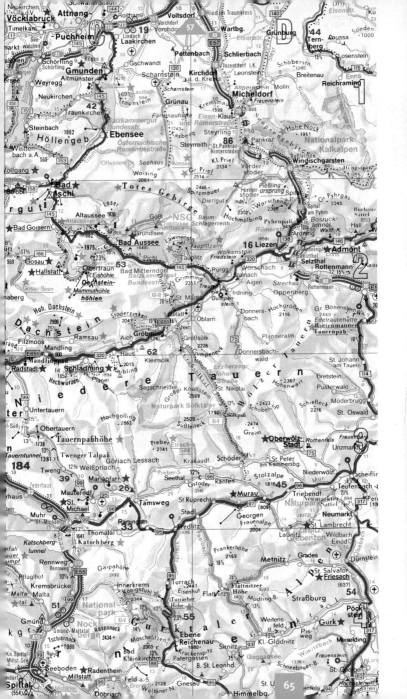

BAEDEKER VERLAGSPROGRAMM